REINO
DE
CINZAS

Obras da autora publicadas pela Editora Record

***Série* Trono de Vidro**
A lâmina da assassina
Trono de vidro
Coroa da meia-noite
Herdeira do fogo
Rainha das sombras
Império de tempestades
Torre do alvorecer
Reino de cinzas

***Série* Corte de Espinhos e Rosas**
Corte de espinhos e rosas
Corte de névoa e fúria
Corte de asas e ruína
Corte de gelo e estrelas
Corte de chamas prateadas

***Série* Cidade da Lua Crescente**
Casa de terra e sangue
Casa de céu e sopro
Casa de chama e sombra

SARAH J. MAAS

REINO DE CINZAS

Tradução
Mariana Kohnert

28ª edição

— Galera —
RIO DE JANEIRO
2025

CIP-BRASIL. CATALOGAÇÃO NA PUBLICAÇÃO
SINDICATO NACIONAL DOS EDITORES DE LIVROS, RJ

M11r
Maas, Sarah J.
 Reino de cinzas / Sarah J. Maas; tradução Mariana Kohnert. –
28ª ed. – Rio de Janeiro: Galera Record, 2025.
 (Trono de vidro; 6)

 Tradução de: Kingdom of ash
 Sequência de: Império de tempestades
 ISBN 978-85-01-11630-7

 1. Ficção americana. 2. Literatura fantástica. I. Kohnert, Mariana.
II. Título. III. Série.

18-54408
CDD: 813
CDU: 82-3(81)

Leandra Felix da Cruz – Bibliotecária – CRB-7/6135

Título original:
Kingdom of Ash

Leitura sensível:
Lorena Ribeiro

Revisão:
Rodrigo Rosa
Paula Prata

Copyright © Sarah J Maas, 2018

Esta tradução de *Kingdom of Ash* foi publicada mediante acordo com Bloomsbury Publishing Inc.

Todos os direitos reservados. Proibida a reprodução, no todo ou em parte, através de quaisquer meios. Os direitos morais da autora foram assegurados.

Texto revisado segundo o novo Acordo Ortográfico da Língua Portuguesa.

Direitos exclusivos de publicação em língua portuguesa somente para o Brasil adquiridos pela
EDITORA GALERA RECORD LTDA.
Rua Argentina, 120 – Rio de Janeiro, RJ – 20921-380 – Tel.: (21) 2585-2000, que se reserva a propriedade literária desta tradução.

Impresso no Brasil

ISBN 978-85-01-11630-7

Seja um leitor preferencial Record.
Cadastre-se no site www.record.com.br
e receba informações sobre nossos
lançamentos e nossas promoções.

Atendimento e venda direta ao leitor:
sac@record.com.br.

*Para meus pais,
por me ensinarem a acreditar que meninas podem salvar o mundo.*

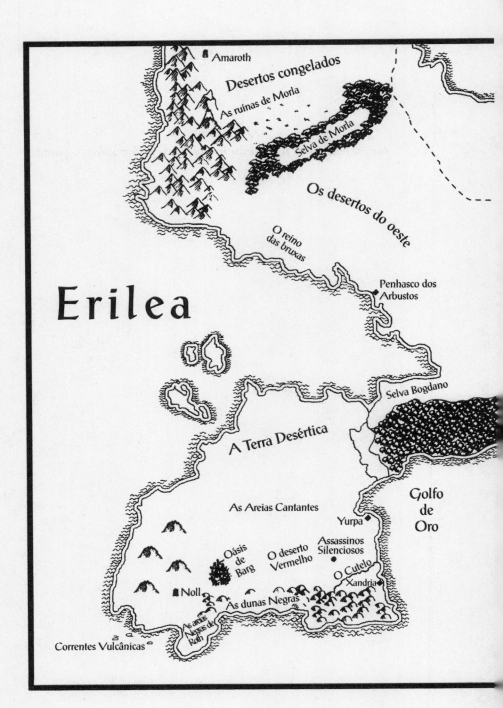

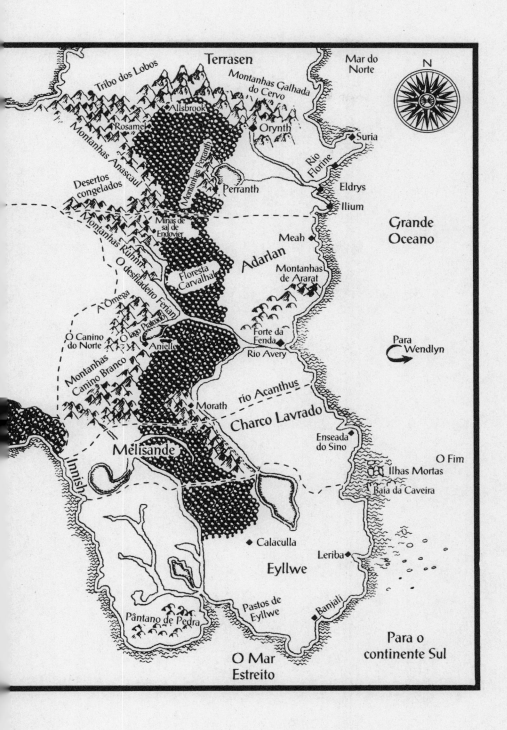

⊰ O PRÍNCIPE ⊱

Ele a estava caçando desde o momento em que ela fora tirada dele.

Sua parceira.

Mal se lembrava do próprio nome. E só se lembrava porque os três companheiros o repetiam enquanto procuravam por ela através de mares violentos e sombrios, em meio a florestas antigas e dormentes, sobre montanhas varridas por tempestades e já enterradas na neve.

Ele parava por tempo o bastante para alimentar o corpo e dar aos companheiros algumas horas de sono. Não fosse por eles, teria alçado voo, disparando para muito longe.

Mas precisaria da força de suas lâminas e de magia, precisaria da esperteza e da sabedoria dos companheiros antes de aquilo acabar.

Antes de ele enfrentar a rainha sombria que o havia dilacerado por dentro, roubando sua parceira muito antes que ela fosse trancada em um caixão de ferro. E depois que terminasse com a rainha sombria, depois daquilo, enfrentaria os próprios deuses de sangue frio, determinados a destruir o que talvez ainda restasse de sua parceira.

Por isso, ele permanecia com seus companheiros, mesmo conforme dias se passavam. Então semanas.

Então meses.

Ainda assim, ele buscava. Ainda assim, ele a caçava a cada estrada empoeirada e esquecida.

E, às vezes, falava pelo laço entre os dois, lançando sua alma ao vento para onde quer que ela estivesse presa, enterrada.

Encontrarei você.

☙ A PRINCESA ☙

O ferro a sufocava e tinha extinguido o fogo em suas veias tão precisamente quanto se as chamas tivessem sido encharcadas.

Ela conseguia ouvir a água, mesmo na caixa de ferro, mesmo com a máscara de ferro e as correntes adornando-a como fitas de seda. O rugido, a corrente infinita de água sobre pedra: aquilo preenchia o vazio entre seus gritos.

Um fiapo de ilha no coração de um rio oculto por névoa, pouco mais do que um pedaço liso de rocha entre corredeiras e cachoeiras. Era onde a haviam colocado. Onde a armazenaram. Em um templo de pedra construído para algum deus esquecido.

Assim como ela provavelmente seria esquecida. Era melhor do que a alternativa: ser lembrada por seu fracasso total. Se é que restaria alguém para se lembrar dela. Se é que sequer restaria alguém.

Ela não permitiria. Aquele fracasso.

Não contaria o que queriam saber.

Não importava com que frequência seus gritos abafassem o rio revolto. Não importava com que frequência o estalar de seus ossos interrompesse os urros das corredeiras.

Ela tentara contar os dias.

Mas não sabia por quanto tempo a haviam mantido naquela caixa de ferro. Por quanto tempo a haviam obrigado a dormir, embalada no esquecimento pela fumaça doce despejada ali dentro, enquanto viajavam até aquele lugar. Até aquela ilha, aquele templo de dor.

Não sabia quanto tempo duravam os intervalos entre seus gritos e seus momentos acordada. Entre a dor que terminava e começava novamente.

Dias, meses, anos — escorriam assim como seu sangue escorria sobre o piso de pedra, em direção ao rio.

Uma princesa que deveria viver por mil anos. Ou mais.

Aquilo fora uma dádiva. Agora era sua maldição.

Outra maldição para carregar, tão pesada quanto aquela colocada sobre ela muito antes de seu nascimento. Sacrificar-se para consertar um erro antigo. Pagar a dívida de outra aos deuses que tinham encontrado aquele mundo e ficado presos nele. Governando-o.

Ela não sentia a mão quente da deusa que a abençoara e condenara com poder tão terrível. E se perguntava se aquela deusa de luz e chamas sequer se importava que ela estivesse presa na caixa de ferro — ou se a imortal tinha transferido a atenção para outro. Para o rei que poderia se oferecer no lugar dela e, ao entregar a própria vida, poupar o mundo.

Os deuses não se importavam com quem pagasse a dívida. Então ela sabia que não iriam até ela, não a salvariam. Por isso não se incomodou em rezar para eles.

Mas, ainda assim, ela contava a história para si mesma; ainda assim, às vezes, imaginava que o rio a contava para ela. Que a escuridão viva dentro do caixão selado também a contava para ela.

Era uma vez, em uma terra há muito queimada até virar cinzas, uma jovem princesa que amava seu reino...

E para baixo ela ia, afundando nas profundezas daquela escuridão, do mar de chamas. Tão profundamente que, quando o chicote estalava, quando ossos se partiam, ela às vezes não sentia.

Na maioria das vezes, sentia.

Era durante aquelas horas infinitas que ela fixava o olhar em seu companheiro.

Não no caçador da rainha, que podia causar dor como um músico tirando a melodia de um instrumento. Mas no imenso lobo branco, acorrentado por amarras invisíveis. Forçado a testemunhar aquilo.

Havia dias em que ela não suportava olhar para o lobo. Quando chegava perto, perto demais, de quebrar. E apenas a história a impedia.

Era uma vez, em uma terra há muito queimada até virar cinzas, uma jovem princesa que amava seu reino...

Palavras que dissera a um príncipe. Uma vez — havia muito tempo.

Um príncipe de gelo e vento. Um príncipe que lhe pertencera, assim como ela a ele. Muito antes de o laço entre suas almas se tornar conhecido aos dois.

Era sobre ele que recaía a tarefa de proteger aquele reino um dia glorioso.

O príncipe cujo cheiro tinha notas de pinho e neve, o cheiro do reino que ela havia amado com seu coração de fogo selvagem.

Mesmo quando a rainha sombria presidia as sessões do caçador, a princesa pensava nele. Agarrava-se àquela memória como se fosse uma rocha no rio revolto.

A rainha sombria com sorriso de aranha tentava usar isso contra ela. Nas teias de obsidiana que tecia, nas ilusões e nos sonhos que lançava no ápice de cada ponto de destruição, ela tentava deturpar a memória dele, como se virasse uma chave na mente da princesa.

Mesclavam-se. Mentiras e verdades e memórias. Sono e escuridão no interior do caixão de ferro. Os dias atada ao altar de pedra no centro do salão, ou pendurada em um gancho no teto, ou amarrada entre correntes ancoradas na parede de pedra. Tudo começava a ficar borrado, como tinta na água.

Então ela contava a história para si mesma. A escuridão e as chamas nas profundezas de seu corpo também sussurravam, e ela cantava de volta para elas. Trancafiada naquele caixão escondido em uma ilha no coração de um rio, a princesa recitava a história, de novo e de novo, e deixava que liberassem uma eternidade de dor sobre seu corpo.

Era uma vez, em uma terra há muito queimada até virar cinzas, uma jovem princesa que amava seu reino...

PARTE UM

Exércitos e aliados

1

A neve tinha chegado mais cedo.

Mesmo para Terrasen, a primeira nevasca de outono tinha caído muito antes da época habitual.

Aedion Ashryver não tinha muita certeza de que era uma bênção, mas se mantivesse as legiões de Morath longe da porta deles por mais algum tempo, ele se ajoelharia para agradecer aos deuses. Ainda que esses mesmos deuses ameaçassem tudo que ele amava. Se é que seres de outro mundo podiam ser considerados deuses.

Aedion supunha que tinha coisas mais importantes para contemplar, de qualquer forma.

Durante as duas semanas desde que se reunira com a Devastação, não tinham visto sinais das forças de Erawan, terrestres ou aéreos. A neve espessa começara a cair apenas três dias depois de sua chegada, prejudicando o processo já lento de transportar as tropas reunidas da armada para o extenso acampamento da Devastação na planície de Theralis.

Os navios tinham subido o rio Florine, velejando direto até a porta de Orynth, com bandeiras de todas as cores oscilando ao vento gelado das montanhas Galhada do Cervo: o cobalto e dourado de Wendlyn, o preto e carmesim de Ansel de Penhasco dos Arbustos e a cor prata reluzente da realeza Whitethorn e seus muitos primos. Os Assassinos Silenciosos, dispersados em meio à frota, não tinham bandeira, embora nenhuma fosse necessária para identificá-los — não com as roupas pálidas e a variedade de armas lindas e perigosas.

Os navios em breve se reuniriam à retaguarda deixada na entrada do Florine e patrulhariam a costa desde Ilium até Suria, mas os soldados de infantaria — a maioria parte das forças do príncipe herdeiro Galan Ashryver — iriam para a frente de batalha.

Uma frente de batalha que estava enterrada sob vários metros de neve. Com mais neve caindo.

Escondido acima de um estreito desfiladeiro nas montanhas Galhada do Cervo, atrás de Allsbrook, Aedion observou com irritação o céu pesado.

As roupas de pele de cor pálida o mesclavam ao cinza e branco da elevação rochosa, um capuz escondia seus cabelos dourados. E o mantinha aquecido. Muitas das tropas de Galan jamais tinham visto neve, graças ao clima temperado de Wendlyn. A realeza Whitethorn e sua força limitada não se saía muito melhor. Então Aedion tinha deixado Kyllian, seu comandante de maior confiança, encarregado de assegurar que estivessem tão aquecidos quanto era possível.

Eles estavam longe de casa, lutando por uma rainha que não conheciam ou que talvez nem acreditassem existir. Aquele frio gélido drenaria as energias e causaria discórdia mais rápido do que o vento uivante soprando entre aqueles picos.

Um lampejo de movimento do outro lado do desfiladeiro chamou a atenção de Aedion, visível apenas porque ele sabia para onde olhar.

Ela se camuflara melhor do que ele. Mas Lysandra tinha a vantagem de usar uma pelagem que fora criada naquelas montanhas.

Não que ele tivesse dito isso a ela. Ou sequer tivesse olhado para a metamorfa quando haviam partido naquela missão de reconhecimento.

Aelin, aparentemente, tinha assuntos secretos em Eldrys e deixara um bilhete com Galan e seus novos aliados para explicar seu desaparecimento. O que permitia que Lysandra os acompanhasse naquela tarefa.

Ninguém notara, durante os quase dois meses em que estavam mantendo o ardil, que a Rainha de Fogo não tinha uma brasa para mostrar. Ou que ela e a metamorfa jamais apareciam no mesmo lugar. E ninguém, nem mesmo os Assassinos Silenciosos do deserto Vermelho, ou Galan Ashryver, ou as tropas que Ansel de Penhasco dos Arbustos enviara com a armada na vanguarda do restante de seu exército, tinha reparado nos pequenos sinais que não pertenciam, de forma alguma, a Aelin. Também não tinham notado a marca no pulso da rainha que, independentemente da pele que vestisse, Lysandra não conseguia mudar.

Ela se esforçava para esconder a marca com luvas ou mangas longas. E se um lampejo da cicatriz aparecesse, podia ser explicado como um resquício das marcas de grilhões que restavam.

As cicatrizes falsas ela também acrescentara, exatamente onde Aelin as tinha. Junto com a risada e o sorriso malicioso. O andar arrogante e a quietude.

Aedion mal suportava olhar para ela. Falar com ela. Só fazia isso porque precisava manter a farsa também. Fingir que era o primo fiel, o comandante destemido que levaria Terrasen e sua rainha à vitória, por mais improvável que aquilo parecesse.

Então ele interpretava o papel. Um de muitos que interpretara na vida.

Mas no momento em que Lysandra mudava os cabelos dourados para as madeixas escuras, os olhos Ashryver para esmeralda, ele parava de reconhecer sua existência. Em alguns dias, o nó de Terrasen tatuado em seu peito, com os nomes da rainha e da corte em fuga entrelaçados, parecia marcado com um ferrete. O nome dela principalmente.

Aedion apenas a levara naquela missão para que fosse mais fácil. Mais segura. Havia outras vidas em risco além da dele, e embora pudesse ter delegado aquela tarefa de reconhecimento para uma unidade da Devastação, o guerreiro precisava da ação.

Levara mais de um mês para velejar de Eyllwe com os novos aliados, desviando da frota de Morath em torno de Forte da Fenda, e, então, mais as duas últimas semanas para se deslocarem para dentro do continente.

Eles quase não encontraram resistência. Apenas alguns bandos errantes de soldados de Adarlan, nenhum valg entre eles, com os quais lidaram rapidamente.

Aedion duvidava de que Erawan fosse esperar até a primavera. Duvidava que o silêncio tivesse algo a ver com as condições climáticas. Tinha conversado sobre isso com seus homens, e também com Darrow e os demais lordes alguns dias antes. Erawan provavelmente estava esperando até o ápice do inverno, quando a mobilidade seria mais difícil para o exército de Terrasen, quando os soldados de Aedion estariam fracos depois de meses na neve, com os corpos rígidos de frio. Nem mesmo a fortuna do rei, que Aelin trapaceara a fim de conquistar para eles na última primavera, poderia impedir isso.

Sim, comida e cobertores e roupas podiam ser comprados, mas quando as fileiras de suprimentos estivessem enterradas na neve, que bem fariam? Todo o ouro em Erilea não poderia impedir o lento e constante escoamento de força causado por meses em um acampamento de inverno, expostos aos elementos inclementes de Terrasen.

Darrow e os demais senhores não acreditavam quando Aedion afirmava que Erawan atacaria no ápice do inverno — nem mesmo acreditavam em Ren, quando o Lorde de Allsbrook ecoava em concordância. Erawan não era tolo, diziam eles. Apesar da legião aérea de bruxas, nem mesmo soldados de infantaria valg podiam atravessar a neve com 3 metros de profundidade. Tinham decidido que Erawan esperaria até a primavera.

Ainda assim, Aedion não arriscaria. Nem o príncipe Galan, que permanecera calado durante aquela reunião, mas que o havia procurado mais tarde para externar seu apoio. Precisavam manter as tropas quentes e alimentadas, mantê-las treinadas e prontas para marchar a qualquer momento.

Essa missão de reconhecimento, se a informação de Ren se provasse certa, ajudaria a causa.

Próximo a eles, um arco rangeu, quase inaudível devido ao vento. A ponta e a haste tinham sido pintadas de branco e eram quase invisíveis ao serem miradas com precisão mortal na direção da entrada do desfiladeiro.

Aedion encontrou os olhos de Ren Allsbrook, que estava escondido entre as rochas com a flecha pronta para voar. Coberto pelas mesmas peles brancas e cinza do general e com um cachecol claro sobre a boca, o jovem lorde mal passava de um par de olhos pretos e o vestígio de uma cicatriz profunda.

Aedion indicou para que ele esperasse e, mal olhando na direção da metamorfa do outro lado do desfiladeiro, passou a mesma ordem.

Que os inimigos se aproximassem.

Neve esmagada se misturava à respiração ofegante.

Bem na hora.

Aedion prendeu uma flecha no próprio arco e se abaixou mais na protuberância.

Como a batedora de Ren alegara ao correr para dentro da tenda de Aedion, cinco dias antes, havia seis deles.

Não se incomodaram em se misturar à neve e às rochas. A roupa de pele escura, desgrenhada e estranha, poderia muito bem ter sido um farol contra o branco ofuscante das montanhas Galhada do Cervo. Mas era o fedor, carregado por um vento ágil, que persuadia Aedion.

Valg. Nenhum sinal de um colar em um membro do pequeno grupo, qualquer indício de anel estaria escondido pelas luvas espessas. Aparentemente, mesmo vermes infestados por demônios podiam sentir frio. Ou seus hospedeiros mortais sentiam.

Os inimigos seguiram mais para o interior do desfiladeiro, e a flecha de Ren se manteve firme.

Deixe um vivo, ordenara Aedion antes de assumirem as posições.

Fora um palpite de sorte que os valg escolheriam aquele desfiladeiro, uma porta dos fundos quase esquecida para as terras baixas de Terrasen. Apenas amplo o bastante para que dois cavalos cavalgassem lado a lado, fora há muito ignorado por exércitos de conquistadores e por mercadores que procuravam vender as mercadorias no interior, além das montanhas Galhada do Cervo.

O que vivia ali, quem ousava morar naquele lugar além de qualquer fronteira reconhecível, Aedion não sabia. Assim como não sabia por que aqueles soldados tinham se aventurado tão profundamente para dentro das montanhas.

Mas descobriria em breve.

A companhia de demônios passou sob eles, e Aedion e Ren se moveram para reposicionar os arcos.

Um disparo direto no crânio. Ele escolheu seu alvo.

O aceno de Aedion foi o único sinal antes de a flecha disparar.

⸺

Sangue escuro ainda fumegava na neve quando a luta terminou.

Durara apenas alguns minutos. Apenas alguns, depois que as flechas de Ren e de Aedion tinham encontrado os alvos e Lysandra tinha saltado do poleiro para dilacerar outros três. E destrinchar os músculos das panturrilhas do sexto e único sobrevivente da companhia.

O demônio gemeu quando Aedion caminhou em sua direção. A neve aos pés do homem tinha ficado escura, e suas pernas estavam em frangalhos. Como retalhos de uma bandeira ao vento.

Lysandra se sentou perto da cabeça dele, com a mandíbula manchada de ébano e os olhos verdes fixados no rosto pálido do sujeito. Garras afiadas como uma agulha brilhavam nas imensas patas.

Atrás deles, Ren verificou os demais em busca de sinais de vida. A espada se erguia e descia, decapitando-os antes que o ar frígido os tornasse rígidos demais para serem partidos.

— Imundície traidora — sibilou o demônio para Aedion, com o rosto estreito se contraindo de ódio. O fedor entupiu as narinas do guerreiro, lhe envolvendo os sentidos como óleo.

Ele sacou a faca na lateral do corpo, a adaga longa e cruel que Rowan Whitethorn lhe dera, e sorriu maliciosamente.

— Isso pode acabar rápido se você for esperto.

O soldado valg cuspiu nas botas cobertas de neve de Aedion.

~

O castelo Allsbrook tinha sido erguido, com as montanhas Galhada do Cervo às costas e a floresta de Carvalhal aos pés, havia mais de quinhentos anos.

Caminhando de um lado para outro diante do fogo crepitante aceso em uma das muitas lareiras imensas, Aedion conseguia contar as marcas de cada inverno brutal sobre as pedras cinzentas. Conseguia sentir naquelas pedras o peso da história carregada do castelo — os anos de bravura e serviço, quando aqueles corredores se encheram de cantoria e guerreiros, assim como os longos anos de tristeza que se seguiram.

Ao lado do fogo, Ren ocupava uma poltrona estofada e desgastada, seus antebraços apoiados nas coxas enquanto encarava as chamas. Tinham chegado tarde na noite anterior, e até mesmo Aedion estivera exausto demais da caminhada através da floresta de Carvalhal coberta de neve para fazer um tour pela moradia. E depois do que tinham feito naquela tarde, ele duvidava de que reuniria energias para isso.

O que um dia fora o grande salão estava silencioso e escuro além do fogo. Acima deles, tapeçarias desbotadas e brasões dos homens da bandeira da família Allsbrook oscilavam ao vento filtrado pelas janelas altas que cobriam um dos lados do aposento. Uma diversidade de pássaros se aninhava nas vigas, encolhidos contra o frio mortal além das paredes antigas da fortaleza.

E, entre eles, um falcão de olhos verdes ouvia cada palavra.

— Se Erawan está buscando uma forma de entrar em Terrasen — disse Ren, por fim —, as montanhas seriam tolice. — Ele franziu a testa para as bandejas deixadas de lado, onde a comida fora devorada minutos antes. Ensopado de cordeiro encorpado e vegetais de raiz assados. Em grande parte insípido, mas quente. — Esta terra não perdoa facilmente. Ele perderia inúmeras tropas apenas para as intempéries.

— Erawan não faz nada sem motivo — replicou Aedion. — A rota mais fácil para Terrasen seria pelas fazendas, nas estradas do norte. É para onde qualquer um esperaria que ele marchasse. Que viesse por lá, ou que lançasse suas forças da costa.

— Ou ambos, por terra e mar.

O general assentiu. Erawan tinha espalhado sua rede amplamente com o desejo de esmagar qualquer resistência que tivesse se erguido no continente. O disfarce do império de Adarlan se fora: de Eyllwe até a fronteira norte de Adarlan, do litoral do Grande Oceano até a imponente muralha de montanhas que partia o continente deles em dois, a sombra do rei valg crescia a cada dia. Aedion duvidava que Erawan fosse parar antes de fechar colares pretos em volta do pescoço de todos eles.

E se Erawan conseguisse as duas outras chaves de Wyrd, se conseguisse abrir o portão de Wyrd sem resistência e libertasse as hordas de valg do próprio reino, talvez até mesmo escravizando exércitos de outros mundos para usá-los na conquista... Não haveria chance de impedi-lo. Nesse mundo ou em qualquer outro.

Toda a esperança de evitar esse destino terrível estava agora com Dorian Havilliard e Manon Bico Negro. Sobre para onde tinham ido naqueles meses, o que acontecera com os dois, Aedion não ouvira um sussurro. O que supunha ser um bom sinal. A sobrevivência de ambos permanecia em segredo.

Ele falou:

— Então parece estúpido que Erawan desperdice um grupo de reconhecimento para encontrar pequenos desfiladeiros montanhosos. — O guerreiro coçou a bochecha coberta pela barba por fazer. Tinham partido antes do alvorecer no dia anterior, e Aedion escolhera dormir em vez de se barbear. — Não faz sentido, estrategicamente. As bruxas podem voar, por isso mandar batedores para descobrir as fraquezas do terreno é de pouca utilidade. Mas se a informação for para exércitos terrestres... Espremer forças por pequenos desfiladeiros como aqueles levaria meses, sem falar no risco devido às condições climáticas.

— O batedor deles ficava rindo — comentou Ren, sacudindo a cabeça e os cabelos pretos na altura dos ombros. — O que estamos deixando passar? O que não estamos vendo? — À luz do fogo, a cicatriz profunda em seu rosto parecia mais forte. Um lembrete dos horrores que Ren tinha suportado, aos quais sua família não sobrevivera.

— Poderia ser para nos deixar confusos. Para fazer com que reposicionemos nossas forças. — Aedion apoiou a mão na lareira, a pedra morna envolvendo sua pele fria.

Ren tinha, de fato, preparado a Devastação nos meses em que Aedion estivera fora, trabalhando de perto com Kyllian para posicioná-los o mais ao sul de Orynth que o alcance de Darrow permitisse. O que, no fim das contas, era logo depois das encostas que ladeavam o limite mais ao sul da planície de Theralis.

Desde então, o jovem lorde entregara o controle a Aedion, embora a reunião do Lorde de Allsbrook com *Aelin* tivesse sido fria. Tão fria quanto a neve açoitando o exterior daquela fortaleza, para ser preciso.

Lysandra interpretara bem o papel, dominando a culpa e a impaciência de Aelin. E, depois daquilo, sabiamente evitando qualquer situação em que pudessem falar do passado. Não que Ren tivesse demonstrado desejo de relembrar os anos antes da queda de Terrasen. Ou os eventos do último inverno.

Aedion só podia torcer para que Erawan também permanecesse ignorante do fato de que não mais tinham a Portadora do Fogo entre eles. O que as tropas da própria Terrasen diriam ou fariam quando percebessem que a chama de Aelin não os protegeria na batalha, ele não queria considerar.

— Também poderia ser uma manobra legítima que tivemos a sorte de descobrir — ponderou Ren. — Então, arriscamos mover nossas tropas para os desfiladeiros? Há algumas já nas montanhas Galhada do Cervo, atrás de Orynth, e nas planícies setentrionais além delas.

Um movimento esperto da parte de Ren — convencer Darrow a permitir que posicionasse parte da Devastação *atrás* de Orynth, caso Erawan velejasse para o norte e atacasse dali. Aedion não duvidava que o desgraçado faria algo assim.

— Não quero que a Devastação se disperse demais — argumentou o guerreiro, estudando o fogo. Aquela chama era tão, tão diferente do fogo de Aelin. Como se aquele diante dele fosse um fantasma em comparação com a coisa viva que era a magia de sua rainha. — E ainda não temos tropas o bastante para ceder.

Mesmo com as manobras desesperadas e ousadas de Aelin, os aliados que ela recrutara não chegavam nem perto do poder total de Morath. E todo aquele ouro que a rainha reunira não era o bastante para lhes conquistar mais — não quando sobraram tão poucos para convencer e se juntar à causa.

— Aelin não pareceu muito preocupada quando fugiu para Eldrys — murmurou Ren.

Por um momento, Aedion estava em uma faixa de areia encharcada de sangue.

Uma caixa de ferro. Maeve a pegara e colocara em um verdadeiro caixão. E zarpara, para onde somente Mala saberia dizer, com um sádico imortal como companhia.

— Aelin — começou Aedion, forçando um tom entediado da melhor forma possível, mesmo com a mentira o sufocando — tem planos próprios, que só nos contará quando a hora chegar.

Ren não respondeu. E embora a rainha que o lorde acreditava ter retornado fosse uma ilusão, Aedion acrescentou:

— Tudo o que ela faz é por Terrasen.

Ele lhe dissera coisas tão terríveis no dia em que Aelin derrotara os ilken. *Onde estão nossos aliados?*, indagara ele. Ainda tentava se perdoar por aquilo. Por tudo. Tudo o que tinha era aquela única chance de consertar as coisas, de fazer como ela pedira e salvar o reino.

Ren olhou para as espadas gêmeas que descartara na mesa antiga atrás deles.

— Mesmo assim, ela partiu. — Não para Eldrys, mas dez anos antes.

— Todos cometemos erros na última década. — Os deuses sabiam que Aedion tinha muitos para consertar.

Ren ficou tenso, como se as escolhas que o assombravam tivessem cutucado suas costas.

— Eu jamais contei a ela — disse Aedion, baixinho, para que o falcão sentado nas vigas talvez não ouvisse. — Sobre a casa de ópio em Forte da Fenda.

Sobre o fato de Ren conhecer a dona e de ter sido um frequentador assíduo do estabelecimento mesmo antes da noite em que Aedion e Chaol tinham entrado lá com ele, quase inconsciente, para se esconder dos homens do rei.

— Você às vezes é um verdadeiro canalha, sabia disso? — A voz do jovem lorde ficou rouca.

— Eu jamais usaria aquilo contra você. — Aedion encarou os olhos revoltados, deixando que Ren sentisse o domínio que fervilhava nos dele também. — O que eu ia dizer, antes de você sair da linha — acrescentou ele quando a boca de Ren se abriu de novo —, é que Aelin ofereceu a você um lugar nesta corte sem saber sobre aquela parte de seu passado. — Um músculo se contraiu na mandíbula do lorde. — Mas mesmo que soubesse, Ren, ainda assim teria feito aquela oferta.

O rapaz estudou o piso de pedra sob as botas.

— Não há corte.

— Darrow pode gritar isso o quanto quiser, mas discordo. — Aedion passou para a poltrona diante da de Ren. Se ele realmente apoiasse Aelin, agora que Elide Lochan tinha retornado e que Sol e Ravi de Suria provavelmente a apoiariam, isso daria à rainha de Aedion três votos a seu favor. Contra os quatro que se opunham a ela.

Havia pouca esperança de que o voto de Lysandra, como Lady de Caraverre, fosse reconhecido.

A metamorfa não pedira para ver a terra que seria seu lar caso sobrevivessem àquela guerra. Apenas se transformara em falcão na caminhada até lá e saíra voando por um tempo. Ao voltar, não tinha dito nada, embora os olhos verdes estivessem brilhando.

Não, Caraverre não seria reconhecida como território, não até que Aelin assumisse o trono.

Até que Lysandra fosse coroada no lugar dela, caso a rainha não retornasse.

Ela *retornaria*. Precisava retornar.

Uma porta se abriu na ponta do corredor, seguida por passos leves e apressados. Ele se levantou um segundo antes de um alegre *"Aedion!"* cantarolar pelas pedras.

Evangeline estava radiante, vestida da cabeça aos pés em roupas de lã verde debruadas de pele branca, os cabelos vermelho-dourados pendendo em duas tranças. Como as meninas das montanhas de Terrasen.

As cicatrizes se esticaram quando ela sorriu, e Aedion abriu os braços pouco antes de a menina se atirar neles.

— Disseram que você chegou tarde ontem à noite, mas partiu antes da primeira luz, e eu estava preocupada de não conseguir você de novo...

Ele lhe deu um beijo no alto da cabeça.

— Parece que você cresceu 30 centímetros desde a última vez que a vi.

Os olhos cor de citrino brilharam quando a menina olhou de Aedion para Ren.

— Cadê...

Um clarão de luz e ali estava ela.

Reluzente. Lysandra parecia reluzir conforme colocava uma túnica sobre o corpo nu, a roupa deixada em uma cadeira próxima exatamente para esse propósito. Evangeline se atirou nos braços da metamorfa, chorando um pouco de alegria. Os ombros dela estremeceram, e Lysandra sorriu, profunda e calorosamente, acariciando a cabeça da menina.

— Você está bem?

Para o mundo inteiro, a metamorfa teria parecido calma, serena. Mas Aedion a conhecia — conhecia seus humores, os pequenos gestos. Sabia que o leve tremor nas palavras era prova do turbilhão agitado sob a linda superfície.

— Ah, sim — respondeu Evangeline, afastando-se para olhar na direção de Ren. — Ele e o Lorde Murtaugh me trouxeram para cá logo depois. Ligeirinha está com ele, aliás. Murtaugh, quero dizer. Ela gosta mais dele do que de mim, porque ele lhe dá guloseimas às escondidas o dia todo. Está mais gorda do que um gato doméstico preguiçoso.

Lysandra gargalhou, e Aedion sorriu. A menina tinha sido bem cuidada. Como se ela mesma tivesse percebido aquilo, Lysandra murmurou para Ren, com a voz parecendo um leve ronronar:

— Obrigada.

Rubor manchou as bochechas do lorde conforme ele ficava de pé.

— Achei que ela ficaria mais segura aqui do que no acampamento de guerra. Mais confortável, pelo menos.

— Ah, é um lugar maravilhoso, Lysandra — cantarolou Evangeline, agarrando a mão da metamorfa entre as suas. — Murtaugh até mesmo me levou para Caraverre uma tarde, antes de começar a nevar, quero dizer. Você precisa ver. As colinas e os rios e as belas árvores, tudo bem ali, contra as montanhas. Achei que tivesse visto um leopardo-fantasma escondido no alto das rochas, mas Murtaugh disse que era um truque da minha imaginação. Mas juro que era um... Maior até que o seu! E a casa! É a casa mais linda que já vi, com um jardim murado nos fundos que Murtaugh disse que estará coberto de vegetais e rosas no verão.

Por um segundo, Aedion não conseguiu suportar a emoção no rosto de Lysandra, que ouvia enquanto Evangeline tagarelava sobre os grandiosos planos para a propriedade. A dor do desejo por uma vida que provavelmente seria tomada antes que ela tivesse a chance de reivindicá-la.

Ele se virou para Ren, cujo olhar estava fixo na metamorfa. Como ficava sempre que ela assumia a forma humana.

Combatendo a vontade de trincar os dentes, Aedion falou:

— Você reconhece Caraverre, então.

Evangeline continuou o alegre tagarelar, mas os olhos de Lysandra deslizaram na direção deles.

— Darrow não é o Lorde de Allsbrook. — Foi tudo o que Ren falou.

De fato. E quem não iria querer uma vizinha tão linda?

Quer dizer, isso quando ela não estivesse morando em Orynth sob a pele e a coroa de outra, usando Aedion para gerar uma linhagem real falsa. Pouco mais do que um garanhão procriador.

Lysandra mais uma vez assentiu em agradecimento, e Ren corou ainda mais. Como se não tivessem passado o dia todo caminhando pela neve e matando os valg. Como se o cheiro de sangue ainda não estivesse agarrado a eles.

De fato, Evangeline cheirou o manto que Lysandra levava envolto no corpo e fez uma careta.

— Você está fedendo. Todos vocês.

— Modos — brigou a metamorfa, mesmo gargalhando.

A menina colocou as mãos no quadril em um gesto que Aedion vira Aelin fazer tantas vezes que o coração dele chegou a doer.

— *Você* me pediu para dizer se estivesse fedendo. Principalmente o hálito.

Lysandra sorriu, e Aedion resistiu ao repuxar dos próprios lábios.

— Pedi mesmo.

Evangeline pegou a mão dela, tentando levar a metamorfa pelo corredor.

— Pode dividir o quarto comigo. Tem um aposento de banho nele. — Lysandra deu um passo.

— Um belo quarto para uma hóspede — murmurou Aedion para Ren, erguendo as sobrancelhas. Devia ser um dos melhores ali, para ter o próprio banheiro.

O jovem lorde abaixou a cabeça.

— Era de Rose.

A irmã mais velha dele. Que fora assassinada com Rallen, a irmã do meio dos Allsbrook, na academia de magia em que estudavam. Perto da fronteira com Adarlan, a escola estivera diretamente no caminho das tropas invasoras.

Mesmo antes de a magia cair, teriam tido poucas defesas contra dez mil soldados. Aedion não se permitia relembrar com frequência o massacre de Devellin — aquela famigerada escola. Quantas crianças estavam lá. Como nenhuma delas tinha escapado.

Ren era próximo das duas irmãs mais velhas, mais ainda da bem-humorada Rose.

— Ela teria gostado da menina — explicou ele, indicando com o queixo Evangeline. Coberta de cicatrizes, percebeu Aedion, como Ren. O corte no rosto tinha sido feito enquanto ele fugia dos pavilhões de abate, com as vidas dos pais sendo o preço da distração que ajudara Ren e Murtaugh a escapar.

As cicatrizes de Evangeline tinham vindo de uma fuga diferente, evitando por pouco a vida infernal que a senhora dela tivera que aguentar.

Aedion também não se permitia lembrar com frequência esse fato.

Evangeline continuou puxando Lysandra para longe, ignorando a conversa.

— Por que não me acordou quando chegou?

Aedion não ouviu a resposta conforme ela se permitiu ser levada do salão. Não quando o olhar da metamorfa encontrou o dele.

Ela tentara falar com ele nos últimos dois meses. Muitas vezes. Dezenas de vezes. Ele a ignorara. E quando, por fim, chegaram ao litoral de Terrasen, Lysandra havia desistido.

A metamorfa tinha mentido para ele. Enganara-o tão profundamente que qualquer momento entre os dois, qualquer conversa... Aedion não sabia o que fora real. Não queria saber. Não queria saber se ela fora sincera quando ele tão estupidamente deixara tudo exposto diante dela.

Aedion tinha acreditado que aquela seria sua última caçada. Que poderia ir devagar com ela, mostrar tudo que Terrasen tinha a oferecer. Mostrar tudo que ele tinha a oferecer também.

Vadia mentirosa, dissera ele para Lysandra. Gritara aquelas palavras.

Aedion reunira bom senso o bastante para sentir vergonha. Mas o ódio permanecia.

Os olhos da metamorfa estavam cautelosos, como se pedindo: *Não podemos, neste raro momento de felicidade, falar como amigos?*

Ele apenas voltou para a lareira, bloqueando os olhos esmeralda e o belo rosto da mulher.

Ren podia ficar com ela. Mesmo que essa ideia o fizesse querer quebrar algo.

Lysandra e Evangeline desapareceram do salão, com a menina ainda tagarelando.

O peso do desapontamento de Lysandra permaneceu, como um toque fantasma.

Ren pigarreou.

— Quer me dizer o que está acontecendo entre vocês dois?

O guerreiro lançou a ele um olhar que teria feito homens mais fracos fugirem.

— Pegue um mapa. Quero repassar os desfiladeiros de novo.

Para mérito de Ren, ele saiu em busca de um.

Aedion olhou para o fogo, tão pálido sem a faísca de magia da sua rainha.

Quanto tempo levaria até que o vento uivando do lado de fora do castelo fosse substituído pelos gritos das bestas de Erawan?

∽

Aedion recebeu a resposta no alvorecer do dia seguinte.

Sentado em uma ponta da longa mesa do grande salão, enquanto Lysandra e Evangeline tomavam um café da manhã silencioso do outro lado, Aedion dominou o tremor dos dedos ao abrir a carta que o mensageiro entregara momentos antes. Ren e Murtaugh, sentados em volta dele, tinham se abstido de exigir respostas enquanto ele lia. Uma vez. Duas.

Por fim, o general abaixou a carta e respirou fundo ao franzir a testa para a luz cinza aquosa que entrava pelo conjunto de janelas altas na parede.

Na outra ponta da mesa, o peso do olhar de Lysandra o pressionou, mas ela permaneceu onde estava.

— É de Kyllian — informou Aedion, rouco. — As tropas de Morath aportaram na costa... em Eldrys.

Ren xingou. Murtaugh permaneceu calado. Aedion se manteve sentado, pois seus joelhos não pareciam capazes de aguentá-lo.

— Ele destruiu a cidade. Transformou tudo em escombros sem liberar uma única tropa.

Por que o rei sombrio tinha esperado tanto tempo, Aedion só podia adivinhar.

— As torres das bruxas? — perguntou Ren. O general contara a ele tudo o que Manon Bico Negro tinha revelado na caminhada pelo pântano de Pedra.

— Não diz. — Era improvável que Erawan tivesse usado as torres, pois eram imensas o bastante para requerer serem transportadas por terra, e os batedores de Aedion certamente teriam notado uma torre de trinta metros empurrada por seu território. — Mas as explosões derrubaram a cidade.

— Aelin? — A voz de Murtaugh era quase um sussurro.

— Bem — mentiu Aedion. — A caminho do acampamento de Orynth um dia antes do acontecimento. — É claro que não havia menção do paradeiro dela na carta de Kyllian, mas seu alto-comandante tinha especulado que, como não havia corpo ou inimigo comemorando, a rainha tinha escapado.

Murtaugh derreteu na cadeira, e Ligeirinha deitou a cabeça em sua coxa.

— Graças a Mala por essa misericórdia.

— Não agradeça ainda. — Aedion enfiou a carta no bolso do casaco espesso que vestia devido à corrente de ar no salão. *Sequer agradeça*, foi o que quase acrescentou. — A caminho de Eldrys, Morath derrubou dez dos navios de guerra de Wendlyn perto de Ilium e mandou o restante da frota em fuga pelo Florine acima, junto com a nossa.

Murtaugh esfregou o maxilar.

— Por que não ir atrás deles... e segui-los rio acima?

— Quem sabe? — Aedion pensaria nisso mais tarde. — Erawan colocou os olhos em Eldrys e agora tomou a cidade. Parece que vai lançar algumas das tropas dali. Se não forem impedidas, chegarão a Orynth em uma semana.

— Precisamos voltar ao acampamento — disse Ren, com o rosto sombrio. — Ver se conseguimos reunir nossa frota na descida do Florine e atacar com Rolfe pelo mar. Enquanto investimos em terra firme.

Aedion não teve vontade de lembrá-los de que não tinham tido notícias de Rolfe além de mensagens vagas sobre a caçada pelos mycenianos dispersos e sua frota lendária. As chances de Rolfe surgir para salvar a pele de todos eles eram tão poucas quanto as da famosa Tribo do Lobo na ponta das montanhas Anascaul sair cavalgando do interior. Ou dos feéricos que tinham fugido de Terrasen uma década antes retornarem de onde quer que tivessem ido para se juntar às forças de Aedion.

Sentiu a calma calculada que o guiara por batalhas e massacres se assentar, tão sólida quanto o casaco de pele que vestia. A velocidade seria sua aliada agora. Velocidade e clareza.

O exército precisa se manter firme, ordenara Rowan antes de partirem. *Ganhe o máximo de tempo que puder para nós.*

Ele cumpriria essa promessa.

Evangeline ficou calada quando a atenção de Aedion passou para a metamorfa na ponta da mesa.

— Quantas pessoas a sua forma de serpente alada consegue carregar?

2

Elide Lochan tinha esperado um dia viajar para longe, para um lugar em que ninguém jamais tivesse ouvido falar de Adarlan ou Terrasen, tão distante que Vernon não teria chance de encontrá-la.

Ela não antecipara que isso poderia de fato acontecer.

Parada no beco empoeirado e antigo de uma cidade igualmente empoeirada e antiga no reino ao sul de Doranelle, Elide se maravilhava com os sinos do meio-dia soando pelo céu limpo, com o sol queimando as pálidas pedras dos prédios, e o vento seco varrendo as ruas estreitas entre eles. Ela já aprendera o nome daquela cidade três vezes e ainda não conseguia pronunciá-lo.

Elide sabia que não importava. Não ficariam ali por muito tempo. Assim como não tinham ficado em nenhuma das cidades pelas quais tinham passado, ou pelas florestas, ou montanhas, ou terras baixas. Reino após reino, no ritmo incansável determinado por um príncipe que parecia quase incapaz de se lembrar de falar, muito menos de se alimentar.

Ela fez uma careta para os couros de bruxa desgastados que ainda usava, para o manto cinza em frangalhos e as botas desbotadas, então olhou para seus dois companheiros no beco. De fato, todos tinham visto dias melhores.

— A qualquer minuto agora — murmurou Gavriel, com um dos olhos amarelos na entrada do beco. Uma figura escura e imponente se misturou às poucas sombras no arco quase em ruínas, monitorando a rua tumultuada adiante.

Elide não olhou por muito tempo para a figura. Tinha sido incapaz de aguentá-la durante aquelas semanas intermináveis. Incapaz de aguentá-la, ou a dor insuportável no próprio peito.

A jovem franziu a testa para Gavriel.

— Deveríamos ter parado para almoçar.

Ele indicou com o queixo a bolsa desgastada pendurada na parede.

— Tem uma maçã na minha bolsa.

Olhando na direção do prédio que se erguia acima deles, Elide suspirou e estendeu a mão para a bolsa, vasculhando as mudas de roupas, corda, armas e vários suprimentos, até tirar de dentro a suculenta maçã vermelha e verde. A última das muitas que tinham colhido de um pomar em um reino vizinho. Ela silenciosamente a estendeu para o lorde feérico.

Gavriel arqueou uma sobrancelha dourada.

Elide imitou o gesto.

— Consigo ouvir seu estômago roncando.

Ele abafou uma risada e pegou a maçã com uma reverência antes de limpá-la na manga do casaco pálido.

— Está mesmo.

No fim do beco, Elide podia jurar que a figura escura tinha enrijecido a postura, mas ela não deu atenção.

Gavriel mordeu a maçã, com os caninos aparecendo. O pai de Aedion Ashryver — a semelhança era impressionante, embora se limitasse à aparência. Nos breves e poucos dias que Elide tinha passado com Aedion, ele se provara ser o oposto do macho atencioso e de fala mansa.

Depois que Asterin e Vesta os deixaram a bordo do navio no qual velejaram até ali, Elide ficara preocupada com ter cometido um erro ao escolher viajar com três machos imortais. Temendo ser menosprezada.

Mas Gavriel fora gentil desde o início, certificando-se de que a jovem comesse o suficiente e que tivesse cobertores em noites frias, ensinando a ela a montar os cavalos que custaram moedas preciosas porque Elide não teria chance de acompanhá-los a pé, com ou sem o problema no tornozelo. E durante as vezes em que precisaram guiar os cavalos por terrenos irregulares, Gavriel tinha até mesmo segurado a perna dela com magia, o poder dele como uma brisa morna de verão contra a pele de Elide.

Ela certamente não deixaria que Lorcan fizesse aquilo por ela.

Elide jamais esqueceria a visão do guerreiro semifeérico rastejando atrás de Maeve depois que a rainha partira o juramento de sangue. Engatinhando atrás dela como um amante descartado, como um cão arrasado e desesperado pelo dono. Aelin tinha sido torturada, a própria localização deles tinha sido entregue por Lorcan para Maeve, e mesmo assim ele tinha tentado segui-la. Direto pela areia ainda úmida com o sangue de Aelin.

Gavriel comeu metade da maçã e ofereceu o resto a Elide.

— Você também deveria comer.

Ela franziu a testa para a mancha roxa sob os olhos do macho. Sob os dela também, sem dúvida. Seu ciclo, pelo menos, viera no mês anterior, apesar da viagem árdua que queimava qualquer reserva de comida no estômago.

Isso fora especialmente vergonhoso. Explicar a três guerreiros, que já conseguiam sentir o cheiro do sangue, que ela precisava de suprimentos. Mais paradas frequentes.

Não mencionara as cólicas que reviraram a barriga e as costas, irradiando pelas coxas. Continuara cavalgando e mantendo a cabeça baixa. Sabia que eles teriam parado. Mesmo Rowan teria parado para deixá-la descansar. Mas sempre que paravam, Elide via aquela caixa de ferro. Via o chicote, reluzindo com sangue ao estalar no ar. Ouvia os gritos de Aelin.

Ela se fora para que Elide não fosse levada. Não hesitara em se oferecer no lugar de Elide.

Esse pensamento por si só a mantinha na égua. Aqueles poucos dias tinham se tornado um pouco mais fáceis com as faixas limpas de linho que Gavriel e Rowan tinham fornecido, sem dúvida das próprias camisas. Quando as teriam cortado, Elide não fazia ideia.

Ela mordeu a maçã, saboreando a crocância doce e azeda. Rowan deixara algumas moedas de uma reserva que diminuía rapidamente em um tronco para compensar as frutas que tinham tomado.

Em breve precisariam roubar o jantar. Ou vender os cavalos.

Um estampido soou de trás das janelas seladas um nível acima, finalizado por um grito masculino abafado.

— Acha que vamos ter mais sorte desta vez? — perguntou Elide, baixinho.

Gavriel estudou as persianas pintadas de azul, entalhadas com um arabesco complexo.

— Preciso torcer para que sim.

A sorte estava escassa ultimamente. Tinham tido pouca desde aquela praia maldita em Eyllwe, quando Rowan sentira um puxão no laço com Aelin — o laço de parceria — e seguira o chamado pelo oceano. Mas quando chegaram ao litoral, depois de várias semanas terríveis em águas revoltas por tempestades, não restava nada para rastrear.

Nenhum sinal da armada restante de Maeve. Nenhum sussurro do navio da rainha, o *Rouxinol*, aportando em algum porto. Nenhuma notícia do retorno dela para o trono em Doranelle.

Boatos eram tudo que tinham, arrastando-os por montanhas cobertas com neve profunda, entre florestas densas e planícies secas.

Até o reino anterior, a cidade anterior, as ruas lotadas de festejadores para comemorar o Samhuinn, para honrar os deuses quando o véu entre os mundos ficava mais fino.

Não faziam ideia de que aqueles deuses não passavam de seres de outro mundo. Que qualquer ajuda que ofereciam, qualquer ajuda que Elide jamais recebera da voz baixinha em seu ombro, fora com um objetivo em mente: voltar para casa. Peões — era tudo o que Elide e Aelin e os demais significavam para eles.

Isso fora confirmado pelo fato de que ela não ouvira um sussurro da orientação de Anneith desde aquele dia horrível em Eyllwe. Apenas empurrões durante os longos dias, como se fossem lembretes da presença dela. De que alguém estava observando.

De que, caso fossem bem-sucedidos na busca para encontrar Aelin, ainda se esperaria que a jovem rainha pagasse o preço mais alto àqueles deuses. Se Dorian Havilliard e Manon Bico Negro conseguissem recuperar a terceira e última chave de Wyrd. Se o jovem rei não se entregasse como o sacrifício no lugar de Aelin.

Então Elide suportava aqueles ocasionais empurrões, recusando-se a contemplar que tipo de criatura tinha se interessado tanto por ela. Por todos eles.

A jovem descartara esses pensamentos conforme o grupo vasculhava as ruas, atento a qualquer sussurro da localização de Maeve. O sol tinha se posto, e Rowan grunhia a cada hora que passava sem dar em nada. Como todas as outras cidades não tinham dado em nada.

Elide os obrigara a continuar caminhando pelas ruas alegres, despercebidos e furtivos. Ela lembrava a Rowan, sempre que ele mostrava os dentes, que havia olhos em todos os reinos, todas as terras. E se a notícia de que um grupo de guerreiros feéricos estava aterrorizando cidades em busca de Maeve se espalhasse, sem dúvida isso chegaria à rainha sombria rapidamente.

A noite tinha caído e, nas colinas douradas e onduladas além das muralhas da cidade, fogueiras se acenderam.

Rowan tinha finalmente parado de grunhir ao vê-las. Como se puxassem algum fio de memória, de dor.

Mas então passaram por um grupo de soldados feéricos bebendo, e o macho ficara imóvel. Ele mensurara os guerreiros daquela forma fria e calculista que dizia a Elide que algum plano tinha sido formulado.

Quando se esgueiraram para um beco, o príncipe feérico o expôs em termos diretos e cruéis.

Uma semana depois, ali estavam. Os gritos aumentaram no prédio acima.

Elide fez uma careta quando o ranger da madeira ficou mais alto do que os sinos da cidade.

— Deveríamos ajudar?

Gavriel passou a mão tatuada pelos cabelos dourados. Eram os nomes dos guerreiros que tinham caído sob seu comando, explicara o feérico quando ela finalmente ousara perguntar na semana anterior.

— Ele está quase acabando.

De fato, até mesmo Lorcan já fazia uma careta impaciente para a janela acima de Elide e Gavriel.

Quando os sinos do meio-dia enfim pararam de soar, as persianas abriram-se bruscamente.

Estilhaçaram-se seria uma palavra melhor, pois dois machos feéricos saíram voando por elas.

Um deles, de cabelos castanhos, estava ensanguentado e gritava enquanto caía.

O príncipe Rowan Whitethorn não disse nada ao cair com ele. Ao segurar o macho com os dentes expostos.

Elide deu um passo para o lado, dando a eles bastante espaço quando caíram na pilha de caixas no beco, fazendo farpas e lixo voarem.

Ela sabia que uma lufada de vento tinha impedido a queda de ser fatal para o macho de ombros largos, o qual Rowan puxou dos destroços pelo colarinho da túnica azul.

Não seria útil para eles se estivesse morto.

Gavriel puxou uma faca, permanecendo ao lado de Elide conforme Rowan empurrava o estranho contra a parede do beco. Não havia nada bondoso no rosto do príncipe. Nada acolhedor.

Apenas o predador de sangue-frio. Determinado a encontrar a rainha que era dona de seu coração.

— Por favor — disparou o macho. Na língua comum.

Rowan o tinha encontrado, então. Não podiam esperar pegar o rastro de Maeve, percebera o guerreiro feérico no Samhuinn. Mas encontrar os comandantes que serviam à rainha sombria, espalhados por vários reinos, emprestados a governantes mortais... isso eles podiam fazer.

E o macho para o qual Rowan grunhia, com o próprio lábio sangrando, *era* um comandante. Um guerreiro, desde a envergadura dos ombros até as coxas musculosas. Rowan ainda era mais alto do que ele. Gavriel e Lorcan também. Como se, mesmo entre os feéricos, os três fossem uma raça totalmente diferente.

— É assim que vai funcionar — disse o príncipe para o comandante choroso, com a voz mortalmente baixa. Um sorriso cruel estampou sua boca, fazendo o sangue do lábio cortado escorrer. — Primeiro, quebro suas pernas e talvez um pedaço de sua espinha para que você não possa rastejar. — Ele apontou um dedo ensanguentado para a ponta do beco. Para Lorcan. — Sabe quem é aquele, não sabe?

Como se em resposta, o semiféerico saiu caminhando do arco, e o comandante começou a tremer.

— A perna e a coluna, isso seu corpo em algum momento curaria — prosseguiu Rowan conforme Lorcan continuou a aproximação sorrateira. — Mas o que Lorcan Salvaterre vai fazer com você... — Uma risada baixa, sem alegria. — Não vai se recuperar disso, amigo.

O comandante lançou olhares frenéticos para Elide, para Gavriel.

Na primeira vez que aquilo tinha acontecido — dois dias antes —, Elide não conseguira assistir. Aquele comandante em particular não tinha nenhuma informação que valesse compartilhar, e considerando o tipo de bordel em que o haviam encontrado, ela não tinha realmente se arrependido de Rowan ter deixado o corpo dele em uma ponta do beco. E a cabeça na outra ponta.

Mas nesse dia, dessa vez... *Observe. Veja*, sibilou uma voz baixinha ao ouvido dela. *Ouça*.

Apesar do calor e do sol, Elide estremeceu. Trincou os dentes, acumulando todas as palavras que subiam dentro dela. *Encontrem outra pessoa. Encontrem uma forma de usar seus poderes para forjar o Fecho. Encontrem uma forma de aceitar os destinos de vocês de permanecerem presos neste mundo para não precisarmos pagar uma dívida que nunca foi nossa.*

Mas se Anneith agora falava quando a havia apenas cutucado nos últimos meses... Elide engoliu aquelas palavras revoltosas. Como se esperava de todos os mortais. Por Aelin, ela poderia abaixar a cabeça. Como Aelin, no fim, faria.

O rosto de Gavriel não mostrou misericórdia, apenas um tipo sombrio de praticidade ao olhar para o comandante trêmulo pendurado pela mão de ferro de Rowan.

— Diga o que ele quer saber. Só vai piorar as coisas para você mesmo.

Lorcan quase os tinha alcançado, com um vento sinistro rodopiando em torno dos longos dedos dele.

Não havia nada do macho que ela passara a conhecer naquele rosto ríspido. Pelo menos não do macho que ele fora antes daquela praia. Não, aquela era a máscara que Elide vira pela primeira vez em Carvalhal. Insensível. Arrogante. Cruel.

O comandante contemplou o poder que se reunia na mão de Lorcan, mas conseguiu dar um riso de escárnio para Rowan, com sangue cobrindo seus dentes.

— Ela vai matar todos vocês. — Um olho roxo já surgia; a pálpebra estava tão inchada que se fechara. Ar pulsou nas orelhas de Elide quando Rowan travou um escudo de vento em torno deles. Selando todo o som. — Maeve vai matar cada um de vocês, seus traidores.

— Ela pode tentar. — Foi a resposta tranquila de Rowan.

Veja, sussurrou Anneith de novo.

Dessa vez, no momento em que o comandante começou a gritar, Elide não virou o rosto.

E quando Rowan e Lorcan fizeram o que tinham sido treinados para fazer, ela não conseguiu decidir se a ordem de Anneith tinha sido para ajudar — ou um lembrete do que precisamente os deuses poderiam fazer caso eles desobedecessem.

⊰ 3 ⊱

As montanhas Galhada do Cervo estavam em chamas e a floresta de Carvalhal também.

As poderosas e antigas árvores mal passavam de cascos carbonizados, com cinzas tão espessas quanto neve caindo.

Brasas flutuavam ao vento, um deboche de como um dia tinham oscilado atrás dela como vagalumes enquanto ela corria entre as fogueiras do festival Beltane.

Tanta chama, o calor era sufocante, o próprio ar queimava seus pulmões.

Você fez isso você fez isso você fez isso.

O estalar das árvores moribundas gemia as palavras, gritava-as.

O mundo estava banhado em fogo. Fogo, não escuridão.

Um movimento entre as árvores chamou a atenção dela.

O Senhor do Norte estava frenético, agoniado de dor, conforme galopava em sua direção. Conforme fumaça espiralava da pelagem branca, conforme o fogo devorava sua poderosa galhada — não era a chama imortal que havia entre os chifres da própria insígnia dela, a chama imortal dos cervos sagrados de Terrasen e, antes disso, de Mala, Portadora do Fogo. Mas chamas verdadeiras, malignas.

O Senhor do Norte passou retumbante, queimando, queimando, queimando.

Ela estendeu a mão para ele, invisível e inconsequente, mas o cervo orgulhoso seguiu adiante, com gritos irrompendo de seu focinho.

Gritos tão horríveis e intermináveis. Como se o coração do mundo estivesse sendo dilacerado.

Ela não pôde fazer nada quando o cervo se atirou em uma parede de fogo que se espalhava como uma rede entre dois carvalhos em chamas.

Ele não ressurgiu.

⁓

O lobo branco a estava observando de novo.

Aelin Ashryver Whitethorn Galathynius passou um dedo coberto de ferro pela borda do altar de pedra no qual estava deitada.

O máximo de movimento que conseguia fazer.

Cairn a deixara ali dessa vez. Não se incomodara em movê-la para a caixa de ferro contra a parede adjacente.

Um raro alívio. Acordar não na escuridão, mas à luz do fogo tremeluzente.

Os braseiros se extinguiam, chamando o frio úmido que pressionava sua pele. Ou o que quer que não estivesse coberto por ferro.

Aelin já puxara as correntes o mais silenciosamente possível. Mas elas seguravam firme.

Tinham acrescentado mais ferro. Nela. Começando pelas luvas de metal.

Ela não se lembrava de quando tinha sido. Onde fora. Havia apenas a caixa, então.

O sufocante caixão de ferro.

Ela o testara em busca de fraquezas diversas vezes. Antes de mandarem aquela fumaça de cheiro doce para deixá-la inconsciente. Aelin não sabia por quanto tempo tinha dormido depois daquilo.

Quando acordara ali, não havia mais fumaça.

Ela testara de novo, então. Tanto quanto o ferro permitia. Empurrando os pés, os cotovelos, as mãos contra o metal impiedoso. Não tinha espaço o bastante para se virar. Para aliviar a dor das correntes que se enterravam em seu corpo. Ferindo-a.

Os ferimentos de chicote profundamente sulcados nas costas tinham sumido. Aqueles que tinham partido sua pele até os ossos. Ou aquilo também fora um sonho?

Ela flutuara para as memórias, para anos de treinamento em uma fortaleza de assassinos. Para lições em que fora deixada acorrentada, nos próprios excrementos, até descobrir como remover as correntes.

Mas tinha sido presa com aquele treinamento na mente. Nada que tinha tentado na escuridão apertada funcionara.

O metal da luva arranhava a pedra escura, quase inaudível sob os braseiros sibilantes e o rio que rugia além deles. Onde quer que estivessem.

Ela e o lobo.

Fenrys.

Nenhuma corrente o atava. Não era preciso.

Maeve ordenara que ele ficasse e montasse guarda, então ele o faria.

Por longos minutos, os dois se encararam.

Aelin não pensou na dor que a deixara inconsciente. Mesmo quando a memória de ossos estalando fez seu pé tremer. As correntes balançaram.

Mas nada lampejou onde a dor deveria ser lancinante. Sequer um sussurro de desconforto nos pés. Ela afastou a imagem de como aquele macho — Cairn — os desmembrara. Como ela tinha gritado até que a voz falhasse.

Podia ter sido um sonho. Um em meio à horda interminável que a caçava na escuridão. Um cervo em chamas, fugindo entre as árvores. Horas naquele altar, os pés destroçados sob ferramentas antigas. Um príncipe de cabelos prateados cujo próprio cheiro era como o de seu lar.

As memórias se turvavam e sangravam, até que mesmo aquele momento, encarando o lobo branco contra a parede do outro lado do altar, pudesse ser o fragmento de uma ilusão.

O dedo de Aelin arranhou a borda curva do altar de novo.

O lobo piscou para ela — três vezes. Nos primeiros dias, meses, anos daquilo, tinham criado um código entre eles. Usando os poucos momentos em que conseguira reunir forças para falar, sussurrando entre os buracos quase invisíveis do caixão de ferro.

Um piscar para sim. Dois para não. Três para *Você está bem?* Quatro para *Estou aqui, estou com você*. Cinco para *Isso é real, você está acordada*.

Mais uma vez, Fenrys piscou três vezes. *Você está bem?*

Aelin engoliu apesar da secura na garganta, descolando a língua do céu da boca. Ela piscou uma vez. *Sim.*

Aelin contou as piscadas dele.

Seis.

Ele inventara aquela. *Mentirosa*, ou algo assim. Ela se recusou a reconhecer aquele código em particular.

Aelin piscou de novo. *Sim.*

Olhos escuros a observaram. Ele havia visto tudo. Cada momento. Se tivesse permissão de se transformar, poderia contar a ela o que era invenção e o que era real. Se alguma coisa tinha sido real.

Nenhum ferimento jamais restava quando ela acordava. Nenhuma dor. Apenas a lembrança, o rosto sorridente de Cairn enquanto a sulcava, de novo e de novo.

Devia tê-la deixado no altar porque pretendia voltar logo.

Aelin se moveu o bastante para puxar as correntes, a tranca da máscara se enterrando em sua nuca. O vento não soprara suas bochechas ou a maior parte de sua pele desde... ela não sabia desde quando.

O que não estava coberto por ferro estava vestido em um tecido branco, sem mangas, que chegava ao meio das coxas, deixando as pernas e os braços expostos para as sessões de Cairn.

Havia dias, memórias, de até mesmo aquele tecido ter sumido, de facas raspando seu abdômen. Mas sempre que ela acordava, o tecido permanecia intacto. Intocado. Sem manchas.

As orelhas de Fenrys se esticaram, estremecendo. Todo o alerta de que Aelin precisava.

Ela odiava o tremor que começava a se encolher em torno dos ossos conforme passos distraídos se arrastavam além do quarto quadrado e da porta de ferro que dava para ele. A única entrada. Nenhuma janela. O corredor de pedra que ela às vezes via de relance estava igualmente selado. Apenas o som de água entrava naquele lugar.

Ficava mais alto quando a porta de ferro se destrancava e se abria rangendo.

Ela se controlou para não estremecer quando o macho de cabelos castanhos se aproximou.

— Acordada tão cedo? Não devo ter trabalhado em você com tanto afinco.

Aquela voz. Ela odiava aquela voz mais do que todas as outras. Cantarolada e fria.

Ele usava roupas de guerreiro, mas nenhuma arma pendia do cinto em sua cintura fina.

Cairn reparou na direção de seu olhar e bateu no pesado martelo que pendia de seu quadril.

— Tão ansiosa por mais.

Não havia chamas para invocar. Sequer uma brasa.

Ele andou até uma pequena pilha de lenha ao lado de um braseiro e alimentou o fogo moribundo com ela. O fogo rodopiou e estalou, saltou sobre a madeira com dedos famintos.

A magia de Aelin sequer faiscou em resposta. Tudo o que ela comia e bebia pelo pequeno buraco na boca da máscara estava coberto de ferro.

Aelin tinha recusado a princípio. Sentira o gosto do ferro e cuspira.

Havia chegado à beira da morte por falta de água quando forçaram o líquido garganta abaixo. Então a deixaram passar fome — passar fome até que ela cedesse e devorasse o que quer que fosse colocado diante de si, com ou sem ferro.

Aelin não costumava pensar naquele momento. Naquela fraqueza. Em como Cairn ficara animado ao vê-la comer e no quanto ficara colérico quando, ainda assim, aquilo não tinha dado o resultado almejado.

O guerreiro carregou o outro braseiro antes de estalar os dedos para Fenrys.

— Pode cuidar de suas necessidades no corredor e voltar para cá imediatamente.

Como se um fantasma o levantasse, o enorme lobo saiu de fininho.

Maeve tinha considerado até mesmo isso: dar a Cairn poder para ordenar quando Fenrys comeria e beberia, quando mijaria. Ela sabia que Cairn deliberadamente se esquecia às vezes. Os choros caninos de dor chegavam até Aelin, mesmo na caixa.

Real. Aquilo tinha sido real.

O macho diante de Aelin, um guerreiro treinado em tudo menos honra e espírito, avaliou o corpo dela.

— Como brincaremos hoje, Aelin?

Ela odiava o som de seu nome naquela boca.

O lábio de Aelin se retraiu dos dentes.

Ágil como uma víbora, Cairn a agarrou pelo pescoço com força o bastante para marcar.

— Tanto ódio, mesmo agora.

Ela jamais abandonaria aquilo — o ódio. Mesmo ao mergulhar naquele mar em chamas dentro de si, mesmo ao cantar para a escuridão e a chama, o ódio a guiava.

Os dedos de Cairn se enterraram em seu pescoço, e Aelin não conseguiu impedir o ruído de sufocamento que escapou como um arquejo.

— Isso tudo pode acabar com algumas poucas palavras, princesa — ronronou ele, abaixando-se o suficiente para que seu hálito acariciasse a boca da jovem. — Algumas poucas palavras, e você e eu seguiremos rumos opostos para sempre.

Aelin jamais as diria. Jamais faria o juramento de sangue para Maeve.

Se jurasse, entregaria tudo o que sabia, tudo o que era. E se tornaria eternamente escravizada. E abriria caminho para o fim do mundo.

A mão de Cairn no pescoço dela se afrouxou, e Aelin inspirou profundamente. Mas os dedos dele se detiveram do lado direito de seu pescoço.

Aelin sabia exatamente em que local, qual cicatriz, ele roçava os dedos. As pequenas marcas gêmeas no espaço entre o pescoço e o ombro dela.

— Interessante — murmurou Cairn.

Aelin afastou a cabeça, expondo os dentes de novo.

Cairn a golpeou.

Não no rosto, que estava coberto de ferro e abriria os nós dos dedos dele. Mas na barriga desprotegida.

O fôlego lhe foi arrancado e ferro tilintou quando Aelin tentou, sem sucesso, se curvar de lado.

Com patas silenciosas, Fenrys entrou de novo e assumiu o lugar contra a parede. Preocupação e fúria se acenderam nos olhos escuros do lobo quando Aelin arquejou por ar, quando os braços e as pernas acorrentados ainda tentaram se enroscar sobre o abdômen. Mas Fenrys pôde apenas se abaixar no chão novamente.

Quatro piscadelas. *Estou aqui, estou com você.*

Cairn não viu aquilo. Não reparou no único piscar de olhos dela em resposta conforme ele sorria para as pequenas mordidas no pescoço de Aelin, seladas com o sal das águas mornas de baía da Caveira.

A marca de Rowan. A marca de um parceiro.

Aelin não se permitiu pensar nele por muito tempo. Não quando Cairn pegou o martelo de cabeça pesada e o sopesou nas mãos largas.

— Se não fosse pela ordem de mordaça de Maeve — ponderou o macho, avaliando o corpo dela como um pintor avalia uma tela em branco —, eu colocaria meus próprios dentes em você. Veria se a marca de Whitethorn ia se manter então.

Pesar se acumulou no estômago de Aelin. Ela vira a evidência do que as longas horas ali provocavam nele. Os dedos dela se fecharam, raspando a pedra como se fosse o rosto de Cairn.

Ele passou o martelo para uma das mãos.

— Isso terá de servir, suponho. — O guerreiro passou a outra mão pela extensão do tronco de Aelin, e ela deu um puxão nas correntes ao sentir o toque possessivo. Cairn sorriu. — Tão responsiva. — Ele segurou o joelho exposto, apertando levemente. — Começamos nos pés mais cedo. Vamos subir mais desta vez.

Aelin se preparou. Tomou fôlegos profundos que a levariam para longe dali. Do próprio corpo.

Jamais deixaria que a quebrassem. Jamais faria o juramento de sangue.

Por Terrasen, por seu povo, o qual ela abandonara, deixando-o para que suportasse o próprio tormento durante dez longos anos. Devia aquilo a eles.

Mais e mais profundamente, ela ia, como se pudesse fugir do que estava por vir, como se pudesse se esconder daquilo.

O martelo reluziu à luz do fogo ao se elevar acima do seu joelho. Cairn segurou o fôlego conforme antecipação e prazer se misturaram em seu rosto.

Fenrys piscou, de novo e de novo e de novo. *Estou aqui, estou com você.*

Isso não impediu o martelo de cair.

Nem o grito que se estilhaçou da garganta dela.

4

— Este acampamento está abandonado há meses.

Manon se virou do penhasco coberto de neve onde estava monitorando o limite das montanhas Canino Branco. Na direção dos desertos.

Asterin permanecia agachada sobre os resquícios semienterrados de uma fogueira, com a pele de bode desgrenhada jogada sobre seus ombros esvoaçando ao vento gélido. A imediata prosseguiu:

— Ninguém vem aqui desde o começo do outono.

Manon tinha suspeitado daquilo. As Sombras avistaram o local uma hora mais cedo, durante a patrulha do terreno adiante, reparando, de alguma forma, nas irregularidades astutamente escondidas no lado do pico rochoso protegido do vento. A Mãe sabia que a própria Manon poderia ter voado direto por ali.

Asterin ficou de pé, limpando a neve do couro dos joelhos. Mesmo o material espesso não era o bastante para proteger do frio brutal. Por isso, tinham recorrido a vestir as peles de cabra-montês.

Bom para nos mesclarmos à neve, alegara Edda, a Sombra que até mesmo deixara que a tinta preta de cabelo predileta se desbotasse nas últimas semanas, revelando o branco-lua que era seu tom natural. O tom de Manon. Briar mantivera a tinta. Uma delas era necessária para reconhecimento à noite, argumentara a outra Sombra.

Manon avaliou as duas Sombras cautelosamente caminhando pelo acampamento. Talvez não fossem mais sombras, mas as duas faces da lua. Uma escura, a outra clara.

Uma de muitas mudanças às Treze.

Manon expirou, e o vento soprou para longe o hálito quente.

— Estão pelo mundo — murmurou Asterin para evitar que as outras, reunidas ao lado do pedregulho protuberante que as protegia do vento, ouvissem.

— Três acampamentos — disse Manon, com igual quietude. — Todos há muito abandonados. Estamos caçando fantasmas.

Os cabelos dourados de Asterin se libertaram da trança, soprando para o oeste. Na direção da terra natal que poderiam muito bem jamais ver.

— Os acampamentos são prova de que são de carne e osso. Ghislaine acha que podem ser das caçadas do fim do verão.

— Também podem ser dos homens selvagens destas montanhas. — Embora Manon soubesse que não eram, pois tinha caçado bruxas Crochan o bastante nos últimos cem anos para identificar seu estilo de fazer fogueiras, assim como os acampamentos organizados. Todas as Treze tinham um. E todas tinham rastreado e matado tantos dos homens selvagens das montanhas Canino Branco no início daquele ano, a mando de Erawan, que conheciam os hábitos deles também.

Os olhos pretos salpicados de dourado de Asterin recaíram sobre aquele horizonte embaçado.

— Nós as encontraremos.

Em breve. Precisavam encontrar pelo menos *algumas* Crochan em breve. Manon sabia que, por estarem dispersas, elas tinham métodos para se comunicar. Formas de lançar um grito de socorro. Um pedido de ajuda.

O tempo não estava a favor delas. Fazia quase dois meses desde aquele dia na praia em Eyllwe. Desde que ela descobrira o terrível preço que a rainha de Terrasen deveria pagar para dar um fim aquele absurdo. O preço que outro com a linhagem de Mala também poderia pagar, caso fosse preciso.

Manon resistiu à vontade de olhar por cima do ombro para onde o rei de Adarlan estava parado entre o restante das Treze, distraindo Vesta ao conjurar chama, água e gelo na palma da mão em concha. Uma pequena demonstração da magia terrível e espantosa. Ele fez três arabescos dos elementos preguiçosamente dançarem em volta um do outro, e Vesta arqueou uma sobrancelha, impressionada. A jovem bruxa vira a forma como a sentinela de cabelos ruivos olhava para ele, percebera que Vesta sabiamente se segurava para não dar vazão àquele impulso.

Manon não dera tal ordem a ela, no entanto. Não dissera nada às Treze a respeito do que, exatamente, o rei humano era para ela.

Nada, era o que queria dizer. Alguém tão desancorado quanto ela. Tão silenciosamente revoltado quanto ela. E com a mesma urgência. Encontrar a terceira e última chave de Wyrd havia se provado inútil. As duas que o rei carregava no bolso não ofereciam orientação, apenas um fedor sobrenatural. Não faziam a mínima ideia de onde Erawan a guardava, e vasculhar Morath ou qualquer dos outros postos do rei seria suicídio.

Então deixaram de lado a caçada, depois de semanas de busca inútil, em favor de encontrar as Crochan. O rei tinha protestado inicialmente, mas cedera. Os aliados e amigos dele no Norte precisavam de tantos guerreiros quanto pudessem reunir. Encontrar as Crochan... Manon não quebraria a promessa.

Podia ser a herdeira deserdada do clã Bico Negro, podia estar apenas comandando uma dúzia de bruxas, mas ainda podia ser fiel à própria palavra.

Então ela encontraria as Crochan. E as convenceria a voar para a batalha com as Treze. Com ela. A última rainha Crochan viva.

Mesmo que levasse todas diretamente para o abraço da Escuridão.

O sol subia mais. A luz que se refletia na neve era quase ofuscante.

Demorar-se não era sábio. Tinham sobrevivido nos últimos meses com força e inteligência. Pois, enquanto caçavam as Crochan, elas mesmas tinham sido caçadas. Pernas Amarelas e Sangue Azul, em grande parte. Todas mandando patrulhas.

Manon dera ordem de não enfrentá-las, não matar. Uma patrulha de Dentes de Ferro desaparecida apenas revelaria a localização delas. Embora Dorian pudesse quebrar o pescoço delas sem levantar um dedo.

Era uma pena que ele não tivesse nascido bruxo. Mas Manon aceitaria com prazer um aliado tão letal. Assim como as Treze.

— O que dirá — ponderou Asterin — quando encontrarmos as Crochan?

Ela havia considerado aquilo várias vezes. Se as Crochan saberiam quem era Lothian Bico Negro e que ela amara o pai de Manon — um raro príncipe Crochan por nascimento. Que os pais dela tinham sonhado, *acreditado* que tinham feito uma filha para quebrar a maldição das Dentes de Ferro e unir os povos.

Uma criança não da guerra, mas da paz.

Mas aquelas lhe eram palavras estrangeiras à língua. *Amor. Paz.*

Manon passou o dedo enluvado sobre o retalho de tecido vermelho que atava a ponta de sua trança. Um resquício do manto da meia-irmã dela. Rhiannon. Batizada em homenagem à última Rainha Bruxa. Cujo rosto, de alguma forma, Manon estampava. Ela respondeu:

— Vou pedir às Crochan que não atirem, suponho.

A boca de Asterin se contorceu como que para sorrir.

— Quero dizer a respeito de quem você é.

Ela raramente recuava de alguma coisa. Raramente temia algo. Mas dizer as palavras, *aquelas* palavras...

— Não sei — admitiu Manon. — Veremos se chegaremos a esse ponto.

Demônio Branco. Era como as Crochan a chamavam. Ela estava no topo da lista de mortes delas. Uma bruxa que toda Crochan deveria matar ao ver. Esse fato por si só dizia que não sabiam quem Manon era na verdade.

Mas sua meia-irmã tinha descoberto. E então Manon tinha lhe cortado o pescoço.

Manon Matadora das Suas, provocara a avó. A Matriarca provavelmente se deliciara com cada coração Crochan que a neta levara para ela na fortaleza das Bico Negro durante os últimos cem anos.

A jovem bruxa fechou os olhos, ouvindo a canção vazia do vento.

Atrás delas, Abraxos soltou um gemido impaciente e faminto. Sim, estavam todas famintas ultimamente.

— Seguiremos você, Manon — disse Asterin, baixinho.

Manon se virou para a prima.

— Mereço essa honra?

A boca de Asterin se contraiu em uma linha fina. A leve protuberância no nariz dela... Manon fizera aquilo. Quebrara o nariz da imediata no salão de refeições da Ômega por ter brigado com Pernas Amarelas enxeridas. Asterin jamais reclamara daquilo. Parecia estampar o lembrete da surra como um distintivo de orgulho.

— Apenas você pode decidir se merece, Manon.

A jovem bruxa deixou que as palavras se assentassem ao erguer o olhar para o horizonte a oeste. Talvez merecesse aquela honra se fosse bem-sucedida em levá-las de volta a um lar no qual jamais tinham colocado os olhos.

Se sobrevivessem àquela guerra e a todas as coisas terríveis que precisariam fazer antes que tudo acabasse.

Não era algo fácil, se afastar de fininho de treze bruxas dormindo e das suas serpentes aladas.

Mas Dorian Havilliard andara estudando o grupo — os turnos, quem dormia mais profundamente, quem poderia reportar vê-lo se afastar da pequena fogueira e quem ficaria de boca fechada. Semanas e semanas desde que tinha se decidido por aquela ideia. Aquele plano.

Tinham acampado na pequena protuberância onde haviam encontrado longos vestígios das Crochan, abrigando-se sob a rocha saliente enquanto as serpentes aladas formavam uma parede de calor em torno deles.

Dorian tinha minutos para fazer aquilo. Andava praticando havia semanas — sem fazer estardalhaço ao levantar à noite, sem passar de um homem sonolento e insatisfeito por ter que enfrentar o clima gélido para satisfazer suas necessidades. Deixando que as bruxas se acostumassem com os movimentos noturnos dele.

Permitindo que Manon se acostumasse com aquilo também.

Embora nada tivesse sido declarado entre os dois, seus sacos de dormir sempre acabavam lado a lado toda noite. Não que um acampamento cheio de bruxas oferecesse oportunidade para que ele ficasse com ela. Não, para isso, recorriam a florestas desfolhadas pelo inverno e desfiladeiros cobertos de neve, as mãos buscando qualquer trecho de pele nua que ousavam expor ao ar frio.

As uniões dos dois eram breves, selvagens. Dentes e unhas e grunhidos. E não apenas de Manon.

Mas depois de um dia de busca inútil, pouco mais do que uma guarda arrogante contra os inimigos que os caçavam enquanto os amigos de Dorian sangravam para salvar as terras deles, ele precisava do alívio tanto quanto ela. Jamais discutiam aquilo — o que os perseguia. O que não era um problema para ele.

Dorian não tinha ideia de que tipo de homem isso fazia dele.

Na maior parte dos dias, se fosse sincero, ele sentia pouco. Sentia pouco havia meses, exceto por aqueles momentos roubados e selvagens com Manon. E exceto pelos momentos em que treinava com as Treze, e um tipo de ódio o levava a continuar empunhando a espada, continuar se levantando quando o derrubavam.

Esgrima, arco e flecha, facas, rastreamento — tinham ensinado tudo o que ele pedira. Junto com o peso maciço de Damaris, uma faca de bruxa agora pendia do seu boldrié. Fora um presente de Sorrel quando Dorian havia conseguido imobilizar a terceira na hierarquia pela primeira vez, o rosto dela impassível. Duas semanas antes.

Mas ao fim das aulas, quando se sentavam à pequena fogueira que ousavam acender todas as noites, ele se perguntava se as bruxas conseguiam farejar a inquietude que cutucava seus calcanhares.

Se conseguiam farejar que Dorian não tinha qualquer intenção de mijar naquela noite gélida conforme entremeava os sacos de dormir, passando em seguida pela leve abertura entre Narene, a fêmea azul-celeste de Asterin, e Abraxos. Ele assentiu na direção de onde Vesta montava guarda, e apesar do frio brutal, a bruxa de cabelos ruivos deu um sorriso malicioso para Dorian antes de ele virar a esquina da projeção rochosa e desaparecer de vista.

Dorian tinha escolhido o turno de Vesta por um motivo. Havia algumas entre as Treze que jamais sorriam. Lin, que ainda parecia considerar se o abriria para examinar suas entranhas; e Imogen, sempre discreta e que não sorria para *ninguém*. Thea e Kaya costumavam guardar os sorrisos uma para a outra, e quando Faline e Fallon — as gêmeas-demônio de olhos verdes, como as demais as chamavam — sorriam, queria dizer que o inferno estava prestes a tomar a terra.

Todas elas poderiam suspeitar se ele sumisse por tempo demais. Exceto Vesta, que descaradamente flertava com Dorian — ela o deixaria se demorar fora do acampamento. Provavelmente por medo do que Manon pudesse fazer com ela caso fosse vista seguindo-o no escuro.

Um cafajeste — era um cafajeste por usá-las daquela forma. Por avaliá-las e monitorá-las quando, no momento, arriscavam tudo para encontrar as Crochan.

Mas não fazia diferença se ele se importava. Com elas. Consigo mesmo, supunha Dorian. Importar-se não lhe fizera bem algum. Não fizera bem algum a Sorscha.

E não faria diferença depois que ele desistisse de tudo para selar o portão de Wyrd.

Damaris era um peso a seu lado — mas nada se comparava aos dois objetos enfiados no bolso do pesado casaco. Felizmente, tinha aprendido rápido a abafar os sussurros, os chamados sobrenaturais. Na maior parte das vezes.

Nenhuma das bruxas questionara por que Dorian havia sido tão facilmente persuadido a desistir da caçada pela terceira chave de Wyrd. Ele sabia que não deveria perder tempo discutindo. Então tinha planejado e deixado as Treze, além de Manon, acreditarem que ele estava contente com seu papel de protegê-las com sua magia.

Ao alcançar a clareira cercada por pedras que ele vira mais cedo sob o disfarce de perambular sem rumo pelo local, Dorian se preparou rapidamente.

Não tinha se esquecido de um único movimento das mãos de Aelin na baía da Caveira quando ela esfregara o próprio sangue no chão do quarto na Rosa do Oceano.

Mas não era Elena que ele planejava conjurar com seu sangue.

Quando a neve estava vermelha, após se certificar de que o vento soprava seu cheiro para longe do acampamento das bruxas, Dorian desembainhou Damaris e a mergulhou no círculo de marcas de Wyrd.

E então esperou.

A magia dele era um retumbar constante pelo corpo, a pequena chama que Dorian ousou conjurar era o bastante para aquecê-lo. Para evitar que ele estremecesse até morrer enquanto os minutos se passavam.

Gelo fora a primeira manifestação de sua magia. Dorian supunha que isso deveria lhe dar algum tipo de afinidade com o frio. Ou pelo menos alguma imunidade. Não tinha nenhum dos dois. E ele tinha decidido que, se sobrevivessem por tempo suficiente para suportar o calor escaldante do verão, jamais reclamaria de novo.

O jovem rei estivera aprimorando sua magia o máximo possível durante as últimas semanas de caçada incansável e inútil. Nenhuma das bruxas possuía poder, não além da Renúncia, a qual elas contaram que só poderia ser conjurada uma vez — com efeito terrível e devastador. Mas as Treze observavam com certo grau de interesse enquanto Dorian mantinha as lições que Rowan começara. Gelo. Fogo. Água. Cura. Vento. Com a neve, trazer vida da terra congelada se provara impossível. Mesmo assim, ele tentava.

A única magia que sempre vinha quando ele conjurava ainda era aquela força invisível capaz de partir ossos. E era dessa que as bruxas mais gostavam. Principalmente porque o tornava a melhor linha de defesa contra os inimigos. Morte — era esse seu dom. Tudo o que parecia ser capaz de oferecer para aqueles ao redor. Dorian era pouco melhor do que o pai nesse quesito.

A chama fluía por ele, invisível e constante.

Não tinham ouvido um sussurro sobre Aelin. Ou Rowan e seus companheiros. Nenhum sussurro sobre se a rainha ainda continuava prisioneira de Maeve.

Ela estivera disposta a entregar tudo para salvar Terrasen, para salvar todos eles. Dorian não poderia fazer menos. Aelin certamente tinha mais a perder. Um parceiro e marido que a amava. Uma corte que a seguiria até o inferno. Um reino há tanto tempo esperando por seu retorno.

Tudo o que ele tinha era um túmulo sem nome para uma curandeira de quem ninguém se lembraria, um império quebrado e um castelo estilhaçado.

Dorian fechou os olhos por um momento, bloqueando a visão do castelo de vidro explodindo, a visão do próprio pai estendendo a mão para ele, implorando por perdão. Um monstro — o homem fora um monstro de todas as maneiras possíveis. Havia gerado o filho enquanto estava possuído por um demônio valg.

O que isso fazia dele? Seu sangue era vermelho, e o príncipe valg que o infestara se deliciara ao se banquetear com ele, ao fazer com que Dorian *gostasse* do que fizera enquanto usava o colar. Mas isso ainda o tornava totalmente humano?

Expirando longamente, Dorian abriu os olhos.

Um homem estava do outro lado da clareira nevada.

O jovem rei fez uma reverência acentuada.

— Gavin.

O primeiro rei de Adarlan tinha os olhos dele.

Ou melhor, Dorian tinha os olhos de Gavin, passados ao longo dos mil anos entre os dois.

O restante do rosto do antigo rei era estranho: cabelos castanho-escuros longos, as feições severas, o formato sério da boca.

— Você aprendeu as marcas.

Dorian se levantou da reverência.

— Aprendo rápido.

Gavin não sorriu.

— A conjuração não é um dom para ser usado futilmente. Arrisca muito, jovem rei, ao me chamar aqui, considerando o que carrega.

Dorian deu tapinhas no bolso do casaco em que estavam as duas chaves de Wyrd, ignorando o estranho e terrível poder que pulsou contra a mão dele em resposta.

— Tudo é um risco nesses dias. — Ele se esticou. — Preciso de sua ajuda.

Gavin não respondeu. O olhar dele deslizou para Damaris, ainda mergulhada na neve entre as marcas. Um artigo pessoal do rei, como Aelin usara o Olho de Elena para conjurar a antiga rainha.

— Pelo menos tem cuidado bem de minha espada. — Os olhos dele se ergueram para os de Dorian, tão afiados quanto a própria lâmina. — Embora não possa dizer o mesmo de meu reino.

Dorian trincou o maxilar.

— Herdei uma certa bagunça de meu pai, infelizmente.

— Você era um príncipe de Adarlan muito antes de ser rei.

A magia de Dorian se agitou e virou gelo, mais fria do que a noite ao redor.

— Então considere que estou tentando me redimir por anos de mau comportamento.

Gavin o encarou de volta por um momento que se estendeu pela eternidade. Um verdadeiro rei, era o que o homem diante de si era. Um rei não apenas no título, mas em espírito. Como poucos tinham sido desde que ele fora posto para descansar sob as fundações do castelo que construíra ao longo do Avery.

Dorian suportou o peso do olhar de Gavin. Deixou que o rei visse o que restava dele, que observasse o colar pálido em torno do pescoço.

Então o homem piscou uma vez, o único sinal de permissão para que Dorian prosseguisse.

O jovem engoliu em seco.

— Onde está a terceira chave?

Gavin enrijeceu.

— Estou proibido de dizer.

— Proibido, ou não quer dizer? — Ele supunha que deveria estar ajoelhado, mantendo o tom de voz respeitoso. Quantas lendas sobre Gavin tinha lido quando era criança? Quantas vezes tinha corrido pelo castelo, fingindo ser o rei diante de si?

Dorian tirou o Amuleto de Orynth do casaco, deixando que oscilasse ao vento cruel. Uma canção silenciosa, fantasmagórica, vazou do medalhão dourado e azul — falando em uma língua que não existia.

— Brannon Galathynius desafiou os deuses ao colocar a chave aqui com um aviso para Aelin. O mínimo que pode fazer é me dar uma orientação.

Os contornos de Gavin se embaçaram, mas se mantiveram. Não havia muito tempo. Para nenhum dos dois.

— Brannon Galathynius era um bastardo arrogante. Já vi as consequências de interferir com os planos dos deuses. Não vai acabar bem.

— Sua esposa, e não os deuses, causou isso.

Gavin expôs os dentes. E embora o homem estivesse morto havia muito tempo, a magia de Dorian se acendeu de novo, preparando-se para atacar.

— Minha parceira — grunhiu o antigo rei — é o custo disso. Minha parceira, caso as chaves sejam recuperadas, desaparecerá *para sempre*. Sabe o que é isso, jovem rei? Ter a eternidade... e então vê-la arrancada?

Dorian não se incomodou em responder.

— Não quer que eu encontre a terceira chave porque isso significará o fim de Elena.

Gavin não disse nada.

Dorian soltou um grunhido.

— Inúmeras pessoas *morrerão* se as chaves não forem recolocadas no portão. — Ele guardou o Amuleto de Orynth de volta no casaco e, mais uma vez, ignorou o zumbido sobrenatural que pulsava contra seus ossos. — Não pode ser tão egoísta assim.

Gavin permaneceu em silêncio, com o vento batendo em seus cabelos escuros. Mas os olhos dele brilharam — muito levemente.

— Me fale onde — sussurrou Dorian. Tinha apenas minutos até que mesmo Vesta fosse procurá-lo. — Me fale onde está a terceira chave.

— Sua vida também será entregue. Se recuperar as chaves e forjar o Fecho. Sua alma também será reivindicada. Sequer um vestígio seu sobreviverá no Além-mundo.

— Ninguém se importaria de fato com isso mesmo. — Ele certamente não se importava. E certamente merecia aquele fim, quando fracassara tantas vezes. Depois de tudo o que fizera.

Gavin o estudou por um longo momento. Dorian permaneceu imóvel sob aquele olhar feroz. Um guerreiro que sobrevivera à segunda das guerras de Erawan.

— Elena ajudou Aelin — insistiu o príncipe, seu hálito espiralando no espaço entre eles. — Ela não recuou, mesmo sabendo o que significava para seu destino. E Aelin também não; ela jamais terá uma longa vida com o parceiro, ou a eternidade com ele. — *Assim como eu não terei.* O coração de Dorian começou a retumbar, a magia se levantando com aquilo. — Mesmo assim, você faria isso. Você fugiria.

Gavin exibiu os dentes.

— Erawan pode ser derrotado sem que o portão seja selado.

— Diga como e descobrirei uma forma de fazê-lo.

Mas Gavin se calou de novo, suas mãos se fechando ao lado do corpo. Dorian deu uma leve risada de escárnio.

— Se você soubesse, isso teria sido feito há muito tempo. — O antigo rei sacudiu a cabeça, mas Dorian prosseguiu: — Seus amigos morreram combatendo as hordas de Erawan. Me ajude a evitar o mesmo destino para os meus. Já pode ser tarde demais para alguns. — O estômago dele se revirou.

Será que Chaol chegara ao continente sul? Talvez fosse melhor que o amigo jamais voltasse, que ficasse seguro em Antica. Mesmo que o capitão jamais fizesse tal coisa.

Dorian olhou na direção do caminho próximo ao canto rochoso por onde tinha vindo. Não restava muito tempo.

— E quanto a Adarlan? — indagou Gavin. — Deixaria o reino sem rei? — A pergunta dizia bastante a respeito da opinião dele sobre Hollin. — É assim que se redimiria após anos ociosos como príncipe herdeiro?

Dorian aceitou o golpe verbal. Não passava da verdade, falada por um homem que servira seu deus sem nome.

— Isso importa mesmo agora?

— Adarlan era meu orgulho.

— O reino não é mais digno disso — disparou Dorian. — Não é há muito, muito tempo. Talvez mereça cair em ruína.

Gavin inclinou a cabeça.

— As palavras de um menino inconsequente e arrogante. Acha que é o único que sofreu perdas?

— No entanto, seu próprio medo da perda faz você escolher uma mulher em vez do destino do mundo.

— Se você tivesse escolha, sua mulher ou Erilea, iria escolher outra coisa?

Sorscha ou o mundo. A pergunta pairou, vazia. Parte do fogo dentro dele recuou, mas Dorian ousou dizer:

— Você se ilude com o caminho adiante, mas serviu ao deus da verdade. — Chaol contara a Dorian sobre a descoberta nas catacumbas sob os esgotos de Forte da Fenda na última primavera. O templo de ossos esquecido onde a confissão do leito de morte de Gavin tinha sido escrita. — O que *ele* tem a dizer sobre o papel de Elena nisso?

— Aquele Que Tudo Vê não alega familiaridade com criaturas covardes — grunhiu Gavin.

Dorian poderia ter jurado que um vento empoeirado e muito seco tinha se agitado pelo desfiladeiro.

— Então o que ele é?

— Não pode haver muitos deuses, de muitos lugares? Alguns nascidos neste mundo, outros nascidos em outro?

— Essa é uma questão para debater em outro momento — disparou Dorian. — Quando não estivermos em guerra. — Ele respirou fundo uma vez. Então de novo. — Por favor — sussurrou. — Por favor, me ajude a salvar meus amigos. Me ajude a consertar isso.

Era tudo que realmente lhe restava — aquela tarefa.

De novo, Gavin o observou, sopesou. Dorian suportou aquilo. Deixou que o antigo rei lesse qualquer que fosse a verdade escrita na alma dele.

Dor anuviou o rosto do homem. Dor e arrependimento, quando, por fim, ele disse:

— A chave está em Morath.

A boca de Dorian secou.

— Onde em Morath?

— Não sei. — Dorian acreditou nele. O medo cru nos olhos de Gavin confirmava isso. O antigo rei assentiu para Damaris. — Essa espada não é ornamental. Deixe que ela o guie, se não puder confiar em si mesmo.

— Ela realmente diz a verdade?

— Foi de fato abençoada por Aquele Que Tudo Vê, depois que fiz meu juramento a ele. — Gavin deu de ombros, um gesto em parte contido, como se o homem jamais tivesse de fato deixado as terras selvagens de Adarlan, de onde se erguera de líder de guerra a rei. — Ainda precisará aprender sozinho o que é verdade e o que é mentira.

— Mas Damaris me ajudará a encontrar a chave em Morath? — A invadir a fortaleza de Erawan, onde todos aqueles colares eram feitos...

A boca de Gavin se contraiu.

— Não posso dizer. Mas direi isto a você: não se aventure até Morath ainda. Até estar pronto.

— Estou pronto agora. — Uma mentira de tolo. E Gavin sabia. Era um esforço não tocar o pescoço, o aro pálido que para sempre marcaria sua pele.

— Morath não é uma mera fortaleza — disse o antigo rei. — É um inferno, e não é gentil com jovens inconsequentes. — Dorian enrijeceu o corpo, mas Gavin prosseguiu: — Saberá quando estiver realmente pronto. Permaneça neste acampamento se conseguir convencer suas companheiras. O caminho o encontrará aqui.

Os contornos do homem ondularam mais, o rosto se tornou sombrio. Dorian ousou dar um passo adiante.

— Sou humano?

Os olhos cor de safira de Gavin se suavizaram, apenas levemente.

— Não sou eu a pessoa que pode responder isso.

E então o rei se foi.

5

O comandante no beco alegara que suas ordens mais recentes tinham vindo de Doranelle.

Nenhum deles sabia se acreditava nele.

Sentado em torno de uma minúscula fogueira em um campo de terra na periferia de uma cidade em ruínas, com o sangue há muito limpo de suas mãos, Lorcan Salvaterre mais uma vez remoía aquela lógica.

Teriam, de alguma forma, ignorado a opção mais simples? Que Maeve estava em Doranelle aquele tempo todo, escondida dos súditos?

Mas aquele comandante era um mentiroso imundo, que havia cuspido na cara de Lorcan antes de terminarem.

O outro comandante que tinham encontrado naquele dia, no entanto, depois de uma semana caçando-o no porto marítimo mais próximo, alegara ter recebido ordens de um reino distante que eles haviam vasculhado três semanas antes. Na direção oposta a Doranelle.

Lorcan raspou os dedos dos pés na terra.

Nenhum deles tinha tido vontade de falar desde que o comandante daquela tarde contradissera a primeira alegação.

— Doranelle é a fortaleza de Maeve — disse Elide, por fim, com a voz firme preenchendo o silêncio pesado. — Por mais que seja simples, faria sentido que ela levasse Aelin até lá.

Whitethorn apenas encarava o fogo. Não havia limpado o sangue do casaco cinza-escuro.

— Seria impossível, mesmo para Maeve, mantê-la escondida em Doranelle — replicou Lorcan. — Teríamos ouvido a respeito disso a esta altura.

Ele não tinha certeza de quando falara pela última vez com a mulher à sua frente.

Ela não recuara diante da forma como Lorcan arrasara os comandantes de Maeve, no entanto. Encolhera-se durante a pior parte, sim, mas ouvira cada palavra que Rowan e Lorcan tinham arrancado deles. O guerreiro imaginava que Elide tivesse visto pior em Morath — odiava que ela tivesse. Odiava que o monstro do tio da jovem ainda respirasse.

Mas essa caçada viria depois. Depois que encontrassem Aelin. Ou o que restasse de sua rainha.

Os olhos de Elide ficaram frios, muito frios, quando ela retrucou:

— Maeve conseguiu esconder Gavriel e Fenrys de Rowan na baía da Caveira. E de alguma forma escondeu e transportou uma frota inteira.

Lorcan não respondeu. Com o olhar determinado, a jovem prosseguiu:

— Maeve sabe que Doranelle seria a escolha óbvia, a escolha que provavelmente rejeitaríamos porque é simples *demais*. Ela antecipou que acreditaríamos que Aelin seria arrastada para os cantos mais longínquos de Erilea, em vez de direto para casa.

— Maeve *teria* a vantagem de um exército facilmente convocado — acrescentou Gavriel, com o pescoço tatuado oscilando. — O que tornaria o resgate difícil.

Lorcan se conteve para não mandá-lo calar a boca. Não deixara de notar a frequência com que Gavriel se desdobrava para ajudar Elide, para conversar com ela. E sim, uma pequena parte do semifeérico se sentia grata por isso, pois os deuses sabiam que ela não aceitaria ajuda alguma *dele*.

Que Hellas o amaldiçoasse, tivera de entregar a própria camisa cortada para Whitethorn e Gavriel para que dessem a ela para seu ciclo. Ele tinha ameaçado esfolar os dois vivos se dissessem que era dele, e Elide, com o olfato humano, não sentira o cheiro de Lorcan no tecido.

Ele não sabia por que se incomodava. Não havia se esquecido das palavras dela naquele dia na praia.

Espero que passe o resto de sua vida miserável e imortal sofrendo. Espero que a passe sozinho. Espero que viva com arrependimento e culpa no coração e jamais encontre uma forma de superar.

A promessa dela, a maldição, o que quer que fosse, se provara verdade. Cada palavra.

Lorcan quebrara algo. Algo precioso e imensurável. Jamais tinha se importado até aquele momento.

Mesmo o juramento de sangue partido, ainda aberto em sua alma, não chegava perto do buraco no peito quando olhava para ela.

Elide oferecera a Lorcan um lar em Perranth ao saber que ele seria um macho desonrado. Oferecera um lar com ela.

Mas não tinha sido a destruição do juramento por Maeve que cancelara a oferta. Tinha sido uma traição tão grande que ele não sabia como consertá-la.

Onde está Aelin? Onde está minha esposa?

A mulher de Whitethorn — e sua parceira. Apenas aquela missão, a busca infindável para encontrá-la, evitava que Lorcan mergulhasse em um poço do qual sabia que não emergiria.

Se a encontrassem, se ainda houvesse o suficiente de Aelin para resgatar depois das sessões de Cairn, talvez ele pudesse achar uma forma de viver consigo mesmo. De suportar aquela... pessoa que havia se tornado. Talvez precisasse de mais quinhentos anos para conseguir.

Lorcan não se permitiu pensar que Elide seria pouco mais do que poeira então. Essa ideia por si só já era o suficiente para revirar o jantar minguado de pão velho e queijo duro no estômago.

Um tolo — era um tolo imortal e estúpido por seguir por aquele caminho com ela, por se esquecer de que mesmo que Elide o perdoasse, a mortalidade da jovem a chamaria.

Por fim, o guerreiro replicou:

— Também faria sentido que Maeve fosse até os akkadianos, como o comandante de hoje alegou. Ela mantém laços com aquele reino há muito tempo. — Ele, Whitethorn e Gavriel tinham ido à guerra naquele território coberto de areia. O semifeérico tinha desejado jamais colocar os pés ali de novo. — Seus exércitos a protegeriam.

Pois seria preciso um exército para evitar que Whitethorn alcançasse a parceira dele.

Ele se virou para o príncipe, que não deu indícios de que estava ouvindo. Lorcan não queria considerar se Whitethorn em breve precisaria acrescentar uma tatuagem ao outro lado do rosto.

— O comandante de hoje foi direto demais — prosseguiu Lorcan para o príncipe, com quem lutara lado a lado por tantos séculos, que fora um canalha tão frio quanto o semifeérico até a última primavera. — Você mal o ameaçou e ele cantou para nós. Aquele que alegou que Maeve estava em Doranelle ainda debochou até o final.

— Acho que ela está em Doranelle — interrompeu Elide. — Anneith me disse para ouvir naquele dia. Ela não fez isso das outras duas vezes.

— É algo a considerar, sim — disse Lorcan, e os olhos de Elide brilharam de irritação. — Mas não vejo motivo para crer que os deuses seriam tão claros assim.

— Diz o macho que sente o toque de um deus indicando a ele quando correr ou lutar — disparou ela.

Lorcan a ignorou, ignorou aquela verdade. Não sentia o toque de Hellas desde o pântano de Pedra. Como se até mesmo o deus da morte tivesse repulsa por ele.

— A fronteira de Akkadia fica a três dias de cavalgada daqui. A capital fica três dias além disso. Doranelle fica a mais de duas semanas daqui, se viajarmos quase sem descanso.

E o tempo não estava ao seu lado. Com as chaves de Wyrd, com Erawan, com a guerra certamente se deflagrando no continente de Elide, cada atraso tinha um custo. Sem falar do que cada dia sem dúvida trazia para a rainha de Terrasen.

A jovem abriu a boca, mas Lorcan a interrompeu:

— E aí, vamos chegar na fortaleza de Maeve exaustos e famintos... Não teremos chance. Sem falar que com o disfarce que ela consegue usar, podemos muito bem passar direto por Aelin sem jamais saber.

As narinas de Elide se dilataram, mas ela se virou para Rowan.

— A decisão é sua, príncipe.

Não apenas um príncipe, não mais. Consorte da rainha de Terrasen.

Por fim, Whitethorn ergueu o rosto. Quando aqueles olhos verdes recaíram sobre ele, Lorcan suportou o peso no olhar, o domínio natural. Ficara esperando Rowan reivindicar a vingança que ele merecia, esperando por aquele golpe. Torcendo por ele. Jamais viera.

— Chegamos tão longe no sul — disse Rowan, finalmente, com a voz baixa. — Melhor ir para Akkadia a arriscar nos aventurarmos até Doranelle e descobrir que estávamos errados.

E foi isso.

Elide apenas lançou um olhar de raiva para Lorcan e se levantou, murmurando algo a respeito de satisfazer suas necessidades antes de ir dormir. O olhar se manteve firme conforme a jovem bateu os pés pela grama — graças ao suporte que Gavriel mantinha em torno de seu tornozelo.

Deveria ser a magia de Lorcan ajudando-a. Tocando-lhe a pele.

Os passos se tornaram distantes, quase silenciosos. Ela costumava ir mais longe do que o necessário para evitar que eles ouvissem alguma coisa. O semifeérico deu a Elide alguns minutos antes de segui-la no escuro.

Ele a encontrou já retornando, e ela parou no alto de uma pequena colina que mal passava de um calombo de terra no campo.

— O que você quer?

Lorcan continuou andando até estar na base da colina, então parou.

— Akkadia é a escolha mais sábia.

— Rowan também decidiu isso. Você deve estar tão satisfeito.

Elide fez menção de passar batendo os pés por ele, mas Lorcan se colocou no caminho. Ela inclinou o pescoço para ver o rosto dele, apesar de o guerreiro jamais ter se sentido menor. Mais baixo.

— Não insisti por Akkadia para implicar com você. — Foi o que ele conseguiu dizer.

— Não me importo.

Ela tentou contorná-lo, mas Lorcan se manteve facilmente adiante.

— Eu não... — As palavras o estrangularam. — Não tive a intenção de que isso acontecesse.

Elide soltou uma risada baixa e cruel.

— É claro que não. Por que teria tido a intenção de que sua rainha maravilhosa partisse o juramento de sangue?

— Não me importo com isso. — E não se importava. Jamais dissera palavras mais sinceras. — Só quero consertar as coisas.

O lábio dela se retraiu.

— Eu estaria disposta a acreditar nisso se não o tivesse visto *rastejar* atrás de Maeve na praia.

Lorcan não reagiu às palavras, ao ódio nelas, tão chocado que a deixou passar dessa vez. Ela sequer olhou para trás.

Não até que ele dissesse:

— Não rastejei atrás de Maeve.

Ela parou, com os cabelos balançando. Devagar, Elide olhou por cima do ombro. Altiva e fria como as estrelas sobre eles.

— Eu rastejei... — Ele engoliu em seco. — Eu rastejei atrás de Aelin.

Lorcan afastou a areia ensanguentada, os gritos da rainha, os últimos pedidos suplicantes para Elide. Afastou tudo isso e disse:

— Quando Maeve partiu o juramento, não consegui me mexer, mal consegui respirar.

Tinha sentido tanta dor que Lorcan não podia imaginar como teria sido partir o juramento por conta própria, sem pedir. Não era o tipo de dor do qual se saía ileso.

O juramento podia ser esticado, alongado. O fato de que Vaughan, o último da equipe, sem dúvida ainda perambulava pelas florestas do norte na "caçada" por Lorcan era prova o suficiente de que as amarras do juramento de sangue podiam ser contornadas. Mas quebrá-lo por livre-arbítrio, encontrar uma forma de partir o fio, isso seria abraçar a morte.

Lorcan tinha se perguntado durante aqueles meses se não deveria ter feito exatamente aquilo.

Ele engoliu em seco.

— Tentei chegar até ela. Até Aelin. Tentei chegar até aquela caixa. — Ele acrescentou baixinho para que apenas Elide pudesse ouvir: — Juro.

A palavra de Lorcan era seu valor, a única moeda que se incomodava em usar. Dissera isso a Elide certa vez, durante aquelas semanas na estrada. Mas nada brilhou em seus olhos indicando que ela se lembrava.

A jovem apenas caminhou de volta para o acampamento, e Lorcan permaneceu onde estava.

Ele tinha feito aquilo. Causado aquilo a ela, a eles.

Elide chegou à fogueira do acampamento, então Lorcan seguiu, por fim, aproximando-se do círculo de luz a tempo de vê-la se sentar ao lado de Gavriel com a boca contraída.

O Leão murmurou para a jovem:

— Ele não está mentindo, sabe.

Lorcan trincou o maxilar, sem tentar disfarçar seus passos. Se o ouvido de Gavriel era aguçado o suficiente para escutar cada palavra da conversa deles, o Leão certamente sabia que o guerreiro se aproximava. E certamente sabia que não deveria enfiar o nariz na vida deles.

Ainda assim, Lorcan se viu observando a expressão de Elide, esperando pela resposta dela.

E quando tanto o Leão quanto Lorcan foram ignorados, ele desejou não ter falado nada.

O Príncipe Rowan Whitethorn Galathynius, consorte, marido e parceiro da rainha de Terrasen, sabia que estava sonhando.

Sabia porque podia vê-la.

Havia apenas escuridão ali. E vento. E um grande abismo aberto entre eles.

Não existia fundo naquele abismo, naquela fenda no mundo. Mas ele conseguia ouvir sussurros serpenteando por ali, bem abaixo.

Aelin estava de pé e de costas para ele, com os cabelos soprando como uma cortina de ouro. Mais longos do que ele vira da última vez.

Rowan tentou se transformar para voar sobre o abismo. A magia natural do corpo dele o ignorou. Trancado no corpo feérico, o salto era grande demais, então ele só podia olhar para ela, inspirar seu cheiro — jasmim, lúcia-lima e brasas estalando —, que fluía até ele ao vento. Esse vento não lhe contou segredo algum, não tinha uma canção para cantar.

Era um vento de morte, de frio, de nada.

Aelin.

Rowan não tinha voz ali, mas falou seu nome, lançando-o pelo golfo entre os dois.

Lentamente, ela se virou para ele.

Era o rosto dela — ou seria em alguns anos. Quando se Estabilizasse.

Mas não foram as feições levemente mais velhas que o deixaram sem fôlego.

Foi a mão sobre a barriga redonda.

Aelin o encarou com os cabelos ainda esvoaçando. Atrás dela, quatro pequenas figuras surgiram.

Rowan caiu de joelhos.

A mais alta: uma menina com cabelos dourados e olhos verde-pinho, de rosto sério e tão orgulhosa quanto a mãe. O menino ao lado, quase da mesma altura, sorriu para Rowan, um sorriso caloroso e alegre, com os olhos Ashryver quase brilhando sob cabelos prateados. O menino ao lado desse, de cabelos prateados e olhos verdes, podia muito bem ser o gêmeo de Rowan. E a menina menor, agarrada às pernas da mãe... Uma criança de traços finos e cabelos prata, pouco mais do que um bebê, com olhos azuis remontando a uma linhagem que Rowan não conhecia.

Filhos. Os filhos dele. Os filhos deles.

Com outro a poucas semanas de nascer.

A família dele.

A família que poderia ter, o futuro que poderia ter. A coisa mais linda que já tinha visto.

Aelin.

As crianças se aproximaram mais dela, a menina mais velha olhou para Aelin em aviso.

Rowan sentiu então. Um vento sombrio, letal e poderoso, soprando na direção deles.

O guerreiro tentou gritar. Tentou se levantar para encontrar um caminho até eles.

Mas o vento sombrio rugiu, ondulando e rasgando tudo no caminho.

Ainda o estavam encarando quando o vento os varreu também.

Até que apenas poeira e trevas restassem.

Rowan acordou sobressaltado, com o coração em um ritmo frenético conforme o corpo urrava para que se *mexesse*, para que *lutasse*.

Mas não havia nada nem ninguém contra quem lutar ali, naquele campo de terra sob as estrelas.

Um sonho. Aquele mesmo sonho.

Ele esfregou o rosto, sentando-se no saco de dormir. Os cavalos dormiam, e não havia nenhum sinal de agitação. Gavriel mantinha guarda na forma de leão da montanha logo além da luz da fogueira, seus olhos brilhando no escuro. Elide e Lorcan não se agitaram do sono pesado.

Rowan observou a posição das estrelas. Apenas algumas horas até o alvorecer.

E então para Akkadia — para aquela terra de arbustos e areia.

Enquanto Elide e Lorcan debatiam para onde ir, ele sopesara por conta própria. Se deveria voar para Doranelle sozinho, arriscando perder preciosos dias no que poderia ser uma busca infrutífera.

Se Vaughan estivesse ali com eles, se tivesse sido libertado, Rowan poderia ter despachado o guerreiro na forma de águia-pescadora para Doranelle enquanto seguiam para Akkadia.

Ele considerou mais uma vez. Se forçasse a magia, reunisse os ventos para si, as duas semanas que levariam para chegar a Doranelle poderiam ser feitas em dias. Mas se, por algum motivo, encontrasse mesmo Aelin... Travara batalhas o suficiente para saber que precisaria da força de Lorcan e Gavriel antes de as coisas terminarem. Que poderia colocar Aelin em perigo ao tentar libertá-la sem a ajuda deles. O que significaria voar *de volta* até eles, então fazer uma viagem dolorosamente lenta para o norte.

E com Akkadia tão próxima, a escolha mais sábia seria procurar lá primeiro. Caso o comandante daquele dia tivesse dito a verdade. E se o que descobrissem em Akkadia os levasse a Doranelle, então para Doranelle iriam. Juntos.

Mesmo que fosse contra todos os seus instintos como parceiro. Como marido. Mesmo que cada dia, cada hora que Aelin passava nas garras de Maeve provavelmente causasse mais sofrimento a ela do que Rowan suportava considerar.

Então viajariam para Akkadia. Em poucos dias, entrariam nas planícies, e, então, nas distantes colinas secas além delas. Assim que as chuvas de inverno começassem, as planícies ficariam verdes, exuberantes — mas, depois do verão escaldante, as terras ainda estavam marrons e da cor do trigo, por causa da água escassa.

Rowan se asseguraria de que abasteceriam no rio seguinte. O bastante para os cavalos também. Podia haver pouca comida, mas era possível encontrar carne de caça nas planícies. Coelhos magros e coisas pequenas e peludas que se enterravam na terra rachada. Exatamente o tipo de comida que Aelin estremeceria ao comer.

Gavriel reparou no movimento do acampamento e se aproximou, com as imensas patas silenciosas até mesmo na grama seca como osso. Olhos amarelos e inquisidores piscaram para ele.

Rowan sacudiu a cabeça para a pergunta não dita.

— Vá dormir. Eu assumo o turno.

Gavriel inclinou a cabeça em um gesto que Rowan sabia querer dizer: *Você está bem?*

Estranho — ainda era estranho trabalhar com o Leão, com Lorcan, sem os laços do juramento de Maeve obrigando-os a isso. Era estranho saber que eles estavam ali por escolha própria.

No que isso os transformava, Rowan não tinha muita certeza.

Ele ignorou a pergunta silenciosa de Gavriel e encarou a fogueira que se extinguia.

— Descanse enquanto puder.

O guerreiro não protestou ao caminhar até o próprio saco de dormir e se sentar com um suspiro felino.

Rowan conteve o tremor de culpa. Estivera exigindo bastante deles. Não tinham reclamado, não tinham pedido a ele que reduzisse o passo exaustivo que havia determinado.

Ele não sentira nada pelo laço desde aquele dia na praia. Nada.

Ela não estava morta, porque o laço ainda existia, mas... estava silencioso.

Rowan refletia sobre isso durante as longas horas em que viajavam, durante as horas de guarda. Mesmo durante as horas em que deveria estar dormindo.

Não tinha sentido dor pelo laço naquele dia em Eyllwe. Mas tinha sentido quando Dorian Havilliard a esfaqueara no castelo de vidro, sentira o laço — o que ele tão estupidamente havia achado ser o laço de *carranam* entre eles — estendendo-se até quase arrebentar quando ela chegou tão perto, tão perto da morte.

No entanto, naquele dia na praia, quando Maeve a tinha atacado, então tinha obrigado Cairn a *açoitá-la*...

Rowan trincou o maxilar com tanta força que doeu, mesmo com o estômago se revirando. O príncipe feérico olhou para Goldryn, ao lado dele no saco de dormir.

Cuidadosamente, Rowan apoiou a lâmina diante de si, encarando o rubi no centro do cabo, a pedra incandescente à luz da fogueira.

Aelin sentira a flecha que ele levara durante a luta contra Manon no templo de Temis. Ou um tranco forte o bastante a ponto de ela saber naquele momento que os dois eram parceiros.

Mas ele não havia sentido nada naquele dia na praia.

Rowan tinha a sensação de que sabia a resposta. Sabia que Maeve era provavelmente a causa daquilo, o tampão sobre o que havia entre eles. Ela entrara na mente do guerreiro para enganá-lo, para que acreditasse que Lyria era sua parceira, enganando justamente os instintos que o tornavam um macho feérico. Não estaria aquém dos poderes da rainha encontrar uma forma de abafar o que havia entre ele e Aelin, para evitar que ele soubesse que ela estava em tamanho perigo e agora para evitar que ele a encontrasse.

Mas Rowan deveria ter percebido. A respeito de Aelin. Não deveria ter esperado para reunir as serpentes aladas e os demais. Deveria ter voado direto para a praia, e não desperdiçado aqueles minutos preciosos.

Parceira. Sua parceira.

Deveria ter percebido isso também. Mesmo que ódio e luto o tivessem transformado em um canalha miserável, deveria ter sabido quem ela era, o que ela era, desde o momento em que a tinha mordido em Defesa Nebulosa, incapaz de conter o anseio de reivindicá-la. No momento em que o sangue dela caíra em sua língua e *cantara* para ele, recusando-se a deixá-lo em paz, o gosto permanecendo durante meses.

Em vez disso, eles brigaram. Ele havia permitido que os dois brigassem de tão perdido que estava no ódio e no gelo. Ela estivera tão enfurecida quanto ele e disparara uma coisa tão odiosa e impronunciável que Rowan a tratara como qualquer dos machos e fêmeas que tinham estado sob seu comando e que tinham cometido insolências, mas aqueles primeiros dias ainda o assombravam. Embora soubesse que, se algum dia mencionasse aquelas brigas com um pingo de vergonha, Aelin o xingaria de tolo.

O guerreiro não sabia o que fazer a respeito da tatuagem que descia por seu rosto, pescoço e braço. A mentira que contava a respeito da perda dele e a verdade que revelava sobre a cegueira.

Rowan tinha passado a amar Lyria — aquilo fora verdade. E a culpa o corroía vivo sempre que pensava nisso, mas ele entendia agora. Por que Lyria sentira tanto medo dele naqueles primeiros meses, por que fora tão difícil cortejá-la, mesmo com aquele laço de parceria, com a verdade desconhecida para Lyria também. Ela tinha sido carinhosa, tímida e bondosa. Um tipo diferente de força, sim, mas não o que ele talvez tivesse escolhido para si.

Ele se odiava por pensar nisso.

Mesmo com o ódio o consumindo devido àquele pensamento, ao que tinha sido roubado dele. De Lyria também. Aelin fora dele, e ele fora dela, desde o início. Antes disso, até. E Maeve pensara em quebrá-los, em quebrar *Aelin* para conseguir o que queria.

Ele não deixaria aquilo impune. Assim como não podia esquecer que Lyria, independentemente do que realmente existia entre os dois, estava carregando um filho quando Maeve enviou aquelas forças inimigas para a casa de Rowan na montanha. Ele jamais perdoaria aquilo.

Vou matá-la, dissera Aelin ao ouvir o que Maeve tinha feito. O quão terrivelmente ela o manipulara, o quebrara — e destruíra Lyria. Elide tinha contado a ele cada palavra do encontro, de novo e de novo. *Vou matá-la*.

Rowan encarou o coração incandescente do rubi de Goldryn.

Ele rezou para que aquele fogo, aquele ódio, não tivesse se partido. Sabia quantos dias tinham se passado, sabia quem Maeve prometera que cuidaria da tortura. Sabia que as chances estavam contra ela. O príncipe feérico havia passado duas semanas preso na mesa de um inimigo. Ainda levava a cicatriz de um dos aparelhos mais criativos no braço.

Depressa. Precisavam chegar depressa.

Rowan se inclinou para a frente, apoiando a testa contra o cabo de Goldryn. O metal estava morno, como se ainda levasse um sopro da chama daquele que a empunhara.

Não tinha colocado os pés em Akkadia desde aquela última e terrível guerra. Embora tivesse levado soldados feéricos e mortais para a vitória, jamais sentira qualquer desejo de vê-la de novo.

Mas para Akkadia iriam.

E se Rowan a encontrasse, se a libertasse... Ele não se permitiu pensar além disso.

Na outra verdade que enfrentariam, o outro fardo. *Diga a Rowan que sinto muito por ter mentido. Mas diga a ele que era tudo tempo emprestado. Até antes de hoje, eu sabia que era apenas tempo emprestado, mas ainda queria que tivéssemos tido mais.*

Ele se recusava a aceitar isso. Jamais aceitaria que ela deveria ser o preço pago para acabar com aquilo, para salvar o mundo.

Rowan observou o cobertor de estrelas acima.

Enquanto todas as outras constelações tinham passado, o Senhor do Norte permanecia, a estrela imortal entre a galhada apontando para o caminho de casa. Para Terrasen.

Diga a ele que precisa lutar. Ele precisa *salvar Terrasen, e para lembrar-se dos votos que fez a mim.*

O tempo não estava a favor deles, não com Maeve, não com a guerra se deflagrando no continente deles. Mas Rowan não tinha intenção de voltar sem ela, com ou sem o pedido final, independentemente dos juramentos que tivesse feito ao se casar com ela para guardar e governar Terrasen.

E diga a ele obrigada — por caminhar comigo por aquele sombrio caminho de volta à luz.

Fora uma honra para ele. Desde o início, fora uma honra para ele, a maior de sua vida imortal.

Uma vida imortal que compartilhariam juntos — de alguma forma. Ele não permitiria outra alternativa.

Silenciosamente, Rowan jurou para as estrelas.

E poderia ter jurado que o Senhor do Norte tinha brilhado em resposta.

6

Os ventos invernais das ondas agitadas gelaram Chaol Westfall desde o momento em que ele havia saído dos aposentos sob o convés. Mesmo com o casaco azul espesso, o frio úmido penetrava seus ossos, e observando a água, parecia que a pesada cobertura das nuvens não abriria tão cedo. O inverno estava avançando sobre o continente, tão certamente quanto as legiões de Morath.

O alvorecer gélido não revelara nada, apenas os mares ondulantes e os marujos e soldados estoicos que mantinham aquele navio viajando rapidamente para o norte. Atrás deles, flanqueando-os, metade da frota do khagan acompanhava. A outra metade ainda se detinha no continente sul conforme o restante da poderosa armada do império se reunia. Estariam apenas algumas semanas atrasados se o tempo se mantivesse firme.

Chaol lançou uma oração para o vento salobro e gelado para que se mantivesse. Pois, apesar do tamanho da frota reunida atrás dele e apesar dos milhares de montadores de ruks que acabavam de tomar os céus dos poleiros nos navios para caçadas matinais sobre as ondas, ainda poderia não ser o suficiente contra Morath.

E, mesmo assim, eles poderiam não chegar rápido o bastante para que aquele exército fizesse alguma diferença.

Três semanas velejando trouxeram poucas notícias a respeito da horda que os amigos tinham reunido e supostamente levado a Terrasen, pois eles se mantiveram longe o bastante da costa para evitar navios inimigos — ou serpentes aladas. Mas isso mudaria naquele dia.

Um braço delicado e morno se entrelaçou ao dele, e uma cabeça com cabelos castanho-dourados se recostou contra o ombro de Chaol.

— Está congelando aqui fora — murmurou Yrene, fazendo cara feia para as ondas agitadas pelo vento.

Ele lhe deu um beijo leve no topo da cabeça.

— O frio engrandece o caráter.

Yrene conteve uma risada, o vapor do hálito soprado pelo vento.

— Soou como um homem do norte.

Chaol passou o braço pelos ombros dela, acomodando-a ao lado do corpo.

— Não estou aquecendo você o suficiente ultimamente, esposa?

A curandeira corou e lhe deu uma cotovelada nas costelas.

— Troglodita.

Mais de um mês depois e ele ainda se maravilhava com a palavra: *esposa*. Com a mulher a seu lado, que curara sua alma fraturada e cansada.

Sua coluna era secundária. Chaol passara aqueles longos dias no navio praticando como poderia lutar — se montado em um cavalo ou com uma bengala ou da cadeira de rodas — durante os momentos em que o poder de Yrene ficaria tão drenado e que o laço vital entre eles se esticaria tanto que o ferimento o controlaria novamente.

A coluna não tinha se curado, não de verdade. Jamais se curaria. Fora o custo de salvar a vida dele depois que uma princesa valg o deixara à beira da morte. Ainda assim, não parecia um custo tão alto.

Jamais fora um fardo — a cadeira, o ferimento. Não seria agora.

Mas a outra parte daquela barganha com a deusa que guiara Yrene a vida dela inteira, que a levara até o litoral de Antica e agora de volta ao continente deles... essa parte o deixava morto de medo.

Se ele morresse, Yrene também morreria.

Para que canalizasse o poder de cura para Chaol, de modo que ele pudesse andar quando a magia da jovem não estivesse exaurida demais, as vidas dos dois tinham sido entrelaçadas.

Então, se ele morresse em batalha contra as legiões de Morath... Não apenas sua vida seria perdida.

— Está pensativo demais. — Yrene franziu a testa para Chaol. — O que é?

Ele indicou com o queixo o navio que velejava mais perto do deles. Na popa, havia dois ruks, um dourado e um marrom-avermelhado, em posição de atenção. Ambos já estavam selados, embora não houvesse sinal dos montadores de Kadara ou de Salkhi.

— Não sei dizer se você está indicando os ruks ou o fato de que Nesryn e Sartaq são inteligentes o suficiente para permanecer na cama em uma manhã como esta. — *Como nós deveríamos fazer*, acrescentaram os olhos castanho-dourados amargamente.

Foi a vez de Chaol cutucá-la com o cotovelo.

— Foi você quem *me* acordou esta manhã, sabia. — Ele deu um leve beijo na lateral do pescoço de Yrene, um lembrete preciso de como, exatamente, ela o acordara. E do que tinham feito por uma boa hora perto do alvorecer.

A seda morna da pele dela contra os lábios de Chaol bastava para lhe aquecer os ossos gelados.

— Podemos voltar para a cama se quiser — murmurou ele.

Yrene soltou um ruído baixo, sem fôlego, que deixou as mãos de Chaol desejosas por percorrerem o corpo coberto dela. Mesmo com o tempo os pressionando, apressando-os para o norte, ele amava descobrir todos os sons que ela fazia — amava arrancá-los dela.

Mas Chaol afastou a cabeça da curva do pescoço de Yrene a fim de gesticular de novo para os ruks.

— Eles vão partir em uma missão de reconhecimento em breve. — Ele poderia apostar que Nesryn e o recém-coroado herdeiro do khagan estavam se enchendo de armas e casacos. — Já velejamos o suficiente para o norte e precisamos de informação sobre onde aportar. — Para que pudessem decidir onde, exatamente, deixariam a armada para começar a marcha rumo ao continente o mais rápido possível.

Se Forte da Fenda ainda fosse refém de Erawan e das legiões Dentes de Ferro, velejar com a armada Avery acima e marchar para o norte até Terrasen não seria inteligente. Mas o rei valg poderia muito bem ter forças à espreita em qualquer ponto adiante. Sem falar da frota da rainha Maeve, que sumira depois da batalha com Aelin e felizmente permanecia desaparecida.

Pelos cálculos do capitão, estavam se aproximando da fronteira de Charco Lavrado com Adarlan. Então precisariam decidir *para onde*, exatamente, velejariam. O mais rápido possível.

Já haviam perdido tempo precioso rondando as ilhas Mortas, apesar da informação de que mais uma vez pertenciam ao capitão Rolfe. A notícia da viagem deles provavelmente já tinha chegado a Morath, mas não havia necessidade de declarar sua localização exata.

Ainda assim, o segredo custara: ele não tivera nenhuma notícia da localização de Dorian. Nenhum sussurro sobre se fora para o norte com Aelin e a frota que ela reunira de vários reinos. Chaol só podia rezar para que Dorian tivesse ido e para que seu rei permanecesse a salvo.

Yrene estudou os dois ruks no navio próximo.

— Quantos batedores vão?

— Apenas eles.

Os olhos dela brilharam com alarme.

— É mais fácil para números pequenos permanecerem escondidos. — Chaol apontou para o céu. — E a cobertura das nuvens hoje torna o dia ideal para reconhecimento também. — Quando a preocupação no rosto da esposa não se dissipou, ele acrescentou: — Precisaremos lutar nesta guerra em algum momento, Yrene. — Quantas vidas Erawan tomava a cada dia que eles se atrasavam?

— Eu sei. — Ela segurou o medalhão de prata no pescoço. Chaol lhe dera a joia após pedir que um mestre-artesão gravasse as montanhas e os mares na superfície. Dentro, ela ainda continha o bilhete que Aelin Galathynius deixara anos antes, quando a jovem trabalhava como atendente de bar em um porto em ruínas e a rainha vivia como assassina sob outro nome. — Eu apenas... Sei que é tolice, mas de alguma forma não achei que chegaria a esse ponto tão rapidamente.

Ele mal chamaria aquelas semanas ao mar de rápidas, mas entendia o que Yrene queria dizer.

— Esses últimos dias serão os mais longos até agora.

Ela se aninhou ao lado de Chaol, envolvendo a cintura dele com o braço.

— Preciso verificar os suprimentos. Pedirei que Borte voe comigo até o navio de Hasar.

Arcas, a ave da destemida montadora de ruk, ainda estava dormindo na popa.

— Talvez precise esperar um pouco.

De fato, ambos tinham aprendido nas últimas semanas a *não* perturbar nem a ruk nem a montadora enquanto dormiam. Que os deuses os ajudassem se Borte e Aelin se conhecessem.

A curandeira sorriu e ergueu as mãos para segurar o rosto dele em concha. Os olhos claros observaram os de Chaol.

— Amo você — disse ela, baixinho.

Chaol abaixou a testa até tocar a da mulher.

— Diga isso quando estivermos com as pernas enterradas até os joelhos em lama gelada, sim?

Yrene deu um riso de deboche, mas não fez menção de se afastar. Ele também não.

Então, testa contra testa, alma contra alma, os dois ficaram parados ali, em meio ao vento ríspido e às ondas revoltas, e esperaram para ver o que os ruks poderiam descobrir.

Ela se esquecera do frio maldito que fazia no norte.

Mesmo durante o tempo em que tinha vivido entre os montadores de ruks nas montanhas Tavan, Nesryn Faliq jamais se sentira tão congelada.

E o inverno não caíra por completo.

Salkhi, no entanto, não mostrava indícios de que o frio o afetava conforme disparavam sobre as nuvens e o mar. Mas isso também poderia ser porque Kadara voava ao lado dele, e a ruk dourada não hesitava ao vento gélido.

Uma fraqueza — seu ruk desenvolvera uma fraqueza e uma admiração irredutível pela montaria de Sartaq. Embora Nesryn supusesse que o mesmo pudesse ser dito sobre ela e o montador da ruk.

A mulher tirou os olhos das nuvens cinza espiraladas e olhou para o cavaleiro à sua esquerda.

Os cabelos cortados tinham crescido — muito pouco. Apenas o bastante para serem trançados para trás contra o vento.

Sentindo a atenção dela, o herdeiro do khaganato sinalizou: *Está tudo bem?*

Nesryn corou apesar do frio, mas sinalizou de volta, os dedos dormentes desajeitados com os símbolos. *Tudo certo.*

Uma colegial corando. Era o que se tornava perto do príncipe, mesmo com os dois compartilhando a cama nas últimas semanas, ou com o que ele prometera para o futuro de ambos.

Governar ao seu lado. Como a futura imperatriz do khaganato.

Era absurdo, é claro. A ideia de Nesryn vestida como a mãe de Sartaq, naqueles lindos vestidos esvoaçantes e com os penteados grandiosos... Não, **ela** se adequava mais aos couros dos rukhin, ao peso do aço, não às joias. Dissera isso a Sartaq. Muitas vezes.

Ele gargalhara e ignorara aquilo, dizendo que Nesryn podia andar nua **pelo** palácio se quisesse. O que ela vestisse ou deixasse de vestir não o incomo**daria** nem um pouco.

Mas ainda era uma ideia ridícula. Uma que o príncipe parecia achar ser o único caminho para o futuro dos dois. Ele apostara a coroa nisso, dissera ao pai que se ser príncipe significava não estar com ela, então deixaria o trono. O khagan havia oferecido a Sartaq o título de herdeiro então.

Antes de os dois partirem, os irmãos de Sartaq não pareceram irritados com aquilo, embora tivessem passado a vida inteira desejando ser coroados herdeiros do pai. Mesmo Hasar, que velejava com eles, tinha contido a habitual língua afiada. Se Kashin, Arghun ou Duva — todos ainda em Antica, com Kashin tendo prometido velejar com o restante das forças do pai — tinham mudado de ideia a respeito da nomeação de Sartaq, Nesryn não sabia.

Um tremor de atividade à direita de Nesryn a fez virar Salkhi naquela direção.

Falkan Ennar, metamorfo e mercador transformado em espião para os rukhin, assumira forma de falcão naquela manhã e usava a velocidade notável da criatura para voar à frente. Ele devia ter visto algo, pois tinha guinado e disparado por eles, voando em seguida para o continente de novo. *Sigam*, era o que parecia dizer.

Velejar para Terrasen ainda era uma opção, dependendo do que encontrassem naquele dia na costa. Se Lysandra estaria lá, se ainda estaria viva, era uma questão totalmente diferente.

Falkan jurara que sua fortuna e suas propriedades seriam herança da sobrinha muito antes de saber que ela sobrevivera à infância, ou que recebera os dons da família. Uma família estranha que tinha vindo dos desertos, se espalhado pelo continente, com o irmão acabando em Adarlan por tempo o bastante para gerar Lysandra e abandonar a mãe da menina.

Mas Falkan não falara desse desejo desde que o grupo deixara as montanhas Tavan. Em vez disso, dedicava-se a ajudar do modo que pudesse: reconhecendo territórios, principalmente. Contudo, logo chegaria o momento em que precisariam mais da assistência dele, como tinham precisado contra as *kharankui* no desfiladeiro Dagul.

Talvez tão vital quanto o exército que tinham levado fosse a informação que tinham descoberto lá. Que Maeve não era sequer uma rainha feérica, e sim uma impostora valg. Uma antiga rainha valg que se infiltrara em Doranelle no início dos tempos, invadindo as mentes das duas rainhas-irmãs e convencendo-as de que tinham uma irmã mais velha.

Talvez esse conhecimento não tivesse qualquer consequência naquela guerra. Mas poderia mudá-la de alguma forma. Saber que outro inimigo espreitava à retaguarda. E que Maeve tinha fugido para Erilea a fim de escapar do rei valg com o qual se casara, irmão de dois outros — que, por sua vez, tinham arrancado as chaves de Wyrd do portão e devastado mundos para encontrá-la.

Que os três reis valg tivessem invadido esse mundo apenas para ficarem presos ali, sem saber que sua presa espreitava em um trono em Doranelle, era uma estranha reviravolta do destino. Apenas Erawan restara daqueles três reis, irmãos de Orcus, o marido de Maeve. O que ele pagaria para saber quem ela era verdadeiramente?

Era uma pergunta a respeito da qual outros, talvez, devessem refletir. Considerar como usar.

Falkan desceu em um mergulho íngreme pela cobertura das nuvens e Nesryn seguiu.

Ar frio e nebuloso a açoitou, mas ela se inclinou na direção da queda, com Salkhi atrás de Falkan sem precisar de um comando. Por um minuto, apenas nuvens passaram, então...

Penhascos brancos se ergueram das ondas cinzentas e, além deles, havia grama seca se estendendo na última das planícies mais setentrionais de Charco Lavrado.

Falkan disparou na direção do litoral, contendo a velocidade para não perdê-los.

Kadara acompanhava o ritmo facilmente, e o grupo voava em silêncio conforme a costa ficava mais nítida.

A grama nas planícies não estava seca devido ao inverno. Tinha sido queimada. E as árvores, despidas das folhas, mal passavam de cascos.

No horizonte, nuvens de fumaça manchavam o céu de inverno. Muitas e grandes demais para serem os fazendeiros queimando o que restara das plantações para fertilizar o solo.

Nesryn sinalizou para Sartaq, *Vou olhar mais de perto.*

O príncipe sinalizou de volta, *Percorra o limite das nuvens, mas não desça abaixo delas.*

Nesryn assentiu e desapareceu com sua ruk na fina camada inferior das nuvens. Por fendas ocasionais, lampejos da terra chamuscada surgiam abaixo.

Cidades e fazendas: arrasadas. Como se uma força tivesse avançado do mar e cortado tudo no caminho.

Mas não havia armada ancorada no litoral. Não, aquele exército estivera a pé.

Mantendo-se no limite do véu das nuvens, Nesryn e Sartaq atravessaram a terra.

O coração dela batia forte, mais e mais rápido, a cada légua de paisagem queimada e estéril que cobriam. Nenhum sinal de um exército inimigo ou de batalhas contínuas.

Tinham queimado por diversão pessoal e doentia.

Nesryn marcou a terra, as características que conseguia discernir. Tinham realmente acabado de atravessar as fronteiras de Charco Lavrado, Adarlan era uma extensão ao norte.

Mas, no continente, aproximando-se a cada légua, um exército marchava. Estendendo-se por quilômetros e quilômetros, era preto e se contorcia.

O poder de Morath, ou alguma terrível fração dele, enviada para incutir terror e destruição antes da onda final.

Sartaq sinalizou, *Um grupo de soldados abaixo.*

Nesryn olhou por cima da asa de Salkhi, da queda impiedosa, e viu um pequeno grupo de soldados em armadura escura entremeando as árvores — um destaque da massa fervilhante adiante. Como se tivessem sido enviados para caçar os sobreviventes.

O maxilar de Nesryn trincou, e ela sinalizou de volta para o príncipe. *Vamos.*

Não de volta aos navios. Mas em direção aos seis soldados que iniciavam a longa caminhada de volta para o próprio batalhão.

Nesryn e Salkhi mergulharam pelo céu; Sartaq parecia um borrão à esquerda da jovem.

O grupo de soldados não teve chance de gritar antes que a dupla caísse sobre eles.

Lady Yrene Westfall, antiga Yrene Towers, já tinha contado os suprimentos umas seis vezes. Cada barco estava cheio deles, mas o navio da princesa Hasar, a escolta pessoal da alta-curandeira, tinha a variedade mais vital de tônicos e sálvias. Muitos tinham sido feitos antes de velejarem de Antica, mas Yrene e as outras curandeiras que tinham acompanhado o exército passaram longas horas combinando-os da melhor forma possível a bordo.

Na fortificação escura, Yrene firmou os pés contra o balanço das ondas e fechou a tampa da caixa de latas de sálvia, anotando a quantidade no pedaço de papel que levara consigo.

— O mesmo número que havia dois dias atrás — disse uma voz idosa das escadas. Hafiza, a alta-curandeira, estava sentada nos degraus de madeira com as mãos apoiadas sobre a pesada saia de lã que cobria seus joelhos magros. — O que teme que pode acontecer com eles, Yrene?

A jovem jogou uma trança por cima do ombro.

— Eu queria me certificar de ter contado direito.

— De novo.

Yrene colocou no bolso o pedaço de pergaminho e pegou o manto forrado com pele de onde o havia jogado, sobre uma caixa.

— Quando estivermos nos campos de batalha, monitorar nossos suprimentos...

— Será vital, sim, mas também impossível. Quando estivermos nos campos de batalha, menina, terá sorte se conseguir sequer *encontrar* uma dessas latas em meio ao caos.

— É o que estou tentando evitar.

A alta-curandeira ofereceu a ela um suspiro de empatia.

— As pessoas morrerão, Yrene. De formas horríveis e dolorosas, elas morrerão, e nem mesmo você e eu conseguiremos salvá-las.

Yrene engoliu em seco.

— Sei disso. — Se não se apressassem, se não chegassem à terra firme em breve e descobrissem para onde o exército do khagan marcharia, quantos mais pereceriam?

O olhar sábio da mulher idosa não vacilou. Sempre, desde o primeiro momento em que Yrene colocara os olhos em Hafiza, ela emanara aquela calma, aquele conforto. Pensar na alta-curandeira naqueles campos de batalha sangrentos fazia o estômago da jovem se revirar. Mesmo que esse tipo de coisa fosse exatamente o motivo pelo qual tinham vindo, o motivo de terem estudado, para início de conversa.

Sem contar a questão dos valg, ocupando os corpos humanos como parasitas. Valg que as matariam imediatamente se soubessem o que as curandeiras planejavam fazer.

O que Yrene planejava fazer com qualquer valg que cruzasse seu caminho.

— As sálvias estão prontas, Yrene. — Hafiza gemeu ao se levantar do assento nos degraus, arrumando as lapelas do grosso casaco de lã, cortado e bordado ao estilo dos montadores darghan. Um presente da última visita que a alta-curandeira fizera às estepes, quando levara Yrene consigo. — Estão contadas. Não há mais suprimentos para fabricá-las, não até chegarmos à terra firme e podermos verificar o que pode ser usado de lá.

A jovem agarrou o manto contra o peito.

— Preciso fazer *alguma coisa*.

A alta-curandeira bateu no corrimão.

— E vai, Yrene. Em breve, você vai.

Hafiza subiu as escadas depois disso, deixando Yrene na fortificação em meio a pilhas de caixas.

Ela não contou à alta-curandeira que não tinha total certeza de por mais quanto tempo conseguiria ajudar — ainda não. Não sussurrara uma palavra daquela dúvida a ninguém, nem mesmo a Chaol.

A mão de Yrene desceu até o ventre e ali se deteve.

7

Morath. A última chave estava em Morath.

Esse conhecimento pairou sobre Dorian noite adentro, mantendo-o acordado. Quando cochilava, acordava com a mão no pescoço, buscando um colar que não estava ali.

Precisava encontrar uma forma de ir. Algum modo de chegar até lá.

Pois Manon sem dúvida não estaria disposta a levá-lo. Mesmo tendo sugerido que ele seria capaz de tomar o lugar de Aelin na forja do Fecho.

As Treze mal haviam escapado de Morath — não tinham pressa em voltar. Não quando a tarefa de encontrar as Crochan tinha se tornado tão vital. Não quando Erawan poderia muito bem sentir a chegada delas antes que se aproximassem da fortaleza.

Gavin alegara que o caminho o encontraria ali, naquele acampamento. Mas achar uma forma de convencer as Treze a permanecer, quando instinto e urgência as impeliam a seguir em frente... isso poderia se provar uma tarefa tão impossível quanto obter a terceira chave de Wyrd.

O acampamento se agitou à luz cinzenta do alvorecer, e Dorian desistiu de dormir. Ao se levantar, ele encontrou o saco de dormir de Manon fechado e a bruxa de pé com Asterin e Sorrel ao lado das montarias. Era aquele trio que ele precisaria convencer a ficar — de alguma forma.

Já à espera perto da entrada do desfiladeiro, as outras serpentes aladas se agitaram, preparando-se para o voo insuportavelmente frio.

Outro dia, outra caçada atrás de um clã de bruxas que não tinha desejo de ser encontrado. E provavelmente teria pouco desejo de se juntar àquela guerra.

— Partiremos em cinco minutos. — A voz áspera de Sorrel percorreu o acampamento.

O convencimento precisaria esperar, então. Ele optaria por atrasá-las.

Em três minutos, o fogo estava apagado e as armas tinham sido guardadas, os sacos de dormir estavam amarrados às selas e as necessidades tinham sido satisfeitas antes do longo dia de voo.

Depois de embainhar Damaris, Dorian seguiu para Manon, que estava parada com aquela quietude sobrenatural. Linda, mesmo ali, naquela maldita neve, com uma pele de cabra desgrenhada jogada sobre os ombros. Conforme o rapaz se aproximava, os olhos dela encontraram os dele com um lampejo de ouro queimado.

Asterin deu a ele um sorriso malicioso.

— Bom dia, Vossa Majestade.

Dorian inclinou a cabeça.

— Por onde vamos perambular hoje? — Ele sabia que as palavras casuais não combinavam com seu olhar.

— Estávamos debatendo justamente isso — respondeu Sorrel, o rosto da terceira na hierarquia era ríspido, mas receptivo.

Atrás delas, Vesta xingou quando a fivela da sela se abriu. Dorian não ousou olhar, não ousou confirmar se as mãos invisíveis de sua magia tinham funcionado.

— Já buscamos ao norte daqui — disse Asterin. — Vamos continuar seguindo para o sul, chegar ao fim das montanhas Canino Branco antes de voltarmos.

— Podem nem mesmo estar nas montanhas — replicou Sorrel. — Já as caçamos nas planícies em décadas passadas.

Manon ouviu com uma expressão fria, inabalável. Como fazia todas as manhãs. Sopesando as palavras do grupo, ouvindo o vento que cantava para ela.

A bolsa da sela de Imogen se soltou da corda, e a bruxa sibilou ao descer para amarrá-la de novo. Por quanto tempo aqueles pequenos atrasos poderiam mantê-los ali, Dorian não sabia. Não indefinidamente.

— Se abandonarmos estas montanhas — argumentou Asterin —, ficaremos mais facilmente rastreáveis nas terras abertas. Tanto nossos inimigos quanto as Crochan nos verão antes de os encontrarmos.

— Será mais quente — grunhiu Sorrel. — Eyllwe seria certamente mais quente.

Aparentemente, até mesmo bruxas imortais com aço nas veias podiam se cansar do frio irritante.

Mas ir tão longe ao sul, para Eyllwe, quando ainda estavam perto o bastante de Morath... Manon pareceu considerar isso também. Os olhos dela desceram até o casaco de Dorian. Para as chaves ali dentro, como se pudesse sentir o sussurro pulsante, o deslizar das chaves contra seu poder. Tudo que havia entre Erawan e seu domínio sobre Erilea. Levá-las a até 160 quilômetros de Morath... não, ela jamais permitiria.

Dorian manteve a expressão levemente agradável, com uma das mãos apoiadas no punho em formato de olho de Damaris.

— Este acampamento não tem pistas de para onde elas foram?

Ele sabia que as bruxas não tinham a menor ideia. Sabia, mas esperou pela resposta de Manon mesmo assim, tentando não agarrar o punho de Damaris com força demais.

— Não — respondeu ela, com o indício de um grunhido.

Mesmo assim, Damaris não deu qualquer resposta além de um leve amornar do metal. Dorian não sabia o que esperava: algum zumbido de poder discernível, uma voz de confirmação em sua mente.

Certamente não o sussurro pouco impressionante do calor.

Calor para a verdade; provavelmente, frio para mentiras. Mas... pelo menos Gavin tinha falado a verdade sobre a espada. Não deveria ter duvidado, considerando o deus que o antigo rei ainda honrava.

Encarando-o de volta com aquela concentração irredutível e predatória, Manon deu a ordem para que seguissem. Para o norte.

Para longe de Morath. Dorian abriu a boca, buscando qualquer coisa para dizer, fazer, para atrasar a partida. Fora quebrar a asa de uma serpente alada, não havia nada...

As bruxas se viraram na direção das montarias, onde Dorian seguiria com uma das sentinelas durante o trecho seguinte daquela caçada interminável. Mas então Abraxos rugiu, avançando até Manon com um trincar de dentes.

No momento em que a bruxa se virou, a magia de Dorian emergiu, já disparando para o inimigo invisível.

Um imenso urso branco se erguera na neve atrás da bruxa.

Exibindo os dentes, o animal desceu a pata enorme. Manon se abaixou, rolando para o lado, e Dorian disparou uma parede da magia — vento e gelo.

O urso foi jogado para trás, atingindo a neve com um estampido gélido. Imediatamente o bicho se levantou de novo, correndo até Manon. Apenas Manon.

Um lampejo de raciocínio fez Dorian empunhar mãos invisíveis para impedir a besta. No momento em que o animal colidiu com a magia e a neve saiu voando, uma luz piscou.

Dorian conhecia aquela luz. Um metamorfo.

Mas não foi Lysandra quem surgiu da pele perfeitamente camuflada do urso.

Não, a coisa que saiu do urso era feita de pesadelos.

Uma aranha. Uma enorme aranha estígia, grande como um cavalo e preta como a noite.

Seus muitos olhos se concentraram em Manon, e as pinças estalaram quando a aranha sibilou:

— *Bico Negro*.

A aranha estígia a havia encontrado, de alguma forma. Depois de todos aqueles meses, depois das milhares de léguas que Manon viajara por céu e terra e mar, a aranha da qual ela roubara a seda para reforçar as asas de Abraxos a havia encontrado.

Mas o animal não antecipara as Treze. Ou o poder do rei de Adarlan.

Manon sacou Ceifadora do Vento enquanto Dorian mantinha a aranha no lugar com magia, mostrando poucos sinais de esforço. Poderoso — ele ficava mais poderoso a cada dia.

As Treze fecharam a formação, com as armas reluzindo sob sol e neve ofuscantes, e as serpentes aladas formaram uma parede de peles encouraçadas e garras atrás delas.

Manon deu alguns passos mais para perto daquelas pinças agitadas.

— Está muito longe das montanhas Ruhnn, irmã.

A aranha sibilou.

— Apesar disso, não foi muito difícil encontrar você.

— Conhece essa besta? — perguntou Asterin, caminhando para o lado de Manon.

A boca da líder se curvou com um sorriso cruel.

— Ela doou a Seda de Aranha para as asas de Abraxos.

O animal grunhiu.

— Você *roubou* minha seda e atirou minhas tecelãs e eu de um penhasco...

— Como consegue mudar de forma? — indagou Dorian, ainda a prendendo no lugar enquanto se aproximava do outro lado de Manon, com uma das mãos presa no cabo da antiga espada. — As lendas não mencionam isso. — Curiosidade, de fato, iluminou seu rosto.

Ela supunha que a linha branca na pele reluzente do pescoço do rei era prova de que ele lidara com coisa muito pior. E supunha que o que quer que fosse o laço entre eles também era prova de que Dorian temia pouco a dor ou a morte.

Uma boa característica para uma bruxa, sim. Mas em um mortal? Provavelmente acabaria fazendo com que fosse morto.

Talvez não fosse falta de medo, mas uma falta de... do que quer que os mortais achassem ser vital para suas almas. Arrancado de Dorian pelo pai dele. E por aquele demônio valg.

A aranha foi tomada pela raiva.

— Tomei duas décadas da vida de um jovem mercador em troca de minha seda. O dom da metamorfose fluiu pela força vital do homem, parte do dom, pelo menos. — Todos aqueles olhos se semicerraram sobre Manon. — *Ele* pagou o preço voluntariamente.

— Mate-a e acabe com isso — murmurou Asterin.

A besta se encolheu o máximo que a amarra invisível do rei permitiu.

— Eu não fazia ideia de que nossas irmãs tinham se tornado tão covardes, se agora precisam de magia para nos empalar como porcos.

Manon ergueu Ceifadora do Vento, contemplando onde, entre os muitos olhos da aranha, enfiaria a espada.

— Que tal vermos se você grita como um porco também?

— Covarde — disparou o bicho. — Solte-me e acabaremos com isso da maneira antiga.

Manon pensou a respeito. Então deu de ombros.

— Farei com que seja indolor. Considere essa a dívida que tenho com você.

Inspirando, a bruxa se preparou para o golpe...

— Espere. — A aranha expirou a palavra. — *Espere.*

— De insultos a súplicas — murmurou Asterin. — Quem é covarde agora?

A aranha ignorou a imediata, devorando com seus olhos infinitos Manon, então Dorian.

— Sabe o que se move no sul? Que horrores se reúnem?

— Notícia velha — disse Vesta, com um ronco.

— Como acha que encontrei você? — perguntou a besta. Manon ficou imóvel. — Tantos pertences abandonados em Morath. Seu cheiro por todos eles.

Se a aranha as havia encontrado ali tão facilmente, precisavam seguir. Naquele instante.

O animal sibilou:

— Devo contar o que vi a menos 80 quilômetros daqui? Quem eu vi, Bico Negro? — Manon enrijeceu o corpo. — Bruxas Crochan — disse a aranha, suspirando profundamente. Faminta.

A bruxa piscou. Apenas uma vez. As Treze tinham ficado igualmente quietas. Asterin perguntou:

— Você viu as Crochan?

A imensa cabeça da aranha oscilou em afirmação antes de ela suspirar de novo.

— As Crochan sempre tiveram o gosto de como imagino ser um vinho de verão. De como imagino que *chocolate*, como vocês chamam, seja.

— Onde? — exigiu Manon.

O animal informou a localização: vaga e desconhecida.

— Vou mostrar onde — disse ela. — Guiarei vocês.

— Pode ser uma armadilha — falou Sorrel.

— Não é — replicou Dorian, com a mão ainda no cabo da espada. Manon observou a clareza nos olhos dele, os ombros esticados. A expressão do rei era rigorosa, apesar do ângulo inquisidor da cabeça. — Vejamos se a informação é verdade... e decidimos a sorte dela depois disso.

A líder disparou:

— O quê? — As Treze se agitaram diante da morte negada.

Dorian indicou com o queixo a aranha trêmula.

— Não a mate. Ainda não. Ela pode saber outras coisas além do paradeiro das Crochan.

— Não preciso da piedade de um menino... — sibilou a aranha.

— É a piedade de um rei que você recebe — retrucou Dorian, friamente —, e sugiro que fique calada por tempo o bastante para recebê-la. — Raramente, muito raramente, Manon ouvia aquele tom de voz, o tom que fazia disparar uma excitação pelo sangue e pelos ossos dela. A voz de um rei.

Mas ele não era o rei de Manon. Não era o líder da aliança das Treze.

— Se deixarmos que viva, ela nos venderá para quem pagar mais.

Os olhos cor de safira de Dorian se agitaram, a mão na espada se fechou. Manon ficou tensa diante daquele olhar frio, contemplativo. O indício de um predador calculista sob o lindo rosto do rei. Ele apenas disse para a aranha:

— Você dominou a metamorfose em questão de meses, parece.

∽

Um caminho o encontraria ali, dissera Gavin.

Um caminho para Morath. Não uma estrada física, não um curso de viagem, mas isso.

O terror profano permaneceu calado por um segundo antes de dizer:

— Nossos dons são coisas estranhas e famintas. Não nos alimentamos apenas de sua vida, mas de seus poderes também, se os tiverem. Depois que a magia foi libertada, aprendi a usar as habilidades que o metamorfo transferiu para mim.

Damaris ficou quente na mão de Dorian. Verdade. Cada palavra que a aranha dissera tinha sido verdade. E aquilo... Um caminho para Morath — como algo totalmente diferente. Em outra pele.

Talvez um escravizado humano, como Elide Lochan. Alguém cuja presença passasse despercebida.

Seu poder puro tinha se emprestado a todas as outras formas de magia, tinha sido capaz de transitar entre chamas e gelo e cura. Mudar de forma... será que poderia aprender isso também?

Dorian apenas perguntou à aranha:

— Você tem um nome?

— Um rei sem coroa pergunta o nome de uma mísera aranha — murmurou ela, com os olhos infinitos se voltando para ele. — Não conseguiria pronunciá-lo em sua língua, mas pode me chamar de Cyrene.

Manon trincou os dentes.

— Não importa como vamos chamar você, pois estará morta em breve.

Mas Dorian olhou de esguelha para ela.

— As montanhas Ruhnn são parte de meu reino. E como tal, Cyrene é uma de minhas súditas. Acho que isso me dá o direito de decidir se ela vive ou morre.

— Vocês *dois* estão à mercê de minha aliança — grunhiu Manon. — Saia da frente.

Dorian deu um sorriso torto para ela.

— Estou? — Um vento mais frio do que o ar da montanha tomou conta do desfiladeiro.

Ele poderia matar todas ali. Fosse arrancando o ar de dentro delas ou partindo seus pescoços. Poderia matar todas ali, inclusive as serpentes aladas. Essa percepção sulcou outro vazio dentro de Dorian. Outro ponto vazio. Será que carregar tal poder alguma vez incomodara seu pai, ou Aelin?

— Traga-a conosco, interrogue-a mais detalhadamente no próximo acampamento.

— Está planejando trazer *isso* conosco? — disparou Manon.

Em resposta, a aranha se transformou, assumindo a forma de uma mulher de pele pálida e cabelos pretos. Baixa e sem atributos marcantes, exceto pelos mesmos olhos pretos inquietantes. Não era bela, mas tinha um tipo mortal e antigo de atração que nem mesmo uma nova pele conseguia esconder. E estava completamente nua. Ela estremeceu, esfregando as mãos pelos braços finos.

— Essa forma serve para viajar sem carregar muito?

Manon a ignorou.

— E quando ela se transformar à noite para nos dilacerar?

Dorian apenas inclinou a cabeça, com gelo dançando nas pontas dos dedos.

— Não vai.

Cyrene inspirou.

— Um dom de magia raro. — O olhar dela se tornou faminto ao observar Dorian. — Para um rei raro.

Ele apenas franziu a testa com desprezo.

Manon olhou para Asterin. Os olhos da imediata estavam cautelosos, a boca contraída. Sorrel, poucos metros atrás, olhou com raiva para a aranha, mas sua mão tinha soltado a espada.

As Treze, com algum sinal não verbal, se afastaram e foram até suas serpentes aladas. Apenas Cyrene continuou as observando, com aqueles olhos terríveis e sem alma piscando de vez em quando enquanto os dentes começavam a bater.

Manon inclinou a cabeça para Dorian.

— Você está... diferente hoje.

Ele deu de ombros.

— Se quer alguém para aquecer sua cama que se acovarde a cada palavra sua e obedeça a cada ordem, procure em outro lugar.

O olhar dela passou para o colar pálido em torno do pescoço do rei.

— Ainda não estou convencida, principezinho — sibilou a bruxa —, de que não deveria simplesmente matar a aranha.

— E o que seria preciso, bruxinha, para convencê-la? — Ele não se incomodou em esconder a promessa sensual nas palavras, nem o tom afiado.

Um músculo se contraiu no maxilar de Manon. Coisas saídas de lendas — era isso o que o cercava. As bruxas, a aranha... Ele poderia muito bem ter sido um personagem em um dos livros que emprestara a Aelin no último outono. Embora nenhum deles tivesse jamais suportado tamanho abismo dentro de si mesmo.

Fazendo careta para os pés descalços na neve, Cyrene tremeu as mãos, um reflexo das pinças que tinha exibido momentos antes.

Dorian tentou não estremecer. Seria suicídio entrar escondido em Morath — depois que descobrisse o que precisava daquela coisa.

O peso do olhar de Manon recaiu sobre ele de novo, e Dorian não recuou. Não recuou com as palavras da bruxa quando ela disse:

— Se vê tão pouco valor em sua existência a ponto de confiar nesta coisa, então, por favor, traga-a junto. — Um desafio para que olhasse não para Morath ou para a aranha, mas para dentro dele. Manon via exatamente o que corroía o peito vazio do rei, apenas porque uma besta semelhante corroía o seu. — Descobriremos em breve se ela falou a verdade sobre as Crochan.

A aranha tinha falado. Damaris se aquecera quando Cyrene falara.

E quando encontrassem as Crochan, quando as Treze estivessem distraídas, Dorian descobriria o que precisava da aranha também.

Manon se virou para as Treze, as bruxas estavam zumbindo com impaciência.

— Voaremos agora. Podemos chegar às Crochan ao anoitecer.

— E depois? — perguntou Asterin. A única que tinha permissão de fazê-lo.

Manon caminhou até Abraxos, e Dorian seguiu, jogando para Cyrene um manto sobressalente conforme sua magia a puxava com ele.

— E então agimos — afirmou a líder. E, pela primeira vez, ela não olhou ninguém nos olhos. Não fez nada além de olhar para o sul.

A bruxa também estava guardando segredos. Mas seriam os seus tão graves quanto os de Dorian?

8

Escuridão recebeu Aelin quando ela recobrou a consciência. Escuridão hermética, contida.

Um movimento dos cotovelos fez com que batessem nas laterais da caixa, e as correntes reverberaram pelo pequeno espaço. Os pés descalços conseguiam roçar a ponta se Aelin os agitasse levemente.

Ela ergueu as mãos atadas até a parede sólida de ferro, a meros centímetros acima do rosto, e traçou os redemoinhos e os sóis entalhados na superfície. Mesmo do lado de dentro, Maeve ordenara que fossem gravados. Para que Aelin jamais esquecesse que aquela caixa tinha sido feita para ela, muito antes de seu nascimento.

Mas... aquelas eram as pontas de seus dedos expostos roçando o metal frio e áspero.

Ele tirara as luvas de ferro. Ou se esquecera de colocá-las de volta depois do que fizera. A forma como as tinha segurado sobre o braseiro aberto, até que o metal estivesse vermelho incandescente em torno das mãos de Aelin e ela estivesse gritando, gritando...

Ela espalmou as mãos contra a tampa de metal e empurrou.

O braço estilhaçado, os talos dos ossos se projetando para fora da pele: tinham sumido.

Ou jamais estiveram ali. Mas parecera real.

Mais do que as outras lembranças que a pressionavam, exigindo que Aelin as reconhecesse. Que as aceitasse.

Ela empurrou as palmas contra o ferro, fazendo esforço com os músculos. A tampa sequer se moveu.

Ela tentou de novo. O fato de ter a força para fazer aquilo era devido aos outros *serviços* que os curandeiros de Maeve forneciam: de evitar que seus músculos se atrofiassem enquanto estivesse deitada ali.

Um choro baixinho ecoou para dentro da caixa. Um aviso.

Aelin abaixou as mãos no momento em que o fecho rangeu e a porta se abriu com um gemido.

Os passos de Cairn soaram mais rápidos dessa vez. Urgentes.

— Alivie-se no corredor e espere ao lado desta porta — disparou ele para Fenrys.

Aelin se preparou quando aqueles passos pararam. Um grunhido e um chiado de metal, então luz de fogo entrou. Ela piscou para se proteger, mas continuou parada.

Eles enganchavam os ferros que a atavam à própria caixa. Aelin tinha descoberto aquilo da forma mais difícil.

Cairn não disse nada ao soltar as correntes dos ganchos.

O momento mais perigoso para ele, logo antes de movê-la para os ganchos no altar. Mesmo com os pés e as mãos de Aelin atados, ele não arriscava.

E também não arriscou naquele dia, apesar de não ter se incomodado em colocar as luvas.

Talvez tivessem derretido sobre aquele braseiro, junto com a pele dela.

Cairn colocou Aelin de pé quando meia dúzia de guardas silenciosamente surgiu à porta. Os rostos deles não estampavam horror algum diante do que fora feito com ela.

A jovem vira aqueles machos antes. Em um trecho ensanguentado de praia.

— Varik — disse Cairn, e um dos guardas deu um passo adiante, com Fenrys ao lado dele à porta. O lobo era tão alto quanto um pônei, e a espada de Varik estava apoiada contra seu pescoço.

Cairn agarrou as correntes, puxando Aelin contra o peito conforme caminhavam até os guardas, até o lobo.

— Se tentar alguma coisa, ele morre.

Aelin não contou a ele que não tinha certeza se tinha forças para tentar alguma coisa, ainda mais fugir.

Um peso se assentou sobre ela.

Aelin não lutou contra o saco preto enfiado na cabeça ao passarem pela porta em arco. Não lutou ao caminharem por aquele corredor, embora tivesse contado os passos e as esquinas.

Não se importava que Cairn era esperto o bastante para acrescentar alguns desvios para desorientá-la. A jovem rainha contou mesmo assim. Ouviu a corrente do rio ficando mais alta a cada esquina, a névoa crescente que resfriava a pele exposta, deixando escorregadias as pedras sob seus pés.

Então, estava ao ar livre. Aelin não podia ver, mas sentiu dedos úmidos roçarem sobre sua pele, sussurrando sobre a imensa vastidão do mundo.

Fuja. Agora.

As palavras eram um murmúrio distante.

Ela não tinha dúvidas de que a lâmina do guarda permanecia no pescoço de Fenrys. Que derramaria sangue. A ordem de contenção de Maeve segurava Fenrys muito bem — assim como aquele estranho dom de saltar entre distâncias curtas, como se estivesse passando de um quarto para outro.

Aelin perdera há muito tempo a esperança de que Fenrys encontraria alguma forma de usá-lo, de os carregar para longe dali. Duvidava de que ele milagrosamente recuperasse a habilidade, caso a espada do guarda descesse.

Mas se desse ouvidos àquela voz, se fugisse, será que o preço da vida de Fenrys valia a dela?

— Está considerando, não está? — sibilou Cairn ao ouvido de Aelin. Ela conseguia sentir o sorriso dele apesar do saco que a ofuscava. — Se a vida do lobo é um preço justo para a fuga. — A gargalhada de um amante. — Tente. Veja até onde chega. Temos alguns minutos de caminhada ainda.

Aelin o ignorou. Ignorou aquela voz que sussurrava *fuja, fuja, fuja*.

Passo após passo, eles caminharam. Suas pernas tremiam com o esforço.

Isso dizia bastante a respeito de quanto tempo estava ali. Por quanto tempo não tinha podido se mover direito, mesmo com as sessões dos curandeiros para evitar que os músculos atrofiassem.

Cairn a levou por uma escadaria sinuosa que deixou Aelin sem fôlego, aquela névoa se dissipou ao ar frio da noite. Cheiros doces. Flores.

Flores ainda existiam. Naquele mundo, naquele inferno, flores desabrochavam em algum lugar.

Os gritos da água se dissiparam atrás de ambos, tornando-se um som misericordiosamente abafado, logo substituído por um gotejar alegre adiante. Fontes. Azulejos frios e lisos lhe machucaram os pés, e através do capuz, fogo tremeluzente projetava ondulações douradas. Lanternas.

O ar foi sufocado, se tornou imóvel. Um pátio, talvez.

Dor irradiante pulsou pelas coxas e pelas panturrilhas da jovem, avisando que reduzisse a velocidade, que descansasse.

Então o ar livre bocejou de novo, amplo em torno dela, e a água mais uma vez rugiu.

Cairn parou, puxando-a contra seu corpo alto, as muitas armas enterrando-se nas correntes e na pele de Aelin. As roupas dos outros guardas farfalharam conforme eles paravam também. As garras de Fenrys estalavam contra a pedra, o som sem dúvida destinado a avisar que ele ainda estava perto.

Ela percebeu o motivo de ele sentir necessidade de fazer isso quando a voz de uma fêmea que era tanto jovem quanto velha, interessada e desalmada, ronronou:

— Tire o capuz, Cairn.

O capuz sumiu, e Aelin só precisou piscar algumas vezes para absorver tudo aquilo.

Estivera ali antes.

Estivera naquela grande varanda que dava para um rio e cachoeiras grandiosos, caminhara pela antiga cidade de pedra que ela sabia que pairava a suas costas.

Havia ficado de pé naquele exato local, encarando a rainha de cabelos pretos acomodada em um trono de pedra no alto do altar, com névoa ondulando o ar ao seu redor conforme uma coruja branca permanecia empoleirada no encosto do assento.

Apenas um dos lobos estava deitado aos pés dela dessa vez. Preto como a noite, preto como os olhos da rainha que recaíam sobre Aelin, semicerrando-se com prazer.

Maeve parecia satisfeita em deixar Aelin olhar em volta. Em deixar que ela absorvesse tudo aquilo.

O vestido roxo intenso da rainha sombria reluzia como as névoas atrás dela, a longa cauda jogada sobre os poucos passos do altar. Acumulando-se na direção...

Aelin contemplou o que brilhava na base daqueles degraus e ficou imóvel. Os lábios vermelhos de Maeve se curvaram em um sorriso quando ela acenou com a mão cor de marfim.

— Por favor, Cairn.

O macho não hesitou ao puxar Aelin na direção do que havia no chão.

Vidro estilhaçado, empilhado e arrumado no formato de um círculo.

Ele parou bem no limite, com os grossos cacos a dois centímetros dos dedos descalços de Aelin.

Maeve fez um sinal para o lobo preto a seus pés e ele se levantou, pegando algo do braço largo do trono antes de trotar até Cairn.

— Acho que sua posição deve ao menos ser reconhecida — falou Maeve, e aquele sorriso de aranha não vacilou quando Aelin viu o que o lobo tinha oferecido ao guarda ao lado de Cairn. — Coloque nela — ordenou a rainha.

Uma coroa, antiga e reluzente, brilhou nas mãos do guarda. Feita de prata e pérola, moldada como asas voltadas para cima que se encontravam no centro pontiagudo. Adornado por espinhos de puro diamante, o objeto reluziu, como se os raios da lua tivessem sido capturados ali dentro, quando o guarda o colocou na cabeça de Aelin.

Um peso surpreendente e terrível conforme o metal frio se enterrava na cabeça de Aelin. Muito mais pesada do que parecia, como se tivesse um núcleo de ferro sólido.

Um tipo diferente de grilhão. Sempre fora.

Aelin conteve a vontade de se encolher, de tirar a coisa da própria cabeça.

— A coroa de Mab — explicou Maeve. — Sua coroa, por sangue e berço. Sua verdadeira herdeira.

Aelin ignorou as palavras e olhou para o círculo de cacos de vidro.

— Ah, isso — falou Maeve, reparando na atenção dela. — Acho que sabe como isso vai se desenrolar, Aelin do Fogo Selvagem.

A jovem não disse nada.

Maeve acenou com a cabeça.

Cairn empurrou Aelin para a frente, direto para o vidro.

Os pés descalços se abriram, e a pele nova urrou ao ser rasgada.

Aelin inspirou profundamente com os dentes trincados, engolindo o grito no momento em que Cairn a empurrou para que ficasse de joelhos.

O fôlego lhe foi arrancado no impacto. Com cada caco que cortava e se enterrava mais fundo.

Respire — respirar era crucial, era vital.

Ela afastou a mente para longe, inalando e exalando. Uma onda retrocedendo da praia, então voltando.

Calor se acumulou sob seus joelhos, panturrilhas e tornozelos, o cheiro acobreado de sangue subindo para se misturar à névoa.

O fôlego se tornou irregular quando Aelin começou a tremer, quando um grito subiu de dentro de si.

A jovem rainha mordeu o lábio, perfurando a pele com seus caninos.

Não gritaria. Ainda não.

Respire — *respire*.

O gosto pungente do próprio sangue cobriu a boca quando Aelin mordeu mais forte.

— Uma pena que não haja plateia para ver isto — disse Maeve, com a voz distante, mas também próxima demais. — Aelin Portadora do Fogo, enfim usando a coroa adequada de rainha feérica por direito. Ajoelhada a meus pés.

Um tremor percorreu Aelin, balançando tanto seu corpo que o vidro encontrou novos ângulos, novos caminhos.

Aelin se afastou mais, indo mais longe. Cada fôlego a puxava para o mar, para um lugar onde palavras e sentimento e dor se tornavam uma praia distante.

Maeve estalou os dedos.

— Fenrys.

O lobo branco passou caminhando e se sentou ao lado do trono. Mas não antes de olhar para o lobo preto. Apenas um virar da cabeça.

O lobo preto devolveu o olhar, inexpressivo e frio, o que bastou para Maeve declarar:

— Connall, pode finalmente dizer a seu gêmeo o que queria.

Um clarão de luz.

Aelin inspirou pelo nariz e exalou pela boca, de novo e de novo. Mal registrou o lindo macho de cabelos pretos que estava agora no lugar do lobo. De pele marrom, como a do irmão gêmeo, mas sem o ar selvagem, sem a malícia brilhando na expressão. Ele usava a roupa em camadas de um guerreiro, preta em oposição ao habitual cinza de Fenrys, com facas gêmeas penduradas ao lado do corpo.

Preso no lugar por aquele laço invisível, o lobo branco encarou o irmão gêmeo.

— Fale livremente, Connall — disse Maeve, com um leve sorriso ainda nos lábios. A coruja-das-torres empoleirada no encosto do trono observou com olhos solenes, sem piscar. — Deixe que seu irmão saiba que essas palavras são suas, e não de meu comando.

Um pé calçado em bota empurrou a coluna de Aelin, um cutucão sutil para a frente. Com mais força contra o vidro.

Não havia respiração que conseguisse afastá-la o suficiente para conter o soluço abafado.

Aelin odiava aquilo — odiava aquele som, tanto quanto odiava a rainha diante dela e o sádico a suas costas. Mas, mesmo assim, o ruído saiu, quase inaudível sob as quedas estrondosas.

Os olhos escuros de Fenrys dispararam na direção dela. Ele piscou quatro vezes.

A jovem não conseguiu piscar de volta. Os dedos se fecharam e abriram no colo.

— Você causou isso a si mesmo — disse Connall a Fenrys, atraindo a atenção do irmão mais uma vez. A voz dele soava gélida como a de Maeve. — Sua arrogância, sua irresponsabilidade fora de controle. Era isso o que queria? — Fenrys não respondeu. — Não podia deixar que eu tivesse isso, que tivesse qualquer parte para mim. Fez o juramento de sangue não para servir a nossa rainha, mas para não ser superado por mim pelo menos uma vez na vida.

Fenrys exibiu os dentes, mesmo quando algo parecido com mágoa fechou sua expressão.

Outra onda incandescente subiu pelos joelhos de Aelin, pelas coxas. Ela fechou os olhos.

Suportaria aquilo, aguentaria.

Seu povo tinha sofrido durante dez anos. Provavelmente estava sofrendo naquele momento. Pelo bem deles, ela faria aquilo. Acolheria aquilo. Venceria.

A voz grossa de Connall passou ondulando por ela.

— Você é uma desgraça para sua família, para este reino. Se prostituiu para uma rainha estrangeira, e pelo quê? Implorei para que se controlasse quando foi enviado para caçar Lorcan. Implorei para que fosse *inteligente*. Mas foi como se tivesse cuspido em minha cara.

Fenrys grunhiu, e o som devia ser alguma língua secreta entre os dois, porque Connall respondeu, com escárnio:

— Partir? Por que eu *sequer* iria querer partir? E pelo quê? *Por isso?* — Mesmo com os olhos fechados, Aelin sabia que ele apontava para ela. — Não, Fenrys. Eu não vou partir. E você também não.

Um choro baixo cortou o ar úmido.

— Basta, Connall — interferiu Maeve, e um clarão piscou, penetrando até mesmo a escuridão atrás das pálpebras de Aelin.

Ela respirou e respirou e respirou.

— Sabe o quão rapidamente isso pode acabar, Aelin — falou a rainha sombria. Aelin manteve os olhos fechados. — Conte onde escondeu as chaves de Wyrd, faça o juramento de sangue... A ordem não importa, suponho.

A jovem rainha abriu os olhos. Ergueu as mãos atadas diante do corpo.

E fez um gesto obsceno para Maeve, tão imundo e sórdido quanto jamais fizera.

O sorriso de Maeve ficou — levemente — mais tenso.

— Cairn.

Antes que Aelin conseguisse inspirar para se preparar, mãos bateram em seus ombros. Pondo-a *para baixo*.

Ela não conseguiu impedir o grito então.

Não quando o guerreiro a empurrou em um poço incandescente de agonia que subiu por suas pernas, por sua coluna.

Ah, deuses... ah, *deuses*...

De longe, o grunhido de Fenrys cortou os gritos, seguido pelos elogios de Maeve:

— Muito bem, Cairn.

A pressão nos ombros de Aelin aliviou.

Ela se curvou sobre os joelhos. Um fôlego completo — precisava tomar um fôlego completo.

Não conseguiu. Os pulmões e o peito apenas puxavam fôlegos breves, ásperos.

A visão ficou embaçada, cheia de água, e o sangue que tinha se espalhado além dos joelhos ondulava também.

Resista; vença...

— Meus olhos me contaram um fragmento de informação interessante esta manhã — cantarolou Maeve. — Um relato de que *você* está atualmente em Terrasen, preparando o pequeno exército que reuniu para a guerra. Você e o príncipe Rowan, além de meus dois guerreiros desonrados. Junto com seu grupo habitual.

Aelin não percebera que estivera se agarrando àquilo.

Aquele fiapo de esperança, tolo e patético. Aquele fiapo de esperança de que ele viria atrás dela.

Ela havia ordenado que não o fizesse, afinal de contas. Tinha ordenado que ele protegesse Terrasen. Preparara tudo para que ele fizesse uma investida desesperada contra Morath.

— Útil ter uma metamorfa para fazer seu papel de rainha — ponderou Maeve. — Embora me pergunte por quanto tempo o embuste pode durar sem seus dons especiais para incinerar as legiões de Morath. Quanto tempo até que os aliados que colecionou comecem a se perguntar por que a Portadora do Fogo não queima.

Não era mentira. Os detalhes, o plano com Lysandra... Não tinha como Maeve saber daquilo a não ser que fosse verdade. Será que a rainha dera um palpite de sorte ao mentir a respeito daquilo? Sim... sim, e, no entanto...

Rowan fora com eles. Todos tinham ido para o norte. E tinham chegado a Terrasen.

Uma pequena misericórdia. Uma pequena misericórdia, mas...

O vidro ao redor dela brilhou sob a névoa e o luar, o sangue de Aelin era como uma mancha espessa que escorria por ele.

— Não desejo acabar com este mundo, como Erawan pretende — disse Maeve, como se não passassem de duas amigas conversando em um dos melhores salões de chá de Forte da Fenda. Se é que ainda existia algum depois que as Dentes de Ferro tinham saqueado a cidade. — Gosto de Erilea exatamente como é. Sempre gostei.

O vidro, o sangue, a varanda e o luar se afastaram da visão de Aelin.

— Já vi muitas guerras. Mandei meus guerreiros para lutá-las, acabar com elas. Já vi como são destrutivas. O próprio vidro sobre o qual está caída vem de uma dessas guerras, sabia? Das montanhas de vidro no sul. Um dia foram dunas de areia, mas dragões as queimaram até que virassem vidro durante um conflito antigo e sangrento. — Um zumbido de diversão. — Alguns dizem que é o vidro mais duro do mundo. O mais resistente. Pensei, considerando sua própria herança de cuspidora de fogo, que pudesse apreciar essas origens.

Um estalo da língua, e Cairn estava ali de novo, com as mãos nos ombros da jovem.

Empurrando.

Mais e mais forte. Deuses, deuses, *deuses*...

Não havia nenhum deus para salvá-la. Não de fato.

Os gritos de Aelin ecoaram de rochas e água.

Sozinha. Estava sozinha naquilo. Seria inútil implorar ao lobo branco que a ajudasse.

As mãos nos ombros de Aelin se afastaram.

Ofegante, com bile queimando a garganta, ela se curvou sobre os joelhos de novo.

Resista, vença...

Maeve apenas prosseguiu:

— Os dragões não sobreviveram àquela guerra. E jamais se ergueram de novo. — Os lábios da rainha sombria se curvaram, e Aelin entendeu que Maeve tinha se certificado daquilo.

Outros portadores de fogo — caçados e mortos.

A jovem não sabia dizer por que sentia isso naquele momento. A gota de pena das criaturas que não existiriam por incontáveis séculos. Que jamais seriam vistas de novo naquele mundo. Por que aquilo a deixava tão inexplicavelmente triste? Por que sequer importava, quando seu próprio sangue urrava de dor?

Maeve se virou para Connall, que ainda estava em forma feérica ao lado do trono e com os olhos cheios de ódio fixos no irmão.

— Bebidas.

Aelin ficou ajoelhada no vidro enquanto comida e bebida foram trazidas. Ficou ajoelhada enquanto Maeve jantou queijos e uvas, sorrindo para ela o tempo todo.

Ela não conseguiu segurar o tremor que tomou conta de seu corpo, a dormência cruel.

Profundamente, profundamente, ela desceu.

Não importava que Rowan não viria. Que os demais tinham obedecido seus pedidos de que lutassem por Terrasen.

Ela salvaria seu reino do próprio jeito também. Por tanto tempo quanto pudesse. Devia isso a Terrasen. Jamais pagaria essa dívida por completo.

De longe, as palavras ecoaram, e a memória reluziu. Aelin permitiu que isso a puxasse para trás, que a tirasse do próprio corpo.

Ela se sentou ao lado do pai nos poucos degraus que desciam para o ringue de luta a céu aberto do castelo.

Era mais um templo do que um ringue de luta, flanqueado por colunas pálidas e erodidas que, durante séculos, tinham testemunhado a ascensão dos guerreiros mais poderosos de Terrasen. Com a tarde de verão tão avançada, estava vazio, banhado de luz dourada.

Rhoe Galathynius passou a mão pelo escudo redondo, cujo metal escuro estava arranhado e machucado devido aos horrores há muito derrotados.

— Algum dia — disse ele, conforme ela acompanhava com o dedo um dos longos arranhões da superfície antiga — este escudo será seu. Assim como foi dado a mim e a seu tio-avô antes de mim.

O fôlego da menina ainda estava irregular devido ao treino que tinham feito. Apenas os dois — como ele prometera. A hora que ele separava para ela uma vez por semana.

O pai de Aelin apoiou o escudo no degrau de pedra abaixo deles, com o tum reverberando pelos pés descalços. Pesava quase tanto quanto ela. Ainda assim, ele o carregava como se mal passasse de uma extensão de seu braço.

— *E você* — *prosseguiu o pai de Aelin* —, *como muitas grandes mulheres e homens desta Casa, irá usá-lo para defender nosso reino.* — Os olhos dela se ergueram até o rosto dele, belo e sem rugas. Solene e majestoso. — *Esse é seu fardo, seu único dever.* — Ele apoiou a mão na borda do escudo, batendo ali para dar ênfase. — *Defender, Aelin. Proteger.*

Ela assentira, sem entender. E seu pai beijara sua testa, como se em parte esperasse que ela jamais precisasse.

Cairn a prendeu contra o vidro de novo.

Não restava som em Aelin para gritar.

— Estou ficando entediada com isso — disse Maeve, esquecendo a bandeja de prata com comida e inclinando-se para a frente no trono. A coruja atrás farfalhou as asas. — Não acredita, Aelin Galathynius, que farei os sacrifícios necessários para obter o que busco?

Ela se esquecera de como falar. Não dissera uma palavra ali, de toda forma.

— Permita que eu demonstre — continuou a rainha sombria, esticando-se. Os olhos de Fenrys brilharam com aviso.

Maeve gesticulou com a mão cor de marfim para Connall, congelado ao lado do trono, parado no mesmo local desde que trouxera a comida da rainha.

— Faça.

O guerreiro sacou uma das facas do cinto e caminhou na direção de Fenrys.

Não.

A palavra foi como um clangor frio lhe percorrendo o corpo. Os lábios de Aelin até a articularam quando ela puxou as correntes, com fios de fogo líquido disparando ao longo de suas pernas.

Connall avançou mais um passo.

Vidro estalou e se quebrou sob ela. *Não, não...*

Ele parou acima de Fenrys, com a mão trêmula. O lobo branco apenas grunhiu.

Connall ergueu a faca no ar entre os dois.

Ela não conseguia ficar de pé. Não conseguia se levantar contra as correntes e o vidro. Não podia fazer nada, *nada...*

Cairn a agarrou pelo pescoço, enterrando os dedos com força suficiente para deixar hematomas, e a prendeu de novo contra os cacos encharcados de sangue. Um grito partido e áspero escapou dos seus lábios.

Fenrys. Seu único laço com a vida, com aquela realidade...

A lâmina de Connall reluziu. Ele tinha ido ajudar em Defesa Nebulosa. Tinha desafiado Maeve então; talvez fizesse o mesmo agora, talvez suas palavras de ódio tivessem sido um embuste...

A lâmina mergulhou.

Não em Fenrys.

Mas no coração do próprio Connall.

Fenrys se moveu — ou tentou. Com a boca escancarada no que poderia ser um grito, ele tentou avançar até o irmão de novo e de novo quando Connall caiu na varanda de azulejos. Quando sangue começou a empoçar.

A coruja no trono de Maeve bateu as asas uma vez, como se horrorizada. Mas Cairn soltou uma risada baixa, e o som passou zunindo pela cabeça de Aelin.

Real. Aquilo era real. Só podia ser.

Algo frio e oleoso avançou na direção dela. As mãos de Aelin caíram ao lado do corpo. A luz deixou os olhos escuros de Connall, os cabelos pretos cascatearam no chão ao redor do corpo, como um reflexo preto do sangue que escorria.

Fenrys estava tremendo. Aelin também devia estar.

— Você maculou algo que pertencia a mim, Aelin Galathynius — disse Maeve. — E agora isso precisa ser expurgado.

Fenrys choramingava, ainda tentando rastejar até o irmão morto no chão. Feéricos podiam se curar; talvez o coração de Connall pudesse se reparar...

O peito dele inflou com um fôlego trêmulo, curto.

E não se moveu de novo.

O uivo do lobo branco partiu a noite.

Cairn a soltou, e Aelin desabou no vidro, com as mãos e os punhos ardendo. Ela se permitiu ficar deitada ali, meio estatelada. Deixou que a coroa caísse da cabeça e quicasse pelo chão, espalhando vidro de dragão ao fazê-lo. Quicou, então rolou, fazendo uma curva pela varanda. Até o corrimão de pedra.

E para dentro do rio que rugia, revolto, abaixo.

— Não há ninguém aqui para ajudá-la. — A voz de Maeve era tão vazia quanto os espaços entre as estrelas. — E ninguém virá buscá-la.

Os dedos de Aelin se fecharam no vidro antigo.

— Pense nisso. Pense nesta noite, Aelin. — A rainha sombria estalou os dedos. — Terminamos aqui.

As mãos de Cairn se fecharam em torno das correntes.

As pernas de Aelin fraquejaram, seus pés se cortaram de novo. Mal sentiu aquilo, mal sentiu aquilo em meio ao ódio e ao mar de fogo tão profundamente dentro dela.

Mas quando Cairn a levantou, com as mãos selvagens apalpando, ela golpeou.

Dois golpes.

Um caco de vidro mergulhou na lateral do pescoço do macho. Cairn cambaleou para trás, xingando conforme sangue jorrava.

Aelin se virou, com vidro rasgando as solas dos pés, e atirou o caco que tinha na outra mão. Direto contra Maeve.

Errou por um fio de cabelo, mas o vidro arranhou a bochecha pálida de Maeve antes de cair tilintando atrás do trono. A coruja empoleirada acima dele gritou.

Mãos ásperas a seguraram, e Cairn esbravejou, berros coléricos de *Sua cadela*, mas Aelin não os ouviu. Não quando um filete de sangue escorreu pela bochecha de Maeve.

Sangue escuro. Tão escuro quanto a noite.

Tão escuro quanto os olhos que a rainha fixou nela, levando a mão ao rosto.

As pernas de Aelin fraquejaram, e ela não combateu os guardas que a levaram embora.

Um piscar de olhos e o sangue escorreu vermelho. O cheiro tão acobreado quanto o dela.

Um truque da luz. Uma alucinação, outro sonho...

Maeve olhou para a mancha carmesim que cobria seus dedos pálidos.

Um vento ônix disparou contra Aelin, envolvendo seu pescoço.

Espremendo-o, e ela não viu mais nada.

9

Cairn a amarrou ao altar e a deixou ali.

Fenrys não entrou até muito depois de ela acordar.

O sangue ainda escorria do vidro que Cairn também deixara nas pernas e nos pés de Aelin.

Não foi um lobo que entrou na câmara de pedra, mas um macho.

Cada passo de Fenrys disse o bastante a ela, mesmo antes de ver como seus olhos pareciam mortos, antes de ver a palidez da pele normalmente reluzente. O guerreiro olhava para o nada ao parar diante de onde Aelin estava deitada e acorrentada.

Além de palavras, sem saber se sua garganta sequer funcionaria, ela piscou três vezes. *Você está bem?*

Duas piscadelas responderam. *Não.*

Vestígios de lágrimas salgadas manchavam as bochechas de Fenrys.

As correntes chacoalharam quando Aelin estendeu um dedo trêmulo na direção dele.

Silenciosamente, o macho levou a mão à dela.

Aelin disse as palavras sem som, embora ele provavelmente não conseguisse discerni-las pela fenda da boca da máscara. *Sinto muito.*

Fenrys apenas segurou mais forte.

O casaco cinza estava desabotoado no alto. Estava aberto o bastante para revelar um indício do peito musculoso por baixo. Como se não tivesse se incomodado em fechá-lo na pressa de partir.

O estômago de Aelin se revirou. O que ele sem dúvida precisara fazer depois, com o corpo do irmão gêmeo ainda caído nos azulejos da varanda atrás dele...

— Eu não sabia que ele me odiava tanto — disse Fenrys, com a voz rouca.

Ela apertou a mão dele.

Fenrys fechou os olhos, inspirando um fôlego trêmulo.

— Ela me deu permissão de sair apenas para tirar o vidro. Depois disso, eu... eu volto para lá. — Ele apontou com o queixo para a parede à qual costumava se sentar. O guerreiro fez menção de examinar as pernas de Aelin, mas ela apertou a mão dele de novo e piscou duas vezes. *Não.*

Que ele ficasse naquela forma por um pouco mais de tempo, que sentisse o luto como um macho, não como um lobo. Que ficasse naquela forma para que ela pudesse ouvir uma voz amigável, sentir um toque carinhoso...

Aelin começou a chorar.

Ela não conseguiu evitar. Não conseguiu parar depois que começou. Odiou cada lágrima e fôlego ofegante, cada puxão do corpo que fazia raios percorrerem suas pernas e seus pés.

— Vou tirá-los — falou Fenrys, e Aelin não conseguiu dizer a ele, não conseguiu começar a explicar que não era o vidro, a pele lacerada até o osso.

Ele não estava a caminho. Não viria buscá-la.

Ela deveria se sentir feliz. Deveria estar aliviada. *Estava* aliviada. No entanto... no entanto...

Fenrys tirou uma pinça do conjunto de ferramentas que Cairn deixara em uma mesa próxima.

— Serei o mais delicado possível.

Mordendo o lábio com tanta força a ponto de tirar sangue, Aelin virou o rosto quando o primeiro pedaço de vidro saiu de seu joelho. Carne e cartilagem se abriram de novo.

Sal sobrepujou o cheiro pungente do sangue de Aelin, e ela soube que Fenrys estava chorando. O cheiro das lágrimas preencheu a minúscula sala conforme o guerreiro trabalhava.

Nenhum dos dois disse uma palavra.

10

O mundo tinha se tornado apenas lama congelada, sangue vermelho e escuro e gritos dos moribundos se elevando até o céu frígido.

Lysandra descobrira durante aqueles meses que uma batalha não era algo ordenado, organizado. Era caos e dor, e não havia duelos grandiosos e heroicos. Apenas os cortes das garras e as lacerações das presas, o clangor de escudos amassados e espadas ensanguentadas. Armaduras que inicialmente eram discerníveis rapidamente se tornavam sujas de sangue, e não fosse pelas cores escuras dos inimigos, a metamorfa não tinha certeza de como os teria diferenciado dos aliados.

As linhas se mantinham. Pelo menos tinham isso.

Escudo contra escudo e ombro contra ombro no campo nevado, que desde então se tornara um poço de lama: eles haviam enfrentado a legião que Erawan mandara marchar por Eldrys.

Aedion escolhera o campo, a hora, o ângulo daquela batalha. Os demais tinham insistido em um ataque instantâneo, mas ele permitira que Morath marchasse o suficiente para dentro do continente — direto até onde os queria. A localização era tão importante quanto os números, tinha sido tudo o que Aedion dissera.

Não para Lysandra, é claro. Ele mal dirigia uma maldita palavra a ela ultimamente.

Certamente não era o momento de pensar nisso. De se importar.

Os aliados e os soldados deles acreditavam que Aelin Galathynius continuava a caminho, permitindo que Lysandra vestisse a forma do leopardo-

-fantasma. Ren Allsbrook tinha até mesmo encomendado uma armadura de metal para o peito, as laterais e os flancos do animal. Leve o suficiente para não ser um empecilho, mas sólida o bastante para que os três golpes que a metamorfa fora lenta demais para impedir — uma flecha na lateral do corpo, então dois cortes das espadas inimigas — fossem desviados.

Pequenos ferimentos queimavam seu corpo. Sangue sujava os pelos das patas devido à matança que tinha provocado nas linhas de frente e por terem sido cortadas em espadas caídas e flechas quebradas.

Mas Lysandra seguia em frente, e a Devastação se mantinha firme contra o que fora enviado para recebê-los.

Apenas cinco mil.

Apenas parecia uma palavra ridícula, mas havia sido a que Aedion e os demais tinham usado.

Mal chegava a ser um exército, considerando o poder total de Morath. No entanto, era grande o suficiente para representar uma ameaça.

A eles, pensou Lysandra ao avançar entre dois guerreiros da Devastação e se atirar sobre o soldado de infantaria valg mais próximo.

O homem estava com a espada erguida, pronto para golpear o soldado da Devastação diante dele. Mas devido ao ângulo da cabeça no momento em que ergueu a espada, o troglodita valg não viu a morte iminente até que as mandíbulas da metamorfa estivessem em torno de seu pescoço.

Há horas naquela batalha, foi instintivo trincar os dentes, partindo a carne como um pedaço de fruta madura.

Ela já se movia novamente antes que o valg chegasse ao chão, despejando a garganta na lama, deixando a decapitação do cadáver para a Devastação que avançava. Quão longe parecia agora aquela vida de cortesã em Forte da Fenda. Apesar da morte ao redor, Lysandra não podia dizer que sentia falta daquilo.

Na ponta da fileira, Aedion berrava ordens para o flanco esquerdo. Eles tinham deixado parte da Devastação descansar ao ouvirem quão poucos Erawan havia enviado, então haviam montado os pelotões com uma mistura de soldados das pequenas forças dos lordes de Terrasen e daqueles do príncipe Galan Ashryver e da rainha Ansel dos desertos, pois ambos tinham guerreiros adicionais a caminho.

Não era preciso revelar que tinham um pequeno batalhão de soldados feéricos, cortesia do príncipe Endymion e da princesa Sellene Whitethorn, ou que os Assassinos Silenciosos do deserto Vermelho estavam entre eles também. Chegaria o momento em que a surpresa da presença dos aliados seria necessária, argumentara Aedion durante o breve conselho de guerra que tinham conduzido ao retornarem para o acampamento. Lysandra, ofegante por tê-lo carregado junto com Ren e Murtaugh sem descanso desde Allsbrook até o limite de Orynth, mal ouvira o debate. Aedion tinha vencido de toda forma.

Como vencia tudo, por pura vontade e arrogância.

Ela não ousou olhar para o fim das fileiras para ver como ele estava se saindo, ombro a ombro na lama com seus homens. Ren liderava o flanco direito, onde Lysandra fora posicionada. Galan e Ansel tinham tomado o esquerdo, com Ravi e Sol de Suria lutando entre eles.

Ela não ousou ver que espadas ainda eram empunhadas.

Contariam seus mortos depois da batalha.

Já não havia sobrado muitos inimigos. Mil, se tanto. Os soldados às costas de Lysandra estavam em número muito maior.

Então ela continuou matando, o sangue do inimigo era como vinho estragado em sua língua.

Eles tinham vencido, embora Aedion tivesse bastante ciência de que a vitória contra cinco mil soldados provavelmente seria passageira, considerando a horda completa de Morath que ainda estava por vir.

A adrenalina da batalha ainda não havia passado para nenhum deles — e foi assim que o general terminou em sua tenda de guerra uma hora depois que o último dos valg tinha caído, de pé ao redor de uma mesa coberta de mapas com Ren Allsbrook e Ravi e Sol de Suria.

Para onde Lysandra fora, ele não sabia. Ela sobrevivera, o que Aedion supunha ser o suficiente.

Não tinham lavado o sangue nem a lama que os cobria tão completamente que tinha endurecido sobre os elmos, as armaduras. As armas estavam caídas em pilhas descartadas perto das abas da tenda. Tudo precisaria ser limpo. Mas depois.

— Perdas do seu lado? — perguntou Aedion a Ravi e Sol. Os dois irmãos loiros governavam Suria, embora Sol fosse tecnicamente o senhor das terras. Jamais tinham lutado em uma guerra antes, apesar de terem mais ou menos a idade de Aedion, mas tinham se saído bem naquele dia. Seus soldados também.

Os Lordes de Suria haviam perdido o pai para os pavilhões de abate de Adarlan uma década antes, e a mãe sobrevivera às guerras e à ocupação de Adarlan devido à esperteza e ao fato de que sua próspera cidade-porto era valiosa demais para a rota de comércio do império para ser dizimada.

Sol, ao que parecia, puxara a racionalidade e a inteligência da mãe.

Ravi, rebelde e afobado, puxara ao pai falecido.

Ambos, no entanto, odiavam Adarlan com uma intensidade incendiária e profunda que não se refletia nos olhos azul-pálidos.

Sol, com o rosto fino sujo de lama, expirou pelo nariz. O nariz de um aristocrata, pensava Aedion quando eram crianças. O lorde sempre fora mais um acadêmico do que um guerreiro, mas parecia que tinha aprendido uma ou duas coisas nos anos sombrios desde então.

— Não muitas, graças aos deuses. Duzentos no máximo.

A voz baixa era enganosa — Aedion aprendera durante aquelas semanas. Talvez uma arma em si mesma, para fazer as pessoas acreditarem que ele tinha o coração gentil e era fraco. Para mascarar a mente aguçada e os instintos mais aguçados ainda.

— E seu flanco? — perguntou Aedion a Ren.

O jovem lorde passava a mão pelos cabelos pretos conforme flocos de lama caíam.

— Cento e cinquenta, se tanto.

Aedion assentiu. Muito melhor do que antecipara. As linhas tinham mantido a posição, graças aos guerreiros da Devastação que ele distribuíra entre as frentes. Os valg tinham tentado manter a ordem, mas depois que sangue humano começara a ser derramado, eles sucumbiram à sede de batalha e perderam o controle, apesar dos gritos dos comandantes.

Todos brutamontes valg, nenhum príncipe entre eles. Aedion sabia que isso não era uma bênção.

Sabia que os cinco mil soldados que Erawan enviara, emboscando os navios de Galan Ashryver em Ilium antes de zarparem para Eldrys, eram apenas para cansá-los. Nenhum ilken, nenhuma Dentes de Ferro, nenhum cão de Wyrd.

Mesmo assim, foram difíceis de matar. Tinham lutado por mais tempo do que a maioria dos homens.

Ravi olhou para o mapa.

— Recuamos para Orynth agora? Ou seguimos para a fronteira?

— Darrow ordenou que voltássemos para Orynth, caso sobrevivêssemos — replicou Sol, franzindo a testa para o irmão. Para a luz nos olhos de Ravi, que tão obviamente dizia aonde ele queria ir.

Darrow, que era velho demais para lutar, tinha permanecido no acampamento secundário, trinta quilômetros atrás do deles. Para ser a próxima linha de defesa, caso cinco mil soldados de alguma forma conseguissem destruir uma das mais habilidosas unidades de batalha que Terrasen já vira. Sem dúvida, chegando a notícia do término favorável da batalha, Darrow provavelmente voltaria para a capital.

Aedion olhou para Ren.

— Acha que seu avô pode persuadir Darrow e os outros lordes a avançar para o sul?

Guerra feita com comitê. Era absurdo. Cada escolha que ele fazia, cada campo de batalha que escolhia, precisava *argumentar* em favor deles. *Convencê-los.*

Como se essas tropas não fossem para a rainha, não tivessem vindo por Aelin quando ela chamara. Como se a Devastação servisse a mais alguém.

Ren expirou na direção do teto alto da tenda. Um amplo espaço, porém sem adornos. Não tinham tido tempo ou recursos para mobiliá-la como uma tenda de guerra de verdade, tendo montado apenas uma cama, alguns braseiros e a mesa, junto com uma banheira de cobre atrás de uma cortina nos fundos. Assim que aquela reunião acabasse, ele encontraria alguém que pudesse enchê-la.

Se Aelin estivesse ali, poderia aquecer a banheira em um segundo.

Ele afastou o aperto no peito.

Se Aelin estivesse ali, um sopro dela e os cinco mil soldados que eles se esgotaram matando naquele dia teriam se tornado cinzas ao vento.

Nenhum dos lordes em volta dele tinha questionado onde estava a rainha. Por que ela não estivera no campo de batalha. Talvez não tivessem ousado.

— Se movermos os exércitos para o sul sem permissão de Darrow e dos outros lordes, estaremos cometendo traição — falou Ren.

— Traição? Quando estamos salvando nosso maldito reino? — indagou Ravi.

— Darrow e os demais lutaram na última guerra — disse Sol ao irmão.

— E perderam — desafiou Ravi. — Feio. — Ele assentiu para Aedion. — Você estava em Theralis. Viu o massacre.

Os Lordes de Suria não mantinham qualquer afeto por Darrow ou pelos outros senhores que tinham liderado forças naquela última e condenada resistência. Não quando seus erros tinham levado à morte da maior parte da corte e dos amigos dos dois. Era de pouco interesse que Terrasen estivera tão em desvantagem que jamais houvera qualquer esperança.

Ravi prosseguiu:

— Digo para seguirmos para o sul e reunirmos nossas forças na fronteira em vez de deixar Morath se esgueirar para Orynth.

— E permitir que quaisquer aliados que tenhamos no sul não precisem viajar tanto para se juntar a nós — acrescentou Ren.

— Galan Ashryver e Ansel dos desertos irão aonde os mandarmos, assim como os feéricos e os assassinos — insistiu Ravi. — O restante das tropas de Ansel está seguindo para o norte agora. Poderíamos nos encontrar com eles. Talvez pedir que ataquem do oeste enquanto nós atacamos do norte.

Uma ideia sensata, que Aedion contemplara. Mas para convencer Darrow... Ele seguiria para o outro acampamento no dia seguinte, talvez o alcançasse antes do lorde voltar para a capital. Depois que cuidasse para que os feridos estivessem sendo tratados.

Mas parecia que Darrow não queria esperar pelo dia seguinte.

— General Ashryver. — Uma voz masculina soou do lado de fora, jovem e calma.

Aedion resmungou em resposta, e certamente não foi Darrow quem entrou, mas um homem alto, de cabelos escuros e olhos cinza. Sem armadura, embora as roupas escuras manchadas de lama revelassem um corpo musculoso por baixo. Havia uma carta em suas mãos, a qual ele estendeu a Aedion após atravessar a tenda com tranquilidade graciosa e fazer uma reverência.

O general pegou a carta, na qual seu nome estava escrito com a letra de Darrow.

— Lorde Darrow requer que você se junte a ele amanhã — declarou o mensageiro, indicando com o queixo a carta selada. — Você e o exército.

— Qual é o objetivo da carta — murmurou Ravi — se você vai simplesmente dizer a ele o que está escrito?

O rapaz lançou um olhar de interesse para o jovem lorde.

— Perguntei o mesmo a ele, meu lorde.

— Então estou surpreso que você ainda tenha um emprego — comentou Aedion.

— Não é um emprego — disse o mensageiro. — Estou apenas... colaborando.

Aedion abriu a carta, que, de fato, comunicava a ordem de Darrow.

— Para você ter chegado aqui tão rápido, deve ter sido preciso voar — disse Aedion ao rapaz. — Isso deve ter sido escrito antes de a batalha sequer ter começado esta manhã.

O mensageiro abriu um sorriso irônico.

— Duas cartas foram entregues a mim. Uma para a vitória, e outra para a derrota.

Ousado — aquele mensageiro era ousado, assim como arrogante, para alguém a serviço de Darrow.

— Qual é seu nome?

— Nox Owen. — O mensageiro fez uma reverência. — De Perranth.

— Já ouvi falar de você — disse Ren, observando o homem novamente. — Você é um ladrão.

— Ex-ladrão — corrigiu Nox, piscando um olho. — Agora rebelde, e o mensageiro de maior confiança de Lorde Darrow. — De fato, um ladrão habilidoso daria um mensageiro esperto, capaz de se espreitar para dentro e fora de lugares sem ser visto.

Mas Aedion não se importava com o que o homem fazia ou deixava de fazer.

— Presumo que não vá voltar esta noite. — Uma negativa com a cabeça. O guerreiro suspirou. — Por acaso Darrow percebe que esses homens estão exaustos e que, embora tenhamos vencido no campo, não foi uma vitória fácil, de modo algum?

— Ah, tenho certeza de que percebe — assegurou o rapaz, com as sobrancelhas escuras se erguendo bem alto com aquele leve interesse.

— Diga a Darrow — interrompeu Ravi — que ele pode vir *nos* encontrar então. Em vez de nos fazer mover um exército inteiro apenas para vê-lo.

— A reunião é uma desculpa — falou Sol, baixinho. Aedion assentiu. Diante das sobrancelhas unidas de Ravi, o irmão mais velho dele explicou: — Ele quer se certificar de que nós não... — Sol parou de falar, ciente do ladrão que ouvia cada palavra. Mas Nox sorriu, como se tivesse compreendido o significado mesmo assim.

Darrow queria se certificar de que não levassem o exército dali, marchando para o sul. Com aquela ordem de se moverem no dia seguinte, ele os interrompera antes que tivessem a chance.

Ravi grunhiu, por fim entendendo as palavras do irmão.

Aedion e Ren trocaram olhares. O Lorde de Allsbrook franziu a testa, mas assentiu.

— Descanse onde conseguir encontrar uma fogueira para aquecê-lo, Nox Owen — disse Aedion ao mensageiro. — Viajaremos ao amanhecer.

Aedion saiu para encontrar Kyllian e comunicar a ordem. As tendas eram um labirinto de soldados exaustos, com os feridos gemendo entre eles.

O general parou por tempo o bastante para cumprimentar aqueles homens, para oferecer um aperto no ombro ou uma palavra de conforto. Alguns sobreviveriam àquela noite, outros não.

Ele parou diante de outras fogueiras também. Para elogiar a luta no campo, viessem os soldados de Terrasen ou dos desertos ou de Wendlyn. Com alguns deles, até mesmo compartilhava a cerveja ou as refeições.

Rhoe ensinara isso a Aedion — a arte de fazer com que seus homens quisessem segui-lo, morrer por ele. No entanto, mais do que isso, a vê-los *como* homens, como pessoas com famílias e amigos, que tinham tanto a arriscar quanto ele ao combater ali. Não era um fardo, apesar da exaustão que o tomava, agradecer-lhes pela coragem, pelas palavras.

Mas levava tempo. O sol tinha se posto totalmente, com o acampamento enlameado projetado em sombras profundas entre as fogueiras, quando ele chegou à tenda de Kyllian.

Elgan, um dos capitães da Devastação, lhe deu um aperto no ombro conforme ele passou, o rosto grisalho do homem estampando um sorriso sombrio.

— Não foi um primeiro dia ruim, garoto — resmungou Elgan. Ele chamava Aedion assim desde aqueles dias iniciais nas fileiras da Devastação, fora um dos primeiros homens ali a tratá-lo não como um príncipe que perdera o reino, mas como um guerreiro lutando para defendê-lo. Muito do treinamento no campo de batalha Aedion devia a Elgan. Assim como sua vida, considerando as inúmeras vezes em que a sabedoria e a espada rápida do homem o salvaram.

O general sorriu para o capitão envelhecido.

— Você lutou bem para um vovô. — A filha do homem dera à luz um filho no último inverno.

Elgan grunhiu.

— Eu gostaria de vê-lo empunhar uma espada quando tiver a minha idade, menino.

Então ele se foi, seguindo para uma fogueira que reunia vários outros comandantes e capitães mais velhos. Eles repararam na atenção de Aedion e ergueram as canecas em saudação.

O general apenas inclinou a cabeça e prosseguiu.

— Aedion.

Ele reconheceria aquela voz em qualquer lugar.

Lysandra saiu de uma tenda com o rosto limpo, apesar das roupas enlameadas.

Aedion parou, finalmente sentindo o peso da terra e do sangue sobre si.

— O quê?

Ela ignorou seu tom de voz.

— Eu poderia voar até Darrow esta noite. Dar a ele a mensagem que você quiser.

— Ele quer que sigamos com o exército de volta até ele e então para Orynth — explicou Aedion, fazendo menção de seguir para a tenda de Kyllian. — Imediatamente.

Lysandra se colocou no caminho.

— Posso ir e dizer a ele que o exército precisa de tempo para descansar.

— Isso é alguma tentativa de cair de novo em minhas graças? — Ele estava cansado demais, exausto demais, para se incomodar em ser indireto.

Os olhos cor de esmeralda da metamorfa ficaram tão frios quanto a noite de inverno em volta deles.

— Não dou a mínima para *cair em suas graças*. Eu me importo com este exército ser desgastado em uma marcha desnecessária.

— Como sequer sabe o que foi dito na tenda? — Aedion soube a resposta assim que fez a pergunta. Ela estivera presente em alguma forma pequena, despercebida. Exatamente o motivo pelo qual tantos reinos e cortes tinham caçado e matado os metamorfos. Espiões e assassinos sem igual.

Lysandra cruzou os braços.

— Se não quer minha presença em seus conselhos de guerra, então diga.

Ele observou a expressão dela, a postura rígida. Exaustão caía, pesada, sobre Lysandra, a pele luminosa estava pálida, e os olhos assombrados. Aedion não sabia onde ela dormia naquele acampamento. Se é que tinha uma tenda.

Culpa o corroeu por um segundo.

— Quando, exatamente, nossa rainha fará seu grandioso retorno?

A boca de Lysandra se contraiu.

— Esta noite, se você achar pertinente.

— Perder a batalha e só aparecer para se regozijar na glória da vitória? Duvido que as tropas achem isso encorajador.

— Então diga onde e quando, e farei o que disser.

— Assim como obedeceu indiscriminadamente a sua rainha, vai agora me obedecer?

— Não obedeço a homem algum — grunhiu ela. — Mas não sou tola o bastante para crer que sei mais sobre exércitos e soldados do que você. Meu orgulho não se fere tão facilmente.

Aedion deu um passo adiante.

— E o meu sim?

— O que eu fiz, fiz por ela e por este reino. Olhe para estes homens, seus homens, olhe para os aliados que reunimos e me diga se estariam tão motivados a lutar caso soubessem a verdade.

— A Devastação lutou quando acreditamos que ela estava morta. Não seria diferente.

— Mas pode ser que seja para nossos aliados. Para o povo de Terrasen. — Lysandra não recuou por um momento. — Vá em frente e me puna pelo restante da vida. Por mil anos, se acabar se Estabilizando.

Com Gavriel como seu pai, ele poderia muito bem fazer isso. Aedion tentava não pensar nessa possibilidade. Ele mal interagia com a realeza feérica ou os soldados deles além do que era necessário. E eles se mantinham bastante reservados. Mas não o olhavam com desprezo devido ao status de semifeérico; não pareciam se importar com qual sangue corria nas veias do general contanto que os mantivesse vivos.

— Já temos muitos inimigos — prosseguiu Lysandra. — Mas se você quiser realmente me tornar um deles, não tem problema. Não me arrependo do que fiz, e jamais me arrependerei.

— Tudo bem. — Foi tudo em que ele conseguiu pensar em dizer.

A metamorfa o olhou de cima a baixo minuciosamente. Como se sopesasse o homem ali dentro.

— Foi real, Aedion — disse ela. — Tudo. Não me importo se você acredita em mim ou não. Mas foi real para mim.

Ele não conseguiu suportar ouvir aquilo.

— Tenho uma reunião — mentiu o guerreiro, dando a volta por Lysandra. — Vá rastejar em outro lugar.

Mágoa brilhou nos olhos dela, rapidamente escondida. Aedion era o pior tipo de canalha por fazer aquilo.

Mas ele prosseguiu para a tenda de Kyllian, e Lysandra não o seguiu.

Ela era uma tola.

Uma tola por ter dito alguma coisa, e agora sentia algo no peito desabar.

Tinha dignidade o suficiente em si para não implorar. Para não observar Aedion entrar na tenda de Kyllian e se perguntar se era para uma reunião ou porque ele buscava se lembrar da vida depois de tanta matança. Para não dar um centímetro de espaço para a ardência nos próprios olhos.

Lysandra seguiu para a tenda confortável que Sol de Suria lhe cedera perto da dele. Um homem bondoso, de inteligência aguçada — que não tinha qualquer interesse em mulheres. O irmão mais novo, Ravi, a olhara, como todos os homens faziam. Mas mantivera uma distância respeitosa e falara com *ela*, não com seu peito, então ela gostara dele também. Não se importava em ter uma tenda em meio aos dois.

Uma honra, na verdade. Lysandra evoluíra da necessidade de rastejar para as camas de lordes, fazendo o que quer que eles pedissem com um sorriso, para lutar ao lado deles. E ela mesma era agora uma lady. Reconhecida tanto pelos Lordes de Suria quanto de Allsbrook, apesar de Darrow ter cuspido no título.

Aquilo poderia tê-la enchido de alegria, caso a batalha não a tivesse exaurido tão completamente a ponto de a caminhada de volta à tenda parecer interminável. E caso o príncipe-general não tivesse drenado tanto seu humor.

Cada passo era um esforço, com a lama puxando suas botas.

Lysandra virou num beco de tendas, e as bandeiras mudaram do cervo branco sobre verde-esmeralda da Devastação para os peixes prateados gêmeos sobre turquesa vibrante daqueles pertencentes à Casa de Suria. Apenas mais 15 metros até a tenda, então ela poderia se deitar. Os soldados sabiam quem Lysandra era, o que ela era. Nenhum, se tivessem sequer olhado duas vezes para ela, mexera com a metamorfa como os homens faziam em Forte da Fenda.

Lysandra entrou arrastando os pés na tenda, suspirando com alívio exausto ao abrir caminho com os ombros entre as abas e seguir para a cama.

Sono, frio e vazio a encontraram antes que pudesse se lembrar de tirar as botas.

11

— Tem certeza disso? — Com o coração batendo forte, Chaol apoiou a mão na mesa, no camarote que dividia com Yrene, e apontou para o mapa que Nesryn e Sartaq tinham aberto diante deles.

— Os soldados que interrogamos tinham recebido ordens sobre onde se encontrar — contou Sartaq, do outro lado da mesa, ainda vestindo as roupas de voo dos rukhin. — Estavam tão afastados dos outros que teriam precisado de direções.

Chaol esfregou a mão no maxilar.

— E conseguiram contar o exército?

— Uns dez mil — informou Nesryn, ainda encostada na parede próxima. — Mas nenhum sinal das legiões das Dentes de Ferro. Apenas soldados de infantaria e cerca de mil de cavalaria.

— Até onde conseguiram ver do ar — rebateu a princesa Hasar, enroscando a ponta da longa trança escura. — Quem dirá o que pode estar espreitando entre as fileiras?

Quantos demônios valg, a princesa não precisou acrescentar. De todos os irmãos reais, Hasar era quem tinha levado a invasão da princesa Duva e a morte da irmã Tumelun mais para o lado pessoal. Velejara até lá para vingar as duas irmãs e para se certificar de que não aconteceria de novo. Se aquela guerra não fosse tão desesperadora, Chaol poderia ter dado um bom dinheiro para ver a jovem arrancar o couro dos valg.

— Os soldados não deram essa informação — admitiu Sartaq. — Apenas a localização pretendida.

Ao seu lado, Yrene enroscou os dedos nos de Chaol e apertou. Ele não tinha percebido o quanto sua mão se tornara fria, trêmula, até o calor dela o percorrer.

Porque o alvo pretendido daquele exército inimigo que marchava para o noroeste...

Anielle.

— Seu pai não se ajoelhou para Morath — ponderou Hasar, jogando a pesada trança sobre o ombro da jaqueta azul-celeste bordada. — Isso deve ter deixado Erawan nervoso o suficiente para achar necessário mandar tal exército para esmagá-lo.

Chaol engoliu em seco.

— Mas Erawan já saqueou Forte da Fenda — disse ele, apontando para a capital na costa e arrastando o dedo para o interior do continente ao longo do Avery. — Ele controla a maior parte do rio. Por que não mandar as bruxas para saqueá-lo em vez disso? Por que não subir direto pelo Avery, velejando? Por que levar um exército até a costa e então pegar todo o caminho de volta?

— Para abrir caminho para o restante — respondeu Yrene, a boca em uma linha fina. — Para incutir o máximo de terror possível.

Chaol expirou.

— Em Terrasen. Erawan quer que Terrasen saiba o que está por vir e que ele pode se demorar e abrir mão de forças enquanto destrói trechos de terra.

— Anielle não tem exército? — perguntou Sartaq, com os olhos escuros calmos.

Chaol esticou as costas, fechando a mão em punho, como se isso pudesse conter o pesar que se acumulava em seu estômago. Rápidos — precisavam ser rápidos.

— Não um exército capaz de enfrentar dez mil soldados. A fortaleza poderia sobreviver a um cerco, mas não indefinidamente, e não conseguiria conter a população da cidade. — Apenas os poucos escolhidos por seu pai.

Fez-se silêncio. Chaol sabia que estavam esperando que ele falasse, que proferisse a pergunta ele mesmo. O lorde odiou cada palavra que saiu de sua boca.

— Vale a pena aportar nossas tropas aqui e marchar para salvar Anielle?

Porque não podiam arriscar o Avery, não quando Forte da Fenda estava à entrada do rio. Precisariam encontrar um lugar para aportar e marchar para o continente. Atravessando as planícies, passando pelo rio Acanthus e por dentro da floresta de Carvalhal, então chegando até as próprias encostas das montanhas Canino Branco. Dias de viagem a cavalo — só os deuses sabiam quanto tempo um exército demoraria.

— Pode não restar uma Anielle quando finalmente chegarmos lá — observou Hasar, com mais cuidado do que a princesa de feições afiadas costumava se dar ao trabalho de demonstrar. Tanto que Chaol conteve a vontade de dizer a eles que era exatamente por isso que precisavam seguir *já*. — Se a metade sul de Adarlan não puder ser salva, então podemos aportar perto de Meah. — Ela apontou para a cidade ao norte do reino. — Marchar perto da fronteira e nos preparar para interceptá-los.

— Ou poderíamos ir direto para Terrasen e subir o rio Florine até a porta de Orynth — ponderou Sartaq.

— Não sabemos o que encontraremos em nenhum dos dois lugares — replicou Nesryn, baixinho, com a voz controlada preenchendo a sala. De várias maneiras, uma mulher diferente daquela que acompanhara Chaol até o continente sul. — Meah pode estar tomada, e Terrasen pode estar enfrentando o próprio cerco. Os dias que levaria para que nossos batedores voassem para o norte seriam um desperdício de tempo vital; isso se sequer voltassem.

Chaol inspirou profundamente, tentando fazer com que seu coração se acalmasse. Ele não tinha a mínima ideia de onde Dorian poderia estar, se tinha ido com Aelin até Terrasen. Os soldados que Nesryn e Sartaq tinham interrogado não sabiam dizer. O que o amigo dele teria escolhido? Quase conseguia ouvir Dorian gritando com ele por sequer hesitar, quase conseguia ouvi-lo ordenando a Chaol que parasse de se perguntar onde ele estaria e seguisse para Anielle.

— Anielle está perto do desfiladeiro Ferian — observou Hasar —, que também é controlado por Morath e é outro posto avançado das Dentes de Ferro e das suas serpentes aladas. Se levarmos nossas forças tão para dentro do continente, arriscamos não apenas o exército que marcha para Anielle, mas também encontrar um esquadrão de bruxas na retaguarda. — Ela encontrou o olhar de Chaol, seu rosto estava tão determinado quanto as palavras. — Salvar a cidade nos traria alguma vantagem?

— É o lar dele — interveio Yrene, com a voz baixa, porém não com fraqueza, seu queixo recusando-se a abaixar um centímetro sequer na presença da realeza. — Acho que isso seria todo o motivo de que precisamos para defendê-la.

Chaol apertou a mão em torno da dela em um agradecimento silencioso. Dorian teria dito o mesmo.

Sartaq estudou o mapa de novo.

— O Avery se divide perto de Anielle — murmurou ele, passando um dedo pelo local. — Ao sul, desvia para o lago Prateado e Anielle, e então o outro afluente corre para o norte, além do desfiladeiro Ferian, percorrendo as Ruhnn e subindo até quase a borda de Terrasen.

— Consigo ler um mapa, irmão — grunhiu Hasar.

Sartaq a ignorou, mas os olhos do príncipe encontraram os de Chaol mais uma vez. Uma faísca se acendeu nas profundezas firmes.

— Evitamos o Avery até Anielle. Marchamos para o continente. E quando a cidade estiver segura, começamos uma campanha para o norte ao longo do Avery.

Nesryn se afastou da parede para caminhar até o lado do príncipe.

— Pelo desfiladeiro Ferian? Vamos enfrentar as bruxas assim.

Sartaq deu a ela um meio sorriso.

— Então que bom que temos ruks.

Hasar se inclinou sobre o mapa.

— Se garantirmos o desfiladeiro Ferian, então provavelmente poderemos marchar até Terrasen, tomando a rota pelo interior do continente. — Ela balançou a cabeça. — Mas e quanto à armada?

— Eles aguardam para interceptar a frota de Kashin — respondeu Sartaq. — Nós levamos os soldados, a cavalaria darghan e os ruks, e eles esperam que o restante do exército chegue para informar que nos encontrem aqui.

Esperança se agitou no peito de Chaol.

— Mas isso ainda nos deixa pelo menos uma semana atrás do exército que marcha para Anielle — comentou Nesryn.

Verdade. Jamais os alcançariam a tempo. Qualquer atraso poderia lhes custar vidas incontáveis.

— Eles precisam ser avisados — falou Chaol. — Anielle precisa ser avisada, para ter tempo de se preparar.

Sartaq assentiu.

— Posso chegar lá em poucos dias de voo.

— Não — disse Chaol, e Yrene ergueu uma sobrancelha. — Se puder me emprestar um ruk e um montador, eu mesmo vou. Fique aqui e prepare os ruks para voar. Amanhã, se possível. Um dia ou dois no máximo. — Ele gesticulou para Hasar. — Aporte os navios e lidere as tropas para o continente, o mais rápido que conseguirem marchar.

O olhar de Yrene se tornou cauteloso, bastante ciente do que e de quem ele enfrentaria em Anielle. A recepção que jamais imaginara, certamente não sob aquelas circunstâncias.

— Vou com você — declarou a curandeira.

Chaol apertou a mão dela de novo, como se para dizer *Não estou nada surpreso por ouvir isso.*

Ela apertou de volta.

Sartaq e Hasar assentiram. Nesryn abriu a boca como se fosse protestar, mas assentiu também.

Partiriam naquela noite sob o véu da escuridão. Encontrar Dorian novamente precisaria esperar. Yrene mordeu o lábio, sem dúvida calculando o que precisariam levar, o que dizer às demais curandeiras.

Chaol rezava para que fossem rápidos o suficiente, para que ele pudesse pensar no que dizer ao pai depois do juramento que quebrara, depois de tudo que havia se passado entre os dois. E, mais do que isso, o que diria à mãe e ao irmão não tão novo que deixara para trás ao escolher Dorian no lugar de seu direito de nascença.

Chaol dera a Yrene o título devido a ela por se casar com ele: Lady Westfall. Ele se perguntava se conseguiria suportar ser chamado de lorde. Se isso sequer importava, considerando o que pairava sobre a cidade no lago Prateado.

Se aquilo teria qualquer importância caso não chegassem a tempo.

Sartaq colocou a mão no cabo da espada.

— Mantenha as defesas pelo máximo que conseguir, Lorde Westfall. Os ruks estarão mais ou menos um dia atrás de você, os soldados de infantaria, uma semana atrás deles.

Chaol apertou a mão de Sartaq, então a de Hasar.

— Obrigado.

A boca da princesa se curvou em um meio sorriso.

— Nos agradeça caso consigamos salvar sua cidade.

12

Tudo. Ela dera tudo por aquilo e ficara feliz ao fazê-lo.

Aelin estava deitada na escuridão, o pedaço de ferro era como uma noite sem estrelas acima.

Tinha acordado ali. Estava ali havia... muito tempo.

Tanto tempo que se aliviara. Não se importara.

Talvez tivesse sido tudo por nada. A Rainha Que Foi Prometida.

Prometida para morrer, para se render e pagar a dívida de uma antiga princesa. Para salvar esse mundo.

E ela não conseguiria fazer isso. Fracassaria, mesmo que vivesse mais do que Maeve.

Mesmo que vivesse mais do que aquilo que talvez tivesse visto de relance sob a pele da rainha. Se é que tinha sido real.

Contra Erawan, houvera pouca esperança. Mas contra Maeve também...

Lágrimas silenciosas se empoçavam na máscara.

Não importava. Não deixaria aquele lugar. Aquela caixa.

Nunca mais sentiria o calor macio do sol nos cabelos, ou uma brisa tocada pelo mar no rosto.

Não conseguia parar de chorar, incessante e incansavelmente. Como se alguma represa tivesse rachado dentro dela no momento em que tinha visto o sangue escorrer no rosto de Maeve.

Não se importava se Cairn visse as lágrimas, se sentisse o cheiro delas.

Que ele a destruísse até que Aelin não passasse de cacos no chão. Que fizesse isso de novo e de novo.

Ela não lutaria. Não podia suportar lutar.

Uma porta rangeu ao se abrir e fechar. Passos lentos se aproximaram.

Então uma batida na tampa do caixão.

— O que acha de mais uns dias aí?

Ela desejou conseguir se fechar na escuridão que a cercava.

Cairn disse a Fenrys que se aliviasse e voltasse. Silêncio encheu a sala.

Então um raspar baixinho. Ao longo da tampa da caixa. Como se Cairn passasse uma adaga por ela.

— Ando pensando em como fazer você pagar quando a deixar sair.

Aelin bloqueou as palavras. Não fez nada a não ser olhar para o escuro. Estava tão cansada. Tão, tão cansada.

Por Terrasen, ela havia feito aquilo com prazer. Tudo aquilo. Por Terrasen, merecia pagar aquele preço.

Aelin tentara consertar as coisas. Tinha tentado e fracassado.

E estava tão, tão cansada.

Coração de fogo.

A palavra sussurrada flutuou pela noite eterna, um lampejo de som e de luz.

Coração de fogo.

A voz da mulher era suave, carinhosa. A voz da mãe.

Aelin virou o rosto. Mesmo aquele movimento era mais do que aguentava.

Coração de fogo, por que está chorando?

Aelin não conseguia responder.

Coração de fogo.

As palavras eram uma carícia gentil em sua bochecha. *Coração de fogo, por que está chorando?*

E lá longe, bem no fundo, Aelin sussurrou para aquele raio de lembrança: *Porque estou perdida e não sei o caminho.*

Cairn ainda falava. Ainda raspava a faca sobre a tampa do caixão.

Mas Aelin não o ouviu ao ver uma mulher deitada a seu lado. Um espelho — ou um reflexo do rosto que teria em alguns anos. Se vivesse tanto tempo.

Tempo emprestado. Cada momento daquilo fora tempo emprestado.

Evalin Ashryver passou os dedos carinhosos pela bochecha da filha. Pela máscara.

Aelin podia ter jurado que os tinha sentido contra a pele.

Você foi muito corajosa, disse a mãe. *Você foi muito corajosa por tanto, tanto tempo.*

A jovem rainha não conseguiu segurar o soluço baixinho que subiu pela garganta.

Mas deve ser corajosa por mais um tempo, meu Coração de Fogo.

Ela se inclinou na direção do toque materno.

Deve ser corajosa por mais um tempo, e lembre-se...

A mãe apoiou a mão fantasma sobre o coração de Aelin.

É a força disso que importa. Não importa onde você esteja, não importa o quão longe, isso a levará para casa.

Aelin conseguiu levar a mão ao peito para cobrir os dedos da mãe, encontrando apenas tecido fino e ferro contra a pele.

Mas Evalin Ashryver continuou encarando-a, a suavidade se tornando severa e brilhando como aço novo. *É a força disso que importa, Aelin.*

Os dedos de Aelin se enterraram no peito quando ela repetiu sem que saísse som: *A força disso.*

Evalin assentiu.

As ameaças sibiladas de Cairn dançavam pelo caixão conforme a faca raspava e raspava.

A expressão da mãe não vacilou. *Você é minha filha. Você nasceu de duas linhagens poderosas. Essa força corre dentro de você. Vive em você.*

O rosto de Evalin se incendiou com a bravura das mulheres que tinham vindo antes delas, até chegar à rainha feérica cujos olhos as duas compartilhavam.

Você não se rende.

Então ela sumiu, como orvalho sob o sol da manhã.

Mas as palavras permaneceram.

Floresceram dentro de Aelin, reluzentes como uma brasa acesa.

Você não se rende.

Cairn raspou a adaga no metal, bem acima da cabeça dela.

— Quando eu cortar você dessa vez, vadia, vou...

Aelin bateu com a mão na tampa.

Cairn parou.

Aelin socou o ferro com o punho de novo. E de novo.

Você não se rende.

De novo.

Você não se rende.

De novo. De novo.

Até se sentir viva com aquilo, até que seu sangue estivesse caindo no rosto, lavando as lágrimas, até que cada murro do punho no ferro fosse um grito de batalha.

Você não se rende.
Você não se rende.
Você não se rende.

Aquilo subiu dentro de si, queimando e rugindo, e Aelin se entregou completamente. Longe e perto, madeira rachou. Como se alguém tivesse cambaleado contra algo. Então gritos.

Ela socou o punho no metal, a canção dentro de Aelin pulsava e se elevava, como uma onda de maré correndo até a praia.

— *Tragam gloriella!*

As palavras não significavam nada. Ele não era nada. Sempre seria nada.

De novo e de novo, ela bateu na tampa. De novo e de novo, aquela canção de fogo e escuridão se incendiou dentro dela, para fora dela, para o mundo.

Você não se rende.

Algo sibilou e estalou perto, então fumaça entrou pela tampa.

Mas Aelin continuou golpeando. Continuou golpeando até que a fumaça a sufocasse, até que o cheiro doce a arrastasse para baixo e para longe.

E ao acordar acorrentada ao altar, ela viu o que fizera com o caixão de ferro.

O alto da tampa estava torto. Um grande calombo se elevava, e o metal tinha ficado fino.

Como se tivesse chegado muito perto de quebrar inteiramente.

No topo de uma colina escura, diante de um reino dormente, Rowan congelou.

Os demais já estavam meio caminho abaixo, guiando os cavalos pela encosta seca que os levaria até a fronteira de Akkadia e para as planícies áridas.

A mão dele soltou as rédeas.

Só podia ter imaginado aquilo.

Ele observou o céu estrelado, as terras dormentes adiante, o Senhor do Norte acima.

Aquilo o atingiu um segundo depois. Irrompeu ao seu redor e *rugiu*.

De novo e de novo e de novo, como se fosse um martelo contra uma bigorna.

Os demais se voltaram para ele.

A canção colérica e incandescente se aproximou. Percorrendo-o.

Pelo laço de parceria. Até a alma de Rowan.

Um urro de fúria e rebeldia.

Colina abaixo, Lorcan disse, rouco:

— Rowan.

Era impossível, completamente impossível, no entanto...

— Do norte — falou Gavriel, virando o cavalo castanho. — A força veio do norte.

De Doranelle.

Um farol na noite. Poder se agitando no mundo, como fizera em baía da Caveira.

Aquilo o encheu de som, fogo e luz. Como se gritasse, de novo e de novo, *Estou viva, estou viva, estou viva.*

E então silêncio. Como se tivesse sido interrompido.

Extinguido.

Ele se recusava a pensar no motivo. O laço de parceria permanecia. Tenso, mas permanecia.

Então ele lançou as palavras por ali, com o máximo de esperança e fúria e amor irredutível igual ao que tinha sentido vindo dela. *Vou encontrá-la.*

Não houve resposta. Nada além da escuridão murmurante e do Senhor do Norte brilhando acima, apontando para o norte. Para ela.

Ele encontrou os companheiros aguardando ordens.

Rowan abriu a boca para dizê-las, mas parou. Refletiu.

— Precisamos atrair Maeve para fora... para longe de Aelin. — A voz ressoou sobre os zumbidos sonolentos de insetos na grama. — Apenas por tempo o bastante para nos infiltrarmos em Doranelle. — Pois mesmo os três juntos poderiam não ser o suficiente para enfrentar a rainha sombria.

— Se ela souber que estamos chegando — replicou Lorcan —, Maeve vai carregar Aelin para longe de novo em vez de nos enfrentar. Ela não é tão tola.

Mas então Rowan olhou para Elide, cujos olhos estavam arregalados.

— Eu sei — afirmou ele, com seu plano se formando, tão frio e implacável quanto o poder em suas veias. — Traremos Maeve com outro tipo de atrativo, então.

13

A aranha dissera a verdade.

Mantendo-se escondidas entre as rochas cobertas de gelo de um pico pontiagudo da montanha, Manon e as Treze olharam para o pequeno desfiladeiro. Para o acampamento das bruxas de mantos vermelhos, cuja localização fora confirmada pelas Sombras apenas uma hora antes.

A líder olhou por cima do ombro para onde Dorian estava, quase invisível contra a neve, com a aranha ao lado dele na forma humana simples.

Os olhos infinitos da criatura encontraram os dela, brilhando com triunfo.

Tudo bem. Cyrene, ou como quer que se chamasse, podia viver. Aonde aquilo as levaria, Manon ainda veria. Os horrores que a aranha mencionara em Morath...

Depois.

A bruxa observou o céu azul que escurecia. Nenhuma delas questionara quando Manon saíra voando em Abraxos horas antes. E agora, enquanto monitoravam o acampamento das antigas inimigas, nenhuma das Treze perguntou aonde ela tinha ido.

— Setenta e cinco, pelo que conseguimos ver — murmurou Asterin, com os olhos fixos no acampamento agitado. — O que diabo estão fazendo aqui?

Manon não sabia. As Sombras não tinham conseguido ver nada.

Tendas cercavam pequenas fogueiras de acampamento — e a cada poucos momentos, figuras partiam e chegavam de vassoura. O coração de Manon galopava no peito.

As Crochan. A outra metade da ascendência de Manon.

— Agiremos a seu comando — disse Sorrel, com um cauteloso sinal.

A líder inspirou, desejando que o vento envolto em neve a mantivesse fria e calma durante o encontro seguinte. E o que viria depois.

— Sem unhas ou dentes — ordenou ela às Treze. Então olhou por cima do ombro mais uma vez para o rei e a aranha. — Podem ficar aqui se desejarem.

Dorian deu a ela um sorriso preguiçoso.

— E perder a diversão? — No entanto, ela viu o brilho em seu olhar, a compreensão que talvez apenas ele pudesse ter. De que Manon não estava apenas prestes a enfrentar um inimigo, mas um povo em potencial. Ele assentiu sutilmente. — Vamos todos.

A jovem bruxa apenas assentiu de volta e se levantou. As Treze ficaram de pé com ela.

Em questão de poucos minutos, gritos de aviso ecoaram.

Mas Manon manteve as mãos no ar conforme Abraxos aterrissou no limite do acampamento das Crochan, com as Treze e as serpentes aladas atrás delas, Vesta carregando Dorian e a aranha.

Lanças e flechas e espadas apontaram para elas com precisão letal.

Uma bruxa de cabelos pretos passou caminhando pela linha de frente, com uma lâmina fina na mão quando os olhos se fixaram em Manon.

As Crochan. Seu povo.

Era isso — aquele seria o momento de fazer o discurso que tinha planejado. De libertar aquelas palavras que amarrara dentro de si.

Asterin se virou para ela, encorajando-a silenciosamente.

Mas os lábios de Manon não se moveram.

A Crochan de olhos pretos os manteve fixos em Manon. Por cima de um ombro, um cajado de madeira polida reluzia. Não era um cajado, era uma vassoura. Além da capa vermelha esvoaçante da bruxa, galhos dourados entrelaçados reluziam.

De alta hierarquia, então, para ter adornos tão elegantes. A maioria das Crochan usava metais mais simples, as mais pobres usavam apenas palha.

— Que substitutos interessantes para suas vassouras de pau-ferro — disse a Crochan. As demais estavam com expressões tão petrificadas quanto as Treze. Em seguida, a bruxa olhou para onde Dorian estava sentado, sobre a montaria de Vesta, provavelmente monitorando tudo com aquele olhar atento e esperto. — E que companhia interessante com quem anda agora. — Sua boca se curvou levemente. — A não ser que as coisas tenham se tornado tão miseráveis para seu tipo, Bico Negro, que precisam recorrer a compartilhar.

Um grunhido ressoou de Asterin.

Mas a bruxa a havia identificado — ou pelo menos a que clã ela pertencia. A Crochan cheirou a aranha metamorfa, e seus olhos estremeceram.

— Companhia interessante mesmo.

— Não queremos lhe fazer mal — disse Manon, por fim.

A bruxa riu com escárnio.

— Nenhuma ameaça do Demônio Branco?

Ah, ela sabia, então. Quem Manon era, quem eram todas elas.

— Ou os boatos são verdade? Que você rompeu com sua avó? — A bruxa avaliou rispidamente Manon da cabeça aos pés. Um olhar mais ousado do que a jovem bruxa costumava permitir de seus inimigos. — Dizem os boatos que você foi estripada pelas mãos dela, mas aqui está: sã e mais uma vez nos caçando. Talvez os boatos sobre sua deserção não sejam verdade também.

— Ela rompeu com a avó — interferiu Dorian, descendo da serpente alada de Vesta e caminhando na direção de Abraxos. As Crochan ficaram tensas, mas não fizeram menção de atacar. — Eu a tirei do mar há meses, quando estava à beira da Morte. Vi os cacos de ferro que meus amigos lhe tiraram do abdômen.

As sobrancelhas castanhas da Crochan se ergueram, mais uma vez assimilando o belo e eloquente macho. Talvez reparando no poder que emanava dele, assim como das chaves que ele carregava.

— E quem, exatamente, é você?

Dorian deu à bruxa um daqueles seus sorrisos charmosos e esboçou uma reverência.

— Dorian Havilliard, a seu serviço.

— O rei — murmurou uma das Crochan, que estava perto das serpentes aladas.

Dorian piscou um olho.

— Isso eu também sou.

A líder da aliança, no entanto, estudou o rapaz... então Manon. E a aranha.

— Há mais a ser explicado, parece.

A mão de Manon coçava para pegar Ceifadora do Vento às costas.

Mas Dorian falou:

— Estamos procurando por vocês já faz dois meses. — As Crochan ficaram tensas de novo. — Não por violência ou esporte — explicou ele, as palavras fluindo em uma melodia encantadora. — Mas para podermos discutir a questão entre nossos povos.

As Crochan se agitaram, com as botas esmagando a neve gélida.

A líder da aliança perguntou:

— Entre Adarlan e nós, ou entre as Bico Negro e meu povo?

Por fim, Manon deslizou de Abraxos, e a montaria bufou ansiosamente ao ver as armas reluzentes.

— Todos nós — respondeu a bruxa, tensa, indicando com o queixo as serpentes aladas em seguida. — Elas não lhes farão mal. — A não ser que Manon as comandasse com um gesto. Então as cabeças das Crochan seriam arrancadas dos corpos delas antes que pudessem sacar as espadas. — Podem relaxar.

Uma das Crochan gargalhou.

— E sermos lembradas como tolas por termos confiado em vocês? Acho que não.

A líder da aliança lançou um olhar silenciador para a sentinela de cabelos castanhos que falara, uma linda bruxa de silhueta farta. Ela deu de ombros em resposta, suspirando para o alto.

A líder Crochan se virou para Manon.

— Relaxaremos quando recebermos a ordem para isso.

— De quem? — Dorian observou suas patentes.

Esse seria o momento de Manon dizer quem ela era, o que era. De anunciar por que realmente viera.

A bruxa apontou mais para o interior do acampamento.

— Dela.

Mesmo de longe, Dorian se maravilhara com as vassouras que as Crochan montavam para voar pelo céu. Mas agora, cercados por elas... Não eram meros mitos. Mas guerreiras. Que os matariam alegremente.

Capas vermelho-sangue esvoaçavam por toda parte, contrastando com a neve e os picos cinzentos. Embora muitas das bruxas tivessem o rosto jovem e belo, havia outras tantas que pareciam de meia-idade, algumas até mesmo idosas. Quantos anos deviam ter para terem se tornado tão enrugadas, Dorian não conseguia imaginar. Ele não duvidava muito de que pudessem matá-lo com facilidade.

A líder da aliança apontou para as fileiras de tendas organizadas, e as guerreiras reunidas se afastaram. A parede de vassouras e armas brilhava à luz fraca do dia.

— Então — disse uma voz antiga quando as fileiras se afastaram para revelar aquela para quem a Crochan apontara. Ainda não estava curvada pela idade, mas já tinha os cabelos brancos. Os olhos azuis, no entanto, eram claros como o lago de uma montanha. — As caçadoras agora se tornaram a caça.

A bruxa idosa parou no limite das fileiras, avaliando Manon. Havia bondade na expressão da bruxa, reparou Dorian — e sabedoria. E algo, percebeu ele, parecido com tristeza. Isso não o impediu de passar a mão pelo punho de Damaris, como se casualmente se apoiasse.

— Viemos à procura de vocês para conversarmos. — A voz fria e calma de Manon ecoou das rochas. — Não desejamos fazer mal algum.

Damaris se aqueceu diante da verdade nas palavras dela.

— Dessa vez — murmurou a bruxa de cabelos castanhos que falara mais cedo. A líder da aliança lhe deu uma cotovelada como aviso.

— Mas quem é você? — Manon perguntou à idosa, enfim. — Você lidera essas alianças.

— Sou Glennis. Minha família serviu à realeza Crochan muito antes de a cidade cair. — Os olhos da antiga bruxa recaíram sobre a faixa de tecido vermelho que atava a trança de Manon. — Rhiannon encontrou você, então.

Dorian ouvira quando a líder explicara às Treze a verdade sobre sua ascendência e quem a avó a fizera matar na Ômega.

Manon manteve o queixo erguido, mesmo quando seus olhos dourados tremeram.

— Rhiannon não saiu com vida do desfiladeiro Ferian.

— Vadia — grunhiu uma bruxa, e outras repetiram.

Manon ignorou aquilo e perguntou à Crochan idosa:

— Você a conhecia, então?

As bruxas se calaram.

A idosa inclinou a cabeça, com aquela tristeza enchendo seus olhos mais uma vez. Dorian não precisava do calor da confirmação de Damaris para saber que as palavras seguintes da bruxa eram verdadeiras.

— Eu era a bisavó dela. — Até mesmo o vento fustigante se aquietou. — Assim como sou a sua.

14

As Crochan assumiram posição de descanso — sob as ordens da suposta bisavó de Manon, Glennis.

Ela perguntara como, qual era a linhagem, mas Glennis apenas chamou Manon para segui-la até o acampamento.

Pelo menos duas dúzias de outras bruxas cuidavam das diversas fogueiras espalhadas entre as tendas brancas, e todas interromperam seus variados trabalhos quando Manon passou. Ela jamais vira as Crochan cuidando das tarefas domésticas, mas ali estavam elas: algumas tomando conta de fogueiras, outras carregando baldes de água e outras monitorando pesados caldeirões do que cheirava como ensopado de cabra-montês temperado com ervas secas.

Nenhuma palavra soou na mente dela conforme caminhava entre as fileiras das Crochan ocupadas. As Treze não tentaram falar também. Mas Dorian sim.

O rei passou para o lado dela, seu corpo era uma muralha de calor sólido, e perguntou baixinho:

— Sabia que ainda tinha parentes vivendo entre as Crochan?

— Não. — A avó de Manon não mencionara nada durante suas provocações finais.

Ela duvidava de que o acampamento fosse um local permanente para as Crochan. Seriam tolas se algum dia revelassem isso. Mas Cyrene descobrira o local, de alguma forma.

Talvez ao rastrear o cheiro de Manon — as partes que reivindicavam parentesco com as Crochan.

A aranha caminhava entre Asterin e Sorrel. Dorian ainda não mostrava sinais de cansaço ao mantê-la parcialmente amarrada, embora mantivesse a mão no cabo da espada.

Um olhar afiado de Manon e ele largou a arma.

— Qual vai ser a jogada aqui? — murmurou Dorian. — Quer que eu fique quieto, ou que esteja a seu lado?

— Asterin é minha imediata.

— E o que eu sou, então? — A pergunta sutil foi como uma carícia pela coluna dela, como se Dorian a tivesse tocado com aquelas mãos invisíveis.

— Você é o rei de Adarlan.

— Devo participar das discussões, então?

— Se quiser.

Ela sentiu a irritação crescente do jovem e escondeu o próprio sorriso.

A voz de Dorian baixou até parecer um ronronar grave.

— Sabe o que quero fazer?

Manon virou a cabeça para olhar para ele com incredulidade. E encontrou o rei dando um sorriso malicioso.

— Você parece prestes a sair correndo — disse ele, com aquela expressão ainda mais evidente. — Isso passaria a mensagem errada.

Ele estava tentando mexer com ela, distrair Manon para que perdesse a garra de ferro sobre o autocontrole.

— Elas sabem quem você é — prosseguiu Dorian. — Provar essa parte já passou. A verdadeira questão será se a aceitarão. — A bisavó de Manon devia ser da parte não real da linhagem dela, então. — Estas não parecem ser bruxas que serão convencidas pela brutalidade.

Ele não sabia de metade da história.

— Está tentando me dar conselhos?

— Considere uma dica, de um monarca para outro.

Apesar de quem caminhava à frente e atrás deles, Manon sorriu levemente. Dorian a surpreendeu mais ainda ao dizer:

— Venho acumulando meu poder desde que elas apareceram. Um movimento em falso e as reduzo a nada.

Um tremor percorreu as costas da bruxa diante da violência fria na voz dele.

— Precisamos delas como aliadas. — Tudo o que Manon deveria fazer naquele dia, naquela noite, era selar um pacto.

— Então vamos esperar que não chegue a esse ponto, bruxinha.

Ela abriu a boca para responder.

Mas uma corneta, aguda e de alerta, soou pela noite que caía.

Então o bater de asas de couro poderosas ecoou pelas estrelas.

O acampamento se colocou imediatamente em ação, com gritos vindo das batedoras que haviam soado o alarme. As Treze fecharam as fileiras em torno de Manon, armas em punho.

As Dentes de Ferro as haviam encontrado.

Muito antes do que Manon planejara.

Como a patrulha das Dentes de Ferro as havia encontrado, Dorian não sabia. Ele supunha que as fogueiras teriam sido o que as entregara.

Dorian reuniu a magia conforme 26 imensas silhuetas voaram por cima do acampamento.

Pernas Amarelas. Duas alianças.

A idosa que se apresentara como bisavó de Manon começou a gritar ordens, e as Crochan obedeceram, saltando para o céu que acabara de escurecer montadas nas vassouras, com os arcos ou as espadas em punho.

Não havia tempo para questionar como tinham sido encontradas, se a aranha de fato montara uma armadilha — não havia tempo conforme a voz de Manon soava, ordenando que as Treze assumissem posições de defesa.

Ágeis como sombras, elas correram para onde tinham deixado as serpentes aladas, com os dentes de ferro reluzindo.

Dorian esperou até que as Crochan estivessem longe antes de liberar seu poder. Lanças de gelo, para perfurar os peitos expostos do inimigo ou rasgar suas asas.

Um fragmento de pensamento o fez afrouxar as amarras de Cyrene, mas sem a libertar do poder que evitava que a aranha atacasse. Apenas dando a ela espaço o suficiente para se transformar, para se defender. Um clarão do outro lado do acampamento informou a Dorian que ela o tinha feito.

O interrogatório viria depois.

Manon e as Treze alcançaram as serpentes aladas e estavam no ar em segundos, batendo as asas para o caos acima.

As Crochan eram tão pequenas — tão terrivelmente pequenas — contra o volume das serpentes aladas. Mesmo nas vassouras.

E conforme se aglomeravam em volta das alianças das Dentes de Ferro, disparando flechas e descendo espadas, Dorian não conseguia mirar diretamente. Não com as Crochan disparando em torno das bestas, rápidas demais para que ele acompanhasse. Algumas das serpentes aladas urraram e caíram do céu, mas muitas permaneceram no alto.

Glennis disparava ordens do chão, com um grande arco nas mãos enrugadas apontado para cima.

Uma serpente alada voou tão baixo que a cauda venenosa cheia de espinhos quebrou tenda após tenda.

Glennis deixou que a flecha seguisse, e Dorian imitou seu golpe com um próprio.

Uma lança de gelo sólido, disparando para o peito exposto sarapintado.

Tanto flecha quanto gelo atingiram o alvo, e sangue escuro jorrou para baixo — antes de a serpente alada e a montadora se chocarem contra um pico e caírem do penhasco.

Glennis sorriu, e aquele rosto antigo se iluminou.

— Acertei primeiro. — Ela sacou outra flecha. Tanta leveza, mesmo diante de uma emboscada.

— Queria que você fosse minha bisavó — murmurou Dorian, preparando o golpe seguinte. Precisaria tomar cuidado, pois as Treze eram muito parecidas com as Pernas Amarelas vistas de baixo.

Mas a aliança não precisava de seu cuidado, ou ajuda.

Elas mergulharam contra as fileiras das Pernas Amarelas, dispersando-as, espalhando-as.

As Pernas Amarelas podiam ter tido a vantagem da surpresa, mas as Treze eram mestres da guerra.

As Crochan caíam do céu ao serem atingidas por caudas violentas e espinhentas. Algumas nem mesmo caíam, pois se viam frente a frente com enormes bocas e jamais emergiam de novo.

— Afastem-se! — A ordem que Manon berrou atravessou o campo de batalha. — Formem linhas baixas, ao chão!

Não era uma ordem para as Treze, mas para as Crochan.

Glennis gritou, com alguma magia sem dúvida amplificando sua voz:

— Sigam seu comando!

E simples assim, as Crochan recuaram, formando uma unidade sólida no ar acima das tendas.

Elas observaram conforme Abraxos dilacerou o pescoço de um macho de serpente alada com duas vezes seu tamanho, e Manon disparou uma flecha no rosto da montadora. Observaram conforme as gêmeas-demônio de olhos verdes circundaram três serpentes aladas entre elas e as lançaram em uma queda contra as montanhas. Observaram conforme a montaria azul de Asterin arrancou uma bruxa da sela e então arrancou parte da coluna da serpente alada abaixo dela.

Com cada avanço em meio às agressoras reunidas, uma das Treze atingia um alvo.

As Pernas Amarelas não tinham tal organização.

As sentinelas que tentavam se afastar do caminho das Treze para atacar as Crochan abaixo encontravam uma muralha de flechas como recepção.

As serpentes aladas podiam ter sobrevivido, mas as montadoras não.

E com algumas poucas manobras cautelosas, as bestas sem montadoras se viram com as gargantas cortadas e sangue escorrendo ao se chocarem contra os picos próximos.

Piedade se misturou com medo e ódio no coração do rei.

Quantas daquelas bestas poderiam ter sido como Abraxos, caso tivessem boas montadoras que as amassem?

Foi surpreendentemente difícil disparar a magia contra a serpente alada que conseguiu voar acima, seguindo direto para Glennis, com outra serpente alada ao encalço.

Dorian tornou a morte rápida, quebrando o pescoço da besta com um rompante de poder que o deixou ofegante.

Ele voltou a magia para a segunda agressora, oferecendo ao animal o mesmo fim rápido, mas não viu a terceira e a quarta que se chocaram contra o acampamento, destruindo tendas e fechando a mandíbula em tudo no caminho. As Crochan caíam, gritando.

Mas então Manon estava lá, com Abraxos, voando determinada e rapidamente. Ela cortou a cabeça da montadora mais próxima, e a sentinela das Pernas Amarelas ainda estava com uma expressão de choque quando a cabeça caiu.

A magia de Dorian recuou.

A cabeça decepada atingiu o chão perto do rei e rolou.

Ele viu o lampejo de uma sala: o mármore vermelho manchado de sangue e o som de uma cabeça sobre pedra sendo o único ruído além dos próprios gritos.

Eu não deveria amar você.

A cabeça da Pernas Amarelas parou perto das botas de Dorian, e o sangue azul jorrou na neve e na terra.

Ele não ouviu nem se importou que a quarta serpente alada disparasse contra ele.

Manon gritou o nome de Dorian, e flechas Crochan dispararam.

Os olhos da sentinela das Pernas Amarelas não encaravam ninguém, nada.

Uma boca escancarada surgiu diante dele, com as mandíbulas se abrindo cada vez mais.

Manon gritou o nome de Dorian de novo, mas ele não conseguia se mover.

A serpente alada desceu, e treva se expandiu quando aquelas mandíbulas se fecharam em volta dele.

Quando Dorian deixou sua magia se libertar das amarras.

Em um segundo, a serpente alada o engolia por inteiro, com o hálito rançoso maculando o ar.

No seguinte, a besta estava no chão, o cadáver fumegante.

Fumegante pelo que ele fizera ao animal.

Não ao animal, mas a si mesmo.

O corpo que Dorian transformara em chama sólida, tão quente que havia se derretido através das mandíbulas e da garganta da serpente alada, e ele tinha atravessado a boca da besta como se não passasse de uma teia de aranha.

A montadora das Pernas Amarelas que sobrevivera à queda sacou a espada, mas foi tarde demais, pois Glennis enterrou uma flecha no pescoço da bruxa.

Silêncio caiu. Mesmo a batalha acima se calou.

As Treze aterrissaram, manchadas de sangue azul e preto. Tão diferente do sangue vermelho de Sorscha — do sangue vermelho do rei.

Então mãos com a ponta de ferro agarraram os ombros de Dorian e olhos dourados encararam os dele.

— Por acaso é estúpido?

Ele apenas olhou para a cabeça da bruxa Pernas Amarelas, ainda a poucos centímetros. O olhar de Manon também se voltou na direção dela. A boca da bruxa se contraiu, então ela o soltou e se virou para Glennis.

— Vou mandar minhas sombras procurarem por mais delas.

— Alguma sobrevivente inimiga? — Glennis observou o céu vazio. Se a magia de Dorian as surpreendera, se as assustara, nem a bruxa anciã nem as outras Crochan que corriam para cuidar dos feridos demonstraram.

— Todas mortas — respondeu Manon.

Mas a Crochan de cabelos escuros que primeiro as tinha interceptado disparou até Manon com a espada em punho:

— Vocês fizeram isso.

Dorian agarrou Damaris, mas não fez menção de sacar a arma. Não enquanto Manon não recuasse.

— Salvamos suas vidas? Sim, eu diria que salvamos.

A bruxa foi dominada pelo ódio.

— *Vocês* as atraíram para cá.

— Bronwen — avisou Glennis, limpando sangue azul do rosto.

A jovem bruxa, Bronwen, ficou irritada.

— Acha que é mera coincidência elas terem chegado e logo em seguida sermos atacadas?

— Elas lutaram conosco, não contra nós — lembrou Glennis, virando-se para Manon. — Você jura?

Os olhos dourados da bruxa Bico Negro brilharam à luz do fogo.

— Juro. Não as trouxe até aqui.

Glennis assentiu, mas Dorian encarou Manon.

Damaris ficara fria como gelo. Tão fria que o cabo dourado machucou sua pele.

Glennis, por algum motivo satisfeita, assentiu de novo.

— Então conversaremos... depois.

Bronwen cuspiu no chão ensanguentado e saiu andando.

Uma mentira. Manon tinha mentido.

Ela arqueou uma sobrancelha para ele, mas Dorian se virou. Era melhor deixar que a informação fosse processada por ele. Sobre o que ela fizera.

Então teve início uma série de ordens e movimentos para reunir os feridos e mortos. Dorian ajudou o melhor que conseguiu, curando aquelas que mais precisavam. Ferimentos abertos e dilacerados escorriam sangue azul nas mãos do rei.

O calor daquele sangue não chegou a Dorian.

15

Era uma mentirosa e uma assassina, e provavelmente precisaria ser as duas coisas de novo antes de aquilo acabar.

Mas Manon não tinha arrependimentos a respeito do que fizera. Não tinha espaço dentro dela para arrependimentos. Não com o tempo as pressionando, não com tanta coisa sobre seus ombros.

Durante longas horas enquanto trabalhavam para consertar o acampamento e as Crochan, Manon monitorava o céu congelado.

Oito mortos. Poderia ter sido pior. Muito pior. Mas Manon levaria a vida daquelas oito Crochan com ela, aprenderia seus nomes para poder se lembrar.

A jovem bruxa passou a longa noite ajudando as Treze a puxar as serpentes aladas e as Dentes de Ferro mortas para outra cordilheira. O chão era duro demais para enterrá-las, e piras seriam um alvo fácil demais, então optaram por neve. Ela não ousou pedir a Dorian para usar seu poder para ajudar.

Manon vira a expressão dos olhos dele. Como se Dorian soubesse.

A bruxa jogou o corpo duro de uma Pernas Amarelas, com lábios já azuis e gelo formando crostas nos cabelos loiros. Asterin puxou uma montadora corpulenta em direção a ela pelas botas, então a depositou sem cerimônia.

Mas Manon encarou os rostos mortos. Sacrificara-as também.

Os dois lados daquele conflito. Suas duas linhagens.

Todas sangrariam; muitas morreriam.

Será que Glennis as teria recebido? Talvez, mas as outras Crochan não pareceram tão decididas a fazer isso.

E o fato era que não tinham *tempo* para desperdiçar conquistando-as. Então Manon tinha escolhido o único método que conhecia: a batalha. Saíra voando sozinha mais cedo naquele mesmo dia, para perto de onde sabia que as Dentes de Ferro estariam patrulhando, e esperara até que o grande vento do norte carregasse seu cheiro para o sul. Então tinha ganhado tempo.

— Você as conhecia? — perguntou Asterin quando Manon continuou encarando o corpo de uma sentinela caída. No fim da fileira delas, as serpentes aladas usavam as asas para empurrar grandes bancos de neve sobre os cadáveres.

— Não — disse Manon. — Não conhecia.

O alvorecer chegava no momento em que elas voltavam para o acampamento das Crochan. Olhos que cuspiam fogo horas antes agora as observavam com cautela. Menos mãos se dirigiam às armas conforme elas seguiam para a grande fogueira circular. A maior do acampamento, localizada no coração dele. A fogueira de Glennis.

A idosa estava diante do fogo, aquecendo as mãos tortas e ensanguentadas. Dorian estava sentado ali perto, e os olhos cor de safira realmente a condenaram quando ele encarou Manon.

Mais tarde. Aquela conversa aconteceria mais tarde.

Ela parou a poucos metros de Glennis, e as Treze assumiram as posições hierárquicas no limite da fogueira, observando as cinco tendas ao redor conforme o caldeirão fervilhava no centro. Atrás delas, as Crochan continuavam os consertos e as curas, assim como mantinham um olho em todas elas.

— Coma algo — disse Glennis, indicando o caldeirão borbulhante com o que parecia ser ensopado de cabra.

Manon não se incomodou em protestar antes de obedecer e pegar uma das pequenas tigelas de barro ao lado do fogo. Outra forma de demonstrar confiança: comer a comida delas. Aceitá-la.

Então foi o que ela fez, devorando algumas mordidas antes que Dorian a imitasse. Quando os dois estavam comendo, Glennis se sentou em uma pedra e suspirou.

— Faz mais de quinhentos anos desde que uma bruxa Dentes de Ferro e uma Crochan compartilharam uma refeição. Desde que buscaram trocar palavras na paz. Interrompidos, talvez, apenas por sua mãe e seu pai.

— Imagino — disse Manon, tranquilamente, parando de comer.

A boca da idosa se contorceu em um sorriso, apesar da batalha e da noite exaustiva.

— Eu era a avó de seu pai — explicou a bruxa, por fim. — Eu mesma gerei seu avô, que cruzou com uma rainha Crochan antes de ela dar à luz seu pai.

Outra coisa que tinham herdado dos feéricos: a dificuldade em conceber e a natureza mortal do parto. Uma forma da Deusa de Três Faces manter o equilíbrio, evitar inundar as terras com muitos filhos imortais que devorariam os recursos naturais.

Manon observou o campo quase em ruínas, no entanto.

A idosa leu a pergunta nos olhos dela.

— Os homens moram em nossos lares, onde estão seguros. Este acampamento é como um posto avançado enquanto conduzimos nossos negócios. — As Crochan sempre deram à luz mais machos do que as Dentes de Ferro e tinham adotado o hábito feérico de selecionar parceiros, se não fosse um verdadeiro laço de parceria, então seria em espírito. Ela sempre achara isso exagerado e estranho. Desnecessário.

— Depois que sua mãe nunca mais retornou, foi pedido a seu pai que se unisse a outra jovem bruxa. Ele era o único herdeiro da linhagem das Crochan, entende, e se sua mãe e você não tivessem sobrevivido ao nascimento, ela acabaria com ele. Seu pai não sabia o que tinha acontecido com nenhuma de vocês. Se estavam vivas ou mortas. Nem mesmo sabia onde procurar. Então ele concordou com seu dever, concordou em ajudar seu povo em extinção. — A bisavó de Manon deu um sorriso triste. — Todos que conheciam Tristan o amavam. — Tristan. Era esse o nome dele. Será que a avó de Manon sequer soubera antes de matá-lo? — Uma jovem bruxa foi escolhida especialmente para ele. Mas ele não a amava, não com sua mãe como sua verdadeira parceira, a canção de sua alma. Mesmo assim, Tristan fez com que funcionasse, e Rhiannon foi o resultado daquilo.

Manon ficou tensa. Se a mãe de Rhiannon estivesse ali...

De novo, a idosa leu a pergunta no rosto dela.

— Ela foi assassinada por uma sentinela das Pernas Amarelas nas planícies ribeirinhas de Melisande. Há anos.

Um lampejo de vergonha percorreu a jovem bruxa diante do alívio que a inundou. Por evitar aquele confronto, evitar implorar por perdão, como deveria ter feito.

Dorian apoiou a colher. Um gesto tão gracioso e casual, considerando como ele matara aquela serpente alada.

— Como a linhagem Crochan sobreviveu? De acordo com as lendas, foram dizimadas.

Outro sorriso triste.

— Pode agradecer a minha mãe por isso. A filha mais jovem de Rhiannon Crochan deu à luz durante o cerco à Cidade das Bruxas. Com nossos exércitos caídos e apenas as muralhas da cidade para conter as legiões de Dentes de Ferro, e com tantos dos filhos e netos dela massacrados, e o parceiro empalado nas muralhas da cidade, Rhiannon pediu que os arautos anunciassem que tinha sido um natimorto. Assim as Dentes de Ferro jamais saberiam que uma Crochan podia ainda viver. Na mesma noite, logo antes de Rhiannon começar a batalha de três dias contra as Grã-Bruxas das Dentes de Ferro, minha mãe fugiu com a princesa bebê na vassoura. — A garganta da idosa oscilou. — Rhiannon era sua amiga mais querida, uma irmã. Minha mãe queria ficar e lutar até o fim, mas pediram a ela que fizesse aquilo por seu povo. Nosso povo. Até o dia da sua morte, minha mãe acreditava que Rhiannon tinha ido manter os portões contra as Grã-Bruxas como uma distração. Para tirar aquela última descendente Crochan enquanto as Dentes de Ferro olhavam em outra direção.

Manon não sabia muito bem o que dizer, como expressar o que se agitava dentro dela.

— Vai descobrir — prosseguiu Glennis — que tem algumas primas neste acampamento.

Asterin enrijeceu ao ouvir aquilo; Edda e Briar também ficaram tensas onde estavam, à borda da fogueira. A família de Manon, do lado Bico Negro da ascendência. Sem dúvida querendo lutar para manter aquela distinção para si.

— Bronwen — falou a idosa, indicando a líder da aliança de cabelos escuros, com a vassoura atada em dourado, que agora monitorava Manon e as Treze das sombras além da fogueira — também é minha bisneta. Sua prima mais próxima.

Nenhuma bondade tomou o rosto de Bronwen, então Manon não se incomodou em parecer agradável também.

— Ela e Rhiannon eram tão próximas quanto irmãs — murmurou Glennis.

Foi preciso um esforço considerável para não tocar o retalho de manto vermelho na ponta da trança.

Dorian, que a Escuridão o envolvesse, interrompeu:

— Nós viemos atrás de vocês por um motivo.

Glennis mais uma vez aqueceu as mãos.

— Suponho que seja para pedir que nos juntemos a essa guerra.

Manon não suavizou a expressão.

— É. Vocês e todas as Crochan espalhadas pelos territórios.

Uma das Crochan nas sombras soltou uma gargalhada.

— Que hilário. — Outras riram com ela.

Os olhos azuis de Glennis não vacilaram.

— Não reunimos um esquadrão desde antes da queda da Cidade das Bruxas. Vai descobrir que é uma tarefa mais difícil do que imaginou.

— E se a rainha delas as convocasse para lutar? — perguntou Dorian.

Neve foi esmagada sob passadas bruscas, então Bronwen estava ali, com os olhos castanhos em chamas.

— Não responda, Glennis.

Tanto desrespeito, tanta informalidade com uma idosa...

Bronwen encarou Manon com os olhos incandescentes.

— Você não é nossa rainha, apesar do que seu sangue possa sugerir. Apesar dessa demonstraçãozinha. Não respondemos e jamais responderemos a você.

— Morath as encontrou agora há pouco — disse Manon, friamente. Ela antecipara aquela reação. — E encontrará de novo. Seja em alguns meses ou em um ano, encontrarão vocês. E então não haverá esperanças de derrotá-los. — Ela manteve as mãos ao lado do corpo, resistindo à vontade de projetar as garras de ferro. — Um exército de muitos reinos se reúne em Terrasen. Juntem-se a ele.

— Terrasen não veio em nosso socorro há quinhentos anos — observou outra voz, se aproximando. A linda bruxa de cabelos castanhos de antes. A vassoura dela também estava atada em metal caro, prata contra o ouro de Bronwen. — Não entendo por que nós deveríamos nos incomodar em ajudá-los agora.

— Achei que eram um bando de heroínas boazinhas — cantarolou Manon. — Isso certamente seria seu tipo de coisa.

A jovem bruxa estava com raiva, mas Glennis estendeu a mão enrugada.

Não bastou para conter Bronwen, no entanto, pois a bruxa olhou Manon de cima a baixo e grunhiu:

— Você não é nossa rainha. Jamais voaremos com você.

Bronwen e a bruxa mais jovem dispararam para longe conforme as guardas Crochan reunidas se afastavam para deixar que elas passassem.

Manon encontrou Glennis encolhendo-se levemente.

— Nossa família, você vai perceber, tem a cabeça quente.

Impiedosa.

O que Manon fizera naquela noite, atraindo as Dentes de Ferro até aquele acampamento... Dorian não tinha outra palavra para isso que não *impiedosa*.

Ele deixou a bruxa e a bisavó dela, com as Treze de guarda, e foi buscar a aranha.

Dorian encontrou Cyrene onde a havia deixado, agachada nas sombras de uma das tendas mais afastadas.

Ela voltara à forma humana, tinha os cabelos pretos embaraçados e estava envolta em um manto Crochan. Como se uma das bruxas tivesse sentido pena dela. Sem perceber que a fome nos olhos de Cyrene não era pelo ensopado de cabra.

— De onde vem a metamorfose? — perguntou Dorian ao parar diante dela, com a mão em Damaris. — Dentro de você?

A aranha-metamorfa piscou para ele, então ficou de pé. Alguém também dera a ela uma túnica marrom desgastada, calças e botas.

— Aquele foi um grandioso feito de magia que você realizou. — A aranha sorriu, revelando pequenos dentes afiados. — Que rei isso fará de você. Invicto, sem igual.

Dorian não sentia vontade de dizer que não tinha tanta certeza de que tipo de rei gostaria de ser, caso vivesse por tempo o bastante para reivindicar o trono. Qualquer pessoa ou coisa diferente do pai pareciam um bom começo.

Ele manteve a postura relaxada, mesmo ao perguntar de novo:

— De onde vem a metamorfose dentro de você?

Cyrene inclinou a cabeça como se ouvisse algo.

— Foi estranho, rei mortal, descobrir que eu tinha um lugar novo dentro de mim quando a magia retornou. Descobrir que algo novo tinha se enraizado. — A pequena mão percorreu o abdômen, logo acima do umbigo. — Uma sementinha de poder. Eu desejo me transformar, penso no que quero ser, e a mudança começa aqui primeiro. Sempre, o calor vem daqui. — A aranha fixou o olhar nele. — Se deseja ser algo, rei sem coroa, então seja. É esse o segredo da metamorfose. Seja o que deseja.

Dorian evitou a vontade de revirar os olhos, embora Damaris tivesse se aquecido em sua mão. *Seja o que deseja* — algo muito mais fácil de se dizer do que fazer. Principalmente com o peso de uma coroa.

Ele levou a mão à barriga, apesar das camadas de roupas e do manto. Apenas músculos definidos o receberam.

— É isso que faz para conjurar a mudança: primeiro pensa no que quer se tornar?

— Com limites. Preciso de uma imagem bem definida na mente, ou não vai funcionar de modo algum.

— Então não pode se transformar em algo que não viu.

— Posso inventar alguns traços, como cor dos olhos, pele, cabelos, mas não a criatura. — Um sorriso terrível se abriu na boca da aranha. — Use essa sua linda magia. Mude seus belos olhos — desafiou a besta. — Mude a cor deles.

Que os deuses o amaldiçoassem, mas Dorian tentou. Pensou em olhos castanhos. Imaginou os olhos cor de bronze de Chaol, destemidos depois de uma das sessões de treino. Não como estavam antes de seu amigo velejar para o continente sul.

Será que Chaol conseguira ser curado? Será que ele e Nesryn tinham convencido o khagan a mandar ajuda? Como o antigo capitão sequer descobriria onde Dorian estava, o que acontecera com todos eles, quando tinham sido espalhados ao vento?

— Você pensa demais, jovem rei.

— Melhor do que muito pouco — murmurou ele.

Damaris se aqueceu de novo. Dorian podia jurar que tinha sido por diversão.

Cyrene riu.

— Não *pense* na cor do olho tanto quanto a *exija*.

— Como aprendeu isso sem instrução?

— O poder está em mim agora — disse a aranha, simplesmente. — Eu o ouvi.

Dorian deixou um tendão de magia serpentear até a aranha, que ficou tensa. A magia roçou contra ela, cuidadosa e inquisidora como um gato. Magia pura, para ser moldada como ele quisesse.

O jovem fez com que fosse até ela, que encontrasse aquela semente de poder dentro do animal. Para aprendê-la.

— O que está fazendo? — sussurrou a aranha, oscilando entre os pés.

A magia dele a envolveu, e Dorian conseguiu sentir — cada odioso e terrível ano de existência.

Cada...

A boca de Dorian secou. Bile subiu pela garganta ao sentir o cheiro que sua magia detectou. Ele jamais se esqueceria daquele cheiro, daquela crueldade. Carregaria para sempre a marca no pescoço como prova.

Valg. A aranha, de alguma forma, era valg. E não possuída, mas *nascida*.

Dorian manteve a expressão neutra. Desinteressada. Mesmo quando seu poder localizou aquela gota de magia linda e brilhante.

Magia roubada. Como os valg roubavam todas as coisas.

Tomavam tudo o que queriam.

O sangue de Dorian se tornou um rugido constante e latejante nos ouvidos.

Ele observou a silhueta minúscula da besta, o rosto comum.

— Você anda bastante calada com relação à busca por vingança que a levou a cruzar o continente.

Os olhos escuros de Cyrene se tornaram poços sem fundo.

— Ah, não me esqueci disso. Não mesmo.

Damaris permanecia morna. Esperando.

Ele deixou que a magia envolvesse uma mão tranquilizadora em torno da semente de poder presa ao inferno dentro da aranha.

Não se importava em saber por que e como as aranhas estígias eram valg. Como tinham chegado ali. Por que tinham ficado.

Elas se alimentavam de sonhos, de vida e de alegria. Deliciavam-se com eles.

A semente do poder de metamorfose brilhou nas mãos de Dorian, como se grata pelo toque carinhoso. Um toque humano.

Isso. O pai de Dorian tinha permitido que esses tipos de criaturas crescessem, governassem. Sorscha fora assassinada por aquelas coisas, pela crueldade delas.

— Posso fazer um acordo com você, sabia — sussurrou Cyrene. — Quando chegar a hora, vou me certificar de que seja poupado.

Damaris ficou mais fria do que gelo.

Dorian a encarou e recuou a magia. Ele podia ter jurado que aquela semente de poder da metamorfose presa dentro da criatura tinha tentado segurá-lo. Tinha tentado implorar para que não se fosse.

O rei sorriu para a aranha. Ela sorriu de volta.

Então ele atacou.

Mãos invisíveis se fecharam em torno do pescoço dela e torceram. Exatamente no momento em que sua magia mergulhou no umbigo da aranha, onde a semente roubada de magia humana residia, envolvendo-a.

Dorian a segurou, um pássaro bebê em suas mãos, enquanto a aranha morria. Estudou a magia, cada faceta dela, antes que suspirasse aliviada e se dissipasse no vento, livre, por fim.

Cyrene desabou no chão, com olhos vagos.

Com meio pensamento, Dorian a incinerou. Ninguém veio perguntar mais tarde a respeito do cheiro que subiu daquelas cinzas. Da mancha escura que restou sob elas.

Valg. Talvez a entrada dele para Morath e, ainda assim, Dorian se viu encarando aquela mancha escura na terra semiderretida.

Ele soltou Damaris conforme a lâmina se calou relutante.

Encontraria uma forma de entrar em Morath depois que dominasse a metamorfose.

A aranha e todas da sua laia poderiam queimar no inferno.

O coração de Dorian ainda estava acelerado quando ele se viu, uma hora depois, deitado em uma tenda que nem mesmo era alta o bastante para se ficar de pé, em um de dois colchões de dormir.

Manon entrou na tenda no momento em que ele descalçou as botas e puxava os pesados cobertores de lã sobre o corpo. Tinham cheiro de cavalo e feno, e poderiam muito bem ter sido tirados de um estábulo, mas não se importava. Era quente e melhor do que nada.

A bruxa observou o espaço apertado, o segundo saco de dormir e o cobertor.

— Treze é um número ímpar — disse ela, como explicação. — Sempre tive uma tenda só para mim.

— Desculpe por estragar isso para você.

Ela lançou a Dorian um olhar sarcástico antes de se sentar no saco de dormir e abrir as botas. Mas os dedos pararam quando suas narinas se dilataram.

Devagar, Manon olhou por cima do ombro para ele.

— O que você fez.

Dorian a encarou de volta.

— Você fez o que precisou hoje — respondeu ele, simplesmente. — Eu também. — Dorian não se incomodou em tentar tocar Damaris, próxima a ele.

Manon o cheirou de novo.

— Você matou a aranha. — Nenhum julgamento no rosto, apenas curiosidade pura.

— Ela era uma ameaça — admitiu ele. E uma merda valg.

Cautela tomou os olhos da bruxa.

— Ela poderia ter matado você.

Ele deu um meio sorriso.

— Não, não poderia.

Manon o observou de novo, e Dorian permitiu.

— Não tem nada a dizer a respeito de minhas... escolhas?

— Meus amigos estão lutando e provavelmente sendo mortos no norte — respondeu ele. — Não temos tempo para gastar duas semanas conquistando as Crochan.

Ali estava, a verdade brutal. Para ganhar algum nível de aceitação ali, tinham precisado cruzar aquele limite. Talvez tais decisões difíceis fossem parte de usar uma coroa.

Dorian guardaria o segredo dela, contanto que Manon desejasse que ficasse escondido.

— Nenhum discurso moralizante?

— Isto é guerra — disse ele, de forma vazia. — Passamos desse tipo de coisa.

E não importaria, não quando sua alma eterna fosse o preço pedido para estancar tanto do massacre, importaria? Ele já destruíra o bastante. Se cruzar limite após limite poupasse algum dos demais do perigo, Dorian o faria. Não sabia que tipo de rei isso o tornava.

Manon murmurou, considerando aquela uma resposta aceitável.

— Você conhece intrigas e ardis de corte — comentou ela, com os dedos ágeis mais uma vez percorrendo os cadarços e os ganchos das botas. — Como... faria essa jogada, como você mesmo disse mais cedo? Sobre minha situação com as Crochan?

Dorian apoiou a mão sob a cabeça.

— O problema é que elas estão com todos os trunfos. Precisa delas muito mais do que elas precisam de você. A única carta que tem para jogar é sua ascendência, e isso parece ter sido rejeitado, mesmo com a batalha. Então como tornamos isso vital para elas? Como você prova que elas *precisam* da última rainha viva, a última da linhagem Crochan? — Dorian refletiu a respeito daquilo. — Há também a perspectiva de paz entre seus povos, mas você... — Ele se encolheu. — Você não é mais reconhecida como Herdeira. Qualquer barganha que possa fazer como Bico Negro seria apenas em seu nome e em nome das Treze, não do restante das Dentes de Ferro. Não seria um verdadeiro tratado de paz.

Manon terminou com as botas e se deitou no saco de dormir, puxando o cobertor para si enquanto encarava o teto baixo da tenda.

— Ensinaram essas coisas a você no seu castelo de vidro?

— Sim. — Antes de ele ter estilhaçado o castelo em cacos e pó.

A bruxa se virou de lado, apoiando a cabeça em uma das mãos, com os cabelos brancos se soltando da trança e emoldurando seu rosto.

— Não pode usar essa sua magia para simplesmente... obrigá-las, pode?

Dorian conteve uma risada.

— Não que eu saiba.

— Maeve invadiu a mente do príncipe Rowan para convencê-lo a tomar uma falsa parceira.

— Nem mesmo sei qual *é* o poder de Maeve — observou Dorian, encolhendo-se. O que a rainha feérica fizera a Rowan, o que ela estava fazendo naquele momento com a rainha de Terrasen... — E não tenho total certeza de que quero começar a experimentar em potenciais aliados.

Manon suspirou pelo nariz.

— Meu treinamento não incluiu essas coisas.

Ele não ficou surpreso.

— Quer minha opinião sincera? — Os olhos dourados de Manon fixaram Dorian no lugar enquanto ela deu um breve aceno de cabeça. — Encontre a coisa de que elas precisam e use isso em vantagem própria. O que faria com que seguissem você, o que faria com que a vissem como a rainha Crochan? Lutar na batalha esta noite conquistou algum grau de confiança, mas não aceitação imediata. Talvez Glennis saiba.

— Eu precisaria arriscar perguntar a ela.

— Você não confia nela.

— Por que eu deveria?

— Ela é sua bisavó. E não ordenou que você fosse executada ao ser avistada.

— Minha avó também não, até o fim. — Nenhuma emoção percorreu seu rosto, mas os dedos de Manon se enterraram na cabeça diante das palavras.

Então Dorian falou:

— Aelin precisou que o capitão Rolfe e o povo dele fossem arrancados de séculos de anonimato para reunir a frota myceniana. Ela descobriu que eles apenas retornariam para Terrasen quando um dragão marinho ressurgisse por fim, um dos aliados nas ondas há muito perdido. Então ela fez com que acontecesse: provocou uma pequena frota valg para que atacasse baía da

Caveira enquanto estava praticamente indefesa, então usou a batalha para exibir o dragão marinho que chegou para ajudá-los, conjurado de ar e magia.

— A metamorfa — disse Manon. O rei assentiu. — E os mycenianos acreditaram?

— Completamente — respondeu Dorian. — Aelin descobriu o que os mycenianos *precisavam* para serem convencidos a se juntar à causa dela. Que tipo de coisa as Crochan poderiam requerer para fazer o mesmo?

Manon se deitou no saco de dormir, tão graciosa quanto uma dançarina. Ela brincou com a ponta da trança, com a faixa vermelha ali.

— Vou perguntar a Ghislaine de manhã.

— Não acho que Ghislaine saiba.

Os olhos dourados se voltaram para Dorian.

— Acredita mesmo que eu deveria perguntar a Glennis?

— Sim. E acho que ela vai ajudá-la.

— Por que se incomodar?

Ele se perguntou se as Treze conseguiriam ver — aquele vestígio de autodepreciação que às vezes percorria o rosto de Manon.

— A mãe dela voluntariamente abandonou a cidade, o povo e a rainha nas últimas horas para poder preservar a linhagem real. Sua linhagem. Acho que ela contou essa história esta noite para que você entenda que ela fará o mesmo.

— Por que não ser direta, então?

— Porque, caso não tenha notado, você não é exatamente uma pessoa popular neste acampamento, apesar de seu papel com as Dentes de Ferro. Glennis sabe como jogar o jogo. Você só precisa alcançá-la. Descubra por que sequer estão aqui, então planeje seu próximo passo.

A boca da bruxa se contraiu, então relaxou.

— Seus tutores ensinaram você bem, principezinho.

— Ser criado por um tirano possuído por um demônio teve seus benefícios, aparentemente. — As palavras de Dorian soaram inexpressivas, embora algo tivesse se afiado dentro dele.

O olhar de Manon passou para o pescoço do rei, para a linha pálida ali. Dorian quase conseguia sentir o olhar dela como um toque fantasma.

— Você ainda o odeia.

Ele arqueou uma sobrancelha.

— Não deveria?

Os cabelos brancos como a lua de Manon reluziram à luz fraca.

— Você me disse que ele era humano. Bem no fundo, ele tinha permanecido humano e tentado proteger você da melhor forma possível. Ainda assim, você o odeia.

— Perdoe-me se acho tais métodos de *proteção* intragáveis.

— Mas foi o demônio, não o homem, quem matou sua curandeira.

Dorian trincou o maxilar.

— Não faz diferença.

— Não faz? — Manon franziu a testa. — A maioria das pessoas mal consegue suportar alguns meses de infestação valg. Você mal conseguiu. — O rapaz tentou não se encolher diante das palavras diretas. — Mesmo assim, ele suportou isso durante décadas.

Dorian a encarou.

— Se está tentando pintar meu pai como algum tipo de herói nobre, está desperdiçando saliva. — Ele considerou acabar a discussão ali, mas perguntou: — Se alguém lhe dissesse que sua avó era secretamente boa, que ela não queria assassinar seus pais e tantos outros, que tinha sido forçada a fazer com que você matasse sua irmã, acharia fácil de acreditar? De perdoá-la?

Manon olhou para o abdômen — para a cicatriz escondida sob os couros. Dorian se preparou para a resposta, mas ela apenas disse:

— Estou cansada de conversar.

Que bom. Ele também.

— Tem algo que gostaria de fazer em vez disso, bruxinha? — A voz de Dorian ficou áspera, e ele sabia que Manon conseguia ouvir as batidas do seu coração, que tinha começado a galopar.

Sua única resposta foi passar para cima dele, com as mechas do cabelo caindo em torno dos dois como uma cortina.

— Eu disse que não quero conversar — sussurrou ela e abaixou a boca até o pescoço de Dorian, passando os dentes por ali, bem sobre aquela linha branca onde o colar estivera.

O rei gemeu baixinho e moveu o quadril, esfregando-se nela. A respiração de Manon ficou irregular em resposta, e ele passou a mão pela lateral do seu corpo.

— Cale minha boca, então — disse Dorian, descendo a mão para segurar as costas de Manon em concha enquanto ela lhe mordiscava o pescoço e a mandíbula. Nenhuma pista daqueles dentes de ferro, mas a promessa deles permanecia, como uma espada refinada acima da cabeça do rei.

Apenas com ela, Dorian não precisava dar explicações. Apenas com ela, não precisava ser um rei, ou nada além do que era. Apenas com ela, não haveria julgamento a respeito do que ele tinha feito, de com quem fracassara, e do que talvez ainda precisasse fazer.

Somente isso — prazer e completo esquecimento.

A mão de Manon encontrou a fivela do cinto de Dorian, e ele levou a mão até a dela, e nenhum dos dois falou durante algum tempo depois disso.

O clímax ao qual ela chegou naquela noite — duas vezes — não conseguiu entorpecer completamente a ansiedade quando a manhã chegou, cinzenta e fria, e Manon se aproximou da tenda maior de Glennis.

A jovem bruxa deixara o rei dormindo, enroscado nos cobertores que tinham compartilhado, embora não tivesse permitido que ele a abraçasse. Manon simplesmente tinha se virado de lado, dando as costas a ele, e fechado os olhos. Dorian não pareceu se importar, saciado e sonolento depois de Manon o ter montado até que ambos encontrassem o prazer, e fora dormir rapidamente. E permanecera dormindo enquanto a bruxa contemplava como, exatamente, faria aquela reunião.

Talvez devesse ter levado Dorian. Ele certamente sabia como jogar aqueles jogos. E pensar como um rei.

Ele matara aquela aranha como uma bruxa de sangue azul, no entanto. Sem uma gota de piedade.

Isso não deveria ter excitado Manon da forma como excitara.

Mas ela sabia que seu orgulho jamais se recuperaria e que nunca mais conseguiria se chamar de bruxa caso permitisse que Dorian fizesse aquela tarefa por ela.

Então Manon entrou na tenda de Glennis sem se anunciar.

— Preciso falar com você.

Ela encontrou a bisavó afivelando a capa encantada diante de um pequeno espelho de bronze.

— Antes do café da manhã? Suponho que tenha puxado essa urgência de seu pai. Tristan estava sempre correndo para dentro de minha tenda com vários assuntos urgentes. Eu mal conseguia convencê-lo a se sentar por tempo o bastante para comer.

Manon ignorou o fragmento de informação. Dentes de Ferro não *tinham* pai. Apenas as mães e as mães das mães. Sempre fora assim. Mesmo que fosse difícil conter as perguntas a respeito dele. Por exemplo, como conhecera Lothian Bico Negro, o que os levara a deixar de lado o ódio antigo.

— O que seria preciso... para conquistar as Crochan? Para que se unam a nós na guerra?

Glennis arrumou o manto no espelho.

— Apenas uma rainha Crochan pode acender a Chama da Guerra para convocar todas as bruxas de sua fogueira.

Manon piscou diante da resposta honesta.

— A Chama da Guerra?

Glennis indicou com o queixo as abas da tenda e a fogueira além delas.

— Cada família Crochan tem uma fogueira que se move com ela para cada acampamento ou lar que fazemos; as fogueiras jamais se extinguem. A chama em minha fogueira remonta à própria cidade Crochan, quando Brannon Galathynius deu a Rhiannon uma faísca do fogo que consumia eternamente. Minha mãe a carregou consigo em uma esfera de vidro, encoberta pela capa, quando fugiu às escondidas com sua ancestral, e continua a queimar na fogueira de cada Crochan da realeza desde então.

— E o que aconteceu quando a magia desapareceu por dez anos?

— Nossas videntes tiveram uma visão de que sumiria e a chama morreria. Então acendemos várias fogueiras comuns com aquela chama mágica e as mantivemos acesas. Quando a magia desapareceu, a chama de fato se extinguiu. E quando a magia retornou esta primavera, a chama mais uma vez se acendeu, bem na lareira onde a tínhamos visto pela última vez. — A bisavó de Manon se virou na direção da bruxa. — Quando uma rainha Crochan convoca seu povo para a guerra, uma chama é tirada da lareira real e passada para cada fogueira, de um acampamento e cidade para os seguintes. A chegada da chama é uma convocação que apenas uma verdadeira rainha Crochan pode fazer.

— Então só preciso usar a chama naquela fogueira ali e o exército virá até mim?

Uma gargalhada.

— Não. Primeiro precisa ser aceita *como* rainha para fazer isso.

Manon trincou os dentes.

— E como posso conseguir *isso*?

— Não cabe a mim descobrir, não é?

Foi preciso todo o autocontrole para que a jovem bruxa não projetasse as unhas de ferro e avançasse pela tenda.

— Por que estão aqui... por que este acampamento?

Glennis ergueu as sobrancelhas.

— Não contei ontem?

Manon bateu com o pé no chão.

A bruxa reparou na impaciência e riu.

— Estávamos a caminho de Eyllwe.

Manon se espantou.

— Eyllwe? Se pensa em fugir desta guerra, posso dizer que ela encontrou aquele reino também. — Há muito que Eyllwe carregava o peso da ira de Adarlan. Durante as reuniões intermináveis com Erawan, ele estivera especialmente concentrado em garantir que o reino permanecesse fragmentado.

Glennis assentiu.

— Nós sabemos. Mas recebemos notícias de nossas fogueiras do sul de que uma ameaça tinha se levantado. Viajamos para encontrar algumas das tropas de guerra de Eyllwe que conseguiram sobreviver por todo esse tempo, para enfrentar qualquer que seja o horror que Morath tenha enviado.

Indo para o sul, não para Terrasen ao norte.

— Erawan pode estar soltando os terrores dele em Eyllwe apenas para dividi-las — observou Manon. — Para evitar que ajudem Terrasen. Ele deve ter descoberto que estou tentando reunir as Crochan. Eyllwe já está perdida, venha conosco para o norte.

A idosa apenas balançou a cabeça.

— Isso pode ser verdade. Mas demos nossa palavra. Então iremos para Eyllwe.

16

Darrow estava esperando sobre o cavalo, no alto de uma colina, quando o exército finalmente chegou ao anoitecer. Um dia inteiro de marcha, com a neve e o vento açoitando-os a cada maldito quilômetro.

Aedion, sobre o próprio cavalo, se afastou da coluna de soldados que se dirigia ao pequeno acampamento e galopou pela neve coberta de gelo até o velho lorde. Com a mão enluvada, indicou os guerreiros atrás dele.

— Conforme pedido: chegamos.

O homem mal olhou para Aedion ao observar os soldados que montavam o acampamento. Depois de um longo dia de trabalho brutal e exaustivo, além da batalha antes dele, eles finalmente dormiriam bem naquela noite. E Aedion se recusaria a movê-los no dia seguinte. E talvez no dia depois daquele também.

— Quantos perdidos?

— Menos de quinhentos.

— Que bom.

O guerreiro irritou-se ao ouvir a aprovação. Não era o exército de Darrow, não era sequer o de Aedion.

— O que você queria para que nos arrastássemos até aqui tão rápido?

— Eu queria discutir a batalha com você. Saber o que foi descoberto.

Aedion trincou os dentes.

— Farei um relatório para você, então. — Ele puxou as rédeas, preparando-se para virar o cavalo de volta ao acampamento. — Meus homens precisam de abrigo.

Darrow assentiu com firmeza, como se não soubesse da exaustiva marcha que ele mesmo exigira.

— Ao alvorecer, nós nos encontraremos. Mande notícias aos outros lordes.

— Mande seu próprio mensageiro.

O senhor lançou um olhar ríspido a Aedion.

— Diga aos outros lordes. — Ele observou o general, desde as botas cheias de lama até os cabelos sujos. — E descanse.

Aedion não se incomodou em responder, apenas incitou o cavalo a um galope, e o garanhão avançou pela neve sem hesitar. Um animal belo e orgulhoso, que o servia bem.

Aedion semicerrou os olhos para a neve que caía e açoitava seu rosto. Precisavam construir um abrigo — e rápido.

Ao alvorecer, iria à reunião de Darrow. Com os outros lordes.

E Aelin ao encalço.

∫

Ao longo da noite, trinta centímetros de neve caíram, cobrindo tendas, sufocando fogueiras e levando os soldados a dormir ombro a ombro para conservar o calor.

Lysandra estivera tremendo na tenda, apesar de ter ficado enroscada na forma de leopardo-fantasma ao lado do braseiro, e acordara antes do alvorecer simplesmente porque dormir se tornara inútil.

E por causa da reunião que estava a momentos de acontecer.

Ela caminhou até a grande tenda de guerra de Darrow, com Ansel de Penhasco dos Arbustos ao lado, as duas protegidas contra o frio. Felizmente, a manhã frígida manteve qualquer conversa entre elas a um mínimo. Não fazia sentido conversar quando o próprio ar gelava os dentes até doer.

A realeza feérica de cabelos prateados entrou logo antes das jovens, o príncipe Endymion dando a ela — a *Aelin* — um aceno de cabeça.

A esposa do primo. Era quem o príncipe acreditava que ela fosse. Além de ser a rainha. Endymion jamais sentira o cheiro de Aelin, não saberia que o cheiro estranho da metamorfa estava todo errado.

Graças aos deuses por aquilo.

A tenda de guerra estava quase cheia, lordes e príncipes e comandantes reunidos em torno do centro do espaço, todos estudando o mapa do continente que pendia de uma das abas das paredes. Alfinetes se projetavam da lona grossa para marcar diversos exércitos.

Tantos, até demais, reunidos no sul. Bloqueando a ajuda de quaisquer aliados além das linhas de Morath.

— Ela retorna enfim — cantarolou uma voz fria.

Lysandra forçou um sorriso preguiçoso e caminhou até o centro da sala, enquanto Ansel ficou perto da entrada.

— Soube que perdi a diversão ontem. Achei melhor voltar antes que perdesse a chance de matar uns brutamontes valg também.

Alguns risinhos diante daquilo, mas Darrow não sorriu.

— Não me lembro de você ter sido convidada para esta reunião, Vossa Alteza.

— Eu a convidei — disse Aedion, afastando-se do limite do grupo. — Como ela está tecnicamente lutando na Devastação, eu a tornei minha imediata. — E, portanto, digna de estar ali.

Lysandra se perguntou se mais alguém podia ver o indício de dor no rosto de Aedion; dor e nojo da rainha impostora que seguia arrogante entre eles.

— Desculpe desapontá-lo — cantarolou ela para Darrow.

O lorde apenas se voltou para o mapa conforme Ravi e Sol entravam. Sol deu a Aelin um aceno respeitoso, e Ravi lançou um sorriso a ela. A rainha piscou um olho antes de se voltar para o mapa.

— Depois de derrotarmos Morath ontem sob o comando do general Ashryver — disse Darrow —, creio que devemos posicionar nossas tropas em Theralis e preparar as defesas de Orynth para um cerco. — Os lordes mais velhos, Sloane, Gunnar e Ironwood, murmuraram em concordância.

Aedion balançou a cabeça, sem dúvida já antecipando aquilo.

— Isso anuncia a Erawan que estamos fugindo e nos dispersa para muito longe de qualquer potencial aliado do Sul.

— Em Orynth — falou o Lorde Gunnar, mais velho e mais grisalho do que Darrow, além de duas vezes mais cruel —, temos muralhas que resistem a catapultas.

— Se eles trouxerem aquelas torres de bruxas — interrompeu Ren Allsbrook —, então até mesmo as muralhas de Orynth cairão.

— Ainda não vimos evidências de tais torres de bruxas — replicou Darrow.

— Além da palavra de um inimigo.

— Um inimigo que se tornou aliado — ressaltou Aelin... Lysandra. Darrow lançou a ela um olhar de desprezo. — Manon Bico Negro não mentiu. E as Treze não estavam aliadas a Morath quando lutaram ao nosso lado.

Um aceno da realeza feérica e de Ansel.

— Contra Maeve — debochou Lorde Sloane, um homem franzino com expressão severa e nariz aquilino. — Aquela batalha foi contra Maeve, não Erawan. Será que teriam feito o mesmo contra o próprio povo? Bruxas são leais até a morte e mais ardilosas do que raposas. Manon Bico Negro e seu conluio podem muito bem ter feito vocês de tolos desesperados e lhes dado informações erradas.

— Manon Bico Negro se voltou contra a própria avó, a Grã-Bruxa do clã Bico Negro — retrucou Aedion, com o tom de voz baixando até um grunhido perigoso. — Não acho que as farpas de ferro que encontramos na barriga da bruxa eram uma mentira.

— De novo — disse Lorde Sloane —, essas bruxas são ardilosas. Farão qualquer coisa.

— As torres de bruxa são reais — afirmou Lysandra, deixando que a voz fria e inabalada de Aelin preenchesse a tenda. — Não vou desperdiçar meu fôlego provando a existência delas. E não vou arriscar Orynth contra seu poder.

— Mas arriscaria as cidades da fronteira? — desafiou Darrow.

— Planejo encontrar uma forma de derrubar as torres antes que passem pelas encostas das montanhas — prosseguiu ela, preguiçosamente, rezando para que Aedion tivesse um plano.

— Com o fogo que tão magnificamente exibiu — comentou Darrow, com igual tranquilidade.

Ansel de Penhasco dos Arbustos respondeu antes que Lysandra pudesse pensar em uma mentira adequadamente arrogante.

— Erawan gosta de fazer joguetes mentais para incitar o medo. Deixe que ele se pergunte e se preocupe, pensando por que Aelin ainda não usou o poder. Que contemple se ela o está acumulando para algo grandioso. — Um piscar de olho malicioso para a amiga. — Espero que seja apavorante.

Lysandra deu à rainha um sorriso torto.

— Ah, vai ser.

Ela sentiu o olhar de Aedion, a dor e a preocupação bem escondidas. Mesmo assim, o general disse:

— Eldrys foi para reduzir nossos números, fazer com que duvidássemos da sabedoria de Morath ao enviar os brutamontes deles para lá. Ele quer que nós o subestimemos. Se nos movermos para a fronteira, teremos as encostas para reduzir o avanço de Erawan. Conhecemos aquele território; ele não. Podemos usar isso em nossa vantagem.

— E se ele atravessar a floresta de Carvalhal? — Lorde Gunnar apontou para a estrada além de Endovier. — E então?

Dessa vez, Ren Allsbrook respondeu:

— E então conhecemos aquele terreno também. Carvalhal não tem amor por Erawan ou as forças dele. Sua lealdade está com Brannon. E seus herdeiros. — Um olhar para ela, frio, no entanto, acolhedor. Levemente.

Ela ofereceu ao jovem lorde um indício de sorriso. Ren a ignorou, olhando para o mapa de novo.

— Se seguirmos para a fronteira — argumentou Darrow —, arriscamos sermos massacrados, aí deixaremos Perranth, Orynth e todas as aldeias e cidades deste reino à mercê de Erawan.

— Há argumentos a favor das duas manobras — ponderou o príncipe Endymion, dando um passo adiante. O mais velho entre eles, embora não parecesse ter um dia a mais que 28 anos. — Seu exército ainda é pequeno demais para arriscar ser dividido em dois. Todos devem ir, seja para o sul ou de volta para o norte.

— Eu votaria pelo sul — disse a princesa Sellene, prima de Endymion. Prima de Rowan. Ela estivera curiosa a respeito de Aelin, percebera Lysandra, mas tinha se mantido longe. Como se hesitasse em se aproximar quando a guerra poderia destruir a todos. A metamorfa se perguntara mais de uma vez o que, na longa vida da princesa, a tornara daquele jeito, cautelosa e séria, mas não totalmente distante. — Há mais rotas de fuga, se for necessário. — Ela apontou o dedo para o mapa, os cabelos prateados trançados brilhando entre as dobras da pesada capa esmeralda. — Em Orynth, suas costas estarão contra as montanhas.

— Há caminhos secretos entre as montanhas Galhada do Cervo — comentou Lorde Sloane, completamente inabalado. — Entre nosso povo, muitos os utilizaram dez anos atrás.

E assim aquilo prosseguiu. Com debates e discussões, vozes se erguendo e baixando.

Até que Darrow convocou uma votação — entre os seis lordes de Terrasen apenas. Os únicos líderes oficiais daquele exército, aparentemente.

Dois deles, Sol e Ren, votaram pela fronteira.

Quatro deles — Darrow, Sloane, Gunnar e Ironwood — votaram para que se movessem para Orynth.

Depois que o silêncio caiu, Darrow simplesmente disse:

— Se nossos aliados não quiserem arriscar nosso plano, podem partir. Não nos devem juramento algum.

Lysandra quase se sobressaltou diante daquilo.

Aedion grunhiu, mesmo quando preocupação brilhou em seus olhos.

Mas o príncipe Galan, que se mantivera calado e observante, um ouvinte apesar dos frequentes sorrisos e da batalha ousada tanto no mar quanto na terra, deu um passo adiante e olhou diretamente para Aelin, os olhos dele — assim como os dela — brilhando forte.

— Que péssimos aliados seríamos de fato — começou ele, com o sotaque de Wendlyn forte e puxando a letra r — se abandonássemos nossos amigos quando as escolhas deles se distanciam das nossas. Prometemos nossa assistência nessa guerra, e Wendlyn não vai recuar.

Darrow ficou tenso. Não pelas palavras, mas por terem sido direcionadas a ela. A Aelin.

Lysandra fez uma reverência com a cabeça, colocando a mão no coração.

O príncipe Endymion levantou o queixo.

— Fiz um juramento a meu primo, seu consorte — disse ele, e os demais lordes foram tomados por ódio. Como Aelin não era rainha, o título de Rowan também não era reconhecido por eles. Apenas pelos outros lordes, ao que parecia. — Como duvido que seremos aceitos em Doranelle de novo, gostaria de pensar que este talvez seja nosso novo lar, caso tudo dê certo.

Aelin teria concordado.

— São bem-vindos aqui... todos vocês. Por quanto tempo quiserem.

— Não tem autorização para fazer tais convites — disparou Lorde Gunnar.

Nenhum deles se incomodou em responder. Mas Ilias dos Assassinos Silenciosos deu um aceno solene indicando que concordava em ficar, e Ansel apenas piscou um olho para Aelin de novo e falou:

— Vim até aqui para ajudá-la a transformar aquele desgraçado em pó. Não vejo por que voltaria para casa agora.

A gratidão que apertou a garganta de Lysandra não foi um fingimento quando ela fez uma reverência para os aliados que sua rainha reunira.

Um jovem alto, de cabelos pretos, entrou na tenda, e seus olhos cinzentos dispararam em torno da companhia reunida. E se arregalaram ao vê-la — Aelin. Se arregalaram, então olharam para Aedion como se para confirmar. Ele observou os cabelos dourados, os olhos Ashryver, e empalideceu.

— O que foi, Nox?! — grunhiu Darrow. O mensageiro se esticou e correu para o lado do lorde, murmurando algo ao ouvido dele. — Mande-o entrar.

— Foi a única resposta do senhor.

Nox saiu, andando graciosamente apesar da altura, e um homem mais baixinho, de pele branca, entrou.

Darrow estendeu a mão para pegar a carta.

— Tinha uma mensagem de Eldrys?

Lysandra sentiu o cheiro do estranho no mesmo momento que Aedion.

Um momento antes de o estranho sorrir e dizer:

— Erawan manda lembranças.

E então liberar um disparo de vento sombrio contra ela.

17

Lysandra se abaixou, mas não rápido o bastante para evitar o jato de poder que cortou seu braço.

Ela caiu no chão, rolando, como aprendera sob a tutela cautelosa de Arobynn. Mas Aedion já estava diante dela, com a espada erguida, defendendo a rainha.

Um clarão de luz frio — de Enda e Sellene —, e o mensageiro de Morath estava preso de joelhos, com o poder sombrio açoitando uma barreira invisível de vento e gelo.

Dentro da tenda, todos tinham recuado com as armas reluzindo. Flanqueando o homem caído, Ilias e Ansel já estavam com as espadas inclinadas na direção dele, as poses defensivas eram imagens idênticas. Treinados até os ossos pelo mesmo mestre, sob o mesmo sol escaldante. Mas nenhum dos dois olhou para o outro.

Ren, Sol e Ravi tinham se posicionado ao lado de Lysandra — Aelin — com as próprias espadas prontas para derramar sangue. Uma corte incipiente se fechando em volta da rainha.

Não importava que os outros lordes tivessem se jogado atrás da segurança da mesa de bebidas, com os rostos enrugados empalidecendo. Apenas Galan Ashryver tinha assumido uma posição perto da entrada da tenda, sem dúvida para interceptar o agressor caso ele tentasse fugir. Um gesto ousado — e de um tolo, considerando o que estava ajoelhado no centro da tenda.

— Ninguém *farejou* que ele era um demônio valg? — indagou Aedion, puxando Lysandra de pé pelo braço ileso. Mas não havia colar no estranho, nenhum anel nas mãos expostas e pálidas.

O estômago da metamorfa se revirou quando ela levou a mão ao corte latejante no braço. A jovem sabia o que batia no peito do homem. Um coração de ferro e pedra de Wyrd.

O mensageiro gargalhou, sibilando.

— Corra para seu castelo. Nós estamos...

Ele farejou o ar. Olhou diretamente para Lysandra. Para o sangue que escorria pelo braço esquerdo dela, gotejando na túnica azul e desgastada de Aelin.

Os olhos escuros se arregalaram de surpresa e prazer enquanto a palavra tomava forma em seus lábios. *Metamorfa*.

— Matem-no — ordenou ela para a realeza feérica de cabelos prateados, com o coração galopante.

Ninguém ousou dizer que o queimasse ela mesma.

Endymion ergueu a mão, então o homem possuído por valg começou a sufocar. Mas não antes de seus olhos se escurecerem por completo, até nenhum branco restar.

Não por causa da morte que o varria. Mas porque ele parecia passar uma mensagem por um longo laço de obsidiana.

A mensagem que poderia condená-los: Aelin Galathynius não estava ali.

— Basta disso — grunhiu Aedion, e medo, medo de verdade, empalideceu o rosto dele quando o guerreiro também percebeu o que o mensageiro acabara de passar para o mestre.

A Espada de Orynth reluziu, sangue escuro jorrou e a cabeça caiu no chão coberto por tapetes.

No silêncio, Lysandra ofegou, tirando a mão do braço para observar o ferimento. O corte não era profundo, mas ficaria sensível por algumas horas.

Ansel de Penhasco dos Arbustos embainhou a espada com a cabeça de lobo e segurou o ombro de Lysandra. Os cabelos vermelhos balançaram quando ela verificou o ferimento, então o cadáver.

— Canalhas nojentos, não são?

Aelin teria dado alguma resposta arrogante para fazer com que todos rissem, mas Lysandra não conseguiu encontrar as palavras. Ela apenas assentiu conforme a mancha escura se espalhou no chão da tenda. A realeza feérica farejou o fedor, fazendo careta.

— Limpem essa sujeira — ordenou Darrow para ninguém em especial. Mesmo com as mãos levemente trêmulas.

Ao lado das abas de entrada da tenda, Nox olhava boquiaberto para o valg decapitado. Os olhos cinza dele encontraram os de Lysandra, buscando, e então se abaixaram.

— Ele não tinha um anel — murmurou o mensageiro.

Pegando uma ponta da toalha que cobria a mesa de bebidas intocada, Aedion limpou a Espada de Orynth.

— Ele não precisava de um.

⁓

Erawan sabia que Aelin não estava com eles. Que uma metamorfa tomara o lugar da rainha.

Aedion marchou pelo acampamento, com Lysandra como Aelin o seguindo.

— Eu sei — disse ele por cima do ombro, pela primeira vez ignorando os guerreiros que o saudavam.

Ela continuou seguindo-o mesmo assim.

— O que deveríamos fazer?

Aedion não parou até chegar à própria tenda, com o fedor daquele mensageiro valg agarrado a seu nariz. Aquele chicote de trevas disparando em direção a Lysandra ainda queimava o fundo dos olhos do guerreiro. O grito de dor dela ressoava em seus ouvidos.

O temperamento de Aedion se revoltava, gritando por escape.

Ela foi atrás dele até a tenda.

— O que deveríamos fazer? — repetiu Lysandra.

— Que tal começarmos nos certificando de que não há mais nenhum *mensageiro* espreitando no acampamento — grunhiu ele, caminhando de um lado para outro. A realeza feérica já dera aquela ordem e estava enviando os melhores batedores.

— Ele sabe — sussurrou ela. Aedion se virou para encará-la, encontrando sua prima... encontrando *Lysandra* trêmula. Não era Aelin, embora ela tivesse sido bastante convincente mais cedo naquele dia. Mais do que o habitual. — Ele *sabe* o que eu sou.

O general esfregou o rosto.

— Ele também parece saber que vamos para Orynth. Quer que façamos exatamente isso.

Lysandra desabou na cama de Aedion, como se os joelhos não conseguissem mantê-la de pé. Por um segundo, a vontade de sentar ao lado dela, de abraçá-la, foi tão forte que ele quase cedeu.

O odor de sangue da metamorfa preencheu o espaço, junto com o cheiro selvagem, de muitas faces. Aquele cheiro passou um dedo sensual pela pele de Aedion, afiando a raiva do general em algo tão mortal que ele poderia muito bem ter matado o próximo macho que entrasse na tenda.

— Erawan pode ouvir essa notícia e se preocupar — disse o general quando conseguiu pensar de novo. — Pode se perguntar *por que* ela não está aqui e se está prestes a fazer algo que vai prejudicá-lo. Isso poderia obrigá-lo a mostrar suas cartas.

— Ou nos atacar agora, com todo o poder, quando sabe que estamos mais vulneráveis.

— Vamos ter que esperar.

— Orynth será um massacre — sussurrou ela, com os ombros curvados sob o peso não apenas de ser uma mulher jogada naquele conflito, mas uma mulher interpretando outra, até capaz de fingir, porém apenas até certo ponto. Que não tinha de verdade o poder para impedir as hordas marchando para o norte. Ela estivera disposta a sustentar aquele fardo, no entanto. Por Aelin. Por aquele reino.

Mesmo que tivesse mentido para ele a respeito daquilo, estivera disposta a aceitar aquele peso.

Aedion desabou ao lado dela, lançando um olhar vago para as paredes da tenda.

— Nós não vamos para Orynth.

A cabeça dela se ergueu. Não apenas por causa das palavras, mas por ele estar sentado tão próximo.

— Para onde vamos, então?

Aedion avaliou a armadura, lustrada e esperando sobre um manequim do outro lado da tenda.

— Sol e Ravi levarão parte dos homens de volta à costa para se certificarem de que não encontraremos mais nenhum ataque do mar. Eles encontrarão o que resta da frota de Wendlyn, enquanto Galan e seus soldados permanecerão conosco. Marcharemos como um exército até a fronteira.

— Os outros lordes votaram contra isso. — De fato, já tinham votado, os velhos tolos.

Ele dançara com a traição durante a última década. Fizera dela uma arte. Aedion sorriu levemente.

— Deixe isso comigo.

∽

A Devastação não era leal a ninguém além de Aelin Galathynius.

Assim como os aliados que ela reunira. E as forças de Ren Allsbrook e de Ravi e Sol de Suria.

E também, aparentemente, Nox Owen.

No entanto, foi Lysandra, não Aedion, quem tornou a fuga deles possível.

A metamorfa estava caminhando de volta para a própria tenda — para a tenda de Aelin, inadequada para uma rainha, mas apropriada para um capitão de guerra — quando Nox passou a caminhar ao lado dela. Silencioso e gracioso. Bem treinado. E provavelmente mais letal do que parecia.

— Então Erawan sabe que você não é Aelin.

Ela virou o rosto para Nox.

— O quê? — Uma pergunta breve e vaga para ganhar tempo. Será que Aedion arriscara dizer a verdade a ele?

O mensageiro deu a ela um meio sorriso.

— Descobri quando vi a surpresa no rosto daquele demônio.

— Você deve estar enganado.

— Estou? Ou você não se lembra mesmo de mim?

Lysandra fez o possível para olhar com arrogância para ele, mesmo sendo o ladrão-mensageiro tão mais alto do que ela. Aelin jamais mencionara um Nox Owen.

— Por que eu deveria me lembrar de um dos lacaios de Darrow?

— Uma tentativa decente, mas Celaena Sardothien parecia se divertir um *pouco* mais ao esfrangalhar os homens.

Ele sabia — quem Aelin era, o que ela tinha sido. Lysandra não disse nada, apenas continuou caminhando na direção da própria tenda. Se contasse a Aedion, com qual velocidade Nox poderia ser enterrado sob a terra congelada?

— Seu segredo está a salvo — murmurou ele. — Celaena... Aelin era uma amiga. Ainda é, espero.

— Como? — Ela não admitiria mais do que aquilo a respeito de seu papel em tudo.

— Lutamos na competição do castelo de vidro juntos. — Ele riu com deboche. — Eu não fazia ideia até hoje. Pelos deuses, eu estava lá pelo ministro Joval, como um espião para os rebeldes. Era minha primeira vez fora de Perranth. Minha *primeira* vez e acabei sem querer treinando ao lado de minha rainha. — Ele gargalhou, grave e com espanto. — Eu estava trabalhando com os rebeldes havia anos, mesmo como ladrão. Queriam que eu fosse os olhos deles dentro do castelo a respeito dos planos do rei. Reportei os acontecimentos estranhos até que se tornou perigoso demais. Até que Cel... Aelin me avisou para fugir. Obedeci e voltei para cá. Joval está morto. Caiu em uma briga com um bando de rebeldes perto da fronteira esta primavera. Darrow me recolheu para ser seu mensageiro e espião. Então aqui estou. — Um olhar de esguelha na direção dela, com assombro ainda no rosto. — Estou a sua disposição, mesmo que você não seja... você. — Nox inclinou a cabeça. — Quem é você, afinal?

— Aelin.

Ele deu um sorriso de entendimento.

— Justo.

Lysandra parou diante da tenda pequena demais da rainha, aninhada entre a de Aedion e a de Ren.

— Qual é o preço do seu silêncio? Ou Darrow já sabe?

— Por que eu contaria a ele? Sirvo a Terrasen e à família Galathynius. Sempre servi.

— Alguns podem dizer que Darrow tem um forte direito ao trono, considerando seu relacionamento com Orlon.

— Percebi hoje que a assassina que passei a chamar de amiga é, na verdade, a rainha que eu acreditava estar morta. Acho que os deuses estão me indicando uma direção, não?

Ela se demorou entre as abas de entrada da tenda. Um calor delicioso a chamou para dentro.

— E se eu dissesse que precisamos de sua ajuda esta noite e que o risco é ser rotulado de traidor?

Nox apenas esboçou uma reverência.

— Então eu diria que devo a minha amiga Celaena um favor pelo aviso no castelo e por salvar minha vida antes disso.

Lysandra não sabia por que confiava nele. Mas tinha desenvolvido um instinto para homens que sempre se provara correto, ainda que não fosse capaz de agir de acordo com ele no passado. Só conseguira se preparar para eles.

Mas Nox Owen — a bondade no rosto do homem era sincera. As palavras dele eram verdadeiras. Outro aliado que Aelin conquistara para eles, dessa vez sem querer.

Ela sabia que Aedion concordaria com o plano, mesmo que ainda a odiasse. Então Lysandra se inclinou para perto, sua voz baixando até virar um sussurro.

— Então ouça com atenção.

Foi feito silenciosamente e sem vestígios.

Cada elemento intricado funcionou sem problemas, como se os próprios deuses os tivessem ajudado.

No jantar, Nox Owen drogou o vinho que ele mesmo serviu — como um pedido de desculpas humilhante por ter deixado entrar o soldado valg — aos Lordes Darrow, Sloane, Gunnar e Ironwood. Não para matá-los, mas para colocá-los em um sono profundo e sem sonhos.

Nem mesmo um urso rugindo poderia acordar esse bando, resmungara Ansel de Penhasco dos Arbustos ao ficar de pé sobre a cama de Lorde Gunnar, erguendo o braço inerte dele e deixando-o cair.

O lorde não tinha se mexido, e Lysandra, na forma de um rato do campo e escondida nas sombras atrás da rainha, considerara aquilo prova o suficiente.

Os leais porta-estandartes dos quatro lordes também se encontravam dormindo profundamente naquela noite, cortesia do vinho que Galan Ashryver, Ilias, Ren e Ravi tinham se certificado de que fosse passado nas fogueiras deles.

E quando todos acordaram no dia seguinte, havia apenas neve fustigante além das tendas deles.

O acampamento se fora.

O exército também.

⊰ 18 ⊱

Ninguém em Anielle ou na fortaleza de pedras cinza que pairava acima do limite sul gritou alarmado pelo ruk que desceu do céu e aterrissou nas ameias.

As sentinelas da fortaleza que estavam de guarda apenas sacaram as armas, uma delas correndo para o interior escuro, e as apontaram para Chaol e Yrene quando os dois desceram do poderoso pássaro.

O frio no mar aberto não era nada comparado ao vento que rebatia da parede de montanhas contra a qual a cidade fora construída, ou o frio lancinante do vasto lago Prateado, em torno do qual Anielle se curvava, tão parado que parecia um imenso espelho esparramado sob o céu cinza.

Yrene sabia que a disposição de Anielle era tão familiar para Chaol quanto o próprio corpo dele — e sabia, pelas memórias que vira na sua alma e pelo que o marido lhe contara naqueles meses, que as telhas cinza dos telhados tinham sido moldadas de pedreiras de ardósia logo ao sul, enquanto a madeira das casas fora tirada do emaranhado da floresta de Carvalhal, que espreitava além da planície fronteiriça ao lado sul do lago. Um pequeno conjunto de picos se projetava como um braço da massa sinuosa das montanhas Canino Branco, acompanhando a cidade entre elas e o lago Prateado — e fora naquelas encostas estéreis que a fortaleza tinha sido construída.

Patamar após patamar, a Fortaleza Westfall se elevava da planície até níveis mais altos das montanhas atrás dela. O portão mais baixo se abria para a extensão de neve plana, enquanto os demais patamares fluíam para dentro da cidade à esquerda. Tinha sido construída como uma fortaleza: os incontáveis patamares, as ameias e os portões tinham todos sido projetados para sobreviver a um ataque inimigo. As pedras cinza levavam as cicatrizes de quantos tinham testemunhado e quantos sobreviveram, não mais do que a espessa cortina de muralhas que circundava a fortaleza.

Intimidador, imponente, impiedoso — Chaol dissera a ela que a fortaleza jamais fora construída por beleza ou prazer. De fato, nenhuma bandeira colorida oscilava ao vento. Nenhum perfume ou tempero fluía dentro dela também. Apenas umidade fria e espessa.

Das torres superiores incrustadas de líquen, Yrene sabia que era possível monitorar qualquer movimento no lago ou na planície, na cidade ou na floresta, mesmo ao longo das encostas das montanhas Canino Branco. Quantas horas o marido tinha passado nos caminhos das torres, olhando para Forte da Fenda, desejando estar em qualquer lugar menos naquela construção fria e escura?

Chaol permaneceu perto de Yrene, com o queixo erguido, ao anunciar à dúzia de guardas que apontava as espadas para o casal que ele era o Lorde Chaol Westfall e que desejava ver seu pai. Imediatamente.

Ela jamais o ouvira usar aquela voz. Um tipo diferente de autoridade. A voz de um lorde.

Um lorde — e Yrene era uma lady, supunha ela. Mesmo que o voo a tivesse obrigado a abandonar os habituais vestidos em favor do couro dos rukhin, mesmo que tivesse certeza de que os cabelos trançados haviam batido em uma dúzia de direções diferentes e que levaria horas, além de um banho, para desembaraçá-los.

Eles permaneceram na ameia em silêncio, e a mão enluvada de Chaol deslizou até a dela. O vento soprou a pele do pesado colarinho de seu manto. O rosto não revelava nada além de determinação sombria, mas a mão sobre a dela... Yrene sabia o que aquele retorno significava.

Ela jamais se esqueceria da memória que testemunhara do pai de Chaol o atirando pelos degraus de pedra, alguns níveis abaixo, o que conferira a ele a cicatriz escondida logo além do limite dos cabelos. Uma criança. O homem atirara uma *criança* para baixo daqueles degraus e o obrigara a ir a pé até Forte da Fenda.

Ela duvidava de que a segunda impressão do pai de Chaol seria melhor.

Certamente não quando um homem de rosto macilento surgiu, usando uma túnica cinza, e falou:

— Venham por aqui.

Nenhum título, nenhum honorífico. Nenhuma acolhida.

Yrene segurou mais forte a mão do marido. Tinham ido para avisar o povo daquela cidade — não o canalha que deixara cicatrizes tão violentas na alma dele. Aquelas pessoas mereciam o aviso, a proteção.

A curandeira se lembrou desse fato conforme entravam no interior escuro da fortaleza.

A passagem alta e estreita não era muito melhor do que o exterior. Janelas finas no alto das paredes permitiam que pouca luz entrasse, e braseiros antigos projetavam sombras tremeluzentes nas pedras. Tapeçarias puídas pendiam intermitentemente, e não havia nenhum som — nem música, nem gargalhada, nem conversa — para recebê-los.

Aquela casa fria e antiga fora o lar dele? Em comparação com o palácio do khagan, era um casebre, inadequado para os ruks fazerem ninhos.

— Meu pai — murmurou Chaol, de forma que o acompanhante deles não ouvisse, sem dúvida percebendo o desapontamento no rosto de Yrene — não acredita em desperdiçar dinheiro com melhorias. Se não desabou, não está quebrado.

Ela tentou sorrir diante da piada, tentou fazer aquilo pelo bem dele, mas seu temperamento se esquentava a cada passo pelo corredor. Por fim, o acompanhante silencioso parou diante de duas imponentes portas de carvalho, cuja madeira era tão velha e podre quanto a própria fortaleza, e bateu uma vez.

— Entre.

Yrene sentiu o tremor que percorreu Chaol diante da voz fria e ardilosa.

As portas se abriram para revelar um corredor escuro, ladeado por colunas e entrecortado por feixes de luz aquosa.

O único cumprimento que receberiam, ao que parecia, pois o homem que estava sentado na cabeceira da longa mesa de madeira, grande o bastante para abrigar quarenta homens, não se incomodou em ficar de pé.

Cada um dos passos dos dois ecoou pelo corredor. A lareira crepitante e imensa à esquerda mal aquecia contra o frio. Uma taça aparentemente de vinho e o resto da refeição noturna estavam diante do Lorde de Anielle à mesa. Nenhum sinal da mulher ou do outro filho.

Mas o rosto... era o rosto de Chaol em algumas décadas. Ou seria, se Chaol se tornasse tão desalmado e frio quanto o homem diante deles.

Yrene não soube como ele conseguiu. Como Chaol conseguiu abaixar a cabeça em uma reverência.

— Pai.

Chaol jamais sentira vergonha da fortaleza até caminhar por ela com Yrene. Jamais percebera o quanto precisava urgentemente de consertos, como fora negligenciada.

Pensar nela, tão cheia de luz e calor, naquele lugar hostil o fazia querer correr de volta para o ruk que esperava nos parapeitos e voar para a costa de novo.

E, ao vê-la diante do pai, que não se incomodara em se levantar da cadeira, cujo jantar pela metade estava jogado diante dele, Chaol percebeu que seu temperamento precisava de uma rédea curta.

A capa com forro de pele do homem se acumulava ao redor do corpo. Quantas vezes Chaol o vira naquela cadeira, à cabeceira daquela mesa imponente que um dia acomodara alguns dos melhores lordes e guerreiros de Adarlan?

Agora estava vazia, uma casca do que poderia ter sido.

— Você anda — disse o pai dele, observando-o da cabeça aos pés. A atenção do homem se deteve na mão que Chaol ainda mantinha ao redor da de Yrene. Ah, ele certamente mencionaria aquilo em breve. Quando doesse mais. — Pela última notícia que tive, você não conseguia sequer mexer o dedo do pé.

— É graças a esta mulher — falou Chaol. Mas Yrene encarava o mais velho com uma frieza que Chaol jamais vira antes. Como se estivesse pensando em definhar os órgãos do sujeito de dentro para fora. Aquilo o fez se sentir acolhido o bastante para dizer: — Minha esposa. Lady Yrene Towers Westfall.

Uma gota de surpresa iluminou o rosto do pai, mas logo sumiu.

— Uma curandeira, então — ponderou ele, observando Yrene com uma intensidade que fazia Chaol querer começar a quebrar coisas. — Towers não é uma casa nobre que eu conheça.

Que canalha miserável.

O queixo de Yrene se ergueu levemente.

— Pode não ser, milorde, mas a linhagem não tem menos orgulho ou valor.

— Pelo menos ela fala bem — disse o homem, tomando do vinho. Chaol fechou a mão livre com tanta força que a luva rangeu. — Melhor do que aquela outra, a assassina arrogante.

Yrene sabia. De tudo aquilo. Sabia de cada gota da história, sabia de quem era o bilhete que levava no medalhão. Mas isso não suavizou o golpe, não quando o lorde acrescentou:

— Que, no fim das contas, é a rainha de Terrasen. — Um risinho sem diversão. — Que tesouro poderia ter tido, filho, se tivesse conseguido mantê-la.

— Yrene é a melhor curandeira da geração dela — respondeu Chaol, com uma quietude mortal. — Seu valor é maior do que qualquer coroa. — E, naquela guerra, poderia ser mesmo.

— Não precisa se incomodar em provar meu valor para ele — comentou Yrene, com os olhos gélidos fixos no pai de Chaol. — Sei muito bem o quanto sou talentosa. Não preciso de bênção.

E foi sincera em cada maldita palavra.

O pai dele voltou aquele olhar distraído para ela de novo, com curiosidade enchendo-o por um momento.

Se tivessem perguntado a Chaol, mesmo minutos antes, como ele achava que aquele encontro correria, Yrene completamente inabalada pelo pai dele e o enfrentando cara a cara jamais estaria entre seus palpites.

O pai de Chaol se recostou na cadeira.

— Não veio aqui para, por fim, cumprir seu juramento, veio?

— Essa promessa está quebrada, por isso, peço desculpas. — Chaol conseguiu dizer. Yrene se irritou, e antes que pudesse dizer a ele de novo que não se incomodasse, seu marido prosseguiu: — Viemos para avisá-lo.

O homem ergueu uma sobrancelha.

— Morath está se movendo, sei disso. Já tomei a precaução de mandar sua querida mãe e seu irmão para as montanhas.

— Morath está se movendo — disse Chaol, lutando contra a decepção porque não veria nenhuma das duas pessoas com quem mais precisava falar — e vindo diretamente para cá.

O pai dele, pela primeira vez, ficou imóvel.

— Dez mil soldados — continuou Chaol. — Vindo para saquear a cidade.

Ele poderia ter jurado que o pai tinha empalidecido.

— Sabe disso sem dúvidas?

— Velejei com um exército enviado pelo khagan, com uma legião dos montadores de ruk entre eles. Os batedores descobriram a informação. Os rukhin estão voando para cá conforme conversamos, mas os soldados darghan não chegarão por pelo menos uma semana, ou mais. — Ele avançou, apenas um passo. — Precisa reunir suas forças, preparar a cidade. Imediatamente.

Mas o pai de Chaol girou o vinho, franzindo a testa para o líquido vermelho ali dentro.

— Não há forças aqui... nenhuma para sequer fazer cócegas em dez mil homens.

— Então comece a evacuação e mova tantos quanto conseguir para dentro da fortaleza. Prepare-se para um cerco.

— Da última vez que verifiquei, menino, *eu* ainda era o Lorde de Anielle. Você alegremente deu as costas a isso. Duas vezes.

— Você tem Terrin.

— Terrin é um acadêmico. Por que acha que o mandei para longe com a mãe como se fosse um bebê amamentando? — Ele riu com deboche. — Por acaso voltou para sangrar por Anielle, então? Para sangrar por esta cidade, por fim?

— Não fale com ele assim — intrometeu-se Yrene, com uma calma perigosa.

O pai de Chaol a ignorou.

Mas Yrene saiu em defesa de Chaol mais uma vez.

— Sou a herdeira da alta-curandeira da Torre Cesme. Voltei às terras onde nasci, a pedido de seu filho, para ajudar nesta guerra, junto com duzentas curandeiras da própria Torre. Seu filho passou os últimos meses forjando alianças com o khaganato, e agora *todos* os exércitos do khagan velejam para este continente para salvar *seu* povo. Então, enquanto fica sentado aí na sua fortaleza infeliz, atirando insultos a ele, saiba que Chaol fez o que ninguém mais conseguiu fazer, e se sua cidade sobreviver, será por causa *dele*, não de você.

O homem piscou para ela. Devagar.

Foi preciso todo o autocontrole de Chaol para evitar pegar Yrene nos braços e beijá-la.

Em vez disso, ele disse para o pai:

— Prepare-se para um cerco e prepare as defesas. Ou o lago Prateado vai correr vermelho de novo sob as garras das bestas de Erawan.

— Conheço a história desta cidade tão bem quanto você.

Chaol pensou em acabar com tudo ali, mas perguntou:

— Foi por isso que não se ajoelhou para Erawan?

— Ou para o rei marionete antes dele — disse o pai de Chaol, beliscando a comida.

— Você sabia... que o velho rei estava possuído por um valg?

Os dedos do homem pararam em uma casca de pão, o único sinal de choque.

— Não. Apenas que ele estava montando uma horda pelo território que não parecia... natural. Não sou lacaio do rei, não importa o que possa pensar de mim. — Ele abaixou a mão de novo. — É claro que, apesar de meus planos de tirar você do perigo, parece que só o levei para mais perto dele.

— Por que se incomodou?

— Fui sincero quanto ao que falei em Forte da Fenda. Terrin não é um guerreiro, não de verdade. Vi o que estava se formando em Morath, no desfiladeiro Ferian, e requeri que meu filho mais velho estivesse aqui, que pegasse a espada caso eu caísse. E agora você voltou, no momento em que a sombra de Morath nos cercou por todos os lados.

— Todos os lados menos um — observou Chaol, indicando a direção das montanhas Canino Branco, pouco visíveis pelas janelas altas. — Dizem os boatos que Erawan passou esses meses caçando os homens selvagens das Canino Branco. Se lhe faltam tantos soldados, peça ajuda.

A boca do pai se contraiu.

— São nômades semisselvagens que se regozijam em matar nosso povo.

— Assim como os nossos têm se regozijado em matá-los. Deixe que Erawan nos una.

— E ofereço o que a eles? As montanhas pertencem a nós desde antes de Gavin Havilliard sentar no trono.

Yrene murmurou:

— Ofereça a maldita lua a eles, se isso os convencer a ajudar.

O lorde deu um sorriso arrogante.

— Pode oferecer tal coisa, como possível herdeira da alta-curandeira?

— Cuidado — grunhiu Chaol.

O pai ignorou aquilo também.

— Eu preferiria ter minha cabeça empalada a dar aos homens selvagens das montanhas Canino Branco um centímetro da terra de Anielle, muito menos pedir ajuda a eles.

— Espero que seu povo concorde com isso — falou Yrene.

O homem soltou uma daquelas gargalhadas sem alegria.

— Gosto mais de você do que da rainha-assassina, acho. Talvez casar-se com a ralé volte a dar alguma coragem a nossa linhagem.

O sangue de Chaol rugiu nos ouvidos, mas os lábios de Yrene se curvaram em um sorriso.

— Você é exatamente como imaginei que seria — comentou ela. O pai de Chaol apenas inclinou a cabeça.

— Prepare esta cidade, esta fortaleza. — Foi o que Chaol conseguiu dizer entre os dentes trincados. — Ou merecerá tudo que causar a ela.

19

Quinze minutos depois, Chaol conseguia sentir Yrene ainda trêmula conforme eles entravam em um quarto pequeno, mas quente. Um dos poucos lugares aconchegantes naquela fortaleza horrível. Uma cama e uma bacia de banho meio enferrujada tomavam a maior parte do espaço, e havia uma jarra de água fumegante ao lado dela.

Não era exatamente um quarto adequado ao filho de um lorde. Ele lutou contra o calor que aqueceu suas bochechas.

— Fui deserdado, se lembra? — comentou Chaol, recostando-se contra a porta fechada, as bolsas do casal descartadas aos seus pés. — Este quarto se destina a um hóspede.

— Tenho certeza de que seu pai o escolheu especialmente para você.

— Estou certo disso.

Yrene grunhiu.

— Ele é pior do que você descreveu.

Chaol deu a ela um sorriso breve e cansado.

— E você foi genial. — Completamente genial.

Pelo menos, o pai tinha concordado em começar a evacuar aqueles nas fronteiras da cidade, e ao chegarem àquele quarto, a fortaleza já estava em polvorosa com os preparativos para um cerco. Se o pai de Chaol precisava de ajuda para planejar aquilo, não havia demonstrado. No dia seguinte, depois que descansassem por aquela noite, ele veria por conta própria o que o sujeito tinha em mente.

Mas, naquele momento, depois de quase dois dias de voo pelo ar frio, ele precisava descansar.

E a esposa dele, por mais ousada e destemida, precisava descansar também, admitisse ela ou não.

Então Chaol se afastou da porta, caminhando até Yrene conforme ela andava de um lado para outro diante da cama.

— Sinto muito pelo que ele disse a você.

A curandeira gesticulou para que ele deixasse aquilo de lado.

— Sinto muito por você algum dia ter tido que lidar com ele por mais tempo do que aquela conversa.

O temperamento dela, apesar de tudo que pairava, apesar do canalha que comandava aquela cidade, aqueceu algo em Chaol. Tanto que ele cobriu a distância entre os dois e interrompeu a caminhada de Yrene ao tomar a mão dela. Ele acariciou com o polegar a aliança de casamento.

— Queria que você a tivesse conhecido em vez dele... minha mãe — disse ele, baixinho.

A fúria nos olhos da curandeira se deteve.

— Eu também queria. — A boca da jovem se repuxou para um lado. — Embora esteja surpresa por seu pai ter se importado o bastante para mandá-los para longe ao menor sussurro de ameaça.

— São bens para ele. Eu não ficaria surpreso se ele os tivesse mandado com uma boa parte do tesouro.

Yrene olhou em volta, desconfiada.

— Anielle é um dos territórios mais ricos de Adarlan, apesar do que esta fortaleza sugere. — Ele lhe beijou os nós dos dedos e o anel. — Há aposentos cheios de tesouro nas catacumbas. Ouro, joias, armaduras... dizem os boatos que a riqueza de um reino inteiro está lá embaixo.

Yrene soltou um murmúrio impressionado, mas então disse:

— Eu deveria ter dito a Sartaq e Nesryn que trouxessem mais curandeiras do que as cinquenta que escolhemos. — Hafiza permaneceria com os soldados de infantaria e cavalaria, mas Eretia, a imediata, voaria com os ruks e lideraria o grupo, Yrene inclusive.

— Vamos nos virar com o que temos. Duvido de que houvesse uma única curandeira com dons mágicos nesta cidade até uma hora atrás.

Ela engoliu em seco.

— Esta fortaleza consegue sobreviver a um cerco por tempo o bastante para que o exército terrestre chegue? Não parece que consegue suportar outro inverno, que dirá um exército à porta.

— Esta fortaleza está de pé há muito mais do que mil anos e sobreviveu ao segundo exército de Erawan, mesmo quando saquearam Anielle. Sobreviverá a esta terceira guerra dele também.

— Para onde as pessoas serão evacuadas? As montanhas já estão cobertas de neve.

— Há desfiladeiros entre elas... perigosos, mas podem chegar aos desertos se permanecerem juntas e levarem suprimentos o bastante. — Seguir para o norte de Anielle era uma armadilha mortal, com as bruxas ocupando o desfiladeiro Ferian, e ir muito para o sul os levaria à porta de Morath. Ir para o leste os levaria para o caminho do exército do qual tentavam fugir. — Podem conseguir se esconder na floresta de Carvalhal, ao longo da fronteira das montanhas Canino Branco. — Ele balançou a cabeça. — Não há boas opções, não nesta época do ano.

— Muitas delas não sobreviverão — falou Yrene, baixinho.

— Terão mais chances nas Canino Branco do que aqui — observou ele, com igual quietude. Ainda eram seu povo, ainda haviam lhe mostrado bondade, mesmo quando o próprio pai não tinha. — Vou me certificar de que meu pai mande junto alguns dos soldados que são velhos demais para lutar, eles se lembrarão do caminho.

— Sei que não passo da ralé — começou Yrene, e Chaol deu um risinho —, mas aqueles que escolherem ficar, que puderem entrar na fortaleza... Talvez enquanto esperamos por nossas forças, eu possa ajudar a encontrar lugar para eles. Suprimentos. Ver se há algum curandeiro entre eles que possa ter acesso às ervas e aos ingredientes de que precisamos. Preparar curativos.

Ele assentiu, e orgulho inflou seu peito a ponto de doer. Uma lady. Se não por sangue, pela nobreza do caráter. A esposa era mais lady do que qualquer outra que tivesse conhecido em qualquer corte.

— Então vamos nos preparar para a guerra, marido — disse Yrene, com tristeza e pesar nos olhos.

E foi a visão dessa gota de medo, não por si mesma, mas por aquilo de que sem dúvida participariam em breve, que testemunhariam, que o fez pegá-la nos braços e deitá-la na cama.

— A guerra pode esperar até de manhã — brincou ele, levando a boca até a dela.

O alvorecer caiu, e os ruks chegaram.

Tantos ruks que bloquearam o sol aquoso enquanto o estrondo de asas e o farfalhar de penas enchia o céu.

Pessoas gritaram dessa vez, as vozes como um arauto dos gritos que viriam quando aquele exército chegasse à sua porta.

Na planície diante do lado sul da fortaleza, seguindo para a própria beira do lago, os ruks se acomodaram. Havia muito tempo que era mantida livre de assentamentos, pois a extensão plana cheia de fontes termais tinha propensão a enchentes anuais, embora alguns fazendeiros teimosos ainda tentassem colher grãos do solo duro.

Em algum momento, havia sido parte do próprio lago, antes de as Quedas do Oeste, incrustadas nas montanhas Canino Branco, terem sido represadas e as águas vociferantes caladas em um filete que alimentava o lago. Durante séculos, os ancestrais de Chaol tinham debatido quebrar a represa, deixar que aquele rio revolto corresse livre novamente, uma vez que as antigas forjas tinham dado lugar a alguns moinhos alimentados por água que poderiam facilmente ser movidos para outro lugar.

Ainda assim, a destruição que quebrar aquela represa causaria, mesmo que reunissem cada controlador de água no reino para conter o fluxo, seria catastrófica. A planície inteira inundaria em questão de minutos, e parte da cidade seria varrida também. As águas desceriam das montanhas, destruindo tudo no caminho em uma poderosa onda que correria para a própria floresta de Carvalhal. Os níveis mais baixos da fortaleza, assim como o portão que se abria para a planície, seriam completamente submersos.

Então a represa tinha permanecido, e a planície gramada com ela.

Os ruks se acomodaram em fileiras organizadas, e Chaol e Yrene observaram das ameias, com outras sentinelas se afastando dos postos para se juntar a eles, conforme os montadores começavam a montar acampamento com quaisquer que fossem os suprimentos que as montarias carregavam. As curandeiras seriam trazidas mais tarde, embora algumas talvez permanecessem no acampamento até a legião de Morath chegar.

Duas silhuetas escuras voaram acima, e as sentinelas retomaram os postos quando Nesryn e Sartaq aterrissaram na parede da fortaleza, um pequeno falcão pousando ao lado do ruk de Sartaq. Falkan Ennar, então.

Nesryn desceu do ruk com um movimento ágil e a expressão tão sombria quanto qualquer canto do reino de Hella.

— Morath está a três dias daqui, talvez quatro — informou ela, sem fôlego.

Sartaq se aproximou por trás de Nesryn. Os ruks não precisavam de um poleiro.

— Nós nos mantivemos no alto, fora de vista, mas Falkan conseguiu se aproximar. — O metamorfo permanecia em forma de falcão ao lado de Salkhi.

Yrene deu um passo adiante.

— O que vocês viram?

Nesryn balançou a cabeça, e a pele normalmente marrom estava exangue.

— Valgs e homens, principalmente. Mas todos pareciam rápidos, cruéis.

Chaol conteve a expressão.

— Nenhum sinal das bruxas?

— Nenhum — respondeu Sartaq, passando a mão pelos cabelos trançados. — Embora possam estar esperando para descer dos desfiladeiros Ferian quando o exército chegar aqui.

— Vamos rezar para que não façam isso — disse Yrene, observando os ruks no vale abaixo.

Mil ruks. Parecera um presente dos deuses, parecera um número impossivelmente grande. Mas vê-los reunidos nas planícies...

Até mesmo os grandiosos pássaros poderiam ser arrebatados pela correnteza da batalha.

20

— Conhece a história da rainha que caminhava entre mundos?

Sentada no solo coberto de musgo de um vale antigo, com uma das mãos brincando com as flores brancas dispersadas sobre ele, Aelin fez que não com a cabeça.

Nos carvalhos imponentes que formavam um dossel sobre a clareira, pequenas estrelas piscavam e tremeluziam, como se tivessem sido capturadas pelos galhos. Além delas, banhando a floresta com luz forte que permitia enxergar, uma lua cheia tinha subido. Ao redor, uma cantoria distante e alegre fluía ao ar morno do verão.

— É uma história triste — comentou a tia dela, com um canto da boca pintada de vermelho se repuxando para cima conforme ela se recostava no assento entalhado de uma rocha de granito. Seu lugar habitual enquanto tinham aquelas lições, aquelas longas e tranquilas conversas que adentravam as noites perfumadas de verão. — E antiga.

Aelin ergueu uma sobrancelha.

— Não estou um pouco velha para contos feéricos? — Ela, de fato, acabara de comemorar o vigésimo aniversário havia três dias, em outra clareira não muito longe dali. Metade de Doranelle tinha aparecido, ao que parecia. Mesmo assim, seu parceiro encontrara uma forma de tirá-la de fininho da festa, levando-a até um lago escondido no coração da floresta. O rosto de Aelin ainda queimava ao se lembrar daquele banho à luz da lua, de como Rowan a fizera se sentir, como a idolatrara na água aquecida pelo sol.

Parceiro. A palavra ainda era uma surpresa. Como havia sido chegar ali ao fim da primavera e vê-lo ao lado do trono da tia e simplesmente saber. E nos meses desde então, o flerte dos dois... Aelin chegava a corar ao pensar naquilo. O que tinham feito naquele lago na floresta fora o ápice daqueles meses. E uma libertação. As marcas da parceria no pescoço dela — e no de Rowan — comprovavam isso. Não voltaria sozinha para Terrasen quando chegasse o outono.

— Ninguém é velho demais para contos feéricos — disse a tia, com o sorriso fraco aumentando. — E como você é em parte feérica, achei que teria algum interesse por essas histórias.

Aelin sorriu de volta, fazendo uma reverência com a cabeça.

— É justo, tia.

Tia não era totalmente preciso, não com gerações e milênios as separando, mas era a única forma como a rainha sugerira que Aelin a chamasse.

Maeve se acomodou mais no assento.

— Há muito tempo, quando o mundo era novo, quando não havia reinos humanos, quando nenhuma guerra tinha maculado a terra, uma jovem rainha nasceu.

Aelin cruzou as pernas, inclinando a cabeça.

— Ela não sabia que era rainha. Entre seu povo, o poder não era herdado, mas simplesmente *nato*. E conforme crescia, a força crescia com ela. A jovem descobriu que a terra em que vivia era pequena demais para aquele poder. Muito escura e fria e sombria. Os dons dela se assemelhavam a muitos empunhados por sua espécie, mas ela havia recebido *mais*, seu poder era uma arma mais afiada, mais complexa, tanto que ela era diferente. Seu povo viu aquele poder e se curvou, então ela os governou.

"A notícia de seus dons se espalhou, e três reis foram buscar sua mão. Para formar uma aliança entre o trono deles e aquele que ela havia construído para si mesma, por menor que fosse. Por um tempo, ela achou que aquilo seria a novidade, o desafio pelo qual sempre tinha ansiado. Os três reis eram irmãos, cada um poderoso em seu direito, o poder deles era vasto e aterrorizante. Ela escolheu o mais velho, não por alguma habilidade ou dom especial, mas pelas inúmeras bibliotecas que ele possuía. O que poderia aprender nas terras daquele rei, o que poderia *fazer* com o próprio poder... Era o conhecimento que ela desejava, não o rei em si."

Uma história estranha. As sobrancelhas de Aelin se ergueram, mas a tia prosseguiu:

— Então eles se casaram, e ela deixou seu pequeno território para se juntar a ele no castelo. Por um tempo, ela viveu satisfeita, tanto com o marido quanto com o conhecimento que a casa dele oferecia. Ele e os dois irmãos eram conquistadores e passavam muito tempo longe, aprisionando novas terras ao trono compartilhado. Ela não se importava, não quando aquilo lhe dava liberdade de aprender o quanto quisesse. Mas as bibliotecas do marido continham conhecimento que nem mesmo ele sabia que havia ali. Lendas e sabedoria de mundos há muito transformados em pó. Ela aprendeu que havia, de fato, *outros* mundos. Não no reino escuro e desértico no qual viviam, mas mundos além daquele, vivendo uns sobre os outros sem jamais se dar conta. Mundos onde o sol não era um filete aquoso penetrando as nuvens cinzentas, mas uma corrente dourada de calor. Mundos onde o *verde* existia. Ela jamais ouvira falar de tal cor. Verde. Nem ouvira falar de azul, não o tom de céu descrito. Não conseguia sequer imaginá-lo.

Aelin franziu a testa.

— Uma existência lamentável.

Maeve assentiu sombriamente.

— Era. E quanto mais ela lia sobre aqueles outros mundos, onde muitas andarilhas um dia perambularam, mais queria vê-los. Queria conhecer o beijo do sol no rosto. Ouvir as músicas matinais dos pardais, o grito das gaivotas sobre o mar. O mar, isso também era estrangeiro para ela. Uma extensão interminável de água, com os próprios humores e com profundezas escondidas. Tudo o que tinham nas terras dela eram lagos rasos e lodacentos e córregos semissecos. Então, enquanto o marido e os dois irmãos estavam fora travando uma nova guerra, ela começou a imaginar como poderia encontrar uma forma de entrar em um daqueles mundos. Como poderia *partir*.

— Tal coisa é sequer possível? — Algo a incomodou, como se aquilo pudesse, de fato, ser verdade, mas talvez fosse um dos contos de sua mãe, ou até mesmo de Marion, puxando sua memória.

Maeve assentiu.

— Era. Usando a própria linguagem da existência, portas podem ser abertas, mesmo que brevemente, entre mundos. Foi proibido, banido muito antes de o marido e os irmãos dele nascerem. Depois que a última das velhas andarilhas morreu, os caminhos entre os mundos foram selados, e os métodos de caminhar entre eles foram assim perdidos. Ou foi o que todos pensaram. Mas nas profundezas da biblioteca particular do marido, a rainha encontrou os antigos feitiços. Ela começou com pequenos experimentos. Primeiro, abriu a porta para o reino do descanso para achar uma daquelas andarilhas e perguntar a ela como fazer aquilo direito. — Um sorriso sábio. — A andarilha se recusou a dizer. Então a rainha começou a ensinar a si mesma. Abrindo e fechando portas há muito esquecidas ou seladas. Olhando no fundo das engrenagens do cosmos. O próprio mundo dela se tornou uma jaula. Ela se cansou das guerras do marido e da sua crueldade casual. E quando ele partiu para mais uma disputa, a rainha reuniu suas damas de companhia mais próximas, abriu uma porta para um novo mundo e deixou aquele no qual tinha nascido.

— Ela partiu? — disparou Aelin. — Ela... ela simplesmente *deixou* o próprio mundo? Permanentemente?

— Jamais foi o mundo dela, não de verdade. Ela nasceu para governar outros.

— Para onde ela foi?

Aquele sorriso aumentou um pouco.

— Para um mundo lindo e agradável. Onde não havia guerra nem escuridão. Não como aquela na qual ela havia nascido. Também se tornou uma rainha lá e conseguiu se esconder em um novo corpo, de forma que ninguém soubesse o que ela era por baixo, de forma que nem mesmo o marido pudesse reconhecê-la.

— Ele a encontrou novamente?

— Não, embora tivesse procurado. Ele descobriu tudo o que ela havia aprendido e ensinou a si e aos irmãos. Eles devastaram mundo após mundo para encontrá-la. E quando chegaram ao mundo no qual ela tinha feito seu novo lar, não a reconheceram. Mesmo quando guerrearam, ela não se revelou. A rainha venceu, e dois dos reis, seu marido inclusive, foram banidos de volta para o mundo deles. O terceiro permaneceu preso, com seu poder quase arrasado. Ele rastejou até as profundezas da terra, e a rainha vitoriosa passou sua longa, longa existência se preparando para aquele retorno, preparando o *povo* dela para aquilo. Pois os três reis tinham superado os métodos dela de caminhar entre mundos e encontrado uma forma de permanentemente *abrir* um portão, fazendo três chaves para isso. Usar aquelas chaves significava controlar *todos* os mundos, ter o poder da eternidade na palma da mão. Ela queria encontrá-las, apenas para possuir a força para banir quaisquer inimigos, banir o irmão mais novo do marido de volta para o reino dele. Para proteger seu novo e lindo mundo. Era tudo o que ela queria: viver em paz, sem a sombra do passado a atormentando.

De longe, aquele fantasma da memória a puxava. Como se ela tivesse se esquecido de apagar uma chama deixada acesa no quarto.

— E a rainha encontrou as chaves?

O sorriso de Maeve ficou triste.

— Acha que encontrou, Aelin?

A jovem refletiu. Tantas das conversas delas, das lições naquele vale, continham enigmas mais profundos, perguntas para que ela pensasse, para ajudar quando um dia assumisse o trono com Rowan ao lado.

Como se o tivesse convocado, o cheiro de pinho e neve do parceiro preencheu a clareira. Um farfalhar de asas e ali estava ele, empoleirado na forma de gavião em um dos carvalhos altos. Seu príncipe-guerreiro.

Aelin sorriu para ele, como fazia havia semanas, quando ele vinha acompanhá-la de volta para os aposentos no palácio à beira do rio. Tinha sido durante aquelas caminhadas da floresta para a cidade encoberta por névoa que ela passara a conhecê-lo, a amá-lo. Mais do que jamais amara qualquer coisa.

Aelin encarou a tia de novo.

— A rainha era inteligente e ambiciosa. Acho que ela poderia fazer qualquer coisa, até mesmo encontrar as chaves.

— Era o que se poderia pensar. Mas as chaves lhe escaparam.

— Aonde foram?

O olhar sombrio de Maeve se fixou no dela sem vacilar.

— Para onde acha que foram?

Aelin abriu a boca.

— Eu acho...

Ela piscou. Parou.

O sorriso de Maeve retornou, suave e bondoso. Como a tia fora com ela desde o início.

— Onde acha que as chaves estão, Aelin?

Ela abriu a boca mais uma vez. E de novo parou.

Como se uma corrente invisível a tivesse puxado de volta. Como se a tivesse calado.

Corrente — uma corrente. Aelin olhou para as mãos, para os pulsos, como se esperasse que estivesse ali.

Jamais sentira a dor de um grilhão na vida. Ainda assim, encarou o ponto vazio no pulso onde podia jurar que havia uma cicatriz. Apenas pele lisa e queimada de sol restava.

— Se este mundo estivesse em risco, se aqueles três reis terríveis ameaçassem destruí-lo, aonde você iria para encontrar as chaves?

Aelin ergueu os olhos para a tia.

Outro mundo. Havia outro mundo. Como o fragmento de um sonho, havia outro mundo, e nele, Aelin tinha um pulso com uma cicatriz. Tinha cicatrizes pelo corpo todo.

E o parceiro dela, empoleirado acima... Ele tinha uma tatuagem no rosto e no pescoço e no braço naquele mundo. Uma história triste — a tatuagem dele contava uma história triste e terrível. Sobre perda. Perda causada por uma rainha sombria...

— Onde as chaves estão escondidas, Aelin?

Aquele sorriso plácido e amoroso permanecia no rosto de Maeve. No entanto...

No entanto.

— Não — sussurrou Aelin.

Algo rastejou nas profundezas do olhar da sua tia.

— Não o quê?

Aquela não era a existência dela, a vida dela. Aquele lugar, aqueles meses de felicidade aprendendo em Doranelle, encontrando seu parceiro...

Sangue e areia e ondas quebrando.

— Não.

A voz de Aelin era como um trovão contra o vale tranquilo.

A jovem exibiu os dentes, e seus dedos se fecharam no musgo.

Maeve soltou uma risada baixa, então Rowan bateu as asas dos galhos e pousou no braço erguido da rainha.

Ele sequer relutou quando ela fechou as mãos finas e brancas no pescoço dele. E o quebrou.

Aelin gritou. Gritou, agarrando o peito, diante do laço de parceria se destroçando...

Aelin arqueou o corpo no altar, e cada parte quebrada e dilacerada do seu corpo gritou.

Acima dela, Maeve sorria.

— Gostou dessa visão, não gostou?

Não era real. Aquilo não fora real. Rowan estava vivo, ele estava *vivo*...

Ela tentou mover o braço. Um raio vermelho incandescente a açoitou, e Aelin gritou de novo.

Apenas um gemido partido saiu. Partido, como o braço estava...

Como estava...

Osso reluziu, projetando-se de mais lugares que ela conseguia contar. Sangue e pele retorcida e...

Nenhuma cicatriz de grilhões, mesmo com a destruição.

Nesse mundo, nesse lugar, ela também não tinha cicatrizes.

Outra ilusão, outro escape onírico deturpado...

Ela gritou de novo. Gritou para o braço destruído e a pele sem cicatrizes, gritou para o eco que restava do elo partido com seu companheiro.

— Sabe o que mais me causa dor, Aelin? — As palavras de Maeve eram suaves como as de um amante. — Que você acredite que sou a vilã nisso.

Aelin soluçou entre dentes ao tentar, sem sucesso, mover o braço. Os dois braços. Ela virou os olhos para o cômodo, para aquele quarto que era real, porém não era.

Tinham consertado a caixa. Tinham soldado uma nova placa de ferro sobre a tampa. Então nas laterais. Na base. Menos ar entrava, as horas ou dias eram passados dentro no calor quase sufocante. Tinha sido um alívio ser finalmente acorrentada ao altar.

Quando quer que isso tivesse acontecido. Se é que tinha de fato acontecido.

— Não tenho dúvidas de que seu parceiro, ou Elena, ou o próprio Brannon encheu sua cabeça com mentiras sobre o que farei com as chaves. — Maeve passou a mão pela borda de pedra do altar, bem sobre o sangue derramado e as lascas de osso de Aelin. — Fui sincera no que eu disse. Gosto deste mundo. Não quero destruí-lo. Apenas melhorá-lo. Imagine um reino onde não há fome, não há dor. Não é por isso que você e seus companheiros estão lutando? Um mundo melhor?

As palavras eram um deboche. Um deboche do que ela prometera para tantos. Do que prometera a Terrasen, e ainda devia.

Aelin tentou não se mover contra as correntes, contra os braços quebrados, contra a pressão firme que empurrava sua pele de dentro para fora. Uma intensidade crescente nos ossos, na cabeça. Um pouco mais, todo dia.

Maeve deu um pequeno suspiro.

— Sei o que pensa de mim, Portadora do Fogo. O que presume. Mas há algumas verdades que não podem ser compartilhadas. Mesmo para as chaves.

Ainda assim, a pressão crescente estalando dentro de si, sufocando a dor... talvez pior.

Maeve segurou a bochecha de Aelin com a mão em concha sobre a máscara.

— A Rainha Que Foi Prometida. Quero *salvar* você daquele sacrifício, oferecido por uma menina teimosa. — Uma risada baixa. — Até mesmo deixaria você ficar com Rowan. Os dois aqui, juntos. Enquanto você e eu trabalhamos para salvar este mundo.

As palavras eram mentiras. Ela sabia disso, embora não pudesse lembrar muito bem onde a verdade terminava e a mentira começava. Se o parceiro tinha pertencido a outra antes dela. Se fora entregue. Ou será que aquele tinha sido o pesadelo?

Pelos deuses, a pressão dentro do corpo. O sangue.

Você não se rende.

— Consegue sentir, mesmo agora — prosseguiu Maeve. — A ânsia no corpo em dizer *sim*. — Aelin abriu os olhos, e confusão deve ter brilhado ali, porque Maeve sorriu. — Sabe o que estar fechado em ferro faz a um portador de magia? Não sentiria imediatamente, mas conforme o tempo passa... sua magia precisa de libertação, Aelin. Essa pressão é sua magia gritando para se libertar dessas correntes e liberar a pressão. Seu próprio sangue diz para se render a mim.

Verdade. Não a parte da submissão, mas a pressão se intensificando, que ela sabia que seria pior do que qualquer dor de exaustão. Sentira aquilo uma vez, quando tinha mergulhado o mais fundo dentro do poder quanto jamais fora.

Aquilo não seria nada em comparação a isso.

— Vou partir por alguns dias — disse Maeve.

Aelin ficou imóvel.

A rainha sombria balançou a cabeça com uma decepção debochada.

— Você não está progredindo tão rápido quanto eu gostaria, Aelin.

Do outro lado da sala, Fenrys soltou um grunhido de aviso. Maeve sequer olhou para ele.

— Fui informada de que nosso inimigo mútuo foi visto de novo destes lados. Um deles, um príncipe valg, foi preso a alguns dias de viagem daqui, perto da fronteira sul. Trouxe com ele vários colares, sem dúvida para usar em meu povo. Talvez até mesmo em mim.

Não. *Não...*

Maeve passou a mão pelo pescoço de Aelin, como se traçando uma linha onde o colar entraria.

— Então eu mesma vou recuperar aquele colar, para ver o que o capacho de Erawan tem a dizer em defesa própria. Destruí os príncipes valg que me enfrentaram na primeira guerra — comentou ela, baixinho. — Será bem fácil, suponho, dobrá-los a minha vontade dessa vez. Bem, dobrar *um* a minha vontade e arrancá-lo do controle de Erawan, depois que eu colocar o colar dele em seu pescoço.

Não.

A palavra era como um canto constante, um grito crescente dentro dela.

— Não sei por que não pensei nisso antes — ponderou Maeve.

Não.

A rainha sombria cutucou o pulso destruído de Aelin, e ela engoliu o grito.

— Pense nisso. E quando eu voltar, vamos discutir minha proposta de novo. Talvez toda essa pressão crescente faça você ver com mais nitidez também.

Um colar. Maeve buscaria um colar de pedra de Wyrd...

Maeve se virou, e o vestido preto girou com ela. Então a rainha sombria atravessou a ombreira da porta conforme a coruja voava do poleiro e pousava no ombro dela.

— Tenho certeza de que Cairn encontrará formas de entreter você enquanto eu estiver fora.

⁂

Ela não sabia por quanto tempo tinha ficado deitada no altar depois que os curandeiros passaram com aquela fumaça de cheiro doce. Eles tinham lhe recolocado as luvas de metal.

A cada hora, a pressão sob a pele aumentava. Mesmo naquele sono pesado e intoxicado. Como se depois de tê-la reconhecido, não pudesse ser ignorada. Ou contida.

Seria o menor dos problemas se Maeve colocasse um colar em volta de seu pescoço.

Fenrys estava sentado perto da parede, com preocupação brilhando nos olhos ao piscá-los. *Você está bem?*

Ela piscou duas vezes. *Não.*

Não, não estava nem perto de bem. Maeve estivera esperando por aquilo, esperando que aquela pressão começasse, pior do que qualquer coisa que Cairn pudesse fazer. E com o colar que a rainha tinha ido buscar pessoalmente...

Ela não podia se permitir contemplar aquilo. Uma forma mais terrível de escravidão, uma da qual talvez jamais escapasse, que jamais poderia combater. Não a destruição da Portadora do Fogo, mas sua extinção.

Pegar tudo o que ela era, poder e conhecimento, e arrancar de Aelin. Prendê-la ali dentro enquanto testemunhava a própria voz entregar a localização das chaves de Wyrd. Fazer o juramento de sangue. Submeter-se por completo a Maeve.

Fenrys piscou quatro vezes. *Estou aqui, estou com você.*

Ela respondeu igualmente. *Estou aqui, estou com você.*

A magia emergiu, buscando uma saída, preenchendo os espaços entre o fôlego e os pulmões. Aelin não conseguia encontrar espaço para ela, não podia fazer nada para acalmar sua magia.

Você não se rende.

Ela se concentrou nas palavras. Na voz da mãe.

Talvez a magia a devorasse de dentro para fora antes que Maeve voltasse.

Mas ela não sabia como suportaria aquilo. Como suportaria mais alguns dias, ou mesmo a próxima hora. Acalmar a tensão, apenas um pouco...

Ela afastou os pensamentos que serpenteavam em sua mente. Se eram os próprios ou os de Maeve, ela não se importava.

Fenrys piscou outra vez, a mesma mensagem de novo e de novo. *Estou aqui, estou com você.*

Aelin fechou os olhos, rezando pelo esquecimento.

— Levante.

Um deboche das palavras que um dia ouvira.

Cairn estava de pé acima dela, com um sorriso contorcendo seu rosto odioso. E a luz selvagem nos olhos dele...

Aelin ficou imóvel quando Cairn começou a soltar as correntes.

Guardas entraram batendo os pés. Fenrys grunhiu.

A pressão se contorcia contra a pele de Aelin, latejando na sua cabeça como um martelo cruel. Pior do que as ferramentas de tortura que pendiam ao lado do corpo de Cairn.

— Maeve quer que você seja movida — informou ele, com aquela luz febril crescendo quando ele a ergueu e carregou até a caixa. Deixando-a cair ali dentro com tanta força que as correntes ressoaram contra seus ossos, contra a cabeça. Os olhos de Aelin se encheram d'água, e ela se impulsionou para cima, mas a tampa se fechou.

Escuridão, quente e opressora, a esmagou. Idêntica ao que crescia sob sua pele.

— Com Morath se esgueirando para estes lados de novo, ela quer que você seja movida para algum lugar mais *seguro* até que retorne — falou Cairn pela tampa. Guardas resmungaram, e a caixa se ergueu. Aelin mordeu o lábio devido ao movimento. — Não dou a mínima para o que ela fará com você depois que colocar aquele colar de demônio em volta do seu pescoço. Mas até lá... terei você toda para mim, não é? Um último momento de diversão para nós dois até que você se encontre com um novo amigo aí dentro.

Pavor surgiu na barriga de Aelin, sufocando a pressão.

Movê-la para outro lugar... Ela um dia avisara uma jovem curandeira com relação a isso. Dissera a ela que, se o agressor tentasse movê-la, muito provavelmente a mataria, e que ela deveria fazer uma última resistência antes que conseguissem matá-la.

E isso era sem a ameaça de um colar de pedra de Wyrd viajando para mais perto a cada dia que passava.

Mas Cairn não a mataria, não quando Maeve precisava de Aelin viva.

Ela se concentrou na respiração. Para dentro e para fora, para fora e para dentro.

Isso não evitou que o medo pegajoso e afiado a invadisse. Que a fizesse começar a tremer.

— Você deve se juntar a nós, Fenrys — ordenou Cairn, com uma gargalhada na voz, enquanto Aelin deslizava contra o metal da caixa conforme caminhavam escada acima. — Não quero que perca um segundo disso.

21

Rowan conhecia cada caminho, percorrido e escondido, para Doranelle. Tanto o reino exuberante quanto a vasta cidade que recebera seu nome.

Assim como Gavriel e Lorcan. Eles tinham vendido os cavalos na noite anterior, com Elide fazendo a troca. Os guerreiros feéricos eram facilmente reconhecíveis, e ainda que os rostos não fossem notados, a mera presença de seus poderes seria. Poucos não saberiam quem eram.

Diferentemente da fronteira setentrional com Wendlyn, nenhum lobo selvagem guardava as estradas meridionais para o reino. Mas, mesmo assim, tinham se mantido escondidos, tomando rotas semiesquecidas na caminhada para o norte.

E quando estavam a poucos dias dos limites externos da cidade, planejaram a armadilha para Maeve.

Algo que ele sabia que a rainha não seria capaz de resistir a buscar pessoalmente: colares de pedra de Wyrd.

Aelin ainda não se rendera. Ele sabia, tinha sentido isso. O que provavelmente estava enlouquecendo Maeve. Então a tentação de usar um dos colares de pedra de Wyrd, a arrogância que ele sabia que a rainha sombria possuía e que a faria acreditar que podia controlar o demônio ali dentro, que podia arrancá-lo do próprio Erawan... seria de fato uma oportunidade boa demais para ela deixar passar.

Então tinham começado com boatos, alimentados por Elide em tavernas e mercados, nos lugares em que Rowan sabia que os espiões de Maeve estariam ouvindo. Sussurros de uma companhia feérica que capturara um príncipe valg — os colares estranhos que tinham encontrado com ele. A localização: um posto avançado a quilômetros de distância. Os colares: de quem fosse buscar.

Ele não se incomodou em rezar para os deuses, pedindo que Maeve caísse na armadilha. Que ela não mandasse um dos espiões no lugar para recuperar os colares ou confirmar sua existência. Uma aposta tola, mas a única que poderiam fazer.

E conforme subiam os íngremes morros que lhes dariam uma vista da cidade finalmente coberta pela noite, o coração de Rowan retumbava no peito. Podiam não ter a habilidade de se ocultar que Maeve possuía, mas sem o juramento de sangue, conseguiam permanecer escondidos.

Embora os olhos de Maeve estivessem por toda parte, pois sua rede de poder se espalhava por toda a terra. Assim como por muitas outras.

A respiração deles estava ofegante conforme semirrastejavam até o mais alto dos morros cobertos por um bosque. Havia outros caminhos para a cidade, sim, mas nenhum que oferecesse uma vista do território adiante. Rowan não arriscara voar, não quando patrulhas de olhos aguçados sem dúvida buscavam um gavião de cauda branca, mesmo sob o manto da noite.

Apenas 10 metros até o cume agora.

Rowan continuou escalando, os demais ao encalço.

Ela estava ali. Estivera ali o tempo todo. Se tivessem ido direto a Doranelle...

Rowan não se permitiu considerar aquilo. Não quando alcançou o topo do morro.

Sob um fiapo de luar, a cidade de pedras cinza estava banhada em branco, envolta na névoa dos rios e das cachoeiras que a cercavam. Elide, ofegando, arquejou.

— Eu... eu achei que seria como Morath — admitiu ela.

A cidade serena ficava no coração da bacia de um rio. Lanternas ainda brilhavam apesar de ser tarde, e ele sabia que, em algumas praças, haveria música.

Seu lar. Ou havia sido. Será que os cidadãos ainda eram seu povo, depois que ele se casara com uma rainha estrangeira? Depois de ter enfrentado e matado tantos deles nas águas de Eyllwe? Rowan não procurou pelas bandeiras pretas de luto que estariam penduradas em tantas das janelas.

Ao lado dele, o guerreiro sabia que Lorcan e Gavriel estavam evitando contá-las também. Durante séculos, os três tinham conhecido aquelas pessoas, vivido entre elas. Chamando-as de amigas.

Mas será que algum deles sabia quem estava presa entre eles? Será que tinham ouvido seus gritos?

— Aquele é o palácio — disse Gavriel a Elide, apontando para o aglomerado de domos e de prédios elegantes dispostos no limite leste, ao longo da borda da imensa cachoeira.

Nenhum deles falou ao observar o prédio ladeado por colunas que abrigava a ala pessoal da rainha. E as suítes deles. Nenhuma luz estava acesa do lado de dentro.

— Isso não confirma nada — observou Lorcan. — Se Maeve saiu ou se Aelin ainda está lá.

Rowan ouviu o vento, farejou-o, mas não sentiu nada.

— A única forma de confirmar qualquer um dos dois é entrando na cidade.

— Aquelas duas pontes são a única entrada? — Elide franziu a testa para as pontes de pedra idênticas dos lados sul e norte de Doranelle. Ambas abertas, ambas visíveis a quilômetros de distância.

— Sim — afirmou Lorcan, com a voz contida.

O rio era amplo demais, selvagem demais, para nadar. E se alguma outra forma existia, Rowan jamais ouvira falar.

— Deveríamos fazer uma varredura abrangente da bacia — disse Lorcan, estudando a cidade no coração da planície.

Ao norte, as encostas florestadas fluíam para a parede imponente das montanhas Cambrian. A oeste, a planície se estendia em fazendas, infinitas e abertas, até o mar. E a leste, além da cachoeira, a planície gramada dava lugar a florestas antigas, com mais montanhas além delas.

As montanhas dele. O lugar que um dia chamara de lar, onde aquela casa ficara de pé até ser queimada. Onde ele enterrara Lyria, esperando ser um dia enterrado ali tal qual a ex-amante.

— Precisamos de uma estratégia de fuga também — comentou Rowan, embora já a estivesse considerando. Para onde fugir depois. Maeve iria mandar os melhores para caçá-los.

Isso um dia o incluíra. Ele tinha sido enviado para encontrar e matar feéricos que se tornavam monstruosos demais para que até mesmo Maeve suportasse, feéricos desgarrados que não tinham mais motivo para existir. Ele treinara os caçadores que Maeve iria liberar. Ensinara-os os caminhos ocultos, os lugares em que os feéricos preferiam se esconder.

Jamais considerara que isso um dia seria usado contra ele.

— Vamos esperar um dia — declarou Lorcan.

Rowan lançou a ele um olhar frio.

— Um dia é mais do que podemos desperdiçar.

Aelin estava lá embaixo. Naquela cidade. Ele sabia, conseguia sentir. Estivera mergulhando para dentro do próprio poder nos últimos dois dias, preparando-se para a matança que conduziria, a fuga que fariam. A tensão de segurar aquilo o puxava, puxava qualquer controle que restava.

— Pagaremos por um plano apressado se não tomarmos tempo. Sua parceira pagará também — disse Lorcan.

O controle do antigo comandante também estava no limite. Mesmo Gavriel, calmo e tranquilo, caminhava de um lado para outro. Todos tinham descido ao próprio poder, puxando-o do fundo.

Mas Lorcan estava certo. Rowan diria o mesmo se as posições fossem invertidas.

Gavriel apontou para uma protuberância rochosa na face da colina abaixo.

— Está protegida da vista. Acampamos ali esta noite e faremos nossa avaliação amanhã. Vamos descansar.

A ideia era repulsiva. Dormir enquanto Aelin estava a meros quilômetros. As orelhas se eriçaram, como se Rowan pudesse captar os gritos dela no vento. Mas ele apenas disse:

— Tudo bem.

Não precisava declarar que não arriscariam uma fogueira. O ar estava frio, mas ameno o suficiente para que sobrevivessem.

Rowan desceu da face da colina, oferecendo a mão a Elide para ajudá-la a passar pela perigosa queda rochosa. Ela aceitou a mão dele com dedos trêmulos.

Mesmo assim, não havia hesitado em ir com eles, a fazer nada daquilo.

O guerreiro encontrou outro apoio para o pé antes de se virar para ajudá-la.

— Não precisa entrar na cidade. Decidiremos a rota de fuga e você pode nos encontrar lá.

Quando Elide não respondeu, Rowan ergueu os olhos para ela.

Os olhos da jovem não estavam sobre ele. Mas sobre a cidade adiante.

Arregalados de terror. O cheiro de Elide ficou encharcado daquilo.

Lorcan chegou em um segundo, pondo a mão no ombro dela.

— O que é...

Rowan se virou na direção da cidade. O alto da colina era uma fronteira.

Não dos limites da cidade, mas de uma ilusão. Uma bela e idílica ilusão para que qualquer um que reconhecesse o entorno dela reportasse. Pois o que agora cercava a cidade de todos os lados, mesmo na planície leste...

Um exército. Um imenso exército acampava ali.

— Ela convocou a maior parte das forças — sussurrou Gavriel, com o vento açoitando seus cabelos sobre o rosto.

Rowan contou as fogueiras que cobriam o terreno escuro como um cobertor de estrelas. Jamais vira tal exército feérico reunido. Aqueles que ele e a equipe tinham liderado para a guerra nem se comparavam.

Aelin podia estar em qualquer lugar daquela força. Nos acampamentos, ou na própria cidade.

Precisariam ser espertos. Astutos. E se Maeve não tivesse caído na distração deles...

— Ela trouxe um exército para evitar que entremos? — perguntou Elide.

Lorcan olhou para Rowan, com os olhos escuros cheios de alerta.

— Ou para evitar que Aelin saia.

Rowan observou o exército acampado. O que aqueles que moravam em Doranelle, que mal viam qualquer tipo de força além dos guerreiros que às vezes caminhavam pela cidade, pensavam do exército?

— Temos aliados na cidade — sugeriu Gavriel. — Poderíamos tentar fazer contato. Descobrir onde Maeve está, por que o exército se reuniu aqui. Se houve qualquer menção a Aelin.

O tio de Rowan, Ellys, o chefe da Casa deles, permanecera quando a armada de Maeve velejara. Um macho severo, um macho inteligente, porém leal. Ele treinara Enda a sua imagem, para ser um cortesão de mente aguçada. Mas também treinara Rowan quando conseguira, dando a ele algumas das primeiras lições de esgrima. O príncipe feérico crescera na casa do tio, e aquele tinha sido o único lar que conhecera até encontrar aquela montanha. Mas será que a lealdade de Ellys se inclinaria para Maeve ou para a linhagem deles, principalmente após a traição da Casa Whitethorn em Eyllwe?

O tio do guerreiro já podia estar morto. Maeve poderia tê-lo punido em nome dos primos que Rowan implorara para que os ajudassem. Ou Ellys, na tentativa de cair de novo nas graças de Maeve depois da traição, poderia entregá-los antes que conseguissem encontrar Aelin.

E quanto aos demais, os poucos aliados que poderiam ter...

— Maeve é capaz de invadir como um verme a mente de uma pessoa — falou Rowan. — Provavelmente sabe quem são nossos aliados e talvez já os tenha tornado um risco. — Ele apoiou a mão no cabo de Goldryn, o metal morno foi como um toque reconfortante. — Não arriscaremos.

Lorcan resmungou em concordância.

— Maeve não me conhece... ou mal conhece. — falou Elide. — Ninguém aqui me reconheceria, principalmente se eu puder... ajustar minha aparência. Como fiz ao espalhar aquelas mentiras sobre o príncipe valg. Eu poderia tentar entrar na cidade amanhã e ver se há algo para descobrir.

— Não.

A resposta de Lorcan foi como uma faca no escuro.

Fria e inabalada, a jovem retrucou:

— Você não é meu comandante e não está em minha corte.

Ela se virou para Rowan. Mas *ele* estava.

Rowan estava acima dela, hierarquicamente. Ele tentou não se esquivar. Aelin colocara aquilo sobre ele.

Lorcan sibilou:

— Ela não conhece a disposição da cidade, não sabe lidar com os guardas...

— Então ensinaremos a ela — interrompeu Gavriel. — Esta noite. Ensinaremos a ela o que sabemos.

Lorcan exibiu os dentes.

— Se Maeve estiver em Doranelle, vai farejá-la.

— Não vai não — disse Elide.

— Ela encontrou você naquela praia — disparou Lorcan.

Elide ergueu o queixo.

— Vou entrar naquela cidade amanhã.

— E o que vai fazer? Vai perguntar se Aelin Galathynius anda perambulando por aí? Vai perguntar se Maeve está livre para um chá da tarde? — O grunhido de Lorcan ecoou pelo ar.

Elide não recuou por um segundo.

— Vou perguntar por Cairn.

Todos ficaram imóveis.

Rowan não tinha tanta certeza de que ouvira direito.

Ela os observou com firmeza.

— Certamente uma jovem mulher mortal pode perguntar por um macho que a abandonou.

Lorcan ficou pálido como a lua acima deles.

— Elide. — Quando ela não respondeu, o semifeérico se virou para Rowan. — Nós faremos reconhecimento, tem outra forma de...

Elide apenas disse a Rowan:

— Se encontrarmos Cairn, encontraremos Aelin. E descobriremos se Maeve ainda está aqui.

Não havia mais medo florescendo nos olhos de Elide. Não restava um vestígio no cheiro dela.

Então Rowan assentiu, mesmo quando Lorcan ficou tenso.

— Boa caçada, lady.

22

As planícies cobertas de neve de Terrasen se estendiam para o sul, direto para as encostas onduladas que se abriam para o horizonte.

No início daquele verão, Lysandra tinha atravessado aquelas encostas com seus companheiros — com sua rainha. Tinha observado Aelin subir e caminhar até a pedra de granito entalhada que se projetava do topo. O marco da fronteira entre Adarlan e Terrasen. A amiga dera um passo além da pedra e chegara em casa.

Talvez aquilo fizesse de Lysandra uma tola, mas ela não percebera que, quando visse as encostas de novo, usando as penas de um pássaro, seria durante uma guerra.

Ou como batedora de um exército de milhares de soldados, marchando longe e atrás dela. A metamorfa deixara Aedion se virar para explicar o desaparecimento súbito de Aelin ao partir para aquela missão de reconhecimento. Para ver onde poderiam, por fim, interceptar as legiões de Morath — e dar ao general uma descrição do terreno adiante. Batedores feéricos nas próprias formas de pássaros tinham voado para o oeste e o leste a fim de ver o que poderiam descobrir também.

As asas prateadas de falcão enfrentavam o vento fustigante, o que fazia Lysandra voar com uma velocidade que parecia disparar relâmpago líquido por seu coração. Além do leopardo-fantasma, aquela forma se tornara sua preferida. Ágil, reluzente, cruel — aquele corpo fora feito para cavalgar os ventos, para perseguir presas.

A neve tinha parado, mas o céu permanecia cinza, não havia um indício de sol para aquecê-los. O frio era uma preocupação secundária, tornada suportável pelas camadas de penas.

Por longos quilômetros, Lysandra voou e voou, avaliando o terreno vazio. Cidades pelas quais passaram durante o verão tinham sido esvaziadas, com os habitantes fugindo para o norte. Ela rezava para que tivessem encontrado um porto seguro antes das neves, que os possuidores de magia naquelas cidades tivessem conseguido se afastar das garras de Morath. Havia uma menina em uma das cidades que fora abençoada com um poderoso dom da água — será que ela e a família tinham sido acolhidas atrás das espessas muralhas de Orynth?

A metamorfa pegou uma corrente ascendente e voou mais alto, o horizonte se revelando mais. A primeira das encostas passou abaixo, cordilheiras de luz e sombra sob o céu nublado. Levar o exército para cima delas não seria simples, mas a Devastação tinha lutado perto dali antes. Sem dúvida conheciam o caminho, apesar dos altos bancos de neve nos vales.

O vento gritava, empurrando para o norte. Como se impedindo que ela voasse para o sul. Implorando para que não prosseguisse.

Montanhas coroadas com pedras surgiram — os antigos marcos fronteiriços. Lysandra passou disparada por eles. Restavam algumas horas até o cair da noite. Ela voaria até que a noite e o frio a incapacitassem, então encontraria uma árvore sob a qual se encolher até poder voltar ao trabalho ao alvorecer.

A metamorfa voou mais para o sul, o horizonte estava desolado e vazio.

Até não estar mais.

Até ela ver o que marchava na direção deles e quase cair do céu.

Ren a ensinara a contar soldados, mas Lysandra perdia a conta todas as vezes que tentava chegar a um número nas fileiras organizadas que marchavam pelas planícies setentrionais de Adarlan. Bem em direção às encostas que se estendiam pelos dois territórios.

Milhares. Cinco, dez, quinze mil. Mais.

De novo e de novo, ela perdeu a conta. Vinte, trinta.

Lysandra subiu mais no céu. Subiu mais porque os ilken alados voavam com eles, disparando sobre as tropas de armadura preta, monitorando tudo o que acontecia abaixo.

Quarenta. Cinquenta.

Cinquenta mil soldados, protegidos pelos ilken.

E entre eles, a cavalo, montavam rapazes de rostos lindos. Com colares pretos no pescoço, acima da armadura.

Príncipes valg. Cinco no total, cada um comandando uma legião.

Lysandra contou a força de novo. Três vezes.

Cinquenta mil tropas. Contra os 25 mil que tinham reunido.

Um dos ilken a viu e saiu voando para cima.

Lysandra fez uma curva abrupta e seguiu de volta para o norte, com as asas batendo freneticamente.

～

Os dois exércitos se encontraram nos campos cobertos de neve ao sul de Terrasen.

O príncipe geral de Terrasen tinha ordenado que esperassem em vez de correrem para enfrentar as legiões de Morath. Que deixassem as hordas de Erawan se exaurirem nas encostas e que mandassem uma frente avançada de Assassinos Silenciosos para derrubar soldados com dificuldades entre os morros e as valas.

Apenas alguns dos assassinos voltaram.

O poder sombrio dos príncipes valg varria à frente, devorando tudo no caminho.

E mesmo assim, a Portadora do Fogo não os incendiou até virarem chamas. Não fez nada a não ser cavalgar ao lado do primo.

Os ilken desceram no acampamento deles à noite, liberando o caos e o terror, dilacerando soldados com as garras cheias de veneno antes de fugirem para os céus.

Eles arrancaram as antigas pedras da fronteira dos cumes gramados quando passaram para Terrasen.

Nem um pouco cansado, inabalado pela neve, com poucas baixas, o exército de Morath deixou o restante das encostas.

Eles correram para baixo das laterais das montanhas, como uma onda sombria estourando na terra. Bem contra as lanças e os escudos da Devastação, a magia dos soldados feéricos contendo o poder dos príncipes valg.

Mas não eram páreo para os ilken, que disparavam através da magia como teias de aranha em um portal, alguns cuspindo veneno para *derreter* o poder.

Então os ilken aterrissaram, ou estilhaçaram as defesas deles de vez. E mesmo uma metamorfa na forma de serpente alada, armada com espinhos venenosos, não conseguiu derrubar todos eles.

Mesmo um príncipe-general com uma espada antiga e instintos feéricos não conseguiu cortar pescoços rápido o suficiente.

No caos, ninguém reparou que a Portadora do Fogo não apareceu. Que nem uma brasa da sua chama brilhou na noite desesperada.

Então os soldados de infantaria os alcançaram.

E aquele exército aglomerado começou a se dispersar.

O flanco direito se separou primeiro. Um príncipe valg liberou o poder dele, e homens caíram mortos ao encalço. Foi preciso que Ilias dos Assassinos Silenciosos se espreitasse para trás das linhas inimigas, decapitando-o, para que o massacre parasse.

As linhas centrais da Devastação se mantiveram firmes, mas perderam metro após metro para garras e presas e espada e escudo. Havia tantos inimigos que a realeza feérica e seus parentes não conseguiram sufocá-los rápido o bastante, em números suficientes. Quaisquer vantagens que a magia dos feéricos tivessem garantido a eles não seguraram Morath por muito tempo.

As bestas de Morath os empurraram para o norte naquele primeiro dia. E noite adentro.

E no alvorecer do dia seguinte.

Ao cair da noite do segundo dia, até mesmo a frente da Devastação tinha cedido.

Ainda assim, Morath não parou de avançar.

23

Elide jamais vira um lugar como Doranelle.

A Cidade dos Rios, assim era como a chamavam. Ela jamais imaginara que uma cidade pudesse ser construída no coração de vários rios conforme se encontravam e se derramavam em uma grandiosa bacia.

Elide não deixou o espanto transparecer no rosto ao caminhar pelas ruas sinuosas e organizadas.

O medo era outro companheiro que ela mantinha afastado. Com o olfato aguçado dos feéricos, eles conseguiam detectar coisas como emoção. E embora uma boa dose de medo ajudasse o disfarce, em excesso seria sua ruína.

Ainda assim, aquele lugar *parecia* um paraíso. Flores cor-de-rosa e azuis cascateavam de janelas, e pequenos canais serpenteavam entre algumas das ruas, carregando pessoas em barcos longos de cores alegres.

Ela jamais vira tantos feéricos, jamais pensara que seriam completamente normais. Bem, tão normais quanto possível, com a graciosidade e aquelas orelhas e os caninos. Junto com os animais que corriam em volta dela, passando apressados, tantas formas que Elide não conseguia acompanhar. Todos perfeitamente satisfeitos ao realizar seus afazeres diários, comprando de tudo, desde pão crocante até jarras de algum tipo de óleo e pedaços vibrantes de tecido.

No entanto, governando acima de tudo, acomodada no palácio na região leste de Doranelle, estava Maeve. E aquela cidade, dissera Rowan a Elide, fora construída de pedra para evitar que Brannon ou qualquer dos descendentes dele a queimasse até virar cinzas.

Elide lutava contra o coxear que aumentava a cada passo para dentro da cidade — afastando-se da magia de Gavriel. Ela os deixara nas encostas florestadas onde haviam acampado na noite anterior, e Lorcan tentara mais uma vez argumentar contra sua ida. Mas Elide apenas tinha vasculhado as várias sacolas deles até encontrar o que precisava: frutas silvestres que Gavriel recolhera no dia anterior, um cinto sobressalente de Rowan, assim como uma capa verde-escura, uma camisa branca amassada de Lorcan e um pequeno espelho que ele usava para se barbear.

A jovem não dissera nada ao encontrar os retalhos de linho branco no fundo da sacola de Lorcan. Esperando pelo seu próximo ciclo. Ela não conseguira achar as palavras, de toda forma. Não com o esmagamento que sentia no peito ao sequer pensar nelas.

Elide manteve os ombros relaxados, embora o rosto permanecesse tenso, ao parar na beira de uma linda praça em torno de uma fonte que gorgolejava. Comerciantes e clientes perambulavam, conversando sob o sol do meio da manhã. Ela parou diante da entrada arqueada da praça, colocando-se de costas para ela, e pegou o pequeno espelho do bolso da capa, com o cuidado de não agitar as facas também escondidas ali.

A jovem abriu a caixa compacta, franzindo a testa para o próprio reflexo — metade da expressão não era um completo fingimento. Elide esmagara as frutas silvestres ao alvorecer e cuidadosamente delineara os olhos com o suco, deixando-os avermelhados nos cantos e com uma aparência de tristeza. Como se estivesse chorando há semanas.

De fato, o rosto que fez um biquinho para ela estava bastante arrasado.

Mas não era o reflexo que Elide queria ver. Era a praça atrás dela. Avaliar diretamente poderia levantar perguntas demais, mas se ela estivesse apenas olhando para um espelho compacto, nada mais que uma jovem vaidosa tentando arrumar a aparência transtornada... Elide alisou algumas mechas do cabelo enquanto monitorava a praça além dela.

Um tipo de centro. Havia duas tavernas nas laterais, a julgar pelos barris de vinho que serviam de mesa na frente do lugar e pelos copos vazios sobre eles, ainda esperando serem recolhidos. Das duas tavernas, uma parecia atrair mais machos, alguns em vestes de guerreiros. Entre as três praças que Elide visitara e as tavernas que vira, aquela era a única com soldados.

Perfeito.

A jovem alisou o cabelo de novo, fechou o espelho compacto e se virou de volta para a praça, erguendo o queixo. Uma menina tentando reunir alguma dignidade.

Que vissem o que queriam ver, que olhassem para a camisa branca que ela vestira no lugar da jaqueta de couro das bruxas, assim como a capa verde jogada sobre o corpo e cinturada no meio, e pensassem que era uma viajante estrangeira sem senso de moda. Uma garota longe de seu elemento naquela cidade bela e bem-vestida.

Elide se aproximou dos sete feéricos do lado de fora da taverna, observando quem falava mais, quem ria mais alto, para quem os cinco machos e as duas fêmeas se voltavam com mais frequência. Uma das fêmeas não era uma guerreira; estava vestida com uma calça feminina de tecido macio e uma túnica azul centáurea que se ajustava à silhueta exuberante como uma luva.

Elide marcou para quem pareciam olhar mais, para confirmação e na esperança de receberem aprovação. Uma fêmea de ombros largos, com os cabelos pretos cortados rentes à cabeça. Ela vestia armadura nos ombros e nos pulsos — mais elegante do que a que os outros machos usavam. A comandante deles, então.

A jovem se deteve a poucos centímetros, erguendo a mão para segurar a capa no ponto em que descia sobre o coração e usando a outra mão para brincar com o anel dourado no dedo, a herança inestimável era pouco mais do que a lembrança de um amante. Mordendo o lábio, ela lançou olhares hesitantes e agitados para os soldados, para a taverna. Choramingou um pouco.

A outra fêmea — aquela com as finas roupas azuis — foi quem reparou em Elide primeiro.

Ela era linda, percebeu a jovem. Os cabelos escuros caíam em uma trança espessa e lustrosa pelas costas, a pele marrom reluzia com uma luz interior. Os olhos pareciam suaves com bondade. E preocupação.

Elide tomou aquela preocupação como um convite e cambaleou até eles, fazendo uma reverência com a cabeça.

— Eu... eu... eu sinto muito por interromper — disparou ela, falando mais com a beldade de cabelos pretos.

O gaguejar sempre deixara as pessoas desconfortáveis, sempre as deixara tolamente desprevenidas e ansiosas para ir embora. Para dizer a Elide o que ela precisava saber.

— Algo errado? — A voz da fêmea era rouca, linda. O tipo de voz que Elide sempre imaginou que grandes beldades teriam, o tipo de voz que encantava os homens. Pela forma como alguns dos machos ao redor sorriam, ela não tinha dúvidas de que a fêmea tinha aquele efeito sobre eles também.

Elide estremeceu o lábio, mordendo-o.

— Eu... eu estava procurando alguém. Ele disse que estaria aqui, mas...
— Então olhou para os guerreiros e brincou com o anel no dedo de novo.
— Eu v-v-vi seus uniformes e achei que v-vocês poderiam conhecê-lo.

A alegria do pequeno grupo se extinguiu e foi substituída por cautela. Além de pena... vinda da beldade. Ou pelo gaguejar ou pelo que ela tão obviamente enxergava: uma jovem ansiando por um amante que provavelmente não estava ali.

— Qual é o nome dele? — perguntou a fêmea mais alta, talvez irmã da outra, a julgar pela mesma pele marrom e os cabelos pretos.

Elide engoliu em seco com tanta força que sua garganta oscilou de forma muito patética.

— Eu... eu detesto incomodar vocês — disse ela, envergonhada. — Mas todos pareciam muito g-g-gentis.

Um dos machos murmurou algo a respeito de buscar outra rodada de bebidas, e dois dos companheiros decidiram ir junto. Os dois machos que permaneceram pareceram inclinados a ir também, mas um olhar afiado da comandante os fez ficar.

— Não é incômodo — respondeu a beldade, gesticulando com a mão bem-feita. Era tão baixa quanto Elide, embora se portasse como uma rainha. — Gostaria que buscássemos uma bebida para você?

Era fácil bajular as pessoas, fácil enganá-las, independentemente de terem orelhas pontudas ou redondas.

Elide deu um passo adiante.

— Não, obrigada. Eu não gostaria de incomodar v-vocês.

As narinas da fêmea se dilataram quando Elide parou perto o suficiente para tocá-las. Sem dúvida cheirando as semanas na estrada. Mas ela educadamente se calou, embora os olhos tivessem percorrido o rosto da jovem.

— O nome de seu amigo — insistiu a comandante, seu tom de voz era o oposto do da irmã.

— Cairn — sussurrou Elide. — O nome dele é Cairn.

Um dos machos xingou; o outro a observou da cabeça aos pés.

Mas as duas fêmeas tinham ficado imóveis.

— E-ele serve à rainha — explicou Elide, cujos olhos saltavam de um rosto para outro, o retrato da esperança. — Vocês o conhecem?

— Nós o conhecemos — respondeu a comandante, com a expressão **sombria**. — Você... você é amante dele?

Elide fez com que seu rosto corasse, pensando em todos os momentos vergonhosos da estrada: o ciclo, precisar explicar quando tinha necessidade de se aliviar...

— Preciso falar com ele. — Foi tudo o que a jovem disse. Descobrir o paradeiro de Maeve viria depois.

Em um tom baixo demais, a beldade de cabelos pretos disse:

— Qual é o seu nome, menina?

— Finnula — mentiu Elide, dando o nome de sua aia.

— Ouça um conselho — disse o segundo macho, tomando um gole da cerveja. — Se escapou de Cairn, não vá atrás dele de novo.

A comandante lançou a ele um olhar de aviso.

— Cairn é jurado por sangue a nossa rainha.

— Ainda assim é um cafajeste — respondeu o macho.

A fêmea grunhiu, com tanta crueldade que ele sabiamente foi buscar as bebidas da mesa.

Elide curvou os ombros para dentro.

— Vocês... vocês o conhecem, então?

— Cairn deveria encontrar você aqui? — perguntou a beldade em vez de responder.

Elide assentiu.

As duas fêmeas trocaram olhares, e a comandante falou:

— Não sabemos onde ele está.

Mentira. Ela viu o olhar entre as duas, entre irmãs. A decisão de não contar a ela, ou para proteger a indefesa menina mortal que acreditavam que ela fosse, ou por algum tipo de lealdade a ele. Ou talvez a todos os feéricos que decidiam encontrar camas em reinos mortais e então ignorar as consequências meses depois. Lorcan fora o resultado de tal união e depois descartado à mercê daquelas ruas.

Esse pensamento bastava para fazê-la trincar os dentes, mas Elide manteve o maxilar relaxado.

Não fique com raiva, ensinara Finnula a ela. *Seja esperta.*

Elide fez uma nota mental daquilo. Que não parecesse patética demais na taverna seguinte. Ou como uma amante descartada que poderia estar carregando o filho dele.

Pois precisaria ir a mais uma. E se conseguisse uma resposta da próxima vez, precisaria ir a outra depois daquela para confirmar.

— A... a rainha está na residência? — perguntou Elide, com aquela voz suplicante e chorosa arranhando os próprios ouvidos. — Ele d-d-disse que viaja com ela agora, mas se ela não está aqui...

— Sua Majestade não está em casa — disse a comandante, com tanta rispidez que Elide percebeu que a paciência dela estava se esgotando. A jovem não permitiu que seus joelhos cedessem, não permitiu que os ombros se curvassem com qualquer coisa que não o que elas interpretassem como desapontamento. — Mas onde está Cairn, como eu disse, não sabemos.

Maeve não estava lá. Tinham aquilo a favor deles, pelo menos. Se era por sorte ou devido ao plano que fizeram, Elide não se importava. Mas Cairn... Ela não descobriria mais nada com aquelas fêmeas. Então fez uma reverência com a cabeça.

— O-obrigada.

Ela recuou antes que as fêmeas pudessem dizer algo mais e fez questão de mostrar que ia esperar ao lado da fonte por cinco minutos. Quinze. O relógio na praça sinalizou a hora cheia, e Elide sabia que ainda a observavam conforme ela fazia o melhor para tentar um andar abatido até a outra entrada da praça.

Elide manteve o andar por alguns quarteirões, perambulando sem direção, até que se esgueirou para uma passagem estreita e tomou fôlego.

Maeve não estava em Doranelle. Por quanto tempo isso permaneceria verdade?

Precisava encontrar Cairn — rápido. Precisava fazer a atuação seguinte valer.

Precisava ser menos patética, menos carente, menos chorosa. Talvez tivesse acrescentado vermelhidão demais em volta dos olhos.

Elide pegou o espelho. Ao passar o mindinho sob um dos olhos, esfregou parte daquela mancha vermelha. Não saiu. Umedecendo a ponta do dedo com a língua, ela o passou pela parte inferior do olho de novo. A mancha diminuiu — levemente.

Estava prestes a fazer aquilo de novo quando um movimento lampejou no espelho.

Elide se virou, porém tarde demais.

A beldade de cabelos pretos da taverna estava parada atrás dela.

Lorcan jamais sentira o peso das horas tão intensamente sobre si.

Enquanto fazia reconhecimento da fronteira sul daquele exército, observando os soldados nas rotações de turno, reparando nas artérias principais do acampamento, ele mantinha um olho na cidade.

A cidade dele — ou tinha sido. Ele jamais imaginara, mesmo durante a infância que passara sobrevivendo nas sombras, que se tornaria uma fortaleza inimiga. Que Maeve, que o tinha açoitado e punido por qualquer rebeldia ou para diversão própria, se tornaria uma inimiga tão grande quanto Erawan. E enviar Elide para as garras dela — fora preciso toda a sua força para permitir que a jovem partisse.

Se ela fosse capturada, se fosse descoberta, ele não ouviria a respeito, não saberia. Ela não possuía magia, exceto pelos olhos aguçados da deusa em seu ombro e uma habilidade impressionante de passar despercebida, jogando com as expectativas alheias. Não haveria clarão de poder, nenhum sinal para alertá-lo de que ela estava em perigo.

Mas Lorcan havia permanecido longe. Com o fôlego preso no peito, ele a tinha observado atravessar aquela ponte mais cedo e passar sem ser questionada ou notada pelos guardas posicionados de cada lado. Embora Maeve não permitisse que semifeéricos ou humanos vivessem dentro das fronteiras de Doranelle sem provar seu valor, ainda podiam visitar — brevemente.

Então ele saíra para fazer reconhecimento. Sabia que Whitethorn ordenara que ele estudasse a fronteira sul, aquela fronteira, porque era exatamente onde ela surgiria. Se surgisse.

Whitethorn e Gavriel tinham dividido os demais acampamentos, o príncipe reivindicando o oeste e o norte, enquanto o Leão ficara com o acampamento leste, acima da bacia da cachoeira.

O sol da tarde estava afundando na direção do mar distante quando voltaram para a pequena base.

— Alguma coisa? — A pergunta de Rowan reverberou até eles.

Lorcan balançou a cabeça.

— Nem de Elide, nem de meu reconhecimento. Os turnos das sentinelas são rigorosos, mas não impenetráveis. Posicionaram batedores nas árvores nove quilômetros acima. — Ele conhecia alguns deles. Fora seu comandante. Seriam agora seus inimigos?

Gavriel se metamorfoseou e desabou sobre uma pedra, igualmente sem fôlego.

— Eles têm patrulhas aéreas no acampamento leste. E sentinelas espalhadas pelo limite da floresta.

Rowan se recostou contra um pinheiro alto e cruzou os braços.

— Que tipo de pássaros?

— De rapina, principalmente — falou Gavriel. Soldados altamente treinados, então. Sempre foram os mais inteligentes dos batedores. — Não reconheci nenhum de sua Casa.

Ou todos estavam naquela armada, agora em Terrasen, ou Maeve os matara. Rowan passou a mão no maxilar.

— O acampamento das planícies oeste também está pesadamente vigiado. O do norte menos, mas os lobos nos desfiladeiros provavelmente fazem metade do trabalho deles.

Não se incomodaram em discutir por que aquele exército devia ter sido reunido. Para onde estaria se dirigindo. Se a derrota de Maeve na costa de Eyllwe teria bastado para levá-la a uma aliança com Morath — e para levar aquele exército a esmagar Terrasen, por fim.

Lorcan olhou para a encosta arborizada, sua audição se aguçou em busca de galhos ou folhas estalando.

Meia hora. Ele esperaria meia hora antes de descer aquela colina.

Lorcan se obrigou a ouvir Whitethorn e Gavriel relatarem pontos de entrada e estratégias de saída para cada acampamento, se obrigou a se juntar àquele debate. E se obrigou a também discutir as possíveis entradas e saídas de Doranelle, onde poderiam entrar na cidade, como poderiam dar a volta e retornar sem incitar a ira daquele exército. Um exército que um dia supervisionaram e comandaram. Nenhum deles mencionou aquilo, embora Gavriel ficasse olhando para as tatuagens em suas mãos. Quantas vidas mais precisaria acrescentar antes de terminarem? Seus soldados não seriam derrubados por golpes inimigos, mas pela própria espada?

O sol se aproximava devagar do horizonte. Lorcan começou a caminhar de um lado para outro.

Tempo demais. Tinha levado tempo demais.

Os outros dois guerreiros também se calaram. Olhando colina abaixo. Esperando.

Um leve tremor agitou as mãos de Lorcan, e ele as fechou em punhos, apertando firme. Cinco minutos. Iria em cinco minutos, ao inferno com Aelin Galathynius e o plano deles.

Aelin fora treinada para suportar tortura. Elide... Ele conseguia ver aquelas cicatrizes das correntes. Ver o pé e o tornozelo deformados. Ela já aguentara sofrimento e terror demais. Ele não podia permitir que enfrentasse mais um segundo daquilo...

Galhos se partiram sob pés leves, e Lorcan endireitou imediatamente a postura, levando a mão à espada.

Whitethorn puxou o machado ao lado do corpo, e uma faca surgiu em sua outra mão. Gavriel sacou a espada.

Mas então um assobio de duas notas ecoou, e as pernas de Lorcan fraquejaram tão violentamente que ele se sentou de volta na rocha em que estivera acomodado.

Gavriel assobiou de volta, e Lorcan ficou grato por aquilo, pois não tinha certeza se teria fôlego.

Então ela estava ali, ofegante devido à subida, com as bochechas rosadas no ar frio da noite.

— O que aconteceu? — perguntou Whitethorn.

Lorcan observou o rosto de Elide, a postura dela.

Estava bem. Não estava ferida. Não havia inimigo no seu encalço.

Os olhos de Elide encontraram os dele. Cautelosos e hesitantes.

— Conheci alguém.

∽

Elide achou que estava prestes a morrer.

Ou pelo menos acreditou que seria entregue para Maeve ao ver a beldade de cabelos pretos no beco escuro.

Dissera a si mesma, naqueles segundos, que faria o possível para suportar a tortura que certamente viria, para manter a localização dos companheiros secreta, mesmo que a desmembrassem. Mas a ideia do que fariam com ela...

A fêmea estendeu a mão delicada.

— Quero apenas conversar. Em particular. — Ela indicou a outra ponta do beco, uma porta coberta por uma marquise de metal. Para protegê-las de quaisquer olhos, aqueles no chão e acima.

Elide a seguiu, com a mão deslizando para a faca no bolso. A fêmea seguiu na frente, nenhuma arma à vista, sem pressa ao caminhar.

Mas ao pararem nas sombras sob a marquise, a fêmea estendeu a mão de novo.

Chamas douradas dançaram entre os dedos dela.

Elide recuou, e o fogo sumiu tão rapidamente quanto surgira.

— Meu nome é Essar — disse a fêmea, baixinho. — Sou uma amiga... de seus amigos, creio.

Elide não disse nada.

— Cairn é um monstro — continuou Essar, dando um passo mais para perto. — Fique bem longe dele.

— Preciso encontrá-lo.

— Você interpretou muito bem o papel da amante maltratada. Precisa saber algo a respeito de Cairn. Do que ele faz.

— Se sabe onde ele está, por favor, me conte. — Ela não estava em posição para não implorar.

Essar a observou e respondeu em seguida:

— Ele estava nesta cidade até ontem e então foi para o acampamento leste. — Ela apontou com o polegar por cima do ombro. — Ele está lá agora.

— Como sabe?

— Porque não está aterrorizando os clientes de todos os bons estabelecimentos desta cidade, empanturrando-se com o dinheiro que Maeve lhe deu quando ele fez o juramento de sangue.

Elide piscou. Esperava que alguns dos feéricos se opusessem a Maeve, principalmente depois da batalha em Eyllwe, mas encontrar tal desprezo descarado...

Essar então acrescentou:

— E porque minha irmã, a comandante com quem você falou, me contou. Ela o viu no acampamento esta manhã, rindo como um gato.

— Por que eu deveria acreditar em você?

— Porque você está usando a camisa de Lorcan, e a capa de Rowan Whitethorn. Se não acredita em mim, informe a eles quem lhe contou isso e eles acreditarão.

Elide inclinou a cabeça para o lado.

— Lorcan e eu estivemos envolvidos por um tempo. — disse Essar, baixinho.

Eles estavam no meio de uma guerra e tinham viajado por milhares de quilômetros para encontrar sua rainha, mas o aperto que se acumulou no estômago de Elide ao ouvir aquelas palavras, de alguma forma, encontrou lugar. Amante de Lorcan. Aquela beldade delicada e com voz de alcova fora *amante* de Lorcan.

— Sentirão minha falta se eu ficar fora por tempo demais, mas diga a eles quem sou. Diga que eu contei isso a você. Se é Cairn que eles buscam, é onde ele vai estar. A localização exata, não sei. — Essar recuou um passo. — Não saia perguntando por Cairn em outras tavernas. Ele não é bem visto, mesmo entre os soldados. E aqueles que o seguem... Não queira atrair o interesse deles.

A fêmea fez menção de sair, mas Elide disparou:

— Para onde Maeve foi?

Essar olhou por cima do ombro. Estudando-a. Arregalando os olhos.

— Ela está com Aelin do Fogo Selvagem — sussurrou a fêmea.

Elide não disse nada, mas Essar murmurou:

— Foi isso... foi esse o poder que sentimos na outra noite. — Ela se virou de volta para Elide e segurou as mãos dela. — Para onde Maeve foi há alguns dias, eu não sei. Ela não anunciou, não levou ninguém com ela. Costumo servi-la, me pedem para... Não importa. O que importa é que Maeve não está aqui. Mas eu não sei quando ela voltará.

Alívio ameaçou fazer Elide desabar no chão. Os deuses, ao que parecia, não os haviam abandonado ainda.

Mas se Maeve levara Aelin para o posto avançado onde tinham mentido que o príncipe valg fora contido...

Elide apertou as mãos de Essar, sentindo-as mornas e secas.

— Sua irmã sabe onde Cairn mora no acampamento?

Por longos minutos, depois uma hora, elas conversaram. Essar se foi e voltou com Dresenda, sua irmã. E naquele beco, elas tramaram.

Elide terminou de contar a Rowan, Lorcan e Gavriel o que descobrira. Eles ficaram sentados em um silêncio chocado por um longo minuto.

— Logo antes do alvorecer — repetiu Elide. — Dresenda disse que a guarda do acampamento leste é mais fraca ao alvorecer. Que ela encontraria uma forma de ocupar as sentinelas. É nossa única oportunidade.

Rowan encarava as árvores, como se pudesse ver a disposição do acampamento, como se estivesse tramando como entrar, como sair.

— Mas ela não confirmou se Aelin estava na tenda de Cairn — avisou Gavriel. — Maeve partiu, Aelin pode estar com ela também.

— É um risco que correremos — disse Rowan. Um risco, talvez, que deveriam ter considerado.

Elide olhou para Lorcan, que ficara calado o tempo todo. Embora tivesse sido a amante dele quem os ajudara, talvez guiada pela própria Anneith. Ou pelo menos fora avisada pelo cheiro nas roupas de Elide.

— Acha que podemos confiar nela? — perguntou ao guerreiro semifeérico, embora soubesse a resposta.

Os olhos sombrios de Lorcan se voltaram para ela.

— Sim, embora eu não veja por que ela se arriscaria assim.

— É uma fêmea boa, é por isso — declarou Rowan. Quando Elide ergueu a sobrancelha, ele explicou: — Essar visitou Defesa Nebulosa esta primavera. Ela conheceu Aelin. — Ele lançou um olhar para Lorcan. — E me pediu para dizer a *você* que mandou lembranças.

Elide não vira nada que se aproximasse de sofrimento no rosto de Essar, mas, pelos deuses, ela era linda. E inteligente. E gentil. E Lorcan a deixara partir, de alguma forma.

Gavriel interrompeu:

— Se avançarmos para o acampamento leste, precisaremos montar um plano agora. E nos posicionar. Fica a quilômetros daqui.

Rowan olhou mais uma vez para o acampamento distante.

— Se está considerando voar até lá agora — grunhiu Lorcan —, então vai merecer qualquer desgraça que advenha dessa estupidez. — Rowan exibiu os dentes para ele, mas o semifeérico falou: — Todos entramos. Todos saímos.

Elide assentiu em concordância pela primeira vez. Lorcan pareceu enrijecer o corpo com surpresa.

Rowan chegou àquela conclusão também, porque se agachou e mergulhou uma faca na terra musguenta.

— Esta é a tenda de Cairn — disse ele em relação à adaga, então procurou um pinho próximo. — Esta é a entrada sul do acampamento.

E então eles planejaram.

⁂

Rowan se separara dos companheiros havia uma hora, mandando-os assumirem suas posições.

Não entrariam todos e sairiam todos.

Rowan invadiria o acampamento, tomando a entrada mais ao sul. Gavriel e Lorcan aguardariam o sinal dele perto da entrada leste, escondidos na floresta logo além das colinas onduladas e gramadas daquele lado do acampamento. Prontos para causar o inferno quando ele lançasse uma faísca de magia, distraindo soldados naquela direção enquanto Rowan correria até Aelin.

Elide esperaria por eles mais distante naquela floresta. Ou fugiria, se as coisas piorassem.

Ela havia protestado, mas mesmo Gavriel dissera que ela era mortal. Sem treino. E o que a jovem fizera naquele dia... Rowan não tinha palavras para expressar sua gratidão pelo que Elide fizera. A aliada inesperada que encontrara.

Ele confiava em Essar. Ela jamais gostara de Maeve, dizia descaradamente que não a servia com vontade ou orgulho. Mas aquelas últimas horas antes do alvorecer, quando tantas coisas podiam dar errado...

Maeve não estava lá. Isso, pelo menos, dera certo.

Rowan se deteve nas colinas íngremes acima da entrada sul do acampamento. Ele facilmente se mantivera escondido das sentinelas nas árvores, com seu vento mascarando qualquer traço do cheiro.

Abaixo, estendendo-se sobre a planície leste gramada, o acampamento do exército reluzia.

Ela precisava estar lá. Aelin precisava estar lá.

Se tinham chegado tão perto para acabar sendo exatamente o que fizera Maeve levar Aelin embora de novo, levá-la junto para o posto avançado...

Rowan afastou o peso no peito. O laço ali dentro estava sombrio e dormente. Nenhuma indicação da proximidade da parceira.

Essar não fazia ideia de que Aelin estava sendo mantida presa ali até que Elide a informou. Quantos outros não sabiam? Quão bem Maeve a escondera?

Se Aelin não estivesse naquele acampamento no dia seguinte, encontrariam Cairn, pelo menos. E obteriam algumas respostas então. Dariam a ele o gosto do próprio veneno...

Rowan afastou o pensamento. Não se permitiu pensar no que fora feito a ela.

Faria isso no dia seguinte, quando visse Cairn. Quando o fizesse pagar por cada momento de dor.

Acima, as estrelas brilhavam clara e intensamente, e embora Mala só tivesse aparecido para ele uma vez ao alvorecer, ao pé das montanhas daquela mesma cidade, embora pudesse ser pouco mais do que um ser estranho e poderoso de outro mundo, Rowan ofereceu uma oração ainda assim.

Ele havia implorado a Mala que protegesse Aelin de Maeve quando entrassem em Doranelle, que desse a ela força e orientação e que a deixasse sair dali com vida. Ele havia implorado a Mala que o deixasse ficar com Aelin, a mulher que ele amava. A deusa mal passara de um raio de sol no alvorecer crescente e, no entanto, Rowan tinha sentido seu sorriso.

Naquela mesma noite, com apenas o fogo frio das estrelas como companhia, ele implorou mais uma vez.

Uma espiral de vento lançou sua oração flutuando para aquelas estrelas, para a lua crescente que pintava de prata o acampamento, o rio, as montanhas.

Rowan matara mundo afora; fora à guerra e voltara mais vezes do que se importava em lembrar. E apesar de tudo, apesar do ódio e do desespero e do gelo com que envolvera o coração, ainda tinha encontrado Aelin. Cada horizonte para o qual havia olhado, incapaz e sem vontade de descansar durante aqueles séculos, cada montanha e oceano que vira e se perguntara o que havia além... Tinha sido ela. Tinha sido Aelin, o chamado silencioso do laço de parceria guiando-o, mesmo quando ele não conseguia sentir.

Tinham percorrido aquele caminho sombrio juntos de volta à luz. Rowan não deixaria que a estrada acabasse ali.

24

As Crochan a ignoravam. E ignoravam as Treze. Alguns insultos eram sibilados conforme passavam, mas um olhar de Manon e das Treze mantinha aqueles pulsos fechados ao lado do corpo.

As Crochan permaneceram no acampamento por uma semana para cuidar das bruxas feridas, então Manon e as Treze permaneceram também, ignoradas e odiadas.

— O que é este lugar? — perguntou Manon a Glennis ao encontrar a idosa ao lado da fogueira, polindo o cabo de uma vassoura atada com ouro. Duas outras estavam sobre um manto próximo. Um trabalho aquém da bruxa no comando daquele acampamento.

— É um acampamento antigo, um dos mais antigos que reivindicamos. — Os dedos retorcidos de Glennis disparavam sobre o cabo da vassoura. — Cada uma das sete Grandes Fogueiras tem um fogo aqui, assim como muitas outras. — De fato, havia muito mais do que sete no acampamento. — Era um local de reunião para nós depois da guerra, e desde então se tornou um local para iniciar algumas das bruxas mais jovens à vida adulta. É um rito que desenvolvemos ao longo dos anos, mandá-las ao interior selvagem por algumas semanas para caçar e sobreviver apenas com as vassouras e uma faca. Permanecemos aqui enquanto elas fazem isso.

— Sabe qual é nosso rito de iniciação? — perguntou Manon, baixinho.

A expressão de Glennis se fechou.

— Sei. Todas sabemos. — A qual fogueira pertencia a bruxa que Manon havia matado aos 16 anos? O que a avó fizera com o coração Crochan que

Manon trouxera de volta em uma caixa para a Fortaleza Bico Negro, usando a capa da inimiga como troféu?

Mas então a jovem bruxa perguntou:

— Quando vocês seguem para Eyllwe?

— Amanhã. Aquelas que foram mais gravemente feridas na batalha se curaram o suficiente para viajar, ou para sobreviver aqui sozinhas.

O estômago dela se apertou, mas Manon afastou o arrependimento.

Glennis estendeu uma das vassouras para ela, a base estava amarrada com fios de metal comuns.

— Vai voar para o sul conosco?

Manon pegou a vassoura, e a madeira murmurou contra sua mão. O vento vindo da corrente rápida e cruel entre os picos acima lhe sussurrou ao ouvido.

Ela e as Treze tinham decidido dias antes. Se era para o sul que seguiam as Crochan, então para o sul elas iriam. Mesmo que cada dia que passasse pudesse significar a desgraça para aqueles no norte.

— Voaremos com vocês — respondeu Manon.

Glennis assentiu.

— Essa vassoura pertence a uma bruxa de cabelos pretos chamada Karsyn. — A idosa indicou com o queixo as tendas atrás de Manon. — Ela está de serviço ao lado de suas serpentes aladas.

Dorian decidiu que não precisava de um lugar escondido para treinar. O que fora uma sorte, pois não havia privacidade no acampamento das Crochan. Não dentro do acampamento e certamente não em torno dele, não com os olhos aguçados das sentinelas patrulhando dia e noite.

E foi assim que acabou sentado diante de Vesta na fogueira de Glennis, com a bruxa ruiva quase dormindo de tédio.

— Aprender metamorfose — resmungou ela, bocejando pela décima vez naquela hora — parece uma perda de tempo colossal. — Vesta apontou a mão branca como neve para o ringue de treino improvisado em que as Treze trabalhavam os corpos musculosos e os instintos. — Poderia estar lutando com Lin no momento.

— Acabei de ver Lin quase enfiar os dentes de Imogen garganta abaixo. Perdoe-me se não estou com vontade de entrar no ringue com ela.

Vesta arqueou uma sobrancelha castanho-avermelhada.

— Nenhuma arrogância de macho em você, então.

— Gosto de meus dentes onde estão. — Ele suspirou. — Estou tentando me concentrar.

Nenhuma das bruxas, nem mesmo Manon, questionara por que ele praticava. Dorian apenas mencionara, havia quase uma semana, que a aranha o fizera se perguntar se poderia se transformar usando aquela sua magia pura, e elas deram de ombros.

A concentração das Treze estava nas Crochan. Na viagem para Eyllwe que provavelmente aconteceria em breve.

Ele não ouvira qualquer menção de uma tropa de guerra se reunindo, mas se aquilo pudesse dividir as forças de Morath ainda que minimamente para que se aventurassem até o sul para lidar com elas, se aquilo distraísse Erawan enquanto Dorian seguisse para a fortaleza do rei valg... Ele aceitaria.

O jovem rei já oferecera a Manon e Glennis o que sabia com relação ao reino e aos seus governantes. Os pais de Nehemia e os dois irmãos mais jovens. O império de Adarlan fizera seu trabalho por completo ao dizimar o exército de Eyllwe, então qualquer esperança naquela frente era impossível, mas se reunissem alguns milhares de soldados para rumar para o norte... Seria uma bênção para seus amigos.

Se pudessem sobreviver, bastaria.

Dorian fechou os olhos, e Vesta se calou. Durante dias, ela se sentara com ele quando o treinamento e as missões de reconhecimento permitiram, observando, em busca da metamorfose que ele tentava: mudar os cabelos, a pele, os olhos.

Nada daquilo havia acontecido.

A magia de Dorian tinha tocado aquele poder roubado do metamorfo — aprendera o suficiente antes que ele matasse a aranha.

Era agora uma questão de convencer a magia a *se tornar* como o poder daquele metamorfo. Se aquilo já fora feito com magia pura antes, Dorian não sabia.

Seja o que deseja, dissera Cyrene a ele.

Nada. Dorian não desejava ser nada.

Mas ele continuou olhando para dentro. Para cada canto oco e vazio. Precisava apenas insistir por tempo o bastante. Para dominar a metamorfose. Para entrar escondido em Morath e encontrar a terceira chave. Para então oferecer tudo o que era e fora para o Fecho e o portão.

E então tudo acabaria. Para Erawan, sim, e para ele.

Mesmo que aquilo deixasse Hollin com o direito ao trono. Hollin, que fora gerado por um homem infestado por um valg também. Será que o demônio passara algum traço para o irmão de Dorian?

O menino era bestial — mas será que era humano?

Hollin não matara o pai deles. Não estilhaçara o castelo. Não deixara Sorscha morrer.

Dorian não tinha ousado perguntar a Damaris. Não tinha certeza do que faria caso a espada revelasse o que ele era, bem no fundo.

Em vez disso, ele olhava para dentro de si, para onde a magia fluía no interior do corpo, para onde podia se mover entre chamas e água e gelo e vento.

Mas não importava o quanto quisesse, o quanto imaginasse cabelos castanhos, ou pele mais pálida, ou sardas, nada acontecia.

Ela não era uma mensageira, mas Manon entendeu a deixa — e aceitou a oferta. Junto com três outras vassouras, todas para bruxas espalhadas pelo acampamento.

Não bastaria voar com elas para Eyllwe. Não, precisaria *aprender* sobre elas. Cada uma daquelas bruxas.

Asterin, que estivera monitorando do outro lado da fogueira, se juntou a Manon, pegando duas das vassouras.

— Esqueci que usavam o pau-rosado — comentou a imediata, estudando as vassouras nos braços. — Muito mais fácil de entalhar do que o pau-ferro.

Manon ainda conseguia sentir como suas mãos doeram durante os longos dias em que entalhara sua primeira vassoura do tronco de pau-ferro que havia encontrado no interior da floresta de Carvalhal. As duas primeiras tentativas tinham resultado em cabos partidos, então resolvera entalhar a vassoura com mais cuidado. Três tentativas, uma para cada face da Deusa.

Tinha 13 anos, meras semanas depois do primeiro sangramento, o que trouxera a ágil corrente de poder que chamava o vento, que fluía pelas vassouras e as carregava pelo céu. Cada batida do cinzel, cada martelada que transformava o bloco de material quase impenetrável, tinha transferido aquele poder para a própria vassoura que surgia.

— Onde deixou a sua? — perguntou Manon.

Asterin deu de ombros.

— Em algum lugar da Fortaleza Bico Negro.

Manon assentiu. A dela estava jogada nos fundos de um armário na sede do poder da avó. A bruxa a jogara ali depois que a magia sumira, pois a vassoura não passava de uma ferramenta de limpeza sem ela.

— Suponho que não as recuperaremos agora — comentou Asterin.

— Não, não recuperaremos — confirmou Manon, observando os céus. — Voaremos com as Crochan para Eyllwe amanhã. Para nos reunir com qualquer que seja a tropa de guerra humana que elas vão encontrar.

A boca de Asterin se contraiu.

— Talvez convençamos todos eles, as Crochan e a tropa de Eyllwe, a rumar para o norte.

Talvez. Se tivessem sorte. Se não perdessem tanto tempo a ponto de Erawan esmagar o norte até virar pó.

Elas chegaram à primeira das bruxas que Glennis mencionara, e Asterin não disse nada quando Manon indicou para que a imediata entregasse a vassoura.

O nariz da Crochan se enrugou com desprezo conforme ela deixava a vassoura pender de dois dedos.

— Agora vou precisar limpá-la de novo.

Asterin deu um sorriso torto à bruxa, que significava que problemas se aproximavam rápido.

Então Manon a cutucou para voltar à caminhada, entremeando pelas tendas em busca das demais donas.

— Acha mesmo que isso vale nosso tempo? — murmurou Asterin quando a segunda e depois a terceira bruxa demonstraram desprezo após receber as vassouras. — Bancar as criadas dessas princesas mimadas?

— Espero que sim — murmurou Manon ao chegarem à última das bruxas. Karsyn. A Crochan de cabelos pretos encarava o círculo de serpentes aladas, exatamente onde Glennis dissera que ela estaria.

Asterin pigarreou, e a bruxa se virou. O rosto de pele marrom-clara se contraiu.

Mas Karsyn não mostrou desprezo. Não sibilou.

Missão cumprida, Asterin deu meia-volta. No entanto, Manon, indicando com o queixo as serpentes aladas, disse para a Crochan:

— É diferente de usar as vassouras. Mais rápido, mais mortal, mas também é preciso alimentá-las e dar-lhes de beber.

Os olhos verdes de Karsyn estavam cautelosos, porém curiosos. Ela olhou de novo para as serpentes aladas amontoadas para se proteger do frio, a fêmea azul de Asterin colada ao lado de Abraxos, com a asa dele caída sobre ela.

Manon continuou:

— Erawan as criou, usando métodos dos quais não temos muita certeza. Ele pegou uma base antiga e deu vida a elas. — Pois havia serpentes aladas em Adarlan antes, muito tempo atrás. — Ele queria criar uma horda de assassinas desalmadas, mas algumas não saíram assim.

Asterin se calou pelo menos dessa vez.

Por fim, Karsyn comentou:

— Sua serpente alada parece mais um cachorro do que qualquer outra coisa.

Não era um insulto, lembrou-se Manon. As Crochan *criavam* cachorros como bichos de estimação. E os adoravam, como os humanos.

— O nome dele é Abraxos — disse a jovem bruxa. — Ele é... diferente.

— Ele e a azul são parceiros.

Asterin se sobressaltou.

— São o quê?

A Crochan apontou para a fêmea azul aninhada ao lado de Abraxos.

— Ele é menor, mas cuida dela. E a acaricia com o focinho quando ninguém está olhando.

Manon trocou um olhar com Asterin. As montarias delas flertavam incessantemente, sim, mas *parceria*...

— Interessante. — Foi o que Manon conseguiu dizer.

— Não sabia que faziam tais coisas? — As sobrancelhas de Karsyn se franziram.

— Sabíamos que cruzavam — intrometeu-se Asterin, por fim. — Mas não testemunhamos isso acontecer por... escolha.

— Por amor — ressaltou a Crochan, e Manon quase revirou os olhos. — Essas bestas, apesar do seu mestre sombrio, são capazes de amar.

Besteira, mas alguma coisa no interior dela percebeu que era verdade. Então, Manon perguntou, embora já soubesse:

— Qual é seu nome?

Contudo, cautela mais uma vez invadiu os olhos de Karsyn, como se ela tivesse lembrado com quem falava, que havia outras que poderiam vê-las conversando.

— Obrigada pela vassoura — disse a bruxa, então saiu caminhando entre as tendas.

Pelo menos uma das Crochan tinha falado com ela. Talvez aquela viagem a Eyllwe desse a ela a chance de falar com outras. Mesmo que pudesse sentir cada hora e minuto que passavam pesando sobre elas.

Corra para o norte, cantava o vento, dia e noite. *Rápido, Bico Negro.*

Quando Karsyn se foi, Asterin permaneceu encarando Abraxos e Narene enquanto coçava o cabelo.

— Acha mesmo que eles são parceiros?

Abraxos ergueu a cabeça de onde a repousava, sobre as costas de Narene, e olhou na direção delas, como se dissesse: *Demoraram para entender, hein?*

※

— O que eu deveria estar procurando, exatamente?

Sentados joelho a joelho na minúscula tenda, com o vento uivando do lado de fora, os olhos dourados de Manon se semicerraram ao olhar para o rosto de Dorian.

— Meus olhos — disse ele. — Apenas me diga se mudam de cor.

Ela grunhiu.

— Essa coisa de metamorfose é mesmo algo urgente de se aprender?

— Faça para me agradar — ronronou ele, voltando-se para dentro e fazendo sua magia se acender.

Marrom. Vocês vão mudar de azul para marrom.

Mentiroso — Dorian sabia que era um mentiroso por guardar os verdadeiros motivos dela. Não precisava de Damaris para confirmar isso.

Manon poderia proibi-lo de ir a Morath, mas havia outra possibilidade, pior ainda do que aquela.

Que ela insistisse em ir com ele.

Manon deu um olhar ao jovem rei que poderia ter feito um homem covarde fugir.

— Ainda estão azuis.

Pelos deuses, ela era linda. Dorian se perguntou quando deixaria de parecer uma traição pensar isso.

Ele respirou fundo, concentrando-se de novo, ignorando a presença sussurrante daquelas duas chaves no bolso do casaco.

— Diga se perceber qualquer mudança.

— Isso é diferente de sua magia?

Dorian se sentou, apoiando os braços atrás do corpo ao buscar as palavras para explicar.

— Não é como outros tipos de magia que fluem pelas minhas veias e mudam, com meio pensamento, de gelo para chamas e para água.

Ela o observou, inclinando a cabeça de uma forma que Dorian vira as serpentes aladas fazerem. Logo antes de devorarem uma cabra inteira.

— De qual gosta mais?

Uma pergunta incomumente pessoal. Embora durante a última semana, graças ao relativo calor e à privacidade da tenda, tivessem passado horas enroscados nos cobertores que estavam sob os dois.

Ele jamais tivera algo como ela. Às vezes se perguntava se Manon já tivera algo como ele também. Dorian via com que frequência ela encontrava prazer quando ele tomava as rédeas, quando o corpo dela se contorcia sob o dele e Manon perdia o controle totalmente.

Mas as horas naquela tenda não tinham levado a nenhum tipo de intimidade. Apenas abençoada distração. Para ambos. Dorian ficava feliz com isso, dizia ele a si mesmo. Nada daquilo poderia terminar bem. Para nenhum dos dois.

— Gosto mais do gelo — admitiu ele, por fim, percebendo que deixara o silêncio se prolongar. — Foi o primeiro elemento que saiu de mim, não sei por quê.

— Você não é uma pessoa fria.

Ele arqueou uma sobrancelha.

— Essa é sua opinião profissional?

Manon o estudou.

— Pode descer àquelas profundezas quando está irritado, quando seus amigos são ameaçados. Mas não é frio, não no coração. Já vi homens que são, e você não é.

— Você também não — disse ele, um pouco baixo.

A coisa errada a se dizer.

Manon enrijeceu, e o queixo dela se ergueu.

— Tenho 117 anos — respondeu ela, inexpressiva. — Passei a maior parte desse tempo matando. Não se convença de que os eventos dos últimos meses apagaram isso.

— Continue dizendo isso a si mesma. — Ele duvidava de que alguém já tivesse falado com ela de modo tão ousado, e sentia prazer por fazer isso e manter o pescoço intacto.

Manon grunhiu na cara dele.

— É um tolo se acredita que o fato de que sou rainha delas apaga a verdade de que matei inúmeras Crochan.

— Esse fato sempre permanecerá. É como você vai fazer valer agora que importa.

Faça valer a pena. Aelin dissera isso naqueles primeiros dias depois de ele ter sido libertado do colar. Dorian tentou não se perguntar se o toque gélido da pedra de Wyrd em breve se fecharia em torno de seu pescoço mais uma vez.

— Não sou uma Crochan de coração mole. Jamais serei, mesmo que use sua coroa de estrelas.

Dorian ouvira os sussurros sobre essa coroa entre as Crochan naquela semana — sobre se seria encontrada, enfim. A coroa de estrelas de Rhiannon Crochan, roubada do corpo moribundo pela própria Baba Pernas Amarelas. Para onde fora depois que Aelin havia matado a matriarca, ele não tinha a menor ideia. Se tinha ficado com aquele circo estranho com que ela viajava, poderia estar em qualquer lugar. Poderia ter sido vendida por quase nada.

Manon prosseguiu:

— Se é isso que as Crochan esperam que eu me torne antes de se juntarem a essa guerra, então deixarei que se aventurem para Eyllwe amanhã sozinhas.

— É tão ruim assim se importar? — Os deuses sabiam que ele estava com dificuldades para fazer isso também.

— Não sei *como* — grunhiu Manon.

Ridículo. Uma mentira descarada. Talvez fosse devido à grande probabilidade de que recebesse o colar de novo em Morath, talvez fosse porque era um rei que abandonara seu reino nas garras de um inimigo, mas Dorian se viu dizendo:

— Você se importa, sim. E sabe disso também. É o que faz com que tenha tanto medo de tudo isso.

Os olhos dourados se revoltaram, mas Manon não falou nada.

— Se importar não a torna fraca — sugeriu ele.

— Então por que você não segue o próprio conselho?

— Eu me importo. — O temperamento de Dorian também se esquentou, igualando-se ao dela. E ele decidiu mandar tudo ao inferno, decidiu soltar aquela coleira que tinha colocado em si mesmo. Soltar aquelas amarras. — Eu me importo mais do que deveria. Eu me importo até com você.

Outra coisa errada a dizer.

Manon ficou de pé; tão ereta quanto a tenda permitia.

— Então é um tolo. — Ela enfiou as botas e saiu pisando duro pela noite gélida.

Eu me importo até com você.

Manon exibia uma expressão fechada ao se revirar no sono, enfiada entre Asterin e Sorrel. Restavam apenas algumas horas até que partissem — para seguir para Eyllwe e para qualquer força que pudesse estar esperando para se aliar com as Crochan. E precisando de ajuda.

Se importar não a torna fraca.

O rei era um tolo. Mal passava de um menino. O que ele sabia sobre qualquer coisa?

Mesmo assim, as palavras se remexiam sob a pele da bruxa, sob os ossos.
É tão ruim assim se importar?

Ela não sabia. Não queria saber.

∽

O alvorecer não estava longe quando um corpo morno deslizou para o lado do príncipe.

Dorian disse para a escuridão:

— Três em uma tenda não é muito confortável, não é?

— Não voltei porque concordo com você. — Manon puxou as cobertas sobre o corpo.

Ele deu um leve sorriso e caiu no sono mais uma vez, deixando que a magia aquecesse os dois.

Quando acordaram, a sensação de uma coisa pontiaguda no peito de Dorian tinha diminuído, apenas um pouquinho.

Mas conforme ele se sentava, resmungando ao espreguiçar os braços até onde a tenda permitia, Manon o observou com a testa franzida.

— O que foi? — perguntou ele ao ver que a testa dela permaneceu franzida.

A bruxa colocou as botas, então a capa.

— Seus olhos estão castanhos.

Dorian levou uma mão ao rosto, mas ela já saíra.

Ele ficou olhando para as costas de Manon enquanto o acampamento se apressava para partir.

Onde aquela pontada tinha diminuído no peito dele, a magia agora fluía com mais liberdade. Como se ela também tivesse sido libertada daquelas amarras interiores que ele soltara levemente na noite anterior. O que tinha compartilhado, revelado a ela. Um tipo de liberdade, aquela entrega.

O sol mal subira no céu quando começaram o longo voo para Eyllwe.

25

Cairn a deixara apodrecer na caixa por um tempo.

Estava mais silencioso ali, sem o rugido interminável e constante do rio.

Nada além daquela pressão se acumulando mais e mais e mais sob a pele, na cabeça. Algo do qual ela não podia fugir, mesmo no esquecimento.

Ainda assim, as correntes se enterravam, cortando sua pele. Umidade se acumulava sob ela conforme o tempo passava. Conforme Maeve, sem dúvida, trazia aquele colar para mais perto a cada hora.

Ela não conseguia se lembrar da última vez que comera.

Então se deixou levar para baixo de novo, para um bolsão da escuridão, onde se contava aquela história, *a* história, de novo e de novo.

Quem ela era, o que ela era, o que destruiria caso cedesse para o quase sufocamento da caixa, para a pressão que subia.

Mas não importaria. Depois que aquele colar envolvesse seu pescoço, quanto tempo levaria até que o príncipe valg ali dentro arrancasse tudo o que Maeve desejava saber? Que violasse e vasculhasse cada barreira interior para minerar aqueles segredos vitais?

Cairn recomeçaria em breve. Seria arrasador. Depois os curandeiros voltariam com a fumaça de cheiro doce, como tinham vindo naqueles meses, naqueles anos, por quanto tempo tivesse passado.

Mas ela vira além deles por um instante. Vira tecido de lona pendurado acima, junco coberto com tapetes de lã sob os pés calçados em sandálias. Havia braseiros fumegantes em todo lado.

Uma tenda. Estava em uma tenda. Murmúrios soavam do lado de fora — não perto, mas próximo o bastante para que a audição feérica escutasse. Havia pessoas falando tanto em sua língua quanto no velho idioma. Alguém murmurava sobre as condições entulhadas do acampamento.

Um acampamento de guerra, cheio de feéricos.

Um local mais seguro, dissera Cairn. Maeve queria Aelin ali, para protegê-la de Morath. Até que a rainha sombria fechasse o colar frio com a pedra de Wyrd em torno do seu pescoço.

Mas então o esquecimento tomou conta. Quando acordou, limpa e sem uma dor sequer, Aelin soube que Cairn em breve começaria. A lona fora deixada sem nada, pronta para ser pintada de vermelho. O terrível *grand finale*, não para arrancar informação, pois o triunfo de Maeve estava próximo, mas para o próprio prazer.

Aelin estava pronta também.

Não a haviam acorrentado a um altar dessa vez, e sim a uma mesa de metal, disposta no centro da grande tenda. Ele fez com que levassem para lá os confortos do lar — ou o que quer que Cairn considerasse um lar.

Um grande gaveteiro estava ao lado de uma parede de lona. Ela duvidava de que contivesse roupas.

Fenrys estava deitado ao lado, com a cabeça nas patas dianteiras, dormindo. Pela primeira vez, ele dormia. Luto recaía pesadamente sobre ele, deixando os pelos opacos, entristecendo os olhos alegres.

Outra mesa tinha sido colocada perto daquela onde Aelin estava deitada. Um pano cobria três objetos salientes sobre ela. Ao lado daquele mais próximo, um pedaço de veludo preto também fora deixado exposto. Com os instrumentos que ele usaria nela. Da forma como um mercador poderia exibir as joias mais finas.

Duas cadeiras estavam de frente uma para a outra do outro lado da segunda mesa, diante do grande braseiro cheio até a borda com lenha crepitante. A fumaça espiralava mais e mais para o alto...

Um pequeno buraco tinha sido feito no teto da tenda. E através dele...

Aelin não conseguiu combater o tremor na boca diante do céu noturno, dos pontinhos de luz brilhando ali.

Estrelas. Apenas duas, mas havia estrelas acima. O céu em si... não era o peso da noite intensa, mas um preto enevoado, acinzentado.

O alvorecer. Provavelmente em uma ou duas horas, se as estrelas ainda estavam visíveis. Talvez ela durasse tempo o suficiente para ver a luz do sol.

Os olhos de Fenrys se arregalaram, e ele ergueu a cabeça conforme suas orelhas estremeciam.

Aelin respirou para se acalmar quando Cairn abriu as abas da tenda, oferecendo um lampejo das fogueiras e da escuridão que clareava além dele. Nada mais.

— Aproveitando o descanso?

Ela não disse nada.

O macho passou a mão pela borda da mesa de metal.

— Ando pensando no que fazer com você, sabe. Como realmente aproveitar isso, tornar essa ocasião especial para nós dois antes de nosso tempo acabar.

O grunhido de Fenrys ecoou pela tenda, mas Cairn apenas retirou o tecido da mesa menor.

Pequenos pratos de metal apoiados em tripés, cheios de lenha apagada.

Aelin enrijeceu quando ele puxou um até ela, colocando-o sob o pé da mesa de metal. Um braseiro menor, com as pernas encurtadas de forma que a tigela mal pairava acima do chão.

Ele pôs o segundo braseiro abaixo do centro da mesa e o terceiro sob a cabeça.

— Brincamos com suas mãos antes — disse Cairn, esticando-se. Aelin começou a tremer, começou a puxar as correntes que ancoravam seus braços acima da cabeça. O sorriso dele aumentou. — Vejamos como seu corpo inteiro reage a chamas sem seu donzinho especial. Talvez queime como o restante de nós.

Ela puxou as correntes inutilmente, e seus pés deslizaram contra o metal ainda frio.

Não dessa forma...

Cairn levou a mão ao bolso e pegou uma pederneira.

Aquilo não era apenas a destruição do corpo dela. Mas a destruição *dela* — do fogo que Aelin passara a amar. A destruição da parte dela que cantava.

Ele derreteria a pele e os ossos da jovem até que ela temesse as chamas, até que as odiasse, como odiava aqueles curandeiros que apareciam, de novo e de novo, para consertar seu corpo, para confundir o que era real e o que fora um sonho.

O grunhido de Fenrys ecoou, infinito.

— Pode gritar o quanto quiser, se isso agradar — disse Cairn, calmamente.

A mesa se tornaria vermelho-incandescente, e o cheiro de pele queimando preencheria seu nariz, e Aelin não conseguiria impedir aquilo, impedir

Cairn; ela choraria de dor conforme as queimaduras se aprofundassem, mais e mais, pela pele e até os ossos...

A pressão no corpo e na cabeça se dissipou. Tornou-se secundária quando o macho pegou uma bolsa enrolada no outro bolso. Ele a dispôs sobre o veludo preto, e Aelin conseguiu distinguir as silhuetas das ferramentas finas ali dentro.

— Para quando aquecer a mesa ficar entediante — comentou ele, dando tapinhas no estojo de ferramentas. — Quero ver até que ponto as queimaduras entram em sua pele.

Bile disparou pela garganta de Aelin quando ele sopesou a pederneira nas mãos e deu um passo adiante.

Ela começou a se desfazer então, quem era e quem fora derretendo-se como o próprio corpo em breve se derreteria, quando aquela mesa se aquecesse.

As cartas que recebera. Aquelas eram as cartas que recebera, e ela aguentaria aquilo. Apesar da palavra que tomou forma em sua língua.

Por favor.

Aelin tentou engolir as palavras. Tentou mantê-las trancafiadas conforme Cairn se agachava ao lado da mesa com a pederneira erguida.

Você não se rende.
Você não se rende.
Você não se rende.

— Espere.

A palavra saiu rouca.

Ele parou. Então se levantou.

— Espere?

Aelin estremeceu, com a respiração ofegante.

— Espere.

Cairn cruzou os braços.

— Tem algo que gostaria de dizer, por fim?

Ele permitiria que ela prometesse qualquer coisa para ele, para Maeve. E, mesmo assim, acenderia aquelas fogueiras. A rainha dele não teria como saber que ela se rendera durante dias.

Aelin se obrigou a encarar Cairn, com os dedos enluvados pressionando a placa de ferro sob o corpo.

Uma última chance.

Ela tinha visto as estrelas acima. Era um presente tão grandioso quanto qualquer outro que recebera, maior do que as joias e os vestidos e a arte que um dia cobiçara e colecionara em Forte da Fenda. O último presente que receberia, se jogasse as cartas que recebera. Se o enganasse direito.

Para acabar com aquilo, para acabar com ela. Antes que Maeve pudesse colocar o colar de pedra de Wyrd em volta de seu pescoço.

～

O alvorecer se aproximou, e as estrelas se apagaram, uma a uma.

Rowan espreitava à entrada mais ao sul do acampamento conforme seu poder latejava.

A tenda de Cairn estava no centro do aglomerado. Quase três quilômetros entre Rowan e a presa.

Quando os guardas começassem a troca de turno, ele arrancaria o ar de seus pulmões. Arrancaria o ar de cada soldado em seu caminho. Quantos ele conheceria? Quantos teria treinado? Uma pequena parte de Rowan rezava para que o número fosse pequeno. Para que, se o conhecessem, fossem espertos e não interferissem. Não tinha intenção de parar, no entanto.

Ele pegou o machado ao lado do corpo, enquanto uma longa faca já reluzia na outra lateral.

A calma letal recaíra sobre ele horas antes. Dias antes. Meses antes.

Apenas mais alguns minutos.

Os seis guardas na entrada do acampamento se agitaram nos postos. As sentinelas nas árvores atrás dele, alheias à presença de Rowan naquela noite, veriam a ação assim que os colegas caíssem. E certamente o veriam assim que o príncipe feérico saísse das árvores, atravessando a estreita faixa de grama entre a floresta e as tendas.

Ele pensara em voar para dentro, mas as patrulhas aéreas passaram a noite circundando, e se as enfrentasse, se gastasse mais poder do que precisava enquanto também combatia as flechas e a magia que sem dúvida seriam disparadas abaixo... Desperdiçaria reservas vitais de energia. Então seria a pé, uma corrida árdua e brutal até o centro do acampamento. Então para fora, com Aelin ou com Cairn.

Ainda vivo. Precisava manter Cairn vivo por enquanto. Por tempo o suficiente para dispersar o acampamento e chegar a um lugar onde pudessem arrancar cada resposta dele.

Vá, insistiu uma voz baixinha. *Vá agora.*

A irmã de Essar os aconselhara a esperar até o alvorecer. Quando o turno seria mais fraco. Quando ela se certificaria de que alguns guardas não chegariam a tempo.

Vá agora.

Aquela voz, carinhosa, mas insistente, o cutucava. Empurrando-o na direção do acampamento.

Rowan exibiu os dentes, e sua respiração ficou mais intensa. Lorcan e Gavriel estariam esperando pelo sinal, uma faísca da magia dele, quando o guerreiro adentrasse o acampamento o suficiente.

Agora, príncipe.

Rowan conhecia aquela voz, sentira seu calor. E se a própria Senhora da Luz sussurrava em seu ouvido...

Ele não se permitiu considerar nem se revoltar contra a deusa que insistia para que ele agisse, mas que alegremente sacrificaria a parceira dele para o Fecho.

Então Rowan se preparou, impulsionando gelo para as veias.

Calmo. Preciso. Mortal.

Cada golpe das lâminas, cada torrente de poder, precisava valer.

Rowan lançou a magia para a entrada do acampamento.

Os guardas seguraram os pescoços, e escudos fracos oscilaram em torno deles. O príncipe feérico os destruiu com meio pensamento, com sua magia arrancando o ar de seus pulmões, do sangue.

Eles caíram um segundo depois.

Sentinelas gritaram das árvores, e ordens de "Soem o alarme!" ecoaram.

Mas Rowan já estava correndo. E as sentinelas das árvores, cujos gritos permaneciam ao vento conforme arquejavam por ar, já estavam mortas.

~

O céu sangrou lentamente até o alvorecer.

De pé no limite da floresta que ladeava a parte leste do acampamento, com bons três quilômetros de colinas ondulantes e gramadas entre ele e o exército, Lorcan monitorava as tropas agitadas.

Gavriel já se metamorfoseara e o leão da montanha agora caminhava perto da linha das árvores, esperando pelo sinal.

Era difícil não olhar para trás, embora Lorcan não pudesse vê-la. Tinham deixado Elide alguns quilômetros floresta adentro, escondida em um conjunto de árvores que ladeava um vale. Se tudo desse errado, ela fugiria mais para o meio do bosque montanhoso, para cima das antigas montanhas, onde predadores muito mais mortais e espertos do que os feéricos ainda caminhavam.

Ela não oferecera a ele uma palavra de despedida, embora tivesse desejado sorte a todos. Lorcan não conseguira encontrar as palavras certas, de toda forma, então havia partido sem sequer olhar para trás.

Mas ele olhava para trás agora. Rezava para que, caso não voltassem, ela não saísse à caça deles.

Gavriel parou de caminhar de um lado para outro, e suas orelhas estremeceram para o acampamento.

Lorcan enrijeceu.

Uma faísca do poder dele despertou e reluziu.

A morte chamava ali perto.

— É cedo demais — observou o semifeérico, buscando algum indício do sinal de Whitethorn.

As orelhas de Gavriel estavam coladas à cabeça. E ainda assim aqueles gemidos dos moribundos passaram por eles.

26

Aelin engoliu em seco uma vez. Duas. O retrato do medo hesitante conforme permanecia deitada e acorrentada na mesa de metal, com Cairn esperando sua resposta.

Então ela disse, com a voz falhando:

— Quando termina de me destruir no fim do dia, qual é a sensação de saber que você ainda não é nada?

Cairn sorriu.

— Parece que algum fogo ainda resta em você. Que bom.

Ela sorriu de volta pela máscara.

— Você só recebeu o juramento por causa disso. Por mim. Sem mim, você não é nada. Voltará a ser nada. Menos do que nada, pelo que ouvi.

Os dedos de Cairn se fecharam sobre a pederneira.

— Continue falando, vadia. Veremos aonde isso a leva.

Uma risada rouca saiu de dentro de Aelin.

— Os guardas falam quando você não está presente, sabia? Eles se esquecem de que também sou feérica. Consigo ouvir como vocês.

Cairn não disse nada.

— Pelo menos concordam comigo em um ponto. Você é um covarde. Precisa amarrar as pessoas para feri-las porque isso faz com que se sinta macho. — Aelin virou os olhos expressivamente para entre as pernas dele. — Mas é inadequado nas formas que importam.

Um tremor o percorreu.

— Quer que eu lhe mostre o quanto sou *inadequado*?

Ela bufou outra gargalhada, arrogante e tranquila, e olhou para o teto, para o céu que clareava. O último que veria, se fizesse aquilo direito.

Sempre houvera outro, um sobressalente, para tomar seu lugar caso fracassasse. Que a morte dela significasse a de Dorian, que fizesse aqueles deuses odiosos exigirem a vida do príncipe para forjar o Fecho... Não era algo estranho se odiar por isso. Fracassara com pessoas o suficiente, fracassara com Terrasen, de modo que mal sentia esse fardo adicional. Ela não teria muito mais tempo para senti-lo mesmo.

Então Aelin falou na direção do céu, das estrelas:

— Ah, eu sei que não há muito que valha a pena ver nessa área, Cairn. Você não é macho o suficiente para poder usá-lo sem alguém gritando, é? — Diante do silêncio, ela deu um sorriso sarcástico. — Foi o que pensei. Lidei com muitos de sua estirpe na Guilda dos Assassinos. Vocês são todos iguais.

Um grunhido grave.

A jovem apenas riu e ajustou o corpo, como se estivesse se acomodando.

— Vá em frente, Cairn. Faça seu pior.

Fenrys soltou um choro de aviso.

Ela esperou; esperou, mantendo o sorriso, com braços e pernas relaxados.

Uma mão se chocou contra seu estômago, com tanta força que Aelin se curvou conforme seu fôlego foi sugado.

Então outro golpe, nas costelas, e um grito escapou de dentro dela. Fenrys latiu.

Fechaduras estalaram, abrindo-se. Hálito quente fez cócegas em sua orelha quando Cairn a puxou para cima, para fora da mesa.

— As ordens de Maeve podem me manter longe, vadia, mas veremos o quanto você fala depois disso.

As pernas acorrentadas fracassaram em segurá-la antes que Cairn agarrasse a nuca de Aelin e batesse com seu rosto contra a beira da mesa de metal.

Estrelas explodiram, ofuscantes e doloridas, quando metal contra metal e osso estalaram dentro de Aelin. Ela cambaleou, caindo para trás, e os pés acorrentados a derrubaram no chão.

Fenrys latiu de novo, frenético e revoltado.

Mas Cairn estava ali, agarrando os cabelos dela com tanta força que os olhos de Aelin se encheram de água, e ela gritou mais uma vez ao ser arrastada pelo chão na direção daquele grande braseiro aceso.

O macho a colocou de pé pelos cabelos e empurrou seu rosto, coberto pela máscara, adiante.

— Veremos se debocha de mim agora.

O calor imediatamente a queimou, as chamas subindo muito perto da pele. Pelos deuses, pelos deuses, aquele calor...

A máscara se aqueceu no rosto dela, e as correntes ao longo do corpo também.

Apesar de não querer, apesar de seu plano, Aelin fez força para trás. No entanto, Cairn a segurou firme e a empurrou na direção do fogo enquanto o corpo dela se contorcia, lutando por algum bolsão de ar frio.

— Vou derreter tanto sua cara que até mesmo os curandeiros não conseguirão consertar você — sussurrou ele ao seu ouvido, fazendo força para baixo. Os braços e as pernas de Aelin começaram a tremer conforme o calor lhe queimava a pele, assim como as correntes e a máscara.

Ele a empurrou dois centímetros para mais perto das chamas.

O pé de Aelin deslizou para trás, entre as pernas firmes dele. Agora. Precisava ser *agora*...

— Aproveite o gosto do fogo — sibilou ele, e a jovem permitiu que Cairn a empurrasse mais uns centímetros para baixo. Deixou que ele perdesse o equilíbrio, apenas um pouco, então Aelin jogou o corpo não para o alto, mas para *trás*, contra ele, enganchando o pé no tornozelo do feérico quando Cairn cambaleou.

Aelin se virou, chocando o ombro contra o peito do macho, e ele caiu no chão.

Ela correu — ou tentou correr. Com as correntes nos pés e nas pernas, mal conseguia andar, mas cambaleou além dele, sabendo que Cairn já estava se contorcendo, já se levantava.

Corra...

As mãos do guerreiro se fecharam nas suas panturrilhas e puxaram. Ela caiu, seus dentes tiniram ao se chocarem contra a máscara, tirando sangue do lábio.

Então ele estava em cima de Aelin, desferindo golpes na cabeça, no pescoço e no peito.

Ela não conseguia se desvencilhar, pois os músculos estavam exaustos pela falta de uso, apesar de os curandeiros evitarem a atrofia. Não conseguia virá--lo também, embora tentasse.

Cairn tateava atrás deles — em busca de um atiçador de ferro que estava aquecendo no braseiro.

Aelin se debateu, tentando colocar as mãos para cima e sobre a cabeça do macho, para passar aquelas correntes em volta do seu pescoço. Mas estavam presas ao ferro nas laterais do seu corpo, assim como às costas.

Os grunhidos de Fenrys ficaram mais fortes. A mão de Cairn buscou de novo o atiçador. Sem sucesso.

Ele olhou para trás para pegar o instrumento, ousando tirar os olhos de Aelin por um segundo.

Ela não hesitou. Levantou a cabeça e chocou o rosto mascarado contra a cabeça de Cairn.

Ele caiu para trás, e Aelin avançou para as abas da tenda.

Cairn tinha mais controle sobre suas vontades do que Aelin tinha estimado. Ele não a mataria, e o que ela acabara de fazer, provocando-o...

Aelin mal se levantara da posição agachada quando as mãos do macho a agarraram pelos cabelos de novo.

Quando ele a puxou com toda força contra o gaveteiro.

Aelin atingiu o móvel com um estalo que ecoou dentro de si.

Algo na lateral do corpo se partiu, e Aelin gritou, o som soou baixo e quebrado conforme ela colidia com o chão.

⁓

Fenrys vira seu irmão gêmeo enfiar uma faca no coração. Vira Connall sangrar nos azulejos e morrer. E então recebera a ordem de se ajoelhar diante de Maeve naquele mesmo sangue para que a *servisse*.

Ele se sentara em um quarto de pedra durante dois meses, testemunhando o que tinham feito com o corpo de uma jovem rainha, com seu espírito. Incapaz de ajudá-la enquanto a rainha gritava e gritava. Ele jamais deixaria de ouvir aqueles gritos.

Mas foi o som que saiu de dentro de Aelin quando Cairn a atirou contra o gaveteiro em que Fenrys o observara organizar as *ferramentas*, foi o som que ela fez ao atingir o chão, que o destruiu por completo.

Um som baixo. Silencioso. Sem esperanças.

Jamais ouvira algo assim dela, sequer uma vez.

Cairn se levantou e limpou o nariz ensanguentado e quebrado.

Aelin Galathynius se revirava, tentando se levantar apoiada nos antebraços.

Cairn pegou o atiçador vermelho-incandescente do braseiro e apontou para ela como se fosse uma espada.

Fenrys fez força contra as amarras invisíveis quando Aelin olhou em sua direção, para onde ele ficara sentado durante os dois últimos dias, naquele mesmo maldito local ao lado da parede da tenda.

Desespero brilhava nos olhos da jovem.

Desespero verdadeiro, sem luz ou esperança. O tipo de desespero que desejava a morte. O tipo de desespero que começava a erodir força, a comer qualquer determinação de resistência.

Aelin piscou para ele. Quatro vezes. *Estou aqui, estou com você.*

Fenrys sabia o que significava. A última mensagem. Não antes da morte, mas antes do tipo de arrasamento do qual ninguém poderia sair ileso. Antes que Maeve retornasse com o colar de pedra de Wyrd.

Cairn girou o atiçador nas mãos, com calor ondulando da ponta.

E Fenrys não podia permitir aquilo.

Ele não podia permitir. Em sua alma dilacerada, no que restava dele depois de tudo que fora forçado a ver e fazer, não podia permitir.

O juramento de sangue mantinha suas patas plantadas. Uma corrente sombria que se estendia até a alma.

Ele não permitiria. Aquela destruição final.

Ele fez força contra a corrente sombria do juramento, gritando, embora nenhum som saísse do focinho aberto.

Fenrys fez força, de novo e *de novo,* contra aquelas correntes invisíveis, contra aquela ordem do juramento de sangue para obedecer, para recuar, para observar.

Ele o desafiou. Desafiou tudo que o juramento de sangue era.

Dor irradiou por dentro dele, bem no fundo.

Ele a bloqueou, com Cairn ainda apontando o atiçador incandescente para a jovem rainha com um coração de fogo selvagem.

Não permitiria aquilo.

Grunhindo, enquanto o macho dentro dele se debatia, Fenrys urrou para a corrente sombria que o amarrava.

Ele a destroçou, mordendo e rasgando com cada gota de rebeldia que tinha.

Que aquilo o matasse, que o arrasasse. Ele não serviria. Nem por mais um segundo. Ele não obedeceria.

Ele não obedeceria.

E, lentamente, Fenrys ficou de pé.

Dor estremecia por Aelin enquanto ela permanecia estatelada, ofegante, com os braços se esforçando para segurar a cabeça e o peito longe do chão.

Não era para Cairn e o atiçador que ela olhava.

Mas para Fenrys, levantando-se, com o corpo ondulando com tremores de dor, com o focinho franzido de raiva.

Até mesmo Cairn parou. Olhando para o lobo branco.

— *Para trás.*

Fenrys grunhiu, grave e cruel. Ainda assim, lutou para ficar de pé.

Cairn apontou o atiçador para o tapete.

— *Deite. Esta é uma ordem de sua rainha.*

Fenrys teve espasmos, os pelos se arrepiaram. Mas ele estava de pé.

De pé.

Apesar da ordem, apesar dos comandos do juramento de sangue.

Levante.

De longe, as palavras soaram.

Cairn rugiu:

— *Deite!*

A cabeça de Fenrys se virou de um lado para outro, o corpo dava guinadas contra correntes invisíveis. Contra um juramento invisível.

Os olhos escuros encontraram os de Cairn.

Sangue começou a escorrer da narina do lobo.

Aquilo o mataria — cortar o juramento. Aquilo partiria a alma de Fenrys. O corpo iria logo em seguida.

Mas ele colocou uma pata adiante. As garras se enterraram no chão.

O rosto de Cairn empalideceu diante do passo. Daquele passo impossível.

Os olhos de Fenrys se voltaram para os de Aelin. Nenhum dos dois precisou do código silencioso entre eles para a palavra que Aelin viu no olhar do lobo. A ordem e a súplica.

Fuja.

Cairn também leu a palavra.

E sibilou:

— Com a coluna destruída, ela não pode. — Então desceu o atiçador na direção das costas de Aelin.

Com um rugido, Fenrys saltou.

E com isso, ele partiu o juramento de sangue completamente.

27

Lobo e feérico saíram rolando pelo tapete, rugindo e lacerando.

Fenrys avançou para o pescoço de Cairn, com o imenso corpo prendendo o macho, mas Cairn colocou os pés entre os dois e *chutou*.

Aelin se impulsionou para cima, desejando que as pernas tivessem força conforme ela se ajoelhava ao lado do gaveteiro. Fenrys se chocou contra a lateral da mesa de metal, mas imediatamente se moveu, atirando o corpo contra o outro macho.

Um chiado baixo soou próximo, e Aelin ousou virar o rosto, então encontrou o atiçador caído à direita.

Ela girou os pés da direção dele, colocando o centro das correntes que prendiam seus tornozelos sobre a ponta vermelho-incandescente.

Devagar, os elos no centro se aqueceram.

Lobo e feérico se chocaram em um emaranhado de garras e punhos e dentes, então se afastaram com um salto.

Partir o juramento de sangue — aquilo o mataria.

Aqueles eram seus últimos fôlegos, as últimas batidas de seu coração.

— Vou arrancar o pelo de seus ossos — disse Cairn, ofegante.

Fenrys respirava com dificuldade, e sangue escorria entre os dentes conforme o lobo colocava uma pata à frente da outra, caminhando em círculo. O olhar dele não se desviava do de Cairn conforme se moviam, avaliando um ao outro em busca do golpe final.

Os elos no centro da corrente começaram a brilhar.

Acima, o céu clareara até ficar cinza.

Fenrys e Cairn circularam de novo, um passo após o outro. Cansando-o, exaurindo-o. Cairn sabia o custo de partir o juramento de sangue. Sabia que só precisava esperar até que Fenrys morresse.

Fenrys também sabia.

Ele avançou, e seus dentes se abriram para o pescoço do outro macho enquanto as patas dispararam para as canelas.

Aelin pegou o atiçador, firmou os calcanhares e empurrou o objeto para cima, fazendo pressão contra os elos aquecidos na corrente e empurrando os pés para baixo sem vacilar, embora seus braços tremessem.

Cairn e Fenrys rolaram, e Aelin trincou os dentes, urrando.

A corrente entre as pernas dela se partiu.

Era tudo de que precisava.

Aelin se colocou de pé, mas parou. Fenrys, preso por Cairn, encontrou o olhar dela. Grunhiu em aviso e comando.

Fuja.

Cairn virou a cabeça para ela. Para a corrente pendendo, solta, entre os tornozelos de Aelin.

— *Você...*

Mas Fenrys avançou, fechando a mandíbula no ombro de Cairn.

O macho gritou, arqueando-se, agarrando as costas de Fenrys.

O lobo encontrou o olhar dela de novo, lacerando o ombro de Cairn mesmo enquanto o macho os jogava contra a beira da mesa. Ele bateu a coluna de Fenrys no metal com tanta força que osso se partiu.

Fuja.

Aelin não hesitou. Ela correu para as abas da tenda.

E para a manhã além delas.

~

Quase um quilômetro até o acampamento. Até a tenda.

Os soldados tinham respondido como Rowan antecipara, e ele os matara de acordo.

Aves de rapina mergulharam na sua direção, atacando com vento e gelo de cima. Rowan destruiu a magia delas com um rompante da própria, dispersando-as.

Então um aglomerado de guerreiros avançou por trás de uma fileira de tendas.

Alguns o viram e correram de volta por onde tinham vindo. Todos soldados que Rowan treinara. E alguns que ele não treinara. Mas muitos ficaram para lutar.

O príncipe feérico destruiu os escudos inimigos e arrancou o ar do pulmão deles. Alguns viram o machado disparando contra seus pescoços.

Perto. Tão perto daquela tenda. Rowan faria sinal para Lorcan e Gavriel em um momento. Quando estivesse perto o suficiente para precisar de distração a fim de sair.

Outro ataque de soldados disparou contra ele, e Rowan inclinou a longa faca. Seu poder estourou as flechas disparadas, então estourou os arqueiros. Transformando todos em farpas ensanguentadas.

28

Aelin corria.

As pernas enfraquecidas tropeçavam na grama, as mãos ainda atadas restringiam a totalidade dos movimentos, mas ela corria. Escolhera uma direção, qualquer direção que não fossem as névoas do rio à esquerda, e correra.

O sol nascia, e o acampamento do exército... Havia movimento atrás dela. Gritos.

Aelin ignorou aquilo e mirou para a direita. Na direção do sol nascente, como se fosse o abraço acolhedor da própria Mala.

Ela não conseguia puxar ar suficiente pela fenda fina da máscara, mas continuou se movendo, passando pelas tendas, passando por soldados que viravam a cabeça para ela, como se estivessem confusos. Aelin segurava firme o atiçador nas mãos calçadas em ferro, recusando-se a ver o motivo da comoção, se Cairn a perseguia.

Mas então ela as ouviu. Ordens vociferadas.

Passos apressados na grama atrás, aproximando-se. Pessoas adiante alertadas pelos gritos.

Com pés descalços disparando pelo chão, as pernas exaustas gritavam para que ela parasse.

Mesmo assim, Aelin mirou o horizonte leste. Na direção das árvores e das montanhas, para o sol que despontava acima delas.

E quando o primeiro dos soldados bloqueou seu caminho, gritando para que parasse, ela inclinou o atiçador de ferro e não hesitou.

A morte cantava para Lorcan.

Pelas aves de rapina que disparavam mais e mais longe no acampamento, ele sabia que Whitethorn estava perto da tenda de Cairn.

Em breve, receberiam o sinal.

Lorcan e Gavriel controlavam a respiração, preparando o poder. Aquilo latejava dentro de ambos, como ondas gêmeas subindo.

Mas a morte começou a chamar em outro lugar do acampamento.

Mais perto deles. Movendo-se com rapidez.

Lorcan observou o céu que clareava, o limite das primeiras tendas. A entrada com os guardas.

— Alguém está se movendo nesta direção — murmurou ele para Gavriel.

— Mas Whitethorn ainda está lá.

Fenrys. Ou Connall, quem sabe. Talvez a irmã de Essar, de quem ele jamais gostara. Mas não dava a mínima para isso se ela não os tivesse traído.

Lorcan apontou para o norte da entrada.

— Tome aquele lado. Esteja pronto para atacar pelo flanco.

Gavriel disparou, um predador despercebido, pronto para atacar assim que Lorcan avançasse pela frente.

A morte brilhava. Whitethorn estava quase no centro do acampamento. E aquela força se aproximando da entrada leste...

Ao inferno com a espera.

Lorcan se afastou do abrigo das árvores, e poder sombrio rodopiou, preparando-se para encontrar o que quer que irrompesse da linha das tendas.

Libertando a espada ao lado do corpo, ele observava o céu, o acampamento, o mundo, conforme a morte lampejava, conforme o sol nascente emoldurava a grama ondulante e fazia o orvalho evaporar.

Nada. Nenhum indício do que, de quem...

E ele chegara à primeira das passagens que dava para o limite do acampamento, as depressões eram estreitas e íngremes, quando Aelin Galathynius surgiu.

Lorcan não esperava o soluço na própria garganta ao vê-la correndo entre as tendas, ao ver a máscara de ferro e as correntes, as mãos ainda atadas.

Ao ver o sangue que encharcava sua pele, a camisola branca curta, os cabelos, mais longos do que quando a vira pela última vez, grudados à cabeça com sangue.

Os joelhos de Lorcan pararam de funcionar, e mesmo a magia hesitou ao ver a corrida selvagem e desesperada da jovem até o limite do acampamento.

Soldados corriam na direção de Aelin.

Lorcan se colocou em movimento, disparando a magia para todos os lados. Não para ela, mas para Whitethorn, que ainda avançava para o centro do acampamento.

Ela está aqui, ela está aqui, ela está aqui, sinalizou ele.

Mas Lorcan estava longe demais, as saliências e depressões gramadas entre eles pareceram infinitas quando dez soldados convergiram para Aelin, bloqueando seu caminho na direção do campo aberto.

Um deles desceu a espada, um golpe que partiria o crânio dela em dois.

O tolo não percebeu quem enfrentava. O que enfrentava.

Que não era uma rainha cuspidora de fogo presa por ferro que avançava contra ele, mas uma assassina.

Girando e erguendo os braços, Aelin enfrentou a espada de frente.

Exatamente como planejara.

A espada do macho errou o alvo desejado, mas acertou precisamente onde ela queria.

No centro das correntes que atavam suas mãos.

Ferro se partiu.

Então a espada do macho estava nas mãos livres de Aelin. E, em seguida, o pescoço dele jorrava sangue.

Aelin se virou, chocando-se contra os outros soldados que estavam entre ela e a liberdade. Mesmo ao correr até ela, Lorcan só conseguia olhar boquiaberto para o que acontecia.

Aelin acertava antes que eles soubessem para onde se virar. Golpe, defesa, avanço.

Com a outra mão, ela pegou uma das adagas deles.

Então terminou. Não restava nada entre ela e a entrada do acampamento além dos seis guardas que sacavam as armas...

Lorcan avançou com a magia, uma rede mortal de poder que fez aqueles guardas caírem de joelhos. Pescoços se partiram.

Aelin não hesitou quando eles desabaram no chão. Ela avançou para além deles, mirando diretamente para o campo e as colinas. Para onde Lorcan estava, também correndo até ela.

Ele sinalizou de novo. *Até mim, até mim.*

Se Aelin reconheceu aquilo, ou ele, correu naquela direção mesmo assim.

Inteiro. O corpo dela parecia inteiro, mas estava tão magra, as pernas cheias de sangue se esforçavam para mantê-la de pé.

Havia um campo ondulante de calombos íngremes e depressões entre os dois. Lorcan xingou.

Ela não conseguiria, não por cima daquele terreno, não exausta daquela forma...

Mas conseguiu.

Aelin desapareceu na primeira depressão, e a magia de Lorcan disparou sem parar. Para ela, para Whitethorn.

E então ela subiu, despontando na colina, e ele viu a lentidão tomando conta, a exaustão completa de um corpo no limite.

Flechas dispararam de arcos, e uma parede delas avançou para o céu, mirando naquelas colinas expostas.

Lorcan lançou uma onda de poder, partindo-as.

Mesmo assim, mais foram disparadas. Disparos únicos dessa vez, de tantas direções que ele não conseguia distinguir as fontes. Arqueiros treinados, alguns dos melhores de Maeve. Aelin precisava...

Já estava.

Ela começou a ziguezaguear, privando-os de um alvo fácil.

Da esquerda para a direita, disparava pelas colinas, mais devagar a cada saliência que ultrapassava, cada passo na direção de Lorcan, conforme ele corria até ela, cem metros restantes entre eles.

Uma flecha disparou para as costas dela, mas Aelin desviou para o lado, escorregando em grama e terra. Ela se levantou de novo em um segundo, com as armas ainda na mão, avançando para as colinas e depressões entre eles.

Outra flecha direcionada para ela, e Lorcan fez menção de parti-la, mas uma parede ouro reluzente chegou lá primeiro.

Do norte, saltando sobre as depressões, Gavriel avançou. Aelin desapareceu em um buraco na terra, e quando emergiu, o Leão surgiu ao seu lado, colocando um escudo dourado ao redor de Aelin. Não perto dela — mas no ar em volta deles. Incapaz de tocá-la completamente por causa da máscara de ferro e das correntes que pendiam do corpo. Das luvas de ferro nas mãos.

Soldados dispararam para fora do acampamento, e Lorcan lançou um vento escuro, açoitando-os. Onde os tocava, eles morriam. E aqueles que não morreram encontraram um escudo impenetrável impedindo o caminho até o campo.

Ele o ampliou o máximo que pôde. Com ou sem juramento de sangue, ainda eram seu povo. Seus soldados. Lorcan impediria a morte deles se pudesse. Protegendo-os de si mesmos.

Aelin estava cambaleando, e Lorcan atravessou a última das colinas entre eles.

Ele abriu a boca, para gritar o que, nem ele sabia, mas um rugido cortou o céu azul.

O soluço que saiu de Aelin ao ouvir o urro de fúria do gavião partiu o peito de Lorcan.

Mas ela continuou correndo para as árvores, para o abrigo delas. Lorcan e Gavriel passaram a correr ao seu lado, e quando Aelin tropeçou de novo, aquelas pernas finas demais cedendo, Lorcan a segurou por baixo do braço e a puxou consigo.

Tão rápido quanto uma estrela cadente, Rowan mergulhou até eles e os alcançou ao passarem pela primeira das árvores, metamorfoseando-se ao aterrissar. Eles pararam subitamente, e Aelin se atirou no chão coberto de pinhos.

Rowan estava imediatamente diante dela, com as mãos seguindo para a máscara no rosto, as correntes, o sangue que cobria seus braços, o corpo dilacerado...

Aelin soltou outro soluço, então gemeu:

— Fenrys.

Foi preciso um momento para que Lorcan entendesse. Foi preciso que ela apontasse para trás deles, para o acampamento, ao dizer novamente, como se a fala estivesse além dela:

— Fenrys.

O lobo branco permanecia com Cairn. No acampamento. Aelin apontou de novo, chorando.

Rowan se virou.

O ódio nos olhos dele poderia devorar o mundo. E aquele ódio estava prestes a extrair o tipo de vingança que apenas um macho que encontrara sua parceira poderia comandar.

Os caninos dele brilharam, mas a voz saiu mortalmente baixa quando o guerreiro disse a Lorcan:

— Leve-a para o vale. — Um movimento do queixo para Gavriel. — Você vem comigo.

Com um último olhar na direção de Aelin, o ódio gélido como uma tempestade que se formava no vento, o príncipe e o Leão se foram, avançando de volta para o acampamento caótico e ensanguentado.

29

Com o acampamento em caos completo, foi muito mais fácil entrarem.

O poder de Rowan disparou para o limite oeste, destruindo tendas e ossos. Quaisquer soldados que permanecessem entre o limite leste do acampamento e o centro correram até lá.

Liberando o caminho. Direto para a tenda que ele estivera tão próximo de alcançar quando o poder de Lorcan tinha disparado. Um sinal.

De que a haviam encontrado. Ou que ela os havia encontrado, ao que parecia.

E quando Rowan a viu, primeiro do céu e depois ao lado dela, quando cheirou o sangue dela e de outros, quando viu as correntes e a máscara de ferro presas sobre seu rosto, quando a viu *soluçando* ao vê-lo, com terror e desespero lhe envolvendo o cheiro...

O ódio que tinha se acumulado dentro dele não deixava espaço para piedade. Nenhuma brecha para compaixão.

Não havia nenhuma das duas coisas nele conforme passava sorrateiro com Gavriel pelo último aglomerado de tendas até chegar à maior, situada em um círculo de grama livre. Como se ninguém pudesse suportar ficar perto de Cairn.

Fenrys estava com ela. Ou estivera.

Pelo silêncio do lado de dentro, ele se perguntou se o lobo estaria morto.

Gavriel se transformou na forma feérica e tirou uma faca do quadril. Um olhar trocado entre os dois transmitiu uma ordem de silêncio conforme Rowan lançou um filete de vento flutuando para dentro da tenda.

Ele cantou de volta que haviam duas formas de vida. Ambas feridas. O ar estava carregado com sangue. Era tudo de que precisava.

Silenciosos como a brisa na grama, os guerreiros deslizaram entre as abas da tenda. Rowan não sabia para onde olhar primeiro.

Para o lobo e o feérico estatelados no chão.

Ou para o caixão de ferro do outro lado da tenda.

A caixa de ferro na qual a haviam trancafiado.

Precisara ser reforçada, ao que parecia, devido à soldagem descuidada nas placas espessas sobre ela.

A caixa era tão pequena. Tão estreita.

O cheiro do sangue e do medo de Aelin saturava a tenda. Emanava daquela caixa.

Uma mesa de metal estava próxima.

E sob ela...

Rowan observou os três braseiros apagados dispostos ali abaixo, as âncoras de corrente na cabeça e ao pé da mesa, e por fim olhou para o macho feérico deixado ensanguentado, mas ainda vivo, no chão diante de Fenrys.

Fenrys, sobre o qual Gavriel já estava agachado, com a luz dourada de poder envolta sobre a pele encharcada de sangue. Curando-o. O lobo branco não voltou à consciência, mas sua respiração se estabilizou. Foi suficiente.

— Cure-o — ordenou Rowan, com a voz mortalmente baixa. O Leão olhou para cima e viu que o olhar do príncipe feérico não estava mais sobre o lobo. Mas em Cairn.

Pedaços de carne tinham sido arrancados do corpo do macho. Um calombo na têmpora informava a Rowan que fora aquele golpe que o deixara inconsciente. Como se Fenrys tivesse batido o crânio de Cairn na lateral daquela mesa de metal e então desabado a poucos centímetros de distância.

Desabado, talvez não devido aos ferimentos, mas... Rowan se sobressaltou. O que acontecera ali, o que fora tão terrível que o lobo conseguira fazer o impossível para poupar Aelin de suportar aquilo?

Os olhos amarelados de Gavriel brilharam com cautela. Rowan apontou para Cairn de novo.

— Cure-o.

Não tinham muito tempo. Não para fazer o que ele queria. O que precisava.

Algumas das gavetas no gaveteiro alto haviam sido arrancadas. Ferramentas polidas reluziam ali dentro.

Uma sacola delas também fora disposta em um pedaço de veludo preto ao lado da mesa de metal.

O sangue dela cantava sobre dor e desespero, sobre terror absoluto.

Sua Coração de Fogo.

A magia de Gavriel reluziu, e luz dourada se acomodou sobre Cairn.

Rowan observou as ferramentas que Cairn dispusera, assim como aquelas no gaveteiro. Cuidadosa e racionalmente, ele escolheu uma.

Uma faca fina e afiada. A ferramenta de um curandeiro, destinada para incisões limpas e para raspar fora a podridão.

Cairn gemeu quando a inconsciência cedeu, e quando acordou, acorrentado àquela mesa de metal, Rowan estava pronto.

O macho olhou para quem estava de pé sobre ele, para a ferramenta na mão tatuada de Rowan, para as demais que ele também dispusera naquele pedaço de veludo, e começou a se debater. As correntes de ferro o seguraram firme.

Então Cairn viu o ódio gélido nos olhos de Rowan, entendeu o que ele pretendia fazer com aquela faca tão afiada e uma mancha escura surgiu na frente da calça dele.

Rowan envolveu a tenda com um vento beijado pelo gelo, bloqueando todo o som, e começou.

30

O estrondo do conflito ecoava pela terra, mesmo a quilômetros de distância. No fundo das colinas ásperas de uma floresta antiga, Elide já esperava por horas. Primeiro tremendo no frio, depois observando o céu sangrar até se tornar cinza, então, por fim, azul. E com aquela última transição, o clamor começara.

Ela havia alternado entre caminhar de um lado para outro no vale musguento, entremear pelas rochas cinza espalhadas entre a vegetação e se sentar contra uma das árvores altas de tronco espesso naquele silêncio latejante, tornando-se tão pequena e quieta quanto possível. Gavriel jurara que nenhuma das bestas estranhas ou ferozes daquelas terras caminharia tão perto de Doranelle, mas Elide não quisera arriscar. Então tinha permanecido no vale, onde lhe fora dito que esperasse.

Que esperasse por eles. Ou que esperasse até que as coisas dessem tão errado que ela precisaria encontrar o próprio caminho. Talvez fosse procurar Essar, se chegasse a esse ponto...

Não chegaria a esse ponto. Ela jurou, de novo e de novo. Não *poderia* chegar àquele ponto.

O sol da manhã começava a aquecer a sombra fria quando ela os viu.

Viu antes de ouvir, porque os pés eram silenciosos no leito da floresta, por conta da graciosidade imortal e do treinamento. O fôlego estremeceu para fora dela quando Lorcan surgiu entre duas árvores incrustadas de musgo, com os olhos já fixos nela. E um passo atrás dele, cambaleando junto...

Elide não soube o que fazer. Com o corpo, com as mãos. Não soube o que dizer quando Aelin cambaleou sobre raízes e pedras, a máscara e as correntes tilintando, sangue encharcando-a. Não apenas sangue dos próprios ferimentos, mas de outros.

Ela estava magra, os cabelos dourados tão mais longos. Longos demais, mesmo com o tempo longe. Chegavam quase ao umbigo, e a maior parte estava escura com sangue seco. Como se tivesse corrido por uma chuva de sangue.

Nenhum sinal de Rowan ou de Gavriel. Mas nenhum luto no rosto de Lorcan, nada além de urgência, considerando como ele monitorava o céu, as árvores. Procurando algum perseguidor.

Aelin parou no limite da clareira. Os pés estavam descalços, e a camisola fina e curta que usava não revelava ferimentos grandes.

Mas havia pouco reconhecimento em seus olhos, sombreados pela máscara. Lorcan disse à rainha:

— Esperaremos por eles aqui.

Aelin, como se o corpo não pertencesse direito a ela, ergueu as mãos acorrentadas e cobertas pelo metal. A corrente que as unia tinha sido partida, e os pedaços pendiam de cada luva. Assim como aqueles nos tornozelos.

Ela puxou uma das luvas de metal. A luva não cedeu.

Ela puxou de novo. A luva sequer se moveu.

— Tire isso.

A voz dela estava baixa, séria.

Elide não sabia para qual dos dois Aelin dera a ordem, mas antes que conseguisse cruzar a clareira, Lorcan segurou o pulso da rainha para examinar as fechaduras.

Um canto da sua boca se contraiu. Não havia modo fácil de libertá-las, então.

Elide se aproximou, com o coxear novamente acentuado, uma vez que a magia de Gavriel estava ocupada.

As luvas tinham sido presas no pulso, sobrepondo-se levemente aos grilhões. Ambos tinham pequenos buracos para chave. Ambos eram feitos de ferro.

Elide se moveu um pouco, apoiando o peso do corpo na perna sã, para enxergar onde a máscara estava presa atrás da cabeça de Aelin.

Aquela fechadura era mais complicada do que as demais, as correntes eram espessas e antigas.

Lorcan tinha prendido a ponta de uma fina adaga no fecho da luva e a inclinava, tentando arrombar o mecanismo.

— Tire isso. — As palavras guturais da rainha foram engolidas pelas árvores cobertas de musgo.

— Estou tentando — disse Lorcan, não delicadamente, embora certamente sem a frieza habitual.

A adaga raspou a fechadura, sem sucesso.

— Tire isso. — A rainha começou a tremer.

— Estou...

Aelin arrancou a adaga dele, e metal tilintou contra metal conforme ela enfiava a ponta da lâmina na fechadura. A adaga se agitou na mão envolta em ferro dela.

— Tire isso — sussurrou Aelin, com os lábios se afastando dos dentes. — *Tire isso.*

Lorcan fez menção de pegar a adaga, mas ela se inclinou para longe. Ele disparou:

— Essas fechaduras são inteligentes demais. Precisamos de um chaveiro decente.

Ofegando entre os dentes trincados, Aelin enterrou e torceu a adaga no fecho da luva. Um estalo ecoou pela clareira.

Mas não foi a fechadura. Aelin tirou a adaga e revelou a ponta quebrada e lascada. Um caco de metal caiu do fecho para o musgo.

A rainha encarou a lâmina quebrada, o caco caído no verde que amortecia os pés descalços e ensanguentados, e seu fôlego veio mais e mais rápido.

Então ela soltou a adaga no musgo e começou a tentar arrancar com as próprias mãos os grilhões nos braços, as luvas nas mãos, a máscara no rosto.

— Tire isso — implorava ela ao arranhar e puxar e sacudir. — *Tire isso!*

Elide estendeu a mão para Aelin, para impedi-la antes que arrancasse a pele da carne, mas a rainha desviou, cambaleando mais para o meio da clareira.

Ela caiu de joelhos, curvando-se sobre eles, e puxou a máscara.

A proteção sequer se moveu.

Elide olhou para Lorcan. Ele estava congelado, com os olhos arregalados enquanto Aelin se ajoelhava no musgo, enquanto o fôlego ficava carregado de soluços.

Ele fizera aquilo. Levara-os àquela situação.

Elide deu um passo na direção de Aelin.

As luvas da rainha arrancavam sangue de onde a arranhavam no pescoço, na mandíbula, conforme Aelin ofegava contra a máscara.

— *Tire isso!* — A súplica se transformou em um grito. — *Tire isso!*

De novo e de novo, a rainha gritava:

— *Tire isso, tire isso, tire isso!*

Ela chorava entre os gritos; os sons se estilhaçavam pela floresta antiga. Ela não dizia outras palavras. Não suplicava a deuses ou ancestrais.

Apenas aquelas palavras, de novo e de novo e de novo.

Tire isso, tire isso, tire isso.

Movimento irrompeu entre as árvores atrás deles, e o fato de que Lorcan não pegou as armas disse a Elide quem era. Mas qualquer alívio durou pouco quando Rowan e Gavriel emergiram, com um imenso lobo branco sendo puxado entre eles. O lobo cuja mandíbula se fechara no braço de Elide, arrancando a carne até chegar ao osso. Fenrys.

Ele estava inconsciente, com a língua pendurada do focinho ensanguentado. Rowan mal entrara na clareira, mas soltou o lobo e correu para Aelin.

O príncipe estava coberto de sangue. Pelos passos desobstruídos, Elide sabia que não era dele.

Pelo sangue que cobria seu queixo, seu pescoço... Ela não queria saber.

Aelin puxava a máscara irremovível, sem notar ou sem se importar com o príncipe diante dela. Seu consorte, marido e parceiro.

— Aelin.

Tire isso, tire isso, tire isso.

Os gritos dela eram insuportáveis. Piores do que aqueles no dia da praia em Eyllwe.

Gavriel ficou de pé ao lado de Elide, a pele pálida conforme ele observava a rainha em pânico.

Lentamente, Rowan se ajoelhou diante dela.

— Aelin.

Ela apenas inclinou a cabeça para cima, para o dossel da floresta, e soluçou.

Sangue dos arranhões que ela havia feito na pele escorreu pelo pescoço, misturando-se com aquele que já a cobria.

Rowan esticou as mãos trêmulas, o único sinal da dor que Elide não tinha dúvidas de que tomava conta do feérico, e carinhosamente as colocou nos pulsos da parceira; carinhosamente, ele fechou os dedos em torno deles, impedindo os violentos arranhões e sulcos.

Aelin chorou, e seu corpo tremeu com a força.

— *Tire isso.*

Os olhos de Rowan brilharam, pânico e mágoa e desejo reluziam ali.

— Vou tirar. Mas precisa ficar parada, Coração de Fogo. Apenas por alguns momentos.

— *Tire isso.* — Os soluços diminuíram, transformando-se em algo arrasado e violento. Rowan passou os polegares pelos pulsos da jovem, por aqueles grilhões de ferro. Como se não passassem da pele dela. Lentamente, os tremores diminuíram.

Não, não diminuíram, percebeu Elide quando Rowan ficou de pé e caminhou para trás da rainha. Mas foram contidos, voltados para dentro. Tremores passavam pelo corpo tenso de Aelin, mas ela permanecia parada enquanto Rowan examinava a fechadura.

Mas algo como choque, então horror e tristeza lampejaram pelo rosto de Rowan enquanto observava as costas de Aelin. Aquilo sumiu assim que surgiu.

Um olhar, e Gavriel e Lorcan passaram para o lado dele, os passos dos dois eram lentos. Sem ameaças.

Do outro lado da pequena clareira, Fenrys permanecia apagado, a pelagem branca estava encharcada de sangue.

Elide apenas caminhou até Aelin e ocupou o lugar em que Rowan estivera.

Os olhos da rainha estavam fechados, como se fosse necessária toda a sua concentração para permanecer imóvel por mais um segundo, para permitir que eles olhassem, para não tentar arrancar o ferro.

Então Elide não disse nada, não exigiu nada dela, apenas ofereceu companhia, caso precisasse.

Atrás de Aelin, o rosto manchado de sangue de Rowan parecia sombrio conforme ele estudava a fechadura que prendia as correntes da máscara à parte de trás da cabeça da jovem. As narinas dele se dilataram levemente. Ódio, frustração.

— Jamais vi uma fechadura assim — murmurou Gavriel.

Aelin começou a tremer de novo.

Elide colocou a mão no joelho de Aelin. Ela o arranhara até ficar em carne viva. Havia lama e grama presas na pele incrustada de sangue.

Ela esperou que a rainha a empurrasse para longe, mas Aelin não se moveu. Manteve os olhos fechados e a respiração irregular firme.

Rowan segurou uma das correntes que prendia a máscara e assentiu para Lorcan.

— A outra.

Silenciosamente, Lorcan pegou a outra ponta. Eles cortariam o ferro se precisassem.

Elide prendeu o fôlego quando os dois machos puxaram, com os braços tremendo.

Nada.

Eles tentaram de novo. A respiração de Aelin estremeceu. Elide apertou a mão que mantinha sobre o joelho da rainha.

— Ela conseguiu cortar as correntes nos tornozelos e nas mãos — observou Gavriel. — Não são indestrutíveis.

Mas com as correntes na máscara tão perto da cabeça de Aelin, um golpe de espada era impossível. Ou talvez a máscara tivesse sido feita de ferro muito mais forte.

Rowan e Lorcan grunhiram ao puxarem as correntes. Era inútil.

Ofegando levemente, eles pararam. Marcas vermelhas brilhavam nas mãos dos dois.

Tinham tentado usar a magia para partir o ferro.

Silêncio recaiu sobre a clareira. Não podiam permanecer ali — não por muito mais tempo. Mas levar Aelin com as correntes, quando ela estava tão desesperada para se livrar delas...

Os olhos de Aelin se abriram.

Estavam vazios. Completamente exaustos. Uma guerreira aceitando a derrota.

Elide falou abruptamente, buscando qualquer coisa que afastasse aquele vazio:

— Havia uma chave? Você os viu usando uma chave?

Duas piscadelas. Como se isso quisesse dizer algo.

Rowan e Lorcan puxaram de novo, fazendo força.

Mas o olhar de Aelin recaiu sobre o musgo, as pedras. Semicerrou-se levemente, como se a pergunta tivesse sido compreendida. Pelo pequeno buraco na máscara, Elide mal conseguia vê-la dizer as palavras, sem som. *Uma chave*.

— Não a tenho... não as temos — respondeu Elide, sentindo a direção dos pensamentos de Aelin. — Manon e Dorian as têm.

— Silêncio — sibilou Lorcan. Não para o volume da voz dela, mas para a informação letal que Elide revelara.

Aelin, novamente, piscou duas vezes com aquela intenção estranha.

Rowan grunhiu para as correntes, ofegante de novo.

Mas Aelin estendeu a mão para o musgo e traçou uma forma.

— O que é isso? — Elide se inclinou para a frente quando a rainha fez aquilo outra vez, o rosto vazio estava ilegível.

Os machos feéricos pararam diante da pergunta e observaram o dedo de Aelin se mover pelo verde.

— Uma marca de Wyrd — disse Rowan, baixinho. — Para abrir.

Aelin traçou de novo, calada e imóvel. Como se nenhum deles estivesse ali.

— Elas funcionam em ferro? — perguntou Gavriel, acompanhando o dedo de Aelin.

— Ela destrancou portas de ferro na biblioteca real de Adarlan com esse símbolo — murmurou Rowan. — Mas precisou...

Ele deixou as palavras pairarem, inacabadas, ao pegar a faca quebrada que Aelin descartara no musgo ali perto e cortar a palma da mão.

Ajoelhando diante dela, Rowan estendeu a mão ensanguentada.

— Mostre, Coração de Fogo. Mostre de novo. — Ele bateu no tornozelo dela, envolto por aquele grilhão.

Silenciosamente, com os movimentos contidos, Aelin se inclinou para a frente. Ela cheirou o sangue que cobria a mão de Rowan, e as narinas dela se dilataram. Os olhos de Aelin se ergueram até os dele, como se o cheiro do sangue do macho trouxesse alguma pergunta.

— Sou seu parceiro — sussurrou ele, como se fosse a resposta que ela buscava. E o amor nos olhos dele, na forma como a voz falhou, com a mão ensanguentada tremendo... A garganta de Elide deu um nó.

Aelin apenas olhou para o sangue que se empoçava na palma da mão em concha de Rowan. Os dedos dela se fecharam, e a luva estalou. Como se fosse outra resposta também.

— Ela não consegue fazer com o ferro — disse Elide. — Se está nas mãos dela. Interfere com a magia no sangue.

Um piscar de olhos de Aelin, naquela língua silenciosa.

— Foi por isso que ela as colocou em você, não foi? — ressaltou Elide, com o peito apertado. — Para ter certeza de que você não poderia usar o próprio sangue com as marcas de Wyrd para se libertar. — Como se todo o ferro restante não bastasse.

Outro piscar de olhos, o rosto dela ainda tão vazio e frio. Cansado.

A mandíbula de Rowan trincou. Mas ele apenas mergulhou o dedo no sangue na palma da mão e ofereceu a mão para ela.

— Mostre para mim, Coração de Fogo — repetiu ele.

Elide podia ter jurado que ele tinha tremido quando a mão envolta em metal de Aelin se fechara na dele, porém não de medo.

Em movimentos pausados e curtos, ela guiou o dedo dele para traçar o símbolo no grilhão em volta do tornozelo.

Um brilho fraco de luz esverdeada, então...

O chiado e o suspiro da fechadura preencheram a clareira. O grilhão caiu no musgo.

Lorcan xingou.

Rowan ofereceu a mão e o sangue de novo. O grilhão em torno do outro tornozelo cedeu diante da marca de Wyrd.

Então os braceletes em torno dos pulsos dela. E as lindas e terríveis luvas caíram no musgo.

Aelin levou as mãos expostas ao rosto, buscando a fechadura atrás da máscara, mas parou.

— Eu faço — disse Rowan, com a voz ainda baixa, ainda cheia daquele amor. Ele se moveu para trás dela, e Elide encarou a máscara horrível, os sóis e as chamas entalhados e gravados ao longo da antiga superfície.

Um clarão de luz, um clique de metal, e então ela caiu, aberta.

Seu rosto estava pálido — tão pálido, todos os traços da cor bronzeada de sol tinham sumido.

E vazio. Alerta, porém não.

Cauteloso.

Elide se manteve calada, deixando que a rainha a avaliasse. Os machos se moveram para encará-la, e Aelin ergueu o rosto para um de cada vez. Gavriel, que fez uma reverência com a cabeça. Lorcan, que a encarou de volta diretamente, com o olhar sombrio indecifrável.

E Rowan. Rowan, cuja respiração se tornou irregular, cujo engolir seco foi audível.

— Aelin?

O nome, ao que parecia, também foi como uma chave.

Não para a rainha que ela conhecera por tão pouco tempo, mas para o poder dentro dela.

Elide se encolheu quando chamas, douradas e incandescentes, irromperam em torno da rainha. A camisola foi queimada até virar cinzas.

Lorcan a puxou para trás, e a jovem permitiu, mesmo quando o calor se dissipou. Mesmo quando a chama de poder se contraiu em uma aura em torno da rainha, uma segunda pele reluzente.

Aelin se ajoelhou ali, queimando, e não falou nada.

As chamas crepitavam em torno dela, embora o musgo e as raízes não queimassem. Nem mesmo fumegassem. E em meio ao fogo, com os cabelos longos de Aelin escondendo um pouco da nudez, Elide conseguiu ver direito o que fora feito a ela.

Exceto por um hematoma nas costelas, não havia nada.

Uma marca. Um calo.

Sequer uma cicatriz. Aquelas que Elide observara nos dias antes de Aelin ter sido levada tinham sumido.

Como se alguém as tivesse limpado.

⇥ 31 ⇤

Tinham lhe tirado as cicatrizes.

Maeve havia tirado todas elas.

Isso dizia o bastante a Rowan a respeito do que fora feito. Quando ele vira as costas dela, a pele lisa onde as cicatrizes de Endovier e as cicatrizes dos açoites de Cairn deveriam estar, suspeitara.

Mas ajoelhada, queimando e vestindo nada além da própria pele... Não havia cicatrizes onde deviam estar. O quase colar de cicatrizes de Baba Pernas Amarelas: sumido. As marcas de grilhões de Endovier: sumido. A cicatriz de quando ela fora forçada por Arobynn Hamel a quebrar o próprio braço: sumido. E nas palmas das mãos...

Era para as palmas das mãos expostas que Aelin olhava. Como se percebesse o que faltava.

As cicatrizes nas palmas — uma do momento em que tinham se tornado *carranam*, a outra do juramento que fizera a Nehemia — tinham desaparecido por completo.

Como se jamais tivessem existido.

As chamas queimaram mais forte.

Curandeiros podiam remover cicatrizes, sim, mas o motivo mais provável para a ausência delas em Aelin, em todos os lugares onde ele um dia percorrera com as mãos, com a boca...

Era pele nova. Tudo aquilo. Exceto pelo rosto, pois ele duvidava de que seriam estúpidos o bastante para tirar a máscara.

Quase cada centímetro de Aelin estava coberto de pele nova, tão intocada quanto neve fresca. O sangue que a cobrira tinha sido incinerado e revelava aquilo.

Pele nova, porque precisaram substituir aquilo que fora destruído. Curá-la para poder recomeçar, de novo e de novo.

Gavriel e Elide tinham ido para onde Fenrys estava caído. A cura de campo de batalha que o Leão fizera no guerreiro provavelmente não bastara para manter a morte afastada.

Então o macho disse, para ninguém em particular:

— Ele não tem muito mais tempo.

Fenrys tinha quebrado o juramento de sangue. Por pura força de vontade, ele quebrara o juramento. E em breve pagaria o preço, quando sua força vital sangrasse por completo.

O olhar de Aelin se virou então. Das mãos, da pele terrivelmente imaculada, para o lobo do outro lado da clareira.

Ela piscou duas vezes. Então se levantou devagar.

Alheia àquilo ou sem se importar com a própria nudez, Aelin deu um passo hesitante. Rowan estava imediatamente ali — ou tão perto quanto as chamas permitiam.

Ele podia ter empurrado as chamas, protegendo-se com gelo ou apenas interrompendo o ar que as alimentava. Mas atravessar aquele limite, impondo-se sobre as chamas quando tanto, muito mesmo, lhe fora roubado... Rowan não se permitiu pensar no reconhecimento distante e cauteloso no rosto de Aelin quando ela o tinha visto — quando tinha visto todos. Como se não tivesse total certeza se podia confiar neles. Confiar naquilo.

Aelin conseguiu dar outro passo, cambaleando.

Ele olhou para o pescoço dela quando Aelin passou. Até mesmo as marcas idênticas de mordida, a marca da sua reivindicação, tinham sumido.

Encapsulada em chamas, a rainha caminhou até Fenrys. O lobo branco não se agitou.

Mágoa suavizou a expressão da rainha, mesmo com aquela distância silenciosa. Mágoa e gratidão.

Gavriel e Elide permaneceram do outro lado de Fenrys conforme ela se aproximava. Eles recuaram um passo. Não de medo, mas para dar espaço naquele momento de despedida.

O grupo precisava partir. Demorar-se ali, apesar dos quilômetros entre eles e o acampamento, era tolice. Podiam carregar Fenrys até acabar, mas...

Rowan não conseguia dizer. Contar a Aelin que talvez não fosse inteligente estender aquela despedida da forma como ela precisava. Tinham minutos, no máximo, antes de terem que seguir.

Mas se batedores ou sentinelas os encontrassem, ele se certificaria de que não se aproximariam o bastante para perturbá-la.

Gavriel e Lorcan pareciam pensar o mesmo. Os olhos deles se encontraram através da clareira, então Rowan indicou com o queixo o limite oeste das árvores em uma ordem silenciosa, e eles caminharam até lá.

Aelin se ajoelhou ao lado de Fenrys, e as chamas envolveram os dois. O fogo deu lugar a uma aura dourado-avermelhada, um escudo que ele sabia que derreteria a carne de quem tentasse atravessá-lo. A magia fluiu e ondulou em torno dos dois, na forma de uma bolha de ar acobreado, e através disso, Rowan observou quando Aelin passou a mão pela lateral arrasada do lobo.

Gavriel curara a maior parte dos ferimentos, mas o sangue permanecia.

Aelin fez carícias longas e vagarosas sobre o pelo, com a cabeça inclinada conforme falava, baixo demais para Rowan ouvir.

Devagar, dolorosamente, Fenrys entreabriu um olho. Dor tomava conta dele — dor, mas também algo como alívio e alegria ao ver o rosto exposto dela. E exaustão. Tanta exaustão que Rowan sabia que a morte seria um abraço bem-vindo, um beijo da própria Silba, deusa dos finais misericordiosos.

Aelin falou de novo, e o som foi contido ou engolido pelo escudo. Nenhuma lágrima. Apenas aquela tristeza — e compreensão.

O rosto de uma rainha, percebeu ele, enquanto Lorcan e Gavriel ocupavam posições ao longo do limite do vale. Era o rosto de uma rainha que olhava para Fenrys. Foi uma rainha que pegou a imensa pata nas mãos, afastando dobras de pelo e pele para expor uma garra curva.

Ela a passou por seu antebraço nu, rasgando a pele. Deixando sangue ao encalço.

Rowan prendeu o fôlego. Gavriel e Lorcan se viraram para eles.

Aelin falou de novo, e Fenrys piscou uma vez em resposta.

Ela considerou aquela resposta suficiente.

— Pelos deuses — sussurrou Lorcan quando Aelin estendeu o braço ensanguentado para a boca de Fenrys. — Pelos malditos deuses.

Pela lealdade de Fenrys, pelo sacrifício dele, não havia recompensa melhor que ela pudesse oferecer. Para evitar que ele morresse, não havia outra forma de salvá-lo.

Apenas aquela. Apenas o juramento de sangue.

E quando Fenrys conseguiu aceitar o sangue do ferimento, quando jurou um voto silencioso à rainha deles, piscando algumas vezes mais, o peito de Rowan se tornou insuportavelmente apertado.

Partir o juramento de sangue com uma rainha tinha arrasado a força vital dele, a alma do guerreiro. Fazer o juramento de sangue com outra poderia muito bem reparar aquela fissura; a magia antiga uniria a vida que se extinguia de Fenrys à de Aelin.

Três goles. Foi tudo o que o lobo tomou antes de apoiar a cabeça de volta no musgo e fechar os olhos.

Aelin se aninhou de lado perto dele, com as chamas envolvendo os dois.

Rowan não conseguia se mover. Nenhum deles se movia.

Aelin disse, sem emitir som, uma palavra breve, curta.

Fenrys não respondeu.

Ela falou de novo, a expressão da rainha não hesitou.

Viva.

Ela usaria o juramento de sangue para forçá-lo a permanecer deste lado da vida. Mesmo assim, Fenrys não se agitou.

Do outro lado da bolha de chamas e calor, Elide colocou a mão na boca. Seus olhos brilhavam forte. Ela lera a palavra nos lábios de Aelin também.

A rainha falou uma terceira vez, exibindo os dentes ao dar a Fenrys a primeira ordem. *Viva.*

Rowan não respirava enquanto eles esperavam. Longos minutos se passaram.

Então os olhos de Fenrys se abriram.

Aelin encarou o lobo. Não havia nada em seu rosto exceto aquele comando grave, irredutível.

Lentamente, Fenrys se mexeu. As patas se moveram sob o corpo, e as pernas se esticaram. Ele se levantou.

— Não acredito — sussurrou Lorcan. — Eu não...

Mas ali estava Fenrys, de pé diante da rainha que agora se ajoelhava. E ali estava Fenrys, inclinando a cabeça, os ombros se curvando junto, enquanto colocava uma pata diante da outra. Fazendo uma reverência.

O fantasma de um sorriso agraciou a boca de Aelin, sumindo antes de tomar forma.

Ela permaneceu ajoelhada, no entanto. Mesmo quando Fenrys os observou, com surpresa e alívio iluminando seus olhos escuros. O olhar dele encontrou o de Rowan, e o príncipe feérico sorriu, fazendo uma reverência com a cabeça.

— Bem-vindo à corte, cachorrinho — disse ele, com a voz rouca.

Emoção pura tomou aquele rosto lupino, então Fenrys se virou de volta para Aelin.

Ela olhava para o nada. O macho cutucou o ombro da rainha com a cabeça peluda.

Aelin passou a mão de forma desatenta pela pelagem branca do lobo. O coração de Rowan se apertou.

Maeve partira a mente de Rowan para enganar seus instintos.

O que a rainha sombria fizera com ela? O que fizera durante aqueles meses?

— Precisamos ir — falou Gavriel, com a própria voz grave ao observar Fenrys de pé ao lado de Aelin, orgulhoso e vigilante. — Precisamos colocar distância entre nós e o acampamento, além de encontrar algum lugar para pararmos por esta noite. — Onde reavaliariam como e onde deixar aquele reino. Seguir para a floresta na direção das montanhas seria a melhor aposta. Aquelas árvores ofereciam muito abrigo e muitas cavernas nas quais poderiam se esconder.

— Consegue andar? — perguntou Lorcan a Fenrys.

O lobo deslizou os olhos escuros e ameaçadores para o macho.

Ah, aquela briga viria. Aquela vingança.

Ele deu a Lorcan um aceno de cabeça breve.

Elide pegou uma das sacolas escondidas perto da base de uma árvore.

— Para que lado?

Mas Rowan não conseguiu responder.

Silenciosos como assombrações, eles apareceram por todo o vale. Como se simplesmente tivessem passado a existir com uma faísca nas sombras da folhagem.

Pequenos corpos, alguns pálidos, alguns escuros como a noite, alguns com escamas. A maioria escondida, exceto por dedos finos e olhos grandes que não piscavam.

Elide arquejou.

— O Povo Pequenino.

Elide não vira um vestígio do Povo Pequenino desde os dias que precederam a queda de Terrasen. Então, tinham sido lampejos e farfalhares dentro da antiga sombra de Carvalhal. Jamais tantos, jamais tão abertamente.

Ou tão abertamente quanto eles jamais se permitiriam estar.

A meia dúzia ou mais que se reunira do outro lado da clareira se mantinha em grande parte oculta atrás de raízes e rochas e aglomerados de folhas. Nenhum dos machos se moveu, embora as orelhas de Fenrys tivessem se virado para eles.

Um milagre — era o que tinha acontecido com a rainha e o lobo.

Embora Fenrys parecesse exausto, os olhos dele estavam lúcidos conforme o Povo Pequenino se reunia.

Aelin mal olhou na direção deles.

A mão pálida e retorcida de um deles se ergueu por cima de uma rocha coberta de musgo e se flexionou. *Venham*.

Com a voz parecendo granito, Rowan perguntou:

— Querem que sigamos vocês?

De novo, a mão fez aquele gesto. *Venham*.

Gavriel murmurou:

— Eles conhecem esta floresta melhor até mesmo do que nós.

— E você confia neles? — indagou Lorcan.

Os olhos de Rowan se detiveram em Aelin.

— Eles salvaram a vida dela uma vez. — Naquela noite em que o assassino de Erawan voltara para buscá-la. — Farão isso de novo agora.

Silenciosos e ocultos, eles passaram pelas árvores e rochas e córregos da antiga floresta.

Rowan se mantinha um passo atrás de Aelin e Fenrys, Gavriel e Elide à frente do grupo e Lorcan atrás conforme seguiam o Povo Pequenino.

Aelin não dissera nada, não fizera nada, exceto se levantar quando lhe disseram que estava na hora de ir. Rowan oferecera a capa a ela, e a jovem havia permitido que a vestimenta atravessasse a bolha de chama dourada e transparente para envolver seu corpo nu.

Ela agarrava a capa contra o peito conforme caminhavam, quilômetro após quilômetro, com os pés descalços. Se as pedras e as raízes da floresta a feriam, Aelin sequer se encolhia. Ela apenas seguiu caminhando, com Fenrys ao lado, dentro daquela esfera de fogo, como se fossem dois fantasmas de memória.

Uma visão antiga, caminhando entre as árvores, a rainha e o lobo.

Os demais falavam raramente conforme horas e quilômetros passavam. Conforme colinas florestadas abriam caminho para encostas mais íngremes, com pedras maiores, além de rochas e árvores quebradas em alguns pontos.

— Das guerras antigas entre os espíritos da floresta — sussurrou Gavriel para Elide ao reparar que ela franzira a testa para uma encosta cheia de troncos caídos e pedras lascadas. — Algumas ainda são travadas por eles, completamente alheios e despreocupados com os problemas de qualquer reino que não seja este.

Rowan jamais vira a raça de seres etéreos ainda mais antiga e secreta do que até mesmo o Povo Pequenino. Mas em seu lar na montanha, bem no alto da cadeia para a qual caminhavam, ele às vezes ouvia o estilhaçar de rochas e pedras em noites escuras e sem lua. Quando não havia um sussurro de vento no ar, ou qualquer tempestade que pudesse provocar aquilo.

Tão perto — apenas trinta quilômetros, mais ou menos, da casa na montanha que ele construíra. Rowan planejara levar Aelin lá um dia, embora não passasse de cinzas há muito dispersadas. Apenas para mostrar onde a casa ficava, onde ele enterrara Lyria. Ela ainda estava lá em cima, a parceira que jamais fora sua parceira.

E sua verdadeira parceira... Ela caminhava determinadamente entre as árvores. Nada mais do que uma aparição.

Ainda assim, seguiam o Povo Pequenino. Eles os chamavam de uma árvore, uma pedra ou um arbusto adiante, e então sumiam. Atrás de Lorcan, alguns outros escondiam o rastro deles com mãos inteligentes e pequenas magias.

Ele rezava para que tivessem um lugar para passar a noite. Um lugar em que Aelin pudesse dormir e permanecer protegida dos olhos de Maeve depois que a rainha percebesse que fora enganada.

Seguiam para o leste — longe da costa. Rowan não ousou arriscar dizer a eles que precisavam encontrar um porto. Veria para onde os guiariam naquela noite, então traçariam o plano para voltar para o próprio continente.

Mas quando o Povo Pequenino surgiu diante de uma pedra imensa, sumindo e reaparecendo em uma fenda cortada na própria rocha, com mãos ossudas os chamando de dentro, Rowan se viu parando.

A criatura que vivia no lago além da montanha Careca era uma ameaça pequena comparada com as outras coisas que ainda caçavam em lugares escuros e esquecidos.

Mas o Povo Pequenino os chamou de novo.

Lorcan surgiu ao lado dele.

— Pode ser uma armadilha.

Mas Elide e Gavriel caminharam na direção da pedra, inabalados.

E atrás deles, Aelin continuou também. Então Rowan a seguiu, como seguiria até seu último suspiro, e depois dele.

A abertura da caverna era estreita, mas logo se abria em uma passagem maior. Aelin iluminou o espaço, banhando as paredes pretas de pedra em um brilho dourado claro o bastante para que pudessem ver.

As chamas diminuíram quando eles entraram em uma câmara imensa, cujo teto se estendia até a escuridão. Mas não foi a altura da câmara que fez Rowan parar.

Reentrâncias e alcovas tinham sido construídas dentro das laterais das rochas, algumas equipadas com sacos de dormir, outras com o que pareciam ser pilhas de roupas, e algumas com comida. Uma pequena fogueira queimava perto de um nicho, e além dela, embutida contra a parede, uma fonte de pedra natural reluzia com água, cortesia de um pequeno córrego.

Mais adentro da caverna, do outro lado da câmara, fluindo até a própria pedra preta, um grande lago se estendia para a escuridão.

Havia inúmeros lagos e rios subterrâneos sob aquelas montanhas — lugares tão profundos na terra que nem mesmo os feéricos tinham se dado ao trabalho ou ousado explorar.

Aquele, ao que parecia, o Povo Pequenino reivindicara para si, chegando a decorar o lugar com grandes galhos de bétula contra as paredes. Tinham pendurado pequenas guirlandas e coroas dos galhos brancos, e entre as folhas, pequenas luzes azuladas piscavam.

Magia — magia antiga e estranha naquelas luzes. Como se tivessem sido recolhidas do céu noturno.

Elide observou o espaço, com espanto estampado no rosto. Gavriel e Lorcan, no entanto, observaram tudo com um olho mais aguçado e cauteloso. Rowan fez o mesmo. A única saída parecia ser aquela pela qual tinham entrado, e o lago se estendia demais para se discernir se havia um litoral além dele.

Aelin não parou ao caminhar para uma das paredes reluzentes. Não havia nada de sua habitual cautela, nenhum movimento dos olhos conforme sopesava as saídas e os perigos, as potenciais armas para usar.

Um transe — era quase como se ela tivesse entrado em um transe, mergulhado em algum oceano infinito dentro de si e flutuado tão para o fundo que eles poderiam muito bem ser pássaros voando na superfície distante.

Mas ela caminhou na direção daquela parede, os galhos de bétula habilidosamente dispostos sobre ela. Havia mais do Povo Pequenino ali dentro, percebeu Rowan. Empoleirados nos galhos, agarrando-se a eles.

Os passos de Aelin eram silenciosos nas rochas. Fenrys tinha parado perto, como se para lhe dar privacidade.

Rowan teve a vaga sensação de que Lorcan, Elide e Gavriel seguiram para a alcova do outro lado da caverna para inspecionar os bens que tinham sido dispostos.

Mas ele permaneceu no centro do espaço conforme sua parceira parava diante da parede brilhante e viva. Não havia expressão no rosto dela, nenhuma tensão no corpo.

Mesmo assim, Aelin inclinou a cabeça para o Povo Pequenino meio escondido nos galhos e nos troncos diante dela. Sua mandíbula se moveu — falando. Palavras breves, curtas.

Ele jamais sequer ouvira que o Povo Pequenino falava. Mas ali estava sua rainha, sua esposa, sua parceira, murmurando com eles.

Por fim, ela virou o rosto, com a expressão ainda vazia, os olhos de fogo selvagem tão inexpressivos e frios quanto o lago. Fenrys voltou a caminhar a seu lado, e Rowan permaneceu no mesmo lugar conforme Aelin se dirigia para a pequena fogueira.

Segura. O Povo Pequenino devia ter dito a ela que aquela caverna era segura, se ela estava se dirigindo ao fogo, com a própria esfera feita por ela ainda queimando intensamente.

Os demais interromperam a avaliação dos suprimentos.

Mas Aelin não deu atenção a eles, não deu atenção ao mundo, ao ocupar um ponto entre a fogueira e a parede da caverna, ao deitar-se na pedra exposta e fechar os olhos.

32

Dorian havia ficado de olhos castanhos por três dias antes de descobrir como mudar de volta para azul. Asterin e Vesta o provocaram impiedosamente conforme viajavam pelo centro das montanhas Canino Branco, choramingando tragicamente pela ausência dos *lindos olhos de jacinto* e suspirando para os céus quando o tom de safira retornara.

Sua magia conseguia saltar de um elemento para outro, mas a habilidade de se metamorfosear era algo completamente diferente. Estava em uma parte de si que sempre desejara uma coisa acima de todas as outras: desapegar-se. Ser livre. Como Temis, a Deusa das Coisas Selvagens, era livre, desenjaulada. Como ele um dia desejara ser, quando não passava de um príncipe inconsequente e idealista.

Era o único comando da magia: desapegar-se. Desapegar-se de quem e do que tinha se tornado desde aquele colar, e emergir em algo novo, algo diferente.

Era mais fácil de se perceber do que praticar. Desde que os olhos haviam retornado, como o desenrolar de um fio interno, Dorian não conseguira fazer mais nada. Nem mesmo mudá-los para marrom de novo.

As Crochan e as Treze pararam para o descanso do meio do dia sob a cobertura espessa da floresta de Carvalhal. As árvores estavam desfolhadas, mas não havia um indício de neve no chão. Mais um dia e chegariam ao ponto de encontro. Uma semana depois do que prometeram aos líderes de guerra de Eyllwe, mas chegariam.

Ele se sentou em um tronco caído e coberto de musgo, mordendo o pedaço de coelho seco. Seu jantar.

— Minha cabeça lateja só de ver você tentar com tanto afinco — comentou Glennis do outro lado da clareira. Em volta deles, as Treze comiam em silêncio, com Manon monitorando tudo. As Crochan estavam sentadas entre elas, pelo menos. Em silêncio, mas estavam sentadas ali.

O que significava que todas olhavam para ele naquele momento. Dorian abaixou o pedaço de carne dura e inclinou a cabeça para a matriarca.

— Minha cabeça está latejando por nós dois, eu acho.

— Em que está tentando se transformar, exatamente? Ou em quem?

O oposto do que ele era. O oposto do homem que ignorara a presença de Sorscha durante anos. E oferecera a ela apenas a morte no final. Ficaria feliz por se desapegar daquilo, se ao menos a magia permitisse.

— Nada — respondeu Dorian. Muitas das Treze e das Crochan voltaram para as refeições minguadas diante da resposta tediosa. — Só quero ver se isso é possível para alguém com meu tipo de magia. Mudar pequenas feições, pelo menos. — Não era uma mentira, não completamente.

Manon franziu a testa, como se tentasse resolver um quebra-cabeça que não era capaz de compreender.

— Mas se fosse possível — insistiu Glennis —, quem desejaria ser?

Ele não sabia. Não conseguia pensar em uma imagem além de treva vazia. Damaris, a seu lado, também não teria resposta.

Dorian olhou para dentro de si, sentindo o mar de magia que se revoltava.

Ele traçou o formato com mãos cuidadosas, invisíveis. Seguiu um fio em seu interior, não até o estômago, mas até o coração ainda partido.

Quem deseja ser?

Ali estava, como a semente de poder que roubara de Cyrene... o pequeno grunhido de sua magia. Não um grunhido, mas um nó; um nó em uma tapeçaria. Um que ele poderia tecer.

Um que ele poderia transformar em algo se ousasse.

Quem deseja ser? perguntou Dorian para a tapeçaria toscamente tecida dentro de si. Então deixou que os fios e os nós tomassem forma, desenhando a imagem na mente, começando aos poucos.

Glennis deu um risinho.

— Seus olhos estão verdes agora, rei.

Dorian se espantou, e seu coração acelerou. As demais, de novo, pararam de comer, olhando boquiabertas, algumas se aproximando para olhar mais de perto para ele. Mas o jovem rei alimentou o tear dentro de si com a magia, acrescentando à imagem que se formava.

— Ai, cabelo dourado não combina nem um pouco com você. — Asterin fez uma careta. — Parece doente.

Quem ele queria ser? Qualquer um que não fosse ele mesmo. Que não fosse o que se tornara.

Sua resposta silenciosa fez aquele tear mágico sair rolando da mão invisível, e Dorian sabia que, se olhasse, veria que os cabelos pretos e os olhos cor de safira estavam de volta. Asterin suspirou, aliviada.

Mas Manon abriu um sorriso sombrio, como se tivesse ouvido a resposta não dita. E compreendesse.

A noite estava avançada acima do grupo, com as fogueiras das Crochan crepitando sob a treliça de árvores desfolhadas, quando Glennis perguntou:

— Alguma de vocês já viu os desertos?

As Treze piscaram para a idosa. Ela não costumava se dirigir a todas de uma vez, ou fazer perguntas tão pessoais.

Mas, pelo menos, Glennis falava com elas. Três dias de viagem e Manon não estava mais perto de conquistar as Crochan do que estivera quando partiram das montanhas Canino Branco. Ainda que falassem com ela e ocasionalmente se juntassem à fogueira de Glennis para as refeições, era com o mínimo de palavras possível.

— Não — respondeu Asterin pela aliança. — Nenhuma de nós, embora eu tenha passado um tempo em uma floresta do outro lado das montanhas. Mas jamais fui tão longe. — Tristeza brilhou nos olhos pretos salpicados de dourado da bruxa, como se houvesse mais na história do que aquilo. De fato, Sorrel e Vesta, mesmo Manon, olharam com um pouco daquela tristeza para a imediata.

Manon perguntou a Glennis, a única Crochan naquela fogueira sob o dossel:

— Por que quer saber?

— Curiosidade — respondeu ela. — Nenhuma de nós foi também. Não ousamos.

— Com medo de nós? — Os cabelos dourados de Asterin se agitaram conforme ela se aproximava da fogueira. Havia encontrado uma faixa de couro no acampamento para amarrar na testa, não a preta que usara durante o último século, mas uma visão familiar, pelo menos. Uma coisa, ao que parecia, não tinha mudado totalmente.

— Por medo do que isso fará conosco, ver o que restou de nossa cidade um dia grandiosa, de nossas terras.

— Nada além de escombros, é o que dizem — murmurou Manon.

— E vocês a reconstruiriam se pudessem? — perguntou Glennis. — Reconstruiriam a cidade para vocês?

— Nunca discutimos o que faríamos — confessou Asterin. — Se algum dia pudéssemos ir para casa.

— Um plano, talvez, fosse inteligente — ponderou a idosa. — Algo poderoso de se ter. — Os olhos azuis se detiveram em Manon. — Não apenas para as Crochan, mas para seu povo.

Dorian assentiu, embora não fizesse parte daquela conversa.

Quem as Treze, as Dentes de Ferro e as Crochan desejavam ser, construir, como um povo?

Manon abriu a boca, mas as Sombras irromperam no anel da fogueira com expressões tensas. As Treze imediatamente se levantaram.

— Fizemos o reconhecimento adiante, até o ponto de encontro — informou Edda, ofegante.

Manon se preparou, e um sussurro de poder lampejou pelo acampamento, a única indicação de que a magia de Dorian se fechara em torno do grupo em um escudo quase intransponível.

— Fede a morte — concluiu Briar.

33

Tinham chegado tarde demais.

Não apenas uma hora ou um dia. Não, a julgar pelo estado dos corpos na clareira cheia de folhas trinta quilômetros ao sul, a semana que haviam se atrasado custara tudo à tropa de guerra de Eyllwe.

Morath deixara os guerreiros onde estavam, e algumas Crochan de capa vermelha — aquelas que tinham convocado as irmãs do norte até lá — estavam entre os caídos. O cheiro de decomposição era o suficiente para fazer os olhos de Manon se encherem d'água conforme observavam o que restara.

Ela fizera aquilo.

Causara aquilo ao atrasar as Crochan com aquela batalha. Um olhar para Dorian, enquanto o rei se detinha no limite da clareira com um braço sobre o nariz para se proteger do fedor, e ela soube que ele pensava o mesmo. A rispidez naquele olhar dizia o bastante.

— Alguns fugiram — anunciou Edda, o rosto da Sombra estava lúgubre. — Mas a maioria não.

— Queriam sobreviventes — disse Bronwen, alto o suficiente para que todas ouvissem. — Para semear o medo.

Manon estudou as árvores destruídas, os antigos carvalhos tão destroçados quanto os corpos no leito da floresta. Prova de quem, exatamente, fora responsável pelo massacre.

Ela também fizera aquilo.

Com a voz fria e baixa, Bronwen comentou:

— Que tropa mortal poderia ter esperanças de sobreviver a um ataque de uma das legiões de Dentes de Ferro? Principalmente sendo uma legião aérea treinada por uma Líder Alada tão habilidosa.

— Escolha suas palavras com cuidado — avisou Asterin.

Mas Una, a Crochan bonita, de cabelos castanhos, e outra das primas de Manon, pegou a vassoura amarrada com prata e disse:

— Você as treinou. Todas vocês, vocês treinaram as bruxas que fizeram *isso*. — Una apontou para os corpos em putrefação, para os pescoços dilacerados, a matança que não parara com mortes rápidas. De jeito algum. — E esperam que nos esqueçamos disso?

Silêncio caiu. Mesmo de Asterin. Glennis não disse nada.

As mãos de Manon se tornaram fracas. Estranhas. O ferro ali dentro parecia frágil.

Ela fizera aquilo. Os soldados na ampla clareira não eram nada nem ninguém para ela, a maioria era de meros mortais, mas... Uma mulher estava caída perto das botas de Manon, o tronco aberto em um corte limpo do umbigo até o esterno. Os olhos castanhos olhavam, sem enxergar, para o dossel destruído acima, e a boca ainda se escancarava de dor.

— Posso queimá-los — sugeriu Dorian para ninguém em especial.

Quem ela havia sido, aquela guerreira diante de Manon? Por quem lutara? Não reinos ou governantes, mas quem na vida da mulher tinha valido a pena defender?

— Deveríamos alertar o rei e a rainha de Eyllwe — dizia Bronwen. — Avisar os príncipes também. Dizer que se escondam, porque Erawan não faz prisioneiros.

Manon encarou e encarou a guerreira morta. O que ela um dia sentira prazer em fazer. O que um dia exibira diante do mundo e fizera sem uma gota de arrependimento. Apenas com o desejo de aprovação de sua avó. Das Dentes de Ferro.

Era por aquilo que seriam lembradas.

Pelo que ela seria lembrada.

A montadora coroada de Erawan. Sua Líder Alada.

— Não as queime — disse Manon.

Silêncio recaiu sobre a clareira.

Mas ela se ajoelhou na terra pútrida, projetou as unhas de ferro e começou a cavar.

Retirando as luvas, Asterin se abaixou a seu lado. Então Sorrel e Vesta. Então o restante das Treze.

A terra fria e firme não cedeu com facilidade, arranhando os dedos de Manon, com raízes e rochas queimando conforme raspavam contra a pele.

Do outro lado da clareira, Karsyn, a bruxa cuja vassoura ela devolvera, fez menção de se ajoelhar também. Mas Manon estendeu a mão imunda, já sangrando, e a bruxa parou.

— Apenas as Treze — declarou ela. — Nós os enterraremos. — As Crochan a encararam, mas Manon continuou cavando o solo antigo. — Enterraremos todos eles.

∽

Durante horas, Manon e as Treze se ajoelharam na terra encharcada de sangue e cavaram o túmulo.

Dorian ajudou Bronwen e Glennis a redigir mensagens para o rei e a rainha de Eyllwe, assim como a seus dois filhos, avisando-os do perigo... e nada mais. Nenhum pedido por ajuda, por exércitos.

Logo antes do alvorecer, as mensageiras das Crochan voltaram. As parentes do sul que as haviam convocado até ali tinham chegado logo depois do massacre, tarde demais para salvar a tropa de guerra humana ou as poucas bruxas que enviaram à frente. Elas voaram direto para Banjali, onde as quatro alianças ajudavam o rei e a rainha de Eyllwe.

Não que a realeza de Eyllwe parecesse precisar. Não, a outra mensageira Crochan voltara com um recado do próprio rei: a perda da tropa de guerra era, de fato, difícil, mas Eyllwe não fora arrasada por aquilo. Os rebeldes e as forças reunidas, embora pequenos, ainda resistiam a Morath, ainda não estavam destruídos. Continuariam mantendo a frente no sul e fariam isso até o último suspiro.

Dorian reparou nas palavras não escritas, no entanto: não tinham um único soldado para emprestar a Terrasen. Depois do que vira, ele precisava concordar.

Eyllwe dera muito, por muito tempo. Estava na hora de o restante deles suportar o fardo.

Dorian se perguntou se Manon havia reparado nas Crochan que a observavam. Não com ódio, mas com algum respeito. Juntas, as Treze cavaram um imenso túmulo, sem nem mesmo pedir às serpentes aladas que empurrassem a terra para longe.

O sol nasceu, então começou a descer. Lentamente, o túmulo tomou forma. Grande o bastante para cada guerreiro caído.

Ele precisava ir para Morath. Logo.

Antes que aquilo acontecesse de novo. Antes que mais uma cova imensa fosse cavada. Ele não podia suportar aquele pensamento, pior do que pensar em outro colar sendo colocado em volta de seu pescoço.

A noite tinha caído por completo quando Dorian conseguiu escapulir. Quando encontrou uma clareira vazia, desenhou as marcas e mergulhou Damaris na terra que reluzia com seu sangue.

Sua convocação foi respondida rapidamente daquela vez.

Mas não foi Gavin quem surgiu do ar noturno, brilhando.

A magia de Dorian se incendiou, acumulando-se para atacar, conforme a silhueta tomava forma.

Conforme Kaltain Rompier, usando um vestido ônix e com os cabelos pretos soltos, abria um triste sorriso para ele.

∽

Qualquer palavra sumiu da língua de Dorian.

Mas a magia permaneceu rodopiando em torno de seu corpo, mãos invisíveis ansiosas para quebrar ossos.

Não que houvesse qualquer vida para roubar de Kaltain Rompier.

Ainda assim, ela estendeu a mão fina enquanto o vestido translúcido e os cabelos sedosos oscilavam com um vento fantasma.

— Não quero lhe fazer mal.

— Não a conjurei. — Foi a única coisa em que ele conseguiu pensar.

Os olhos escuros de Kaltain deslizaram para Damaris, que se projetava para fora do círculo de marcas de Wyrd.

— Não mesmo?

Ele não queria contemplar por que ou como a espada tinha, de alguma forma, chamado Kaltain, e não Gavin. Se a espada tinha vontade própria, ou se o deus que a abençoara havia planejado aquela reunião. Por qualquer que fosse a verdade que parecesse necessária de ser mostrada a ele.

— Achei que tivesse sido destruída em Morath — disse ele, com a voz rouca.

— Eu fui. — Sua expressão estava mais suave do que Dorian jamais vira antes. — De tantas formas, eu fui.

Manon e Elide tinham contado a ele o que Kaltain passara. O que fizera por elas. Ele fez uma reverência com a cabeça.

— Sinto muito.

— Pelo quê?

Então as palavras saíram aos tropeços, jorrando de onde ele as guardava desde o pântano de Pedra de Eyllwe.

— Por não enxergar como deveria. Por não saber para onde a levaram. Por não ajudar quando tive a chance.

— Você teve a chance? — A pergunta foi calma, mas Dorian podia jurar que uma ansiedade se aguçou no tom de voz da jovem.

Ele abriu a boca para dizer que não. Mas se obrigou a olhar para trás... para quem tinha sido muito antes do colar, antes de Sorscha.

— Eu sabia que você estava no calabouço do castelo, e estava satisfeito em deixá-la apodrecer ali. E então Perrington... quero dizer, Erawan a levou para Morath, e não me incomodei em questionar aquilo. — Vergonha lhe percorreu o corpo. — Sinto muito — repetiu Dorian.

Um príncipe herdeiro que não servira ao reino ou ao povo, não de verdade. Gavin estivera certo.

Os limites de Kaltain tremularam.

— Eu não era totalmente inocente, sabe.

— O que aconteceu com você em Morath não foi de forma alguma sua culpa.

— Não, não foi — concordou ela, com uma sombra percorrendo sua expressão. — Mas fiz escolhas próprias quando fui para Forte da Fenda no último outono, perseguindo minha ambição por você... sua coroa. E me arrependo de algumas delas.

O olhar de Dorian deslizou para o antebraço exposto de Kaltain, para a cicatriz que permanecia, mesmo na morte.

— Você salvou minhas amigas — disse ele, ajoelhando-se diante da jovem. — Você abriu mão de tudo para salvá-las e para levar a chave de Wyrd para longe de Erawan. — Ele faria o mesmo se conseguisse sobreviver aos horrores de Morath. — Tenho uma dívida com você.

Kaltain encarou o local no qual ele se ajoelhava.

— Jamais tive amigos. Não como você. Sempre senti inveja de você por isso. De você e de Aelin.

Ele ergueu a cabeça.

— Sabe quem ela é?

Um indício de sorriso.

— A morte tem suas vantagens.

Dorian não conseguiu impedir a pergunta seguinte:

— É... é melhor aí? Você está em paz?

— Não tenho permissão para dizer — respondeu Kaltain, baixinho, com os olhos brilhando com compreensão. — E não tenho permissão para dizer quem está aqui comigo.

Ele assentiu, lutando contra o aperto no peito, contra o desapontamento. Mas então Dorian inclinou a cabeça para o lado.

— Quem a proíbe de fazer isso? — Se os doze deuses daquela terra estavam presos em Erilea, certamente não governavam outros reinos.

Os lábios de Kaltain se curvaram para cima.

— Também não tenho permissão para dizer. — Quando Dorian abriu a boca para perguntar mais, ela o interrompeu: — Há outras forças trabalhando. Além do que é tangível e do que é conhecido.

Ele olhou para Damaris.

— Outros deuses?

O silêncio de Kaltain foi resposta o suficiente. Mas... outra hora. Ele contemplaria aquilo em outra hora.

— Jamais pensei em conjurá-la — admitiu Dorian. — Você, que conheceu os verdadeiros horrores de Morath. Não percebi... — Ele permitiu que as palavras pairassem ao se levantar.

— Que restaria algo de mim para conjurar? — concluiu Kaltain. O jovem rei se encolheu. — A chave comeu muito, mas não tudo.

— A terceira está realmente em Morath, então?

Ela assentiu com seriedade. O corpo de Kaltain estremeceu, dissipando-se rapidamente.

— Embora eu não saiba onde ele a guarda. Eu não estava... pronta para receber a segunda antes de tomar a rédea da situação. — Kaltain passou os dedos finos pela cicatriz preta que descia pelo braço.

Ele jamais falara com ela; não de verdade. Jamais a olhara mais do que de relance, ou então fizera caretas durante conversas educadas com a jovem.

E, no entanto, ali estava ela, a mulher que destruíra um terço de Morath, que devorara um príncipe valg por pura força de vontade.

— Como conseguiu? — sussurrou Dorian. — Como se libertou do controle daquilo? — Precisava saber. Se entraria no próprio inferno, se era mais do que provável que acabaria com um novo colar em volta do pescoço, precisava saber.

Kaltain lhe observou o pescoço antes de encará-lo.

— Porque me revoltei contra aquilo. Porque não sentia que merecia o colar.

A verdade das palavras atingiu Dorian tão diretamente quanto se ela o tivesse empurrado pelo peito.

A jovem apenas perguntou:

— Você desenhou as marcas de conjura por um motivo. O que deseja saber?

Dorian guardou a verdade que Kaltain lhe atirara, o espelho que ela erguia, contendo tudo o que ele um dia fora e se tornara. Não havia sido um príncipe de verdade, não em espírito, não nas ações. Tentara ser, mas tarde demais. Tinha agido tarde demais. Duvidava de que estava se saindo muito melhor como rei. Certamente não quando dispensara Adarlan por conta de sua culpa e de sua raiva, questionando se deveria ser salva.

Como se houvesse realmente uma possibilidade de que não merecesse ser.

— Estou pronto para ir a Morath? — perguntou ele, por fim.

Apenas ela saberia. Tinha testemunhado coisas muito piores do que qualquer uma das que Manon ou Elide haviam visto.

Kaltain olhou de novo para Damaris.

— Você sabe a resposta.

— Não vai tentar me convencer a não ir?

Mas a boca de Kaltain se contraiu conforme o vestido ônix começava a se misturar à noite intensa.

— Sabe o que enfrentará. Não cabe a mim lhe dizer se está pronto.

A boca de Dorian secou.

— Tudo que ouviu a respeito de Morath é verdade — continuou a jovem. — É verdade, e ainda assim há mais que é pior do que você pode imaginar. Atenha-se à fortaleza. É o forte de Erawan e provavelmente o único lugar em que ele confiaria para guardar a chave.

Dorian assentiu, com o coração começando a latejar.

— Farei isso.

Ela deu um passo em sua direção, mas parou quando seus limites ondularam mais.

— Não se demore muito e não atraia a atenção de Erawan. Ele é arrogante e completamente egoísta, e não vai se incomodar em olhar com atenção para o que possa rastejar por seus corredores. Seja rápido, Dorian.

Um tremor percorreu as mãos do jovem rei, mas ele as fechou em punhos.

— Se eu puder matá-lo, devo aproveitar a oportunidade?

— Não. — Kaltain sacudiu a cabeça. — Não sairia com vida. Ele tem uma câmara no fundo da fortaleza, é onde guarda os colares, e vai levá-lo até lá se o pegar.

Dorian esticou o corpo.

— Eu...

— Vá para Morath, como planejou. Recupere a chave, e nada mais. Ou vai se ver com um colar em torno do pescoço de novo.

Dorian engoliu em seco.

— Mal consigo me metamorfosear.

Kaltain deu um meio sorriso a ele ao se dissolver no luar.

— Não mesmo?

Então ela se foi.

Dorian encarou o local onde ela estivera. As marcas de Wyrd já haviam sumido. Apenas Damaris permanecia ali, testemunha da verdade que, de alguma forma, sentira que ele precisava ouvir.

Em seguida, Dorian tateou, buscando aquele nó na magia, o lugar em que poder puro recuava e emergia como o que ele quisesse.

Desapegar-se... o comando da magia de metamorfose. Desapegar-se de tudo. Desapegar-se daquela parede que construíra ao seu redor quando o príncipe valg o invadira, para olhar para dentro. Para si mesmo. Talvez o que a espada tivesse pedido que ele fizesse ao conjurar Kaltain em vez de Gavin.

Quem deseja ser?

— Alguém digno de meus amigos — disse ele à noite silenciosa. — Um rei digno do próprio reino. — Por um segundo, cabelos brancos como neve e olhos dourados lampejaram em sua mente. — Feliz — sussurrou ele, fechando a mão no cabo de Damaris. Desapegar-se daquela gota remanescente de terror.

A espada antiga aqueceu em sua mão, um calor amigável e breve.

Aquilo flutuou pelos dedos de Dorian, então até o pulso. Até o lugar dentro de si onde todas aquelas verdades tinham morado, onde se tornava algo quente marcado pela dor mais aguda.

E, então, o mundo cresceu e se expandiu, as árvores se ergueram, o chão se aproximou...

Dorian fez menção de tocar o rosto, mas viu que não tinha mãos.

Apenas asas pretas como fuligem. Apenas um bico ébano que não permitia que palavras passassem por ele.

Um corvo. Um...

Uma inspiração baixa o fez virar o pescoço — muito mais fácil naquela forma — para as árvores. Para Manon, de pé nas sombras de um carvalho, com a mão ensanguentada e imunda apoiada contra o tronco conforme o encarava. Vendo a transformação.

Dorian buscou o fio de poder que o mantinha naquela forma leve e estranha. Imediatamente, com o mundo girando, ele cresceu e cresceu, de volta para o corpo humano, com Damaris fria e imóvel a seus pés. As roupas estavam, de alguma forma, intactas. Talvez por causa de quaisquer que fossem as diferenças entre sua magia pura e o dom de um verdadeiro metamorfo.

Mas o lábio de Manon se curvou, retraindo-se dos dentes. Os olhos dourados brilhavam como brasas.

— Quando, exatamente, ia me informar que estava prestes a recuperar a terceira chave de Wyrd?

34

— Precisamos recuar — disse Galan Ashryver, ofegante, para Aedion. Os dois estavam parados ao lado da tenda de água, no centro das fileiras do exército, com o príncipe herdeiro sujo de sangue vermelho e preto.

Três dias de luta no vento e na neve gélidos, três dias sendo empurrados para o norte, quilômetro após quilômetro. Aedion colocara os soldados em turnos nas fileiras da frente, e aqueles que conseguiam alguns minutos de sono voltavam para a luta com os pés cada vez mais pesados.

Ele mesmo deixara a linha de frente havia poucos minutos, apenas depois que Kyllian ordenara que o fizesse, chegando ao ponto de jogar Aedion para trás e deixar que a Devastação passasse brutamente até que ele chegasse ali, com o príncipe herdeiro de Wendlyn bebendo água ao lado dos limites mais distantes de suas forças. A pele marrom-clara de Galan parecia cinzenta, os olhos Ashryver estavam sombrios enquanto monitoravam soldados passando, correndo ou se arrastando.

— Recuamos aqui e arriscamos sermos perseguidos até Orynth. — A garganta seca de Aedion doía a cada palavra.

Ele jamais vira um exército tão grande. Mesmo em Theralis, tantos anos antes.

Galan entregou o cantil ao general, que bebeu avidamente.

— Seguirei você, primo, para onde quer que isso nos leve, mas não podemos continuar assim. Não por mais uma noite inteira.

Aedion sabia disso. Percebera depois que a luta havia continuado sob o manto da escuridão.

Quando os homens começaram a perguntar por que Aelin do Fogo Selvagem não queimava os inimigos. Ou pelo menos dava a eles luz sob a qual lutar.

Por que ela sumira de novo.

Lysandra vestira a forma de serpente alada para combater os ilken, mas fora forçada a ceder, a ficar para trás das linhas. A forma era boa para matar ilken, sim, mas também um grande alvo para os arqueiros e os lanceiros de Morath.

Adiante, perto demais para ser um conforto, gritos e o clangor de armas se chocando se elevavam ao céu. Mesmo a magia da realeza feérica começava a fraquejar, os soldados também. Onde fracassavam, os Assassinos Silenciosos estavam à espera, dilacerando valg e ilken com eficiência ágil. Mas havia apenas um punhado deles. E ainda nenhum sinal do exército adicional de Ansel de penhasco dos Arbustos.

Em breve, prometera a rainha de cabelos vermelhos, com uma seriedade incomum, apenas algumas horas antes, pois sua legião já escasseava rapidamente. *O restante de meu exército chegará em breve.*

Grunhidos se ouviram perto, cortando o barulho da batalha. O leopardo-fantasma não hesitara, mal pausara para descansar.

Ele precisava voltar para lá. Precisava comer algo e voltar. Kyllian podia manter a ordem por um bom tempo, mas Aedion era seu príncipe. E com Aelin fora de vista... cabia a ele manter os soldados na linha.

Embora aquelas linhas estivessem fraquejando, como furos em uma represa.

— O rio Lanis ao lado de Perranth — murmurou Aedion, enquanto Ilias e os Assassinos Silenciosos derrubavam os ilken do céu, suas flechas facilmente encontrando os alvos. Asas primeiro, tinham aprendido do modo mais difícil. Para tirá-los do ar. Então lâminas na cabeça, para decapitar de vez.

Ou se levantariam de novo. E se lembrariam de quem tentara matá-los.

— Se recuarmos para o norte — prosseguiu Aedion —, chegarmos a Perranth e cruzarmos o rio, podemos obrigá-los a fazer a travessia também. E derrubá-los naquela direção.

— Há uma ponte? — O rosto de Galan ficou tenso ao ver um dos dois príncipes valg restantes lançar uma onda de poder sombrio em um grupo de soldados. Homens definharam, como flores em uma geada.

Uma explosão de vento e gelo em resposta — Sellene ou Endymion. Talvez um de seus muitos primos.

— Nenhuma ponte grande o bastante. Mas o rio está totalmente congelado, podemos atravessá-lo, então derretê-lo.

— Com Aelin. — Uma pergunta hesitante, cautelosa.

Aedion indicou a fonte daquela explosão de magia de resposta, batalhando naquele momento com o poder dos príncipes valg.

— Se a realeza feérica pode fazer gelo, pode descongelá-lo também. Bem sob os pés de Morath.

Os olhos turquesa de Galan piscaram, ou para o plano, ou para o fato de que Aelin não seria quem o executaria.

— Morath pode perceber o que estamos tramando.

— Não há muitas outras opções. — De Perranth, teriam acesso a mais suprimentos, talvez tropas descansadas se juntando a eles da própria cidade. Mas recuar...

Aedion observou as linhas sendo derrubadas, uma a uma; os soldados nas últimas forças.

Recuar e viver. Lutar e morrer.

Pois aquela resistência desabaria se continuasse daquele jeito. Ali, nas planícies sul, seriam destruídos.

Não havia garantia de que Rowan e os demais encontrariam Aelin. De que Dorian e Manon pudessem recuperar a terceira chave de Wyrd e, então, entregá-la à rainha, caso ela se libertasse, caso os encontrasse naquela confusão de mundo. Nenhuma garantia de quantas Crochan Manon reuniria, se reunisse alguma.

Com a armada dispersa demais pela costa de Terrasen para ser de alguma utilidade, apenas as forças restantes de Ansel de penhasco dos Arbustos poderiam oferecer algum alívio. Se não passassem todos de ossos limpos até lá. Havia pouca escolha a não ser resistir até que chegassem. Seus últimos aliados.

Porque Rolfe e os mycenianos... não havia garantia de que apareceriam. Nenhuma notícia.

— Ordene a retirada — disse Aedion ao príncipe. — E avise Endymion e Sellene de que precisaremos de seu poder assim que começarmos a fugir.

Para jogar toda a magia em um poderoso escudo a fim de proteger a retaguarda enquanto tentavam colocar o máximo de quilômetros possível entre o exército e Morath.

Galan assentiu, colocando o capacete ensanguentado sobre os cabelos pretos e caminhando pela massa caótica de soldados.

Uma retirada. Tão cedo, tão rápido. Pois todo o seu treinamento, os anos cruéis de aprendizado e luta e liderança, era àquilo que se resumira.

Será que sequer chegariam a Perranth?

∽

A ordem com a qual o exército marchara para o sul se desfizera por completo na fuga de volta para o norte. As tropas feéricas permaneceram na retaguarda, com os escudos mágicos oscilando, mas mantendo-se. Segurando as forças de Morath ao pé das colinas enquanto recuavam de volta a Perranth.

Os resmungos entre os soldados que andavam com dificuldade e exaustos passaram por Lysandra, que caminhava entre eles na forma de um cavalo. A metamorfa tinha permitido que um rapaz subisse em seu dorso quando vira suas tripas quase penduradas da armadura cortada.

Durante longos quilômetros, o sangue que escorria do homem tinha lhe aquecido o flanco conforme o rapaz ficava estatelado ali em cima.

O gotejar morno tinha parado havia muito tempo. Congelado.

Ele também.

Lysandra não tivera coragem de retirá-lo, de deixar o corpo morto no campo para ser pisoteado. De toda forma, o sangue o congelara contra ela.

Cada passo era um esforço, os ferimentos da metamorfa se curavam mais rápido que os dos soldados ao redor. Muitos caíram durante a marcha na direção de Perranth. Alguns eram recolhidos, puxados por companheiros ou estranhos.

Outros não se levantavam de novo.

A resistência não deveria ter se dissipado tão cedo.

Os resmungos pioravam quanto mais perto chegavam de Perranth, apesar de algumas poucas horas breves de descanso naquela primeira noite. *Onde está a rainha? Onde está seu fogo?*

Ela não podia lutar como Aelin; não de forma convincente e não tão bem para permanecer viva. E quando a Portadora do Fogo lutasse sem chamas... poderiam perceber então.

Ela fugiu. De novo.

Na segunda noite, dois Assassinos Silenciosos repararam que o soldado morto ainda estava no dorso de Lysandra.

Não disseram nada ao buscar água morna para derreter o sangue e as vísceras que o prendiam a ela e lavá-la em seguida.

Na forma de égua ruça, não tinha palavras para oferecer a eles, não tinha como perguntar se sabiam o que ela era. Mas a trataram com bondade mesmo assim.

Ninguém tinha feito menção de se aproximar do cavalo solitário que perambulava pelo acampamento em ruínas. Alguns soldados tinham erguido tendas. Muitos apenas dormiam ao lado das fogueiras, sob capas e casacos.

Suas orelhas tiniam. Tinham tinido desde o primeiro estrondo da batalha.

Ela não sabia como havia encontrado a tenda, mas ali estava, com as abas abertas para a noite, revelando-o de pé com Galan, Ansel e Ren.

As sobrancelhas do Lorde de Allsbrook se ergueram quando Lysandra entrou, com a cabeça quase batendo no teto.

Um cavalo. Ainda era um cavalo.

Ren cambaleou até ela, apesar da exaustão que certamente pesava em cada centímetro de seu corpo.

Lysandra buscou o fio dentro de si, o fio de volta para o corpo humano, para a luz brilhante que a encolheria até aquela forma.

Os quatro apenas encararam conforme ela procurava aquilo, lutava por aquilo. A magia arrancou sua última força. Ao retornar à própria pele, ela já estava caindo no chão coberto de feno.

Não sentiu o frio se chocar contra a pele nua, não se importou ao desabar de joelhos.

Ansel já estava ali, envolvendo-a com a capa.

— Onde você estava?

Mesmo a rainha dos desertos estava pálida, com os cabelos vermelhos como vinho colados à cabeça sob sujeira e sangue.

Lysandra não tinha mais palavras. Só conseguia se ajoelhar, agarrando a capa.

— Partiremos uma hora antes do amanhecer — disse Aedion, a ordem era uma dispensa evidente.

Ansel e Galan assentiram, saindo da tenda. Ren, antes de deixar a tenda, apenas murmurou:

— Vou buscar comida para você, lady.

Botas esmagaram o feno, então ele estava de joelhos diante dela. Aedion. Não havia nada bondoso em sua expressão. Nenhuma piedade ou calor.

Por um longo minuto, os dois apenas se encararam.

— Esse seu plano foi uma merda — grunhiu o príncipe, baixinho.

Ela não respondeu, não conseguiu evitar que os ombros se curvassem para dentro.

— Esse seu plano foi uma *merda* — sussurrou ele, com os olhos faiscando. — Como achou que podia ser ela, usar sua pele e sair ilesa disso? Como achou que *algum dia* poderia contornar o fato de que nossos exércitos *contam com você* para queimar o inimigo até virar cinzas, e tudo o que você pode fazer é fugir e voltar como uma besta?

— Não tem o direito de me culpar por essa retirada — disse ela, rouca. As primeiras palavras que dissera em dias e dias.

— Você concordou em deixar que Aelin seguisse para a *morte* e nos deixasse aqui para sermos dilacerados até virar retalhos. Vocês duas não contaram a ninguém desse *plano*, não contaram a nenhum de nós, que poderíamos ter explicado as realidades da guerra, que precisaríamos de uma maldita Portadora do Fogo contra Morath, e não de uma metamorfa sem treino e *inútil*.

Golpe após golpe, as palavras lhe atingiram o coração cansado.

— Nós...

— Se estava tão disposta a deixar Aelin morrer, então deveria tê-la deixado fazer isso *depois* de incinerar as hordas de Erawan!

— Não teria impedido Maeve de capturá-la.

— Se você nos tivesse contado, poderíamos ter planejado diferente, agido diferente, e não estaríamos *aqui*, maldita seja você!

Lysandra encarou o feno enlameado.

— Então me expulse de seu exército.

— Você estragou tudo. — As palavras eram mais frias que o vento do lado de fora. — Você e ela.

A metamorfa fechou os olhos.

Feno farfalhou, e ela soube que ele estava de pé, soube quando as palavras vieram de cima de sua cabeça baixa.

— Saia de minha tenda.

Ela não tinha certeza se conseguiria se mover o suficiente para obedecer, embora quisesse. Precisasse.

Revide. Deveria revidar. Revoltar-se contra Aedion enquanto ele a agredia, precisando de uma válvula de escape para o medo e o desespero.

Lysandra abriu os olhos, olhando para cima na direção do general. Para a cólera e o ódio em seu rosto.

Ela conseguiu se levantar, o corpo latejando de dor. Conseguiu encará-lo, mesmo quando Aedion disse, de novo, com uma frieza tranquila:

— Saia.

Descalça na neve, nua sob a capa. Ele olhou para as pernas expostas, como se percebesse. Mas não se importou.

Então Lysandra assentiu, agarrando-se mais forte à capa de Ansel, e caminhou para a noite frígida.

⁓

— Onde ela está? — perguntou Ren, com uma caneca do que cheirava como sopa aguada em uma das mãos e um pedaço de pão na outra. O lorde observou a tenda, como se fosse encontrá-la sob a cama, sob o feno.

Aedion encarou a pouca e preciosa lenha que queimava no braseiro, mas não disse nada.

— O que você fez? — sussurrou o lorde.

Tudo estava prestes a acabar. Tudo fora condenado desde que Maeve havia roubado Aelin. Desde que sua rainha e a metamorfa haviam feito aquele acordo.

Então não importava o que ele dissera. Não importava se não tinha sido justo, se não era verdade.

Não importava se ele estava tão cansado que não podia reunir vergonha por tê-la culpado pela derrota certa que enfrentariam em questão de dias diante das muralhas de Perranth.

Queria que ela o tivesse golpeado, que tivesse gritado com ele.

Mas Lysandra o deixara vociferar. E saíra na neve, descalça.

Ele prometera salvar Terrasen, segurar as linhas do exército. E o fizera durante anos.

No entanto, aquele teste contra Morath, quando realmente valia... ele havia fracassado.

Reuniria forças para lutar de novo. Para juntar seus homens. Apenas... precisava dormir.

Aedion não reparou quando Ren partiu, sem dúvida em busca da metamorfa por quem estava tão malditamente enamorado.

O general deveria reunir os comandantes da Devastação. Ver como lidariam com aquele desastre.

Mas não conseguia. Não conseguia fazer nada a não ser encarar aquela fogueira conforme a longa noite passava.

35

Não havia confiado naquele mundo, naquele sonho. Nos companheiros que caminharam com ela, que a levaram até ali. No príncipe-guerreiro com olhos verde-pinho e que tinha o cheiro de Terrasen.

Nele, ela não ousara acreditar mesmo. Não nas palavras que ele dizia, mas no simples fato de que estava *ali*. Ela não confiava que ele removera a máscara, os ferros. Haviam sumido em outros sonhos também... sonhos que tinham se provado falsos.

Mas o Povo Pequenino tinha lhe dito que era verdade. Tudo aquilo. Disseram que era seguro e que ela deveria descansar, e eles cuidariam dela.

E aquela terrível e irrefreável tensão que se contorcia em suas veias, ela diminuíra. Apenas o bastante para que pensasse, que respirasse e agisse além do puro instinto.

Aelin filtrara para fora o máximo que podia arriscar, mas não tudo. Certamente não tudo.

Então tinha dormido. Fizera isso, também, naqueles outros sonhos. Vivera durante dias e semanas histórias que, então, foram lavadas como pegadas na areia.

Mas ao abrir os olhos, a caverna permanecia, mais escura agora. O poder latejante se aninhara mais profundamente, adormecendo. A dor nas costelas tinha sumido, o corte no antebraço se curara — mas a cicatriz permanecia.

Sua única marca.

Aelin a cutucou com o dedo. Dor fraca ecoou em resposta.

Liso — não a cicatriz, mas o dedo. Liso como gelo ao esfregar a parte macia do polegar e do indicador juntas.

Nenhum calo. Não nos dedos, nem nas palmas das mãos. Completamente brancas, livres de sinais dos anos de treinamento, ou do ano em Endovier.

Mas a nova cicatriz, o leve latejar sob ela... aquilo permanecia, pelo menos. Aninhada no chão de pedra, Aelin observou a caverna.

O lobo branco estava deitado a suas costas, roncando baixinho. A esfera de chamas transparentes ainda queimava em torno dos dois, aliviando a tensão, brasa após brasa. Mas não completamente.

Aelin engoliu em seco, sentindo gosto de cinzas.

Sua magia abriu um olho em resposta.

Aelin inspirou. Não aqui; ainda não.

Ela sussurrou para a chama. *Ainda não.*

Mas a chama ao seu redor e do lobo aumentou e ficou mais espessa, borrando a caverna. Aelin trincou o maxilar.

Ainda não, prometeu ela. Não até que pudesse ser feito em segurança. Longe deles.

A magia fez força contra os ossos, mas Aelin a ignorou. Segurou-a.

A bolha de chama encolheu, protestando, e ficou transparente de novo. Através dela, Aelin conseguiu distinguir uma banheira escavada na água e as formas adormecidas dos outros companheiros.

O príncipe-guerreiro dormia a apenas alguns metros do limite de seu fogo, aconchegado em uma alcova na parede da caverna. Exaustão recaía pesadamente sobre ele, embora não tivesse se desarmado.

Uma espada pendia de seu cinto, com o rubi incandescente à luz do fogo da rainha.

Aelin conhecia aquela espada. Uma espada antiga, forjada naquelas terras para uma guerra fatal.

Fora sua espada também. Aqueles calos apagados tinham se encaixado no cabo da espada tão perfeitamente. E o príncipe-guerreiro que agora a carregava encontrara a lâmina para ela. Em uma caverna como aquela, cheia de relíquias de heróis há muito enviados para o Além-mundo.

Aelin estudou a tatuagem que serpenteava pelo lado do rosto e do pescoço, sumindo abaixo das roupas escuras.

Sou seu parceiro.

Ela quisera acreditar, mas aquele sonho, aquela ilusão na qual fora atirada... Não era uma ilusão.

Ele fora atrás dela.

Rowan.

Rowan Whitethorn. Agora Rowan Whitethorn Galathynius, seu marido e rei-consorte. Seu parceiro.

Ela proferiu seu nome sem fazer som.

Ele fora atrás dela.

Rowan.

Silenciosamente, tão suavemente que nem mesmo o lobo branco acordou, ela se sentou, uma das mãos agarrando a capa que cheirava a pinho e neve. A capa de Rowan, seu cheiro tecido entre as fibras.

Então ela ficou de pé, as pernas estavam mais firmes que antes. Um pensamento fez a bolha de chamas se expandir conforme a jovem rainha atravessava os poucos metros até o príncipe adormecido.

Aelin olhou para aquele rosto; belo, mas implacável.

Os olhos se abriram, encontrando os dela, como se soubesse onde encontrá-la mesmo dormindo.

Uma pergunta não dita surgiu naqueles olhos verdes. *Aelin?*

Ela ignorou a indagação, incapaz de suportar abrir aquele canal silencioso entre os dois de novo, e observou as poderosas linhas do corpo do macho, seu mero tamanho. Um vento carinhoso, beijado por gelo e relâmpago, roçou contra sua parede de chamas, um eco daquela pergunta silenciosa.

Sua magia faiscou em resposta, uma ondulação de poder dançando por ela.

Como se tivesse encontrado um espelho de si no mundo, como se tivesse encontrado a contramelodia da própria canção.

Sequer uma vez naquelas ilusões ou sonhos a magia fizera aquilo. Nunca a chama saltara de felicidade com a proximidade dele, com o poder dele.

Ele estava ali. Era ele, e ele viera atrás dela.

A chama se derreteu em nada além de ar frio da caverna. Não se derreteu, mas foi sugada para dentro de si, encolhendo-se, uma grande besta puxando a coleira.

Rowan. Príncipe Rowan.

Ele se sentou devagar, e uma quietude recaiu sobre o príncipe-feérico.

Ele sabia. Dissera a ela mais cedo, antes que Aelin deixasse o esquecimento tomá-la. *Sou seu parceiro.*

Provavelmente tinham contado a ele, então. Os companheiros deles. Elide e Lorcan e Gavriel. Estavam todos naquela praia onde tudo tinha virado um inferno.

A magia avançou, e Aelin curvou os ombros, mandando-a dormir, esperar, apenas mais um pouco.

Ela estava ali. Estavam os dois ali.

O que Aelin poderia dizer a ele, para explicar, para consertar? Como dizer que ele fora usado de forma tão desprezível, que sofrera tanto, por causa dela?

Havia sangue nele. Tanto sangue, encharcando as roupas escuras. Pelas manchas no pescoço e os arcos sob as unhas, parecia que ele tentara lavar um pouco do sangue. Mas o cheiro permanecia.

Ela conhecia aquele cheiro — sabia a quem pertencia.

A coluna de Aelin enrijeceu, braços e pernas ficaram tensos. Combatendo a mandíbula trincada, ela inspirou profundamente. Forçou um longo fôlego a sair pelos dentes. Obrigou-se a contornar o cheiro do sangue de Cairn. O que aquilo fazia com ela. A magia se debatia, urrando.

E Aelin se obrigou a perguntar a ele, ao príncipe que tinha cheiro de seu lar:

— Ele está vivo?

Ódio frio lampejou nos olhos de Rowan.

— Não.

Morto. Cairn estava morto. A rigidez no corpo de Aelin se aliviou — apenas um pouco. A chama também recuou.

— Como?

Nenhum remorso lhe suavizou a expressão.

— Você me disse uma vez em Defesa Nebulosa que, se algum dia eu a açoitasse, você me esfolaria vivo. — Os olhos de Rowan não se desviaram dos dela conforme ele falava, com uma calma letal: — Tomei a liberdade de levar esse destino a Cairn em seu nome. E, quando terminei, tomei a liberdade de remover sua cabeça do corpo, então queimei o que restou. — Uma pausa, um sussurro de dúvida. — Desculpe por não ter lhe dado a chance de fazê-lo você mesma.

Ela não tinha forças para sentir uma faísca de surpresa, para se maravilhar com a brutalidade da vingança aplicada. Não conforme as palavras ainda eram absorvidas. Não conforme os pulmões se abriam de novo.

— Eu não podia arriscar trazê-lo até aqui para que você o matasse — prosseguiu Rowan, observando seu rosto. — Nem arriscar deixá-lo vivo.

Aelin ergueu as palmas das mãos, estudando a pele sem marcas, vazia.

Cairn fizera aquilo. Ele a dilacerara tão intensamente que precisaram remendá-la de volta. Tinha limpado todos os traços de quem e do que ela fora, do que ela vira e suportara.

Aelin abaixou as mãos para o lado do corpo.

— Fico contente — disse ela, e as palavras eram sinceras.

Um tremor percorreu Rowan, e a cabeça se inclinou levemente.

— Você... — Ele pareceu ter dificuldades com as palavras certas. — Posso abraçá-la?

A necessidade evidente naquela voz a cortou, mas ela recuou um passo.

— Eu... — Ela observou a caverna, bloqueando a forma como os olhos dele se apagaram diante do recuo. Do outro lado da câmara, o grande lago fluía, liso e parado como um espelho preto. — Preciso me banhar — disse ela, com a voz baixa e áspera. Mesmo que não houvesse uma marca em seu corpo a não ser os pés sujos. — Preciso lavar isso de mim — tentou ela, de novo.

Compreensão suavizou os olhos de Rowan. Ele apontou com a mão tatuada para a fonte próxima.

— Há alguns tecidos sobressalentes para se lavar. — Passando a mão pelos cabelos prateados, mais longos do que quando ela o vira pela última vez, naquele mundo, naquela verdade, ao menos, ele acrescentou: — Não sei como, mas eles também encontraram algumas de suas roupas antigas de Defesa Nebulosa e as trouxeram até aqui.

Mas palavras estavam se tornando distantes de novo, dissolvendo-se em sua língua.

A magia de Aelin tremia, fazendo pressão no sangue, apertando seus ossos. *Fora*, uivava ela. *Fora*.

Em breve, prometeu Aelin.

Agora. A magia se debateu. As mãos da rainha tremeram, fechando-se, como se ela conseguisse segurá-la dentro de si.

Então a rainha se virou, seguindo não para a fonte, mas para o lago além dela.

O ar se agitou atrás de Aelin, e ela sentiu Rowan ao encalço. Ao ver onde ela pretendia se banhar, ele avisou:

— A água está pouco acima da temperatura de congelamento, Aelin.

Ela apenas soltou a capa nas pedras pretas e deu um passo para a água.

Vapor chiou, subindo ao seu redor em nuvens rodopiantes. A jovem rainha continuou em frente, recebendo o gelo da água a cada passo, mesmo que aquilo fracassasse em lhe perfurar o calor.

Aelin mergulhou sob a superfície frígida, encontrando a água límpida, embora a escuridão escondesse o fundo que se inclinava para longe.

A água estava silenciosa. Fria e acolhedora e calma.

Então Aelin soltou a tensão da magia — apenas uma fração.

Chamas saltaram para fora, devoradas pela água frígida. Consumidas por ela.

Aquilo puxou para longe a pressão, a névoa constante de calor. Acalmou e resfriou até que os pensamentos tomaram forma.

Com cada braçada sob a superfície, na escuridão, ela conseguia sentir de novo. A si mesma. Ou o que restara de si.

Aelin. Ela era Aelin Ashryver Whitethorn Galathynius e a rainha de Terrasen.

Mais magia ondulou para fora, mas Aelin segurou firme. Não tudo... ainda não.

Ela fora capturada por Maeve, torturada por ela. Torturada por Cairn, sua sentinela. Mas tinha escapado e seu parceiro fora atrás dela. E a encontrara, assim como os dois haviam se encontrado apesar de séculos de derramamento de sangue e perda e guerra.

Aelin. Ela era Aelin, e aquilo não era uma ilusão, mas o mundo real.

Aelin.

Ela nadou para o meio do lago, e Rowan seguiu o filete protuberante de pedra ao longo da margem.

Aelin mergulhou sob a superfície, deixando-se afundar e afundar e afundar, seus dedos agarrando-se apenas à água livre, fria, buscando um fundo que não chegava.

Para baixo, no escuro, no frio.

A água antiga, gélida, puxou a chama e o calor e a tensão. Puxou e sugou e dissipou.

Esfriou aquele núcleo incandescente até Aelin tomar forma: uma lâmina vermelho-incandescente de fogo mergulhada na água.

Aelin. Era quem ela era.

∽

Aquela água do lago jamais vira a luz do sol. Fluía do coração escuro e frio das próprias montanhas. Mataria até mesmo os guerreiros feéricos mais experientes em minutos.

Mas ali estava Aelin, nadando como se fosse um lago florestal aquecido pelo sol.

Ela empurrava a água, jogando a cabeça para trás de vez em quando para esfregar os cabelos.

Rowan não percebera que ela estivera queimando tão forte até Aelin entrar no lago frígido e vapor subir.

Silenciosamente, ela havia mergulhado e nadado sob a superfície, com a água tão límpida que Rowan conseguia ver cada braçada do corpo levemente brilhante. Como se a água tivesse tirado a pele da mulher e revelado a alma incandescente abaixo.

Mas o brilho se dissipava a cada fôlego que ela subia para tomar, enfraquecendo mais sempre que Aelin mergulhava.

Será que ela não quisera que ele a tocasse por causa daquele inferno interior, ou simplesmente porque primeiro queria lavar a mancha de Cairn? Talvez ambos. Pelo menos tinha começado a falar, seus olhos se tornando mais lúcidos.

Eles continuaram lúcidos conforme ela nadava, com o brilho ainda mal permanecendo, e olharam para cima, para o filete de pedra preta que se projetava para o lago no qual ele estava de pé.

— Você pode se juntar a mim — disse ela, por fim.

Nenhum calor nas palavras, mas Rowan sentiu o convite. Não para provar o corpo dela como ele desejava, como precisava, para saber que ela estava ali, com ele, mas para estar *com* ela, simplesmente.

— Diferente de você — respondeu ele, tentando acalmar a voz conforme o reconhecimento no rosto de Aelin ameaçava fazer seus joelhos cederem —, não acho que minha magia me aqueceria tão bem se eu entrasse.

Mas ele queria. Pelos deuses, como queria entrar. Mas se obrigou a acrescentar:

— Esse lago é antigo. Você deveria sair. — Antes que algo viesse rastejando por ali.

Aelin não fez tal coisa, seus braços continuaram os movimentos circulares na água. Ela apenas o encarou de novo, daquela forma grave, cautelosa.

— Eu não cedi — disse ela, baixinho. O coração de Rowan se partiu ao ouvir as palavras. — Não contei nada a eles.

Ela não disse aquilo para receber elogios, para se gabar. Mas para explicar a ele, seu consorte, qual era sua situação naquela guerra. O que os inimigos poderiam saber.

— Eu sabia que você não contaria. — Foi o que ele conseguiu dizer.

— Ela... ela tentou me convencer de que este era o sonho ruim. Quando Cairn terminava comigo, ou durante, eu não sei, ela tentava entrar em minha

mente como um verme. — Aelin olhou ao redor da caverna, como se pudesse ver o mundo além dela. — Ela teceu fantasias que pareciam tão reais...
— Ela mergulhou. Talvez precisasse da água refrescante do lago para conseguir ouvir a própria voz de novo; talvez precisasse da distância entre eles para poder dizer aquelas palavras. Emergindo, ela puxou os cabelos para trás com uma mão. — A sensação dessas fantasias era esta.

Uma parte de Rowan não queria saber, mas ele perguntou:

— Que tipo de ilusões?

Uma longa pausa.

— Não importa agora.

Muito cedo para insistir, se é que seria possível algum dia.

Então Aelin perguntou, baixinho:

— Quanto tempo?

Rowan precisou de todos os três séculos de treinamento para conter a devastação e a dor por ela afastadas do próprio rosto.

— Dois meses, três dias e sete horas.

A boca de Aelin se contraiu, ou pela extensão de tempo, ou pelo fato de que ele contara cada uma daquelas horas afastados.

Ela passou os dedos pelos cabelos, as mechas flutuavam em torno dela na água. Ainda longo demais para apenas dois meses terem passado.

— Eles me curavam depois de cada... sessão. Para que eu deixasse de saber o que tinha sido feito e o que estava em minha mente e qual era a verdade. — Apagando suas cicatrizes, Maeve tinha mais chances de convencê-la de que nada daquilo era real. — Mas os curandeiros não conseguiam se lembrar do comprimento de meus cabelos, ou Maeve queria me confundir mais, então fizeram com que crescessem. — Os olhos ficaram sombrios com a lembrança de por que talvez tivessem precisado fazer seu cabelo crescer.

— Quer que eu corte de volta da altura que estava quando vi você pela última vez? — As palavras eram quase guturais.

— Não. — Ondas estremeceram ao redor de Aelin. — Quero que fique assim para eu poder lembrar.

O que fora feito a ela, a que sobrevivera e o que tinha protegido. Mesmo com tudo que ele fizera a Cairn, a forma como se assegurara de que o macho fosse mantido vivo e que gritasse durante tudo aquilo, Rowan desejou que ele ainda estivesse respirando apenas para levar mais tempo o matando.

E quando encontrasse Maeve...

Aquela morte não era dele. Rowan acabara com Cairn, e não se arrependia. Mas Aelin... Maeve era de Aelin.

Mesmo que a mulher nadando a sua frente não parecesse ter vingança na mente. Nem sequer um indício do ódio incandescente que a alimentava.

Ele não a culpava. Sabia que levaria tempo, tempo e distância, para curar os ferimentos internos. Se pudesse algum dia se curar de fato.

Mas Rowan trabalharia com ela, ajudaria de qualquer forma possível. E se a parceira jamais voltasse a ser quem ela fora antes daquilo, ele não a amaria menos.

Aelin mergulhou a cabeça e, ao emergir, falou:

— Maeve estava prestes a colocar um colar valg em meu pescoço. Ela havia partido para buscá-lo. — O cheiro do medo remanescente fluiu até ele, e Rowan deu um passo para mais perto da beira da água. — Por isso eu... por isso fugi. Ela me fez ser movida para o acampamento do exército para que eu ficasse segura, e eu... — A voz parou, mas Aelin o encarou, deixando que Rowan lesse as palavras que ela não conseguia dizer, daquela forma silenciosa como sempre conseguiram se comunicar. *A fuga não era minha intenção.*

— Não, Coração de Fogo — sussurrou ele, sacudindo a cabeça, com o horror o invadindo. — Não... não havia colar.

Ela piscou, inclinando a cabeça.

— Aquilo foi um sonho também?

O coração de Rowan se partiu ao buscar as palavras. Ao se obrigar a dizê-las.

— Não, foi real. Ou Maeve achou que fosse. Mas os colares, a presença valg... foi uma mentira que nós criamos. Para atrair Maeve. Na esperança de afastá-la de você e de Doranelle.

Apenas o leve bater da água soava.

— Não havia colar?

Rowan se ajoelhou e sacudiu a cabeça.

— Eu... Aelin, se eu soubesse o que ela faria com o conhecimento, o que você decidiria fazer...

Ele poderia tê-la perdido. Não por causa de Maeve ou dos deuses ou do Fecho, mas pelas próprias escolhas malditas. Pela mentira que tecera.

Aelin mergulhou de novo. Tão fundo que, quando a chama surgiu, mal passou de uma faísca.

A luz irrompeu da jovem, ondulando pelo lago, iluminando as pedras e o teto escorregadio acima. Uma erupção silenciosa.

A respiração de Rowan ficou irregular. Mas Aelin nadou até a superfície de novo, a luz irradiando do corpo, como tendões de nuvens, quase sumira quando ela emergiu.

— Desculpe. — Foi o que Rowan conseguiu dizer.

De novo, aquele inclinar de cabeça.

— Você não tem nada por que se desculpar.

Mas tinha. Ele havia somado algo ao terror da parceira, ao desespero. Ele...

— Se não tivesse plantado aquela mentira para Maeve, se ela não tivesse me contado, eu não acho que estaríamos aqui agora — disse Aelin.

Ele tentou conter o revirar no estômago, a ânsia de estender o braço para ela, de implorar por perdão. Tentou e tentou.

— E quanto aos outros? — perguntou ela, apenas.

Ela não sabia; não tinha como saber como e por que e onde todos tinham se despedido. Então Rowan contou, o mais resumida e tranquilamente possível.

Quando ele terminou, Aelin ficou calada por longos minutos.

Ela encarou a escuridão. O ondular de Aelin nadando era o único som. Seu corpo quase perdera aquele brilho recém-forjado.

Ela se virou de volta para Rowan.

— Maeve disse que você e os demais estavam no norte. Que tinham sido vistos ali por seus espiões. Você plantou essa farsa para ela também?

Ele sacudiu a cabeça.

— Lysandra tem sido meticulosa, ao que parece.

Aelin engoliu em seco.

— Acreditei nela.

Parecia uma confissão, de alguma forma.

Então Rowan se viu dizendo:

— Eu disse a você certa vez que, mesmo que a morte nos separasse, eu destruiria cada mundo até encontrá-la. — Ele deu a ela um meio sorriso. — Acreditou mesmo que isso me impediria?

Aelin contraiu a boca, e, por fim, aquelas emoções dolorosas começaram a surgir em seus olhos.

— Era para você salvar Terrasen.

— Considerando que o sol brilha, eu diria que Erawan ainda não venceu. Então, nós salvaremos Terrasen juntos.

Ele não se permitiu pensar no custo final de destruir Erawan. E Aelin parecia não ter pressa em discutir aquilo também. Em vez disso, falou:

— Você deveria ter ido para Terrasen. O reino precisa de você.

— Eu preciso mais de você. — Rowan não se esquivou da honestidade pura que deixava sua voz áspera. — E Terrasen precisará de você também. Não Lysandra se fazendo de você, mas de *você*.

Um aceno fraco de cabeça.

— Maeve ergueu o próprio exército. Duvido de que tenha sido apenas para me vigiar enquanto ela estava fora.

Rowan pôs o pensamento de lado para refletir mais tarde.

— Pode ser apenas para aumentar as defesas, caso Erawan ganhe do outro lado do mar.

— Acha mesmo que é isso que ela planeja fazer com o exército?

— Não — admitiu ele. — Não acho.

Se Maeve queria levar aquele exército até Terrasen, ou para se unir a Erawan, ou apenas para ser mais uma força arrasando o reino, atacando quando estivessem mais fracos, eles precisavam se apressar. Precisavam voltar. Imediatamente. Os olhos da parceira brilharam com a mesma compreensão e medo.

— Estou tão cansada, Rowan — sussurrou ela, engolindo em seco.

O coração do príncipe se apertou de novo.

— Eu sei, Coração de Fogo.

Rowan abriu a boca para dizer mais, para convencê-la a ir para a terra de modo que pudesse ao menos abraçá-la, uma vez que as palavras não conseguiam aliviar seu fardo, mas então ele viu.

Um barco antigo, com cada centímetro entalhado, flutuando para fora da escuridão.

— Volte para a margem. — O barco não estava flutuando, estava sendo puxado. Rowan mal conseguia distinguir duas figuras escuras serpenteando sob a superfície.

Aelin não hesitou, e suas braçadas permaneceram firmes conforme ela nadava até ele. Não hesitou para a mão que Rowan estendeu. Em seguida, ele a envolveu com a capa enquanto o barco passava lentamente.

Criaturas pretas, parecidas com enguias, mais ou menos do tamanho de um homem mortal, puxavam a embarcação. As nadadeiras ondulavam atrás do corpo, como véus cor de ébano, e com cada empurrão propulsor das longas caudas, ele via olhos brancos leitosos. Cegos.

As criaturas levaram o barco de base chata, grande o bastante para quinze machos feéricos, até a margem do lago. Um clarão de corpos baixos e retorcidos percorreu a escuridão, e o Povo Pequenino ancorou o barco a uma estalagmite próxima.

Os demais deviam ter ouvido sua ordem para Aelin, pois emergiram com as espadas em punho. Trinta centímetros atrás deles, Elide se detinha com Fenrys, o macho ainda na forma de lobo.

— Não podem querer que embarquemos nisso para dentro das cavernas — murmurou Lorcan.

Mas Aelin se virou em sua direção, os cabelos pingando na pedra e nos pés descalços. Com meio pensamento, ela podia se secar, mas não fez menção disso.

— Estamos sendo caçados.

— Sabemos disso — disparou Lorcan de volta, e, se não fosse pelo fato de que Aelin estava, no momento, permitindo que Rowan apoiasse a mão em seu ombro, ele teria atirado o macho no lago.

Mas as feições da jovem rainha não se alteraram daquela seriedade, daquela calma inabalada.

— O único caminho para o mar é por estas cavernas.

Era uma alegação absurda. Estavam a centenas de quilômetros continente adentro, e não havia registro daquelas montanhas jamais se conectarem a qualquer sistema de cavernas que fluía para o oceano. Para fazer isso, precisariam ir para o norte por aquela cadeia, então virar para oeste nas montanhas Cambrian e velejar sob elas direto para a costa.

— E suponho que tenham lhe dito isso? — A expressão de Lorcan estava rígida como granito.

— Cuidado — grunhiu Rowan. Fenrys chegou a exibir os dentes para o guerreiro de cabelos pretos, e seus pelos se eriçaram.

Mas Aelin apenas disse:

— Sim. — Seu queixo não se abaixou um centímetro. — A terra acima está cheia de soldados e espiões. Passar por baixo é o único caminho.

Elide deu um passo adiante.

— Eu vou. — Ela lançou um olhar frio para Lorcan. — Pode se arriscar na superfície se é tão incrédulo.

A mandíbula de Lorcan se contraiu, e uma pequena parte de Rowan se deliciou ao ver a delicada Lady de Perranth destruir o guerreiro moldado pelos séculos com apenas algumas palavras.

— Considerar os potenciais riscos da situação é sábio.

— Não temos tempo para considerar — interrompeu Rowan antes que Elide pudesse proferir a réplica na ponta da língua. — Precisamos continuar seguindo.

Gavriel caminhou para a frente e estudou o barco aportado e o que pareciam ser montes de suprimentos sobre as tábuas firmes.

— Mas como navegaremos?

— Seremos acompanhados — respondeu Aelin.

— E se nos abandonarem? — desafiou Lorcan.

Aelin voltou o olhar inabalado para ele.

— Aí imagino que você vá precisar encontrar uma saída.

Uma pontada — apenas uma faísca — de temperamento por trás daquelas palavras calmas.

Não houve mais o que debater depois daquilo. E tinham pouco para empacotar. Os demais deram a Aelin privacidade para se vestir diante da fogueira enquanto inspecionavam o barco. Quando ela ressurgiu, usando botas, calça e várias camadas sob o casaco cinza, quando Rowan a viu com as roupas de Defesa Nebulosa, aquilo foi o bastante para fazer seu estômago se apertar.

Não era mais uma prisioneira fugida e nua. Mas não havia nada daquela malícia, daquela alegria e do temperamento selvagem e descontrolado iluminando seu rosto.

O restante do grupo esperou na embarcação, sentado nos bancos construídos nas laterais de bordas altas. Fenrys e Elide estavam, ambos, o mais evidentemente longe de Lorcan quanto possível, Gavriel era como um amortecedor dourado e sofrido entre eles.

Rowan se demorou na margem, estendendo a mão para Aelin enquanto ela se aproximava. Cada um dos passos parecia ser considerado — como se ela ainda se maravilhasse por poder se mover livremente. Como se ainda se ajustasse às pernas sem o fardo das correntes.

— Por quê? — ponderou Lorcan em voz alta, mais para si mesmo. — Por que fazer tudo isso por nós?

Ele obteve a resposta, todos obtiveram, um segundo depois.

Aelin parou a alguns metros do barco e da mão estendida de Rowan, voltando-se para a caverna. O Povo Pequenino despontou daqueles galhos de bétula, das rochas e de trás de estalagmites.

Devagar, profundamente, Aelin se curvou para eles.

Rowan podia jurar que todas aquelas minúsculas cabeças se curvaram em resposta.

Duas mãos cinza ossudas se ergueram acima de uma rocha próxima, com algo reluzindo entre elas, e colocaram o objeto na pedra.

Rowan ficou imóvel. Uma coroa de prata, pérola e diamante brilhou ali, moldada como asas de cisne voltadas para cima.

— A Coroa de Mab — sussurrou Gavriel. Fenrys, no entanto, virou o rosto para a escuridão crescente, fechando o rabo junto ao corpo.

Aelin cambaleou um passo mais para perto da coroa.

— Ela... ela caiu no rio.

Rowan não queria saber como ela a encontrara, por que a vira cair no rio. Maeve guardava as duas coroas das irmãs sob vigia constante, apenas as tirando para serem expostas no salão do trono em ocasiões oficiais. Em memória das irmãs, dizia ela. Por vezes, o príncipe feérico tinha se perguntado se aquilo seria um lembrete de que ela sobrevivera às duas, de que ficara com o trono para si no final.

A mão cinzenta deslizou pela borda da rocha de novo e cutucou a coroa em um gesto silencioso. *Pegue-a*.

— Quer saber por quê? — perguntou Gavriel, baixinho, para Lorcan quando Aelin caminhou até a rocha. Com nada além de reverência solene no rosto. — Porque ela não é só a herdeira de Brannon, mas também de Mab.

Um retorno de sua tataravó, provocara Maeve. Que herdara a força e a vida imortal.

Os dedos de Aelin se fecharam na coroa, erguendo-a lentamente. A coroa brilhou como luar vivo nas mãos da jovem rainha.

A linhagem de minha irmã Mab age como esperado, tinha sido o que Elide havia alegado que Maeve dissera na praia. De todas as formas, ao que parecia.

Mas Aelin não fez menção de colocar a coroa ao se aproximar de Rowan de novo, com o andar mais firme dessa vez. Tentando não se deter na insuportável lisura da mão de Aelin, que se entrelaçou com a sua, o príncipe feérico a ajudou a subir a bordo, então subiu também, antes de soltar as cordas que os prendiam à margem.

Com espanto em cada palavra, Gavriel prosseguiu:

— E isso a torna rainha deles também.

Aelin encontrou o olhar de Gavriel, com a coroa quase brilhando em suas mãos.

— Sim. — Foi tudo o que ela disse quando o barco zarpou para a escuridão.

36

— Quanto tempo vai levar para chegarmos à costa? — O sussurro de Elide ecoou pelas paredes da caverna escavadas pelo rio.

Ela entrara em pânico quando o barco se aventurara além do brilho da margem, para uma passagem do outro lado do rio, tão escura que ela não conseguia ver as próprias mãos diante do rosto. Estar presa em uma escuridão tão impenetrável durante horas, dias, talvez mais...

Será que tinha sido assim no caixão de ferro? Aelin não dava indícios de que a escuridão sufocante a incomodava, e não mostrara qualquer vontade de iluminar o caminho. Nem mesmo conjurara uma brasa.

Mas o Povo Pequenino, ao que parecia, tinha vindo preparado. E segundos depois de entrarem na passagem do rio escura como um breu, luz azul havia acendido na lanterna que pendia sobre a proa curva.

Não era luz nem mesmo magia. Mas pequenos vermes que brilhavam com um azul pálido, como se cada um tivesse engolido o coração de uma estrela.

Tinham sido recolhidos na lanterna, e a luz fraca ondulava sobre as paredes lisas devido à água. Uma luz suave, tranquilizadora. Pelo menos para ela era assim.

Os machos feéricos permaneciam sentados e alertas, os olhos brilhando com uma luminosidade animalesca enquanto usavam a luz para marcar as cavernas para as quais eram puxados por aquelas bestas estranhas, viperinas.

— Não estamos viajando rapidamente — respondeu Rowan, sentado ao lado de Aelin perto da popa do barco, com Fenrys cochilando aos pés da rainha. O espaço era grande o bastante para cada um deles se deitar entre os bancos, ou se reunir perto da proa para comer o estoque de frutas e queijos. — E não sabemos o quão diretamente essas passagens seguem. Vários dias podem ser um palpite conservador.

— Seriam necessárias três semanas a pé se estivéssemos acima — explicou Gavriel, com os cabelos dourados tingidos de prata pela luz da lanterna. — Talvez mais.

Elide brincava com o anel no dedo, girando a aliança de novo e de novo. Ela preferiria viajar por um mês a pé do que permanecer presa naquelas passagens escuras, sem ar.

Mas não tinham escolha. Anneith não sussurrara em aviso; não dissera nada antes de subirem a bordo daquele barco. Antes de Aelin receber a coroa de uma antiga rainha feérica, seu direito de nascença e sua herança.

A rainha tinha guardado a coroa de Mab em uma das bolsas, como se não passasse de um cinto sobressalente para espadas. Ela não havia falado nada, e eles não fizeram perguntas também.

Em vez disso, a rainha passara aquelas últimas horas sentada na popa do barco, estudando as mãos lisas, ocasionalmente olhando para as águas pretas sob eles. O que esperava ver além do próprio reflexo ondulando, Elide não queria saber. As criaturas cruéis e antigas daquelas terras eram numerosas demais para contar, e a maioria não era amigável com os mortais.

Recostando-se contra a pilha de sacolas, Elide olhou para a esquerda. Lorcan tinha se posicionado ali, ao longo da borda do barco. Mais perto da jovem do que se sentara em semanas.

Sentindo a atenção, os olhos pretos deslizaram para ela.

Durante longos segundos, Elide se permitiu olhar para Lorcan.

Ele rastejara atrás de Maeve na praia para salvar Aelin. E a encontrara durante a fuga... assegurara-se de que Aelin escapasse. Será que isso apagava o que ele fizera ao conjurar Maeve para início de conversa? Mesmo que ela tivesse montado a armadilha, mesmo que o guerreiro não soubesse qual era a intenção da rainha sombria a respeito de Aelin, será que isso apagava a decisão de Lorcan de chamá-la?

A última vez que tinham conversado como amigos fora a bordo daquele navio, nas horas antes da armada de Maeve chegar. Ele dissera a Elide que precisavam conversar, e ela havia presumido que era sobre o futuro dos dois, sobre *eles*.

Mas talvez Lorcan estivesse prestes a contar o que tinha feito, que estivera errado ao agir antes que os planos de Aelin evoluíssem. Elide parou de girar o anel.

Ele fizera aquilo por ela. Elide sabia. Ele convocara a armada de Maeve porque acreditava que estavam prestes a ser destruídos pela frota de Melisande. Fizera aquilo por ela, assim como descera o escudo em torno de ambos no dia em que Fenrys tinha rasgado um pedaço de seu braço em troca de que Gavriel a curasse.

Mas a rainha sentada silenciosamente atrás deles, sem qualquer traço daquele fogo afiado à vista, nem daquele sorriso malicioso que ela costumava dar para todos que cruzavam seu caminho... Dois meses com um sádico. Com dois sádicos. Era esse o preço e o fardo que Aelin e todos eles carregariam.

Aquele silêncio, aquele fogo retraído, era por causa dele. Não completamente, mas de certas formas.

A boca de Lorcan se contraiu, como se ele tivesse lido os pensamentos no rosto de Elide.

Ela olhou para a frente de novo, para onde o teto da caverna mergulhava tão baixo que seria possível tocá-lo se ficasse de pé. O espaço apertava mais e mais...

— É provavelmente uma passagem para uma caverna maior — murmurou Lorcan, como se pudesse ver o medo no rosto de Elide também. Ou sentir o cheiro.

Ela não se incomodou em responder. Mas não conseguiu evitar o brilho de gratidão.

Eles prosseguiram para a escuridão antiga e silenciosa, e ninguém falou por um tempo depois daquilo.

O colar não tinha sido real.

Mas o exército que Maeve conjurara sim.

E Dorian, Manon com ele, estava atrás da última chave de Wyrd. Se ele a conseguisse tirar do próprio Erawan, onde quer que o rei valg a guardasse, se ganhasse posse das três...

O ondular do rio contra o barco era o único som, havia sido o único som por um tempo.

Gavriel continuava vigiando da proa enquanto Lorcan monitorava o estibordo com a mandíbula trincada. Fenrys e Elide dormiam, a cabeça da lady recostada no flanco do lobo, cabelos pretos como nanquim derramando-se sobre uma pelagem de neve branca.

Aelin olhou para Rowan, sentado a seu lado, mas sem tocá-la. Seus dedos se fecharam no colo. Um piscar de olhos para a escuridão foi a única indicação de que ele estava ciente de cada movimento da rainha.

Aelin inspirou o cheiro de Rowan, deixando que sua força se acomodasse mais profundamente dentro de si.

Dorian e Manon poderiam estar em qualquer lugar. Caçar a bruxa e o rei seria uma tarefa tola. Seus caminhos se cruzariam de novo, ou não. E se ele encontrasse a última chave e a levasse para ela, Aelin pagaria o que os deuses exigiam. O que devia a Terrasen, ao mundo.

Mas se Dorian escolhesse acabar com aquilo sozinho, forjar o Fecho... seu estômago se revirou. Ele tinha o poder. Tanto quanto ela, se não mais.

O sacrifício deveria ser seu. O sangue derramado para salvar a todos. Deixar que ele reivindicasse aquilo...

Ela podia. Ela precisava. Com Erawan sem dúvida atacando Terrasen, com o exército de Maeve provavelmente prestes a lhes causar uma dor imensurável, ela podia deixar que Dorian fizesse aquilo. Confiava nele.

Mesmo que jamais se perdoasse por isso.

A dívida era sua, era para ter sido paga por *ela*. Talvez a punição por fracassar ao fazer isso fosse ter de viver consigo mesma. Ter de viver com tudo que tinha sido feito a ela durante aqueles meses também.

A escuridão do rio subterrâneo se intensificou, abraçando-a e apertando.

Diferente da escuridão da caixa de ferro. A treva que Aelin encontrara dentro de si.

Um lugar do qual poderia jamais escapar, não de verdade.

O poder se agitou, despertando. Aelin engoliu em seco, recusando-se a reconhecê-lo. A dar atenção.

Ela não o faria. Não podia. Ainda não. Não até estar pronta.

Aelin vira o rosto de Rowan quando ela havia falado do que a farsa sobre o colar a levara a fazer. Reparara na forma como os companheiros a olhavam, com pena e medo nos olhos. Pelo que fora feito a ela, pelo que ela se tornara.

Um novo corpo. Um corpo alheio, estranho, como se tivesse sido arrancada de um e enfiada em outro. Diferente de trocar entre as próprias formas, de algum jeito. Aelin não tentara mudar para o corpo humano ainda. Não via motivo.

Sentada em silêncio conforme o barco era puxado pela escuridão, ela sentiu o peso daqueles olhares. Do pavor. Sentiu-os perguntando-se o quão arrasada ela estaria.

Você não se rende.

Aelin sabia que aquilo tinha sido verdade — que a voz da mãe falara, sem dúvida.

Ela não se renderia àquilo. Ao que fora feito. Ao que restava.

Pelos companheiros ao seu redor, para aliviar seu desespero e medo, ela não se renderia.

Lutaria por aquilo, se arrastaria de volta para aquilo, para quem fora antes. E se lembraria de andar com arrogância e de sorrir e de piscar um olho. Lutaria contra aquela mancha permanente na alma, lutaria para ignorá-la. Usaria aquela viagem pela sombriedade para se remendar de novo... apenas o bastante para se tornar convincente.

Mesmo que aquela treva fraturada agora morasse dentro de si, mesmo que a fala fosse difícil, ela mostraria a eles o que queriam ver.

Uma Portadora do Fogo imaculada. Aelin do Fogo Selvagem.

Ela mostraria ao mundo essa mentira também. Faria com que acreditassem.

Talvez um dia ela mesma acreditasse.

⊰ 37 ⊱

Dias de viagem quase silenciosa se passaram.

Três dias, se os sentidos de Rowan e Gavriel se provassem verdadeiros. Talvez o Leão levasse um relógio de bolso. Aelin não se importava muito.

Ela usou cada um daqueles dias para considerar o que fora feito, o que estaria adiante. Às vezes, o rugido de sua magia abafava os pensamentos. Às vezes, o poder adormecia. Aelin jamais lhe dava atenção.

Eles velejavam pela escuridão, o rio abaixo era tão preto que poderiam muito bem estar flutuando pelo reino de Hellas.

Era quase o fim do quarto dia em meio à escuridão e às rochas, com os acompanhantes puxando o barco incessantemente, quando Rowan murmurou:

— Estamos entrando no território das criaturas dos túmulos.

Gavriel se virou de seu lugar na proa.

— Como sabe?

Deitado ao lado do guerreiro, ainda em forma de lobo, Fenrys empinou as orelhas para a frente.

Ela não perguntara por que ele permanecia no corpo de lobo. Ninguém perguntava a ela por que permanecia na forma feérica, afinal de contas. Mas Aelin supôs que, se ele usasse a forma feérica, poderia se sentir inclinado a falar. A responder perguntas que talvez ainda não estivesse pronto para discutir. Poderia começar simplesmente a gritar e gritar pelo que fora feito com eles, com Connall.

Rowan apontou com o dedo tatuado para uma alcova na parede. Sombra ocultava os nichos, mas, quando a luz azul da lanterna a tocou, ouro reluziu pelo leito rochoso. Ouro antigo.

— O que são criaturas dos túmulos? — sussurrou Elide.

— Criaturas de malícia e reflexão — respondeu Lorcan, observando a passagem conforme levava a mão ao cabo da espada. — Elas cobiçam ouro e tesouros, e infestaram os antigos túmulos de reis e rainhas para viver entre essas coisas. Odeiam qualquer tipo de luz. Com sorte, esta as manterá longe.

Elide se encolheu, e Aelin sentiu vontade de fazer o mesmo.

Em vez disso, ela reuniu vontade suficiente de falar para perguntar a Rowan:

— São as mesmas criaturas sob os montes sepulcrais que nós visitamos?

O guerreiro enrijeceu o corpo, e seus olhos se iluminaram diante da pergunta — ou do fato de que ela havia falado alguma coisa. Ele se mantivera ao lado de Aelin naqueles dias, uma presença silenciosa, constante. Mesmo quando dormiam, ele permanecia a poucos metros de distância, ainda sem tocá-la, mas simplesmente *ali*. Perto o bastante para que o cheiro de pinho e neve a fizesse adormecer calmamente.

Rowan apoiou a mão na borda do barco.

— Há muitos montes de criaturas dos túmulos por Wendlyn, mas nenhum outro entre as montanhas Cambrian e Doranelle além daqueles que vimos. Até onde sabemos — completou ele. — Não sabia que os túmulos tinham sido cavados tão profundamente.

— As criaturas precisavam de alguma forma para entrar, com as portas dos túmulos provavelmente seladas acima — observou Gavriel, estudando uma alcova maior que apareceu logo adiante. Não era uma alcova, mas a entrada de uma caverna seca que fluía para a margem do rio antes de sumir de vista.

— Parem o barco — pediu Aelin.

Silêncio diante da ordem, mesmo de Rowan.

Ela apontou para o filete de margem do rio diante da entrada da caverna.

— Parem o barco — repetiu a rainha.

— Acho que não podemos — murmurou Elide. De fato, as duas tinham passado a usar um balde para fazer as necessidades nos últimos dias, os machos puxando qualquer conversa que conseguiam para tornar o silêncio mais suportável.

Ainda assim, o barco seguiu para a alcova, reduzindo a velocidade. Fenrys ficou de pé devagar, farejando o ar conforme se aproximavam da margem. Rowan e Lorcan se inclinaram para fora a fim de apoiar as mãos contra a pedra e evitar que eles colidissem com muita força.

Aelin não esperou que o barco parasse de balançar antes de pegar uma lanterna e saltar para o chão alisado pelo rio.

Rowan xingou e pulou atrás da parceira.

— Fiquem aqui — avisou ele para quem quer que ficasse no barco.

Aelin não se incomodou em ver quem obedeceu ao entrar na caverna.

∽

A rainha fora inconsequente antes de Cairn e Maeve trabalharem nela por dois meses, mas parecia que tivera qualquer gota de bom senso esfolada do corpo.

No entanto, ao se ver sozinho no barco com Elide, Lorcan se conteve para não dizer nada. Gavriel e Fenrys tinham ido atrás de Rowan e Aelin, o caminho marcado apenas pelo brilho fraco de luz azul nas paredes.

Não luz de fogo. Ela não mostrara uma brasa desde que tinham entrado na caverna.

Elide permaneceu sentada diante do macho, do lado esquerdo do barco, com as costas apoiadas na borda curva. Estivera calada nos últimos minutos, observando a abertura da caverna agora escura.

— Criaturas dos túmulos não precisam ser temidas se você estiver armado com magia. — Lorcan se viu dizendo.

Os olhos escuros da jovem se voltaram para ele.

— Bem, eu não tenho nenhuma, então me perdoe se permaneço alerta.

Não, ela certa vez dissera a ele que, embora a magia fluísse na linhagem Lochan, Elide não tinha nenhuma. Lorcan jamais dissera que sempre considerara sua inteligência uma poderosa magia por si só, independentemente dos sussurros de Anneith.

— Não estou preocupada com as criaturas — prosseguiu Elide.

Ele observou o rio silencioso que fluía, as cavernas ao redor, então disse:

— Vai levar tempo até ela se reajustar.

Elide o encarou com aqueles olhos incriminadores.

Lorcan apoiou os antebraços nos joelhos.

— Nós a recuperamos. Ela está conosco agora. O que mais você quer?

— *De mim*, foi o que não precisou acrescentar.

Ela enrijeceu o corpo.

— Não quero nada. — *De você.*

Lorcan trincou os dentes. Era ali que discutiriam, então.

— Por mais quanto tempo devo me redimir?

— Está ficando cansado disso?

Ele grunhiu.

Elide apenas o olhou com raiva.

— Nem mesmo percebi que você estava se redimindo.

— Eu vim até aqui, não vim?

— Por quem, exatamente? Rowan? Aelin?

— Pelos dois. E por você.

Pronto. Que ficasse evidente entre eles.

Apesar do brilho azul da lanterna, ele conseguia discernir o tom rosado que se espalhava pelas bochechas de Elide. Mesmo assim, a boca da jovem se contraiu.

— Eu disse naquela praia: não quero nada com você.

— Então com um erro sou seu inimigo eterno?

— Ela é minha *rainha*, e você chamou Maeve, então disse a ela onde estavam as chaves e *ficou de pé ali enquanto faziam aquilo.*

— Você não tem *ideia* do que o juramento de sangue pode fazer. *Nenhuma.*

— Fenrys quebrou o juramento. Ele encontrou uma forma.

— E se Aelin não estivesse ali para oferecer outro a ele, Fenrys teria *morrido.* — Ele soltou uma risada baixa, sem alegria. — Talvez você preferisse isso.

Ela ignorou o último comentário.

— Você nem mesmo tentou.

— Tentei — grunhiu ele. — Combati com tudo o que eu tinha. E não foi o bastante. Se ela tivesse ordenado que eu cortasse sua garganta, eu teria feito isso. E se eu tivesse encontrado uma forma de quebrar o juramento, teria morrido, e ela poderia muito bem tê-la matado ou a levado depois. Naquela praia, meu único pensamento era fazer com que Maeve se esquecesse de você, que deixasse *você* ir embora...

— Não me importo comigo! Não me importei comigo naquela praia!

— *Bem, eu me importo.* — As palavras grunhidas ecoaram por água e pedra, e Lorcan abaixou a voz. Coisas piores que criaturas dos túmulos poderiam farejar por ali. — *Eu* me importei com você naquela praia. E sua rainha também.

Elide sacudiu a cabeça e virou o rosto, olhando para qualquer lugar, ao que parecia, menos para ele.

Era naquilo que dava abrir a porta para um lugar dentro de si que ninguém jamais tinha penetrado. Aquela bagunça, aquele vazio no peito que o fazia continuar precisando consertar as coisas.

— Pode se ressentir de mim o quanto quiser — disse Lorcan, amaldiçoando a rouquidão das palavras. — Tenho certeza de que vou sobreviver.

Mágoa lampejou nos olhos de Elide.

— Tudo bem — afirmou ela, a voz falhando.

O semifeérico odiava aquele tom mais que qualquer coisa que jamais encontrara. Odiava a si mesmo por ter causado aquilo. Mas tinha limites para o quão baixo rastejaria.

Ele dissera o que queria. Se ela resolvesse lavar as mãos para sempre quando o assunto era ele, então Lorcan encontraria uma forma de respeitar. De viver com aquilo.

De algum jeito.

⁓

A caverna subia por alguns metros, então se nivelava e se curvava para dentro da pedra. Uma passagem grosseiramente escavada, feita não pela água ou pelo tempo, percebeu Rowan, mas por mãos mortais. Talvez os reis e lordes de outrora tivessem tomado o rio subterrâneo para depositar seus mortos antes de selarem os túmulos contra a luz do sol e o ar acima, e assim o conhecimento dos caminhos morrera com seus reinos.

Um brilho fraco pulsou da lanterna que Aelin segurava, banhando as paredes da caverna em azul. Ele rapidamente a alcançou, passando a caminhar a seu lado. Fenrys trotava ao encalço da rainha, com Gavriel na retaguarda.

Rowan não se incomodara em sacar as armas. O aço era de pouca utilidade contra as criaturas dos túmulos. Apenas magia poderia destruí-las.

Por que Aelin precisara parar, o que tinha de ver, ele podia apenas adivinhar conforme a passagem se abria em uma pequena caverna e ouro reluzia.

Ouro por toda parte... e uma sombra coberta por vestes pretas em frangalhos espreitando ao lado do sarcófago no centro.

Rowan grunhiu em aviso, mas Aelin não atacou.

A mão se fechou ao lado do corpo, mas ela permaneceu parada. A criatura sibilou, e Aelin apenas a observou.

Como se não quisesse ou não pudesse tocar seu poder.

O peito de Rowan se apertou. Então ele lançou um chicote de gelo e vento pela caverna.

A criatura sibilou uma vez e se foi.

Aelin encarou o local onde ela estivera por um segundo, então olhou para Rowan por cima do ombro. Gratidão brilhou em seus olhos.

O guerreiro apenas deu um aceno para ela. *Não se preocupe com isso.*

Mas Aelin se virou, afastando aquela conversa silenciosa ao observar o espaço.

Tempo. Seria preciso tempo para ela se curar. Mesmo que Rowan soubesse que sua Coração de Fogo fingiria o contrário.

Então ele olhou também. Do outro lado do túmulo, além do sarcófago e do tesouro, um arco se abria para outra câmara. Talvez outro túmulo ou uma saída.

— Não temos tempo para encontrar uma saída — murmurou Rowan, conforme ela entrava no lugar. — E as cavernas ainda são mais seguras que a superfície.

— Não estou procurando uma saída — disse Aelin com aquela voz calma, inabalada. Ela se abaixou, pegando um punhado de moedas de ouro com o rosto de um rei esquecido. — Vamos precisar custear nossas viagens. E sabem os deuses mais o quê.

Rowan arqueou uma sobrancelha.

Aelin deu de ombros e enfiou ouro no bolso da capa.

— A não ser que o tilintar ridículo que ouvi de sua bolsa de moedas *não* seja um indício de que está sem fundos.

Aquela faísca de humor sarcástico, a provocação... Ela estava tentando. Pelo bem de Rowan, ou dos outros, talvez por si mesma, ela estava tentando.

Ele não podia oferecer menos também. Rowan inclinou a cabeça.

— Estamos, de fato, com grande necessidade de encher de novo os cofres.

Gavriel tossiu.

— Sabem que isso pertence aos mortos, não é?

Aelin acrescentou mais um punhado de moedas ao bolso, começando um circuito pelo túmulo cheio de tesouros.

— Os mortos não precisam comprar passagem em um navio. Nem cavalos.

Rowan deu um sorriso torto para o Leão.

— Você ouviu a moça.

Um lampejo irrompeu de onde Fenrys estivera farejando um baú de joias, então um macho surgiu de pé ali. As roupas cinza estavam desgastadas, mas intactas — em melhor estado do que a expressão vazia em seus olhos.

Aelin interrompeu o saque.

Fenrys engoliu em seco, como se ele tentasse se lembrar de como falar. Então o guerreiro disse, com rouquidão:

— Precisávamos de mais bolsos. — Ele deu batidinhas na própria roupa para dar ênfase.

Os lábios de Aelin se curvaram em um indício de sorriso. Ela piscou para Fenrys; três vezes.

Ele piscou uma vez, em resposta.

Um código. Tinham criado algum tipo de código silencioso para se comunicar quando ele fora ordenado a permanecer na forma de lobo.

O sorriso de Aelin permaneceu, apenas levemente, conforme ela caminhava para o macho de cabelos dourados, cuja pele marrom estava cinzenta. A rainha abriu os braços em uma oferta silenciosa.

Para deixar que ele decidisse se desejava contato. Se conseguia suportar.

Assim como Rowan a deixaria decidir se ela desejava tocar nele.

Um suspiro baixo irrompeu de Fenrys antes de ele abraçar Aelin, um tremor passando por ele. Rowan não conseguia ver o rosto da parceira, talvez não precisasse ver, conforme suas mãos pegavam o casaco de Fenrys, com tanta força que as articulações ficaram brancas.

Um bom sinal; um pequeno milagre que qualquer um dos dois desejasse, *pudesse* ser tocado. Rowan se fez lembrar daquilo, mesmo que alguma parte masculina e intrínseca tivesse ficado tensa pelo contato. Um desgraçado feérico territorial, era como ela um dia o chamara. Ele faria o possível para não fazer jus àquela fama.

— Obrigada — disse Aelin, com a voz baixa de uma forma que fez o peito de Rowan se apertar mais. Fenrys não respondeu, mas pela angústia no rosto do feérico, o príncipe sabia que ela não devia agradecimento algum.

Eles se afastaram, e Fenrys segurou o queixo de Aelin em concha.

— Quando estiver pronta, podemos conversar.

Sobre o que tinham suportado. Para elucidar tudo o que acontecera.

Aelin assentiu, expirando.

— Você também.

Ela voltou a enfiar ouro nos bolsos, mas olhou de volta para Fenrys, a expressão dele estava fechada.

— Dei a você o juramento de sangue para salvar sua vida — disse Aelin. — Mas se não quiser, Fenrys, eu... podemos encontrar uma forma de libertá-lo...

— Eu quero — respondeu ele, sem qualquer vestígio do habitual humor arrogante. Ele olhou para Rowan e fez uma reverência com a cabeça. — É minha honra servir a esta corte. E servir a você — acrescentou ele a Aelin.

Ela gesticulou com a mão em dispensa, embora Rowan não tivesse deixado de notar o brilho nos olhos de sua parceira quando ela se abaixou para pegar mais ouro. Dando a ela um momento, ele caminhou até Fenrys e segurou o ombro do macho.

— É bom tê-lo de volta. — Tropeçando um pouco na palavra, Rowan acrescentou: — Irmão.

Pois era o que seriam. Jamais tinham sido antes, mas o que Fenrys fizera por Aelin... Sim, *irmão* era como Rowan o chamaria. Mesmo se o próprio irmão de Fenrys...

Os olhos escuros do macho brilharam.

— Ela matou Connall. Fez com que ele se esfaqueasse no coração.

Um colar de pérola e rubi caiu dos dedos de Gavriel.

A temperatura no túmulo subiu, mas não houve clarão de chamas ou rodopiar de brasas.

Como se a magia de Aelin tivesse emergido, apenas para ser contida de novo.

Mesmo assim, ela continuou enfiando ouro e joias nos bolsos.

Ela também testemunhara aquilo. O assassinato.

Mas foi Gavriel, aproximando-se com passos silenciosos mesmo com as joias e o ouro no chão, que segurou o outro ombro de Fenrys.

— Nós nos certificaremos de que essa dívida seja paga antes do fim.

O Leão jamais proferira tais palavras — não com relação à antiga rainha. Mas fúria queimava no olhar amarelado de Gavriel. Mágoa e fúria.

Fenrys tomou fôlego para se acalmar e se afastou, a perda em seu rosto se misturava a algo que Rowan não conseguia identificar. Mas aquele não era o momento de perguntar, de se intrometer.

Eles encheram os bolsos com tanto ouro quanto puderam. Fenrys chegou ao ponto de tirar o casaco cinza para fazer uma mochila improvisada. Quando estava quase chegando ao chão com tanto ouro, os fios repuxando, ele seguiu silenciosamente de volta pela passagem. Gavriel, ainda se encolhendo diante do saque descarado, o seguiu um momento depois.

Aelin continuava catando o tesouro, no entanto. Fora mais seletiva do que o restante do grupo, examinando peças com o que Rowan presumia ser o olho de um joalheiro. Os deuses sabiam que ela fora dona de luxos o suficiente para saber o que valeria o preço mais alto no mercado.

— Precisamos ir — avisou ele, os próprios bolsos quase estourando, cada passo o puxando para baixo.

Aelin se levantou de um baú de metal enferrujado que vasculhava.

Rowan permaneceu parado quando ela se aproximou, com algo fechado em sua palma. Somente ao parar perto o bastante para que ele a tocasse, Aelin abriu os dedos.

Havia dois anéis de ouro ali.

— Não conheço os costumes feéricos — comentou ela. O anel mais grosso tinha um rubi delicadamente lapidado dentro da própria aliança, e o menor tinha uma esmeralda retangular reluzente no topo, uma pedra tão grande quanto a unha de Aelin. — Mas, quando humanos se casam, anéis são trocados.

Os dedos da jovem tremeram... apenas levemente. Muitas palavras não ditas permaneciam entre eles.

Mas aquele não era o momento para aquela conversa, para aquela cura.

Não quando precisavam partir o mais rápido possível. E aquela oferta que Aelin fazia a Rowan, aquela prova de que ainda queria o que havia entre eles, os votos que tinham feito...

— Suponho que a esmeralda brilhante seja para mim — disse Rowan, com um meio sorriso.

Ela bufou uma risada. O som baixo e sussurrado foi tão precioso quanto os anéis que ela havia encontrado para os dois naquele tesouro.

Aelin pegou a mão de Rowan, e ele tentou não estremecer aliviado, tentou não cair de joelhos quando ela colocou o anel de rubi em seu dedo. A joia coube perfeitamente, sem dúvida forjada para o rei que jazia naquele túmulo.

Silenciosamente, Rowan segurou a mão de Aelin e colocou devagar o anel de esmeralda.

— Para qualquer que seja o fim — sussurrou ele.

Os olhos de Aelin se encheram d'água.

— Para qualquer que seja o fim.

Um lembrete — e um voto, mais sagrado do que os votos de casamento que tinham feito naquele navio.

Para seguirem por aquele caminho juntos, de volta da escuridão do caixão de ferro. Para enfrentarem o que esperava em Terrasen, ao inferno com as promessas antigas para os deuses.

Ele passou o polegar pelo dorso da mão da parceira.

— Farei a tatuagem de novo. — Aelin engoliu em seco, mas assentiu. — E — acrescentou ele — eu gostaria de colocar mais uma. Em mim... e em você.

As sobrancelhas de Aelin se ergueram, mas Rowan apertou sua mão. *Precisará esperar para ver, princesa.*

Outro indício de sorriso. Ela não recuou das palavras silenciosas dessa vez. *Típico.*

O guerreiro abriu a boca para proferir a pergunta que estava ansioso para fazer havia dias. *Posso beijá-la?* Mas ela tirou as mãos das dele.

Admirando a aliança de casamento que brilhava no dedo, a boca de Aelin se contraiu quando ela virou a palma.

— Vou precisar treinar de novo.

Não havia um único calo nas mãos.

A jovem franziu o corpo magro demais.

— E ganhar alguns músculos de volta. — Um leve tremor agraciou as palavras de Aelin, mas ela fechou as mãos em punhos ao lado do corpo e deu um risinho para as roupas, as roupas de Defesa Nebulosa. — Será exatamente como nos velhos tempos.

Tentando. Ela estava forçando aquela arrogância e tentando. Então ele também o faria. Até que ela não precisasse mais.

Rowan deu a Aelin um sorriso torto.

— Exatamente como nos velhos tempos — disse ele, acompanhando-a para fora do túmulo e de volta ao rio ébano. — Mas com muito menos tempo para dormir.

Rowan podia ter jurado que a passagem tinha se aquecido. Mas Aelin continuou em frente.

Mais tarde. Aquela conversa, aquele negócio inacabado entre os dois, viria mais tarde.

38

A rainha e o consorte precisavam de um momento íntimo, ao que parecia. Elide ficara mais surpresa ao ver Fenrys na linda forma de macho do que ao ver o ouro que ele e Gavriel carregavam, quase caindo dos bolsos.

Lorcan gargalhou baixinho ao vê-los colocar o tesouro nas sacolas. Mais do que algumas pessoas poderiam sonhar.

— Pelo menos o pensamento da rainha está um passo à frente.

Fenrys ficou imóvel diante da bolsa onde se agachara, o ouro em suas mãos brilhava como os cabelos. Não havia nada remotamente amigável nos olhos escuros.

— Só estamos nesta posição por sua causa.

Elide ficou tensa quando Lorcan enrijeceu. Gavriel parou de empacotar e levou a mão à adaga ao lado do corpo.

No entanto, o guerreiro de cabelos pretos apenas inclinou a cabeça.

— Já fui lembrado disso — declarou ele, sem olhar para Elide.

Fenrys exibiu os dentes.

— Quando sairmos disso — sibilou ele —, você e eu vamos acertar as contas.

O sorriso de Lorcan era um lampejo brutal em branco.

— Será meu prazer.

Elide sabia que ele estava sendo sincero. O semifeérico ficaria feliz por enfrentar o que quer que Fenrys atirasse em seu caminho, por travar aquele conflito devastador e sangrento.

Gavriel soltou um suspiro, e seus olhos amarelados encontraram os de Elide. Nada poderia ser dito ou feito para convencê-los do contrário.

Ainda assim, a jovem se viu inspirando para sugerir que lutar entre si, com ou sem vingança, não acrescentaria nada, mas então Aelin e Rowan surgiram da passagem.

Goldryn pendia ao lado da rainha, sem dúvida devolvida a ela pelo príncipe. O rubi reluzente parecia uma ametista sob a luz azul da lanterna, oscilando com cada um dos passos de Aelin.

Eles mal tinham pisado no barco quando um chiado surgiu da passagem que tinham desocupado.

Ficando mais tensos, Rowan e Gavriel agilmente empurraram o barco da margem. Os seres que os puxavam se colocaram em movimento, levando-os mais para o centro do rio.

Lâminas reluziram, todos os guerreiros imortais estavam terrivelmente imóveis.

Aelin não sacou Goldryn, no entanto. Não ergueu sequer uma das mãos, incandescente. Ela apenas se deteve ao lado de Elide, o rosto como pedra.

O chiado ficou mais alto. Mãos sombreadas e cheias de cicatrizes rasparam o arco da passagem, encolhendo-se ao encontrarem luz.

— Alguém está possesso por causa do tesouro — murmurou Fenrys.

— Podem entrar na fila — disse Aelin, e Elide podia ter jurado que o dourado nos olhos da rainha brilhara. Uma chama de luz profundamente escondida, então nada.

Um vento beijado pelo gelo estalou pelas cavernas, e o chiado parou.

— Acho que não gostaria de voltar para estas terras — murmurou Elide, trêmula.

Fenrys riu, soltando uma gargalhada sensual que não chegou aos olhos.

— Concordo com você, lady.

Eles navegaram pela escuridão por mais um dia, então dois. Mesmo assim, o mar não surgiu.

Aelin estava dormindo, um sono pesado e sem sonho, quando a mão forte de alguém se fechou em seu ombro.

— Olhe — sussurrou Rowan, com o fôlego roçando sua orelha.

Aelin abriu os olhos e viu luz pálida.

Não o oceano, percebeu ela ao se sentar, os demais se agitando também, sem dúvida diante da palavra de Rowan.

Acima, agarradas ao teto da caverna como se fossem estrelas presas sob a rocha, pequenas luzes azuis brilhavam.

Vermes luminosos, como aqueles nas lanternas. Milhares deles, tornados infinitos pelo reflexo na água preta. Estrelas acima e abaixo.

Pelo canto do olho, Aelin viu Elide levar a mão ao peito.

Um mar de estrelas; era isso o que a caverna tinha se tornado.

Beleza. Ainda havia beleza naquele mundo. Estrelas ainda podiam brilhar, ainda queimavam forte, mesmo enterradas sob a terra.

Aelin inspirou o ar frio da caverna, a luz azul. Deixou que aquilo fluísse por ela.

Agitar as estrelas. Ela prometera fazê-lo. Tinha lutado tanto para conseguir, mas ainda havia muito à frente. Precisavam correr. Quantos sofriam nas garras de Morath?

Ainda existia beleza... e Aelin lutaria por aquilo. *Precisava* lutar.

Era um latejar constante em seu sangue, seus ossos. Bem ao lado do poder que ela afastava para o fundo e que ignorava a cada fôlego. *Lute* — uma última vez.

Aelin escapara para poder fazer isso. Pensaria em todos aqueles que ainda desafiavam Morath, que ainda desafiavam Maeve, ao treinar. Não hesitaria. Ela não ousava parar.

Faria aquela vez valer a pena. De todas as formas possíveis.

A esmeralda no anel de casamento brilhou com um fogo próprio.

Era egoísta de sua parte forçar aquele laço quando o próprio sangue a destinava a um altar sacrificial. Ainda assim, tinha saído do barco para encontrá-los. Os anéis. Saquear o tesouro lhe ocorrera depois. Mas se não teria cicatrizes, nenhum lembrete de onde estivera e de quem ela era e do que prometera, então precisaria daquele vestígio de prova.

Aelin podia jurar que as estrelas vivas acima cantavam, um coro celestial que flutuou pelas cavernas.

Uma canção estelar carregada pela corrente do rio, seguindo a seu lado até os últimos quilômetros para o mar.

39

O exército inimigo não chegou em três dias, ou quatro, mas em cinco.

Uma bênção e uma maldição, decidiu Nesryn. Uma bênção pelo tempo de preparo que lhes garantiu, para que os ruks carregassem algumas das pessoas mais vulneráveis de Anielle até um acampamento tomado pela neve nas montanhas Canino Branco.

E uma maldição pelo medo que permitiu que se alastrasse na fortaleza, que fervilhava com aqueles que não fariam ou não podiam fazer a viagem. Ao pôr do sol do quarto dia, podiam ver as linhas pretas marchando em sua direção pelos trechos da floresta de Carvalhal que tinham escavado.

Ao alvorecer do quinto dia, estavam perto dos arredores do lago, da planície.

Nesryn montava Salkhi, parada em um dos pináculos da fortaleza, com Borte em Arcas a seu lado.

— Para um exército de demônios, eles marcham mais devagar que a mãe da minha *ej*.

Nesryn riu.

— Exércitos têm comboios de suprimento, e este teve de cruzar um rio e derrubar uma floresta.

Borte fungou.

— Parece trabalhoso demais para uma cidade tão pequena.

De fato, os montadores de ruk não tinham ficado impressionados com Anielle, certamente não depois de acampar em Antica antes da passagem para aquelas terras.

— Salvamos esta cidade, pegamos o desfiladeiro Ferian para o norte e podemos abrir um caminho para lá. Pode ser um lugar feio, mas é vital.

— Ah, a terra é linda — comentou Borte, olhando para o lago que reluzia sob a luz de inverno, com vapor das fontes termais próximas flutuando pela superfície. — Mas os prédios... — Ela fez uma careta.

Nesryn riu.

— Talvez esteja certa.

Por alguns momentos, elas observaram o exército se aproximar. As pessoas fugiam nas ruas, correndo para cima dos degraus e das ameias intermináveis da fortaleza.

— Fico surpresa por Sartaq permitir que sua futura imperatriz voe contra esses inimigos — disse Borte, maliciosamente. A menina a havia provocado incessantemente nas últimas semanas.

Nesryn fez uma careta.

— Onde está Yeran?

Borte mostrou a língua, apesar do exército que se aproximava.

— Queimando no inferno, até onde me importo.

Mesmo longe dos respectivos ninhais e de antigas rivalidades, o par prometido não tinha se aproximado. Ou talvez fosse parte do jogo que os dois faziam, que estavam fazendo havia anos já. Fingir ódio quando era evidente que matariam qualquer um que representasse uma ameaça ao outro.

Nesryn ergueu as sobrancelhas, e Borte cruzou os braços, as tranças gêmeas soprando ao vento.

— Ele está trazendo as duas últimas curandeiras para a fortaleza. — De fato, um ruk quase preto bateu as asas na planície.

— Nenhuma vontade de finalmente se casar antes da batalha?

Borte se encolheu.

— Por que eu faria isso?

Nesryn deu um sorriso irônico.

— Para poder ter sua noite de núpcias?

A menina soltou uma gargalhada.

— Quem disse que já não tive?

Nesryn a olhou boquiaberta.

Mas Borte apenas inclinou a cabeça e estalou a língua para Arcas, então montadora e ruk mergulharam para o céu gélido.

Nesryn continuou olhando para Borte até ela chegar à planície, passando por Yeran e seu ruk com uma manobra ousada, que alguns poderiam ter interpretado como um imenso gesto vulgar para o guerreiro.

O ruk escuro deu um grito de indignação, e Nesryn sorriu, sabendo que Yeran estava provavelmente fazendo o mesmo, ainda que tivesse duas curandeiras voando com ele.

Mas o sorriso de Nesryn se provou passageiro quando ela viu novamente o exército que marchava mais e mais perto a cada minuto. Uma massa unificada e incansável de aço e morte.

Será que acampariam até o alvorecer ou atacariam ao anoitecer? Será que o cerco seria rápido e letal, ou longo e brutal? Ela vira os comboios de suprimentos. Estavam preparados para ficar por tanto tempo quanto fosse necessário para deixar aquela cidade em escombros.

E devastar qualquer alma que ali habitasse.

⁓

Os tambores de osso começaram ao pôr do sol.

Yrene estava de pé no parapeito mais alto da fortaleza, contando as tochas que se espalhavam noite adentro enquanto lutava para manter o jantar no estômago.

Não fora diferente das outras refeições que comera naquele dia, dissera Yrene a si mesma. As refeições que lutava para consumir sem sentir ânsia de vômito.

O parapeito estava cheio de soldados e curiosos, todos olhando para o exército na borda da planície que os separava do limite da cidade, todos ouvindo em um silêncio sussurrado os tambores insistentes.

Uma batida constante e terrível. Destinada a perturbar, a destruir a coragem.

Ela sabia que continuariam noite adentro. Que os privariam de descanso, fariam com que temessem o alvorecer.

A fortaleza estava tão cheia quanto podia suportar, com os corredores apinhados de sacos de dormir. Ela e Chaol tinham cedido o quarto para uma família de cinco, pois os filhos eram jovens demais para fazer a viagem para os desertos, mesmo nas costas de um ruk. No ar gélido, uma criança poderia ficar azul de frio em minutos.

Yrene passou a mão pela muralha de pedra da altura da cintura. Pedra espessa e antiga. Ela suplicou para que se mantivesse firme.

Catapultas. Havia catapultas no exército abaixo. A jovem ouvira o último relato de Falkan no café da manhã. E a própria planície ainda estava tão cheia de pedregulhos dos tempos em que fazia parte do lago que Morath não teria problemas em encontrar coisas para atirar neles.

O aviso mantivera a curandeira ocupada o dia inteiro, realocando famílias que haviam ocupado quartos do lado da fortaleza voltado para o lago, assim como aqueles que dormiam perto demais de janelas ou paredes que davam para o exterior. Fora uma tolice de última hora não ter considerado aquilo antes, mas ela estivera tão concentrada em colocar todos para *dentro* nos últimos cinco dias que não havia pensado em coisas como catapultas e blocos destruidores feitos de pedra pesada.

Yrene transferira os suprimentos de cura também. Foram para uma câmara interior onde seria preciso que a fortaleza inteira desabasse para destruir o que havia dentro. As curandeiras da Torre tinham trazido o que puderam da frota, mas haviam feito mais ao chegar. Não fora seu melhor trabalho, de forma alguma, mas Eretia ordenara que as pomadas e os tônicos apenas funcionassem, e não deslumbrassem, e que *continuassem mexendo*.

Estava tudo preparado. Estava tudo pronto. Ou tão pronto quanto jamais estaria.

Então Yrene permaneceu nas ameias, ouvindo os tambores de ossos por mais um tempo.

Chaol disse a si mesmo que não era a última noite com sua esposa. Ainda assim, ele aproveitara ao máximo, e os dois haviam descansado tanto quanto podiam aguentar antes de acordar, horas antes do alvorecer.

O restante da fortaleza também estava acordado. Os ruks estavam inquietos nos telhados das torres e nas ameias, com o clique e o raspar das garras nas pedras ecoando em todos os corredores e câmaras.

Os tambores continuavam batendo. Tinham batido a noite toda.

Chaol se despedira de Yrene com um beijo, e ela parecera querer dizer mais, porém tinha preferido abraçá-lo por um longo e precioso minuto antes de os dois seguirem seus caminhos.

Não seria a última vez que a veria, prometeu Chaol a si mesmo conforme se dirigia às ameias onde seu pai, Sartaq e Nesryn tinham concordado em se reunir ao alvorecer.

O príncipe e Nesryn ainda não haviam chegado, mas seu pai estava usando armaduras que Chaol não via desde a infância. Desde que o homem cavalgara para servir aos desejos de Adarlan. Para conquistar aquele continente.

Ainda lhe cabiam bem, o metal opaco arranhado e amassado. Não era a armadura mais luxuosa do arsenal da família sob a fortaleza, porém era a mais firme. Uma espada lhe pendia do quadril, e um escudo estava encostado na parede da ameia. Em volta deles, sentinelas tentavam não observar, embora os olhos arregalados de medo acompanhassem cada movimento.

Os tambores prosseguiam.

Chaol se aproximou e se pôs ao lado do pai, a própria túnica escura fora reforçada com armaduras nos ombros, nos antebraços e nas canelas.

Uma bengala de pau-ferro tinha sido embainhada às costas de Chaol, para quando a magia de Yrene começasse a enfraquecer, e sua cadeira esperava do lado de dentro do grande salão, para quando o poder da esposa fosse completamente esgotado.

O que seu pai pensara conforme Chaol explicava no dia anterior, isso ele não havia deixado à vista. Não dissera uma única palavra.

Chaol lançou um olhar de esguelha para o homem que olhava o exército cujas fogueiras começavam a se extinguir uma a uma sob a luz que subia.

— Eles usaram os tambores de ossos durante o último cerco a Anielle — comentou seu pai, sem um tremor na voz. — Diz a lenda que bateram os tambores durante três dias e três noites antes de atacarem, e que a cidade ficou tão cheia de terror e tão desorientada com a privação de sono que não teve chance. Os exércitos de Erawan e suas bestas os dilaceraram.

— Não tinham ruks lutando com eles — falou Chaol.

— Veremos quanto tempo eles duram.

Chaol trincou os dentes.

— Se não tiver esperança, então seus homens também não durarão muito.

O pai encarou a planície, o exército que se revelava a cada minuto.

— Sua mãe partiu — disse o homem, por fim.

Chaol não escondeu o choque.

O pai agarrou o parapeito de pedra.

— Ela pegou Terrin e partiu. Não sei para onde fugiram. Assim que percebemos que tínhamos sido cercados por inimigos, ela pegou as damas de companhia e suas famílias. Partiu na calada da noite. Apenas seu irmão se incomodou em deixar um bilhete.

A mãe, depois de tudo que suportara, tudo a que sobrevivera naquela casa infernal, tinha finalmente partido. Para salvar o outro filho, a promessa de um futuro.

— O que Terrin disse?

O homem deslizou a mão sobre a pedra.

— Não importa.

Obviamente importava. Mas aquele não era o momento de insistir, de se preocupar.

Não havia medo no rosto do pai. Apenas resignação fria.

— Se não for liderar esses homens hoje — grunhiu Chaol —, então eu o farei.

Ele olhou para o filho por fim, a expressão séria.

— Sua mulher está grávida.

O choque o atingiu como um golpe físico.

Yrene... *Yrene*...

— Pode ser uma curandeira habilidosa, mas não é uma mentirosa astuta. Ou não reparou que sua mão frequentemente descansa sobre a barriga, ou como fica verde de enjoo na hora das refeições?

Palavras tão simples, casuais. Como se o homem não estivesse arrancando o chão sob o filho.

Chaol abriu a boca, seu corpo ficando tenso. Para gritar com o pai, para correr para Yrene, ele não sabia.

Mas então os tambores pararam.

E o exército começou a avançar.

40

Manon e as Treze tinham enterrado cada um dos soldados massacrados pelas Dentes de Ferro. As mãos laceradas e ensanguentadas latejavam, as costas doíam, mas elas haviam conseguido.

Depois do último trecho de terra dura ser batido, ela encontrou Bronwen parada no limite da clareira, enquanto o restante das Crochan tinha partido para montar o acampamento.

As Treze passaram por Manon arrastando os pés de exaustão. Ghislaine, de acordo com Vesta, fora convidada a se sentar na fogueira de uma bruxa com interesses semelhantes àquelas buscas acadêmicas mortais.

Apenas Asterin permaneceu nas sombras próximas para protegê-la conforme Manon perguntava a Bronwen:

— O que foi?

Ela deveria ter tentado algo mais agradável, diplomático, mas não tentou. Não conseguiu reunir forças.

Bronwen engoliu em seco, como se engasgasse com as palavras.

— Você e sua aliança agiram de forma honrada.

— Duvidou disso, vindo do Demônio Branco?

— Não achei que as Dentes de Ferro se incomodassem com vidas humanas.

Ela não sabia a metade da história. Manon apenas disse:

— Minha avó me informou que não sou mais uma bruxa Dentes de Ferro, então parece que com quem elas se importam ou deixam de se importar não faz mais diferença para mim. — Ela continuou caminhando para as árvores onde as Treze tinham sumido, e Bronwen passou a caminhar a seu lado. — Era o mínimo que eu podia fazer — admitiu Manon.

Bronwen olhou de esguelha para ela.

— De fato.

Manon olhou para a Crochan.

— Você lidera bem suas bruxas.

— As Dentes de Ferro há muito tempo nos dão uma desculpa para sermos muito bem treinadas.

Algo parecido com vergonha percorreu Manon de novo. Ela se perguntou se algum dia encontraria uma forma de suavizar aquilo, de suportar.

— Suponho que sim.

Bronwen não falou mais nada antes de se afastar na direção das pequenas fogueiras.

Mas, quando Manon foi procurar pela fogueira de Glennis, as Crochan olharam em sua direção.

Algumas inclinaram a cabeça para a jovem bruxa. Outras ofereceram acenos severos.

Manon se certificou de que as Treze estivessem cuidando das mãos, mas se viu incapaz de se sentar. De deixar que o peso do dia a alcançasse.

Ao redor, em torno de cada fogueira, as Crochan debatiam silenciosamente se deveriam voltar para casa ou seguir mais para o sul, para o interior de Eyllwe. Mas, se fossem para dentro de Eyllwe, o que fariam? Manon mal ouviu conforme o debate se acalorava, com Glennis deixando que cada uma das sete fogueiras governantes chegasse à própria decisão.

Manon não se demorou para ouvir o que escolheriam. Não se incomodou em pedir a elas que voassem para o norte.

Asterin marchou até ela, oferecendo um pedaço de coelho seco enquanto as Treze comiam e as Crochan continuavam com os debates silenciosos. O vento cantava entre as árvores, oco e lamuriante.

— Para onde iremos ao alvorecer? — perguntou Asterin. — Nós as seguiremos, ou iremos para o norte?

Será que continuavam com aquela busca cada vez mais fútil por conquistar as Crochan, ou as abandonavam?

Manon estudou as mãos ensanguentadas e doloridas, as unhas de ferro incrustadas de terra.

— Sou uma Crochan — disse ela. — E sou uma bruxa Dentes de Ferro. — Manon flexionou os dedos, tentando tirar a rigidez. — As Dentes de

Ferro são meu povo também. Independentemente do que minha avó possa decretar. Elas são meu povo, Sangue Azul e Pernas Amarelas e Bico Negro, igualmente.

E Manon carregaria o peso do que criara, do que treinara, para sempre.

Asterin não disse nada, embora a líder soubesse que a imediata ouvia cada palavra; soubesse que as Treze tinham parado de comer para ouvir também.

— Quero levá-las para casa — disse Manon para todas, para o vento que soprava até os desertos. — Quero levar todas elas para casa. Antes que seja tarde demais, antes que se tornem algo indigno de uma terra natal.

— Então, o que vai fazer? — perguntou Asterin em voz baixa, mas não com fraqueza.

Manon terminou o pedaço de carne seca e bebeu do cantil.

A resposta não estava em escolher uma à outra, Crochan ou Dentes de Ferro. Jamais estivera.

— Se as Crochan não vão reunir um esquadrão, então encontrarei outro. Um já treinado.

— Não pode ir até Morath — sussurrou Asterin. — Não vai chegar nem a 150 quilômetros de lá. O esquadrão das Dentes de Ferro pode já estar perdido demais para sequer considerar se aliar a você.

— Não vou até Morath. — Manon colocou a mão congelada no bolso. — Vou para o desfiladeiro Ferian. Para qualquer que seja a parte do esquadrão que tenha permanecido ali sob o comando de Petrah Sangue Azul. Para pedir a elas que se juntem a nós.

Asterin e o restante das Treze se calaram em choque. Deixando que elas refletissem sobre aquilo, Manon tinha se virado para as árvores, sentindo o cheiro de Dorian e seguindo-o.

Então o encontrou conversando com o espírito de Kaltain Rompier, a mulher curada e lúcida na morte. Livre da terrível tormenta. Choque prendeu Manon no lugar onde estava.

Ela ouviu os planos de Dorian de se infiltrar em Morath. Morath, onde a terceira e última chave de Wyrd estava guardada. Ele soubera, e não lhe contara.

Kaltain tinha sumido no ar noturno, e, em seguida, Dorian se metamorfoseara. Em um corvo lindo e orgulhoso.

Ele não estivera treinando para se entreter. De maneira alguma.

— Quando, exatamente, ia me informar que estava prestes a recuperar a terceira chave de Wyrd? — grunhiu Manon.

Dorian piscou para a bruxa, sua expressão era o retrato do reconforto tranquilo.

— Quando eu partisse.

— Quando saísse voando como um corvo ou uma serpente alada, direto para a teia de Erawan?

A temperatura na clareira caiu.

— Que diferença faz contar há duas semanas ou agora?

Ela sabia que não havia nada bondoso, nada caloroso em seu rosto. O rosto de uma bruxa. O rosto de uma Bico Negro.

— Morath é suicídio. Erawan vai encontrá-lo em qualquer forma que usar, e você vai acabar com um colar no pescoço.

— Não tenho outra escolha.

— Nós concordamos — disse Manon, dando um passo adiante. — Nós concordamos que procurar pelas chaves não era mais uma prioridade...

— Eu sabia que era melhor não discutir com você a respeito disso. — Seus olhos brilhavam como fogo azul. — Meu caminho não interfere no seu. Reúna as Crochan, voe para o norte, para Terrasen. Minha estrada leva até Morath. Sempre levou.

— Como pode ter olhado para Kaltain e não ter visto o que o espera? — Ela estendeu o braço e apontou para onde estivera a cicatriz de Kaltain. — Erawan vai *pegar você*. Não pode ir.

— *Perderemos esta guerra se eu não for* — disparou ele. — Como não *se importa* com isso?

— Eu me importo — sibilou ela. — Eu me importo se perdermos essa guerra. Eu me importo se eu fracassar em reunir as Crochan. Eu me importo se você for para Morath e não voltar, ou não voltar como algo que vale a pena viver. — Ele apenas piscou os olhos. Manon cuspiu no chão musguento. — Agora quer me dizer que se importar não é tão ruim assim? Bem, é isso que dá me importar.

— Foi por isso que eu não disse nada — sussurrou Dorian.

O coração de Manon se revoltou; a pulsação ecoou por seu corpo, embora suas palavras estivessem frias como gelo.

— Quer ir para Morath? — Ela caminhou até Dorian, que não recuou um centímetro. — Então prove. Prove que está pronto.

— Não preciso provar nada a você, bruxinha.

Manon deu a ele um sorriso cruel e malicioso.

— Então talvez prove para você mesmo. Um teste. — Ele a enganara, mentira para ela. Aquele homem que Manon havia acreditado não guardar segredos dela. Ela não sabia por que aquilo a fazia querer destruir tudo à vista. — Voaremos para o desfiladeiro Ferian com o alvorecer. — Dorian se espantou, mas Manon prosseguiu: — Junte-se a nós. Precisaremos de um espião. Alguém que possa passar despercebido pelas guardas para nos dizer o que há lá dentro. — Ela mal se ouvia por cima do rugido na cabeça. — Vejamos como consegue se metamorfosear então, principezinho.

A bruxa se obrigou a continuar encarando-o. A deixar que suas palavras pairassem entre eles.

Em seguida, Dorian deu meia-volta, dirigindo-se para o acampamento.

— Tudo bem, mas encontre outra tenda para dormir esta noite.

⥤ 41 ⥢

Eles chegaram ao mar sob o véu da escuridão, avisados de sua proximidade pelo cheiro da maresia que entrou na caverna, então pelas águas mais agitadas que passaram e, por fim, pelo rugido da arrebentação.

Os olhos de Maeve podiam estar em todos os lugares, mas não estavam fixos na abertura da caverna que dava para uma enseada ao longo da costa oeste de Wendlyn. Assim como não estavam naquela enseada quando o barco chegou à praia e sumiu de volta nas cavernas antes que alguém pudesse sequer tentar agradecer às criaturas que os haviam puxado sem descanso.

Aelin observou o barco até que desaparecesse, tentando não encarar por muito tempo a praia de areia limpa e imaculada sob as botas, enquanto os demais debatiam em qual altura da costa poderiam estar.

Depois de algumas horas apressando-se para o norte, para dentro do território de Wendlyn, obtiveram a resposta: perto o suficiente do porto mais próximo.

A maré estava com eles, e com o ouro que haviam saqueado das criaturas dos túmulos, foi uma questão de Rowan e Lorcan simplesmente cruzarem os braços até que um navio fosse obtido. Com a armada de Wendlyn velejando para as praias de Terrasen, as regras sobre cruzar as fronteiras tinham sido revogadas. Desapareceram os vários transportes de barco para alcançar o continente pelo mar, assim como as medidas de segurança. Não era um mero tirano que ocupava Adarlan, mas um rei valg com uma legião aérea.

Aquilo facilitou as mensagens que ela despachou também. Se a carta para Aedion e Lysandra os alcançaria, os deuses decidiriam, supôs Aelin, pois pareciam muito determinados a fazer deles suas marionetes. Talvez não se incomodassem com ela agora, se Dorian estivesse se dirigindo para a terceira chave, se pudesse ocupar seu lugar.

Aelin não pensou nisso por muito tempo.

O navio estava a um passo de uma sucata, uma vez que todas as embarcações mais luxuosas foram tomadas para a guerra, mas parecia estável o bastante para fazer a travessia de semanas. Pelo ouro que tinham pago, o capitão deu o próprio camarote a Aelin e Rowan. Se o homem sabia quem eram, o que eram, não disse nada.

Aelin não se importava. Importava-se apenas que velejassem com a maré da meia-noite, com a magia de Rowan impulsionando-os rapidamente para o mar iluminado pela lua.

Para longe de Maeve. De suas forças reunidas.

Da verdade que Aelin talvez tivesse visto naquele dia no salão do trono da rainha sombria, o sangue escuro que se tornara vermelho.

Ela não contara aos demais. Não sabia se aquele momento fora real ou um truque da luz. Se fora outro escape onírico ou algum fragmento que se mesclara à memória muito real da morte de Connall.

Lidaria com isso mais tarde, decidira Aelin, parada na proa, depois que os demais tinham, há muito, seguido para os próprios quartos sob o convés. Apenas Rowan ficara, empoleirado no mastro principal, observando cada horizonte em busca de sinais de perseguição.

Tinham fugido de Maeve. Por enquanto. Naquela noite, pelo menos, ela não saberia onde encontrá-los. Até que se espalhasse a notícia de estranhos naquele porto, do navio pelo qual pagaram a fortuna de um rei para que fossem levados ao inferno devastado pela guerra. Das mensagens que Aelin mandara.

Pelo menos Maeve não sabia onde estavam as chaves de Wyrd. Ainda tinham isso a seu favor.

Embora a rainha sombria provavelmente fosse atravessar o oceano com seu exército para caçá-los. Ou simplesmente para ajudar na queda de Terrasen.

O poder de Aelin se agitou, um gemido estrondoso no sangue. A jovem rainha trincou os dentes, sem dar atenção.

Tudo dependia de eles alcançarem o continente antes de Maeve e de suas forças. Ou antes que Erawan destruísse uma parte grande demais do mundo.

Aelin se entregou à brisa do mar, deixando que penetrasse sua pele, seus cabelos, deixando que lavasse a escuridão das cavernas, pois a treva dos meses não podia ser facilmente apaziguada. Deixando que acalmasse seu fogo até que se tornasse brasas dormentes.

Aquelas semanas no mar seriam intermináveis, mesmo com a magia os impulsionando.

Ela usaria cada dia para treinar, para trabalhar com espada e adaga e arco até que suas mãos estivessem cobertas de bolhas, até que novos calos se formassem. Até que a magreza voltasse a ser músculo.

Ela reconstruiria aquilo; o que havia sido.

Talvez uma última vez, talvez apenas por pouco tempo, mas faria isso. Ao menos por Terrasen.

Rowan desceu do mastro, mudando de forma ao parar a seu lado no corrimão. Ele observou o mar escurecido pela noite além.

— Você deveria descansar.

Aelin voltou o olhar para ele.

— Não estou cansada. — Não era mentira, não em alguns aspectos. — Quer treinar?

Ele franziu a testa.

— O treino pode começar amanhã.

— Ou esta noite. — Aelin fixou os olhos no olhar penetrante do parceiro, equiparando a dominância de Rowan com a própria.

— Isso pode esperar algumas horas, Aelin.

— Cada dia conta. — Contra Erawan, mesmo um dia de treino contaria.

O maxilar de Rowan se contraiu.

— Verdade — disse ele, por fim. — Mas, mesmo assim, isso pode esperar. Há... há coisas que precisamos debater.

As palavras silenciosas surgiram em seus olhos, brilhantes como os de um animal. *Sobre você e eu.*

A boca de Aelin secou. Mas ela assentiu.

Em silêncio, os dois caminharam para o espaçoso camarote cuja única decoração era a parede de janelas que dava para o mar agitado atrás deles. Muito distante dos aposentos de uma rainha, ou de qualquer um que ela pudesse ter comprado como a assassina de Adarlan.

Pelo menos a cama embutida na parede parecia bastante limpa, os lençóis novos e sem manchas. Mas Aelin seguiu para a mesa de carvalho ancorada ao chão e se inclinou contra ela conforme Rowan fechava a porta.

À luz fraca da lanterna, eles se encararam.

Aelin suportara Maeve e Cairn; suportara Endovier e inúmeros outros horrores e perdas. Podia ter aquela conversa com ele. O primeiro passo para que se reconstruísse.

Ela sabia que Rowan conseguia ouvir seu coração acelerado devido à tensão do espaço entre os dois. Ela engoliu em seco uma vez.

— Elide e Lorcan contaram a você... contaram tudo o que foi dito naquela praia.

Um curto aceno de cabeça, cautela inundando os olhos de Rowan.

— Tudo o que Maeve falou.

Outro aceno.

Ela se preparou.

— Que eu sou... que somos parceiros.

Compreensão e algo como alívio substituíram aquela cautela.

— Sim.

— Sou sua parceira — disse ela, precisando dizer em voz alta. — E você é o meu.

Rowan atravessou o quarto, mas parou a alguns centímetros da mesa na qual Aelin estava encostada.

— E então, Aelin? — A pergunta soou grave, áspera.

— Você não... — Aelin esfregou o rosto. — Você sabe o que ela fez com você, com... — Ela não conseguiu dizer o nome. Lyria. — Por causa disso.

— Sei.

— E?

— E o que quer que eu diga?

Aelin se afastou da mesa.

— Eu queria que me dissesse como se sente a respeito disso. Se...

— Se o quê?

— Se gostaria que não fosse verdade.

As sobrancelhas do feérico se franziram.

— Por que eu iria querer isso?

Aelin sacudiu a cabeça, incapaz de responder, e olhou por cima do ombro para o mar.

Ele pareceu querer cobrir a distância entre os dois, mas permaneceu onde estava.

— Aelin. — A voz de Rowan ficou rouca. — Aelin.

Ela olhou para ele então, para a dor em suas palavras.

— Sabe o que eu queria? — Rowan expôs as palmas das mãos, uma tatuada, a outra lisa. — Eu queria que você tivesse me contado. Quando percebeu. Queria que tivesse me contado naquela época.

Ela engoliu em seco para afastar o nó na garganta.

— Eu não queria magoá-lo.

— Por que me magoaria saber a verdade que já estava em meu coração? A verdade pela qual eu ansiava?

— Eu não entendia. Não entendia *como* era possível. Achei que talvez... talvez você pudesse ter duas parceiras na vida, mas mesmo então, eu apenas... — Aelin exalou. — Eu não queria que se aborrecesse.

A expressão nos olhos de Rowan se suavizou.

— Se me arrependo de Lyria ter sido arrastada para isso, do custo do joguete de Maeve ter sido a vida dela e a do filho que poderíamos ter tido? Sim. Eu me arrependo disso e queria que jamais tivesse acontecido. — Ele carregaria a tatuagem para se lembrar pelo restante de seus dias. — Mas nada daquilo foi culpa sua. Sempre carregarei parte do fardo, sempre saberei que *eu* escolhi partir para a guerra e a glória, fazendo exatamente o que Maeve planejara.

— Mas Maeve queria prender você para me afetar.

— Então a escolha foi dela, não sua.

Aelin passou a mão pela madeira desgastada da mesa.

— Naquelas ilusões que ela teceu para mim, mostrou uma variação mais que todas as outras. — As palavras pareciam difíceis, mas Aelin as forçou a sair, obrigando-se a olhar para ele. — Ela teceu uma fuga onírica que parecia tão real que eu conseguia sentir o cheiro das montanhas Galhada do Cervo.

— O que ela mostrou a você? — Uma pergunta sem fôlego.

Aelin precisou engolir em seco antes de responder:

— Ela mostrou como poderia ter sido se Erawan não tivesse existido, se Elena tivesse cuidado direito do assunto e o banido. Se Lyria não tivesse existido, nem aquela dor ou o desespero que você suportou. Ela me mostrou Terrasen como seria hoje, com meu pai como o rei, e minha infância feliz, e... — Os lábios tremeram. — Quando eu fazia 20 anos, você visitava Terrasen com uma delegação feérica, para reparar o afastamento entre minha mãe e Maeve. E você e eu nos olhávamos uma vez no salão do trono de meu pai e sabíamos.

Ela não lutou contra o ardor nos olhos.

— Eu queria acreditar que aquele era o mundo verdadeiro. Que este era o pesadelo do qual eu havia acordado. Eu *queria* acreditar que havia um lugar no qual você e eu jamais tínhamos conhecido tanto sofrimento e perda, no qual nos olharíamos uma vez e saberíamos que éramos parceiros. Maeve me contou que podia fazer isso acontecer. Se eu lhe desse as chaves, ela tornaria isso possível. — Aelin limpou a bochecha, a lágrima que escapou por ali. — Ela teceu realidades em que você estava morto, em que tinha sido assassinado por Erawan, e apenas ao entregar as chaves para ela, eu poderia vingar sua morte. Mas aquelas realidades me fizeram... Eu deixava de ser útil para ela quando ouvia que você estava morto. Ela não conseguia me fazer falar, pensar. Mas naquelas em que você e eu nos conhecíamos e as coisas eram como deveriam ter sido... era quando eu chegava mais perto.

Ele engoliu em seco audivelmente.

— O que a impedia?

Aelin limpou o rosto de novo.

— O macho por quem me apaixonei foi você. Foi *você*, alguém que conhecia a dor como eu e que a tinha enfrentado comigo, de volta à luz. Maeve não entendia isso. Que mesmo que pudesse criar aquele mundo perfeito, não seríamos eu e você. E eu jamais trocaria aquilo, trocaria isto. Por nada.

Rowan estendeu a mão. Uma oferta e um convite.

Aelin colocou a sua por cima, e os dedos calejados do parceiro a apertaram carinhosamente.

— Eu queria que fosse você — sussurrou ele, fechando os olhos. — Durante meses e meses, mesmo em Wendlyn, eu me perguntava por que você não era minha parceira. Eu ficava arrasado por ficar me perguntando isso, mas eu fazia mesmo assim. — Ele abriu os olhos, que queimavam como fogo verde. — Todo esse tempo, eu queria que fosse você.

Aelin abaixou o olhar, mas Rowan segurou seu queixo com o polegar e o indicador e ergueu seu rosto.

— Sei que você está cansada, Coração de Fogo. Sei que o fardo em seus ombros é mais do que qualquer um poderia suportar. — Ele pegou as mãos unidas dos dois e as apoiou no coração. — Mas enfrentaremos isso juntos. E quando terminarmos, quando você se Estabilizar, teremos mil anos juntos. Mais.

Um ruído baixo escapou de Aelin.

— Elena disse que o Fecho requer...

— Enfrentaremos isso juntos — jurou Rowan, de novo. — E se o custo for realmente você, então pagaremos juntos. Como uma alma em dois corpos.

O coração de Aelin se apertou a ponto de se partir.

— Terrasen precisa de um rei.

— Não tenho intenção de governar Terrasen sem você. Aedion pode ficar com o cargo.

Aelin observou o rosto dele. Rowan fora sincero em cada palavra.

Ele afastou seu cabelo do rosto, a outra mão ainda segurando a de Aelin contra o peito, onde o coração dele batia com um ritmo constante, sem hesitar.

— Mesmo que eu tivesse minha escolha de qualquer realidade onírica, qualquer ilusão perfeita, ainda escolheria você.

Aelin sentiu a verdade das palavras ecoarem naquela coisa inquebrável que unia suas almas e inclinou o rosto na direção do dele. Mas Rowan não avançou além daquilo.

Ela franziu a testa.

— Por que não me beijou?

— Achei que gostaria que eu perguntasse antes.

— Isso nunca o impediu.

— Nesta primeira vez, eu queria me certificar de que você estaria... pronta. — Depois de Cairn e Maeve. Depois de meses sem qualquer escolha.

Ela sorriu, apesar daquela verdade.

— Estou pronta para ser beijada de novo, príncipe.

Rowan soltou uma risada sombria e, antes de abaixar a boca até a dela, murmurou:

— Graças aos deuses.

O beijo foi carinhoso... leve. Deixando que Aelin decidisse como guiá-lo. Então ela o fez.

Aelin deslizou os braços pelo pescoço de Rowan e pressionou o corpo contra o dele, inclinando-se para o toque conforme as mãos do macho lhe percorriam as costas. Mesmo assim, a boca de Rowan permaneceu leve como uma pena sobre a dela. Beijos doces, exploratórios. Ele faria aquilo a noite inteira se fosse o que ela desejasse.

Parceiro. Ele era seu parceiro, e Aelin finalmente podia chamá-lo assim, deixar que Rowan fosse isso...

Aquele pensamento partiu algo. Aelin lhe mordiscou o lábio inferior, raspando o canino contra ele.

O gesto partiu algo dentro de Rowan também.

Com um grunhido, ele a pegou nos braços, sem tirar a boca da de Aelin ao carregá-la para a cama e deitá-la devagar. Tiraram as botas, os casacos, as blusas e as calças. Então Rowan estava com ela, a força e seu calor se despejando na pele nua de Aelin.

Ela não conseguia tocá-lo com a rapidez desejada, *sentir* o suficiente contra seu corpo. Mesmo com a boca de Rowan percorrendo seu pescoço, lambendo aquele ponto em que as marcas de reivindicação tinham estado. Mesmo conforme ele descia mais, adorando os seios de Aelin enquanto ela arqueava o corpo para cada carícia da língua e sucção. Mesmo ele se ajoelhando entre suas pernas, com os ombros abrindo mais as coxas de Aelin, e a provando, de novo e de novo, até que ela estivesse se contorcendo sob ele.

Mas algo primordial dentro de Aelin ficou silencioso e imóvel quando Rowan subiu sobre ela de novo e seus olhares se encontraram.

— Você é minha parceira — disse Rowan, e as palavras saíram quase guturais. Ele lhe roçou a entrada, e Aelin levantou o quadril para guiá-lo para dentro, mas o macho permaneceu onde estava. Negando aquilo pelo que ela ansiava até que ouvisse o que precisava.

Aelin inclinou a cabeça para trás, expondo o pescoço para ele.

— Você é meu parceiro. — As palavras soaram como um sussurro sem fôlego. — E eu sou a sua.

Rowan avançou contra ela com um poderoso movimento ao mesmo tempo que mergulhava os dentes na lateral do pescoço de Aelin.

Ela gritou diante da reivindicação, o alívio já percorria sua coluna, mas ele começou a se mover. Movendo-se enquanto seus dentes permaneciam nela, e Aelin gemia a cada mergulho do quadril, o mero tamanho de Rowan era um luxo do qual ela jamais se cansaria. Aelin arrastou as unhas pelas costas musculosas do feérico, então mais para baixo, sentindo cada golpe poderoso dentro de si.

Rowan tirou os dentes do pescoço de Aelin, e ela reivindicou sua boca em um beijo selvagem, o cheiro acobreado de seu sangue na língua do macho.

O príncipe feérico se tornou selvagem diante daquilo, puxando-lhe o quadril para entrar mais fundo, com mais força. O mundo podia estar queimando ao redor até onde ela se importara, e ele também.

— Juntos, Aelin — prometeu Rowan, e ela ouviu o restante das palavras em cada lugar em que seus corpos se uniam. Juntos enfrentariam aquilo, juntos encontrariam uma forma.

O clímax atingiu o ápice nela mais uma vez, um brilho trêmulo.

E no momento que se derramou, Aelin mergulhou os dentes no pescoço de Rowan, reivindicando-o como ele a reivindicara.

Seu sangue, poderoso e beijado pelo vento, encheu a boca e a alma da rainha, e Rowan rugiu quando o alívio o arrasou também.

Por longos minutos, os dois ficaram deitados, enroscados.

Juntos encontraremos uma forma, os hálitos se misturando e o mar quebrando pareciam ecoar. *Juntos.*

42

Lorcan havia ficado com o último turno da noite, o que permitiu que ele testemunhasse o alvorecer no horizonte já distante.

Será que algum dia veria de novo — Wendlyn, Doranelle, qualquer daquelas terras do leste?

Talvez não, considerando para o que velejavam no oeste e o exército imortal que Maeve sem dúvida colocara ao seu encalço. Talvez estivessem todos condenados a alvoreceres limitados.

Os demais despertaram, aventurando-se no convés para descobrir o que a manhã trazia. Nada, foi o que ele quase disse de onde estava na proa. Água e sol e muito nada.

Fenrys o viu e exibiu os dentes. Lorcan deu a ele um sorriso debochado.

Sim, aquela luta viria mais tarde. E ele a acolheria, a chance de aliviar a tensão dos ossos, de deixar que Fenrys o destroçasse um pouco.

Mas Lorcan não mataria o lobo. Fenrys poderia tentar matá-lo, mas Lorcan não faria aquilo. Não depois do que Fenrys passara... do que conseguira fazer.

Elide subiu para o convés, com os cabelos trançados e arrumados. Como se tivesse acordado antes do alvorecer. Ela mal olhou em sua direção, embora Lorcan soubesse que ela estava bastante ciente de sua localização. O macho bloqueou a pontada vazia no peito.

Então Aelin o viu, e havia mais nitidez no rosto da jovem do que nos últimos dias, conforme caminhava para onde Lorcan estava. Mais daquela arrogância no andar também.

As mangas da camisa branca de Aelin tinham sido enroladas até o cotovelo, e os cabelos foram trançados para trás. Goldryn e uma longa faca pendiam do cinto. Pronta para treinar. Arrumada para isso, a julgar pela energia fervilhante que emanava.

Descendo as pequenas escadas, Lorcan a encontrou no meio do caminho.

Whitethorn se deteve próximo, também vestido para lutar, e a cautela nos olhos do macho disse o bastante ao semifeérico: o príncipe não fazia ideia do motivo daquilo.

Mas a jovem rainha cruzou os braços.

— Planeja velejar conosco para Terrasen?

Uma pergunta desnecessária para o alvorecer no meio do mar.

— Sim.

— E planeja se juntar a nós nessa guerra?

— Certamente não estou indo para aproveitar o clima agradável.

Diversão brilhou nos olhos de Aelin, embora o rosto tivesse permanecido sombrio.

— Então é assim que as coisas vão funcionar.

Lorcan esperou pela lista de ordens e exigências, mas a rainha apenas o observou, com aquela diversão se dissipando em algo sério.

— Você era o imediato de Maeve — disse ela, e Elide se virou na direção de ambos. — E agora que não é, isso faz de você um poderoso macho feérico cuja lealdade eu não conheço e na qual não confio. Não quando o exército de Maeve provavelmente está se dirigindo para o continente neste momento. Não posso tê-lo em meu reino, ou viajando conosco, quando pode muito bem vender informação para voltar às graças de Maeve, não é?

Ele abriu a boca, irritado diante do tom arrogante, mas Aelin prosseguiu:

— Então vou lhe fazer uma oferta, Lorcan Salvaterre. — Ela deu um tapinha no antebraço exposto. — Faça o juramento de sangue a mim, e deixarei que perambule por onde quiser.

Fenrys xingou atrás do grupo, mas Lorcan mal ouviu por cima dos rugidos na cabeça.

— E o que, exatamente — foi o que ele conseguiu dizer —, ganho com isso?

O olhar de Aelin deslizou por cima do ombro. Para onde Elide observava, boquiaberta. Quando a rainha encontrou o olhar de Lorcan de novo, uma gota de simpatia tinha suavizado aquela arrogância de aço.

— Terá permissão de entrar em Terrasen. É o que ganha com isso. Onde vai escolher viver dentro das fronteiras de Terrasen não será minha decisão.

Não a decisão dela ou a dele. Mas daquela fêmea de cabelos pretos que os olhava boquiaberta.

— E se eu me recusar? — Lorcan ousou perguntar.

— Então jamais poderá colocar os pés em meu reino, ou continuar viajando conosco, não com as chaves em risco e o exército de Maeve em nossas costas. — Aquela compreensão permanecia. — Não posso confiar em você o suficiente para deixar que se junte a nós de outra forma.

— Mas me deixaria fazer o juramento de sangue?

— Não quero nada de você, e você não quer nada de mim. A única ordem que lhe darei é aquela que pediria de qualquer cidadão de Terrasen: que proteja e defenda nosso reino e seu povo. Pode viver em uma cabana nas montanhas Galhada do Cervo até onde me importo.

E ela estava sendo sincera. Se fizesse o juramento de sangue, se jurasse nunca ferir seu reino, Aelin lhe daria liberdade. E se ele se recusasse... Jamais veria Elide novamente.

— Não tenho outra escolha — sussurrou Aelin, para que os demais não ouvissem. — Não posso arriscar Terrasen. — Ela ainda estava com o braço estendido para ele. — Mas não tiraria algo tão precioso de você.

— O que não percebe é que *aquilo* não é mais uma possibilidade.

De novo, aquele indício de sorriso e um olhar por cima do ombro na direção de Elide.

— É sim. — Os olhos turquesa de Aelin estavam brilhantes quando encarou Lorcan, e havia uma sabedoria em seu rosto na qual ele talvez jamais tivesse reparado antes. O rosto de uma rainha. — Acredite em mim, Lorcan, é sim.

Ele afastou a esperança que inflou seu peito, estranha e indesejada.

— Mas Terrasen não sobreviverá a esta guerra, *ela* não sobreviverá a esta guerra, sem você.

E mesmo que a rainha diante de si desse a vida imortal para forjar o Fecho, para impedir Erawan, o juramento de sangue de Lorcan para proteger seu reino se manteria.

— A escolha é sua — concluiu Aelin, simplesmente.

Lorcan se permitiu olhar para Elide, por mais tolo que fosse.

Ela estava com a mão no pescoço, os olhos escuros bem arregalados.

Não importava se ainda lhe ofereceria um lar em Perranth, se a rainha falava a verdade.

Mas o que importava era que Aelin Galathynius fora sincera na promessa: ele era poderoso demais, sua lealdade instável demais, para que ela permitisse que Lorcan seguisse a viagem, que entrasse no reino livremente. Aelin o deixaria ir, o manteria longe de Terrasen, mesmo que as hordas de Erawan estivessem se aproximando, apenas para evitar a outra ameaça às costas deles: Maeve.

E Elide não poderia sobreviver àquilo, àquela guerra, se todos estivessem mortos.

Ele não podia aceitar aquela possibilidade. Por mais que fosse tola e inútil, ele não podia permitir que aquilo acontecesse. Que as bestas de Erawan ou Vernon, o tio de Elide, viessem reivindicá-la de novo.

Tolo. Era um tolo estúpido e velho.

Mas o deus em seu ombro não lhe disse para fugir ou para protestar.

A escolha era sua, então. Lorcan se perguntou o que a deusa que sussurrava para Elide achava daquilo.

E se perguntou o que a própria mulher pensaria daquilo quando respondeu para Aelin:

— Tudo bem.

— Que os Deuses nos livrem — murmurou Fenrys.

Os lábios de Aelin se curvaram naquele indício de sorriso, divertido, mas com um toque de crueldade, quando ela olhou para o lobo.

— Vai ter de deixar que ele viva, sabe disso — comentou a rainha para Fenrys, erguendo a sobrancelha. — Nada de duelo até a morte. Nada de luta por vingança. Pode suportar isso?

Lorcan ficou furioso conforme Fenrys o olhou de cima a baixo. O semiféerico deixou que ele visse cada gota de domínio no olhar.

Fenrys lançou todo o ódio de volta. Não tanto quanto o que Lorcan possuía, mas o bastante para lembrá-lo de que o Lobo Branco de Doranelle podia morder se quisesse. De forma letal.

Então o macho apenas se virou para a rainha.

— Se eu disser que ele é um canalha e um cafajeste miserável de suportar, vai fazer com que mude de ideia?

Lorcan grunhiu, mas Aelin soltou um riso.

— Mas não é por isso que amamos Lorcan? — Ela deu a ele um sorriso que mostrou ao semiféerico que ela se lembrava de cada detalhe de seus primeiros encontros em Forte da Fenda, quando o macho enfiara o rosto da jovem em uma parede de tijolos. Em seguida a rainha disse a Fenrys: — Só o convidaremos para Orynth nos feriados.

— Para ele estragar as comemorações? — Fenrys fez uma careta. — Não sei você, mas eu valorizo meus feriados. Não preciso de um misantropo para acabar com eles.

Pelos deuses. Lorcan olhou para Rowan, mas o príncipe-guerreiro observava sua rainha com cautela. Como se soubesse exatamente o tipo de tempestade que se formava sob sua pele.

Aelin gesticulou.

— Tudo bem, tudo bem. Você não tenta matar Lorcan pelo que aconteceu em Eyllwe e, em troca, nós não o convidaremos para nada. — O sorriso não era nada menos que malicioso.

Aquele era o tipo de corte a que Lorcan se juntaria — aquele redemoinho de... Ele não sabia qual era a palavra para aquilo. Mas duvidava de que algum dos cinco séculos de vida o tivesse preparado para tal.

Aelin estendeu a mão.

— Sabe como isso funciona, então. Ou é velho demais para se lembrar?

Lorcan fez cara de raiva e se ajoelhou, oferecendo a adaga que levava ao lado do corpo.

Um tolo. Era um tolo.

Mesmo assim, suas mãos tremeram levemente quando ele deu à rainha a faca.

Aelin sopesou a lâmina. Havia um anel dourado encimado por uma esmeralda obscenamente grande adornando seu dedo. Uma aliança de casamento. Provavelmente dos tesouros das criaturas dos túmulos que ela saqueara. Lorcan olhou para o lado, onde Whitethorn observava. De fato, havia um anel dourado no dedo do guerreiro, com um rubi incrustado na aliança. E despontando acima do colarinho do casaco de Rowan havia duas cicatrizes recentes.

Duas delas marcavam também o pescoço da própria rainha.

— Já cansou de olhar? — perguntou Aelin a Lorcan, friamente.

Ele franziu a testa. Mesmo com o ritual sagrado que estavam prestes a compartilhar, a rainha achava um jeito de ser irreverente.

— Diga.

Seus lábios se curvaram de novo.

— Você, Lorcan Salvaterre, jura por seu sangue e sua alma eterna ser leal a mim, a minha coroa e a Terrasen pelo resto de sua vida?

Ele piscou. Maeve entoara uma longa lista de perguntas no velho idioma quando Lorcan fizera o juramento a ela. Mas ele respondeu:

— Sim. Eu juro.

Aelin cortou o antebraço com a adaga, e seu sangue brilhou tão forte quanto o rubi na espada ao lado.

— Então beba.

A última chance de voltar atrás.

Mas Lorcan olhou para Elide de novo. E viu esperança — apenas um lampejo — iluminar seu rosto.

Então ele pegou o braço da rainha nas mãos e bebeu.

Seu gosto — jasmim, lúcia-lima e brasas crepitantes — encheu a boca de Lorcan. Encheu a alma, quando algo queimou e se acomodou dentro dele.

Uma brasa de calor. Como se um pedaço daquela magia revolta tivesse repousado dentro da alma do guerreiro.

Oscilando um pouco, Lorcan soltou o braço da rainha.

— Bem-vindo à corte — falou Aelin. — Eis sua primeira e única ordem: proteja Terrasen e seu povo.

O comando também se acomodou dentro do semifeérico, outra pequena faísca que brilhou bem fundo.

Então a rainha deu meia-volta e se foi; não, caminhou até Elide.

Lorcan tentou ficar de pé, mas não conseguiu. O corpo, ao que parecia, precisava de um momento.

Então ele só pôde observar conforme Aelin dizia a Elide:

— Não vou oferecer o juramento de sangue a você.

Com ou sem juramento, ele pensou em jogar a rainha no oceano pela devastação que cobriu a expressão de Elide. Mas a Lady de Perranth manteve o queixo erguido.

— Por quê?

Aelin lhe pegou a mão com um carinho que esfriou o temperamento enraivecido de Lorcan.

— Porque quando voltarmos para Terrasen, se eu receber o trono, você não poderá estar presa a mim. — As sobrancelhas de Elide se franziram. — Perranth é a segunda casa mais poderosa de Terrasen — explicou Aelin. — Quatro dos lordes decidiram que não sou digna do trono. Preciso de uma maioria para reconquistá-lo.

— E se eu estiver jurada a você, isso ameaça a integridade de meu voto — concluiu Elide.

Aelin assentiu e soltou a mão da jovem a fim de se virar para todos eles. No sol nascente, a rainha estava banhada em dourado.

— Terrasen está a mais de duas semanas de distância, se as tempestades de inverno não interferirem. Usaremos esse tempo para treinar e planejar.
— Planejar o quê? — perguntou Fenrys, aproximando-se.
Um membro daquela corte. Da corte do próprio Lorcan. Os três mais uma vez unidos — porém mais livres do que jamais estiveram. O semifeérico questionou um pouco por que a rainha não oferecera o juramento a Gavriel, mas então ela falou de novo:
— Minha tarefa não pode ser concluída sem as chaves. Presumo que os novos portadores me procurarão em algum momento, se a terceira for encontrada e eles decidirem não terminar isso sozinhos. — Aelin olhou para Rowan, que assentiu, como se já tivessem discutido aquilo. — Então, em vez de desperdiçar tempo vital perambulando pelo continente a sua procura, iremos, de fato, para Terrasen. Principalmente se Maeve for levar o exército para aquele litoral também. E se não me for permitido liderar do trono, então simplesmente precisarei fazê-lo dos campos de batalha.
Ela queria lutar. A rainha — a rainha de *Lorcan* — queria lutar contra Morath. E Maeve, caso o pior acontecesse. E então ela morreria por todos eles.
— Para Terrasen, então — disse Fenrys.
— Para Terrasen — ecoou Elide.
Aelin olhou para o oeste, na direção do reino que era tudo que havia entre Erawan e a conquista. Para o novo lar de Lorcan. Como se ela pudesse ver as legiões do senhor do luto descendo sobre ele. E a horda imortal de Maeve se aproximando pelas costas, uma horda que Lorcan e seus companheiros um dia haviam comandado.
A jovem rainha apenas caminhou para o centro do convés, os marujos dando bastante espaço a eles. Ela desembainhou Goldryn e a adaga, então ergueu as sobrancelhas para Whitethorn em um desafio silencioso.
O príncipe-guerreiro obedeceu, desembainhando a espada e o machado antes de assumir uma pose de agachamento defensivo.
Treinar — treinar de novo o corpo. Nenhum sussurro do poder de Aelin se manifestou, mas os olhos brilhavam intensamente.
Aelin inclinou as armas.
— Para Terrasen — disse ela, por fim.
E começou.

43

Dorian começou devagar.

Primeiro, mudando os olhos para preto. Preto sólido, como os dos valg. Então tornando a pele de um tom gélido, pálido, do tipo que jamais viu a luz do sol. Os cabelos ele deixou escuros, mas conseguiu fazer o nariz mais torto, a boca mais fina.

Não foi uma metamorfose completa, mas uma feita aos poucos. Tecendo a imagem nele mesmo, formando a tapeçaria do novo rosto, da nova pele, durante o longo e silencioso voo para cima do dorso das montanhas Canino Branco.

Não contara a Manon que era provavelmente uma missão suicida. Mal falara com ela desde a clareira na floresta. Tinham partido com o alvorecer, quando a bruxa havia anunciado para Glennis e as Crochan o que planejava fazer. Elas poderiam voar até o desfiladeiro Ferian e voltar para aquele acampamento escondido nas Canino Branco em quatro dias, se tivessem sorte.

Manon pedira que as Crochan as encontrassem lá. Pedira que confiassem o suficiente nela para voltar ao acampamento nas montanhas e esperar.

Elas disseram sim. Talvez fosse a cova que as Treze tinham passado o dia cavando, mas as Crochan tinham dito sim. Uma confiança hesitante — apenas daquela vez.

Então Dorian tinha voado com Asterin e usado cada hora frígida a caminho do norte para alterar o corpo lentamente.

Se quer tanto ir para Morath, sibilara Manon de novo antes de partirem, *então vamos ver se consegue.*

Um teste. Algo que ele ficaria feliz ao completar com excelência. Pelo menos para jogar na cara da bruxa.

Manon conhecia uma porta dos fundos que apenas as serpentes aladas pegavam na Canino do Norte, junto de qualquer brutamontes humano azarado o suficiente para ser levado até aquele lugar. Asterin e ela haviam deixado o restante das Treze mais longe nas montanhas antes de se aproximarem, e, mesmo então, tinham parado longe o suficiente de qualquer batedor, de modo que passaram horas caminhando a pé, levando a fêmea de Asterin com elas. Abraxos tinha grunhido e puxado as rédeas, mas Sorrel o segurara firme.

Os dois picos imensos que flanqueavam o desfiladeiro ficavam maiores a cada quilômetro que passava. Mas conforme se aproximavam do lado sul das montanhas Canino Branco, Dorian percebeu que não tinha se dado conta do quanto, exatamente, eram imensos.

Grandes o bastante para conter um esquadrão aéreo. Para os treinar e procriar.

Aquilo era o que seu pai e Erawan tinham construído. O que Adarlan tinha se tornado.

Nenhuma serpente alada circundava o céu, mas os rugidos e os gritos ecoavam do desfiladeiro enquanto Dorian caminhava para os portões antigos que se abriam para a própria montanha. Atrás dele, puxada por uma corrente, a fêmea azul de Asterin seguia.

Mais um treinador trazendo a montaria de volta depois de uma viagem para tomar ar. Os poucos guardas — homens mortais — nos portões mal piscaram quando ele apareceu de trás de uma curva de rochas.

As palmas das mãos de Dorian ficaram suadas dentro das luvas, e ele rezou para que a metamorfose se mantivesse.

Não teria como saber, embora supusesse que poucos ali reconheceriam seu rosto natural. Ele tinha escolhido cores próximas o suficiente das próprias, assim, caso a tapeçaria dentro de si se desfizesse, alguém poderia ignorar a alteração do tom de pele, dos olhos, atribuindo-a a um truque da luz.

Narene bufou, puxando as rédeas. Sem querer chegar perto daquele lugar. Dorian não a culpava. O fedor da montanha deixava seus joelhos trêmulos.

Mas ele passara anos treinando a expressão do rosto contra os perfumes de dar dor de cabeça que as damas da corte da mãe usavam. Como aquele mundo parecia distante — aquele palácio de perfume e renda e música alegre. Se não tivessem resistido a Erawan, será que ele teria permitido que aquilo ainda existisse? Se tivessem se curvado a ele, será que Erawan teria mantido a farsa como Perrington e governado como um rei mortal?

As pernas de Dorian queimavam, as horas de caminhada cobravam seu preço. Manon e Asterin espreitavam perto, escondidas na neve e nas pedras. Sem dúvida marcavam cada movimento enquanto Dorian se aproximava dos portões.

As palavras de despedida para Manon tinham sido breves. Grosseiras.

Dorian deixara as duas chaves de Wyrd na palma aberta da bruxa, o Amuleto de Orynth tilintando baixinho contra as unhas de ferro. Apenas um tolo as levaria para dentro de uma das fortalezas de Erawan.

— Podem não ser sua prioridade — dissera Dorian. — Mas ainda são vitais para nosso sucesso.

Os olhos de Manon se semicerraram quando ela enfiou as chaves no bolso, completamente inabalada por guardar no casaco um poder grande o bastante para derrubar reinos.

— Acha que eu as jogaria fora como se fossem lixo?

Asterin subitamente havia percebido que a neve precisava de sua atenção.

Dorian dera de ombros e desafivelara Damaris, pois a espada era luxuosa demais para um reles treinador de serpentes aladas. Ele a entregara para Manon também. Uma adaga comum seria sua única arma, além da magia em suas veias.

— Se eu não voltar — falara ele, conforme Manon amarrava a espada antiga no cinto —, as chaves devem ir para Terrasen. — Era o único lugar em que ele conseguia pensar, mesmo que Aelin não estivesse lá para recebê-las.

— Você vai voltar — retrucara ela. Tinha parecido mais uma ameaça do que qualquer outra coisa.

Dorian dera um sorriso arrogante.

— Sentiria minha falta se eu não voltasse?

Manon não havia respondido. Dorian não sabia por que esperava que ela respondesse.

Ele dera um passo, mas então Asterin segurara seu ombro.

— Para dentro e para fora o mais rápido possível — avisara ela. — Cuide de Narene. — A preocupação, de fato, brilhava nos olhos pretos salpicados de dourado da imediata.

Dorian fizera uma reverência com a cabeça.

— Com minha vida — prometera ele ao se aproximar da montaria de Asterin e pegar as rédeas penduradas. O jovem rei não havia deixado de reparar na gratidão que suavizara as feições de Asterin. Ou que Manon já lhe dera as costas.

Era um tolo por tomar aquele caminho com ela. Deveria saber que não acabaria bem.

Os rostos dos guardas se tornaram nítidos. Dorian assumiu o retrato de um cuidador cansado e entediado.

Ele esperou pelo questionamento, mas isso jamais aconteceu.

Simplesmente gesticularam para que entrasse, igualmente cansados e entediados. E com frio.

Asterin dera a ele a disposição da Canino do Norte e da Ômega, adiante, então Dorian sabia que deveria virar à esquerda ao entrar no corredor imponente. Gritos e resmungos de serpentes aladas soavam por todo lado, e aquele cheiro podre subiu por seu nariz.

Mas Dorian encontrou os estábulos exatamente onde Asterin dissera que estariam, a fêmea azul paciente enquanto ele amarrava folgadamente as correntes ao gancho na parede.

Dorian deixou Narene com uma batidinha tranquilizadora no pescoço e foi ver o que o desfiladeiro Ferian poderia revelar.

⁓

As horas que se passaram foram algumas das mais longas da existência de Manon.

De antecipação, disse a si mesma. Pelo que precisava fazer.

Abraxos as encontrou em uma hora, o que não era nada surpreendente, com as rédeas cortadas pela luta que sem dúvida travara e vencera contra Sorrel. Ele esperou, no entanto, ao lado de Manon em silêncio, completamente concentrado no portão por onde Dorian e Narene tinham sumido.

O tempo passou lentamente. A espada do rei era um peso constante a seu lado.

Manon se amaldiçoou por precisar provar — para ele, para ela — que se recusava a deixá-lo ir até Morath por motivos práticos, comuns. Erawan não estava no desfiladeiro Ferian. Seria mais seguro.

De alguma forma. Mas se as Matriarcas estivessem ali...

Por isso ele fora. Para descobrir se estavam lá. Para ver se Petrah realmente comandava o esquadrão dali e quantas Dentes de Ferro estavam presentes.

Dorian não fora treinado como espião, mas crescera em uma corte onde as pessoas usavam sorrisos e roupas como armas. Ele sabia como se misturar, como ouvir. Como fazer as pessoas verem o que desejavam ver.

Manon mandara Elide até o calabouço de Morath, que a Escuridão a amaldiçoasse. Mandar o rei de Adarlan para dentro do desfiladeiro Ferian não era diferente.

Isso não impediu seu fôlego de escapar quando Abraxos ficou rígido, observando o céu. Como se tivesse ouvido algo que elas não conseguiam.

E foi a alegria que brilhou nos olhos da montaria que a informou.

Momentos depois, Narene seguia até eles, formando um caminho preguiçoso sobre as montanhas, com um montador de cabelos pretos e pele pálida sobre ela. Dorian realmente conseguira mudar algumas de suas partes. Tornara o rosto quase irreconhecível. E o mantivera daquela forma.

Asterin correu para a fêmea, e até mesmo Manon piscou quando a imediata atirou os braços em torno do pescoço de Narene. Abraçando-a forte. A fêmea apenas encostou a cabeça nas costas de Asterin e bufou.

Dorian desceu da montaria, deixando as rédeas penduradas.

— E? — indagou Manon.

Os olhos, escuros como os de um valg, brilharam. Ela não tentou explicar que seus joelhos tinham ficado trêmulos. Que ainda fraquejavam conforme ela entregava a espada e as duas chaves, com a unha roçando a mão enluvada do rei.

Os olhos de Dorian clarearam até aquele tom arrasador de safira, e a pele se tornou queimada de sol de novo.

— As matriarcas não estão lá. Apenas Petrah Sangue Azul e cerca de trezentas Dentes de Ferro de todos os três clãs. — A boca se curvou com um meio sorriso cruel, tão frio quanto os picos ao redor. Condenatório. — O caminho está livre, Majestade.

⁕

As patrulhas no desfiladeiro Ferian as viram a quilômetros de distância.

As Treze ainda tinham permissão de aterrissar na Ômega.

Manon deixara Dorian no pequeno vale no qual tinham reunido as Treze. Se não voltassem em um dia, ele deveria fazer como quisesse. Ir para Morath e para o abraço de Erawan que o aguardava, se fosse tão inconsequente assim.

Não houvera despedidas entre eles.

Manon manteve as batidas do coração tranquilas ao se sentar sobre Abraxos dentro da abertura cavernosa que dava para a Ômega, ciente de cada olho inimigo sobre elas, tanto na frente quanto atrás.

— Quero falar com Petrah Sangue Azul — declarou ela para o salão.

— Foi o que presumi — respondeu uma voz jovem.

A herdeira das Sangue Azul surgiu pela passagem mais próxima, com um arco de ferro na testa e vestes azuis esvoaçando.

Manon inclinou a cabeça.

— Reúna seu esquadrão neste salão.

∽

Manon não pensara muito no que diria.

E conforme as trezentas bruxas Dentes de Ferro entravam em fila no salão, algumas deixando as patrulhas, Manon se perguntou se deveria ter feito isso. Elas a observaram, observaram as Treze com um desdém cauteloso.

A Líder Alada que caíra em desgraça, a herdeira caída.

Quando todas estavam reunidas, Petrah, ainda de pé à porta em que aparecera, apenas disse:

— Minha dívida de vida por uma audiência, Bico Negro.

Manon engoliu em seco, a língua parecia árida como papel. Sentada sobre Abraxos, conseguia ver cada movimento na multidão, os olhos arregalados ou as mãos pegando espadas.

— Não lhes contarei os detalhes de quem sou — começou ela, por fim. — Pois acho que já os ouviram.

— Crochan vadia — disparou alguém.

Manon voltou os olhos para as Bico Negro, com os rostos impassíveis enquanto as demais estavam tomadas pelo ódio. Era para elas que Manon falava, por elas que fora até ali.

— Minha vida toda — disse ela, com a voz falhando levemente — me foi contada uma mentira.

— Não precisamos ouvir esse lixo — gritou outra sentinela.

Asterin grunhiu ao lado de Manon, e as demais se calaram. Mesmo em desgraça, as Treze eram letais.

— Uma mentira sobre quem somos, o que somos — prosseguiu Manon. — Que somos monstros e temos orgulho disso. — Ela passou o dedo pelo retalho de tecido vermelho que amarrava sua trança. — Mas nós fomos *transformadas* nisso. Transformadas — repetiu ela. — Quando podíamos ser muito mais.

O silêncio caiu.

Manon encarou aquilo como encorajamento o bastante.

— Minha avó não planeja apenas reivindicar os desertos quando essa guerra acabar. Ela planeja governar os desertos como Grã-Rainha. Sua *única* rainha.

Um murmúrio diante daquilo. Das palavras, da traição que Manon cometia ao revelar os planos particulares da Matriarca.

— Não haverá Sangue Azul ou Pernas Amarelas, não como são agora. Ela planeja tomar as armas que vocês construíram aqui, planeja usar nossas montadoras Bico Negro e *fazer* de vocês nossas súditas. E se não se curvarem a ela, não existirão.

Manon respirou fundo. De novo.

— Só conhecemos derramamento de sangue e violência há quinhentos anos. E conheceremos por mais quinhentos.

— Mentirosa — disparou alguém. — Voamos para a glória.

Mas Asterin se moveu, desabotoou o casaco de couro, então puxou a camisa branca para cima. Subindo nos estribos para exibir o abdômen coberto de cicatrizes, brutalizado.

— Ela não mente.

IMPURA.

Ali, a palavra permanecia estampada. Sempre estaria estampada.

— Quantas de vocês — gritou Asterin — foram marcadas de forma semelhante? Por sua Matriarca, por sua líder de aliança? Quantas de vocês tiveram seus filhos natimortos queimados antes que pudessem segurá-los?

O silêncio que recaiu então foi diferente do anterior. Trêmulo... estremecido.

Manon olhou para as Treze e notou lágrimas nos olhos de Ghislaine quando ela viu a marca no ventre de Asterin. Lágrimas nos olhos de todas elas que ainda não sabiam.

E foi por aquelas lágrimas, jamais vistas por ela, que Manon encarou o esquadrão de novo.

— Serão mortas nesta guerra, ou depois dela. E jamais verão nosso lar de novo.

— O que quer, Bico Negro? — perguntou Petrah da passagem arqueada.

— Voem conosco — sussurrou ela. — Voem conosco. Contra Morath. Contra as pessoas que as manteriam longe de sua terra natal, de seu futuro. — Murmúrios irromperam de novo. A bruxa insistiu: — Uma aliança Dentes de Ferro-Crochan. Talvez uma para quebrar nossa maldição, enfim.

De novo, aquele silêncio trêmulo. Como uma tempestade prestes a cair.

Asterin se sentou na sela, mas manteve a camisa aberta.

— A escolha de como o futuro de nosso povo deve ser moldado é sua — disse Manon a cada uma das bruxas reunidas, a todas as Bico Negro que poderiam voar para a guerra e jamais voltar. — Mas direi isto. — Suas mãos tremiam, e Manon as fechou em punhos sobre as coxas. — Há um mundo melhor lá fora. E eu já o vi.

Mesmo as Treze olharam para ela naquela hora.

— Vi bruxa e humano e feérico conviverem em paz. E não foi uma fraqueza fazer isso, mas uma força. Conheci reis e rainhas cujo amor pelo reino, pelo povo, é tão grande que seu ego é secundário. Cujo amor pelo povo é tão forte que, mesmo diante de chances impensáveis, fazem o impossível.

Manon ergueu o queixo.

— Vocês são meu povo. Se minha avó decreta isso ou não, vocês são meu povo, e sempre serão. Mas voarei contra vocês, se preciso for, para garantir que haja um futuro para aqueles que não podem lutar por si mesmos. Há muito tempo predamos os mais fracos e nos deliciamos com isso. Está na hora de nos tornarmos melhores que nossas mães ancestrais. — As palavras que ela dissera às Treze meses antes. — Há um mundo melhor lá fora — repetiu Manon. — E eu vou lutar por ele. — Ela virou Abraxos para o outro lado, na direção da queda atrás delas. — E vocês?

Manon assentiu para Petrah. Com os olhos brilhantes, a herdeira apenas assentiu de volta. Teriam a permissão de partir como chegaram: ilesas.

Então Manon cutucou Abraxos e ele saltou para o céu, com as Treze seguindo.

Não uma filha da guerra.

Mas da paz.

44

— Como vou entalhar você hoje, Aelin?

As palavras de Cairn eram como um empurrão de hálito quente em seu ouvido conforme a faca raspava a coxa nua.

Não. Não, não podia ter sido um sonho.

A fuga, Rowan, o navio para Terrasen...

Cairn enterrou a ponta da adaga na carne acima do joelho, e Aelin trincou os dentes quando sangue se acumulou e escorreu. Quando ele começou a girar a lâmina, um pouco mais fundo a cada rotação.

Ele já fizera isso tantas vezes. Por todo o seu corpo.

Só pararia no momento que atingisse o osso. No momento que ela estivesse gritando e gritando.

Um sonho. Uma ilusão. Ter fugido de Cairn, de Maeve, tinha sido outra ilusão.

Será que dissera? Será que dissera onde as chaves estavam escondidas?

Aelin não conseguiu conter o soluço que escapou de dentro de si.

Então uma voz fria, culta, ronronou:

— Todo aquele treinamento e é isso que você se torna?

Não era real. Arobynn, de pé do outro lado do altar, não era real. Mesmo que parecesse, com os cabelos ruivos brilhando, as roupas impecáveis.

O antigo mestre de Aelin deu um meio sorriso.

— Até mesmo Sam aguentou mais tempo que isso.

Cairn girou a faca de novo, cortando os músculos. Aelin arqueou o corpo, o próprio grito ecoou em seus ouvidos. De longe, Fenrys grunhiu.

— Você poderia escapar dessas correntes se quisesse mesmo — disse Arobynn, franzindo a testa com desprezo. — Se tentasse com vontade.

Não, ela não poderia, e tudo fora um sonho, uma mentira...

— Você se *permite* continuar prisioneira. Porque assim que se libertar... — Arobynn riu. — Vai ter de se oferecer, como um cordeirinho para o abate.

Ela arranhou e se debateu contra as lacerações na perna, sem ouvir Cairn, que ria com escárnio. Apenas ouvindo o rei dos Assassinos, sem que fosse visto ou notado a seu lado.

— Bem no fundo, está esperando que fique aqui por tempo o suficiente para que o jovem rei de Adarlan pague o preço. Bem no fundo, sabe que está se escondendo aqui, esperando que ele livre o caminho. — Arobynn se inclinou contra a lateral do altar, limpando as unhas com uma adaga. — Bem no fundo, sabe que não é muito justo que aqueles deuses a tenham escolhido. Que Elena a tenha escolhido em vez dele. Ela ganhou tempo para que vivesse, sim, mas *você* ainda foi escolhida para pagar o preço. O preço dela. E dos deuses.

Arobynn passou a mão de dedos longos pela têmpora de Aelin.

— Está vendo do que tentei poupá-la durante todos esses anos? O que poderia ter evitado se tivesse permanecido Celaena, permanecido comigo? — Ele sorriu. — Está vendo, Aelin?

Ela não conseguia responder. Não tinha voz.

Cairn chegou ao osso, e...

Aelin se impulsionou para cima, as mãos agarrando a coxa.

Nenhuma corrente a prendia. Nenhuma máscara a sufocava.

Nenhuma adaga tinha sido girada dentro de seu corpo.

Respirando com dificuldade, com o cheiro de lençóis almiscarados agarrando-se ao nariz e os ruídos de seus gritos substituídos pelo cantar sonolento dos pássaros, Aelin esfregou o rosto.

O príncipe que caíra no sono a seu lado já estava passando a mão em suas costas com carícias silenciosas e tranquilizadoras.

Além da pequena janela da estalagem aos pedaços em algum lugar perto de Charco Lavrado e da fronteira de Adarlan, véus espessos de névoa flutuavam.

Um sonho. Apenas um sonho.

Ela se virou, colocando os pés no tapete em frangalhos no piso de madeira irregular.

— O alvorecer não virá por mais uma hora — comentou Rowan.

Mas Aelin levou a mão à camisa.

— Vou me aquecer, então. — Talvez correr, pois não conseguira fazer isso em semanas e semanas.

Rowan se sentou, sem deixar de reparar em nada.

— O treino pode esperar, Aelin. — Eles estavam treinando havia semanas, tão completa e cruelmente quanto em Defesa Nebulosa.

Aelin colocou as calças, então afivelou o cinto da espada.

— Não, não pode.

Aelin desviou para o lado, e a espada de Rowan passou voando perto de sua cabeça, cortando algumas mechas da ponta da trança.

Ela piscou, ofegando, e mal subiu Goldryn a tempo de conter o ataque seguinte. Metal reverberou pelas bolhas ardidas que cobriam suas mãos.

Novas bolhas — para um corpo novo. Três semanas no mar, e seus calos mal se formaram de novo. Todo dia, com horas passadas treinando com a espada, o arco e combate, e suas mãos ainda estavam *macias*.

Grunhindo, Aelin se agachou muito, e as coxas queimaram quando ela se preparou para saltar.

Mas Rowan parou no pátio empoeirado da estalagem, o machado e a espada caindo ao lado do corpo. À primeira luz da manhã, o lugar poderia ter sido considerado agradável, com a brisa do mar da costa próxima passando entre as folhas que restavam na macieira curva no centro do espaço.

Uma tempestade que se formava no norte forçara o navio a encontrar abrigo na noite anterior — e depois de semanas no mar, ninguém hesitara em passar algumas horas em terra firme. Para descobrir que inferno acontecera enquanto o grupo estivera fora.

A resposta: a guerra.

Em toda parte, a guerra se deflagrava. Mas *onde* a luta ocorria, o velho estalajadeiro não sabia. Barcos não paravam mais no porto — e os grandes navios de guerra apenas velejavam direto. Se eram inimigos ou amigos, ele também não sabia. Não sabia absolutamente nada, ao que parecia. Inclusive como cozinhar. E limpar a estalagem.

Precisariam estar de volta ao mar em um ou dois dias se quisessem chegar em Terrasen rapidamente. Havia tempestades demais no norte para que arriscassem uma travessia direta até lá, dissera o capitão. Naquela época do ano, era mais seguro chegar à costa do continente e, então, velejar para cima. Mesmo que esse comando e as mesmas tempestades os tivessem levado até ali: algum lugar entre Charco Lavrado e a fronteira de Adarlan. Com Forte da Fenda poucos dias adiante.

Quando Rowan não retomou a luta, Aelin fez uma careta.

— O quê.

Não foi bem uma pergunta, e sim uma exigência.

O olhar do macho não hesitou. Como quando Aelin voltara da corrida pelos campos nebulosos além da estalagem e o encontrara encostado na macieira.

— Basta por hoje.

— Nós mal começamos. — Ela ergueu a lâmina.

Rowan manteve a sua baixa.

— Você mal dormiu ontem à noite.

Aelin ficou tensa.

— Pesadelos. — Um eufemismo. Ela ergueu o queixo e deu um sorriso para Rowan. — Talvez eu esteja começando a cansar *você* um pouco.

Apesar das bolhas, ela recuperara peso, pelo menos. Vira os braços passarem de finos para definidos por músculos, as coxas de gravetos para torneadas e fortes.

Rowan não devolveu o sorriso.

— Vamos tomar café da manhã.

— Depois daquele jantar ontem à noite, não estou com pressa. — Aelin não deu um piscar de aviso antes de se lançar contra ele, atacando no alto com Goldryn e abaixo com a adaga.

Rowan rebateu o ataque, defendendo-se facilmente. Eles se chocaram, se afastaram e se chocaram de novo.

Os caninos do príncipe brilharam.

— Você precisa comer.

— Eu preciso treinar.

Ela não conseguia parar; aquela necessidade de fazer *alguma coisa*. De estar em movimento.

Não importava quantas vezes agitasse a espada, conseguia senti-los: os grilhões. E sempre que parava para descansar, ela também a sentia — sua magia. Esperando.

De fato, parecia abrir um olho e bocejar.

Aelin trincou a mandíbula e atacou de novo.

Rowan bloqueou cada golpe. Ela sabia que seus movimentos estavam se tornando desleixados. Sabia que ele lhe permitia continuar em vez de usar as muitas deixas para acabar com aquilo.

Aelin não conseguia impedir. A guerra se deflagrava em torno deles. As pessoas morriam. E ela estivera trancada naquela maldita caixa, fora despedaçada de novo e de novo, incapaz de *fazer* qualquer coisa...

Rowan golpeou tão rápido que a guerreira não conseguiu acompanhar. Mas foi o pé que ele deslizou diante dela que a condenou, lançando-a aos tropeços na terra.

Os joelhos cederam, ralando sob as calças, e a adaga saiu quicando de sua mão.

— Venci — declarou Rowan, ofegante. — Vamos comer.

Aelin olhou para ele com raiva.

— De novo.

O macho apenas embainhou a espada.

— Depois do café da manhã.

Ela grunhiu. Rowan grunhiu de volta.

— Não seja estúpida — disse ele. — Vai perder todos esses músculos se não alimentar seu corpo. Então coma. E se ainda quiser treinar depois, treinarei com você. — Ele ofereceu a mão tatuada a Aelin. — Embora provavelmente acabe vomitando as tripas.

Ou pelo esforço ou pela comida suspeita do estalajadeiro.

Mas a jovem rainha falou:

— As pessoas estão morrendo. Em Terrasen. Em... em toda parte. As pessoas estão morrendo, Rowan.

— Você tomar café da manhã não vai mudar isso. — Os lábios de Aelin se curvaram em um grunhido, mas ele a interrompeu: — Sei que as pessoas estão morrendo. Vamos ajudá-las. Mas *você* precisa ter alguma força ainda, ou não será capaz.

Verdade. O parceiro falava a verdade. No entanto, ela podia vê-los, ouvi-los. Aquelas pessoas morrendo, assustadas.

Cujos gritos tão frequentemente soavam como os dela.

Rowan agitou os dedos em um lembrete silencioso. *Vamos?*

Aelin fez uma careta e pegou a mão, deixando que o príncipe feérico a puxasse de pé. *Tão insistente.*

Rowan passou o braço em volta dos ombros da parceira. *Essa é a coisa mais educada que já disse a meu respeito.*

Elide tentou não se encolher com o mingau cinzento que fumegava diante de si. Principalmente enquanto o estalajadeiro observava das sombras atrás do balcão do bar. Sentada em uma das pequenas mesas redondas que ocupavam o espaço desgastado, Elide encontrou os olhos de Gavriel, que empurrava a própria tigela.

Ele levou a colher à boca. Lentamente.

Os olhos de Elide se arregalaram. Ainda mais quando ele abriu a boca e comeu.

Gavriel engoliu audivelmente. O tremor mal foi contido.

A jovem controlou seu sorriso diante da tristeza profunda que tomou os olhos amarelados do Leão. Aelin e Rowan concluíam uma batalha semelhante quando ela entrara no bar minutos antes. A rainha havia desejado boa sorte a Elide antes de voltar para o pátio.

Elide não a vira se sentar por mais que o tempo de uma refeição. Ou durante as horas em que os instruía em marcas de Wyrd, algo que Rowan pedira que ela lhes ensinasse.

Aquilo a tinha livrado das correntes, explicara o príncipe. E se os ilken fossem resistentes à magia dos feéricos, então aprender as marcas antigas poderia vir a calhar com o que enfrentariam adiante. As batalhas tanto físicas quanto mágicas.

Marcas tão estranhas, difíceis. Elide não conseguia ler a própria língua, não tentava havia anos. Não supunha que teria a oportunidade tão cedo. Mas aprender aquelas marcas, se ajudasse seus companheiros de qualquer forma... ela poderia tentar. *Tinha* tentado, o suficiente para já saber algumas.

Gavriel ousou comer mais uma colherada do mingau, oferecendo um sorriso curto ao estalajadeiro. O homem pareceu muito aliviado quando Elide pegou a colher e a enfiou goela abaixo. Insípido e um pouco azedo — será que ele tinha colocado sal em vez de açúcar? — mas... estava quente.

Gavriel a encarou, e Elide, de novo, conteve a risada.

Ela sentiu, em vez de ver, Lorcan entrar. O estalajadeiro imediatamente encontrou outro lugar para ir. O homem não se surpreendera ao ver cinco feéricos entrarem na estalagem na noite anterior, então seu sumiço sempre que Lorcan aparecia se devia certamente à careta de raiva que o macho tinha aperfeiçoado.

De fato, Lorcan olhou uma vez para Elide e Gavriel e deixou o salão de refeições.

Eles mal tinham **se** falado nas últimas semanas. Elide não sabia sequer o que dizer.

Um membro daquela corte. De sua corte. Para sempre.

Lorcan e Aelin certamente não tinham se aproximado. Não, apenas Rowan e Gavriel falavam de verdade com ele. Fenrys, apesar da promessa à rainha de *não* lutar contra o semifeérico, o ignorava a maior parte do tempo. E Elide... Ela se fazia sumir com tanta frequência que Lorcan não se incomodara em chegar perto.

Bom. Aquilo era bom. Mesmo que a jovem às vezes se visse abrindo a boca para falar com ele. Observando-o conforme Lorcan ouvia as lições de Aelin sobre as marcas de Wyrd. Ou enquanto ele treinava com a rainha, nos raros momentos em que os dois não estavam no pescoço um do outro.

Aelin tinha sido devolvida a eles. Estava se recuperando da melhor forma possível.

Elide não sentiu o gosto da colherada seguinte de mingau. Gavriel, ainda bem, não disse nada.

E Anneith não falou também. Nenhum sussurro de orientação.

Era melhor assim. Ouvir a si mesma. Assim como era melhor que Lorcan mantivesse distância.

Elide comeu o resto do mingau em silêncio.

~

Rowan estivera certo: ela quase tinha vomitado depois do café da manhã. Cinco minutos no pátio e precisara parar, aquele mingau miserável subindo por sua garganta.

O macho riu quando Aelin levou a mão à boca. Então ele mudou para a forma de gavião e voou até a costa próxima, ao navio à espera, para ter notícias do capitão.

Girando os ombros, a rainha o observou sumir nas nuvens. Ele estivera certo, é claro. Sobre Aelin se permitir descansar.

Se os demais sabiam o que a impulsionava, não disseram nada.

Aelin embainhou Goldryn e soltou uma longa exalação. Bem no fundo, seu poder resmungou.

Ela flexionou os dedos.

O rosto frio e pálido de Maeve lampejou diante de seus olhos.

Sua magia se calou.

Soltando mais um fôlego trêmulo, agitando o tremor das mãos, Aelin se dirigiu para os portões abertos da estalagem. Uma longa estrada de terra se estendia adiante, com os campos além estéreis. Uma terra nada impressionante, esquecida. Aelin mal vira qualquer coisa durante a corrida ao alvorecer, além de névoa e alguns pardais saltando entre a grama seca por causa do inverno.

Fenrys estava sentado na forma de lobo no limite do campo mais próximo, olhando para a extensão. Precisamente onde estivera antes do alvorecer.

Aelin deixou que ele ouvisse seus passos, as orelhas do lobo tremeram. Quando ela se aproximou, Fenrys se metamorfoseou e se encostou na cerca semipodre do campo.

— Quem você irritou para ficar com o turno do cemitério? — perguntou Aelin, limpando o suor da testa.

Fenrys soltou uma gargalhada e passou a mão pelo cabelo.

— Acreditaria se dissesse que me voluntariei?

Ela arqueou a sobrancelha. Ele deu de ombros, observando o campo de novo, as névoas ainda se detendo nas partes mais afastadas.

— Não durmo bem ultimamente. — Ele a olhou de esguelha. — Não imagino que eu seja o único.

Aelin mexeu numa bolha na mão direita, sibilando.

— Podíamos começar uma sociedade secreta... para pessoas que não dormem bem.

— Contanto que Lorcan não seja convidado, eu aceito.

Aelin conteve uma risada.

— Esqueça isso.

O rosto do feérico ficou duro como pedra.

— Eu disse que esqueceria.

— Obviamente não esqueceu.

— Farei isso quando você parar de correr até se matar ao alvorecer.

— Não estou correndo até me matar. Rowan está supervisionando tudo.

— Rowan é o único motivo pelo qual você não está andando com dificuldade para todos os cantos.

Verdade. Aelin fechou as mãos doloridas em punhos e as colocou nos bolsos. Fenrys não disse nada, não perguntou por que ela não estava aquecendo os próprios dedos. Ou o ar ao redor.

O macho apenas se virou para Aelin e piscou três vezes. *Você está bem?*

O grito de uma gaivota perfurou o mundo cinza, e ela piscou duas vezes em resposta. *Não.*

Era o máximo que admitiria. Então piscou de novo, três vezes agora. *Você está bem?*

Duas piscadas também.

Não, não estavam bem. Talvez jamais estivessem. Se os demais sabiam, se viam além da arrogância e do temperamento, não demonstravam.

Nenhum deles havia comentado que Fenrys não usara sequer uma vez a magia para saltar entre lugares. Não que houvesse algum lugar para ir no meio do oceano. Mas mesmo quando lutavam, ele não a usava.

Talvez aquilo tivesse morrido com Connall. Talvez tivesse sido um dom compartilhado pelos dois e tocá-lo fosse insuportável.

Aelin não ousava olhar para dentro, para o mar agitado em seu interior. Não conseguia.

A rainha e Fenrys permaneceram no campo conforme o sol subia mais, queimando a névoa.

Depois de um longo minuto, ela perguntou:

— Quando fez o juramento para Maeve, qual era o gosto do sangue dela?

As sobrancelhas douradas se franziram.

— De sangue. E poder. Por quê?

Aelin sacudiu a cabeça. Outro sonho ou alucinação.

— Se ela estiver em nosso encalço com esse exército, só estou... tentando entender isso. Quero dizer, ela.

— Planeja matá-la.

O mingau no estômago de Aelin se revirou, mas ela deu de ombros. Mesmo ao sentir gosto de cinzas na língua.

— Você preferiria fazer isso?

— Não tenho certeza de que eu sobreviveria — respondeu ele, com os dentes trincados. — E você tem mais motivos para reivindicar essa morte do que eu.

— Eu diria que temos motivos iguais.

Os olhos escuros de Fenrys percorreram o rosto da jovem rainha.

— Connall era um macho melhor do que... do que você viu naquela vez. Do que foi no final.

Ela segurou a mão de Fenrys, apertando-a.

— Eu sei.

A última neblina sumiu. Fenrys perguntou, baixinho:

— Quer que eu conte sobre isso?

Ele não estava falando do irmão.

Ela fez que não com a cabeça.

— Sei o suficiente. — Aelin observou as mãos frias, cheias de bolhas. — Sei o suficiente — repetiu ela.

Fenrys enrijeceu, levando a mão até a espada ao lado. Não pelas palavras de Aelin, mas...

Rowan mergulhou do céu, um mergulho intenso.

E se metamorfoseou alguns centímetros do chão, aterrissando com a graciosidade de um predador antes de correr os últimos passos na direção de ambos.

Goldryn cantou quando Aelin a desembainhou.

— O que foi?

O parceiro simplesmente apontou para o céu.

Para o que voava ali.

❧ 45 ❧

Rocha ressoou contra rocha, e Yrene apoiou a mão nas pedras estremecidas da Fortaleza Westfall quando a torre oscilou. No fim do corredor, as pessoas gritavam, algumas chorando, outras se atirando sobre familiares para protegê-los com os corpos enquanto escombros caíam.

O alvorecer mal chegara, e a batalha já seguia violenta.

A curandeira se espremeu contra as pedras, o coração galopante, contando os fôlegos que tomava até que os tremores passassem. No último ataque, tinham sido seis.

Ela chegou a três, ainda bem.

Cinco dias daquilo. Cinco dias daquele pesadelo interminável, com apenas as horas mais escuras da noite oferecendo descanso.

Yrene mal vira Chaol — apenas para um beijo rápido e um abraço. Na primeira vez, ele exibira um machucado na têmpora que ela havia curado imediatamente. Na seguinte, o marido tinha aparecido apoiado com força na bengala, coberto de sujeira e sangue, mas a maior parte não era dele.

Era sangue escuro, o que fizera seu estômago revirar. Valg. Havia valg ali fora. Infestando hospedeiros humanos. Muitos para que ela curasse. Não, aquela parte viria depois da batalha. Se sobrevivessem.

Cedo, muito cedo, os feridos e os moribundos tinham começado a chegar. Eretia organizara uma enfermaria no grande salão, e era ali que Yrene passava a maior parte do tempo; para onde se dirigia depois de algumas horas de sono sem sonhos.

A torre se estabilizou, e a jovem curandeira anunciou a ninguém em particular:

— Os ruks ainda estão rechaçando os ataques. Morath só dispara as catapultas porque não consegue passar das muralhas da fortaleza.

Era apenas parcialmente verdade, mas as famílias agachadas no corredor, com os sacos de dormir e os poucos e preciosos pertences, pareceram se acalmar.

Os ruks tinham, de fato, desativado muitas das catapultas que Morath havia arrastado até ali, mas restavam algumas — apenas o suficiente para atacar a fortaleza e a cidade. E embora os ruks estivessem contendo os ataques, não seria por muito tempo.

Yrene não queria saber quantos tinham caído. Ela apenas viu o número de montadores no grande salão e soube que seriam muitos. Eretia ordenara que os ruks feridos ocupassem um dos pátios interiores, designando cinco curandeiras para cuidar dos animais, e o espaço estava tão cheio que mal se podia mover ali.

Yrene correu para a frente, tomando cuidado com os escombros espalhados nas escadas da torre. Ela quase havia quebrado o pescoço no dia anterior ao escorregar em um pedaço de madeira caída.

Os gemidos dos feridos chegaram muito antes da jovem entrar no grande salão, e as portas se abriram para revelar fileira após fileira de soldados, tanto do khaganato quanto de Anielle. As curandeiras não tinham camas para todos, então muitos foram deitados em sacos de dormir. Quando esses acabaram, mantos e cobertores empilhados sobre pedra fria foram usados.

Não era suficiente — não havia suprimentos suficientes e não havia curandeiras suficientes. Elas deveriam ter levado mais do restante do esquadrão.

Yrene arregaçou as mangas, dirigindo-se à estação de limpeza perto das portas. Várias das crianças cujas famílias estavam abrigadas na fortaleza tinham se ocupado da tarefa de esvaziar banheiras sujas e enchê-las com água quente a cada poucos minutos. Assim como as bacias ao lado dos feridos.

A curandeira se opusera a deixar crianças testemunharem tal derramamento de sangue e dor, mas não havia mais ninguém para fazer aquilo. Ninguém tão disposto a ajudar.

O Lorde de Anielle podia ser um cafajeste terrível, mas seu povo era corajoso e de coração nobre. Eles tinham deixado uma marca maior em seu marido que o pai odioso.

Yrene esfregou as mãos, embora as tivesse lavado antes de descer, e as agitou para secar. Não podiam desperdiçar o pouco e precioso tecido para secá-las.

Sua magia mal se recuperara, apesar do quanto havia dormido. A curandeira sabia que, se olhasse para as ameias, veria Chaol usando a bengala, talvez até mesmo no alto de um cavalo de guerra que tinham selado com seu arreio. O coxear parecera intenso quando Yrene o vira pela última vez, logo na tarde anterior.

Mas Chaol não reclamara — não pedira que a jovem parasse de gastar o poder. Ele lutaria se estivesse de pé, ou usando a bengala, ou a cadeira, ou um cavalo.

Eretia encontrou Yrene a meio caminho do salão, a pele escura brilhava com suor.

— Estão trazendo uma montadora. O pescoço foi dilacerado por garras, mas ela ainda respira.

Yrene conteve o tremor.

— Veneno nas garras? — Tantas das bestas valg o possuíam.

— O batedor que passou voando para nos avisar da chegada da guerreira não tinha certeza.

A jovem curandeira pegou o kit de ferramentas da bolsa no quadril, observando o salão em busca de um lugar onde trabalhar na montadora a caminho. Não havia muito espaço; exceto ali, perto das pias em que acabara de limpar as mãos. Espaço suficiente.

— Eu os encontrarei às portas. — Yrene fez menção de correr para a soleira.

Mas Eretia lhe segurou o braço, os dedos finos apertando levemente a pele.

— Descansou o suficiente?

— Você descansou? — disparou ela de volta. Eretia permanecera no salão quando Yrene havia se arrastado até a cama horas antes, e parecia que a mulher tinha chegado muito antes de Yrene naquela manhã, ou que nem mesmo havia se retirado para descansar.

As sobrancelhas de Eretia se franziram.

— Não sou eu quem precisa tomar cuidado com o quanto me esforço.

Yrene sabia que a curandeira não estava falando de Chaol ou do elo entre os corpos do casal.

— Conheço meus limites — replicou a jovem, rispidamente

Eretia lançou um olhar de compreensão para a barriga ainda reta da curandeira.

— Muitas sequer arriscariam.

Yrene parou.

— Há alguma ameaça?

— Não, mas qualquer gravidez, principalmente nos primeiros meses, é exaustiva. Isso sem os horrores da guerra e sem usar sua magia até o limite todos os dias.

Por um segundo, ela deixou as palavras serem absorvidas.

— Há quanto tempo sabe?

— Algumas semanas. Minha magia sentiu isso em você.

A jovem engoliu em seco.

— Não contei a Chaol.

— Acho que, se houvesse um bom momento para fazer isso — aconselhou a curandeira, indicando a fortaleza trêmula em volta das duas —, seria agora.

Yrene sabia disso. Estivera tentando encontrar uma forma de contar a ele havia um tempo. Mas colocar aquele fardo sobre o marido, aquela preocupação pela própria segurança e pela vida que crescia ali dentro... Ela não quisera distraí-lo. Amplificar o medo que ela já sabia que Chaol enfrentava apenas por tê-la ali, lutando a seu lado.

E que Chaol soubesse que, se ele caísse, não seria apenas sua vida que acabaria... Yrene não conseguia reunir a coragem para lhe contar. Ainda não.

Talvez aquilo a tornasse egoísta, talvez tola, mas não era capaz. Mesmo que tivesse chorado de alegria assim que havia percebido, no banheiro do navio, quando o ciclo ainda não tinha descido e ela começara a contar os dias. E então havia percebido exatamente o que carregar um filho durante um conflito significaria. Que aquela guerra poderia muito bem ainda estar acontecendo, ou em seus últimos e terríveis dias, quando ela desse à luz.

Yrene decidira que faria o possível para se certificar de que não acabaria com o filho nascendo em um mundo de trevas.

— Contarei a ele quando chegar a hora — decidiu ela, com um tom afiado.

Das portas abertas do salão, gritos se elevaram.

— Abram caminho! Abram caminho para a ferida! — diziam.

Eretia franziu a testa, mas correu com Yrene para encontrar os cidadãos carregando a maca já ensanguentada e a montadora de ruk quase morta deitada ali.

～

O cavalo sob Chaol se moveu, mas permaneceu firme nas ameias mais baixas das paredes da fortaleza. Não era um cavalo tão bom quanto Farasha, mas era forte o bastante. Uma besta de coração destemido, que se acostumara bem com a sela equipada com seu estribo, o que era tudo que Chaol queria.

Ele sabia que andar não seria uma opção quando descesse. A tensão na coluna lhe dizia o suficiente sobre o quanto Yrene já estava trabalhando arduamente, e o sol mal nascera. Mas ele podia lutar igualmente bem do dorso de um cavalo, podia liderar aqueles soldados da mesma forma.

Adiante, estendendo-se longe demais para que Chaol conseguisse contar, o exército de Erawan avançava sobre a cidade para mais um dia de ataque sem trégua nas muralhas.

Os ruks voavam, desviando de flechas e lanças, tirando soldados do chão e destroçando-os. Sobre os pássaros, os rukhin liberavam a própria torrente de fúria em movimentos cuidadosos e inteligentes, organizados por Sartaq e Nesryn.

Mas, depois de cinco dias, mesmo os poderosos animais pareciam ficar mais lentos.

E as torres de cerco de Morath, que antes haviam sido destruídas tão facilmente em pilhas de metal e madeira, estavam se dirigindo às muralhas.

— Prepare os homens para o impacto — ordenou Chaol para o capitão de rosto sombrio parado a seu lado. O homem gritou o comando para o fim das fileiras que Chaol reunira logo antes do alvorecer.

Algumas tropas dos soldados de Morath tinham conseguido prender ganchos nas muralhas nos últimos dois dias, erguendo escadas de cerco e punhados de soldados com elas. Chaol as cortara, e, embora os guerreiros de Anielle não tivessem certeza do que fazer com os homens infestados de demônios que vieram matá-los, obedeceram aos comandos vociferados do lorde. Rapidamente estacaram o fluxo de soldados por cima das muralhas, cortando os laços que prendiam as escadas.

Mas as torres de cerco que se aproximavam... aquelas não seriam tão facilmente deslocadas. Assim como os soldados que atravessavam a ponte de metal que ligaria a torre e as muralhas da fortaleza.

Atrás dele, andares acima, Chaol sabia que o pai observava. Já sinalizara pelo sistema de lanternas cujo uso fora demonstrado por Sartaq que precisavam da volta dos ruks... para derrubar as torres.

Mas os ruks passavam ao largo da retaguarda do exército de Morath, onde os comandantes tinham mantido as fileiras dos valg em ordem. Fora ideia de Nesryn na noite anterior: parar de atacar as intermináveis linhas de frente e, em vez disso, derrubar aqueles que as comandavam. Tentar semear o caos e a desordem.

A primeira torre de cerco se aproximou, e o metal rangeu quando serpentes aladas — acorrentadas ao chão e com as asas cortadas — a puxaram para perto. Soldados já estavam alinhados atrás da torre em colunas idênticas, prontos para subir.

Aquele dia de batalha os atingiria.

O cavalo se agitou sob Chaol de novo, e ele bateu com a mão enluvada no pescoço protegido pela armadura do garanhão. O clangor de metal contra metal foi abafado pela balbúrdia.

— Paciência, amigo.

Bem longe, além da posição dos arqueiros, a catapulta era reabastecida. Lançaram um pedregulho apenas trinta minutos antes, e Chaol tinha se abaixado sob um arco, rezando para que a base da torre que fosse atingida não desabasse.

Rezando para que Yrene não estivesse perto da construção.

Ele mal a vira durante aqueles dias de derramamento de sangue e exaustão. Não tivera a chance de lhe dizer o que sabia. De dizer o que estava em seu coração. Tinha se decidido por um beijo intenso, mas breve, correndo em seguida para qualquer dos trechos das ameias onde fosse necessário.

Chaol sacou a espada, e o metal recém-polido sibilou ao sair da bainha. Os dedos da outra mão se apertaram em torno das alças do escudo. O escudo de um montador ruk, leve e destinado ao combate ágil. O estribo que o prendia na sela continuava firme, as fivelas presas.

Os soldados ocupando as ameias se agitaram diante da visão da torre de cerco se aproximando. Dos horrores ali dentro.

— Eles foram homens um dia — gritou Chaol, a voz sendo levada por cima dos clamores da batalha além das muralhas da fortaleza —, ainda podem morrer como tais.

Algumas espadas pararam de tremer.

— Vocês são o povo de Anielle — prosseguiu ele, erguendo o escudo e inclinando a espada. — Vamos mostrar a eles o que isso significa.

A torre de cerco se chocou contra a lateral da fortaleza, e a ponte de metal no nível superior desceu, esmagando os parapeitos de pedra abaixo.

A concentração de Chaol se tornou fria e calculista.

A esposa estava dentro da fortaleza. Grávida de seu filho.

Chaol não fracassaria com ela.

Uma torre de cerco havia chegado às muralhas da fortaleza e descarregava soldado após soldado para dentro do antigo castelo.

Apesar da distância, Nesryn conseguia ver o caos nas ameias, distinguia, de leve, Chaol sobre o cavalo cinzento, lutando no meio de tudo.

Voando por cima do exército que lhes atirava flechas e lanças, Nesryn virou para a esquerda, e os ruks na sua cauda a seguiram.

Do outro lado do campo de batalha, Borte e Yeran, liderando outra fração dos rukhin, viraram para a direita. Os dois grupos eram uma imagem espelhada voando na direção um do outro e retornando para mergulhar em meio às fileiras da retaguarda.

No mesmo instante que Sartaq, liderando um terceiro grupo, avançou da outra direção.

Tinham derrubado dois comandantes, mas restavam mais três. Não eram príncipes, graças aos deuses locais e aos 36 do khaganato, mas, mesmo assim, eram valg. Sangue escuro cobria as penas protegidas pela armadura de Salkhi, cobria cada ruk no céu.

Ela passara horas limpando-o de Salkhi na noite anterior. Todos os rukhin o fizeram, sem querer arriscar que o sangue seco interferisse com o modo como as penas das montarias atravessavam o vento.

Nesryn preparou uma flecha e escolheu o alvo. De novo.

O comandante valg fugira do disparo da última vez. Mas não fugiria daquela.

Salkhi mergulhou baixo, recebendo flecha após flecha contra a armadura peitoral, nas penas e na pele espessas. Nesryn quase vomitara da primeira vez que uma flecha encontrara o alvo, dias antes. Uma vida antes. Ela também passava horas tirando-as do corpo de Salkhi todas as noites — como se fossem espinhos de uma planta.

Sartaq passara esse tempo indo de fogueira em fogueira, confortando aqueles cujas montarias não tinham tido tanta sorte. Ou dando conforto aos ruks cujos montadores não sobreviveram àquele dia. Uma carruagem já estava empilhada com suas *suldes* — esperando a jornada final de volta para casa a fim de serem plantadas nas encostas estéreis de Arundin.

Quando Salkhi se aproximou o bastante para derrubar vários valg dos cavalos e destroçá-los com as garras, Nesryn disparou contra o comandante.

Ela não viu se o disparo acertou.

Não quando uma corneta atravessou a balbúrdia.

Um grito se ergueu dos rukhin, e todos olharam para o leste. Para o mar.

Para onde a cavalaria darghan e os soldados de infantaria avançavam para o flanco leste desprotegido do exército de Morath, com a própria Hasar sobre o cavalo Muniqi, liderando a horda do khagan.

Dois exércitos se chocaram na planície do lado de fora da antiga cidade, um escuro e um dourado.

Eles lutaram, brutal e sangrentamente, durante as longas horas do dia cinzento.

Os exércitos de Morath não se dispersaram, no entanto. E não importava o quanto Nesryn e os rukhin, liderados por Sartaq e pelas ordens de Hasar, se reunissem atrás das novas tropas, os valg continuavam lutando.

E a horda de Morath permanecia entre o exército do khagan e a cidade cercada, como um oceano de trevas.

Quando a noite caiu, escura demais para que até mesmo os valg lutassem, o exército do khagan bateu em retirada. Para se preparar para o ataque ao alvorecer.

Nesryn voou com Yrene e Chaol, ensanguentados e exaustos, das muralhas da fortaleza novamente seguras, para que pudessem se juntar ao conselho de guerra dos filhos reais do khagan. Por todo lado, soldados gemiam e gritavam em agonia, enquanto curandeiros liderados pela própria Hafiza corriam para cuidar deles antes de a noite ceder espaço a mais luta.

Mas depois de terem chegado à tenda de batalha da princesa Hasar, quando estavam todos reunidos em torno de um mapa de Anielle, tiveram apenas alguns minutos de discussão antes de serem interrompidos.

Pela pessoa que Chaol menos esperava que entrasse por aquelas abas.

46

Perranth, a cidade de pedras escuras aninhada entre um lago cobalto e uma pequena cadeia montanhosa que também levava seu nome, surgiu no horizonte.

O castelo fora construído ao longo de uma montanha alta, ladeando a cidade, com as torres estreitas elevadas o bastante para se rivalizar àquelas em Orynth. As grandes muralhas da cidade tinham sido derrubadas pelo exército de Adarlan, jamais sendo restauradas, então as construções ao longo do limite se abriam para os campos além do rio Lanis, coberto de gelo, que fluía entre o lago e o mar distante.

Era naqueles campos que Aedion planejava resistir.

O gelo se manteve conforme atravessavam o rio e organizavam mais uma vez as fileiras reduzidas.

A realeza Whitethorn e seus guerreiros estavam próximos à exaustão, a magia, uma mera brisa. Mas tinham mantido Morath um dia atrás com os escudos.

Um dia que o exército usara para descansar, coletando lenha de quaisquer árvores, celeiros ou fazendas abandonadas que conseguissem encontrar a fim de alimentar as fogueiras. Um dia no qual Aedion tinha enviado Nox Owen como emissário a Perranth, a cidade natal do ladrão, para ver quantos homens e mulheres poderiam vir completar as fileiras desfalcadas.

Não muitos. Nox voltara com algumas centenas de guerreiros ainda menos treinados. Nenhum possuidor de magia.

Mas eles tinham algumas armas, a maioria velha e enferrujada. Flechas frescas, pelo menos. Vernon Lochan se certificara de que seu povo permanecesse desarmado, temendo um levante caso descobrissem que a verdadeira herdeira de Perranth tinha sido mantida cativa na torre mais alta do castelo.

Mas, ao que parecia, o povo de Perranth já estava farto do lorde dominador.

E pelo menos tinham cobertores e comida para compartilhar. Carruagens os empurravam a cada hora, e também os curandeiros — nenhum com dons mágicos — para consertar os feridos. Aqueles que estavam machucados demais para lutar eram enviados nas carruagens de suprimentos para a cidade, às vezes empilhados uns sobre os outros.

Mas um cobertor quente e uma refeição morna não acrescentariam a seus números. Nem manteriam Morath longe.

Então Aedion planejou, mantendo próximos os comandantes da Devastação. Fariam aquilo valer a pena. Cada centímetro de território, cada arma e soldado.

Ele não viu Lysandra. *Aelin* também não apareceu.

A rainha os abandonara, murmuravam os soldados.

O general se certificou de calar as conversas. Grunhira que a rainha tinha a própria missão de salvar suas peles e que, se ela quisesse que Erawan soubesse o que era, teria anunciado para todos, considerando o quanto estavam inclinados a fofocar.

Aquilo apaziguou o descontentamento; por pouco.

Aelin não os defendera com seu fogo e os abandonara para serem assassinados.

Alguma parte de Aedion concordava. E se perguntava se teria sido melhor ignorar as chaves, usar as duas que possuíam e acabar com aqueles exércitos em vez de destruir a maior arma que tinham para forjar o Fecho.

Pelo inferno, ele teria chorado caso tivesse visto Dorian Havilliard e seu poder considerável naquele momento. O rei tinha explodido os ilken do céu, tinha lhes partido o pescoço sem tocá-los. Aedion se curvaria diante do homem se aquilo os salvasse.

Era meio-dia quando o exército de Morath os alcançou de novo, a massa se espalhando pelo horizonte. Uma tempestade varrendo os campos.

Aedion avisara ao povo de Perranth que fugisse para a floresta de Carvalhal, se pudessem. Trancar-se no castelo seria de pouca utilidade. Não armazenava suprimentos para sobreviver a um cerco. Ele havia considerado utilizá-lo naquela batalha, mas sua vantagem estava no rio congelado, não em deixar que fossem encurralados para suportar uma morte lenta.

Ninguém viria salvá-los. Não houvera notícia de Rolfe, as forças de Galan estavam reduzidas, com os navios dispersados na costa, e não havia um sussurro do restante dos soldados de Ansel de penhasco dos Arbustos.

Aedion não deixava essa informação se espelhar em seu rosto conforme cavalgava com o garanhão pelas linhas de frente, inspecionando os soldados.

O cheiro pungente daquele medo embaçava o ar frio, o peso do temor era um poço sem fundo se abrindo nos olhos dos homens enquanto o acompanhavam.

A Devastação começou a bater as espadas contra os escudos. Como uma batida de coração constante para suplantar as vibrações dos soldados de Morath marchando em sua direção.

Aedion não procurou por uma metamorfa nas fileiras. Os ilken voavam baixo sobre a massa fervilhante de Morath. Ela sem dúvida iria atrás das criaturas primeiro.

O guerreiro parou o cavalo no centro da horda, com o Lanis coberto de gelo quase enterrado sob a neve que caíra na noite anterior. Morath sabia da existência do rio, no entanto. Aqueles príncipes valg provavelmente estudaram o terreno por completo. Provavelmente estudaram *Aedion* completamente também, sua técnica e habilidade. Aedion sabia que enfrentaria um dos demônios antes que aquilo acabasse, talvez todos eles. Não acabaria bem.

Ainda assim, contanto que arriscassem a travessia, ele não se importava. Endymion e Sellene, os únicos feéricos que ainda restavam com um sopro de poder, estavam posicionados logo atrás dos primeiros soldados da Devastação.

Os olhos dos soldados do próprio Aedion eram um toque fantasma entre suas escápulas, no alto de seu elmo. Não preparara um discurso para animá-los.

Um discurso não evitaria que tais homens morressem naquele dia.

Então Aedion sacou a Espada de Orynth, bateu no escudo e se juntou ao ritmo constante da Devastação.

Transmitindo toda a rebeldia e o ódio em seu coração, ele chocou a espada antiga contra o metal amassado e redondo.

O escudo de Rhoe.

Aedion jamais contara a Aelin. Queria esperar até que voltassem a Orynth para revelar que o escudo que ele carregava, que jamais perdera, tinha pertencido ao pai de sua rainha. E a tantos outros antes disso.

Não tinha nome. Nem mesmo Rhoe conhecia sua idade. E, quando Aedion o tinha levado do quarto de Rhoe, a única coisa que pegou ao receber a notícia de que sua família fora assassinada, permitira que os demais esquecessem também.

Nem mesmo Darrow o reconhecera. Desgastado e simples, o escudo passara despercebido ao lado de Aedion, um lembrete do que ele perdera. Do que defenderia até o último suspiro.

Os soldados dos exércitos aliados passaram a acompanhar a batida conforme Morath alcançava a beira do rio. Um comando gritado pelos dois príncipes valg montados a cavalo fez os primeiros soldados de infantaria atravessarem o gelo, enquanto os ilken ficaram para trás, perto do centro. Para atacar quando os tivessem cansado.

Ren Allsbrook e os arqueiros restantes se mantinham escondidos atrás das fileiras, escolhendo alvos entre aqueles terrores alados.

De novo e de novo, Aedion e o exército batiam as espadas contra os escudos.

Mais e mais perto, o exército de Morath se espalhava pelo rio congelado.

Aedion manteve o ritmo, sem que o inimigo percebesse que o som servia a outro propósito.

Para mascarar o rachar do gelo abaixo.

Morath avançou até quase atravessar o rio.

Enda e Sellene não precisaram de uma ordem proferida. Um vento varreu o gelo, então se chocou contra ele, contra as rachaduras que tinham criado naquele tempo. Em seguida eles afastaram o gelo. Estilhaçando-o.

Em um segundo, Morath estava marchando em sua direção.

No seguinte, mergulhavam para baixo, a água se agitando, gritos e urros preenchendo o ar, enquanto os ilken disparavam para a frente a fim de pegar soldados que se afogavam sob o peso da armadura.

Mas Ren Allsbrook estava esperando, e diante de sua ordem urrada, os arqueiros dispararam contra os ilken expostos. Golpes contra as asas os fizeram cair no gelo, dentro da água, afundando, alguns dos ilken sendo puxados pelos próprios soldados que se debatiam.

Cada um dos príncipes valg ergueu a mão, como se tivessem uma só mente. O exército parou na margem. Observando seus irmãos se afogarem. Observando enquanto Endymion e Sellene continuavam quebrando o gelo, impedindo que se congelasse de novo.

Aedion ousou sorrir ao ver os soldados se afogando.

Ele viu os dois príncipes valg sorrindo de volta do outro lado do rio. Um deles passou a mão pelo colar preto no pescoço. Uma promessa e um lembrete do que fariam com ele.

Aedion inclinou a cabeça em um convite debochado. Poderiam, certamente, tentar.

O poder da realeza feérica finalmente cessou, o que podia ser visto pelo gelo que se formava sobre os soldados que se afogavam, selando-os sob a água escura.

Uma lufada de vento veio dos príncipes valg, e seus soldados sequer olharam para baixo ao começarem a marchar sobre o gelo, ignorando os punhos batendo sob seus pés.

Aedion guiou seu cavalo atrás da linha de frente, até Kyllian e Elgan, montados nos próprios animais. Dois mil inimigos tinham caído no rio, no máximo. Ninguém emergiria.

Aquilo mal fazia cócegas na força que avançava.

Aedion não tinha palavras para seus comandantes, que o conheciam durante a maior parte da vida, talvez melhor que qualquer um. Eles não tinham palavras para o general também.

Quando Morath chegou ao litoral por fim, com as espadas luminosas no dia cinzento, Aedion soltou um rugido e avançou.

༄

Os ilken tinham descoberto que havia uma metamorfa entre eles que usava a pele de uma serpente alada. Lysandra percebera isso depois de mergulhar contra as criaturas, saltando das fileiras do exército para se chocar contra um grupo de três.

Outros três tinham ficado esperando, escondidos na horda abaixo. Uma emboscada.

Ela mal derrubara dois, lhes arrancando a cabeça com a cauda espinhenta, antes das garras envenenadas a forçarem a fugir. Então Lysandra os atraíra de volta para as próprias fileiras, direto para a mira dos arqueiros de Ren.

Tinham derrubado os ilken... por pouco. Disparos contra as asas que permitiram que a metamorfa arrancasse as cabeças de seus corpos.

E conforme caíam, ela mergulhara para o chão, metamorfoseando-se no caminho e aterrissando como leopardo-fantasma. Então Lysandra se atirou contra os soldados de infantaria que já empurravam os escudos unidos de Terrasen.

A unidade habilidosa da Devastação não era nada contra os meros números que os forçavam a recuar. Os guerreiros feéricos e os Assassinos Silenciosos — os poucos soldados restantes de Ansel e de Galan espalhados entre eles —, nenhuma daquelas unidades letais poderia impedi-los também.

Então Lysandra rasgou, lacerou e partiu, bile escura queimando sua garganta. Neve se transformou em lama sob suas patas. Cadáveres se empilhavam enquanto tanto humanos quanto valg gritavam.

A voz de Aedion perfurou as fileiras:

— *Mantenham esse flanco direito!*

Ela ousou olhar na direção indicada. Os ilken tinham concentrado as forças ali, chocando-se contra os homens em uma frente de morte e veneno.

Então outra ordem veio do príncipe:

— *Aguentem firme na esquerda!*

Ele reposicionara a Devastação contra os flancos direito e esquerdo para compensar a fraqueza nas planícies sul, mas não era o bastante.

Os ilken destroçavam a cavalaria, e cavalos relinchavam conforme garras envenenadas lhes arrancavam as vísceras, com cavaleiros sendo esmagados sob os corpos em queda dos animais.

Aedion galopou para o flanco esquerdo, e parte da Devastação o seguiu. Lysandra cortava soldado após soldado, com flechas voando dos dois exércitos.

Ainda assim, Morath avançava. Para dentro e com mais força, fazendo a Devastação recuar, como se fossem pouco mais que um galho bloqueando o caminho.

O fôlego da metamorfa queimava nos pulmões, as pernas doíam, mas Lysandra continuava lutando.

Não restaria nada deles ao pôr do sol se continuassem daquela forma.

Os outros homens pareceram perceber aquilo também. Olharam além dos demônios que combatiam, para as dezenas de milhares ainda atrás em fileiras organizadas, esperando para matar e matar e matar.

Alguns dos soldados começaram a se virar. Fugindo das linhas de frente.

Alguns descaradamente atiraram os escudos e *correram* para fora do caminho de Morath.

O exército inimigo se aproveitou daquilo. Como uma onda quebrando na praia, eles se chocaram contra a linha de frente dos aliados. Bem no centro, o qual jamais se dispersara, mesmo enquanto os demais tinham fraquejado.

Abriram um buraco bem no meio.

O caos reinou.

Aedion rugiu de algum lugar, do coração do inferno:

— *Refaçam as linhas!*

A ordem foi ignorada.

A Devastação tentou, sem sucesso, segurar a linha. Ansel de penhasco dos Arbustos berrava com os homens em fuga para que voltassem à dianteira, Galan Ashryver ecoava os comandos da jovem aos próprios soldados. Ren gritou para os arqueiros que permanecessem, mas eles também abandonaram os postos.

Lysandra cortou as canelas de um soldado de Morath, então rasgou o pescoço de outro. Nenhum guerreiro de Terrasen permanecia um passo atrás da jovem para decapitar os corpos caídos.

Nenhum mesmo.

Acabado. Estava acabado.

Inútil, Aedion a chamara.

Lysandra olhou para os ilken que se banqueteavam do flanco direito e entendeu o que precisava fazer.

⚜ 47 ⚜

Aedion tinha imaginado que seriam todos mortos onde estavam, batalhando juntos até o fim. E não mortos um a um conforme fugiam.

Ele fora forçado a recuar muito nas fileiras com o avanço de Morath, mesmo a Devastação precisara se destacar da frente. Em breve, a derrota chegaria.

Flechas ainda voavam bem detrás de suas fileiras, Ren tinha retomado algum controle, ao menos para cobrir a retirada.

Não era uma marcha organizada para o norte. Não, soldados corriam, atropelando uns aos outros.

Um fim vergonhoso, indigno de menção, indigno de seu reino.

Aedion ficaria... ficaria ali até que o cortassem.

Milhares de homens avançavam além do general, com os olhos arregalados de terror. Morath os perseguia, os príncipes valg sorrindo conforme esperavam pelo banquete que logo viria.

Acabado. Estava acabado, ali naquele campo sem nome diante de Perranth.

Então um chamado percorreu as linhas dispersas.

Os homens que fugiam começaram a parar. A se virar na direção da novidade.

Aedion espetou um soldado de Morath com a espada antes de compreender inteiramente as palavras.

A rainha veio. A rainha está na linha de frente.

Por um segundo tolo, ele observou o céu em busca de uma explosão de chamas.

Nada veio.

Pavor surgiu em seu coração, medo muito mais profundo do que ele jamais havia conhecido.

A rainha está na linha de frente... no flanco direito.

Lysandra.

Lysandra tomara a forma de Aelin.

Ele se virou para o inexistente flanco direito.

No momento que a rainha de cabelos dourados e com armadura emprestada enfrentava dois ilken, com uma espada e um escudo nas mãos.

Não.

A palavra foi como um soco em seu corpo, mais forte que qualquer golpe que já sentira.

Aedion começou a correr, empurrando os próprios homens. Na direção do flanco direito tão distante. Na direção da metamorfa que enfrentava aqueles ilken, sem garras ou presas ou nada que defendesse seu corpo além daquela espada e do escudo.

Não.

Ele empurrou homens para fora do caminho, com neve e lama dificultando cada passo enquanto os dois ilken se aproximavam mais da rainha-metamorfa.

Saboreando a matança.

Mas os soldados diminuíram o ritmo da fuga. Alguns até mesmo refizeram as fileiras quando o chamado se espalhou de novo. *A rainha está aqui. A rainha está lutando na linha de frente.*

Exatamente por esse motivo Lysandra fizera aquilo. Por isso tinha vestido a indefesa forma humana.

Não.

Os ilken eram gigantes perto da jovem e sorriam com os rostos horríveis, deformados.

Longe demais. Ele ainda estava longe demais para fazer qualquer coisa...

Um dos ilken golpeou com o braço longo e cheio de garras.

O grito de Lysandra quando garras envenenadas rasgaram sua coxa soou acima do clangor da batalha.

Lysandra caiu, erguendo o escudo para se proteger.

Aedion retiraria o que dissera.

Retiraria tudo o que lhe dissera, cada momento de raiva no coração.

Ele empurrou os próprios homens, incapaz de respirar, de pensar.

Ele retiraria tudo; não quisera dizer nenhuma daquelas palavras, não de verdade.

Lysandra tentou se levantar com a perna ferida. Os ilken gargalharam.

— *Por favor* — berrou Aedion. A palavra foi devorada pelos gritos dos moribundos. — *Por favor*!

Ele faria qualquer acordo, venderia a alma para o deus sombrio se a poupassem.

Não quisera dizer aquilo. Retiraria tudo, todas as palavras.

Inútil. Ele a chamara de *inútil*. E a atirara na neve, nua.

Ele retiraria aquilo.

Aedion chorava, atirando-se na direção de Lysandra conforme ela tentava mais uma vez se levantar, usando o escudo para equilibrar o peso.

Homens se reuniam atrás da metamorfa, esperando para ver o que a Portadora do Fogo faria. Como queimaria os ilken.

Não havia nada para ver, nada para testemunhar. Nada mesmo, a não ser sua morte.

Mas Lysandra se levantou, e os cabelos dourados de Aelin caíram em seu rosto quando a metamorfa ergueu o escudo e apontou a espada entre seu corpo e os ilken.

A rainha veio; a rainha luta sozinha.

Homens corriam de volta para a linha de frente. Davam meia-volta e corriam até ela.

Lysandra mantinha a espada firme, segurava-a apontada para os ilken em ousadia e ódio.

Pronta para a morte que em breve chegaria.

Ela estivera disposta a entregar-se desde o início. Concordara com os planos de Aelin, sabendo que poderia chegar àquele ponto.

Uma metamorfose, uma mudança para a forma de serpente alada e Lysandra os destruiria. Mas ela permanecia no corpo de Aelin, mantendo aquela espada, sua única arma, erguida.

Terrasen era seu lar. E Aelin era sua rainha.

Morreria para manter aquele exército unido. Para evitar que as linhas se dispersassem. Para reunir os soldados uma última vez.

Sangue lhe escorria da perna para a neve, e os dois ilken farejaram, rindo de novo. Eles sabiam... o que espreitava sob sua pele. Que não era a rainha que enfrentavam.

Lysandra se manteve firme. Não cedeu um centímetro para os ilken, que avançaram mais um passo.

Por Terrasen, ela faria aquilo. Por Aelin.

Ele retiraria aquilo. Retiraria tudo.

Aedion mal estava a trinta metros quando os ilken atacaram.

Ele gritou no momento que aquele à esquerda golpeou com as garras, conforme o outro à direita avançou contra ela, como se fosse jogá-la na neve.

Lysandra desviou do golpe à esquerda com o escudo, lançando o ilken ao chão, e com um rugido, cortou para cima com a espada do lado direito.

Rasgando o ilken do umbigo até o esterno.

Sangue escuro jorrou, e o ilken gritou, alto o bastante para fazer os ouvidos de Aedion zunirem. A besta cambaleou, caindo na neve, debatendo-se para trás ao segurar a barriga aberta.

Aedion correu mais rápido, já estava a menos de 10 metros, o espaço entre eles ficara livre.

Mas o ilken que caíra estatelado à esquerda não tinha terminado. Com o olho de Lysandra naquele que recuava, a criatura avançou contra suas pernas de novo.

Aedion atirou a Espada de Orynth com tudo que lhe restava quando a metamorfa se virou para o ilken agressor.

Ela começou a cair para trás, erguendo o escudo, sua única defesa, porém lenta demais para escapar daquelas garras esticadas.

As pontas cobertas de veneno roçaram nas pernas de Lysandra no momento que a espada de Orynth perfurou o crânio da besta.

Lysandra atingiu a neve, gritando de dor, e Aedion estava lá, puxando-a para cima, tirando a espada da cabeça do ilken e descendo-a no pescoço cartilaginoso. Uma vez. Duas.

A cabeça rolou na neve e na lama, a outra besta sendo imediatamente engolida pelos soldados de Morath que tinham parado para assistir.

Que olhavam para a rainha e seu general e, então, avançaram.

Apenas para encontrar uma torrente de soldados de Terrasen que passava por Aedion e Lysandra, com gritos de guerra escapando de suas gargantas.

Aedion arrastou um pouco a metamorfa mais para dentro das fileiras reorganizadas, em meio aos soldados que haviam se reunido para sua rainha.

Precisava tirar o veneno, precisava encontrar uma curandeira que pudesse extraí-lo imediatamente. Apenas alguns minutos restavam até que chegasse ao coração...

Lysandra cambaleou com um gemido nos lábios.

Aedion prendeu o escudo nas costas e a puxou sobre um dos ombros. Um olhar para a perna da metamorfa revelou pele rasgada, mas nenhuma gosma esverdeada.

Talvez os deuses tivessem ouvido. Talvez fosse sua noção de piedade: que o veneno tivesse se esgotado em outras vítimas antes de a besta alcançá-la.

Mas a perda de sangue por si só... Aedion apertou com a mão a pele lacerada e ensanguentada para estancar o fluxo. Lysandra grunhiu.

Ele observou o exército que se reagrupava em busca de algum indício das bandeiras brancas das curandeiras por cima dos elmos. Nenhuma. Ele se virou para as linhas de frente. Talvez houvesse um guerreiro feérico com habilidade de cura o suficiente, com magia o suficiente restante...

Aedion parou. Viu o que irrompia no horizonte.

Bruxas Dentes de Ferro.

Várias dúzias, montadas em serpentes aladas.

Mas não no ar. As serpentes aladas caminhavam em terra.

Puxando uma imensa torre de pedra móvel atrás de si. Não era uma torre de cerco comum.

Era uma torre de bruxa.

Tinha trinta metros de altura, a estrutura inteira fora construída em uma plataforma cujo material ele não conseguia determinar com o ângulo do chão e as fileiras de serpentes aladas acorrentadas que a arrastavam pela planície. Uma dúzia mais de bruxas voava ao redor do objeto, vigiando a torre. Pedra escura — pedra de Wyrd — tinha sido usada para fazer a torre, e fendas de janelas foram espalhadas em cada andar.

Não eram janelas. Eram portais pelos quais podiam inclinar o poder dos espelhos que cobriam o interior da estrutura, como tinha descrito Manon Bico Negro. Todos capazes de serem ajustados para qualquer direção, qualquer foco.

Só precisavam de uma fonte de poder para os espelhos ampliarem e dispararem no mundo.

Pelos deuses.

— *Recuar!* — gritou Aedion, mesmo conforme seus homens continuavam a se reunir. — *RECUAR.*

Com a visão feérica, o guerreiro conseguia distinguir o nível superior da torre, mais aberto aos elementos que os demais.

Bruxas usando túnicas escuras estavam reunidas em torno do que parecia ser um espelho curvo inclinado para o interior oco da construção.

Aedion se virou e começou a correr, carregando a metamorfa consigo.

— RECUAR!

O exército viu o que se aproximava. Independentemente de terem entendido que não se tratava de uma torre de cerco, ouviram a ordem do general em alto e bom som. E o viram correndo. Com Aelin no ombro.

Manon jamais soubera o alcance da torre, a que distância poderia, de fato, disparar a magia sombria acumulada ali dentro.

Não havia onde se esconder no campo. Nenhuma depressão na terra em que ele pudesse se atirar com Lysandra, rezando para que a explosão passasse por cima deles. Nada além de neve aberta e soldados desesperados.

— RECUAR! — A garganta de Aedion doeu.

Ele olhou por cima do ombro quando as bruxas sobre a torre se afastaram para deixar passar uma pequena figura usando túnica cor de ônix, com os cabelos pálidos soltos.

Uma luz preta começou a brilhar em torno daquela silhueta... em torno da bruxa. Ela ergueu as mãos acima da cabeça, reunindo o poder.

A Renúncia.

Manon Bico Negro descrevera aquilo a eles. Bruxas Dentes de Ferro não tinham magia além dessa. A habilidade de liberar o poder da deusa sombria em uma explosão incendiária que acabava com todos ao redor. Inclusive com a própria bruxa.

Aquele poder sombrio ainda estava se acumulando, crescendo em volta da bruxa em uma aura profana, quando ela simplesmente deu um passo para além da beira da plataforma da torre.

Direto para dentro do buraco no centro.

Aedion continuou correndo. Não teve escolha a não ser continuar se movendo conforme a bruxa caía no núcleo coberto de espelhos da torre e liberava o poder sombrio dentro de si.

O mundo estremeceu.

Aedion atirou Lysandra na lama e na neve, então se jogou por cima da jovem, como se isso, de alguma forma, fosse poupá-la da força estrondosa que irrompeu da torre, direto contra seu exército.

Em um segundo, o flanco esquerdo estava lutando conforme recuavam mais uma vez.

No seguinte, uma onda de luz manchada de preto se chocava contra quatro mil soldados.

Quando a onda recuou, restaram apenas cinzas e metal retorcido.

⊰ 48 ⊱

As forças do khagan tinham atingido Morath com tudo, a ponto de os tambores de ossos cessarem.

Não era um sinal de derrota certa, mas o suficiente para fazer os passos claudicantes e pesados de Chaol parecerem mais leves quando ele entrou na ampla tenda de guerra da princesa Hasar. A *sulde* da jovem tinha sido plantada do lado de fora, a crina ruça soprando ao vento para além do lago. A lança do próprio Sartaq fora enterrada na lama fria ao lado da lança da irmã. E ao lado da lança do herdeiro...

Inclinado sobe a bengala, Chaol parou diante da lança Ébano que também fora plantada, a crina preta como nanquim ainda brilhava, apesar da idade. Não para indicar a realeza ali dentro, uma marca da herança darghan, mas para representar o homem a quem serviam. *A crina Marfim para tempos de paz; a Ébano para tempos de guerra.*

Chaol não percebera que o khagan dera a seu herdeiro a lança de crina preta para levar até aquela terra.

A seu lado, com o vestido sujo de sangue, mas o olhar sóbrio, Yrene também parou. Tinham viajado durante semanas com o exército, mas, ainda assim, ver o símbolo de seu comprometimento com a guerra irradiando os séculos de conquista que supervisionara... Parecia quase divina aquela *sulde*. *Era* divina.

Chaol colocou a mão nas costas de Yrene, guiando-a pelas abas da tenda e para dentro do espaço decorado com ornamentos. Para uma mulher que tinha chegado a Anielle havia poucos momentos, apenas Hasar teria, de algum jeito, conseguido erguer a tenda real durante a batalha.

Apoiando a bengala enlameada na plataforma de madeira elevada, Chaol trincou os dentes ao dar o passo para cima. Mesmo os tapetes espessos e felpudos não aliviaram a dor que irradiava por sua coluna e suas pernas.

Ele ficou imóvel, apoiando-se pesadamente na bengala enquanto respirava, deixando o equilíbrio se reajustar.

O rosto salpicado de sangue de Yrene se fechou.

— Vamos achar uma cadeira para você — murmurou ela, e Chaol assentiu. Sentar-se, mesmo que por alguns minutos, seria um alívio divino.

Nesryn entrou atrás deles, aparentemente ouvindo a sugestão de Yrene, pois seguiu imediatamente para a mesa em torno da qual Sartaq e Hasar estavam, e pegou uma cadeira de madeira entalhada. Com um aceno de agradecimento, Chaol se sentou devagar.

— Nenhum sofá dourado? — provocou a princesa Hasar. Yrene corou, apesar do sangue na pele marrom, e fez um gesto desconsiderando a piada da amiga.

O sofá que Chaol levara consigo do continente sul — o sofá no qual Yrene o curara, no qual ele conquistara seu coração — ainda estava seguro a bordo do navio. Esperando, caso sobrevivessem, para ser o primeiro móvel no lar que ele construiria para a esposa.

Para o filho que ela carregava.

Yrene parou ao lado da cadeira do marido, e Chaol pegou sua mão fina delicada, entrelaçando os dedos dos dois. Imundos, ambos, mas ele não se importou. Nem ela, a julgar pelo aperto que lhe deu na mão.

— Estamos em maior número que a legião de Morath — explicou Sartaq, poupando-os das provocações de Hasar. — Mas como a dividiremos enquanto abrimos caminho para a cidade ainda deve ser cuidadosamente sopesado, para não desperdiçarmos muitas forças aqui.

Quando a verdadeira batalha ainda aguardava. Como se aqueles terríveis dias de cerco e derramamento de sangue, como se os homens abatidos naquele dia, fossem apenas o início.

— Bastante sábio — concordou Hasar.

Sartaq se encolheu levemente.

— Poderia não ter acabado dessa forma. — Chaol ergueu a sobrancelha, a princesa fez o mesmo, então Sartaq falou: — Se você não tivesse chegado, irmã, eu estava a horas de quebrar a represa e inundar a planície.

Chaol se sobressaltou.

— Estava?

O príncipe esfregou o pescoço.

— Uma última medida desesperada.

De fato. Uma onda daquele tamanho teria varrido parte da cidade, da planície e das fontes termais, assim como léguas além disso. Qualquer exército no caminho teria se afogado, teria sido varrido. Poderia até mesmo ter chegado ao exército do khaganato que marchava para salvá-los.

— Então vamos agradecer por não termos feito isso — comentou Yrene, com o rosto pálido, também considerando a destruição. O quanto tinham chegado perto de um desastre. O fato de Sartaq ter admitido isso dizia o bastante: ele podia ser o herdeiro, mas queria que a irmã soubesse que também podia cometer erros. Que precisavam pensar com cuidado qualquer plano de ação, por mais que parecesse fácil.

Hasar, ao que parecia, entendeu e assentiu.

Um pigarrear adentrou a tenda, fazendo todos se virarem para as abas abertas, para um dos capitães darghan com a *sulde* presa na mão suja de lama. Alguém estava ali para vê-los, gaguejou o homem. Ninguém da realeza perguntou quem era ao gesticular para que o guerreiro deixasse a pessoa entrar.

Um momento depois, Chaol ficou feliz por estar sentado.

— Pelos deuses — sussurrou Nesryn.

E Chaol teve de concordar ao ver Aelin Galathynius, Rowan Whitethorn e vários outros entrarem na tenda.

Estavam sujos de lama, os cabelos trançados da rainha de Terrasen pareciam muito mais longos do que quando Chaol a vira pela última vez. E seus olhos... Não era o olhar suave, porém destemido. Mas algo mais velho. Mais cauteloso.

Ele ficou rapidamente de pé e disparou:

— Achei que estivesse em Terrasen. — Todos os relatórios tinham confirmado. No entanto, ali estava ela, sem exército à vista.

Três machos feéricos — guerreiros altos, tão largos e musculosos quanto Rowan — haviam entrado também, assim como uma delicada mulher humana, de cabelos pretos.

Mas Aelin apenas olhou para Chaol. Olhou e olhou.

Ninguém falou nada enquanto lágrimas começaram a escorrer pelo rosto da rainha.

Não pela sua presença, percebeu Chaol ao pegar a bengala e andar até Aelin.

Mas por causa dele. De pé. Andando.

A jovem rainha soltou uma gargalhada rouca de alegria e jogou os braços ao redor do pescoço do amigo. Dor irradiou pela coluna de Chaol diante do impacto, mas ele a abraçou de volta, todas as perguntas sumindo de sua língua.

Aelin estava trêmula ao se afastar.

— Eu sabia que conseguiria — sussurrou ela, olhando para o corpo do antigo capitão, para os pés, então para cima de novo. — Eu sabia que conseguiria fazer isso.

— Não sozinho — disse Chaol, com a voz embargada. Ele engoliu em seco e soltou Aelin para estender o braço para trás. Para a mulher que ele sabia que estava ali, com a mão no medalhão que levava no pescoço.

Talvez Aelin não se lembrasse, talvez o encontro das duas anos antes não tivesse significado nada para ela, mas Chaol puxou Yrene para a frente.

— Aelin, deixe-me apresentar...

— Yrene Towers — sussurrou a rainha quando a jovem se colocou ao lado do lorde.

As duas mulheres se encararam.

A boca de Yrene estremeceu no momento que ela abriu o medalhão de prata e tirou de dentro um pedaço de papel. Com as mãos trêmulas, ela o estendeu para a rainha.

As mãos da própria Aelin tremeram conforme ela aceitava o papel.

— Obrigada — sussurrou Yrene.

Chaol supôs que aquilo era tudo que realmente precisava ser dito.

Aelin desdobrou o papel, lendo o bilhete que tinha escrito, vendo as linhas das centenas de dobraduras e releituras dos últimos anos.

— Fui para a Torre — contou Yrene, a voz trêmula. — Peguei o dinheiro que você me deu e fui para a Torre. Eu me tornei a potencial herdeira da alta-curandeira e agora voltei para fazer o que puder. Ensinei a todas as curandeiras que pude as lições que você me mostrou naquela noite, sobre defesa pessoal. Não desperdicei nada, nem uma moeda que você me deu, ou um momento do tempo, da vida que me garantiu. — Lágrimas escorriam sem parar pelo rosto da jovem. — Não desperdicei nada.

Aelin fechou os olhos, sorrindo entre as próprias lágrimas, e, quando os abriu, pegou as mãos trêmulas de Yrene.

— Agora é minha vez de agradecer a você. — Mas então o olhar da rainha recaiu sobre a aliança de casamento no dedo de Yrene e, lançando um olhar para Chaol, o viu sorrindo.

— Não é mais Yrene Towers — explicou ele, baixinho. — Mas Yrene Westfall.

Aelin soltou uma daquelas gargalhadas alegres engasgadas, e Rowan se colocou ao lado da parceira. A cabeça de Yrene se inclinou para trás, apreendendo a altura completa do guerreiro, e seus olhos se arregalaram — não apenas pelo tamanho dele, mas pelas orelhas pontudas, os caninos levemente alongados e a tatuagem.

— Então me deixe lhe apresentar, Lady Westfall, meu marido também, príncipe Rowan Whitethorn Galathynius — disse Aelin.

Pois aquilo era, de fato, uma aliança de casamento no dedo da rainha, a esmeralda estava suja de lama, mas brilhava. Na mão do próprio Rowan, um anel de ouro e rubi reluzia.

— Meu parceiro — acrescentou ela, piscando os cílios para o macho feérico. Ele revirou os olhos, mas não conseguiu segurar direito o sorriso ao inclinar a cabeça para Yrene.

A curandeira fez uma reverência, mas Aelin riu com escárnio.

— Nada disso, por favor. Vai subir direto para sua cabeça imortal. — O sorriso se suavizou quando Yrene corou. Em seguida, Aelin ergueu o pedaço de papel. — Posso ficar com isso? — Ela olhou para o medalhão de Yrene. — Ou ele fica aí dentro?

A jovem fechou os dedos da rainha em volta do papel.

— É seu, como sempre foi. Um pedaço de sua coragem que me ajudou a encontrar a minha.

Aelin sacudiu a cabeça, como se para ignorar a afirmação.

Mas Yrene apertou a mão fechada de Aelin.

— Elas me deram coragem, as palavras que você escreveu. Cada quilômetro viajado, cada longa hora que estudei e trabalhei, elas me deram coragem. Agradeço a você por isso também.

Aelin engoliu em seco, e Chaol encarou isso como desculpa o suficiente para se sentar de novo. Com suas costas dando uma pontada de gratidão, ele disse:

— Há outra pessoa responsável por este exército estar aqui. — Chaol indicou Nesryn, a mulher já sorrindo para a rainha. — Os rukhin que você vê, assim como o exército reunido, se devem tanto a Nesryn quanto a mim.

Uma faísca iluminou os olhos de Aelin, e as duas mulheres se encontraram a meio caminho uma da outra com um abraço forte.

— Quero ouvir a história toda — pediu Aelin. — Cada palavra.

O sorriso tímido de Nesryn se abriu.

— E ouvirá. Mas depois. — Aelin deu um tapinha no ombro da capitã e se virou para os dois membros da realeza ainda ao lado da mesa. Altos e majestosos, mas tão sujos de lama quanto a rainha.

— Dorian? — disparou Chaol, então.

— Não está conosco — respondeu Rowan, então olhou para a realeza do khaganato.

— Eles sabem de tudo — contou Nesryn.

— Ele está com Manon — disse Aelin, simplesmente. Chaol não tinha muita certeza se sentia alívio. — Caçando algo importante.

As chaves. Pelos deuses.

A rainha assentiu. Depois. Ele pensaria onde Dorian poderia estar depois. Aelin assentiu de novo. A história completa viria então também.

Em seguida, Nesryn falou:

— Deixe-me apresentar a princesa Hasar e o príncipe Sartaq.

Aelin fez uma reverência... profunda.

— Têm minha eterna gratidão — declarou ela, e a voz que saiu foi, de fato, a de uma rainha.

Qualquer choque que Sartaq e Hasar tivessem mostrado pela reverência tão baixa foi escondido quando os dois fizeram uma reverência de volta, o retrato da graciosidade da corte.

— Meu pai — disse Sartaq — permaneceu no khaganato para supervisionar nossas terras, junto de nossos irmãos, Duva e Arghun. Mas meu irmão Kashin veleja com o resto do exército. Ele estava menos de duas semanas atrás de nós quando partimos.

Aelin olhou para Chaol, que assentiu. Algo brilhou nos olhos da jovem diante da confirmação, mas a rainha apontou com o queixo para Hasar.

— Você recebeu minha carta?

A carta que ela mandara meses antes, suplicando por ajuda e prometendo apenas um mundo melhor em troca.

Hasar limpou as unhas.

— Talvez. Recebo cartas demais de outras princesas ultimamente para me lembrar de responder a todas elas.

Aelin sorriu, como se as duas falassem uma língua que ninguém mais pudesse entender, um código especial entre duas mulheres igualmente arrogantes e orgulhosas. Então ela indicou os companheiros, que deram um passo adiante.

— Permitam-me apresentar meus amigos. Lorde Gavriel, de Doranelle. — Um aceno na direção do guerreiro de olhos amarelados e cabelos dourados que fez uma reverência. Tatuagens cobriam seu pescoço, suas mãos, mas cada um de seus movimentos era gracioso. — Meu tio, de certa forma — acrescentou ela, com um sorriso debochado para o macho. Diante das sobrancelhas franzidas de Chaol, ela explicou: — Ele é o pai de Aedion.

— Ora, isso explica algumas coisas — murmurou Nesryn.

Os cabelos, o rosto de feições longas... sim, eram os mesmos. Mas onde Aedion era fogo, Gavriel parecia ser pedra. De fato, os olhos do feérico estavam sérios quando ele disse:

— Aedion é meu orgulho.

Emoção passou pela expressão de Aelin, mas ela indicou o guerreiro de cabelos pretos. Alguém que Chaol jamais gostaria de enfrentar, decidiu ele ao observar as feições esculpidas em granito, os olhos pretos e a boca sem sorriso.

— Lorcan Salvaterre, antes de Doranelle e agora um membro de minha corte por juramento de sangue. — Como se isso não fosse chocante o bastante, Aelin piscou um olho para o macho imponente. Lorcan fez uma careta. — Ainda estamos no período de ajuste — sussurrou ela, alto, e Yrene deu um risinho.

Lorcan Salvaterre. Chaol não o conhecera na última primavera em Forte da Fenda, mas ouvira tudo sobre ele. Que fora o comandante de maior confiança de Maeve, seu guerreiro mais leal e destemido. Que ele queria matar Aelin, que a *odiava*. Como aquilo acontecera, por que ela não estava em Terrasen com o exército...

— Você também tem uma história para contar — comentou Chaol.

— De fato, tenho. — Os olhos de Aelin se apagaram, e Rowan colocou a mão na curva de suas costas. Ruim... algo terrível acontecera. Chaol a observou em busca de algum indício.

Ele parou ao reparar na lisura da pele do pescoço da rainha. Na falta de cicatrizes. As cicatrizes ausentes nas mãos, nas palmas.

— Mais tarde — disse Aelin, baixinho. Ela esticou os ombros, e outro macho de cabelos dourados avançou. Lindo. Era a única forma de descrevê-lo.

— Fenrys... Sabe, eu ainda não sei seu sobrenome.

O macho deu uma piscada de olho debochada para a rainha.

— Luar.

— Não — sibilou Aelin, contendo uma gargalhada.

Ele levou a mão ao coração.

— Fiz o juramento de sangue a você. Eu mentiria?

Outro macho feérico jurado por sangue na corte de Aelin. Do outro lado da tenda, Sartaq xingou na própria língua. Como se tivesse ouvido falar de Lorcan e Gavriel e Fenrys.

Aelin fez um gesto vulgar para Fenrys, o que fez Hasar dar risinhos, então ela encarou a realeza.

— Eles mal foram treinados. Não são lá muito adequados para a companhia refinada de vocês. — Até mesmo Sartaq sorriu diante daquilo. Mas foi para a pequena e delicada mulher que Aelin gesticulou a seguir. — E o único membro civilizado de minha corte, Lady Elide Lochan de Perranth.

Perranth. Chaol estudara as árvores genealógicas de Terrasen naquele inverno, vira as listas de tantas casas reais riscadas, vítimas da conquista dez anos antes.

O nome de Elide estivera entre eles. Outro membro da realeza de Terrasen que conseguira fugir dos assassinos de Adarlan.

A linda jovem deu um passo adiante andando com dificuldade e fez uma reverência para a realeza. As botas escondiam qualquer sinal da fonte do ferimento, mas a atenção de Yrene foi direto para a perna de Elide. O tornozelo.

— É uma honra conhecer todos vocês — disse Elide, com a voz baixa e tranquila. Os olhos escuros percorreram todos, espertos e nítidos. Como se ela pudesse ver sob a pele e os ossos, até as almas por baixo.

Aelin limpou as mãos.

— Bem, pronto, isso já está feito — anunciou ela, caminhando até a mesa e o mapa. — Que tal discutirmos para onde vocês todos planejam marchar depois que esfolarmos esse exército vivo?

49

Rowan estivera falando com o capitão quando o ruk sobrevoara o navio.

De acordo com sua parceira, o ruk quase tinha se chocado direto contra a embarcação graças à névoa densa no mar. Uma batedora, de uma armada do sul.

Uma equipe escassa tinha permanecido entre eles, embora a batedora não estivesse inteirada dos planos da realeza. Ela só sabia que o exército do khagan tinha ido até Anielle.

Para onde iriam depois dali — Forte da Fenda, Eyllwe —, não fora decidido.

Então Aelin os ajudaria a decidir. Se certificaria de que, quando aquele negócio com Anielle terminasse, o exército do khagan marcharia para o norte. Para Terrasen.

E para nenhum outro lugar. O que quer que ela precisasse fazer para convencê-los, o que precisasse oferecer em troca, ela daria. Mesmo que se arrastar até Anielle significasse atrasar o próprio retorno a Terrasen.

Aelin supunha que seria melhor voltar com um exército atrás de si que sozinha.

Mas, já de pé na tenda de guerra da realeza, Aelin ainda não conseguia acreditar muito bem em *quantos* o khagan mandara. Com mais ainda por vir, dissera o príncipe Sartaq.

Eles ziguezaguearam entre as tendas e os soldados perfeitamente organizados, soldados de infantaria e a espantosa cavalaria. Os darghan, os lendários cavaleiros das estepes do khaganato. O povo materno da família real, que tomara o continente para si.

E então viram os ruks, e até mesmo o infeliz Lorcan havia xingado, assombrado diante dos poderosos e belos pássaros adornados com armadura ornamentada, e os montadores armados sobre eles. A batedora fora uma coisa. Um exército deles fora glorioso.

Um olhar para Rowan disse a Aelin que aquela mente aguçada já estava traçando um plano.

Então, lançando um sorriso para os membros da realeza, ela perguntou casualmente:

— Para *onde* planejavam ir depois disso?

A princesa Hasar, tão ardilosa quanto o parceiro de Aelin, devolveu o sorriso; uma coisa afiada como uma lâmina, nada bonita.

— Sem dúvida você está prestes a começar alguma tramoia para nos convencer a ir para Terrasen.

O aposento ficou tenso, mas Aelin riu com escárnio.

— Começar? Quem disse que já não estou no meio dela?

— Que os deuses nos ajudem — murmurou Chaol. Rowan ecoou o sentimento.

Hasar abriu a boca, mas o príncipe Sartaq interrompeu:

— Para onde marcharemos será decidido depois que Anielle estiver segura. — Sua expressão continuou séria, calculista, mas não fria. Aelin decidiu num instante que gostava do príncipe. E gostou ainda mais quando foi revelado que ele acabara de ser coroado o herdeiro do khagan. Com Nesryn como sua potencial noiva.

Potencial, para o choque de Aelin, porque a própria Nesryn não estava muito ansiosa por governar o império mais poderoso do mundo.

Mas o que Sartaq dissera...

— Vocês não têm intenção de ir para Terrasen? — disparou Elide.

Aelin continuou imóvel, seus dedos se fechando ao lado do corpo.

O príncipe Sartaq explicou, cautelosamente:

— Era nosso plano inicial ir para o norte, mas pode haver outros lugares como Anielle que precisam ser libertados.

— Terrasen precisa de ajuda — falou Rowan, e seu rosto era o retrato da calma impassível conforme ele observava os novos aliados e os velhos amigos.

— No entanto, Terrasen não fez esse pedido — replicou Hasar, completamente inabalada pela muralha de guerreiros feéricos que a olhava com raiva. Exatamente o tipo de pessoa que Aelin esperava que fosse quando escrevera para ela tantos meses atrás.

Chaol pigarreou. Pelos deuses, ele estava *andando* de novo. E casado com Yrene Towers, que o havia curado.

Um fio em uma tapeçaria. Tinha sido essa a sensação na noite em que ela deixara o ouro para Yrene em Innish. Como se tivesse puxado o fio de uma tapeçaria para ver até onde se estendia.

Até o continente sul, ao que parecia. E tinha retornado com um exército e um amigo curado e feliz. Ou tão feliz quanto qualquer um poderia estar no momento.

Aelin encarou Chaol.

— Concentrem-se em vencer esta batalha — disse ele, assentindo uma vez em compreensão diante do fogo que Aelin sabia que queimava nos próprios olhos —, e depois decidiremos.

A princesa Hasar sorriu com sarcasmo para a rainha.

— Então certifique-se de nos impressionar.

De novo, aquela tensão percorreu o aposento.

Aelin a encarou. Sorriu levemente. E não disse nada.

Nesryn trocou o peso do corpo entre os pés, como se muito ciente do que aquele silêncio poderia querer dizer.

— O quão sólidas são as muralhas da fortaleza? — perguntou Gavriel a Chaol, mudando sutilmente o rumo da conversa.

Chaol esfregou a mandíbula.

— Já aguentaram cercos antes, mas Morath está esmurrando há dias. As ameias são bastante sólidas, mas com mais alguns golpes das catapultas, as torres podem começar a cair.

Rowan cruzou os braços.

— As muralhas foram penetradas hoje?

— Foram — afirmou ele, sombriamente. — Por uma torre de cerco. Os ruks não conseguiram chegar a tempo de puxá-la para baixo. — Nesryn se encolheu, mas Sartaq não ofereceu um pedido de desculpas. Chaol prosseguiu: — Reforçamos as muralhas, mas os soldados valg reduziram o número de nossos homens... de Anielle, quero dizer.

Aelin observou o mapa, bloqueando o desafio da princesa de olhos destemidos, um espelho de tantas formas.

— Então, como faremos isso? Vamos nos chocar contra as fileiras do exército deles, ou derrubá-los um por um?

Nesryn apontou com um dedo para o mapa, bem em cima do lago Prateado.

— E se os empurrarmos para o próprio lago?

Hasar murmurou, todos os vestígios da provocação tinham sumido:

— Na ganância de saquear a cidade, Morath se posicionou estupidamente. Não consideraram que seriam pisoteados pelos darghan, ou dispersados pelos rukhin.

Aelin olhou de esguelha para Rowan e viu que ele a encarava.

Nós os convenceremos a ir para Terrasen, disse o parceiro, silenciosamente.

Chaol se inclinou para a frente, suas costas tremendo um pouco, e passou um dedo sobre a margem oeste do lago.

— Essa parte do lago, infelizmente, é rasa até 100 metros da margem. O exército pode conseguir andar ali e nos atrair para dentro d'água.

— Algumas horas naquela água — replicou Yrene, a boca formando uma linha fina — os mataria. A hipotermia se espalharia rápido. Talvez em minutos, dependendo do vento.

— Isso se os valg forem afetados por essas coisas — observou Hasar. — Não morrem como homens de verdade em diversas maneiras, e você alega que eles vêm de uma terra de trevas e frio. — Então a realeza sabia mesmo sobre os inimigos. — Podemos empurrá-los para a água e descobrir que não os afeta. E ao fazer isso, arriscaremos expor nossas tropas aos elementos. — A princesa indicou as muralhas da fortaleza. — É melhor os forçarmos direto contra a pedra, dispersando-os.

Aelin estava inclinada a concordar.

Lorcan abriu a boca para dizer algo sem dúvida desagradável, mas passos afundando na lama do lado de fora da tenda os fizeram se virar para a entrada muito antes de uma bela jovem de cabelos pretos irromper com as tranças balançando.

— Vocês não vão acreditar...

Ela parou ao ver Aelin. Ao ver os machos feéricos. A boca se escancarou. Nesryn riu.

— Borte, conheça...

Outro conjunto de passos na lama, mais pesados e mais lentos que os movimentos rápidos de Borte, e então um rapaz entrou aos tropeços, a pele era pálida, não tinha o marrom com toque de queimado de sol de Borte ou da realeza.

— Voltou — disparou ele, ofegante, olhando boquiaberto para Nesryn. — Há dias, jurei que tinha sentido algo, reparei nas mudanças, mas hoje tudo simplesmente *voltou*.

Nesryn inclinou a cabeça, a cortina de cabelos pretos deslizando sobre o ombro coberto pela armadura.

— Quem...

Borte apertou o braço do rapaz.

— *Falkan*. É *Falkan*, Nesryn.

O príncipe Sartaq caminhou até Nesryn, tão gracioso quanto qualquer guerreiro feérico.

— Como?

Mas o rapaz tinha se virado para Aelin, seus olhos se semicerraram. Como se tentasse se lembrar dela.

— A assassina do mercado em Xandria — disse ele, então.

Aelin arqueou a sobrancelha.

— Espero que o cavalo que roubei não tenha sido seu.

Fenrys pigarreou. Aelin lançou um sorriso por cima do ombro para o guerreiro.

Os olhos do rapaz percorreram o rosto da rainha, então recaíram sobre a enorme esmeralda no dedo de Aelin. Depois no rubi ainda maior no cabo de Goldryn.

Borte disparou para Nesryn:

— Em um minuto, estávamos jantando na fogueira do acampamento, e, no seguinte, Falkan agarrou a barriga como se fosse vomitar as tripas em cima de todo mundo — um olhar de raiva de Falkan para Borte —, e então o rosto dele ficou *jovem. Ele está* jovem.

— Sempre fui jovem — murmurou Falkan. — Só não parecia. — Os olhos cinzentos encontraram os de Aelin de novo. — Dei a você um pedaço de Seda de Aranha.

Por um segundo, o então e o agora se misturaram e oscilaram.

— O mercador — murmurou Aelin. Ela o vira pela última vez no deserto Vermelho, parecendo vinte anos mais velho. — Você vendeu sua juventude para uma aranha estígia.

— Vocês dois se conhecem? — perguntou Nesryn, boquiaberta.

— Os fios do destino se tecem de formas esquisitas — falou Falkan, então sorriu para Aelin. — Nunca soube seu nome.

Hasar gargalhou do outro lado da mesa.

— Você já sabe, metamorfo.

Antes que Falkan pudesse entender, Fenrys deu um passo à frente.

— Metamorfo?

— E tio de Lysandra — completou Nesryn.

Aelin desabou na cadeira ao lado da de Chaol. Rowan apoiou a mão no ombro da parceira, e, quando ergueu o rosto, ela encontrou o parceiro quase às gargalhadas.

— O que é tão engraçado? — sibilou.

Ele sorriu.

— Pela primeira vez é *você* quem é derrubada de bunda por uma surpresa.

Ela mostrou a língua. Borte sorriu, e Aelin piscou um olho para a menina. Mas Falkan disse para a rainha e seus companheiros:

— Vocês conhecem minha sobrinha.

O irmão devia ser muito mais velho para ter gerado Lysandra. Não havia nada de Falkan no rosto da amiga de Aelin, embora a metamorfa também tivesse esquecido sua forma original.

— Lysandra é minha amiga e Lady de Caraverre — explicou Aelin. — Ela não está conosco — acrescentou a jovem, diante do olhar esperançoso de Falkan. — Está no norte.

Borte tinha voltado a estudar os machos feéricos. Não a beleza considerável, mas o tamanho, as orelhas pontudas, as armas e os caninos longos.

— Faça com que rolem antes de oferecer um doce a eles — sussurrou Aelin, de modo conspiratório.

Lorcan exibiu uma expressão de raiva, mas Fenrys se transformou com um lampejo, o enorme lobo branco tomando o espaço.

Hasar xingou, Sartaq recuou um passo, mas Borte sorriu.

— Vocês são todos feéricos de verdade, então.

Gavriel, sempre o cavalheiro galante, esboçou uma reverência. Lorcan, o cafajeste, cruzou os braços.

Mas Rowan sorriu para Borte.

— De fato, somos.

A menina se virou para Aelin.

— Então você é Aelin Galathynius. Você se parece exatamente com o que Nesryn descreveu.

A rainha sorriu para Nesryn, que estava recostada contra Sartaq.

— Espero que só tenha dito coisas horríveis sobre mim.

— Apenas as piores — respondeu ela, com total inexpressividade, embora tivesse contraído a boca.

— A rainha — sussurrou Falkan, no entanto, e caiu de joelhos.

Hasar gargalhou.

— Ele nunca mostrou esse tipo de espanto quando nos conheceu.

Sartaq ergueu a sobrancelha.

— Você o mandou se transformar em um rato e fugir para longe.

Aelin levantou o metamorfo pelo ombro.

— Não posso deixar o tio de minha amiga ajoelhado no chão, posso?

— Você disse que era uma assassina. — Os olhos de Falkan estavam tão arregalados que a parte branca em volta deles brilhava. — Você roubou cavalos do senhor de Xandria...

— Sim, sim — confirmou ela, gesticulando. — É uma longa história, e estamos no meio de um conselho de guerra, então...

— Dê o fora? — concluiu o rapaz.

Aelin gargalhou, mas olhou para Nesryn e Sartaq. A comandante indicou Falkan com o queixo.

— Ele se tornou nosso espião, de certa forma. E se junta a nós nessas reuniões.

Aelin assentiu, então piscou um olho para o metamorfo.

— Pelo visto não precisou que eu matasse a aranha estígia, no final das contas.

Mas Falkan ficou tenso, a atenção passou de Nesryn para Sartaq, então para Borte, que ainda admirava os machos feéricos.

— Eles sabem?

Aelin teve a sensação de que precisaria se sentar de novo. Chaol, de fato, deu tapinhas na cadeira a seu lado, o que lhe garantiu uma risadinha de Yrene.

Fazendo um favor a si mesma, Aelin se sentou, e Rowan se posicionou atrás da parceira, com as mãos apoiadas em seus ombros. O polegar percorreu a curva do pescoço da jovem, então roçou as marcas de reivindicação que mais uma vez formavam cicatrizes em um dos lados, graças à água do mar que tinham usado para selá-las.

Ainda assim, embora os músculos de Aelin tivessem relaxado sob aquele toque carinhoso, junto da alma, a respiração permaneceu tensa.

Não melhorou muito quando Nesryn falou:

— As aranhas estígias são valg.

Silêncio.

— Encontramos suas parentes, as *kharankui*, nas profundezas dos montes de Dagul. Elas vieram para este mundo por uma fenda temporária entre reinos e permaneceram para vigiar a entrada, caso aparecesse de novo.

— Isso não vai acabar bem — sussurrou Fenrys. Elide murmurou em anuência.

— Elas se alimentam de sonhos e anos e vida — explicou Falkan, com a mão no próprio peito. — Como meus amigos disseram que os valg fazem.

Aelin vira príncipes valg drenarem um humano da última gota de juventude e vigor, deixando apenas um cadáver seco para trás. Ela não duvidaria de que as aranhas estígias tivessem um dom semelhante.

— O que isso significa para a guerra? — perguntou Rowan, com os polegares ainda acariciando o pescoço de Aelin.

— A pergunta melhor é se elas se juntarão às forças de Erawan — desafiou Lorcan, com a expressão de pedra.

— Elas não respondem a Erawan — assegurou Nesryn, baixinho, e Aelin soube. Soube pelo olhar que Chaol lhe deu, pela empatia e pelo medo, soube no fundo de seu ser mesmo antes de sua amiga concluir. — As aranhas estígias, as *kharankui*, respondem a sua rainha valg. A única rainha valg. A Maeve.

⚜ 50 ⚜

As mãos de Rowan se fecharam nos ombros de Aelin quando as palavras se assentaram dentro da parceira, vazias e frias.

— Maeve é uma rainha valg? — sussurrou ele.

Ela não disse nada. Não conseguiu encontrar as palavras.

Seu poder se agitou. Aelin não sentiu.

Nesryn assentiu com seriedade.

— Sim. As *kharankui* nos contaram a história toda.

Então Nesryn fez o mesmo. Contou como Maeve havia, de alguma forma, encontrado uma maneira de entrar naquele mundo, fugindo ou entediada com o marido, Orcus, o irmão mais velho de Erawan. Como Erawan, Orcus e Mantyx tinham destruído mundos para encontrá-la, a esposa desaparecida, e apenas pararam ali porque os feéricos tinham se levantado para desafiá-los. Feéricos liderados por Maeve, que os reis valg não conheceram, ou não reconheceram, na forma que ela assumira.

A vida que ela criara para si. As mentes de todos os feéricos que tinham existido e que ela invadira, convencendo-os de que houvera *três* rainhas, não duas. Inclusive as mentes de Mab e Mora, as duas rainhas irmãs que governavam Doranelle. Inclusive a do próprio Brannon.

— As aranhas alegaram — continuou Nesryn — que nem mesmo Brannon sabia. E mesmo agora, no Além-mundo, ele não sabe. Foi essa a profundidade com que os poderes de Maeve entraram em sua mente, na de todos eles. Ela se fez sua verdadeira rainha.

As palavras, a verdade, alvejavam Aelin, uma após a outra.

O rosto de Elide estava branco como a morte.

— Mas ela teme curandeiros. — Um aceno na direção de Yrene. — E mantém aquela coruja, um curandeiro feérico escravizado, caso os valg um dia a descubram.

Pois essa era a outra parte. A outra coisa que Nesryn revelou, com Chaol e Yrene acrescentando os próprios relatos.

Os valg eram parasitas. E Yrene podia curar seus hospedeiros humanos. Tinha feito isso com a princesa Duva. E poderia fazer com tantos outros escravizados por anéis ou colares.

Mas o que infestara Duva... uma princesa valg.

Aelin se recostou de volta na cadeira, repousando a cabeça contra a parede sólida que era o corpo de Rowan. As mãos do parceiro tremeram contra seus ombros. Tremeram quando ele pareceu perceber o que, exatamente, havia entrado em sua mente. De onde vinha o poder de Maeve que permitia que ela fizesse aquilo. Por que a rainha sombria permanecia imortal e jovem, sobrevivendo a todos os outros. Por que o poder de Maeve *era* escuridão.

— É também por isso que ela teme fogo — explicou Sartaq, indicando Aelin com o queixo. — Por isso que ela a teme tanto.

E por isso quisera destruí-la. Para que ficasse exatamente como aquele curandeiro escravizado preso na forma de coruja a seu lado.

— Eu achei... Consegui cortá-la uma vez — contou Aelin, por fim. Aquela sombra silenciosa e antiga se forçou, arrastando-a para baixo, mais e mais...
— Vi o sangue escuro escorrer. Então mudou para vermelho. — Ela exalou, saindo das trevas, do silêncio que queria devorá-la por inteiro. E se obrigou a esticar o corpo. A olhar para Fenrys. — Você disse que o sangue de Maeve tinha gosto normal quando fez o juramento.

O lobo branco voltou à forma feérica. A pele marrom estava pálida, os olhos escuros, cheios de medo.

— E tinha.

— Também não achei o gosto diferente — grunhiu Rowan.

— Um encantamento, como a forma que ela mantém — ponderou Gavriel. Nesryn assentiu.

— Pelo que as aranhas disseram, parece completamente possível que ela conseguisse convencê-los de que seu sangue tinha aspecto e gosto de sangue feérico.

Fenrys fez um ruído como se fosse vomitar. Aelin sentia vontade de fazer o mesmo.

E de longe... uma lembrança que não era uma lembrança despertou. De noites de verão passadas em um vale na floresta, com Maeve instruindo-a. Contando a ela uma história sobre uma rainha que caminhava entre mundos.

Que não estivera feliz no reino no qual nascera e havia encontrado uma forma de deixá-lo, usando o conhecimento perdido de andarilhos antigos. Caminhantes de mundos.

Maeve lhe contara. Talvez um conto distorcido, tendencioso, mas lhe contara. Por quê? Por que sequer fazer isso? Alguma forma de conquistá-la, ou de fazer com que hesitasse, caso chegasse àquele ponto?

— Mas Maeve odeia os reis valg — argumentou Elide, e mesmo do lugar silencioso no qual Aelin flutuava, ela conseguia ver a mente afiada trabalhando por trás dos olhos da jovem. — Ela se escondeu por todo esse tempo. Certamente não se aliaria a eles.

— Ela correu para a chance de pegar um colar valg — observou Fenrys, sombriamente. — Parecia convencida de que poderia controlar o príncipe dentro dele.

Não apenas pelo poder de Maeve, mas porque era uma rainha demônio. Aelin se obrigou a tomar fôlego de novo. De novo. Os dedos se fecharam, agarrando uma arma invisível.

Lorcan não proferira uma palavra. Não fizera nada a não ser ficar parado ali, pálido e calado. Como se não mais habitasse o próprio corpo também.

— Não conhecemos seus planos — comentou Nesryn. — As *kharankui* não a veem há milênios, e apenas ouvem sussurros carregados por aranhas inferiores. Mas ainda a veneram e esperam seu retorno.

Chaol encarou Aelin, o olhar inquisidor.

— Fui prisioneira de Maeve durante dois meses — explicou ela, baixinho.

Silêncio total na tenda. Então Aelin revelou... tudo. Por que não estava em Terrasen, quem lutava no fronte, aonde Dorian e Manon tinham ido.

A rainha engoliu em seco ao terminar, recostando-se no toque de Rowan.

— Maeve queria que eu revelasse a localização das duas chaves de Wyrd. Queria que eu as entregasse, mas consegui tirá-las de mim antes que ela me levasse. Para Doranelle. Ela queria me fazer ceder a sua vontade. E me usar para conquistar o mundo, ou era o que eu achava. Mas agora está parecendo que talvez ela quisesse me usar como um escudo contra os valg, para sempre vigiá-la. — As palavras saíam aos tropeços, pesadas e afiadas. — Fui sua prisioneira até quase um mês atrás. — Aelin assentiu para a própria corte. — Quando fugi, eles me encontraram de novo.

Silêncio caiu outra vez. Seus novos companheiros não sabiam o que dizer. Aelin não os culpava.

— Vamos fazer aquela vadia pagar por isso também, não vamos? — sibilou, então, Hasar.

Aelin encontrou o olhar sombrio da princesa.

— Sim, vamos.

A verdade se chocara contra Rowan como um golpe físico.

Maeve era valg.

Uma rainha valg. Cujo marido alienado um dia entrara naquele mundo e, se Chaol estava certo, queria invadi-lo de novo, caso Erawan conseguisse abrir o portão de Wyrd.

Ele sabia que sua equipe, ou como quer que se chamassem agora, estava em choque. Sabia que ele mesmo tinha caído em algum tipo de estupor.

A fêmea que serviram, à qual haviam se curvado... Valg.

Foram tão completamente enganados que nem mesmo sentiram o gosto em seu sangue.

Fenrys parecia prestes a colocar as tripas para fora no chão da tenda. Para ele, a verdade seria a mais horrenda.

O rosto de Lorcan permanecia frio e inexpressivo. Gavriel esfregava o maxilar, os olhos cheios de desapontamento.

Rowan exalou por um longo momento.

Uma rainha valg.

Fora ela quem aprisionara sua Coração de Fogo. Fora aquele tipo de poder que tentara lhe invadir a mente.

O poder que *invadira* a mente de Rowan. As mentes de todos eles, se ela conseguia encantar o próprio sangue para parecer ter gosto comum.

Ele sentiu a tensão subindo em Aelin, uma tempestade revolta que quase estremecia suas mãos enquanto ele segurava seus ombros.

Mesmo assim, as chamas não surgiram. Não tinha exibido sequer uma brasa nas últimas semanas, apesar do quanto o casal havia treinado arduamente.

Ocasionalmente, ele via o rubi de Goldryn reluzindo enquanto Aelin segurava a espada, como se fogo brilhasse no coração da pedra. Mas nada além daquilo.

Nem mesmo quando se entrelaçaram na cama do navio, quando os dentes de Rowan encontraram aquela marca no pescoço de Aelin.

Elide observou todos, o silêncio, e disse aos novos companheiros:

— Talvez devêssemos traçar um plano de ação para a batalha de amanhã. — E lhes dar tempo, mais tarde naquela noite, para entender a confusão colossal.

Chaol assentiu.

— Trouxemos um baú de livros — disse ele para Aelin. — Da Torre. Estão todos cheios de marcas de Wyrd. — A rainha nem mesmo piscou, mas Chaol concluiu: — Se sobrevivermos a esta batalha, são seus para folhear. Caso haja algo ali que possa ajudar. — Contra Erawan, contra Maeve, contra o terrível destino de sua parceira.

Aelin apenas assentiu vagamente.

Então Rowan se obrigou a afastar o choque e o nojo e o medo para se concentrar no plano adiante. Apenas Gavriel pareceu conseguir fazer o mesmo, pois Fenrys permaneceu onde estava e Lorcan apenas continuou encarando e encarando o nada.

Aelin ficou na cadeira, irritada. Revoltando-se.

Eles planejaram rápido e eficientemente: voltariam com Chaol e Yrene para a fortaleza e ajudariam com a luta no dia seguinte. A realeza do khaganato forçaria daquela direção: Nesryn e o príncipe Sartaq liderariam os ruks, enquanto a princesa Hasar comandaria os soldados de infantaria e a cavalaria darghan.

Um grupo genialmente treinado e letal. Enquanto haviam caminhado para a tenda, Rowan já marcara os soldados darghan, com belos cavalos e armaduras, além de lanças e elmos pontiagudos, e dera um suspiro de alívio por sua habilidade. Talvez o último suspiro de alívio que teria naquela guerra. Certamente se as forças do khagan ainda não haviam decidido *aonde* levariam o exército depois.

Ele supôs que era justo — tantos territórios estavam agora no caminho de Morath —, mas, quando aquela batalha terminasse, se certificaria de que marchassem para o norte. Para Terrasen.

Contudo, no dia seguinte... no dia seguinte encurralariam a legião de Morath contra as muralhas da fortaleza. Chaol e Rowan liderariam os homens do lado de dentro, matando soldados inimigos.

Aelin não se voluntariou para fazer nada. Não indicou que tinha ouvido.

E quando todos consideraram o plano sólido, junto a um plano de contingência caso aquele desse errado, Nesryn apenas disse:

— Encontraremos ruks para carregá-los de volta à fortaleza. — Então Aelin saiu para a noite fria, Rowan mal conseguindo acompanhá-la.

Nenhuma brasa a seguiu. Lama não chiou sob suas botas.

Não havia fogo algum. Sequer uma faísca.

Como se Maeve tivesse extinguido aquela chama. Tivesse feito Aelin temê-la.

Odiá-la.

A jovem rainha passou pelas tendas perfeitamente organizadas, por cavalos e cavaleiros de armadura, por soldados de infantaria em torno das fogueiras do acampamento, por montadores de ruks e pelos poderosos pássaros, que enchiam Rowan de tanto assombro a ponto de deixá-lo sem palavras; até o limite leste do acampamento e as planícies que se estendiam adiante, o espaço amplo e vazio depois da proximidade do exército.

Ela não parou até chegar a um córrego que haviam cruzado apenas horas antes. Estava quase congelado, mas um passo com a bota de Aelin fez o gelo rachar. Abrindo-se e revelando água escura beijada pela luz prateada das estrelas.

Então Aelin caiu de joelhos e bebeu.

Bebeu e bebeu, levando a água até a boca com as mãos em concha. Devia estar tão fria que queimava, mas ela continuou bebendo até apoiar as mãos nos joelhos e dizer:

— Não consigo fazer isso.

Rowan abaixou, apoiando-se em um joelho, selando o vento frio vindo da planície aberta com o escudo que ele mantivera em torno de Aelin na caminhada até ali.

— Eu... eu *não consigo*... — Ela tomou um fôlego trêmulo e cobriu o rosto com as mãos molhadas.

Carinhosamente, Rowan segurou os pulsos de Aelin e os abaixou.

— Você não enfrenta isso sozinha.

Angústia e terror encheram aqueles lindos olhos, e o peito do feérico se apertou até doer quando ela disse:

— Era um lance de sorte contra Erawan. Mas contra ele *e* Maeve? Ela reuniu um exército a seu redor. E provavelmente está levando esse exército até Terrasen agora mesmo. E se Erawan conjurar os dois irmãos, se os outros reis voltarem...

— Ele precisa das outras duas chaves para fazer isso, e não as tem.

Os dedos de Aelin se fecharam, enterrando-se nas palmas das mãos com tanta força que o cheiro de seu sangue preencheu o ar.

— Eu deveria ter ido atrás das chaves. Imediatamente. E não ter vindo até aqui. Ter feito isso.

— É tarefa de Dorian agora, não sua. Ele não vai fracassar.

— É minha tarefa, sempre foi...

— Fizemos a escolha de vir até aqui, e manteremos essa decisão — grunhiu Rowan, sem se incomodar em controlar o tom de voz. — Se Maeve estiver realmente trazendo o exército para Terrasen, então isso apenas confirma que estávamos certos ao fazê-lo. Que precisamos convencer as forças do khagan a ir ao norte depois disso. É nossa única chance de sucesso.

Aelin passou as mãos pelos cabelos. Filetes de sangue mancharam o dourado.

— Não posso vencê-los. Um rei e uma rainha valg. — A voz ficou rouca. — Eles já ganharam.

— Não ganharam. — E, embora odiasse cada palavra, Rowan grunhiu: — E você sobreviveu dois meses contra Maeve sem magia para protegê-la. Dois meses com uma rainha valg tentando invadir sua mente, Aelin. Para destruir *você*.

Aelin sacudiu a cabeça.

— Mas ela conseguiu.

Rowan esperou.

— Eu *queria* morrer no final, antes mesmo de ela me ameaçar com o colar — sussurrou ela. — Mesmo agora, sinto como se alguém tivesse me *arrancado* de dentro de mim. Como se eu estivesse no fundo do mar, e quem eu sou, quem eu era, está lá em cima, perto da superfície. E *jamais* voltarei para lá.

Ele não sabia o que dizer, o que fazer, exceto carinhosamente tirar os dedos de Aelin das palmas das mãos da parceira.

— Você caiu no andar orgulhoso, na arrogância? — indagou ela, a voz falhando. — E os outros? Porque eu tenho tentado. Tenho tentado intensamente me convencer de que é real, me lembrar de que só preciso fingir ser como eu era por mais um tempo.

Tempo o suficiente para forjar o Fecho e morrer.

— Eu sei, Aelin — falou ele, baixinho. Ele não se enganara com os piscares de olho e os sorrisos debochados nem por um segundo.

Aelin soltou um choro que partiu algo dentro de Rowan.

— Não consigo mais me *sentir*... me sentir como *eu mesma*. É como se ela tivesse extinguido isso. Me arrancado disso. Ela, e Cairn, e tudo que *fizeram* comigo. — Aelin engoliu ar, e o macho a abraçou e a puxou para seu colo. — Estou tão cansada — chorou ela. — Estou tão, tão cansada, Rowan.

— Eu sei. — Ele acariciou os cabelos da parceira. — Eu sei. — Era tudo que havia para dizer.

Rowan a abraçou até o choro diminuir e Aelin ficar tranquila, aninhada contra seu peito.

— Não sei o que fazer — sussurrou ela.

— Você luta — respondeu o guerreiro, simplesmente. — Nós lutaremos. Até não podermos mais. Nós lutaremos.

Ela se esticou, sentando, mas permaneceu no colo de Rowan, olhando para o rosto do feérico com um desamparo que o destruiu.

Rowan apoiou a mão no peito de Aelin, bem acima daquele coração em chamas.

— Coração de Fogo.

Um desafio e uma convocação.

Ela colocou a mão sobre a dele, quente apesar da noite gélida. Como se aquele fogo ainda não tivesse se extinguido completamente. Mas Aelin apenas ergueu o rosto para as estrelas. Para o Senhor do Norte, montando guarda.

— Nós lutaremos — sussurrou ela.

∽

Aelin encontrou Fenrys diante de uma fogueira silenciosa, encarando as chamas crepitantes.

Ela se sentou no tronco a seu lado, exposta, aberta, trêmula, mas... O sal das lágrimas lavara parte daquilo. E a acalmara. Rowan a havia acalmado... e ainda acalmava, ao manter guarda das sombras além da fogueira.

Fenrys ergueu a cabeça, os olhos tão vazios quanto ela sabia que os próprios tinham estado.

— Quando precisar conversar sobre isso — avisou ela, com a voz ainda rouca. — Estou aqui.

O macho assentiu, a boca formando uma linha tensa.

— Obrigado.

O acampamento estava se preparando para a partida, mas Aelin se aproximou e ficou sentada a seu lado, em silêncio, por longos minutos.

Duas curandeiras, identificadas apenas por braçadeiras brancas, passaram correndo, com os braços cheios de ataduras.

Aelin ficou tensa. Concentrou-se na respiração.

Fenrys delimitou seu campo visual.

— Ficavam horrorizados, sabe — disse ele, baixinho. — Sempre que ela os trazia para... consertar você.

As duas curandeiras sumiram atrás de uma tenda. Aelin flexionou os dedos, tirando sua leveza.

— Isso não os impediu de fazer aquilo.

— Não tinham escolha.

Ela encontrou o olhar sombrio. A boca de Fenrys se contraiu.

— Ninguém a teria deixado naquele estado. Ninguém.

Quebrada e ensanguentada e queimada...

Aelin segurou o cabo de Goldryn. Indefesa.

— Eles desafiavam Maeve do próprio jeito — prosseguiu Fenrys. — Às vezes ela ordenava que a trouxessem de volta à consciência. Normalmente diziam que não podiam, que você tinha caído muito profundamente no esquecimento. Mas eu sabia... acho que Maeve também sabia... que eles a colocavam naquele estado. Por tanto tempo quanto possível. Para ganhar tempo.

A jovem rainha engoliu em seco.

— Ela os punia?

— Não sei. Jamais eram os mesmos curandeiros.

Maeve provavelmente os punira. Provavelmente destroçara suas mentes por causa da desobediência.

A mão de Aelin se apertou na espada ao lado do corpo.

Indefesa. Ficara indefesa. Como tantos na cidade onde estavam, em Terrasen, no continente, estavam indefesos.

O cabo de Goldryn se aqueceu em sua mão.

Aelin não ficaria daquele jeito de novo. Por quanto tempo lhe restasse.

Gavriel caminhou silenciosamente até Rowan, olhou uma vez para a rainha e Fenrys, então murmurou:

— Não eram as notícias que precisávamos ouvir.

Rowan fechou os olhos por um segundo.

— Não, não eram.

Gavriel apoiou a mão no ombro do amigo.

— Isso não muda nada, de certa forma.

— Como?

— Nós a servimos. Ela... não era o que Aelin é. O que uma rainha deveria ser. Sabíamos disso muito antes de sabermos a verdade. Se Maeve quer usar o que é contra nós e aliar-se a Morath, aí as coisas mudam. Mas o passado acabou. Está terminado, Rowan. Saber que ela é valg ou apenas uma pessoa ruim não muda o que aconteceu.

— Saber que uma rainha valg quer escravizar minha parceira e que quase conseguiu muda bastante coisa.

— Mas sabemos o que Maeve teme, por que o teme — replicou Gavriel, com os olhos amarelados brilhantes. — Fogo e os curandeiros. Se ela atacar com aquele seu exército, não estaremos indefesos.

Era verdade. Rowan poderia ter se amaldiçoado por não pensar naquilo antes. Outra pergunta se formou, no entanto.

— O exército de Maeve — comentou Rowan. — É formado por feéricos.

— Assim como a armada era — lembrou Gavriel, sarcasticamente.

Rowan passou a mão pelos cabelos.

— Vai conseguir viver com isso... ter enfrentado nosso próprio povo? — Matando-os.

— Você vai? — devolveu ele.

Rowan não respondeu.

Depois de um momento, Gavriel perguntou:

— Por que Aelin não me ofereceu o juramento de sangue?

O macho não perguntara durante aquelas semanas. E Rowan não tinha certeza de por que perguntava naquele momento, mas respondeu com a verdade:

— Porque ela não o fará até que Aedion tenha feito o juramento primeiro. Oferecer a você antes que a ele... Ela quer que Aedion o faça primeiro.

— Caso ele não queira que eu fique perto de seu reino.

— Para que Aedion saiba que ela colocou as necessidades dele antes das dela.

Gavriel fez uma reverência com a cabeça.

— Eu responderia sim, se ela oferecesse.

— Eu sei. — Rowan deu tapinhas nas costas de seu amigo mais antigo. — Ela sabe também.

O Leão olhou para o norte.

— Acha... não recebemos notícias de Terrasen.

— Se tivesse caído, se Aedion tivesse caído, saberíamos. As pessoas aqui saberiam.

Gavriel esfregou o peito.

— Fomos à guerra. *Ele* foi à guerra. Lutou em campos de batalha quando *criança*, malditos sejam os deuses. — Ódio brilhou no rosto do macho. Não pelo que Aedion fizera, mas pelo que fora forçado a fazer por destino e infortúnio. Aquilo que Gavriel não estivera presente para impedir. — Mas ainda temo cada dia que passa sem notícias. Temo cada mensageiro que vemos.

Um terror que Rowan jamais conhecera, diferente do medo pela parceira, pela rainha. O medo de um pai pelo filho.

Ele não se permitiu olhar para Aelin. Lembrar de seus sonhos enquanto a procurava. Da família que vira. Da família que fariam juntos.

— Precisamos convencer a realeza do khaganato a marchar para o norte quando essa batalha acabar — insistiu Gavriel, baixinho.

Rowan assentiu.

— Se conseguirmos esmagar esse exército amanhã e convencer a realeza de que Terrasen é o único plano de ação, poderemos, de fato, seguir para o norte em breve. Você poderá lutar ao lado de Aedion na chegada do Yulemas.

As mãos de Gavriel se fecharam ao lado do corpo, e tatuagens se espalharam sobre suas articulações.

— Se ele me permitir tal honra.

Rowan faria com que Aedion permitisse. Mas apenas disse:

— Reúna Elide e Lorcan. Os ruks estão quase prontos para partir.

51

Lorcan permanecia no limite da cerca dos ruks, mal observando os pássaros magníficos ou os montadores de armadura conforme se acomodavam para a noite. Alguns, ele sabia, ainda não encontrariam descanso; em vez disso, carregariam seu grupo e os suprimentos necessários de volta à fortaleza que se elevava sobre a cidade e a planície.

O macho não se importava, não se maravilhava com o fato de que em breve estaria no ar em uma daquelas bestas incríveis. Não se importava que, no dia seguinte, todos enfrentariam o exército sombrio que se reunia adiante.

Ele tinha lutado em mais batalhas, mais guerras, do que se incomodava em lembrar. O dia seguinte seria pouco diferente, exceto pelos demônios que matariam no lugar de homens ou feéricos.

Demônios como sua antiga rainha, aparentemente.

Lorcan se oferecera a ela, *quisera* a rainha sombria, ou acreditara que queria. E ela rira do guerreiro. Ele não sabia o que isso queria dizer. Sobre ela, sobre si mesmo.

Lorcan pensara que sua escuridão, os dons de Hellas, tivessem sido atraídos para ela, que os dois eram semelhantes.

Talvez o deus sombrio não tivesse a intenção de que Lorcan jurasse lealdade a Maeve, mas que a matasse. Que se aproximasse o bastante para fazê-lo.

O macho não arrumou a capa para se proteger da lufada de ar frígido que vinha do lago distante. Em vez disso, recebeu o frio, o gelo e o vento. Como se aquilo pudesse levar embora a verdade.

— Estamos de partida.

A voz baixa de Elide interrompeu o silêncio estrondoso de seus pensamentos.

— Os ruks estão prontos — acrescentou ela.

Não havia medo ou pena no rosto da jovem, os cabelos pretos emoldurados pelas tochas e fogueiras. De todos eles, Elide recebera a notícia com menos dificuldade, assumindo sua posição, como se tivesse nascido em um campo de batalha.

— Eu não sabia — disse Lorcan, a voz tensa.

Elide sabia a que ele se referia.

— Temos coisas maiores com que nos preocupar, de qualquer forma.

O guerreiro deu um passo na direção da jovem.

— Eu não sabia — repetiu ele.

Elide inclinou a cabeça para lhe estudar o rosto, contraindo os lábios conforme um músculo estremecia em sua mandíbula.

— Quer que eu lhe dê algum tipo de absolvição por isso?

— Eu a servi por quase quinhentos anos. Quinhentos *anos*, e simplesmente achei que ela fosse imortal e fria.

— Essa me parece a definição de um valg.

Ele exibiu os dentes.

— Então viva durante eras e veja o que isso faz com você, *lady*.

— Não entendo por que está tão chocado. Mesmo com Maeve sendo imortal e fria, você a amava. Deve ter aceitado esses traços. Portanto, que diferença faz como a chamamos?

— Eu não a amava.

— Certamente agia como se amasse.

— Por que sempre volta para isso, Elide? — grunhiu Lorcan. — Por que essa é a única coisa que não consegue deixar de lado?

— Porque estou tentando entender. Como você poderia amar um monstro.

— Por quê? — Lorcan invadiu seu espaço pessoal. Elide não recuou um passo.

De fato, ela estava com os olhos incandescentes ao sibilar:

— Porque vai me ajudar a entender como *eu* fiz o mesmo.

A voz fraquejou nas últimas palavras, e Lorcan ficou imóvel quando a frase foi absorvida por ambos. Ele jamais... jamais tivera alguém que...

— É uma doença? — indagou Elide. — É algo destruído dentro de você?

— Elide. — O nome saiu rouco dos lábios de Lorcan, e ele ousou estender a mão para ela.

Mas a jovem saiu do alcance.

— Se acha que, porque fez o juramento de sangue a Aelin, isso significa *alguma coisa* para nós dois, está profundamente enganado. Você é imortal, eu sou humana. Não nos esqueçamos *desse* pequeno detalhe também.

Lorcan quase se encolheu diante das palavras, daquela terrível verdade. Ele tinha quinhentos anos. Deveria dar as costas, não deveria se importar tanto com nada daquilo. Mas, mesmo assim, ele disparou:

— Você está com ciúmes. É isso o que realmente a corrói.

Elide soltou uma gargalhada que Lorcan jamais ouvira, cruel e afiada.

— Ciúmes? Ciúmes do *quê*? Daquele demônio a quem você serviu? — Ela endireitou os ombros, como uma onda subindo antes de quebrar na praia. — A única coisa sobre ela que invejo, Lorcan, é que *ela* se livrou de você.

Ele odiou que aquelas palavras o tivessem atingido como um golpe. Que ele não tivesse mais defesas no que dizia respeito a ela.

— Desculpe — lamentou. — Por tudo, Elide.

Pronto, ele dissera aquilo, expusera tudo diante da jovem.

— Desculpe — repetiu Lorcan.

Mas a expressão de Elide não suavizou.

— Não me importo — retrucou ela, se virando. — E não me importo se você sair vivo daquele campo de batalha amanhã.

Ciúmes. Que ideia era aquela, ter ciúmes de *Maeve* por possuir o afeto de Lorcan durante séculos. Elide seguiu até o grupo de ruks que se preparava, trincando os dentes com tanta força que seu queixo doía.

Tinha quase alcançado o primeiro dos pássaros selados quando uma voz atrás dela falou:

— Deveria tê-lo ignorado.

Elide parou ao ver que Gavriel a seguia.

— Como?

A expressão normalmente calorosa do Leão exibia seriedade; reprovação.

— Daria no mesmo chutar um macho já no chão.

Elide não proferira uma palavra irritada a Gavriel desde que o conhecera, mas respondeu:

— Não vejo como isso seja de sua conta.

— Jamais ouvi Lorcan pedir desculpas por nada. Mesmo quando Maeve o açoitava por ter cometido um erro, ele não lhe pedia desculpas.

— E isso significa que ele merece meu perdão?

— Não. Mas precisa entender que ele fez o juramento de sangue para Aelin por você. Por mais ninguém. Para poder permanecer a seu lado. Mesmo sabendo muito bem que você tem uma vida mortal.

Os ruks se agitaram, farfalhando as asas em antecipação ao voo.

Ela sabia. Soubera no momento que Lorcan tinha se ajoelhado diante de Aelin. Semanas depois, Elide não sabia o que fazer com aquilo, com o conhecimento de que Lorcan fizera aquilo por ela. Esse desejo de conversar com ele, de trabalhar com ele como tinham feito. Ela se odiava por isso. Por não tentar guardar o rancor por mais tempo.

Por isso ela o procurara naquela noite. Não para punir Lorcan, mas a si mesma. Para se lembrar de a quem ele entregara sua rainha, do quanto ela estivera profundamente enganada.

E a frase de despedida que dissera... era uma mentira. Uma mentira desprezível, odiosa.

Elide se voltou para Gavriel de novo.

— Eu não...

O Leão já havia ido embora. E durante o voo frio por cima do exército, então por cima do mar de escuridão que se espalhava entre ele e a antiga cidade, até mesmo aquela voz sábia que havia sussurrado durante toda a vida de Elide se calara.

Nesryn estava ao lado de Salkhi, a mão na lateral penada da montaria, observando o grupo subir para o céu. Os vinte ruks não estavam apenas carregando Aelin Galathynius e seus companheiros, incluindo Chaol e Yrene, mas também mais curandeiras, suprimentos e alguns cavalos, encapuzados e encurralados em baias de madeira que os pássaros conseguiam carregar. Inclusive o cavalo do próprio Chaol, Farasha.

— Eu queria poder acompanhá-los — suspirou Borte de onde acariciava Arcas. — Para lutar junto aos feéricos.

Nesryn lançou a ela um olhar interessado, de esguelha.

— Terá essa oportunidade muito em breve, se marcharmos para Terrasen depois disso.

Perto delas, um riso masculino de deboche soou.

— Vá bisbilhotar outra pessoa, Yeran — disparou a jovem para o prometido.

Mas o capitão de Berlad apenas respondeu:

— Que bela comandante você é, suspirando pelos feéricos como uma menininha apaixonada.

Borte revirou os olhos.

— Quando eles me ensinarem suas técnicas de assassinato e eu as usar para riscar você do mapa em nossa próxima Reunião, pode vir me contar sobre meus suspiros.

O belo capitão se aproximou batendo os pés, afastando-se do próprio ruk, e Nesryn abaixou o rosto para esconder o sorriso, percebendo-se muito interessada nas penas marrons de Salkhi.

— Será minha esposa então, segundo seu acordo com minha mãe de fogo — disse ele, cruzando os braços. — Não seria apropriado matar seu marido na Reunião.

Borte sorriu com uma meiguice venenosa para o prometido.

— Então vou ter de matá-lo outra hora.

Yeran sorriu de volta, o retrato da diversão maliciosa.

— Outra hora, então — prometeu ele.

Nesryn não deixou de notar a luz que brilhou nos olhos do capitão. Ou a forma como Borte mordeu o lábio, apenas levemente, perdendo o fôlego.

Yeran se aproximou e sussurrou algo ao ouvido de Borte que fez os olhos da jovem se arregalarem. Aparentemente a chocando tanto que, quando Yeran caminhou até o ruk, o retrato da arrogância, Borte corou furiosamente e voltou a limpar seu ruk.

— Não pergunte — murmurou ela.

Nesryn estendeu as mãos para o alto.

— Eu jamais faria nisso.

O rubor de Borte permaneceu durante minutos depois daquilo, os gestos de limpeza pareciam quase frenéticos.

Passos tranquilos e graciosos soaram sobre a neve, e Nesryn soube quem se aproximava antes de os rukhin sequer se colocarem em posição de sentido. Não pelo fato de que Sartaq era príncipe e herdeiro, mas por ser o capitão. De todos os rukhin naquela guerra, não apenas do ninhal Eridun.

Ele os dispensou, observando o céu noturno e os ruks ainda voando, protegidos por Rowan Whitethorn de qualquer flecha inimiga que pudesse encontrar o alvo. Sartaq mal havia se aproximado de Nesryn, mas Borte deu tapinhas em Arcas, jogou a escova na sacola de suprimentos e saiu caminhando noite afora.

Não para lhes dar privacidade, percebeu Nesryn. Não quando Yeran saiu do lado do próprio ruk um segundo depois, seguindo a jovem com um andar vagaroso. Borte olhou por cima do ombro uma vez, e havia tudo, menos irritação, no rosto da jovem quando esta reparou em Yeran em seu encalço.

Sartaq riu.

— Pelo menos as coisas estão um pouco mais claras entre eles agora.

Nesryn bufou uma risada, deslizando a escova sobre as penas de Salkhi.

— Estou mais confusa do que nunca.

— Os montadores cujas tendas ficam perto da de Borte não estão.

As sobrancelhas de Nesryn se ergueram, mas ela sorriu.

— Que bom. Não para os montadores, mas... em relação a eles.

— A guerra faz coisas estranhas com as pessoas. Torna tudo mais urgente. — Ele passou a mão pela parte de trás da cabeça de Nesryn, seus dedos se entrelaçando nos cabelos antes de Sartaq murmurar a seu ouvido: — Venha se deitar.

Calor se acendeu pelo corpo da capitã.

— Temos uma batalha para travar amanhã. De novo.

— E um dia de morte me fez querer abraçá-la — falou o príncipe, dando aquele sorriso que a desarmava, contra o qual Nesryn não tinha defesas. Principalmente quando ele acrescentou: — E fazer outras coisas com você.

Seus dedos dos pés se flexionaram dentro das botas.

— Então me ajude a terminar de limpar Salkhi.

Com isso, o príncipe avançou tão rápido para a escova que Borte descartara que Nesryn gargalhou.

⊰ 52 ⊱

As Crochan voltaram para o acampamento nas montanhas Canino Branco e esperaram.

Manon e as Treze desmontaram das serpentes aladas. Algo se revirava no estômago da bruxa a cada passo na direção da fogueira de Glennis. A faixa de tecido vermelho na ponta da trança parecia uma pedra, puxando sua cabeça para baixo.

Estavam quase na fogueira quando Bronwen passou a caminhar ao lado de Manon.

Asterin e Sorrel, seguindo-a, ficaram tensas, mas nenhuma das duas interferiu. Principalmente não quando Bronwen perguntou:

— O que aconteceu?

Manon olhou de esguelha para a prima.

— Pedi a todas que considerassem sua posição nesta guerra.

Bronwen franziu a testa para o céu, como se esperasse ver as Dentes de Ferro ali.

— E?

— E veremos, imagino.

— Achei que você tivesse ido até lá para reuni-las.

— Eu fui — começou Manon, exibindo os dentes — para fazer com que elas contemplassem quem desejam ser.

— Não achei que Dentes de Ferro fossem capazes de tal coisa.

Asterin grunhiu.

— Cuidado, bruxa.

Bronwen abriu um sorriso debochado por cima do ombro, então disse a Manon:

— Deixaram você sair com vida de lá?

— De fato, deixaram.

— Elas lutarão, vão se voltar contra Morath e as outras Dentes de Ferro?

— Não sei. — Ela não sabia. Não sabia mesmo.

Bronwen se calou durante alguns passos. Manon acabara de entrar no círculo da lareira de Glennis quando a bruxa falou:

— Não deveríamos ter nos incomodado em ter esperança, então.

Como Manon não tinha resposta, ela saiu andando, e as Treze não deram mais que um olhar a Bronwen.

Manon encontrou Glennis mexendo o carvão da fogueira. O fogo sagrado no centro era uma chama reluzente que não precisava de madeira para queimar. Um presente de Brannon, um pedaço da rainha de Terrasen ali.

— Precisamos partir no meio da manhã de amanhã. Foi decidido: voltaremos para nossas fogueiras-lares — disse a anciã.

Manon apenas se sentou na pedra mais próxima, deixando que as Treze fossem catar qualquer comida que conseguissem encontrar. Dorian permanecera com as serpentes aladas. A última vez que ela o vira havia sido alguns minutos antes, enquanto algumas Crochan se aproximavam do rei. Ou por prazer, ou por informação, Manon não sabia. Duvidava de que ele dividiria a cama com ela tão cedo. Principalmente se permanecesse determinado a ir para Morath.

A ideia não parecia aceitável.

— Acha que as Dentes de Ferro são capazes de mudar? — perguntou Manon a Glennis.

— Você sabe a resposta melhor que eu.

Ela sabia e não tinha tanta certeza se gostava da conclusão a que chegara.

— Rhiannon achava que poderíamos? — *Ela achava que* eu *poderia?*

O olhar de Glennis se suavizou, um toque de tristeza brilhou ali quando a bruxa acrescentou mais uma tora à fogueira.

— Sua meia-irmã era seu oposto, de muitas formas. E parecida com seu pai de muitas maneiras. Ela era aberta, e sincera, e expressava seus sentimentos, independentemente das consequências. Impetuosa, alguns diziam. Você pode não saber devido a como elas agem agora — comentou a idosa, sorrindo um pouco —, mas havia mais que poucas entre essas várias fogueiras que não gostavam de Rhiannon. Que não queriam ouvir seus sermões sobre nosso povo fracassado, sobre como existia uma solução melhor. Como nossos povos poderiam encontrar paz. Todo dia, ela falava alto e para qualquer um que ouvisse sobre a possibilidade de um Reino das Bruxas unido. Sobre a possibilidade de um futuro em que não precisaríamos nos esconder nem ficar tão dispersadas. Muitas a chamavam de tola. Achavam que ela estava sendo ingênua, principalmente ao ir atrás de você. Para ver se você concordava com ela, apesar do que sua história sangrenta sugeria.

Ela morrera por aquele sonho, aquela possibilidade de um futuro. Manon a matara por causa daquilo.

— Então, se Rhiannon achava que as Dentes de Ferro eram capazes de mudar? — continuou Glennis. — Ela talvez fosse a única bruxa entre as Crochan que achava isso, acreditava com cada gota de seu ser. — O pescoço flácido da mulher estremeceu. — Ela acreditava que vocês duas poderiam governar juntas, o Reino das Bruxas. Que você lideraria as Dentes de Ferro, e ela, as Crochan, e vocês reconstruiriam juntas o que foi fragmentado há muito tempo.

— E agora só resto eu. — Equilibrando as duas coisas.

— Agora só resta você. — O olhar de Glennis se tornou direto, impiedoso. — Uma ponte entre nós.

Manon aceitou o prato de comida que Asterin lhe entregou antes de a imediata se sentar a seu lado.

— As Dentes de Ferro vão mudar de lado. Você vai ver — encorajou a bruxa.

Sorrel resmungou da pedra mais próxima, o desacordo estampado no rosto.

A imediata fez um gesto vulgar para a terceira na hierarquia.

— Elas vão. Juro.

Glennis ofereceu um leve sorriso, mas Manon não disse nada ao atacar a comida.

Tenha esperança, dissera ela a Elide tantos meses antes.

Mas talvez não houvesse esperança para elas, no fim das contas.

～

Dorian ficara perto das serpentes aladas para responder as perguntas das Crochan que não queriam indagar às Treze o que acontecera no desfiladeiro Ferian, ou talvez temessem fazê-lo.

Não, um esquadrão não estava se reunindo atrás delas. Não, ninguém as seguira. Sim, Manon falara com as Dentes de Ferro e pedira que se unissem.

Sim, tinham entrado e saído com vida. Sim, ela falara tanto como Dentes de Ferro quanto como Crochan.

Pelo menos Asterin dissera isso a ele durante o longo voo de volta. Falar com Manon, discutir os próximos passos... Dorian não se incomodara com isso. Ainda não.

E quando a própria Asterin havia se calado, ele passara a se concentrar nos próprios pensamentos. Revirando tudo que vira no desfiladeiro Ferian, cada corredor sinuoso e câmara e poço que fediam a dor e medo.

O que o pai e Erawan tinham construído. O tipo de reino que Dorian herdara.

As chaves de Wyrd se agitaram, sussurrando. Ele as ignorou e passou a mão pelo cabo de Damaris. O ouro permanecia quente apesar do frio doloroso.

Uma espada que dizia a verdade, sim, mas também um lembrete do que Adarlan um dia fora. Do que poderia se tornar de novo.

Se ele não hesitasse. Se não duvidasse de si mesmo. Por quanto tempo ainda lhe restasse.

Dorian poderia consertar aquilo. Tudo aquilo. Ele poderia consertar aquilo.

Damaris se aqueceu, como um conforto e uma confirmação silenciosos.

O jovem rei deixou a pequena multidão das Crochan e saiu andando para um filete de terra que dava para uma queda mortal em um abismo coberto de rochas e neve.

Montanhas brutais ondulavam em todas as direções, mas ele lançou seu olhar para o sudeste. Para Morath, que espreitava muito além da vista.

Dorian conseguira se transformar em um corvo naquela noite na floresta de Eyllwe. Agora supunha que só precisava aprender a voar.

Ele buscou aquilo no interior, o turbilhão de poder puro. Calor floresceu dentro de si, os ossos gemeram, o mundo se ampliou.

Dorian abriu o bico, e um grasnido rouco saiu de dentro dele.

Estendendo as asas pretas, começou a treinar.

⊰ 53 ⊱

Alguém ateara fogo a sua coxa.

Não Aelin, porque Aelin se fora, selada em um sarcófago de ferro e levada além-mar.

Mas alguém a queimara até o osso, tão completamente que o menor dos movimentos, onde quer que ela estivesse — uma cama? um colchão? —, fazia dor irradiar pelo corpo todo.

Lysandra entreabriu os olhos, um grunhido baixo subindo pela garganta seca.

— Calma — murmurou uma voz grave.

Ela conhecia aquela voz. Conhecia o cheiro; como um riacho límpido e grama fresca. Aedion.

Lysandra voltou os olhos, pesados e ardendo, para o som.

Os cabelos brilhantes do general caíam inertes, sujos de sangue. E aqueles olhos turquesa estavam com olheiras arroxeadas — e completamente inexpressivos. Vazios.

Uma tenda improvisada se erguia ao redor, e a única luz vinha de uma lanterna que oscilava ao vento fustigante que entrava pelas abas. Lysandra fora coberta até o alto com cobertores, embora Aedion estivesse sentado em um balde virado, ainda de armadura, com nada para aquecê-lo.

A metamorfa descolou a língua do céu da boca e ouviu o mundo além da tenda escura.

Caos. Gritos. Alguns homens berrando.

— Entregamos Perranth — explicou Aedion, a voz rouca. — Estamos em fuga há dois dias. Mais três dias e chegaremos a Orynth.

As sobrancelhas da mulher se franziram levemente. Ficara inconsciente por tanto tempo assim?

— Tivemos de colocá-la em uma carruagem com os outros feridos. Esta foi a primeira noite que ousamos parar. — A estrutura forte que era o pescoço do guerreiro estremeceu. — Uma tempestade atingiu o sul. E reduziu a velocidade de Morath, apenas o suficiente.

Ela tentou engolir para afastar a secura da garganta. A última coisa de que se lembrava era de enfrentar aqueles ilken, jamais tão ciente dos limites de um corpo mortal, de como até mesmo Aelin, que parecia tão alta ao caminhar com atitude pelo mundo, ficava pequena perto das criaturas. Então aquelas garras rasgaram sua perna. E depois Lysandra conseguira desferir um golpe perfeito. Matar uma delas.

— Você reuniu nosso exército — disse ele. — Perdemos a batalha, mas eles não fugiram de vergonha.

Lysandra conseguiu tirar uma das mãos de baixo dos cobertores e se esticou para a jarra de água ao lado da cama. Aedion se colocou imediatamente em movimento, enchendo um copo.

Mas, quando os dedos da jovem se fecharam ao redor do recipiente, ela reparou na cor, no formato.

Eram suas mãos. O braço também.

— Você... se transformou — contou Aedion ao reparar que ela arregalara os olhos. — Enquanto a curandeira costurava sua perna. Acho que a dor... Você se metamorfoseou de volta para esse corpo.

Horror, estrondoso e nauseante, se acumulou dentro da jovem.

— Quantos viram? — Suas primeiras palavras, cada uma áspera e seca como lixa.

— Não se preocupe com isso.

Lysandra entornou a água pela garganta.

— Todos sabem?

Um aceno sério.

— O que contou a eles... sobre Aelin?

— Que ela está em uma missão vital com Rowan e os demais. E que é tão secreta que não ousamos falar sobre isso.

— Os soldados estão...

— Não se preocupe com isso — repetiu Aedion. Mas ela conseguia ver no rosto do general. A tensão.

Tinham se reunido para sua rainha, apenas para perceber que fora uma ilusão. Que o poder da Portadora do Fogo não estava com eles. Que não os protegeria contra o exército ao encalço.

— Desculpe — sussurrou Lysandra.

Ele pegou o copo vazio de água antes de segurar a mão da metamorfa, apertando-a carinhosamente.

— *Eu* peço desculpas, Lysandra. Por tudo. — Ele engoliu em seco. — Quando vi os ilken, quando a vi contra eles...

Inútil. Vadia mentirosa. As palavras que ele atirara contra ela, que proferira com ódio, afastaram Lysandra da confusão da dor. Aguçaram sua concentração.

— Você fez isso — disse ele, abaixando a voz — por Terrasen. Por Aelin. Estava disposta a *morrer* por Terrasen, pelos deuses.

— Eu estava. — As palavras saíram tão frias quanto aço.

Aedion piscou quando ela tirou as mãos das suas. A perna doía e latejava, mas Lysandra conseguiu se sentar. Para encará-lo.

— Fui diminuída e humilhada de tantas formas, durante tantos anos — disse a metamorfa, com a voz trêmula. Não de medo, mas devido à onda que varria tudo dentro de si, queimando com o ferimento na perna. — Mas *jamais* me senti tão humilhada como quando você me atirou na neve. Quando me chamou de vadia mentirosa na frente de nossos amigos e aliados. *Jamais.* — Lysandra odiou as lágrimas de raiva que fizeram seus olhos arderem. — Houve uma época em que fui forçada a rastejar diante de homens. E, pelos deuses, quase rastejei por você durante esses últimos meses. E, no entanto, foi preciso que eu quase morresse para que você percebesse que tem sido um canalha? Foi preciso que eu quase morresse para que você me visse como humana de novo?

Ele não escondeu o arrependimento nos olhos. Lysandra passara anos lendo homens e sabia que cada emoção dolorosa no rosto de Aedion era genuína. Mas não apagava o que tinha sido dito e feito.

Lysandra levou a mão ao peito, bem acima do próprio coração dilacerado.

— Eu queria que fosse você — disse ela. — Depois de Wesley, depois de tudo, eu queria que fosse *você*. O que Aelin me pediu para fazer não interferia naquilo. O que ela me pediu para fazer jamais pareceu um fardo, porque eu queria que fosse *você* no fim das contas mesmo. — Lysandra não limpou as lágrimas que escorreram por suas bochechas. — E você me jogou na neve.

Aedion se colocou de joelhos e pegou sua mão.

— Jamais deixarei de me arrepender. Lysandra, jamais esquecerei um segundo disso, jamais deixarei de me odiar. E estou tão...

— Não. — Ela puxou a mão de volta. — Não se ajoelhe. Não se incomode. — A metamorfa apontou para as abas da tenda. — Não me resta nada a dizer a você. E nem você a mim.

Dor mais uma vez tomou conta da expressão de Aedion, mas Lysandra abafou o modo como aquilo a afetava. Como a afetava vê-lo se levantar, gemendo baixinho por conta de alguma dor desconhecida no corpo poderoso. Durante alguns segundos, ele apenas a olhou do alto.

Então Aedion falou:

— Fui sincero em cada promessa que lhe fiz naquela praia em baía da Caveira.

E saiu.

Aedion passara grande parte da vida se odiando pelas várias coisas que fizera.

Mas ao ver as lágrimas no rosto de Lysandra por *sua* causa... Ele jamais se sentira mais canalha.

Aedion mal ouvia os soldados ao redor, tensos e arredios na neve que soprava entre suas tendas rapidamente erguidas. Quantos mais morreriam naquela noite?

Ele já usara sua patente a fim de conseguir para Lysandra o cuidado dos melhores curandeiros restantes. E ainda não fora bom o bastante, eles não tinham dons mágicos. E apesar das habilidades de cura mais rápidas da metamorfa, ainda haviam precisado costurar a perna. E agora trocavam os curativos a cada poucas horas. Felizmente o ferimento se fechara, provavelmente rápido o bastante para evitar infecção.

Muitos dos feridos entre eles não podiam dizer o mesmo. Os ferimentos pútridos, o sangue em putrefação dentro de suas veias... Todas as manhãs, mais e mais corpos eram deixados para trás na neve, o solo estava congelado demais, e não havia tempo para queimá-los.

Comida para as bestas de Erawan, murmuravam os soldados ao partirem. Poderiam muito bem oferecer uma refeição de graça ao inimigo.

Aedion calava aquele tipo de conversa, assim como qualquer tipo de cochichos sobre suas fuga e derrota. Quando finalmente montaram acampamento naquela noite, um bom terço dos soldados, inclusive membros da

Devastação, tinha sido incumbido de várias tarefas para se manter ocupado. Para deixar os homens tão cansados depois de um dia de fuga que não teriam energia para resmungar.

O general seguiu para a própria tenda, montada logo ao lado do círculo de tendas dos curandeiros, onde Lysandra estava. Dar a ela uma tenda particular fora outro privilégio conseguido por conta de sua patente.

Quase chegara à pequena tenda — não havia sentido em montar a tenda de guerra completa se fugiriam de novo em poucas horas — quando viu as figuras reunidas na fogueira do lado de fora.

Aedion reduziu os passos até uma caminhada altiva.

Ren ficou de pé, a expressão tensa sob o pesado capuz.

Mas foi o homem ao lado de Ren que fez o temperamento de Aedion se tornar algo perigoso.

— Darrow — disse ele. — Achei que estivesse em Orynth a esta altura.

O lorde encasacado em peles não sorriu.

— Vim entregar a mensagem pessoalmente. Uma vez que meu mensageiro de maior confiança parece inclinado a escolher outra aliança.

O velho desgraçado sabia, então. Sobre Lysandra se passando por Aelin. Sobre o papel de Nox Owen ao mover o exército para longe de seu alcance.

— Vamos acabar logo com isso, então — disparou Aedion.

Ren ficou tenso, mas não disse nada.

Os lábios finos de Darrow se curvaram em um sorriso cruel.

— Por seus atos de rebeldia inconsequente, por seu fracasso em seguir nosso comando e levar suas tropas para onde ordenamos, por sua total derrota na fronteira e pela perda de Perranth, está destituído de seu posto.

Aedion mal ouviu as palavras.

— Considere-se agora um soldado da Devastação, se é que o aceitarão. E quanto à impostora que exibiu por aí... — Um riso de deboche para as tendas dos curandeiros.

O guerreiro grunhiu.

Os olhos de Darrow se semicerraram.

— Se ela for mais uma vez pega fingindo ser a princesa Aelin — Aedion quase lhe rasgou o pescoço diante daquela palavra, *princesa* —, teremos pouca escolha a não ser assinar uma ordem de execução.

— Gostaria de vê-lo tentar.

— Gostaria de ver você tentar nos impedir.

Aedion abriu um sorriso sarcástico.

— Ah, não é comigo que você lidaria. Boa sorte a qualquer homem que tentar ferir uma metamorfa tão poderosa.

Darrow ignorou a promessa e estendeu a mão.

— A Espada de Orynth, por favor.

Ren se sobressaltou.

— Você perdeu o juízo, Darrow.

Aedion apenas o encarou. O velho lorde insistiu:

— Esta espada pertence a um verdadeiro general de Terrasen, a seu príncipe-comandante. Como você não é mais o portador desse título, a espada voltará para Orynth. Até que um novo portador, mais adequado, possa ser escolhido.

— A espada está conosco, Darrow, por causa de Aedion — grunhiu Ren. — Se ele não a tivesse recuperado, ainda estaria enferrujando no tesouro de Adarlan.

— Aedion sempre terá nossa gratidão por isso. Pelo menos nesse quesito.

Um rugido maçante tomou a mente de Aedion. A mão de Darrow permaneceu estendida.

Ele merecia aquilo, pensou o guerreiro. Pelo fracasso naqueles campos de batalha, pelo fracasso em defender a terra que prometera a Aelin salvar. Pelo que fizera com a metamorfa que tomara seu coração desde o momento que ela havia destroçado aqueles soldados valg nos esgotos de Forte da Fenda.

Aedion desafivelou a espada antiga do cinto. Ren emitiu um som de protesto.

Mas ele ignorou o lorde e jogou a Espada de Orynth para Darrow.

A leveza onde a espada estivera o desequilibrou.

O velho encarou a arma nas mãos, chegando até mesmo a passar o dedo pelo punho de osso. O desgraçado desprezível mal conseguiu conter o assombro.

— A Espada de Orynth é apenas um pedaço de metal e osso. Sempre foi — disse Aedion, simplesmente. — É o que a espada inspira no portador que importa. O verdadeiro coração de Terrasen.

— Que poético de sua parte, Aedion. — Foi a resposta de Darrow antes de dar meia-volta, seguindo para onde quer que sua escolta estivesse esperando além do limite do acampamento. — Seu comandante, Kyllian, é agora o general da Devastação. Reporte-se a ele para receber ordens.

A neve que soprava espiralando-se devorou o velho lorde depois de poucos passos.

— Ao inferno que você não é general — praguejou Ren.

— Os lordes de Terrasen decretaram, então assim será.

— Por que não está lutando contra isso? — Os olhos do rapaz se incendiaram. — Acabou de entregar aquela espada...

— Estou cagando. — Aedion não se incomodou em esconder a exaustão, o desapontamento e a raiva na voz. — Que ele fique com a espada e com o exército. Estou cagando.

Ren não o impediu de se esgueirar para dentro da tenda, e Aedion não voltou a aparecer até a alvorada.

∽

Os lordes de Terrasen haviam tirado a espada do general Ashryver.

A notícia se espalhou de fogueira em fogueira, passando entre as fileiras.

O soldado era novo na Devastação, fora aceito nas fileiras apenas naquele verão. Uma honra, mesmo com a guerra sobre eles. Uma honra, embora a família do rapaz tivesse chorado ao vê-lo partir.

Para lutar pelo príncipe Aedion, para lutar por Terrasen — aquilo valera a pena, o peso de deixar seu lar na fazenda para trás. Deixar para trás aquela filha de fazendeiro de rosto doce que ele jamais tivera a chance de sequer beijar.

Aquilo valera a pena então. Mas não mais.

Os amigos que fizera nos meses de treino e luta estavam mortos.

Encolhido em torno da fogueira pequena demais, o soldado era o último deles, dos recrutas de rostos novos que haviam estado tão ansiosos para se testar contra os valg no início do verão.

Em pleno inverno, ele agora se chamava de tolo. Se é que se incomodava em falar.

Palavras tinham se tornado desnecessárias, estranhas. Tão estranhas quanto seu corpo semicongelado, que jamais se aquecia, embora ele dormisse o mais perto que ousava da fogueira. Se o sono o encontrava, era com os gritos dos feridos e moribundos. Com o conhecimento do que os perseguia em direção ao norte.

Não restava ninguém para ajudá-los. Para salvá-los. A rainha que achavam que estava entre eles era uma mentira. A farsa de uma metamorfa. Onde Aelin Galathynius lutava, o que julgara ser mais importante que eles, o soldado não sabia.

A noite frígida avançou, ameaçando devorar a pequena fogueira diante de si. O rapaz se aproximou mais da chama, estremecendo sob o manto desgastado, cada dor e arranhão do dia latejava.

Mas ele não abandonaria aquele exército. Não como alguns dos outros murmuravam. Mesmo com o príncipe Aedion destituído do título, mesmo com a rainha sumida, não abandonaria aquele exército.

Tinha feito um juramento para proteger Terrasen. Para proteger sua família. E o cumpriria.

Mesmo que agora soubesse que jamais os veria de novo.

※

A neve ainda caía quando voltaram a fugir.

E caiu durante os dois dias seguintes, perseguindo-os para o norte a cada longo quilômetro.

O decreto de Darrow teve pouco efeito. Kyllian recusou-se terminantemente a tomar qualquer decisão sem a aprovação de Aedion. Recusou-se a colocar a armadura adequada à patente. E recusou-se a ocupar a tenda de guerra.

Aedion sabia que tinha conquistado aquela lealdade havia muito tempo. Assim como a Devastação conquistara a sua. Mas aquilo não o impedia de odiá-la, apenas um pouco. De desejar que Kyllian assumisse de vez.

A perna de Lysandra estava curada o suficiente para que cavalgasse, mas o guerreiro pouco a via. Ela se mantinha ao lado de Ren, e os dois viajavam perto dos curandeiros, caso os pontos se abrissem. Quando a via, Lysandra costumava olhar com raiva para Aedion até que ele quisesse vomitar.

Ao terceiro dia, os batedores correram até o grupo. Relataram que Morath avançara e que se aproximava por trás... rápido.

Aedion sabia como aquilo terminaria. Via cada passo arrastado e rosto faminto a seu redor.

Orynth estava a meio dia de distância. Se fosse sobre terreno tranquilo, poderiam ter a chance de chegar e se colocar atrás das muralhas antigas. Mas entre eles e a cidade havia o rio Florine. Amplo demais para ser atravessado sem barcos. A ponte mais próxima estava longe demais ao sul para que arriscassem.

Naquela época do ano, podia ainda não ter congelado. E, mesmo assim, com o rio tão extenso e profundo, a camada de gelo que costumava cobri-lo ia até certo ponto. Para que o exército atravessasse, precisariam arriscar o colapso do gelo.

Havia outros caminhos até Orynth. Seguir direto para o norte, pelas montanhas Galhada do Cervo, e cortar de volta para o sul até a cidade aninhada ao pé da cadeia rochosa. Mas cada hora de atraso permitia que a horda de Morath ganhasse vantagem.

Aedion cavalgava ao lado de Kyllian quando Elgan galopou até eles, o cavalo bufando espirais de ar quente no dia de neve intensa.

— O rio está 16 quilômetros adiante — informou Elgan. — Precisamos tomar uma decisão agora.

Arriscar a ponte para o sul, ou o tempo que levariam para percorrer a longa rota até o norte. Ren, percebendo a reunião, avançou com o cavalo.

Kyllian esperou a ordem. Aedion arqueou a sobrancelha.

— Você é o general.

— Merda nenhuma — disparou Kyllian.

Aedion apenas se virou para Elgan.

— Alguma notícia sobre o estado do gelo?

Ele sacudiu a cabeça.

— Nenhuma notícia sobre isso, ou sobre a ponte.

Neve interminável e rodopiante esperava adiante. Aedion não ousou olhar para trás, para as fileiras de soldados que se arrastavam.

Ren, tão silenciosamente quanto viera, recuou para onde estivera cavalgando ao lado de Lysandra.

Asas bateram em meio ao vento e à neve, então um falcão disparou para o céu, uma das pernas estranhamente esticada sob o corpo.

— Continuem cavalgando. — Foi tudo o que disse Aedion aos companheiros.

Lysandra voltou em uma hora. Ela falou com Ren, e apenas com ele, então o jovem lorde saiu galopando até Aedion, onde Kyllian e Elgan ainda cavalgavam.

O rosto de Ren ficara pálido.

— Não há gelo no Florine. E os batedores de Morath avançaram, sorrateiros, e destruíram a ponte do sul.

— Estão nos empurrando para o norte — murmurou Elgan.

Ren assentiu.

— E nos alcançarão amanhã de manhã.

Não teriam tempo de considerar correr para a entrada norte de Orynth. E com o Florine a poucos quilômetros de distância, muito amplo e profundo para ser atravessado, além de frio demais para que ousassem nadar, e com Morath cercando-os na retaguarda, estavam completamente encurralados.

54

Chaol estava dando uma maçã da própria mão para Farasha, pois a linda égua preta ficara arredia depois do voo inédito.

Parecia que até mesmo o cavalo de Hellas podia sentir medo, embora Chaol supusesse que qualquer ser inteligente achasse inquietante estar pendurado a centenas de metros do céu.

— Outra pessoa poderia fazer isso por você. — Recostada contra a parede do estábulo da fortaleza, Yrene o observava trabalhar, monitorando cada passo profundamente claudicante. — Deveria descansar.

Chaol sacudiu a cabeça.

— Ela não tem ideia do que está acontecendo. Eu gostaria de tentar acalmá-la antes que durma.

Antes da batalha do dia seguinte... antes que conseguissem ter uma chance de salvar Anielle, de fato.

Ele ainda digeria tudo que acontecera nos últimos meses em que estivera fora. As batalhas e as perdas. Aonde Dorian fora com Manon e as Treze. Chaol só conseguia rezar para que o amigo fosse bem-sucedido; e para que não tomasse para si a tarefa de forjar o Fecho.

Precisando pensar em tudo que descobrira, Chaol deixara Aelin e os demais perto do grande salão, para que encontrassem qualquer comida que conseguissem, e imediatamente levara Farasha até ali. Em grande parte, pela segurança de todos em torno da égua Muniqi, pois ela tentara arrancar um pedaço do soldado mais próximo assim que seu capuz fora retirado. Nem mesmo o barrete havia escondido do animal exatamente o que estivera acontecendo com a caixa enorme na qual o prenderam.

Mas como Farasha não arrancou fora a mão de Chaol antes de mordiscar a maçã, ele rezou para que ela o perdoasse pelo voo turbulento. Parte dele se perguntava se a égua sabia que suas costas doíam, que ele precisava da bengala, mas que escolhera estar ali.

Chaol passou a mão pela crina ébano da égua, então deu tapinhas no pescoço forte.

— Pronta para pisotear alguns brutamontes valg amanhã, minha amiga?

Farasha bufou, voltando o olho preto para ele, como se para dizer: Você *está?*

Ele sorriu, e Yrene riu baixinho.

— Eu deveria voltar para o corredor — comentou a curandeira. — Ver quem precisa de ajuda. — Mas ela se deteve.

Os olhos dos dois se encontraram por cima do dorso musculoso de Farasha. Chaol deu a volta pelo cavalo, ainda com cuidado para não ser mordido.

— Eu sei — disse ele, em voz baixa.

Yrene inclinou a cabeça.

— Sabe o quê?

Chaol entrelaçou os dedos de ambos. Então apoiou as mãos dos dois sobre o abdômen ainda plano da esposa.

— Ah! — Foi tudo que Yrene disse, escancarando a boca. — Eu... *Como?*

O coração de Chaol galopou.

— É verdade, então.

Os olhos dourados da jovem observaram os dele.

— Quer que seja?

Ele passou a mão pela bochecha de Yrene.

— Mais do que eu imaginava.

O sorriso da curandeira foi grande e lindo o bastante para partir o coração de Chaol.

— É verdade — sussurrou ela.

— Quanto tempo?

— Quase dois meses.

Ele observou a barriga da esposa, o lugar que logo incharia com a criança crescendo ali dentro. Seu filho.

— Estou presumindo que não me contou porque não queria que eu me preocupasse.

Yrene mordeu o lábio.

— Algo assim.

Ele riu.

— E quando você começasse a andar se balançando por aí, com a barriga quase explodindo?

Yrene lhe bateu no braço.

— Não vou me *balançar*.

Chaol gargalhou e a envolveu em um abraço.

— Vai se balançar lindamente, foi o que eu quis dizer. — A risada de Yrene reverberou em Chaol, e ele lhe beijou o alto da cabeça, então a têmpora. — Vamos ter um filho — murmurou ele contra os cabelos da curandeira.

Os braços da jovem se fecharam em torno do marido.

— Vamos — sussurrou ela. — Mas como soube?

— Meu pai — resmungou Chaol — aparentemente tem mais capacidade de observação que eu.

Ele sentiu, mais do que viu, Yrene encolher o corpo.

— Não está com raiva porque não contei?

— Não. Eu gostaria de ter ouvido de seus lábios primeiro, mas entendo por que ainda não queria dizer nada. Por mais bobo que seja — acrescentou Chaol, mordiscando-lhe a orelha. Yrene o cutucou nas costelas, e ele riu de novo. Gargalhou, apesar de a cada dia que travava aquela batalha, de a cada oponente que enfrentava, temer cometer um erro fatal. Não conseguira esquecer que, caso morresse, os levaria com ele.

Os braços de Yrene o apertaram, e ela aninhou a cabeça contra o peito de Chaol.

— Você vai ser um pai incrível — disse ela, baixinho. — O mais incrível que já existiu.

— Isso é, de fato, um grande elogio, vindo da mulher que queria me atirar da janela mais alta da Torre alguns meses atrás.

— Uma curandeira jamais seria tão pouco profissional.

Chaol sorriu, então inspirou o cheiro da esposa antes de se afastar e roçar a boca contra a de Yrene.

— Estou mais feliz do que conseguiria expressar, Yrene, por compartilhar isso com você. Qualquer coisa que precisar, estou às ordens.

Os lábios da jovem se voltaram para cima.

— Palavras perigosas.

Mas Chaol passou o polegar pela aliança da curandeira.

— Precisarei vencer esta guerra rapidamente, então, para poder ter nossa casa construída até o verão.

Ela revirou os olhos.

— Um motivo nobre para derrotar Erawan.

Chaol roubou outro beijo de Yrene.

— Por mais que queira mostrar a você o quanto estou às ordens — disse ele contra a boca da curandeira —, tenho outro assunto com que lidar antes de deitar.

Yrene ergueu as sobrancelhas.

Ele fez uma careta.

— Preciso apresentar Aelin a meu pai. Antes de os dois se esbarrarem. — O homem não estivera perto do salão quando o grupo chegara, e Chaol ficara preocupado demais com o bem-estar de Farasha para se incomodar em sair atrás do lorde.

Yrene se encolheu, embora diversão tivesse brilhado em seus olhos.

— É ruim eu querer me juntar a você? E levar um lanchinho?

Chaol passou o braço por cima dos ombros dela, dando a Farasha uma carícia de despedida antes de partirem. Apesar da bengala, cada passo era tortuoso, e a dor nas costas irradiava pelas pernas, mas aquilo era secundário. Tudo aquilo, mesmo a maldita guerra, era secundário em relação à mulher a seu lado.

Ao futuro que construiriam juntos.

~

Assim como a conversa de Yrene com Chaol fora boa, as coisas entre Aelin Galathynius e o pai do lorde correram mal.

Yrene não levou lanches, mas isso se deu apenas porque, quando chegaram ao grande salão, interceptaram o pai de Chaol já disparando para o quarto onde Aelin e os companheiros se recolheram para descansar.

— Pai — disse Chaol, caminhando a passos pesados a seu lado.

A curandeira não falou nada ao monitorar os movimentos de Chaol. A dor nas costas devia ser grande se ele andava com tanta dificuldade, mesmo enquanto a magia da esposa se recuperava. Yrene não fazia ideia de onde Chaol deixara a cadeira, se fora esmagada sob escombros caídos. Ela rezava para que não.

— Você não se incomoda em me acordar quando a rainha de Terrasen chega a meu castelo? — esbravejou o pai.

— Não era uma prioridade. — Chaol parou diante da porta que dava para o pequeno aposento que fora desocupado para uso da rainha e bateu.

Um resmungo foi a única confirmação antes que ele abrisse a porta com o ombro apenas o suficiente para passar a cabeça.

— Meu pai gostaria de vê-la — disse Chaol para quem quer que estivesse lá dentro, provavelmente a rainha.

Silêncio, então o farfalhar de roupas e passos.

Yrene se manteve para trás quando Aelin Galathynius apareceu, o rosto e as mãos limpos, mas as roupas ainda sujas. A seu lado se encontrava aquele guerreiro feérico alto de cabelos prateados: Rowan Whitethorn. Do qual a realeza falara com tanto medo e respeito meses antes. No quarto, Lady Elide estava sentada contra a parede mais afastada, com uma bandeja de comida próxima, enquanto o gigantesco lobo branco estava esparramado no chão, monitorando com os olhos semiabertos.

Era um choque ver a metamorfose, perceber que os feéricos podiam ser poderosos e antigos, mas que ainda tinham um pé na floresta. A rainha, ao que parecia, preferia aquela forma também, as orelhas delicadamente pontiagudas meio escondidas pelos cabelos soltos. Atrás dela, não havia sinal do guerreiro melancólico de cabelos dourados, Gavriel, nem do guerreiro completamente apavorante, Lorcan. Graças a Silba por aquilo, pelo menos.

Aelin deixou a porta aberta, embora os dois membros da corte tivessem permanecido sentados. Entediados, quase.

— Ora, ora. — Foi tudo o que a rainha disse ao sair para o corredor.

O pai de Chaol olhou para o príncipe guerreiro ao lado de Aelin, então virou a cabeça para o filho e falou:

— Presumo que os dois tenham se conhecido em Wendlyn. Depois que você a mandou para lá.

Yrene ficou tensa diante da provocação na voz do homem. Canalha. Um canalha horrível.

Aelin emitiu um estalo com a língua.

— Sim, sim, vamos tirar tudo isso do caminho. Embora eu não ache que seu filho esteja arrependido, não é? — Os olhos se voltaram para Yrene, que tentou não se encolher diante daquele olhar turquesa e dourado. Diferente do fogo que ela vira naquela noite em Innish, mas ainda cheio de uma atenção aguçada. Diferentes, as duas estavam diferentes das jovens que foram. Um sorriso curvou a boca da rainha. — Acho que ele se saiu bastante bem. — Ela franziu a testa para o consorte. — Yrene, pelo menos, não parece ser do tipo que rouba o cobertor e ronca no ouvido do outro a noite toda.

A jovem curandeira tossiu enquanto o príncipe Rowan apenas sorriu para a rainha.

— Não me importo com seus roncos — retrucou ele, tranquilamente.

A boca de Aelin se repuxou quando ela se virou para o pai de Chaol. A risada da própria Yrene cessou diante da falta de luz no rosto do lorde. Chaol ficou tenso como um arco puxado conforme a rainha disse para o homem:

— Não desperdice o fôlego com provocações. Estou cansada e faminta, e não vai acabar bem para você.

— Esta é minha fortaleza.

Aelin olhou dramaticamente para o teto, as paredes, o chão.

— É mesmo?

Yrene precisou abaixar a cabeça para esconder o sorriso. Assim como Chaol.

— Creio que não ficará em nosso caminho — continuou a rainha.

Uma linha desenhada na areia. O fôlego de Yrene ficou preso na garganta. O homem simplesmente retrucou:

— Da última vez que verifiquei, você não era a rainha de Adarlan.

— Não, mas seu filho é Mão do Rei, o que significa que ele está acima de você. — Aelin sorriu para Chaol com uma meiguice terrível. — Não contou isso a ele?

Yrene e Aelin não eram mais as jovens que tinham sido em Innish, era verdade, mas aquele fogo selvagem ainda permanecia no espírito da rainha. Fogo selvagem com um toque de insensatez.

Chaol deu de ombros.

— Imaginei que contaria quando chegasse o momento.

O pai o encarou com raiva.

O príncipe Rowan, no entanto, se dirigiu ao homem:

— Você defendeu e preparou seu povo de forma admirável. Não temos planos de tirar isso de você.

— Não preciso da aprovação de trogloditas feéricos — replicou o lorde, com escárnio.

Aelin deu tapinhas em um dos ombros de Rowan.

— Troglodita. Gostei disso. Melhor que "busardo", não?

Yrene não fazia ideia do que a rainha estava falando, mas conteve a risada mesmo assim.

Aelin esboçou uma reverência debochada para o Lorde de Anielle.

— E com essa linda observação de despedida, vamos voltar para terminar nosso jantar. Aproveite a noite, nos veremos nas ameias amanhã e, por favor, vá para o inferno.

Então a rainha se virou, guiando o marido para dentro com a mão. Mas não antes de lançar um sorriso por cima do ombro para Yrene e Chaol, e dizer, com os olhos brilhando, com alegria e acolhimento dessa vez:

— Parabéns.

Como ela sabia, Yrene não fazia ideia. Mas os feéricos tinham um olfato sobrenatural.

A curandeira sorriu mesmo assim ao fazer uma reverência com a cabeça... logo antes de Aelin bater a porta na cara do Lorde de Anielle.

Chaol se virou para o pai, qualquer indício de diversão sabiamente escondido.

— Bem, você a viu.

O homem estremeceu com o que Yrene achou ser uma combinação de ódio e humilhação, então saiu batendo os pés. Foi uma das melhores coisas que ela já testemunhara.

Pelo sorriso de Chaol, a jovem sabia que o marido achava o mesmo.

— Que homem horrível. — Elide terminou a coxa de frango e entregou outra para Fenrys, que tinha voltado à forma feérica. Ele avançou na carne com um grunhido de agradecimento. — Coitado de Lorde Chaol.

Aelin, recostando-se contra a parede e esticando as pernas doloridas diante do corpo, terminou a própria porção de frango e atacou um pedaço de pão preto.

— Coitado de Chaol, coitada da mãe, coitado do irmão. Coitados de todos que precisam lidar com ele.

Na única e estreita janela do aposento, monitorando o exército sombrio a centenas de metros abaixo, Rowan debochou:

— Você estava com um humor raro esta noite.

Aelin o cumprimentou com o pedaço de pão de aveia denso.

— Qualquer um que interrompa meu jantar arrisca pagar o preço.

Rowan revirou os olhos, mas sorriu. Exatamente como Aelin o vira fazer quando os dois sentiram o cheiro do que estava em Yrene. Do filho nela.

Ela estava feliz pela curandeira — pelos dois. Chaol merecia aquela alegria, talvez mais que qualquer um. Tanto quanto seu parceiro.

Aelin não deixou os pensamentos divagarem. Não ao terminar o pão e ir até a janela, recostando-se contra Rowan. Ele passou o braço em torno dos ombros da parceira, casual e tranquilo.

Nenhum deles mencionou Maeve.

Elide e Fenrys continuaram comendo em silêncio, dando aos dois a privacidade que podiam no pequeno quarto vazio que compartilhariam, passando a noite em sacos de dormir. O Lorde de Anielle, ao que parecia, não compartilhava do apreço da rainha por luxo. Ou confortos básicos para os convidados. Como banhos quentes. Ou camas.

— Os homens estão apavorados — comentou Rowan, olhando para os andares da fortaleza abaixo. — Dá para sentir o cheiro.

— Eles têm mantido a fortaleza há dias. Sabem o que os espera ao alvorecer.

— Seu medo — começou Rowan, a mandíbula se contraindo — é prova de que não confiam em nossos aliados. Prova de que não confiam no exército do khagan para realmente salvá-los. Isso resultará em lutadores descuidados. Pode criar uma fraqueza quando não deveria haver uma.

— Talvez você devesse ter avisado a Chaol — observou Aelin. — Ele poderia ter feito um discurso de motivação.

— Tenho a sensação de que Chaol já fez vários. Esse tipo de medo apodrece a alma.

— O que pode ser feito a esse respeito, então?

Rowan sacudiu a cabeça.

— Não sei.

Mas Aelin sentiu que ele sabia. Sentiu que ele queria dizer algo mais e que foi impedido, ou pela companhia presente, ou por algum tipo de hesitação.

Então ela não insistiu e observou as ameias com os soldados patrulhando, com o exército sombrio e amplo além delas. Urros e uivos tomavam a noite, sons tão sobrenaturais que causavam tremor em sua espinha.

— Uma batalha em terra é mais fácil ou pior que uma no mar? — perguntou Aelin ao marido, ao parceiro, olhando para o rosto tatuado.

Ela enfrentara somente os navios em baía da Caveira, e mesmo aquilo terminara relativamente rápido. E contra os ilken que os encurralaram nos pântanos de Pedra, fora mais um extermínio que qualquer outra coisa. Não o que os aguardava no dia seguinte. Não o que seus amigos tinham combatido no mar Estreito, enquanto Aelin e Manon estavam no espelho, e então com Maeve na praia.

Rowan refletiu.

— São igualmente caóticas, mas de formas diferentes.

— Prefiro lutar em terra — grunhiu Fenrys.

— Porque ninguém gosta do cheiro de cachorro molhado? — perguntou Aelin, por cima do ombro.

O macho gargalhou.

— Exatamente por isso. — Pelo menos ele sorria de novo.

A boca de Rowan se contraiu, mas os olhos estavam ríspidos observando o exército inimigo.

— A batalha de amanhã será igualmente brutal — comentou ele. — Mas o plano é sólido.

Estariam nas ameias com Chaol, preparando-se para qualquer manobra desesperada que os soldados de Morath pudessem tentar quando se vissem cercados e esmagados pelo exército do khagan. Elide estaria com Yrene e as outras curandeiras no grande salão, ajudando os feridos.

Onde Lorcan e Gavriel estariam, Aelin só podia imaginar. Ambos tinham se dispersado ao chegar, o segundo fora vigiar algum lugar, enquanto o primeiro devia estar emburrado. Mas provavelmente logo lutariam a seu lado.

Como se os pensamentos o tivessem convocado, Gavriel entrou no quarto discretamente.

— O exército parece bastante quieto — avaliou ele à guisa de cumprimento, então, sem cerimônias, se sentou no chão ao lado de Fenrys e puxou o prato de frango para si. — Os homens estão cheios de medo. Dias defendendo essas muralhas os esgotaram.

Rowan assentiu, sem se incomodar em dizer que tinham acabado de discutir aquilo enquanto o Leão destrinchava a comida.

— Precisaremos nos certificar de que não recuem amanhã, então.

De fato.

— Eu estava me perguntando — disse Elide depois de um momento, a nenhum deles em particular. — Considerando que Maeve é uma impostora, quem governaria Doranelle se ela fosse banida com todos os outros valg?

— Ou se fosse carbonizada — murmurou Fenrys.

Aelin poderia ter dado um sorriso sombrio, mas a pergunta de Elide lhe calou fundo.

Gavriel apoiou o frango lentamente.

O braço de Rowan se abaixou dos ombros da rainha, e os olhos verde-pinho se arregalaram.

— Você.

Aelin piscou.

— Há outros da linhagem de Mab. Galan ou Aedion...

— O trono passa pela linhagem materna, somente para uma fêmea. Ou deveria ter passado — explicou Rowan. — Você é a única fêmea com direito direto e indissolúvel à linhagem de Mab.

— E sua casa, Rowan — lembrou Gavriel. — Alguém em sua casa teria direito à metade de Mora do trono.

— Sellene. Iria para ela. — Mesmo como príncipe, a ancestralidade que ligava o próprio Rowan à linhagem de Mora tinha se diluído a ponto de estar apenas no nome. Aelin era parente mais próxima de Elide, provavelmente de Chaol também, que de Rowan, apesar da ancestralidade distante.

— Bem, Sellene pode ficar com o trono — declarou a rainha, limpando das mãos uma poeira inexistente. — Doranelle é dela.

Aelin não colocaria os pés naquela cidade de novo, com ou sem Maeve. Não tinha certeza se isso a tornava uma covarde. Não ousou buscar o murmúrio reconfortante da magia.

— O Povo Pequenino sabia mesmo — considerou Fenrys, esfregando o maxilar. — O que você era.

Eles sempre a conheceram, o Povo Pequenino. Salvaram sua vida dez anos antes e salvaram a vida deles durante as últimas semanas. Eles a conheciam e tinham deixado presentes para ela. Tributos, pensara Aelin, para a herdeira de Brannon. Não para...

— A Rainha Feérica do Ocidente — murmurou Gavriel.

Silêncio.

— Isso é um título de verdade? — perguntou Aelin.

— Agora é — murmurou Fenrys, enquanto Aelin lhe lançava um olhar.

— Com Sellene como Rainha Feérica do Oriente — refletiu Rowan.

Ninguém falou por um bom minuto.

Aelin suspirou para o teto.

— O que é mais um título chique, imagino?

O grupo não respondeu, e ela tentou não deixar que aquele título se assentasse pesado demais. Tudo que implicava. Que ela poderia não apenas cuidar do Povo Pequenino naquele continente, mas, com a equipe, começar uma nova terra natal para qualquer feérico que pudesse querer se juntar a eles. Para qualquer um dos feéricos que tivesse sobrevivido ao massacre em Terrasen dez anos antes, e talvez quisesse voltar.

Um sonho de tolo. Um que ela provavelmente não veria. Não criaria.

— A Rainha Feérica do Ocidente — disse Aelin, saboreando as palavras na língua.

Perguntando-se por quanto tempo poderia se chamar assim.

Pelo silêncio pesado, ela sabia que seus companheiros contemplavam o mesmo. E pela dor nos olhos de Rowan, o ódio e a determinação, ela sabia que ele já calculava se aquilo poderia, de alguma forma, poupá-la do altar sacrificial.

Mas isso viria mais tarde. Depois do dia seguinte. Se sobrevivessem.

Havia um portão, e a eternidade jazia além do arco preto.

Mas não para ela. Não, não haveria um Além-mundo para ela.

Os deuses tinham construído outro caixão, dessa vez confeccionado daquela pedra escura e reluzente.

Pedra que seu fogo jamais conseguiria derreter. Jamais perfuraria. A única forma de escapar seria se tornar aquilo — se dissolver naquilo como espuma do mar em uma praia.

Cada fôlego era mais curto que o anterior. Não tinham colocado nenhum buraco naquele caixão.

Além do confinamento próprio, ela sabia que havia um segundo caixão ao lado. Sabia porque os gritos abafados ali dentro ainda a alcançavam.

Duas princesas, uma dourada e uma prateada. Uma jovem e uma antiga. Ambas o custo de selar aquele portão pela eternidade.

O ar acabaria em breve. Ela já perdera muito ao raspar freneticamente a pedra. As pontas dos dedos pulsavam onde ela quebrara unhas e rasgara pele.

Aqueles gritos de mulher ficaram mais baixos.

Ela deveria aceitar aquilo, receber aquilo. Apenas quando o fizesse a tampa se abriria.

O ar estava tão quente, tão precioso. Ela não conseguia sair, não conseguia sair...

Aelin se obrigou a acordar. O quarto permanecia escuro, a respiração profunda dos companheiros seguia constante.

Ar fresco, livre. As estrelas eram visíveis pela janela estreita.

Nenhum caixão de pedra de Wyrd. Nenhum portão pronto para devorá-la inteira.

Mas Aelin sabia que estavam observando, de alguma forma. Aqueles deuses malditos. Mesmo ali, estavam observando. Esperando.

Um sacrifício. Era tudo o que era para eles.

Náusea revirou seu estômago, mas ela ignorou aquilo, ignorou os tremores que ondulavam pelo corpo. O calor sob a pele.

Aelin se virou de lado, aninhando-se para mais perto do calor sólido de Rowan. Os gritos abafados de Elena ainda ecoavam em seus ouvidos.

Não, ela não ficaria indefesa de novo.

≈ 55 ≈

Estar em uma forma feminina não era exatamente o que Dorian havia esperado.

A forma como andava, a forma como mexia o quadril e as pernas... estranho. Tão inquietantemente estranho. Se alguma das Crochan tinha reparado em uma jovem bruxa entre elas, caminhando em círculos, agachando-se e esticando as pernas, não parara de trabalhar enquanto preparavam o acampamento para partir.

Então havia a questão dos seios, os quais Dorian jamais imaginara serem tão... incômodos. Não era desagradável, mas o choque ao esbarrar os braços ali, a necessidade de ajustar a postura para acomodar o pequeno peso, ainda era tudo novo depois de algumas horas.

Ele mantivera a transformação o mais simples possível: escolhera uma jovem Crochan na noite anterior, uma das novatas que poderia não ser necessária em todos os momentos ou notada com muita frequência, e a estudara até ela provavelmente achar que Dorian era um tarado.

Naquela manhã, a imagem do rosto e da silhueta da jovem ainda estava plantada em sua mente, e Dorian fora até o limite do acampamento e simplesmente a desejara.

Bem, talvez não simplesmente. A metamorfose ainda não era uma sensação completamente prazerosa enquanto os ossos se ajustavam, o couro cabeludo formigava com os cabelos castanhos longos que cresciam em ondas reluzentes, e o nariz coçava ao ser moldado novamente em uma delicada curva.

Durante longos minutos, Dorian apenas olhara para si mesmo. Para as mãos delicadas, os pulsos menores. Incrível, quanta força os minúsculos ossos continham. Algumas batidinhas sutis entre as pernas lhe informaram o suficiente sobre as mudanças na região.

Então ele permanecera no mesmo lugar durante as duas horas seguintes, aprendendo como o corpo feminino se movia e funcionava. Completamente diferente de aprender como um corvo voava; como dominava o vento.

Ele achava que sabia tudo sobre o corpo feminino. Como fazer uma mulher ronronar de prazer. Mas estava em parte tentado a encontrar uma tenda e aprender em primeira mão qual era a sensação de algumas coisas.

Não era um uso eficiente de seu tempo. Não com o acampamento se preparando para partir.

As Treze estavam ansiosas. Ainda não tinham decidido aonde ir. E não tinham sido convidadas a viajar com as Crochan para qualquer uma das fogueiras de seu lares. Mesmo a de Glennis.

Nenhuma, no entanto, olhara quando Dorian passara. Nenhuma o reconhecera.

Ele acabara de completar outro circuito de caminhada na pequena área de treino quando se deparou com Manon, os cabelos prateados oscilando. Ele parou, sem passar de uma sentinela Crochan cautelosa, e a observou sair batendo os pés em meio à neve e à lama, como se fosse uma lâmina cortando o mundo.

Manon quase passou direto pela área de treino, mas então ficou imóvel.

Lentamente, ela se virou, suas narinas se dilatando.

Aqueles olhos dourados o percorreram, ágil e rispidamente.

As sobrancelhas de Manon se franziram. Dorian apenas deu a ela um sorriso preguiçoso em resposta.

Então a bruxa caminhou até ele.

— Fico surpresa por não estar se apalpando.

— Quem disse que já não fiz isso?

Outro olhar de avaliação.

— Achei que você escolheria uma forma mais bonita.

Ele franziu a testa para o próprio corpo.

— Acho que ela é bem bonita.

A boca de Manon se contraiu.

— Imagino que isso queira dizer que você está prestes a ir para Morath.

— Por acaso eu disse isso? — Dorian não se incomodou em parecer agradável.

Manon deu um passo em sua direção, exibindo os dentes. Naquela forma, ele era mais baixo que ela. Dorian odiou a excitação que disparou por seu corpo quando a bruxa se aproximou e grunhiu para ele:

— Já temos muito com que lidar hoje, principezinho.

— Por acaso parece que estou no seu caminho?

Manon abriu a boca, depois a fechou.

Dorian soltou uma risada baixa e fez menção de se virar. A mão com a ponta de ferro lhe segurou o braço.

Estranho aquela mão parecer grande em seu corpo. Grande, em vez da coisa fina e letal com a qual ele se acostumara.

Os olhos dourados da bruxa se incendiaram.

— Se quer uma mulher de coração mole que vai chorar pelas escolhas difíceis e, no fim, recuar, então está na cama errada.

— Não estou na cama de ninguém agora.

Ele não fora para a sua tenda em nenhuma daquelas noites. Não desde a conversa em Eyllwe.

Manon aceitou a réplica sem nem mesmo estremecer.

— Sua opinião não importa para mim.

— Então por que está parada aqui?

De novo, ela abriu e fechou a boca. A seguir, grunhiu:

— Saia dessa forma.

Dorian sorriu de novo.

— Não tem coisas melhores a fazer no momento, Vossa Majestade?

Ele realmente achou que Manon projetaria aqueles dentes de ferro e rasgaria seu pescoço. Uma parte de Dorian queria que ela tentasse. Ele até mesmo chegou a passar uma daquelas mãos fantasmas pelo maxilar da bruxa.

— Acha que não sei por que você não quer que eu vá para Morath?

Dorian poderia ter jurado que Manon havia tremido. Poderia ter jurado que ela arqueara o pescoço, apenas um pouco, inclinando-se na direção daquele toque fantasma.

Ele levou aqueles dedos invisíveis ao pescoço da bruxa, passando-os por sua clavícula.

— Peça para eu ficar — disse ele, e as palavras não tinham nenhum carinho, nenhuma bondade. — Peça para eu ficar com você, se é o que quer. — Os dedos invisíveis projetaram garras e roçaram a pele dela. A garganta de Manon tremeu. — Mas você não vai pedir isso, não é, Manon? — A respiração da bruxa ficou irregular. Dorian continuou acariciando o pescoço e o maxilar, acariciando a pele que ele provara diversas vezes. — Sabe por quê?

Quando a bruxa não respondeu, ele deixou que uma daquelas garras fantasmas se enterrasse, apenas levemente.

Manon engoliu em seco, mas não por medo.

Dorian se aproximou, inclinando a cabeça para trás, e encarou-a ao ronronar:

— Porque embora seja mais velha, seja letal de milhares de formas diferentes, bem no fundo, tem medo. Não sabe *como* me pedir para ficar, porque tem medo de admitir para si mesma que quer isso. Você tem medo. De si mesma mais que de qualquer um no mundo. Você tem medo.

Durante vários segundos, Manon apenas o encarou.

— Não sabe do que está falando — grunhiu ela então, e saiu batendo os pés.

A risada baixa de Dorian irradiou atrás da bruxa. A coluna de Manon enrijeceu.

Mas ela não se virou.

Medo. De admitir que sentia qualquer tipo de apego.

Era absurdo.

E, talvez, verdade.

Mas não era problema seu. Não no momento.

Manon saiu andando pelo acampamento em preparação, onde tendas eram retiradas e dobradas, fogueiras eram recolhidas. As Treze estavam com as serpentes aladas, e os suprimentos já tinham sido guardados nas algibeiras das selas.

Algumas das Crochan franziram a testa em sua direção. Não com raiva, mas com algo como decepção. Descontentamento. Como se achassem que se separar fosse uma má ideia.

Manon evitou dizer que concordava. Mesmo que as Treze as seguissem, as Crochan encontrariam uma forma de despistá-las. De usar o poder para prender as serpentes aladas por tempo o suficiente a fim de desaparecerem.

E ela não iria se rebaixar nem rebaixar as Treze até que se tornassem cães seguindo os mestres. Podiam estar desesperadas por ajuda, podiam ter prometido ajudar os aliados, mas a bruxa não se diminuiria mais.

Manon parou no acampamento de Glennis, a única fogueira que ainda queimava. Uma fogueira que sempre ficaria acesa.

Um lembrete da promessa feita... de honrar a rainha de Terrasen. Uma única chama solitária contra o frio.

Manon esfregou o rosto ao se sentar em uma das rochas que ladeava a fogueira.

A mão de alguém repousou sobre seu ombro, quente e leve. Ela não se incomodou em afastá-la.

— Partiremos em alguns minutos — avisou Glennis. — Queria vir me despedir.

Manon olhou para a bruxa idosa.

— Bom voo.

Era realmente a única coisa que restava a dizer. O fracasso de Manon não se devia a Glennis, não se devia a ninguém exceto ela mesma, supunha a bruxa.

Você tem medo.

Era verdade. Ela tentara, mas não *tentara* de verdade conquistar as Crochan. Deixar que vissem qualquer parte sua que significasse alguma coisa. Deixar que vissem como a afetara saber que tinha uma irmã e que a matara. Manon não sabia como e jamais se incomodara em aprender.

Você tem medo.

Sim, tinha. De tudo.

Glennis tirou a mão do ombro de Manon.

— Que seu caminho a leve em segurança pela guerra e de volta para casa, enfim.

A jovem bruxa não sentiu vontade de dizer à idosa que não havia um lar para ela, ou para as Treze.

Glennis virou o rosto para o céu, suspirando uma vez.

Então as sobrancelhas brancas se franziram. As narinas se dilataram.

— *Fuja* — sussurrou ela. — *Fuja agora.*

Manon sacou Ceifadora do Vento e não fez nada daquilo.

— O que foi?

— Elas estão aqui. — Como Glennis sentira seu cheiro no vento não importava.

Não quando três serpentes aladas surgiram das nuvens, disparando para o acampamento.

Manon conhecia aquelas serpentes quase tão bem quanto conhecia as três montadoras que levaram as Crochan a um frenesi de movimento.

As Matriarcas dos clãs de bruxas Dentes de Ferro as haviam encontrado. E tinham vindo terminar o que Manon começara naquele dia em Morath.

56

As três Grã-Bruxas tinham aparecido sozinhas.

Isso não impediu as Crochan de se posicionarem, levando as vassouras rapidamente ao ar — algumas tremendo com o que só podia ser reconhecimento.

A pressão em Ceifadora do Vento se intensificou com o leve tremor da mão de Manon quando as três bruxas aterrissaram no limite da fogueira de Glennis, as serpentes aladas esmagando tendas sob elas.

Asterin e Sorrel se colocaram imediatamente ao lado de Manon, o murmúrio da imediata engolido pelo estalo das tendas se quebrando.

— As Sombras estão no ar, mas sinalizaram que não há indício de outra unidade.

— Nenhuma das alianças?

— Não. E nenhum sinal de Iskra ou Petrah.

Manon engoliu em seco. As Matriarcas tinham realmente ido sozinhas. Haviam voado de onde estiveram reunidas e, de alguma forma, as encontrado.

Ou as rastreado.

Ela não permitiu que o pensamento ganhasse força. A ideia de que poderia ter levado as três Matriarcas direto para aquele acampamento. Os grunhidos baixos das Crochan ao redor, apontando *para* Manon, diziam o bastante sobre a opinião do grupo.

As serpentes aladas se acalmaram, e suas longas caudas se enroscaram em torno do corpo, com aqueles espinhos mortais, embebidos em veneno, prontos para infligir a morte.

Passos apressados esmagaram a neve gelada, parando ao lado de Manon no momento que o cheiro de Dorian a envolveu.

— Aquela é...

— Sim — respondeu ela, em voz baixa, com o coração galopando conforme as Matriarcas desmontavam e não erguiam as mãos pedindo para negociar. Não, apenas caminhavam para mais perto da fogueira, para a preciosa chama que ainda queimava. — Não avance — avisou Manon a ele e às demais, então andou para encontrar as Matriarcas.

Não era a batalha do rei, não importava que poder residisse em suas veias.

Glennis já estava armada, uma antiga espada nas mãos enrugadas. A mulher era tão velha quanto a Matriarca das Pernas Amarelas, mas se posicionou de forma altiva, encarando as três Grã-Bruxas.

Cresseida Sangue Azul falou primeiro, com os olhos tão frios quanto a coroa de espinhos de ferro que se enterrava em sua testa cheia de sardas.

— Faz uma era, Glennis.

Mas o olhar de Glennis, percebeu Manon, não estava na Matriarca Sangue Azul. Ou mesmo na avó de Manon, cujas vestes pretas oscilavam enquanto ela olhava com desprezo para a própria neta.

Estava sobre a Matriarca das Pernas Amarelas, curvada e desprezível entre as duas. Estava na coroa de estrelas sobre os finos cabelos brancos da bruxa.

A espada de Glennis tremeu levemente. E bem no momento que Manon se deu conta do que a Matriarca resolvera usar para ir até ali, Bronwen apareceu ao lado de Glennis e sussurrou:

— A coroa de Rhiannon.

Usada pela Matriarca Pernas Amarelas para debochar daquelas bruxas. Para cuspir nelas.

Um rugido constante começou nos ouvidos de Manon.

— Com que companhia você anda ultimamente, neta — disse a avó, com os cabelos pretos manchados de prata trançados para trás.

Um sinal evidente da intenção das três, se os cabelos da avó de Manon estavam naquela trança.

Batalha. Aniquilação.

O peso da atenção das três Grã-Bruxas recaiu sobre ela. As Crochan reunidas atrás de Manon se agitaram ao esperar por uma resposta.

Mas foi Glennis quem grunhiu, com uma voz que Manon ainda não ouvira:

— O que você quer?

A avó de Manon sorriu, revelando os dentes de ferro enferrujados. O verdadeiro sinal de sua idade.

— Cometeu um erro grave, Manon Matadora das Suas, quando tentou voltar nossas forças contra nós. Quando semeou tais mentiras entre nossas sentinelas com relação a nossos planos... meus planos.

Manon manteve o queixo erguido.

— Eu só disse verdades. E deve tê-la apavorado tanto que você reuniu essas duas para me caçar e provar sua inocência nas maquinações contra elas.

As outras duas Matriarcas nem mesmo piscaram. As garras da avó deviam estar bem enterradas ali, então. Ou simplesmente não se importavam.

— Nós viemos — disse Cresseida, irritada, o oposto, de tantas formas, da filha que dera a Manon a chance de falar — para, enfim, nos livrarmos de um espinho no pé.

Será que Petrah tinha sido punida por deixar que Manon saísse da Ômega com vida? Será que a herdeira Sangue Azul ainda respirava? Cresseida certa vez gritara com o terror e a dor de uma mãe quando Petrah quase caíra para a morte. Será que aquele amor, tão diferente e estranho, ainda se mantinha? Ou será que o dever e o antigo ódio tinham vencido?

Aquele pensamento bastou para dar coragem a Manon.

— Vocês vieram porque representamos uma ameaça.

Por causa da ameaça que você representa ao monstro que chama de avó.

— Vocês vieram — prosseguiu ela, erguendo Ceifadora do Vento um pouco — porque têm medo.

Manon deu um passo além de Glennis, levantando mais a espada.

— Vocês vieram — prosseguiu a jovem bruxa — porque não têm poder de verdade além do que *nós* damos a vocês. E estão morrendo de medo de estarmos prestes a tirá-lo. — Ela girou Ceifadora do Vento na mão, inclinando a espada para baixo e desenhando uma linha na neve entre elas. — Vieram sozinhas por causa desse medo. De que outras vejam do que somos capazes. A verdade que sempre buscaram esconder.

A avó de Manon emitiu um *tsc tsc*.

— Ouça a si mesma. Parece uma Crochan com esse sermão cheio de baboseiras.

Manon a ignorou. Ignorou a avó, então apontou Ceifadora do Vento direto para a Matriarca das Pernas Amarelas ao grunhir:

— *Essa coroa não é sua.*

Algo como hesitação passou pelo rosto de Cresseida Sangue Azul. Mas a Matriarca das Pernas Amarelas chamou Manon com as unhas de ferro tão longas que se curvavam para baixo.

— Então venha tirá-la de mim, traidora.

Manon deu um passo além da linha que havia traçado na neve.

Ninguém falou atrás da jovem bruxa. Ela se perguntou se alguma delas estaria respirando.

Ela não vencera contra a avó. Mal sobrevivera, e apenas graças à sorte.

Naquela luta, Manon estivera pronta para encontrar seu fim. Para se despedir.

A bruxa inclinou Ceifadora do Vento para cima, seu coração batia constante e rebeldemente.

Ela não receberia o abraço da Escuridão naquele dia.

Mas as Matriarcas sim.

— Isso parece familiar — zombou a avó de Manon, com a voz arrastada, movendo as pernas para a posição de ataque. As outras duas Matriarcas fizeram o mesmo. — A última rainha Crochan. Segurando a linha contra nós.

Manon estalou a mandíbula e dentes de ferro desceram. Um flexionar dos dedos fez as unhas de ferro se projetarem.

— Não apenas uma rainha Crochan desta vez.

Havia dúvida nos olhos azuis de Cresseida. Como se tivesse percebido o que as outras duas Matriarcas não tinham.

Ela... era ela quem Manon atacaria primeiro. Aquela que agora se perguntava se, por acaso, tinham cometido um grave erro ao irem até lá.

Um erro que iria custar o que elas tinham ido ali proteger.

Um erro que custaria a elas aquela guerra.

E a vida das três.

Pois Cresseida viu a tranquilidade da respiração de Manon. Viu a nítida convicção em seus olhos. Viu a falta de medo no coração quando a jovem bruxa avançou mais um passo.

Manon sorriu para a Matriarca Sangue Azul como se dissesse sim.

— Você não me matou antes — disse ela à avó. — Não acho que conseguirá agora.

— Isso nós veremos — sibilou a idosa, e avançou.

Manon estava pronta.

Um golpe para cima com Ceifadora do Vento encontrou os dois primeiros ataques da avó, e Manon se abaixou para desviar do terceiro. Virando-se diretamente para o golpe da Matriarca das Pernas Amarelas, que saltou com uma velocidade sobrenatural, os pés voando sobre a neve, e avançou para as costas expostas de Manon.

Ela desviou do ataque da idosa, lançando a bruxa para trás, cambaleando. No momento em que Cresseida se atirou contra Manon.

Cresseida não era uma lutadora treinada. Não como as Matriarcas Bico Negro e Pernas Amarelas. Anos demais passados lendo vísceras e observando as estrelas em busca de respostas aos enigmas da Deusa de Três Faces.

Um desvio para a esquerda e Manon evadiu facilmente o golpe das unhas de Cresseida, então um contragolpe a fez descer o cotovelo no nariz da Matriarca Sangue Azul.

A bruxa cambaleou. A Matriarca das Pernas Amarelas e a avó de Manon atacaram de novo.

Tão rápido. Os três ataques tinham acontecido na duração de algumas piscadas de olhos.

Manon manteve os pés firmes, vendo para onde uma das Matriarcas se movia conforme a outra deixava uma fenda perigosa exposta.

Ela não era uma Líder Alada de espírito arrasado que não sabia seu lugar no mundo.

Não tinha vergonha da verdade diante de si.

Não tinha medo.

A avó de Manon liderava o ataque, suas manobras eram as mais mortais. Foi dela que a primeira pontada de dor surgiu. Um corte com as unhas de ferro no ombro da neta.

Mas Manon golpeou com a espada, de novo e de novo, ferro contra aço tinindo pelos picos gelados.

Não, ela não estava com medo algum.

Dorian jamais vira uma luta como a que acontecia diante de si. Jamais vira algo tão rápido, tão letal.

Jamais vira ninguém se mover como Manon, um redemoinho de aço e ferro.

Três contra uma — as chances não estavam a seu favor. Não quando enfrentar uma das três a deixara à beira da morte meses antes.

No entanto, onde elas golpeavam, Manon já não estava mais. Já se evadira.

Ela não acertou muitos golpes, mas manteve as matriarcas longe.

No entanto, elas também não acertaram muitos.

A magia de Dorian se contorcia para impedir aquilo, buscando uma saída. Mas ela ordenara que não interferisse. E ele obedeceria.

Ao seu redor, as Crochan murmuravam com medo e temor. Fosse pela luta que evoluía ou pelas três Matriarcas que as haviam encontrado.

Mas Glennis não tremia. A seu lado, Bronwen murmurava com a energia de alguém ansiosa para entrar na briga.

Manon e as Grã-Bruxas se afastaram, respirando pesadamente. Sangue azul escorria pelo ombro de Manon, e pequenos cortes salpicavam as três Matriarcas.

Manon ainda estava do outro lado da linha que desenhara. Ainda a guardava.

A bruxa de cabelos pretos com vestes pretas volumosas cuspiu sangue azul na neve. A avó de Manon.

— Patética. Tão patética quanto sua mãe. — Um riso de desprezo na direção de Glennis. — E seu pai.

O grunhido que ondulou da garganta de Manon percorreu as próprias montanhas.

A avó soltou uma gargalhada que pareceu o grasnido de um corvo.

— É tudo o que consegue fazer, então? Grunhir como um cão e balançar a espada como uma escória humana? Vamos cansar você em algum momento. Melhor se ajoelhar agora e morrer com parte da honra intacta.

Manon apenas estendeu a mão com as pontas de ferro para trás do corpo, seus dedos se abrindo em uma exigência enquanto os olhos permaneceram fixos nas Matriarcas.

Dorian levou a mão a Damaris, mas Bronwen se moveu primeiro.

A Crochan atirou a espada, aço reluziu sobre neve e sol.

Os dedos de Manon se fecharam no cabo, a lâmina cantou quando ela a girou para enfrentar as Grã-Bruxas de novo.

— Rhiannon Crochan guardou os portões durante três dias e três noites e não se ajoelhou diante de você, mesmo no fim. — O lampejo de um sorriso. — Acho que farei o mesmo.

Dorian poderia jurar que a chama sagrada que queimava a sua esquerda brilhou mais forte. Poderia jurar que Glennis prendeu a respiração. Que toda Crochan assistindo fez o mesmo.

Os joelhos de Manon se flexionaram, espadas se ergueram.

— Vamos terminar o que foi iniciado, então.

Ela atacou, suas lâminas brilharam. A avó de Manon recuou passo após passo, as outras duas Matriarcas não conseguiram ultrapassar as defesas da jovem.

Fora-se a bruxa que dormira e desejara a morte. Fora-se a bruxa que se revoltara contra a verdade que a dilacerara.

E em seu lugar, lutando como se fosse o próprio vento, irredutível contra as Matriarcas, havia alguém que Dorian ainda não conhecera.

Havia uma rainha de dois povos.

A Matriarca das Pernas Amarelas lançou uma ofensiva que fez Manon ceder um passo, então outro, com espadas sendo erguidas contra cada golpe cortante.

Cedendo apenas aqueles poucos passos e nada mais.

Porque, com convicção no coração, com total falta de medo nos olhos, ela era completamente irrefreável.

A Matriarca das Pernas Amarelas empurrou Manon tão perto da linha que os calcanhares dela quase a tocaram. As outras duas bruxas tinham recuado, como se esperando para ver o que poderia acontecer.

Para uma idosa curvada, a Pernas Amarelas era o retrato dos pesadelos. Pior que Baba Pernas Amarelas jamais fora. Os pés mal pareciam tocar o chão, e as unhas de ferro curvas tiravam sangue onde cortavam.

As espadas de Manon bloqueavam golpe após golpe, mas ela não fazia menção de avançar, de forçar a Matriarca para trás, embora Dorian tivesse visto várias chances de fazê-lo.

Manon recebeu os cortes que deixaram o braço e a lateral do corpo sangrando, porém não cedeu mais espaço. Uma parede contra a qual a Matriarca das Pernas Amarelas não poderia avançar. A idosa soltou um grunhido, atacando de novo e de novo, irracional e colericamente.

Dorian viu a armadilha no momento que aconteceu.

Viu o lado que Manon deixou vulnerável, a isca servida em uma bandeja de prata.

Em um acesso de fúria, a Matriarca das Pernas Amarelas não pensou duas vezes antes de avançar com as garras projetadas.

Manon estava esperando.

Perdida na própria sede de sangue, o rosto horrível da idosa se iluminou com triunfo quando ela avançou para o golpe da morte fácil que arrancaria o coração de Manon.

A Matriarca Bico Negro gritou em aviso, mas a jovem bruxa já se movia.

No momento que aquelas garras curvas rasgaram couro e pele, Manon se virou de lado e desceu Ceifadora do Vento no pescoço esticado da Matriarca Pernas Amarelas.

Sangue azul jorrou na neve.

Daquela vez, Dorian não virou o rosto da cabeça que rolou pelo chão. Do corpo de túnica marrom que caiu com ela.

As duas Matriarcas restantes pararam. Nenhuma das Crochan atrás de Dorian sequer falou quando Manon olhou impiedosamente para o tronco ensanguentado da Pernas Amarelas.

Ninguém pareceu respirar quando Manon mergulhou a espada de Bronwen na terra gélida e se abaixou para pegar a coroa de estrelas da cabeça caída da bruxa Pernas Amarelas.

Ele jamais vira uma coroa como aquela.

Uma coisa viva, reluzente, que brilhou na mão de Manon. Como se nove estrelas tivessem sido colhidas do céu e dispostas para brilhar no simples arco de prata.

A luz da coroa dançou sobre o rosto da bruxa conforme ela a erguia acima da cabeça e a colocava sobre os cabelos brancos soltos.

Mesmo o vento da montanha parou.

Mas uma brisa fantasma agitou as mechas do cabelo de Manon no momento em que a coroa brilhou forte e as estrelas brancas reluziram com núcleos de cobalto e rubi e ametista.

Como se tivesse ficado dormente por muito, muito tempo. E agora despertasse.

Aquele vento fantasma puxou o cabelo de Manon para o lado, mechas prateadas lhe roçaram o rosto.

E ao lado de Dorian, a sua volta, as Treze levaram dois dedos para a testa em um gesto de deferência.

Em lealdade à rainha que encarava as duas Grã-Bruxas restantes.

A Rainha Crochan, coroada de novo.

O fogo sagrado saltou e dançou, como se em uma recepção alegre.

Manon pegou a espada de Bronwen, erguendo-a com Ceifadora do Vento, e disse para a Matriarca Sangue Azul, que mal parecia ter alguns anos a mais que ela:

— Vá.

A bruxa Sangue Azul piscou, e seus olhos se arregalaram com o que só poderia ser medo e pavor.

Manon indicou com o queixo a serpente alada que esperava atrás da bruxa.

— Diga a sua filha que todas as dívidas estão pagas entre nós. E que ela pode decidir o que fazer com você. Leve aquela outra serpente alada daqui.

A avó estava com raiva, exibindo os dentes de ferro como se fosse latir um comando contrário para a Matriarca Sangue Azul, mas a bruxa já corria para a serpente alada.

Poupada pela rainha Crochan em nome da filha que dera a ela a dádiva de falar com as Dentes de Ferro.

Em segundos, a Matriarca das Sangue Azul estava no céu, a serpente alada da Pernas Amarelas voando a seu lado.

Deixando a avó de Manon sozinha. Deixando a jovem bruxa com espadas erguidas e uma coroa de estrelas brilhando na testa.

Manon estava brilhando, como se as estrelas no alto de sua cabeça pulsassem pelo corpo. Uma beleza assombrosa e poderosa, como nenhuma outra no mundo. Como ninguém jamais fora ou seria de novo.

E lentamente, como se saboreasse cada passo, ela caminhou até a avó.

⁂

Os lábios se curvaram em um pequeno sorriso conforme ela avançava para a avó.

Luz morna e dançante fluía por Manon, tão determinada quanto o que se derramara em seu coração nos últimos minutos sangrentos.

Ela não recuou. Não teve medo.

O peso da coroa era leve, como se tivesse sido feita de luar. Mas a força alegre era uma canção que não se calava diante da única Grã-Bruxa que restara de pé.

Então Manon continuou andando.

Ela deixou a espada de Bronwen a poucos centímetros. Deixou Ceifadora do Vento muitos centímetros depois da primeira.

Com as unhas de ferro para fora, os dentes prontos, Manon parou a menos de cinco passos da avó.

Um retalho desprezível e desperdiçado de existência. Era o que a avó era.

Ela jamais percebera que a Matriarca era tão mais baixa. Como os ombros eram estreitos, ou como os anos de raiva e ódio a fizeram definhar.

O sorriso de Manon aumentou. E ela podia ter jurado que vira duas pessoas de pé atrás de seu ombro.

A jovem bruxa sabia que ninguém estaria ali se ela olhasse. Sabia que ninguém mais podia vê-los, senti-los, de pé com ela. De pé com a filha contra a bruxa que os destruíra.

A avó de Manon cuspiu no chão, exibindo os dentes enferrujados.

Mas aquela morte...

Não era sua para que reivindicasse.

Não pertencia aos pais cujos espíritos estavam a seu lado, que poderiam ter estado ali o tempo todo, guiando-a até aquele momento. Que não a haviam deixado, mesmo com a morte os separando.

Não, não pertencia a eles também.

Manon olhou para trás. Para a imediata que esperava ao lado de Dorian. Lágrimas escorriam pelo rosto de Asterin. De orgulho; orgulho e alívio.

Manon a chamou com a mão de pontas de ferro.

Neve estalou, então ela se virou, inclinando-se para receber o choque do ataque.

Mas a avó não avançara. Não contra ela.

Não, a Matriarca Bico Negro corria para a serpente alada. Fugindo.

As Crochan ficaram tensas. Medo deu lugar à ira quando a bruxa se impulsionou para cima da sela.

Manon ergueu a mão.

— Deixem que ela vá.

Um estalo das rédeas, e a Matriarca estava no ar, as grandes asas da serpente alada as golpeando com vento desagradável.

Manon observou o animal subir mais e mais.

A avó não olhou para trás antes de desaparecer no céu.

Quando não restavam vestígios das Matriarcas, exceto sangue azul e um cadáver sem cabeça manchando a neve, Manon se virou para as Crochan.

Seus olhos estavam arregalados, mas as bruxas não se moveram.

As Treze permaneceram onde estavam, Dorian com elas.

Manon pegou as duas espadas, embainhou Ceifadora do Vento às costas e caminhou para onde Glennis e Bronwen estavam, monitorando cada fôlego.

Calada, Manon entregou a espada a Bronwen, assentindo em agradecimento.

Então ela tirou a coroa de estrelas e a entregou a Glennis.

— Isto pertence a você — disse a jovem bruxa, com a voz baixa.

As Crochan murmuraram, agitando-se.

Glennis pegou a coroa, e as estrelas se apagaram. Um leve sorriso agraciou o rosto da idosa.

— Não — respondeu ela. — Não pertence.

Manon não se moveu quando Glennis ergueu a coroa e a recolocou em sua cabeça.

A bruxa anciã se ajoelhou na neve.

— O que foi roubado foi devolvido; o que foi perdido voltou para casa. Saúdo você, Manon Crochan, rainha das bruxas.

Manon se manteve firme contra o tremor que ameaçou fazer suas pernas cederem.

Permaneceu firme quando as outras Crochan, Bronwen com elas, se abaixaram, apoiando-se em um dos joelhos. Dorian, de pé entre elas, sorriu, mais alegre e mais livre do que Manon jamais vira.

E então as Treze se ajoelharam, dois dedos se elevando até a testa ao abaixarem a cabeça, com orgulho destemido iluminando seus rostos.

— Rainha das bruxas — declararam Crochan e Bico Negro em uníssono. Como um só povo.

⊰ 57 ⊱

Uma hora antes do amanhecer, a fortaleza e os dois exércitos além desta estavam inquietos.

Rowan mal dormira. Em vez disso, ficara deitado ao lado de Aelin, acordado, ouvindo a respiração da parceira. O fato de o restante do grupo ter dormido profundamente era prova da exaustão de todos, embora Lorcan não os tivesse encontrado de novo. Rowan estava disposto a apostar que havia sido por escolha própria.

Não foi medo ou ansiedade pela batalha que o manteve acordado — não, ele dormira bem o bastante durante outras guerras. Mas o fato de que sua mente não parava de levá-lo de um pensamento a outro e depois outro.

Rowan vira os números acampados do lado de fora. Valg, homens humanos leais a Erawan, algumas bestas terríveis, mas nada como os ilken ou os cães de Wyrd ou mesmo as bruxas.

Aelin poderia acabar com eles antes de o sol terminar de nascer. Algumas explosões de seu poder e aquele exército sumiria.

Mas ela não apresentara sua magia como uma opção durante o planejamento na noite anterior.

Rowan via a esperança brilhando nos olhos das pessoas da fortaleza, o assombro das crianças conforme ela passava. *A Portadora do Fogo*, sussurravam elas. *Aelin do Fogo Selvagem*.

Em quanto tempo o assombro e a esperança desmoronariam naquele dia quando nem mesmo uma faísca daquele fogo fosse liberada? Em quanto tempo o medo dos homens se tornaria pútrido quando a rainha de Terrasen não destruísse as legiões de Morath?

Ele não conseguira perguntar a ela. Dissera a si mesmo que fizesse isso, berrara consigo mesmo para perguntar nas últimas semanas, quando mesmo seu treinamento não conjurara sequer uma brasa.

Mas Rowan não conseguia indagar por que ela não queria ou não podia usar o poder, por que não tinham visto ou sentido nada de sua magia depois dos primeiros dias de liberdade. Não conseguia perguntar o que Maeve e Cairn tinham feito para levá-la a temer ou odiar tanto a magia a ponto de não a tocar.

Com preocupação e temor corroendo-o, ele saiu de fininho do quarto. O ruído das preparações o recebeu assim que entrou no corredor. Um segundo depois, a porta se abriu atrás dele, e passos se sincronizaram aos do guerreiro com um cheiro familiar, desagradável.

— Eles a queimaram.

Rowan olhou de esguelha para Fenrys.

— O quê?

Fenrys assentiu para uma curandeira que passava.

— Cairn... e Maeve, pois as ordens eram dela.

— Por que está me contando isso? — Fenrys, com ou sem juramento de sangue, independentemente do que fizera por Aelin, não participava de tais assuntos. Não, aquilo era entre Rowan e a parceira, e ninguém mais.

Fenrys abriu um sorriso que não chegou a seus olhos.

— Você ficou olhando para ela durante metade da noite. Consigo ler em sua expressão. Estão todos pensando o mesmo: por que ela simplesmente não queima o maldito inimigo?

Rowan seguiu para a estação de limpeza no fim do corredor. Alguns soldados e curandeiras estavam de pé ao longo da gamela de metal, limpando o rosto para afastar o sono ou os nervos.

Fenrys continuou:

— Ele a colocou naquelas luvas de metal. E as aqueceu sobre um braseiro. Ali... — O macho se atrapalhou com as palavras, e Rowan mal conseguiu respirar. — Os curandeiros precisaram de duas semanas para consertar o que ele fez com suas mãos e seus pulsos. E, quando Aelin acordou, não havia nada além de pele curada. Ela não conseguia dizer o que tinha sido feito e o que era um pesadelo.

Rowan esticou a mão para uma das jarras que algumas das crianças enchiam a cada poucos momentos, e a jogou sobre a cabeça. Água gelada feriu sua pele, afogando o rugido em seus ouvidos.

— Cairn fez muitas coisas do tipo. — Fenrys pegou uma jarra para si e virou um pouco nas mãos antes de esfregá-las no rosto. As mãos de Rowan tremiam conforme ele via a água se afunilar até a pia disposta sob a gamela.
— Mas as marcas de sua reivindicação. — Fenrys limpou o rosto de novo.
— Não importava o que fizessem com ela, as marcas ficavam. Por mais tempo que qualquer cicatriz, elas permaneceram.

Mas o pescoço de Aelin estivera liso quando ele a encontrara.

Ao ler esse pensamento, Fenrys disse:

— Da última vez que a curaram, logo antes de Aelin escapar. Foi quando elas sumiram. Quando Maeve contou a ela que você tinha ido para Terrasen.

As palavras o atingiram como um golpe. Quando ela perdera a esperança de que Rowan iria buscá-la. Mesmo os melhores curandeiros do mundo não tinham conseguido tirar aquilo de Aelin até aquele momento.

O príncipe feérico limpou o rosto no braço do casaco.

— Por que está me contando isso? — repetiu ele.

Fenrys se levantou da gamela, secando o rosto com a mesma falta de cerimônia.

— Para você parar de se perguntar o que aconteceu. E se concentrar em outra coisa hoje. — O guerreiro se manteve a seu lado conforme seguiram para onde tinham sido informados de que um café da manhã fraco seria servido. — E deixar que ela vá até você quando estiver pronta.

— Ela é minha parceira — grunhiu Rowan. — Acha que não sei disso?
— Fenrys podia enfiar o focinho na vida de outra pessoa.

O lobo ergueu as mãos.

— Você pode ser implacável quando quer algo.

— Eu jamais a forçaria a me contar nada que não estivesse pronta a dizer.
— Havia sido o acordo desde o início. Parte do motivo pelo qual Rowan se apaixonara por ela.

Ele deveria ter percebido então, durante aqueles dias em Defesa Nebulosa, ao se ver compartilhando partes de si mesmo, de sua história, que jamais contara a ninguém. Ao se ver *precisando* contar a ela, em fragmentos e pedaços, sim, mas querendo que ela soubesse. E Aelin querendo ouvir. Tudo.

Eles a encontraram com Elide já na mesa do bufê, os rostos fechados ao pegarem pedaços de pão e queijo e fruta seca. Nenhum sinal de Gavriel ou Lorcan.

Rowan se aproximou de sua parceira por trás e lhe deu um beijo no pescoço. Bem onde estavam as novas marcas de reivindicação.

Aelin murmurou e ofereceu a ele um pedaço do pão no qual já avançara enquanto pegava o resto da comida. Ele aceitou o pão espesso e pesado, então disse:

— Você estava dormindo quando saí há alguns minutos, mas de algum jeito chegou antes de mim para o café da manhã. — Outro beijo no pescoço. — Por que não estou surpreso?

Elide gargalhou ao lado da rainha, empilhando comida no próprio prato. Aelin apenas cutucou Rowan com o cotovelo quando ele entrou na fila ao lado da parceira.

Os quatro comeram rapidamente, encheram de novo os cantis na fonte de um pátio interior e saíram para encontrar armaduras. Havia pouco nos níveis superiores que fosse adequado para vestir, então desceram pela fortaleza, mais e mais e mais, até chegarem a um quarto trancado.

— Deveríamos entrar, ou é falta de educação? — ponderou Aelin, olhando para a porta de madeira.

Rowan jogou uma lança de vento para a fechadura e a partiu.

— Parece que já estava aberta quando chegamos — comentou ele, tranquilamente.

Aelin abriu um sorriso malicioso, e Fenrys tirou uma tocha da arandela no estreito corredor de pedra para iluminar o quarto adiante.

— Bem, agora sabemos por que o resto da fortaleza é uma bosta — disse Aelin, observando o tesouro. — Ele guardou todas as coisas boas e divertidas aqui embaixo.

De fato, a ideia da parceira de coisas divertidas era a mesma que a de Rowan: armaduras e espadas e antigas maças.

— Ele não podia ter distribuído isso? — Elide franziu a testa para as estantes de espadas e adagas.

— É tudo herança — respondeu Fenrys, se aproximando de uma das estantes e estudando o cabo de uma espada. — Antigas, mas ainda boas. Muito boas — acrescentou ele, tirando uma espada da bainha e olhando em seguida para Rowan. — Esta foi forjada por um ferreiro Asterion.

— De outra época — ponderou Rowan, maravilhando-se com a lâmina perfeita, com a condição impecável. — Quando os feéricos não eram tão temidos.

— Vamos simplesmente pegar? Sem nem mesmo a permissão de Chaol?
— Elide mordeu o lábio.

Aelin riu.

— Vamos considerar que somos espadas contratadas. E como tal, temos comissões que precisam ser pagas. — Ela ergueu um escudo dourado redondo, as bordas lindamente gravadas com uma estampa de ondas. Também feito por um Asterion, a julgar pelo artesanato. Provavelmente para o Lorde de Anielle... o senhor do lago Prateado. — Então levaremos o que nos é devido pela batalha de hoje e pouparemos seu senhorio da tarefa de precisar descer aqui ele mesmo.

Pelos deuses, ele a amava.

Fenrys piscou um olho para Elide.

— Não vou contar se você não contar, lady.

Elide corou, então gesticulou para que eles prosseguissem.

— Recolham seus ganhos, então.

E Rowan o fez. Ele e Fenrys encontraram uma armadura que lhes cabia, em algumas partes. Precisaram abrir mão da peça inteira, mas pegaram reforços para os ombros, os antebraços e as canelas. Rowan acabara de prender as placas nas pernas quando Fenrys falou:

— Deveríamos levar alguns desses para Lorcan e Gavriel.

De fato, deveriam. Rowan procurou outros pedaços e começou a recolher adagas e espadas sobressalentes, então partes de outra armadura que poderia caber em Lorcan; Fenrys fez o mesmo para Gavriel.

— Vocês devem cobrar muito por seus serviços — murmurou a Lady de Perranth. Mesmo ao amarrar algumas adagas no próprio cinto.

— Preciso, de alguma forma, pagar por meus gostos caros, não é? — cantarolou Aelin, sopesando uma adaga nas mãos.

Mas ela não vestira armadura alguma ainda, e, quando Rowan a olhou de forma inquisidora, Aelin apontou o queixo para ele.

— Suba, ache Lorcan e Gavriel. Encontrarei você em breve.

Seu rosto parecia completamente indecifrável. Talvez quisesse um momento sozinha antes da batalha. Quando Rowan tentou encontrar alguma palavra nos olhos da parceira, Aelin se virou para o escudo que pegara. Como se o contemplasse.

Então ele e Fenrys subiram, com Elide ajudando a carregar o equipamento roubado. Ninguém os impediu. Não com o céu se tornando cinzento e soldados correndo para as posições nas ameias.

Rowan e Fenrys não precisaram ir longe. Ficariam posicionados nos portões no nível mais inferior, onde os aríetes poderiam entrar em disparada caso Morath ficasse desesperada.

No nível acima, Chaol estava montado no magnífico cavalo preto, o resfolegar da égua se condensava ao sair pelas narinas. Rowan levantou a mão em cumprimento, e Chaol o saudou de volta antes de olhar para o exército inimigo.

O khaganato faria o primeiro movimento, o empurrão inicial para incitar Morath a se mover.

— Sempre me esqueço do quanto odeio essa parte — murmurou Fenrys. — A espera antes do começo.

Rowan grunhiu em anuência.

Gavriel caminhou até eles, com Lorcan como uma tempestade atrás do companheiro. Rowan, calado, entregou ao semifeérico a armadura que recolhera.

— Cortesia do Lorde de Anielle.

Lorcan lhe lançou um olhar que dizia ter adivinhado a mentira de Rowan, mas começou a vesti-la eficientemente, Gavriel fazendo o mesmo. Se os soldados ao redor reconheceram aquela armadura, se Chaol a reconheceu, ninguém disse nada.

Ao longe, o céu cinzento clareava, Morath despertava para encontrar o exército dourado do khaganato já posicionado.

E, quando um ruk solitário gritou em desafio, o khaganato avançou.

Soldados de infantaria em fileiras perfeitas marcharam, com as lâminas em punho e os escudos unidos, borda contra borda. A cavalaria darghan os flanqueava, uma força da natureza pronta para arrebanhar Morath para onde quisesse. E acima, batendo as asas para o céu, os rukhin preparavam os arcos e marcavam seus alvos.

— Preparar — gritou Chaol para os homens de sua fortaleza.

Armaduras tilintaram conforme os homens se agitavam, seu medo entupindo o nariz de Rowan.

Seria definido ali... naquele dia. Se aquela esperança ia permanecer ou se partir.

O despertar do céu já revelava duas torres de cerco sendo empurradas na direção da fortaleza. Direto para a muralha. Muito mais perto do que Rowan reparara da última vez, ao sobrevoá-los na noite anterior. Morath, ao que parecia, não havia dormido também.

Os ruks permaneceriam para trás com o próprio exército, guiando Morath para a fortaleza. Para serem mortos ali, um a um.

— Temos minutos até aquela primeira torre fazer contato com a muralha — observou Gavriel.

Uma varredura pelas ameias, pelos soldados sobre elas, não revelou qualquer sinal de Aelin.

— É melhor alguém avisá-la que pare de se embonecar e venha para cá — murmurou Lorcan, de fato.

Rowan grunhiu em aviso.

O choque de pés em armaduras e de escudos era tão familiar quanto qualquer canção. Os soldados de infantaria de Morath se dirigiam para as muralhas da fortaleza, lanças prontas. Na outra ponta do exército, soldados viravam o rosto, lanças e espetos inclinados para interceptar o exército do khaganato.

Uma corneta soou do meio das fileiras do khaganato, e arcos dispararam. A massa de soldados de Morath nem mesmo se encolheu ou olhou para trás a fim de ver o que acontecera com as fileiras da retaguarda.

— Escadas — murmurou Fenrys, apontando com o queixo o ondular nas fileiras. Imensas escadas de cerco, feitas de ferro, dispersavam a multidão.

— Estão fazendo desta sua ofensiva total — disse Lorcan, com igual quietude. Todos eles com o cuidado de não deixar os homens próximos ouvirem.

— Tentarão invadir a fortaleza antes que o khaganato consiga quebrá-los.

— Arqueiros! — O grito de Chaol ecoou. Atrás deles, nas ameias mais baixas, arcos rangeram.

Fenrys tirou o arco das costas e posicionou uma flecha.

Rowan manteve o próprio arco preso às costas, a aljava intocada. Gavriel e Lorcan fizeram o mesmo. Não precisavam desperdiçá-las em alguns soldados quando sua mira poderia ser necessária para alvos muito piores naquele dia.

Mas um deles tinha de ser visto derrubando inimigos. Pelo ânimo que daria aos soldados. E Fenrys, um arqueiro tão bom quanto Rowan, ele admitiria, seria o bastante.

O príncipe feérico acompanhou a linha da ponta da flecha do macho, marcando um dos portadores daquelas escadas de cerco.

— Seja exibido — murmurou ele.

— Cuide da própria vida — resmungou Fenrys de volta, acompanhando o alvo com a ponta da flecha enquanto esperava pela ordem de Chaol.

Se Aelin não chegasse logo, precisaria deixar as ameias para encontrá-la. Que diabos a segurava?

Lorcan sacou a espada antiga, a qual Rowan vira derrubar soldados em reinos longe dali, em guerras muito mais longas que aquela.

— Eles seguirão para os portões quando aquela torre de cerco for posicionada — declarou Lorcan, olhando das ameias para o portão, um nível abaixo, com o pequeno bastião de homens diante dele. Árvores haviam sido derrubadas para segurar as portas de metal, mas, se um grupo de soldados inimigos, sólido o bastante, os cercasse, eles poderiam derrubar aquele suportes e as pesadas fechaduras em minutos. E abrir os portões para as hordas além.

— Não deixaremos que cheguem a esse ponto — assegurou Rowan, olhando para a imensa torre que se aproximava. Soldados se juntavam atrás da estrutura, esperando para subir pelo interior. — Chaol derrubou a torre no outro dia sem nossa ajuda. Pode acontecer de novo.

— *Disparar!* — O rugido de Chaol ecoou das pedras, e flechas cantaram.

Como um enxame de gafanhotos, elas desceram sobre os soldados que marchavam abaixo. A flecha de Fenrys encontrou o alvo com precisão letal.

Em um segundo, outra estava pronta. Um segundo soldado na escada de cerco caiu.

Onde Aelin se metera...

Morath não parou. Marchou direto por cima dos soldados que caíram nas linhas de frente.

A pulsação do medo humano pelas ameias batia contra sua pele. A equipe precisaria atacar rápido, e atacar direito, para afastar aquele medo.

A torre de cerco se balançou para mais perto. Um olhar de Rowan foi suficiente para que ele e os amigos se movessem até o local nas ameias onde a torre inegavelmente atacaria. Bem perto das escadas que levavam ao portão. Morath escolhera bem a localização.

Alguns dos soldados pelos quais passavam pareciam rezar, um pulso repentino de palavras contra o ar frígido da manhã.

— Guarde o fôlego para a batalha, não para os deuses — disse Lorcan a um deles.

Rowan lançou um olhar para o guerreiro, mas o homem boquiaberto, encarando Lorcan, calou-se.

Chaol ordenou mais uma saraivada, e flechas voaram. Fenrys disparava conforme caminhava. Como se mal se incomodasse.

Ainda assim, as orações sussurradas continuavam pela fileira de soldados, espadas tremiam com as palavras.

Em cima, perto de Chaol, os soldados se mantinham firmes, as expressões sólidas.

Mas ali, naquele nível das ameias... aqueles rostos estavam pálidos. Olhos arregalados.

— Melhor alguém dizer algo inspirador — observou Fenrys entre dentes, disparando outra flecha. — Ou esses homens vão se mijar em um minuto.

Pois um minuto era o que lhes restava com a aproximação da primeira torre de cerco.

— Você é quem tem o rosto bonito — replicou Lorcan. — Seria o mais indicado para fazê-lo.

— É tarde demais para discursos — interrompeu Rowan antes que Fenrys pudesse responder. — Melhor mostrar a eles o que podemos fazer.

Eles se posicionaram na muralha. Bem no caminho da ponte que se partiria sobre a ameia.

O príncipe feérico sacou a espada, então liberou o machado na lateral do corpo. Gavriel desembainhou lâminas idênticas das costas, posicionando-se no flanco direito de Rowan. Lorcan se plantou do lado esquerdo. Fenrys ficou na retaguarda para pegar qualquer um que passasse pela rede dos feéricos.

Os homens mortais se aglomeraram atrás do grupo. Os portões estremeceram sob o impacto de Morath, por fim.

Rowan acalmou a respiração, preparando a magia para perfurar os pulmões valg. Derrubaria alguns com as armas primeiro. Para mostrar o quanto podia ser fácil, que Morath estava desesperada e que a vitória *estaria* próxima. A magia viria depois.

A torre de cerco rangeu ao diminuir a velocidade até parar.

No momento que a muralha sob eles estremeceu com o impacto, Fenrys sussurrou:

— Pelos deuses.

Não para a ponte que se partiu, com soldados se amontoando nas profundezas escuras do lado de dentro.

Mas para quem surgiu do arco da fortaleza atrás deles. Para o que emergiu.

Rowan não sabia para onde olhar. Se para os soldados que corriam da frente da torre de cerco, saltando para as ameias, ou para Aelin.

Para a rainha de Terrasen.

Ela encontrara uma armadura sob a fortaleza. Uma armadura linda, de ouro pálido, que reluzia como um alvorecer de verão. Segurando os cabelos trançados, um diadema jazia, esplendoroso, sobre sua cabeça. Não um diadema, mas uma peça da armadura. Parte de algum conjunto antigo para uma dama havia muito enterrada.

Uma coroa de guerra, uma coroa para ser usada na batalha. Uma coroa para liderar exércitos.

Não havia medo nem dúvida em seu rosto quando Aelin ergueu o escudo, girando Goldryn na mão uma vez antes de o primeiro dos soldados de Morath se atirar contra ela.

Um golpe ágil, para cima, partiu o brutamontes do umbigo ao queixo. Sangue preto jorrou, mas ela já se movia, fluindo como um córrego em torno de uma rocha.

Rowan se colocou em movimento, as lâminas encontrando os alvos, mas ele ainda a observava.

Aelin chocou o escudo contra um guerreiro que se aproximou, Goldryn cortou outro antes de ela mergulhar a lâmina no soldado do qual desviara.

Fez isso de novo e de novo.

Tudo enquanto seguia para a torre de cerco. Irrefreável. *Liberta*.

Um chamado ecoou pela fileira de soldados. *A rainha veio*.

Soldados que esperavam sua vez chegar.

Aelin enfrentou três soldados valg e os deixou para morrer nas pedras.

Ela fixou o próprio limite diante da entrada escancarada daquela torre de cerco, bem no caminho das hordas fervilhando. Cada instante do treinamento no navio até ali, assim como na estrada, cada nova bolha e calo... tudo a fim de se reconstruir para aquilo.

A rainha veio.

Goldryn não vacilava, o escudo era uma extensão do braço, e Aelin brilhava como o sol que irrompia sobre o exército do khagan conforme enfrentava cada soldado que avançava em seu caminho.

Cinco, dez — ela se movia e movia e movia, abaixando-se e deslizando e enterrando e girando, sangue preto jorrava, seu rosto era o retrato da determinação sombria e indestrutível.

— *A rainha!* — gritavam os homens. — *Pela rainha!*

E conforme Rowan lutava e se aproximava, conforme aquele grito percorria as ameias e os homens de Anielle corriam para ajudá-la, ele percebia que Aelin não precisava de uma gota de chama para inspirar o exército a segui-la. Que sua parceira estivera esperando, se segurando, para mostrar a eles o que ela poderia fazer, sem magia, sem nenhum poder divino.

Ele jamais vira algo mais glorioso. Em todas as terras, em todas as batalhas, jamais vira nada tão glorioso quanto Aelin diante da boca da torre de cerco, segurando as linhas.

Com o alvorecer surgindo ao redor deles, Rowan soltou um grito de batalha e avançou contra Morath.

A primeira batalha ditaria o tom.

Ditaria o tom e enviaria uma mensagem. Não para Morath.

Certifique-se de nos impressionar, dissera Hasar.

E ela o faria. Então Aelin havia escolhido a armadura dourada e a coroa de batalha. E tinha esperado até o alvorecer, até a torre de cerco se chocar contra as ameias, antes de avançar.

Para evitar que os homens ali se partissem, para varrer o medo que apodrecia em seus olhos.

Para convencer a realeza do khaganato do que ela poderia fazer, do que *podia* fazer. Não como ameaça, mas como um lembrete.

Aelin não era uma princesa indefesa. Jamais o fora.

Goldryn cantava a cada golpe. A mente da guerreira estava tranquila e aguçada como a lâmina enquanto avaliava cada soldado inimigo, suas armas, e os matava de acordo. Ela sabia vagamente que Rowan lutava a seu lado, que Gavriel e Fenrys batalhavam perto do flanco esquerdo.

Mas estava completamente ciente dos homens mortais que saltavam para a luta com gritos de rebeldia. Tinham chegado até ali. Sobreviveriam àquele dia também. E a realeza do khaganato saberia disso.

Cascos galopantes abafaram a batalha, e então Chaol estava lá, com a espada reluzindo, invadindo a maré interminável que corria da entrada da torre.

— *Por Lorde Chaol! Pela rainha!*

Como estavam longe de Forte da Fenda. Da assassina e do capitão.

Flechas subiram do exército além da muralha, mas uma onda de vento gélido as partiu em farpas antes que conseguissem encontrar qualquer alvo.

Um borrão escuro se lançou, e então Lorcan estava na entrada da torre de cerco, com a espada se agitando tão rápido que Aelin mal conseguia acompanhar. Ele lutava para avançar pela ponte de metal da torre e para a escadaria além dela. Como se lutasse para descer as rampas e chegar até o próprio campo de batalha.

Abaixo, um *bum* teve início. Morath havia trazido o aríete.

Aelin abriu um sorriso sombrio. Ela mataria todos. Então Erawan. E então avançaria contra Maeve.

No lado oposto, o exército do khaganato empurrava, ganhando o campo passo a passo.

Não ficaria indefesa. Não seria contida. Nunca mais.

A morte se tornou uma melodia em seu sangue, cada movimento era uma dança conforme a maré de soldados despejada pela torre reduzia em velocidade. Como se Lorcan estivesse, de fato, forçando caminho para o interior. Aqueles que conseguiam passar por ele encontravam a lâmina de Aelin, ou a de Rowan. Um lampejo de ouro e Gavriel também matara até abrir caminho para a torre de cerco, lâminas idênticas parecendo um redemoinho.

O que Lorcan e o Leão fariam ao chegar à base, como removeriam a torre, ela não sabia. Não estava pensando no assunto.

Não daquele lugar de morte e movimento, de fôlego e sangue. De liberdade.

A morte havia sido sua maldição e seu dom e sua amiga durante aqueles longos anos. Aelin estava feliz por cumprimentá-la de novo sob o sol dourado da manhã.

58

Elide não estava nem mesmo nas ameias e já desejava jamais passar por outra guerra de novo.

Os soldados que eram arrastados para dentro, os ferimentos... Ela não sabia como as curandeiras pareciam tão calmas. Como Yrene Westfall trabalhava tão equilibradamente enquanto um homem gritava, gritava e gritava, com os órgãos internos despontando pela laceração na barriga.

A fortaleza estremecia de vez em quando, e Elide se odiou pela felicidade de não saber o que aquilo queria dizer. Mesmo que isso também a arrasasse... a ignorância pelo estado de seus amigos. Se o exército do khagan estava perto o bastante para que aquele pesadelo pudesse acabar em breve.

Ainda duraria horas, alegara a curandeira de pele escura e olhos atentos chamada Eretia quando Elide vomitara ao ver um homem cujo osso da panturrilha despontava pela perna. Horas ainda até que acabasse, tinha ralhado a curandeira, ríspida, então era melhor ela terminar de vomitar e voltar ao trabalho.

Não que houvesse muito que a jovem pudesse fazer. Apesar do generoso dom de poder que corria pela linhagem Lochan, ela não possuía magia, nenhum dom além de compreender bem as pessoas e de mentir. Mesmo assim, Elide ajudou as curandeiras a segurar homens se debatendo. Correu para buscar ataduras, água quente e quaisquer que fossem os bálsamos ou ervas que elas tranquilamente pediam.

Nenhuma das curandeiras gritava. Apenas erguiam as vozes, com magia reluzindo ao redor, se um soldado estivesse urrando alto demais para que as palavras delas fossem ouvidas.

O sol mal subira pelo horizonte, a julgar pela luz nas janelas dispostas no alto do grande salão, e tantos já estavam feridos. Tantos.

Mesmo assim, eles continuavam chegando, e Elide continuava se movendo, o claudicar se tornando uma dor constante, depois intensa. Uma dor menor em comparação com o que os soldados suportavam. Em comparação com o que enfrentavam nas ameias.

Ela não se permitiu pensar nos amigos. Não se permitiu pensar em Lorcan, que não fora até o aposento na noite anterior e não os procurara naquela manhã. Como se não quisesse estar perto de Elide. Como se tivesse levado cada palavra que ela dissera a sério.

Então a jovem seguiu ajudando as curandeiras de olhos atentos, segurando homens gritando e suplicando, e não parou.

Farasha não recuou frente os soldados de Morath que entraram nas ameias. Desde aqueles que surgiram da segunda torre de cerco que se prendeu à muralha até os que conseguiram subir as escadas.

Não, aquela égua magnífica os pisoteou, destemida e cruel, exatamente como Chaol previra. Um cavalo cujo nome significava *borboleta* — pisoteando os soldados de infantaria valg.

Se não estivesse sem fôlego, Chaol teria sorrido. Se homens não estivessem sendo cortados ao seu redor, talvez também tivesse gargalhado um pouco.

Mas Morath se atirava contra as muralhas e os portões com um furor que eles ainda não tinham testemunhado. Talvez soubessem quem fora até Anielle e, por isso, avançavam com tudo. Aelin e Rowan lutavam lado a lado, e Fenrys havia aberto caminho pelas ameias até se juntar a Chaol na segunda torre de cerco.

O braço da espada de Chaol não vacilou, apesar da exaustão que começava a subir enquanto uma hora, então duas se passavam. Do outro lado do mar de soldados inimigos, os exércitos de rukhin e de darghan arrebanhavam e esmagavam Morath entre suas forças, empurrando-os para as muralhas da fortaleza.

Morath, ao que parecia, não pensava em se render. Apenas em causar destruição, em invadir a fortaleza e massacrar tantos quanto fosse possível antes de encontrar seu fim.

Com o escudo ensanguentado e amassado, com o cavalo parecendo um demônio colérico sob ele, Chaol continuou brandindo a espada. Yrene estava dentro da fortaleza atrás dele. Chaol não fracassaria com ela.

∽

Nesryn ficou sem flechas cedo demais.

Morath não fugiu, mesmo com o poder dos cavaleiros darghan e os soldados de infantaria sobre eles. Então avançaram lentamente, deixando ao encalço corpos cobertos de armaduras pretas e douradas. Mais soldados de Morath do que os próprios, mas era difícil — quase insuportável — ver tantos caírem. Ver os lindos cavalos dos darghan sem cavaleiros. Ou, eles mesmos, mortos.

Os rukhin sofreram perdas, mas não tantas. Não com um exército lutando abaixo.

Sartaq liderava o centro, e Nesryn, comandando o flanco esquerdo, ficava de olho nele e em Kadara. Além de um olho em Borte e Yeran, que lideravam o flanco direito do lado mais ocidental da batalha, com Falkan Ennar na forma de ruk junto deles. Talvez tivesse imaginado aquilo, mas Nesryn poderia ter jurado que o metamorfo lutava com mais vigor. Como se os anos devolvidos lhe dessem mais força.

Nesryn cutucou Salkhi, e eles mergulharam de novo. Os montadores atrás da jovem acompanharam em seguida. Flechas e lanças foram a seu encontro, mas alguns soldados de Morath fugiram. Nesryn e Salkhi subiram de volta para o ar, cobertos com mais sangue escuro.

Bem no alto, duas patrulhas de reconhecimento rukhin monitoravam a batalha. Quando Nesryn limpou o sangue escuro do rosto, um montador desceu — direto para Sartaq.

O príncipe voou para longe um segundo depois.

Nesryn sabia que ele brigaria com ela por isso, mas ela gritou para o capitão rukhin atrás de si para manter a formação, então guinou Salkhi atrás do príncipe.

— *Volte para a formação* — ordenou Sartaq sobre o vento, com a pele incomumente pálida.

— O que foi? — gritou Nesryn. Salkhi bateu as asas com mais força, alinhando-se com a ruk do príncipe.

Sartaq apontou para a frente. Para a parede de montanhas logo além do lago e da cidade.

Para a represa que ele tão casualmente mencionara quebrar para varrer o exército de Morath.

Com cada batida das asas de Salkhi, ficava mais evidente. O que o lançara em uma corrida frenética.

Um grupo de soldados de Morath não tinha usado a noite para descansar, mas para entrar às escondidas na cidade abandonada. Para escalar as encostas, então a parede da montanha. Para a própria represa.

Onde estavam agora, com aríetes e uma esperteza cruel, tentando arrebentá-la.

Salkhi voou para mais perto. Nesryn levou a mão a uma flecha, e seus dedos se fecharam no ar.

Sartaq, no entanto, ainda tinha duas flechas, e as disparou sobre os trinta ou mais soldados de Morath que carregavam um aríete imenso para o centro da represa. Madeira e pedra e ferro, antigos e funestos. Com algumas rachaduras, aquilo desabaria.

E então o lago superior e o rio represados varreriam a planície.

Morath não se importava se suas próprias forças fossem carregadas pela água. Eles perderiam naquele dia, de toda forma.

Não permitiriam que o exército do khagan saísse com vida da planície também.

As duas flechas de Sartaq encontraram o alvo, mas os dois soldados que caíram não fizeram os demais soltarem o aríete. De novo, eles o empurraram para trás e balançaram para a frente.

O *bum* de madeira contra madeira ecoou até os dois.

Eles voaram perto o bastante para que os reforços de ferro na ponta do aríete se tornassem nítidos. Cobertura de ferro espessa, encimada por espinhos destinados a destroçar e perfurar. Se Salkhi e Kadara chegassem até ali, conseguiriam arrancar o aríete de suas mãos...

Metal rangeu e estalou, e o grito de aviso de Sartaq se estilhaçou no ar.

Salkhi desviou por instinto ao ver a imensa lança de ferro antes de Nesryn. Uma lança disparada de um dispositivo que parecia pesado, que devia ter sido rolado até ali. Para manter os ruks afastados.

A lança passou direto, chocando-se contra a rocha da montanha.

Teria perfurado o peito de Salkhi, atingindo o coração.

Com o estômago se revirando, Nesryn voou para cima outra vez, observando os soldados abaixo.

Sartaq sinalizou de perto: *Ziguezagueamos até lá por duas direções diferentes. Nos encontramos no centro.*

Os ventos gritaram em seus ouvidos, mas Nesryn puxou as rédeas e Salkhi virou, formando um longo arco. Sartaq guiou Kadara, um espelho da manobra de Nesryn.

— O mais rápido possível, Salkhi! — gritou ela para o ruk.

Aproximando-se da represa e dos soldados, Salkhi e Kadara voaram na direção um do outro, cruzaram caminhos e arquearam de volta para fora. Ziguezagueando tão rápido quanto o próprio vento. Negando aos arqueiros um alvo fácil.

Uma flecha de ferro foi disparada para Sartaq e perfurou o ar acima da ave, quase roçando sua cabeça.

O aríete se chocou contra a madeira de novo.

Um estalo de rachadura soou dessa vez. Um rangido grave, como alguma besta terrível despertando de um longo sono.

Outra lança de ferro foi disparada contra eles, mas errou. Nesryn e Sartaq ziguezagueavam entre um e outro, voando tão rápido que os olhos da capitã se enchiam d'água. O vento cantava, cheio das vozes de moribundos e feridos.

E então estavam lá, as garras de Salkhi se esticaram quando ele se chocou contra a máquina de ferro que lançara aquelas flechas, destroçando-a. Soldados gritaram conforme o ruk avançava sobre eles também.

Aqueles no aríete conseguiram desferir mais um *bum* estrondoso contra a represa antes de Sartaq e Kadara se chocarem contra eles. Homens saíram voando, alguns caíram na represa. Outros caíram aos pedaços.

Kadara jogou o aríete contra a face montanhosa mais próxima, madeira se partiu com o impacto. A arma saiu rolando nas rochas e sumiu.

Com o coração galopando, com a batalha na planície ainda deflagrada, Nesryn virou Salkhi e avaliou a parede da represa. A seu lado, Sartaq fez o mesmo.

O que viram fez com que voassem de volta para a fortaleza, tão rápido quanto o vento conseguia carregá-los.

Lorcan tinha lutado até descer ao interior escuro e apinhado da primeira torre de cerco, massacrando os soldados no caminho. Gavriel o seguira, logo alcançando o guerreiro semifeérico, que estava guardando a entrada da torre contra os inúmeros soldados que tentavam entrar.

Os dois continham a invasão, mesmo que alguns dos brutamontes de Morath passassem por suas espadas. Whitethorn e a rainha estariam à espera para matá-los.

Lorcan perdeu a conta de por quanto tempo ele e Gavriel seguraram a entrada da torre de cerco — quanto tempo levou até que as forças aliadas conseguissem movê-la.

Sua magia seria inútil. Toda aquela maldita coisa era feita de ferro. As escadas também. Como se Morath tivesse antecipado a presença do grupo.

Apenas o ranger de metal cedendo avisou a eles que a torre estava caindo, o que os fez correr para o campo de batalha.

Onde se viram fora dos portões. Fenrys e Lorde Chaol apareceram nas muralhas das ameias com arqueiros e dispararam contra os soldados que tinham corrido atrás de Lorcan e Gavriel.

Mas ele e o Leão já haviam marcado o alvo seguinte: o aríete que ainda se chocava contra aqueles portões cada vez mais enfraquecidos. E com os arqueiros os cobrindo do alto, tinham começado a matar para abrir caminho. Então a matar para chegar até o próprio aríete, até aquilo cair no chão e ser esquecido na onda de soldados de Morath que viera atrás da dupla.

O fôlego de Lorcan estava calmo, uma força tranquilizante conforme os corpos se empilhavam ao redor.

Só precisavam segurar o portão por tempo o bastante para que o exército do khagan atropelasse a horda de Morath.

De cima, um vento ágil e brutal acrescentava à dança da morte, arrancando o ar dos pulmões dos soldados que avançavam contra eles, ainda que ele soubesse que Whitethorn continuava lutando nas ameias.

Lorcan mais uma vez perdeu a noção do tempo. Sabia apenas vagamente que o sol fazia seu arco pelo céu.

Mas o exército do khagan ganhava espaço, centímetro a centímetro.

Tanto que os ruks arrancaram as escadas de cerco das muralhas da fortaleza. Tanto que Lorde Chaol gritou para que ele e Gavriel pegassem uma escada e *voltassem para cima imediatamente*.

Gavriel obedeceu, vendo a escada de ferro livre de soldados de Morath, segura no lugar apenas por tempo o bastante para que eles subissem de volta até as ameias.

Mas as forças do khagan estavam próximas. E um toque no ombro de Lorcan disse a ele que não fugisse, mas que lutasse.

Então o macho obedeceu. Não se incomodou em gritar para Gavriel, que estava no meio da escada, antes de mergulhar na batalha.

Ele fora cultivado para aquilo. Independentemente de a qual rainha servia, se era feérica ou valg ou humana, ele fora treinado para fazer *aquilo*. O que alguma parte de Lorcan cantava ao fazer.

O guerreiro abriu caminho, massacrando até as linhas do khagan que avançavam. Alguns soldados de Morath fugiram em seu rastro. Outros caíram antes que Lorcan os alcançasse, com sua magia lhes partindo a vida.

Em breve. Conquistariam o campo em breve, e a canção em seu sangue se calaria.

Parte de Lorcan não queria que acabasse, mesmo quando seu corpo começava a gritar para que descansasse.

Mas, quando a batalha terminasse, o que restaria?

Nada. Elide deixara isso evidente. Ela o amava, mas se odiava por isso.

Lorcan nunca a merecera mesmo.

Elide merecia uma vida de paz, de felicidade. O macho não conhecia tais coisas. Achou que tivesse vivenciado um lampejo daquilo durante os meses em que os dois viajaram juntos, antes de tudo virar um inferno, mas agora ele sabia que não estava destinado a nada assim.

Mas aquele campo de batalha, aquela canção de morte em volta de Lorcan... Isso ele podia fazer. Isso ele podia aproveitar.

Os elmos dourados do exército do khagan se tornavam nítidos, seus cavalos destemidos não hesitavam. Melhor que qualquer horda ao lado da qual ele lutara em um reino mortal. Em muitos reinos imortais também.

Obedecendo a canção de morte no sangue, Lorcan baixou os escudos. Ele não queria que fosse fácil. Queria *sentir* cada golpe, ver a vida do inimigo ser drenada sob sua espada.

Ele não se importava com o que poderia acontecer. Ninguém se importaria se Lorcan voltasse para a fortaleza. Ele não vacilou ao enfrentar os dez soldados que o atacaram.

Talvez merecesse o que aconteceu a seguir. Merecesse por seus pensamentos patéticos, ou sua arrogância ao baixar os escudos.

Em um momento, estava habilmente mandando os brutamontes de Morath de volta para seu criador sombrio. Em outro, estava sorrindo, mesmo ao sentir o gosto do sangue desprezível jorrando no ar.

Um lampejo de metal passou às suas costas. Lorcan se virou, erguendo a espada, mas tarde demais.

A lâmina do soldado valg subiu. Lorcan arqueou o corpo, urrando quando a pele se rasgou em sua coluna. Nenhuma armadura — não havia armadura que lhes coubesse na altura do torso.

O soldado de Morath se moveu de novo, mais hábil que os demais. Talvez o homem infestado tivesse alguma habilidade no campo de batalha, algo que o demônio usava em sua vantagem.

Lorcan mal conseguiu erguer a espada antes de o soldado mergulhar a dele em sua barriga.

O guerreiro semifeérico caiu, e sua espada rolou. Lama gélida cobriu seu rosto, como se fosse engoli-lo por completo. Puxá-lo para as profundezas escuras do reino de Hellas, onde ele merecia estar.

A terra tremeu sob cascos estrondosos, e flechas gritaram acima.

Então veio um rugido. E depois escuridão.

59

O exército do khagan não fazia prisioneiros.

Alguns dos soldados de Morath tentaram escapar para a cidade. Parado ao lado de Aelin nas ameias, Rowan viu os ruks matarem um a um com eficiência letal.

Seus ouvidos ainda zumbiam com o ruído da batalha, e o fôlego era uma batida rouca ecoada por Aelin. Seus pequenos ferimentos já haviam começado a se curar, coçando e formigando sob as roupas manchadas. Mas a laceração que sofrera na perna levaria mais tempo.

Do outro lado da planície, estendendo-se para o horizonte, o exército do khagan se certificava de que suas vítimas permanecessem no chão. Espadas e lanças brilhavam à luz da tarde conforme subiam e desciam, cortando cabeças. Rowan sempre se lembrava do caos e da correria da batalha, mas daquilo — das consequências confusas e exaustivas —, daquilo ele se esquecera.

Curandeiras já abriam caminho para o campo de batalha, as bandeiras brancas contrastando com o mar de preto e dourado. Aqueles que precisavam de ajuda mais intensa eram carregados por ruks e levados direto para o caos do grande salão.

No alto das ameias escorregadias de sangue, com os aliados e companheiros em volta deles, Rowan silenciosamente passou o cantil para Aelin. Ela bebeu intensamente, então o entregou a Fenrys.

Uma libertação e um alívio. Era o que a batalha fora para a sua parceira.

— Perdas mínimas — dizia a princesa Hasar, com a mão apoiada em uma pequena seção da ameia que não estava coberta de sangue preto ou vermelho. — Os soldados de infantaria foram os mais atingidos; os darghan permanecem quase totalmente intactos.

Rowan assentiu. Impressionante; mais que impressionante. O exército do khagan fora uma força belamente coordenada, movendo-se pela planície, como se fossem fazendeiros colhendo trigo. Se o guerreiro não tivesse sido levado para a dança da batalha, poderia ter parado para se maravilhar com eles.

A princesa se virou para Chaol, sentado em uma cadeira de rodas e com o rosto sombrio.

— De seu lado?

Ele olhou para o pai, que observava o campo de batalha com os braços cruzados. O lorde respondeu, sem olhar para o grupo:

— Muitos. E vou parar por aqui.

Dor pareceu brilhar nos olhos do desgraçado, mas ele não falou mais nada.

Chaol deu a Hasar um franzir de testa como pedido de desculpas, e suas mãos se fecharam nos braços da cadeira. Os soldados de Anielle, por mais que tivessem lutado corajosamente, não eram uma unidade treinada. Muitos daqueles que tinham sobrevivido eram guerreiros experientes que lutaram contra os homens selvagens nas montanhas Canino Branco, contara Chaol a Rowan mais cedo. A maior parte dos mortos, não.

Por fim, Hasar olhou para Aelin de cima a baixo.

— Soube que você deu um espetáculo hoje.

Rowan se preparou.

Aelin se virou do campo de batalha e inclinou a cabeça.

— Parece que você também.

De fato, a armadura ornamentada de Hasar estava manchada de sangue escuro. Ela estivera no meio de tudo, sobre o cavalo Muniqi, e cavalgara até os portões. Mas a princesa não comentou mais nada.

Irritação, profunda e quase escondida, lampejou nos olhos de Aelin. Mas ela não falou de novo — não insistiu com a princesa a respeito do próximo passo. Apenas observou o campo de batalha mais uma vez, mordendo o lábio.

Ela mal parara durante a batalha, interrompendo-se apenas quando não restavam mais valg para matar. E nos minutos desde que as muralhas tinham esvaziado, Aelin permanecera calada... distante. Como se ainda estivesse saindo daquele lugar calmo, calculista para o qual descera durante a luta. Não se incomodara em tirar a armadura. A coroa de batalha bronze estava cheia de sangue, os cabelos também.

O pai de Chaol tinha olhado uma vez para a armadura de Aelin, para a de Rowan, e empalidecido de raiva. Mas Chaol apenas empurrara a cadeira para o lado do homem, grunhira algo baixo demais para que Rowan ouvisse, e o lorde havia recuado.

Por enquanto. Tinham coisas maiores a considerar. Coisas que levavam a parceira de Rowan a morder o lábio. Quando o exército do príncipe Kashin poderia chegar, se de fato rumariam para o norte, para Terrasen, e se aquele dia fora o suficiente para conquistá-los.

Duas silhuetas tomaram forma no céu. Kadara e Salkhi, disparando para a fortaleza a uma velocidade quase descontrolada.

Pessoas correram para longe do caminho dos ruks quando Sartaq e Nesryn aterrissaram nas ameias, descendo das selas e caminhando direto para o grupo.

— Temos um problema — disse a mulher, o rosto lívido.

De fato, os lábios de Sartaq estavam pálidos. O cheiro de ambos estava encharcado de medo.

As rodas da cadeira de Chaol passaram por sangue empoçado.

— O que foi?

Aelin esticou o corpo, Gavriel e Fenrys ficaram imóveis.

Nesryn apontou para o outro lado da cidade, para a parede de montanhas.

— Interceptamos um grupo de soldados de Morath na ponta da batalha, tentando derrubar a represa.

Rowan xingou, e Chaol ecoou.

— Estou presumindo que não conseguiram graças a vocês — comentou Aelin, olhando para a represa próxima demais, as águas revoltas do lago superior e do rio contidas por ela.

— Em parte — respondeu Sartaq, com um músculo se contraindo na mandíbula. — Mas chegamos depois que muitos danos já haviam sido causados.

— Digam logo — sibilou Hasar.

Os olhos do príncipe herdeiro brilharam.

— Precisamos evacuar nosso exército da planície. Agora mesmo.

— Vai se romper? — indagou o pai de Chaol.

Nesryn se encolheu.

— Provavelmente sim.

— Pode se romper a qualquer momento. — Sartaq indicou o exército do khagan na planície. — Precisamos tirá-los de lá.

— Eles não têm para onde ir — disse o Lorde de Anielle. — A água vai correr por quilômetros, e esta fortaleza não pode abrigar todas as suas forças.

De fato, percebeu Rowan, a fortaleza, apesar da alta posição, não conseguiria conter o tamanho do exército na planície. Nem de longe. E a fortaleza, por ser bastante elevada, seria a única coisa que poderia suportar a onda de água congelante que desceria das montanhas pela planície. Varrendo tudo no caminho.

Hasar fixou o olhar incandescente em Chaol.

— Para onde os mandamos correr?

— Convoquem os ruks — respondeu ele. — Faça com que busquem o máximo possível e os levem voando para esse pico atrás de nós. — Chaol indicou a pequena montanha na qual a fortaleza fora escavada. — Coloque-os nas rochas, coloque-os em qualquer lugar.

— E aqueles que não conseguirem chegar aos ruks? — insistiu a princesa, algo parecido com pânico marcava a expressão destemida da jovem.

O coração do próprio Rowan batia acelerado. Tinham vencido a batalha apenas para que o inimigo tivesse a palavra final na vitória.

Morath não permitiria que o exército do khagan saísse da planície.

Destruiria aquele exército, aquele fiapo de esperança, com um golpe simples e cruel.

— Era uma armadilha esse tempo todo? — Chaol esfregou o maxilar. — Erawan sabia que eu estava trazendo um exército. Será que escolheu Anielle *por causa* disso? Sabendo que eu viria e ele usaria a represa para acabar com nossa horda?

— Pense nisso depois — avisou Aelin, com a expressão tão séria quanto a de Rowan. Ela observou a planície. — Diga que corram. Se não conseguirem um ruk, então *corram*. Se conseguirem chegar à fronteira da floresta de Carvalhal, podem ter uma chance caso consigam subir em uma árvore.

A parceira não mencionou que com uma onda daquele tamanho, aquelas árvores seriam submersas. Ou arrancadas das raízes.

— Não tem como consertar o dano causado? — perguntou Gavriel, então.

— Nós verificamos — respondeu Sartaq, engolindo em seco. — Morath sabia onde atingir.

— E quanto a sua magia? — perguntou Fenrys a Rowan. — Poderia congelá-lo, o rio?

Ele já pensara naquilo. Rowan fez que não com a cabeça.

— É profundo demais, e a correnteza, forte demais. — Talvez se tivesse todos os primos, mas Enda e Sellene estavam no norte, os irmãos e parentes com eles.

— Abram os portões da fortaleza — disse Chaol, em voz baixa. — Qualquer um próximo deve correr para cá. Aqueles mais distantes precisarão fugir para a floresta

Rowan encontrou o olhar de Aelin.

As mãos da parceira começaram a tremer.

Isso não pode acabar aqui, era o que ela parecia dizer. Pânico — pânico, de fato, lampejou em seus olhos. Rowan segurou a mão trêmula de Aelin e a apertou.

Mas não havia verdade ou mentira que pudesse acalmá-la.

Nenhuma verdade ou mentira que pudesse salvar o exército na planície.

Elide encontrou seus companheiros e aliados não em uma sala de conselho, mas reunidos nas ameias. Como se corpos e sangue não estivessem em volta deles.

Ela se encolheu a cada passo em meio a sangue tanto preto quanto vermelho, tentando não ver os olhos vazios dos soldados mortos. A jovem fora enviada por Yrene para ver como Chaol estava — uma pergunta ofegada e temerosa de uma esposa que não soubera nada do destino do marido desde que a batalha começara.

Depois de horas ajudando as curandeiras, Elide estivera desesperada para escapar da sala que fedia a sangue e dejetos. Mas qualquer alívio diante do ar fresco, da batalha terminada, teve vida curta quando ela viu as ameias ensanguentadas. Quando reparou nos rostos pálidos dos companheiros, nas palavras tensas. Todos estavam olhando entre as montanhas e o campo de batalha.

Algo dera errado. Algo *estava* errado.

O campo de batalha se estendia ao longe, curandeiras disparavam entre os corpos caídos com as bandeiras brancas no alto para indicar sua localização. Tantos. Tantos mortos e feridos. Um mar deles.

A jovem chegou ao lado de Chaol no momento que Nesryn Faliq saltou sobre o lindo ruk, mergulhando para o exército abaixo. Não, para os outros ruks.

Elide apoiou a mão no ombro de Lorde Chaol, desviando sua atenção do voo. Ele estava cheio de sangue, mas seus olhos cor de bronze pareciam atentos.

E cheios de terror.

Qualquer mensagem que Yrene dera a Elide sumiu da memória.

— O que houve?

Foi Aelin quem respondeu, a estranha e antiga armadura ensanguentada. Uma visão do passado.

— A represa vai romper — explicou a rainha, rouca. — E varrer todos na planície.

Pelos deuses. Pelos deuses.

Elide olhou entre eles e soube a resposta à pergunta seguinte: *O que pode ser feito?*

Nada.

Ruks subiram para os céus, batendo as asas em sua direção, com soldados nas garras e agarrados às costas também.

— Alguém já avisou às curandeiras? — Elide apontou para as bandeiras brancas que oscilavam ao longe na planície. — À Alta-Curandeira? — Hafiza estava lá embaixo, dissera Yrene.

Silêncio. Então o príncipe Sartaq xingou na própria língua e saiu correndo para a ruk dourada. Em poucos momentos, disparava para o campo de batalha, seus gritos ecoando. Kadara mergulhava a pequenos intervalos e, quando subia de novo, outra pequena figura estava em suas garras. Curandeiras. Pegando tantas quanto Sartaq conseguia.

Elide se virou para os companheiros ao ver soldados começando a correr para a fortaleza, atropelando cadáveres e feridos. Ordens foram ditas na língua do continente sul e mais homens no campo de batalha saltaram em ação.

— O que mais... o que mais podemos fazer? — indagou a jovem. Aelin e Rowan apenas encararam o campo de batalha, observando com Fenrys e Gavriel conforme os ruks corriam para salvar tantos quanto conseguiam. Atrás deles, a princesa Hasar caminhava de um lado para outro, e Chaol e o pai murmuravam sobre onde poderiam colocar todos dentro da fortaleza. Aqueles que sobrevivessem.

Elide olhou para eles de novo. Olhou para todos eles.

E então perguntou, baixinho:

— Onde está Lorcan?

Ninguém se virou.

Ela perguntou mais alto:

— Onde está Lorcan?

Os olhos amarelados de Gavriel encararam os dela, confusão dançava ali.

— Ele... ele foi para o campo de batalha durante a luta. Eu o vi logo antes de as tropas do khagan o alcançarem.

— Onde ele *está*? — A voz de Elide falhou. Fenrys a encarou então. Seguido de Rowan e Aelin. Ela implorou, com a voz falhando: — *Onde está Lorcan*?

Pelo silêncio chocado, Elide sabia que o grupo nem mesmo se perguntara.

Ela se virou para o campo de batalha. Para aquela extensão interminável de corpos caídos. De soldados fugindo. Muitos dos feridos sendo abandonados onde estavam.

Tantos corpos. Tantos, tantos soldados ali embaixo.

— Onde. — Ninguém respondeu. Elide apontou para o campo de batalha e grunhiu para Gavriel: — *Onde* você o viu se juntar às forças do khagan?

— Quase do outro lado do campo — respondeu ele, com a voz tensa, apontando em seguida para a ponta da planície. — Eu... eu não o vi depois disso.

— Merda — sussurrou Fenrys.

— Use sua magia — disse Rowan a ele. — Pule para o campo, encontre Lorcan e traga-o de volta.

Alívio esmagou o peito de Elide.

Até que Fenrys respondeu:

— Não consigo.

— Você não a usou uma vez durante a batalha — desafiou Rowan. — Deve estar totalmente carregado para fazê-lo.

Fenrys empalideceu sob o sangue no rosto e lançou um olhar de súplica para Elide.

— Não consigo.

Silêncio caiu sobre as ameias.

Então Rowan grunhiu:

— Não quer. — Ele apontou com um dedo ensanguentado para o campo de batalha. — Você o deixaria morrer, e por quê? Aelin o perdoou. — A tatuagem se contraiu quando Rowan grunhiu de novo: — *Salve-o*.

Fenrys engoliu em seco. Mas Aelin interferiu:

— Esqueça isso, Rowan.

O macho grunhiu para ela também.

E Aelin grunhiu de volta.

— *Esqueça isso.*

Alguma conversa não proferida se passou entre eles, e a esperança que enchia o peito de Elide se foi quando Rowan recuou, dando a Fenrys um olhar de desculpas. Fenrys, parecendo prestes a vomitar, apenas olhou de novo para o campo de batalha.

Elide recuou um passo. Então outro.

Lorcan não podia estar morto.

Ela saberia se ele estivesse morto. Ela *saberia*, no coração, na alma, se ele estivesse morto.

Lorcan estava lá embaixo. Estava lá embaixo, naquele exército, talvez ferido e sangrando...

Ninguém a impediu quando Elide correu para dentro da fortaleza. Mesmo dando cada passo com dificuldade conforme dor irradiava pela perna, ela não hesitou ao chegar à escada interior e mergulhar no caos.

Tinha feito uma promessa a ele.

Fizera um juramento, tantos meses antes.

Sempre encontrarei você.

Soldados e curandeiras subiam as escadas às pressas, empurrando Elide. A gritaria era desconcertante ao ecoar das pedras antigas. Mas ela lutou para descer, lamentando-se entre dentes.

Sempre encontrarei você.

Empurrando, acotovelando, berrando com as pessoas frenéticas que passavam correndo por ela, Elide lutou por cada passo para baixo. Na direção dos portões.

Pessoas gritavam, e um fluxo interminável subia as escadas. Mesmo assim, Elide abriu caminho para baixo, pisando em falso aqui e ali. Nem mesmo olhavam para ela, nem mesmo tentavam liberar o caminho conforme subiam em uma torrente. Somente depois de pisar em falso mais uma vez, ela berrou para a escada:

— *Abram caminho para a rainha!*

Ninguém ouviu, então Elide o fez de novo. Ela encheu a voz de comando, com cada gota de poder que vira os machos feéricos usarem para intimidar os oponentes.

— *Abram caminho para a rainha!*

Dessa vez, as pessoas se espremeram contra as paredes. Elide tomou a pequena abertura e gritou a ordem de novo e de novo, com o tornozelo doendo a cada passo.

Mas ela conseguiu. Conseguiu chegar ao nível inferior caótico, aos portões abertos cheios de soldados. Além deles, corpos se espalhavam pelo horizonte. Guerreiros e curandeiras e aqueles carregando os feridos corriam para qualquer escada que encontrassem.

Elide conseguiu dar somente cinco passos até o portão aberto antes de perceber que seria impossível. Atravessar o campo, *encontrá-lo* na planície infinita, antes de aquela represa romper e Lorcan ser varrido para longe. Antes de ele partir para sempre.

Ele não estava morto.

Ele *não* estava morto.

Sempre encontrarei você.

A jovem olhou para os portões, então para os céus em busca de qualquer sinal de um ruk que pudesse carregá-la. Mas eles voavam para os níveis superiores, cheios de soldados e curandeiras, alguns até colocando as cargas na própria face da montanha. Com ela no nível térreo, ninguém ouviria os gritos por ajuda.

Nenhum soldado pararia também.

Elide observou a outra ponta da entrada dos portões.

Olhou para os cavalos que eram levados dos estábulos por cuidadores nervosos, as bestas dando pinotes por causa do pânico ao redor ao serem puxadas para as rampas lotadas.

Uma égua preta recuou, e seu grito soou como um aviso esganiçado antes de o animal acertar com os cascos o cuidador. O cavalo de Lorde Chaol. O sujeito gritou e caiu para trás, mal segurando as rédeas quando a égua pisoteou, com as orelhas junto à cabeça.

Elide não pensou. Não reconsiderou. Ela seguiu até os cavalos e os estábulos.

Então disse ao cuidador frenético, que ainda recuava do cavalo semisselvagem:

— Eu a levo.

O homem, com o rosto branco, atirou as rédeas para Elide.

— Boa sorte. — Em seguida, ele correu também.

A égua — Farasha — deu um puxão tão forte nas rédeas que a jovem quase foi carregada pelas pedras. Mas ela plantou os pés, sua perna urrando de dor, e disse para o cavalo:

— Preciso de você, coração selvagem. — Ela encontrou os olhos escuros e revoltos de Farasha. — Preciso de você. — A voz de Elide falhou. — Por favor.

E, pelos deuses, aquele cavalo ficou imóvel. Piscou.

Cavalos e cuidadores passaram por elas em fileira, mas Elide se manteve firme. Esperou até Farasha abaixar a cabeça, como se desse permissão.

Os estribos estavam baixos o suficiente graças às longas pernas de Lorde Chaol, e Elide conseguiu alcançá-los. Ainda assim, conteve o grito quando seu peso se assentou no tornozelo com deficiência, quando deu *impulso* e subiu o corpo para a luxuosa sela de Farasha. Era uma pequena misericórdia que não tivessem tido tempo de desencilhá-la depois da batalha. Um conjunto do que pareciam ser esteios pendia das laterais dela, com certeza para manter Lorde Chaol estabilizado, e Elide os abriu. Qualquer peso, qualquer coisa que a segurasse, precisava ser descartado.

Então ela pegou as rédeas.

— *Para o campo de batalha, Farasha.*

Com um grito relinchado, a égua mergulhou para o caos.

Soldados saltaram do caminho, e Elide não parou para pedir desculpas, não parou para ninguém, quando ela e a égua preta dispararam para os portões. Então além deles.

Para a planície.

⚜ 60 ⚜

Rowan sabia que sua magia apenas adiaria o inevitável. Considerara voar até a represa para ver se conseguiria segurar a estrutura no lugar por tempo o bastante, se não conseguiria impedir o rio todo. Mas a força da coisa do outro lado... não podia ser contida.

Soldados e curandeiras corriam para a fortaleza, os ruks disparavam pelo campo de batalha para levar aqueles que estavam à frente do caminho da água para segurança. Mas não rápido o suficiente. Mesmo sem saber quando a represa romperia, não seria rápido o suficiente.

Será que Lorcan estava entre aqueles correndo ou tinha conseguido subir em um ruk?

— O poder — disse Fenrys, em voz baixa para ele, segurando a muralha escorregadia com sangue. — Era a única coisa que Connall e eu compartilhávamos.

— Eu sei — retrucou Rowan. Ele não deveria ter insistido. — Desculpe.

Fenrys apenas assentiu.

— Não consegui suportar fazer isso desde então. Eu... eu nem sei se *consigo* usar o poder de novo — explicou ele, e repetiu: — Desculpe.

Rowan segurou o ombro do amigo. Outra coisa pela qual faria Maeve pagar.

— Você talvez nem o encontrasse mesmo.

O maxilar de Fenrys se contraiu.

— Ele pode estar em qualquer lugar.

— Ele pode estar morto — murmurou a princesa Hasar.

— Ou ferido — interrompeu Chaol, empurrando a cadeira para a beira da muralha para observar o campo de batalha abaixo e a represa distante.

Aelin, a poucos metros, olhava para o local também, os cabelos cheios de sangue se soltando da trança ao vento fustigante. Soprando na direção daquelas montanhas, da destruição que em breve seria liberada.

Ela não disse nada. Não fizera nada desde que Nesryn e Sartaq tinham trazido a notícia. Exatamente seu tipo de pesadelo, percebeu Rowan, não poder ajudar, ser forçada a assistir enquanto outros sofriam. Nenhuma palavra poderia confortá-la, nenhuma palavra poderia consertar aquilo. Impedir aquilo.

— Eu poderia tentar localizá-lo — ofereceu Gavriel.

Rowan afastou o temor que tomava conta de si.

— Vou voar até lá, tentar achar a localização exata, então sinalizo de volta para você...

— Nem se incomode — interrompeu a princesa Hasar, e o guerreiro estava prestes a grunhir uma resposta quando ela apontou para o campo de batalha. — Ela já está na frente.

Rowan se virou, os demais acompanharam.

— Não — sussurrou Fenrys.

Ali, galopando pela planície em um cavalo preto familiar, estava Elide.

— Farasha — murmurou Chaol.

— Ela vai ser morta — declarou Gavriel, ficando tenso como se estivesse prestes a pular das ameias e sair atrás da jovem. — Ela vai ser...

Farasha saltava sobre corpos caídos, ziguezagueando entre os feridos e mortos, enquanto Elide se virava de um lado para o outro na sela. E pela distância, Rowan conseguia enxergar a boca da jovem se movendo, gritando uma palavra, um nome, de novo e de novo. *Lorcan.*

— Se algum de vocês descer até lá — avisou Hasar — será morto também.

Era contra todos os seus instintos, contra os séculos de treinamento e luta que compartilhara com Lorcan, mas a princesa estava certa. Perder uma vida era melhor que muitas. Principalmente por precisarem tanto da equipe durante o restante da guerra.

Lorcan concordaria; ensinara Rowan a tomar aquele tipo de decisão difícil.

Ainda assim, Aelin permanecia calada, como se tivesse descido para o fundo de si mesma, olhando para o campo de batalha.

Para a pequena montadora e o poderoso cavalo que corria por ele.

Farasha era uma tempestade sob Elide, mas a égua não tentou derrubá-la conforme as duas disparavam pela planície coberta de corpos.

— *Lorcan*!

O grito era engolido pelo vento, pelos berros de soldados e pessoas em fuga, pela gritaria dos ruks acima.

— *Lorcan*!

Ela observou cada cadáver pelo qual passou em busca de um indício daqueles lustrosos cabelos pretos, daquele rosto sério. Tantos. O campo dos mortos se estendia eternamente, corpos estavam empilhados.

Farasha saltava sobre eles, fazendo curvas acentuadas enquanto Elide se virava para procurar e procurar.

Cavalos e cavaleiros darghan passavam correndo. Alguns para a fortaleza, outros para a floresta distante no horizonte. Farasha se desviava, mordendo aqueles em seu caminho.

— *Lorcan*! — Como seu grito soava baixo, fraco.

A represa ainda aguentava.

Sempre encontrarei você.

E as palavras, as palavras estúpidas e odiosas para ele... Será que Elide fizera aquilo? Levara aquilo até ele? Pedira que algum deus fizesse aquilo?

As palavras tinham todas se derretido no momento que a jovem havia percebido que ele não estava nas ameias. Os últimos meses tinham se derretido por completo.

— *Lorcan*!

Sem vacilar, Farasha continuou em frente, a crina preta voando ao vento.

A represa precisava aguentar. *Aguentaria*. Até que Elide o trouxesse de volta para a fortaleza.

Então ela não parou, não olhou para o que espreitava, esperando ser libertado.

Elide cavalgou, e cavalgou, e cavalgou.

No alto da ameia, Chaol não sabia para onde olhar: a represa, as pessoas fugindo da destruição iminente ou a jovem Lady de Perranth correndo pelo campo de batalha sobre seu cavalo.

A mão morna de alguém se apoiou sobre seu ombro. Sem se virar, ele sabia que era Yrene.

— Acabei de saber sobre a represa. Tinha mandado Elide ver se você estava... — As palavras da mulher se calaram quando Yrene olhou para a amazona solitária se *distanciando* das massas que disparavam para a fortaleza.

— Que Silba a salve — sussurrou Yrene.

— Lorcan está lá embaixo. — Foi tudo o que Chaol ofereceu como explicação.

Os machos feéricos estavam tensos como o fio de um arco conforme a jovem atravessava o campo de batalha pouco a pouco. As chances de encontrar Lorcan, e ainda mais antes de a represa estourar...

Mesmo assim, Elide continuava cavalgando. Correndo contra a própria presença da morte.

— A menina é uma tola. A mais corajosa que já vi, mas uma tola mesmo assim — disse a princesa Hasar, baixinho.

Aelin não disse nada, os olhos estavam distantes. Como se tivesse se retraído para dentro de si mesma ao perceber que aquele fiapo de esperança estava prestes a ser varrido. E seus amigos iriam junto.

— Hellas protege Lorcan — murmurou Fenrys. — E Anneith, sua consorte, protege Elide. Talvez eles se encontrem.

— O cavalo de Hellas — disse Chaol.

Todos se viraram para ele, tirando os olhos do campo de batalha.

Chaol sacudiu a cabeça e indicou o campo, a égua preta e a amazona.

— Eu chamo Farasha de o cavalo de Hellas. Faço isso desde o momento que a conheci.

Como se conhecer aquele cavalo, levá-lo até lá, não tivesse sido tanto por ele, mas para aquele momento. Aquela corrida desesperada através de um campo de batalha infinito.

Yrene segurou as mãos do marido, como se também entendesse.

Silêncio recaiu sobre a seção da ameia em que estavam. Não havia mais palavras a dizer.

— *Lorcan!*

A voz de Elide falhou durante o grito. Ela perdera a conta de quantas vezes havia gritado àquela altura.

Nenhum sinal dele.

Elide seguiu para o lago. Mais perto da represa. Ele teria escolhido o lago pelas vantagens defensivas.

Corpos eram um borrão abaixo, em torno de égua e amazona. Tantos valg caídos no campo. Alguns estendiam as mãos pálidas para Farasha. Como se fossem agarrá-la, destroçá-la, implorar por ajuda.

A égua pisoteou-os na lama, osso se partiu e crânios racharam.

Ele só podia estar ali. Precisava estar em algum lugar. Vivo; ferido, mas vivo.

Ela sabia.

O lago era uma extensão cinzenta à esquerda, um deboche do inferno que se libertaria a qualquer momento.

— *Lorcan!*

Tinham chegado ao coração do campo de batalha, e Elide reduziu a velocidade de Farasha o suficiente para ficar de pé nos estribos, ignorando a dor no tornozelo. Jamais se sentira tão pequena, tão inconsequente. Uma partícula de nada naquele mar condenado.

Ela se abaixou de novo sobre a sela, cutucou o cavalo com os calcanhares e impulsionou Farasha na direção da reluzente extensão prateada. Ele só podia ter ido para o lago.

A égua mergulhou no movimento, o peito se inflou como um fole.

Sempre em frente, armaduras pretas e douradas, sangue e neve e lama. A represa ainda estava de pé.

Mas ali...

Elide puxou as rédeas, reduzindo a velocidade do cavalo.

Ali, não muito longe da beira da água, havia um trecho de soldados de Morath caídos. Um punhado deles. Nenhuma armadura dourada. Mesmo onde o exército do khagan tinha passado varrendo tudo, haviam perdido soldados. A distribuição pelo campo de batalha não fora de modo algum equilibrada, mas *houvera* cadáveres de armadura dourada entre a massa escura.

Mas ali, não havia nenhum. Nenhuma flecha ou lança também para explicar a queda de tantos inimigos.

Uma verdadeira estrada de demônios valg fluía adiante.

Elide a acompanhou. Observou cada cadáver, cada rosto coberto pelo elmo, a boca secando. Mais e mais, o rastro da destruição se seguia.

Tantos. Ele havia matado tantos.

O fôlego de Elide ficou preso na garganta quando se aproximaram do fim daquele rastro de morte, onde corpos dourados começaram a surgir de novo.

Nada. Elide parou Farasha. Gavriel dissera que o vira bem ali pela última vez. Será que mergulhara para trás das linhas aliadas e prosseguira dali?

Ele poderia ter saído com vida daquele campo, percebeu Elide. Poderia estar de volta à fortaleza, ou a Carvalhal, e ela teria cavalgado até ali por nada...

— *Lorcan!* — gritou a jovem, tão alto que era impressionante que sua garganta não sangrasse. — *Lorcan!*

A represa permanecia intacta. Qual de seus fôlegos seria o último?

— *LORCAN!*

Um grunhido de dor respondeu atrás da jovem.

Elide se virou na sela e observou o caminho de valg mortos atrás de si.

A mão grande se ergueu de uma pilha espessa de corpos, lutando para se agarrar à armadura peitoral de um dos soldados. A menos de seis metros.

Um soluço escapuliu de dentro de Elide, e Farasha virou na direção daquela mão ensanguentada que se estendia. O cavalo parou subitamente, com sangue voando dos cascos. Elide se jogou da sela antes de sair aos tropeços até Lorcan.

Armadura e lâminas a cortaram, carne morta atingiu sua pele conforme ela empurrava cadáveres de demônios, grunhindo por conta do peso. Lorcan a encontrou no meio do caminho, aquela mão se tornou um braço, então dois — impulsionando-se para fora dos corpos que se empilhavam sobre ele.

Elide o alcançou no momento que Lorcan conseguiu deslocar um soldado estatelado sobre seu corpo.

Ela olhou uma vez para o ferimento no tronco do macho e tentou não cair de joelhos.

O sangue do guerreiro escorria para todo lado, o ferimento não se fechara; não da forma como os feéricos deveriam conseguir se curar. O ferimento que o derrubara devia ter sido catastrófico se fora preciso todo o poder de Lorcan para curar tão pouco.

Mas Elide não falou isso. Não disse nada a não ser:

— A represa vai se romper.

Sangue escuro manchava o rosto lívido do guerreiro, os olhos pretos estavam anuviados pela dor. Ela fincou os pés no chão, engolindo o grito de dor, e o segurou por baixo dos ombros.

— Precisamos tirá-lo daqui.

A respiração de Lorcan soou rouca e úmida quando Elide tentou levantá-lo. Ele poderia muito bem ter sido uma pedra, poderia muito bem ter sido tão impossível de mover quanto a própria fortaleza.

— Lorcan — implorou ela, com a voz falhando. — Precisamos tirá-lo daqui.

As pernas do semifeérico se moveram, o que causou um gemido de agonia. Ela jamais o ouvira sequer soluçar. Jamais o vira incapaz de se levantar.

— Levante-se — disse ela. — *Levante-se.*

As mãos de Lorcan seguraram a cintura de Elide, e ela não conseguiu impedir o grito de dor pelo peso colocado sobre si, os ossos do pé e do tornozelo raspando um no outro. Quando as pernas de Lorcan nem mesmo se flexionaram, ele parou.

— *Vamos lá* — implorou Elide. — *Levante-se.*

Mas aqueles olhos pretos se voltaram para o cavalo.

Farasha se aproximou, seus passos eram hesitantes sobre os cadáveres. Ela nem mesmo se encolheu quando Lorcan segurou as faixas inferiores da sela, com a outra mão no ombro de Elide, e moveu as pernas de novo.

A respiração do macho se tornou irregular. Sangue fresco lhe escorreu da barriga, fluindo sobre os resquícios endurecidos no casaco e nas calças.

Conforme Lorcan começava a se levantar, Elide viu o ferimento que cortava o lado esquerdo de suas costas.

A carne estava aberta... osso despontava.

Pelos deuses. Pelos deuses.

Elide se abaixou mais sob ele, até que o braço de Lorcan estivesse pendurado sobre seus ombros. Com as coxas queimando, o tornozelo urrando, a jovem deu um impulso para *cima*.

Lorcan puxou ao mesmo tempo, e Farasha se manteve firme. Ele gemeu de novo, seu corpo balançou...

— *Não pare* — sibilou Elide. — *Não ouse parar.*

Ele tomou fôlegos breves, então colocou os pés sob o corpo, centímetro a centímetro. Deslizando o braço do ombro de Elide, ele avançou para pegar a sela. Para se agarrar a ela.

Lorcan ofegava e ofegava, sangue fresco escorria de suas costas também.

Aquela cavalgada seria dolorosa. Mas não tinham escolha. Nenhuma.

— Agora suba. — Elide não permitiu que ele ouvisse seu terror e seu desespero. — Suba naquela sela.

Lorcan apoiou a testa contra a lateral escura de Farasha, balançando tanto que Elide envolveu sua cintura com o braço cuidadosamente.

— Você não morreu nessa maldita batalha — disparou ela. — E não está morto ainda. *Nós* não estamos mortos ainda. Então *suba nessa sela.*

Quando Lorcan não fez nada além de respirar e respirar e respirar, Elide voltou a falar:

— Prometi sempre encontrar você. Prometi a você, e você prometeu a mim. Vim atrás de você por causa disso; estou aqui por causa disso. Estou aqui por *você*, entendeu? E se não subirmos nesse cavalo *agora*, não teremos chance contra aquela represa. Nós morreremos.

O guerreiro ofegou por mais um segundo. Então outro. Em seguida, trincando os dentes, com as articulações dos dedos brancas na sela, ele ergueu a perna o suficiente para deslizar um pé para o estribo.

A seguir viria o verdadeiro teste: aquele empurrão poderoso para cima para passar a perna pelo corpo de Farasha e para o outro lado da sela.

Elide se posicionou às costas dele, com muito cuidado por causa do corte terrível pelo corpo do semifeérico. Os pés da jovem mergulharam na altura dos tornozelos na lama congelante. Ela não ousou olhar para a represa. Ainda não.

— Suba. — A ordem ecoou por cima dos gritos de pânico dos soldados em fuga. — Suba nessa sela *agora*.

Lorcan não se moveu. O corpo tremia.

— *Suba agora!* — gritou Elide. E o empurrou para cima.

Lorcan soltou um urro que ressoou nos ouvidos da jovem. A sela rangeu sob seu peso, e sangue jorrou dos ferimentos, mas o macho se elevou no ar, indo em direção ao dorso do cavalo.

Elide jogou o peso sobre ele, e algo estalou em seu tornozelo, tão violentamente que dor irradiou por seu corpo, ofuscante e de tirar o fôlego. Ela tropeçou, perdendo a firmeza. Mas Lorcan estava no alto, a perna passara para o outro lado do cavalo. Ele ficou curvado, com um braço segurando o abdômen, e o cabelo escuro solto estava tão baixo que roçava no dorso de Farasha.

Trincando o maxilar para afastar a dor no tornozelo, Elide esticou as costas e olhou a distância.

Um longo braço ensanguentado caiu em seu campo visual. Uma oferta para subir.

Elide o ignorou. Ela o colocara em cima da sela. Não o jogaria para fora de novo.

Ela recuou um passo, com dificuldade.

Não se permitindo registrar a dor, a jovem correu os poucos passos até Farasha e saltou.

A mão de Lorcan segurou a parte de trás de seu casaco, e Elide perdeu o fôlego no momento que sua barriga bateu contra a impiedosa borda da sela e ela tentou se equilibrar.

A força no braço do guerreiro não hesitou quando ele a puxou quase para seu colo. Quando ele grunhiu de dor enquanto Elide se endireitava.

Mas ela conseguira. Colocando as pernas de cada lado do cavalo, Elide pegou as rédeas. Lorcan passou o braço pela cintura da lady, seu corpo destruído era uma massa sólida às costas da jovem.

Por fim, ela ousou olhar para a represa. Um ruk saiu voando do local, freneticamente balançando uma bandeira dourada.

Em breve. Romperia em breve.

Elide segurou as rédeas de Farasha.

— Para a fortaleza, amiga — disse ela, enterrando os pés do lado do corpo do cavalo. — Mais rápido que o vento.

Farasha obedeceu. Elide foi empurrada contra Lorcan quando a égua se lançou em um galope, o que rendeu mais um gemido de dor. Mas ele permaneceu na sela, apesar dos passos fortes que arrancavam fôlegos de dor do macho.

— *Mais rápido, Farasha*! — gritou Elide ao virar a égua para a fortaleza, para a montanha na qual fora construída.

Nada jamais parecera tão distante.

Tão longe que ela não conseguia ver se o portão mais baixo da fortaleza ainda estava aberto. Se alguém o segurava, se esperavam por eles.

Segurem o portão.

Segurem o portão.

Cada batida estrondosa dos cascos de Farasha sobre os corpos dos mortos ecoava a oração silenciosa de Elide conforme eles disparavam pela planície interminável.

Segurem o portão.

⸙ 61 ⸙

A dor era uma canção no sangue, nos ossos e no fôlego de Lorcan.

Cada passo do cavalo, cada salto dado sobre corpos e escombros, fazia a dor ressoar de novo. Não tinha fim, nenhuma piedade ali. Tudo que ele podia fazer era se manter na sela, se agarrar à consciência.

Manter o braço em volta de Elide.

Ela fora buscá-lo. Encontrara Lorcan, de alguma forma, naquele campo de batalha interminável.

Seu nome nos lábios da jovem fora um chamado que o macho jamais poderia negar, mesmo quando a morte o segurara tão carinhosamente, aninhado sob todos aqueles que matara, aguardando o último suspiro.

E agora, disparando para aquela fortaleza distante demais, tão atrás das multidões de soldados e cavaleiros que corriam para os portões, ele se perguntava se aqueles minutos seriam seus últimos. Os últimos dela.

Elide fora buscá-lo.

Lorcan conseguiu olhar para a represa à direita. Para o montador ruk que sinalizava que era apenas uma questão de minutos até que o inferno invadisse a planície.

Ele não sabia como a represa se enfraquecera. Não se importava.

Farasha saltou sobre uma pilha de corpos valg, e Lorcan não conseguiu segurar o gemido quando sangue morno lhe escorreu pela frente e pelas costas.

Ainda assim, Elide continuava incitando o cavalo para a frente, mantendo-os, na medida do possível, em um caminho reto para a fortaleza distante.

Nenhum ruk apareceria para levá-los. Não, sua sorte fora gasta sobrevivendo por tanto tempo, fora gasta em Elide o encontrando. O poder de Lorcan não faria nada contra a água.

As linhas mais afastadas de soldados em pânico surgiram, e Farasha disparou além deles.

Elide soltou um soluço, e Lorcan acompanhou seu campo visual.

Para o portão da fortaleza, ainda aberto.

— *Mais rápido, Farasha!* — Ela não escondia o terror e o desespero na voz.

Depois que a represa se partisse, levaria menos de um minuto para que a onda os alcançasse.

Ela fora atrás dele. Encontrara Lorcan.

O mundo se calou. A dor no corpo do guerreiro se dissipou em nada. Em algo secundário.

Lorcan deslizou o outro braço em volta de Elide, aproximando a boca do ouvido dela ao dizer:

— Precisa me deixar.

Cada palavra soava séria, a voz soava difícil até quase se tornar inútil.

Elide não tirou a concentração da fortaleza adiante.

— Não.

Aquela quietude suave fluiu em torno do semifeérico, limpando a névoa da dor e da batalha.

— Precisa. Você precisa, Elide. Sou pesado demais... sem meu peso, pode chegar à fortaleza a tempo.

— Não. — O sal das lágrimas da jovem encheu o nariz de Lorcan.

Ele roçou a boca sobre a bochecha úmida de Elide, ignorando a dor que rugia pelo corpo. O cavalo galopava e galopava, como se fosse vencer a própria morte naquela corrida.

— Amo você — sussurrou ele ao ouvido de Elide. — Amo você desde o momento que pegou aquele machado para matar os ilken. — As lágrimas da jovem escorreram além dele no vento. — E estarei com você... — A voz de Lorcan falhou, mas ele se obrigou a dizer as palavras, a verdade em seu coração. — Estarei *sempre* com você.

Ele não tinha medo do que poderia encontrá-lo depois que se jogasse do cavalo. Não tinha medo algum, se isso significava que Elide chegaria à fortaleza.

Então Lorcan a beijou na bochecha de novo e se permitiu sentir seu cheiro uma última vez.

— Amo você — repetiu ele, começando a tirar os braços de sua cintura.

Elide bateu com a mão em seu antebraço. Enterrou as unhas bem na pele, destemida como qualquer ruk.

— Não.

Não havia lágrimas naquela voz. Nada além de vontade sólida, determinada.

— Não — repetiu Elide. A voz da Lady de Perranth.

Lorcan tentou mover o braço, mas a mão dela não se mexeu.

Se ele caísse do cavalo, ela iria junto.

Juntos. Ou fugiriam daquilo ou morreriam juntos.

— Elide...

Mas ela apertou os calcanhares nos flancos do cavalo.

Bateu os calcanhares na lateral escura e gritou:

— *VOE, FARASHA.* — Ela estalou as rédeas. — *VOE, VOE, VOE!*

E que os deuses a ajudassem, aquele cavalo voou.

Como se o deus que a fizera tivesse enchido os pulmões da égua com o próprio fôlego, Farasha deu um impulso de velocidade.

Mais rápida que o vento. Mais rápida que a morte.

O animal passou pela primeira cavalaria darghan. Passou por cavalos e cavaleiros desesperados em um galope desregrado para os portões.

O coração poderoso não vacilou, mesmo com Lorcan sabendo que retumbava até quase estourar.

Menos de dois quilômetros restavam entre eles e a fortaleza.

Mas então um estalo estrondoso, rangido, partiu o mundo, ecoando do lago e das montanhas.

Não havia nada que ele pudesse fazer, nada que aquele cavalo corajoso e determinado pudesse fazer quando a represa se rompeu.

∽

Rowan começou a rezar por aqueles na planície, pelo exército que estava prestes a ser varrido, no instante que a represa rompeu.

Parada a poucos centímetros, Yrene sussurrava suas orações também. Para Silba, a deusa das mortes tranquilas. *Que seja rápido, que seja indolor.*

Uma parede de água, grande como uma montanha, se rompeu. E disparou para a cidade, para a planície, com a ira de mil anos de confinamento.

— Não vão conseguir — sibilou Fenrys de olho em Lorcan e Elide galopando em sua direção. Tão perto, tão perto, mas aquela onda chegaria em segundos.

Rowan se obrigou a ficar de pé ali, a observar os últimos momentos da Lady de Perranth e do antigo comandante. Era tudo que poderia oferecer: testemunhar as mortes para poder contar a história aos que encontrasse. Para que não fossem esquecidos.

O rugido da onda que se aproximava era desconcertante até mesmo a quilômetros de distância.

Ainda assim, Elide e Lorcan corriam, Farasha ultrapassava cavalo atrás de cavalo atrás de cavalo.

Mesmo ali em cima, será que escapariam do alcance da onda? Rowan ousou investigar as ameias e verificar se precisava levar os outros, se precisava levar Aelin para um nível mais alto.

Mas Aelin não estava a seu lado.

Não estava sequer na ameia.

O coração de Rowan parou. Simplesmente parou de bater quando um ruk marrom-ferrugem caiu do céu, disparando para o centro da planície.

Arcas, o ruk de Borte. Uma mulher de cabelos dourados pendia de suas garras.

Aelin. Aelin estava...

Arcas se aproximou da terra, as garras se abrindo. Aelin atingiu o chão, rolando, rolando até se colocar de pé.

Bem no caminho daquela onda.

— Pelos deuses — sussurrou Fenrys, vendo-a também.

Todos a viam.

A rainha na planície.

A muralha infinita de água corria para ela.

As pedras da fortaleza começaram a tremer. Rowan ergueu a mão para se preparar; medo como jamais sentira tomou seu corpo quando Aelin levantou os braços acima da cabeça.

Uma pilastra de fogo disparou para cima ao seu redor, erguendo com ela os cabelos da rainha.

A onda rugia e rugia para ela, para o exército atrás de Aelin.

O tremor na fortaleza não era por causa da onda.

Não era pela muralha de água.

Rachaduras se formaram na terra, partindo-a. Formando uma teia a partir de Aelin.

— As fontes termais — sussurrou Chaol. — O leito do vale está cheio de veias até a própria terra.

Para o coração incandescente do mundo.

A fortaleza tremeu mais violentamente daquela vez.

A pilastra de fogo foi sugada de volta por Aelin. Ela estendeu a mão diante do corpo, fechando o punho.

Como se fosse parar a onda no meio do caminho.

Ele soube então. Por ser o parceiro ou o *carranam*, ele soube.

— Três meses — sussurrou Rowan.

Os outros ficaram imóveis.

— Três meses — repetiu ele, com os joelhos trêmulos. — Ela tem descido para dentro do poder durante três meses.

Todo dia em que estivera com Maeve, amarrada com ferro, fora mais fundo. E não libertara demais do poder desde que a haviam resgatado porque *continuara* fazendo esse mergulho.

Para reunir o máximo de sua magia. Não para o Fecho, não para Erawan. Mas para dar o golpe mortal em Maeve.

Algumas semanas de descida tinham levado os poderes de Aelin a níveis devastadores. Três *meses* daquilo...

Pelos deuses. Pelos malditos deuses.

E quando o fogo de Aelin atingiu a parede de água que se erguia sobre ela, quando colidiram...

— *PARA BAIXO!* — berrou Rowan sobre as águas ruidosas. — *PARA BAIXO AGORA!*

Os companheiros se abaixaram atrás das pedras, e qualquer um no raio do alcance de sua voz fez o mesmo.

Rowan mergulhou para o próprio poder. Mergulhou para ele rápido e com tudo, arrancando de dentro qualquer gota de magia que restasse.

Elide e Lorcan ainda estavam longe demais dos portões. Milhares de soldados ainda estavam longe demais dos portões quando a onda despontou acima deles.

Quando Aelin abriu a mão para ela.

Fogo irrompeu.

Fogo cobalto. A alma revoltada de uma chama.

Uma onda daquilo.

Mais alta que as águas tumultuosas, a onda disparou de dentro de Aelin, expandindo-se.

A água se chocou contra o poder. E onde encontrou uma muralha de fogo, onde mil anos de confinamento encontraram três meses daquilo, o mundo explodiu.

Vapor fervilhante, capaz de derreter carne de osso, disparou pela planície.

Com um rugido, Rowan jogou tudo o que restava de sua magia para o ataque de vapor, uma parede de vento empurrando-o na direção do lago, das montanhas.

Ainda assim, as águas vieram, quebrando contra as chamas que nem mesmo vacilaram um centímetro.

O golpe mortal em Maeve. Gasto ali, para salvar o exército que poderia significar a salvação de Terrasen. Para poupar as vidas na planície.

Rowan trincou os dentes, ofegante contra o poder frágil. A exaustão estava à espreita, terrivelmente próxima.

A onda revolta se atirou repetidas vezes na parede de chamas.

Rowan não viu se Elide e Lorcan chegaram à fortaleza. Se os outros soldados e cavaleiros na planície tinham parado para olhar boquiabertos.

A princesa Hasar, levantando-se a seu lado, disse:

— Esse poder não é uma bênção.

— Diga isso a seus soldados — grunhiu Fenrys, ficando de pé também.

— Não quis dizer dessa forma — disparou ela, e o assombro era realmente evidente no rosto da mulher.

Rowan se inclinou contra as ameias, ofegando intensamente enquanto lutava para evitar que o vapor flutuasse até o exército. Conforme o esfriava e soprava para longe.

Mãos sólidas deslizaram sob seus braços, e Fenrys e Gavriel estavam ali, apoiando-o entre eles.

Um minuto se passou. Então outro.

A onda começou a diminuir. Ainda assim, o fogo queimava.

A cabeça de Rowan latejava, a boca estava seca.

O tempo escapou do guerreiro, e um gosto acobreado lhe encheu a boca.

A onda desceu mais, águas revoltas se aquietaram.

Então o rugido se transformou em ondulações, corredeiras em redemoinhos.

Até que a parede de chamas começou a descer também. Acompanhando as águas mais e mais para baixo. Deixando que escorressem para as rachaduras da terra.

Os joelhos de Rowan cederam, mas ele continuou usando a magia por tempo o bastante para que o vapor diminuísse. Para que também fosse acalmado.

Aquilo encheu a planície, cobrindo o mundo com uma névoa flutuante. Bloqueando a visão da rainha no centro.

Então silêncio. Total silêncio.

Fogo lampejou na névoa, azul se tornando dourado e vermelho. Um brilho fraco, latejante.

Rowan cuspiu sangue nas pedras da ameia, a respiração parecia cacos de vidro na garganta.

As chamas reluzentes se encolheram, e vapor passou por elas ondulando. Até só restar a magra pilastra de fogo, oculta na planície encoberta pela névoa.

Não uma pilastra de fogo.

Mas Aelin.

Brilhando com um branco incandescente. Como se tivesse se entregado tão completamente para a chama que se tornara o próprio fogo.

A Portadora do Fogo, sussurrou alguém pelas ameias.

A névoa ondulou e aumentou, projetando Aelin em nada além de uma efígie reluzente.

O silêncio se tornou reverente.

Um suave vento do norte desceu. O véu de névoa se afastou, e ali estava ela. Brilhava de dentro. Brilhava dourada, com as mechas dos cabelos oscilando ao vento fantasma.

— A herdeira de Mala — sussurrou Yrene.

Abaixo, na planície, Elide e Lorcan tinham parado.

O vento afastou mais da névoa que flutuava, limpando a terra além de Aelin.

E onde aquela onda poderosa e letal tinha pairado, onde a morte havia avançado na direção deles, não restava mais nada.

Durante três meses, ela cantara para a escuridão e a chama, e as duas tinham cantado de volta.

Durante três meses, havia se enterrado tão profundamente dentro do poder que revelara profundezas não descobertas. Enquanto Maeve e Cairn trabalhavam em Aelin, ela vasculhava. Sem jamais deixar que soubessem o que ela minerava, o que recolhia para si, dia após dia após dia.

Um golpe mortal. Um a fim de varrer da terra para sempre uma rainha sombria.

Ela mantivera aquele poder preso dentro de si mesmo depois de ter sido libertada dos ferros. Tinha lutado para mantê-lo contido durante aquelas semanas, a tensão era enorme. Em alguns dias, fora mais fácil quase não falar. Em alguns dias, a arrogância fora o segredo para ignorar aquilo.

Mas, quando vira aquela onda, quando vira Elide e Lorcan escolhendo a morte juntos, quando vira o exército que poderia salvar Terrasen, ela soubera. Ao sentir o fogo dormindo sob aquela cidade, ela soube que tinham ido até lá por um motivo.

Ela fora até lá por *aquele* motivo.

Um rio ainda fluía da represa, inofensivo e pequeno, ziguezagueando até o lago.

Nada mais.

Aelin ergueu a mão brilhante diante do corpo quando um vazio divino e tranquilizador a preencheu por fim.

Lentamente, começando das pontas dos dedos, o brilho sumiu.

Como se tivesse sido forjada de novo, forjada de volta para seu corpo.

De volta para Aelin.

Clareza, aguçada e cristalina, a tomou depois disso. Como se pudesse ver de novo, respirar de novo.

Centímetro a centímetro, o brilho dourado se esmaeceu em pele e osso. Em uma mulher.

Imediatamente, um gavião de cauda branca subiu para o céu.

E, no momento que os resquícios do brilho sumiram, desaparecendo pelos dedos dos pés, Aelin caiu de joelhos.

Caiu de joelhos no silêncio absoluto do mundo, então se enroscou de lado.

Teve a vaga sensação de braços fortes e familiares a pegando. De ser carregada sobre costas largas, penadas, ainda naqueles braços.

De voar pelos céus com o restante da névoa ondulando para longe ao sol da tarde.

E, então, a doce escuridão.

⊰ 62 ⊱

As Crochan não se espalharam aos ventos.

Como uma, as Treze e as Crochan voaram para o sudoeste, na direção dos limites externos das montanhas Canino Branco. Para outro acampamento secreto, pois a localização do primeiro havia sido completamente comprometida. Mais longe de Terrasen, porém mais perto de Morath, pelo menos.

Um pequeno conforto, pensou Dorian quando encontraram um lugar seguro para acampar naquela noite. As serpentes aladas talvez tivessem conseguido seguir, mas as Crochan nas vassouras não podiam voar por tanto tempo. Tinham voado até a escuridão quase impedi-las de enxergar, aterrissando apenas depois de, junto das Sombras, terem concordado em um lugar seguro para ficar.

Os turnos de vigia foram planejados, tanto no chão quanto no céu. Se as duas Matriarcas sobreviventes as retaliassem pela derrota humilhante, seria naquele momento. As Crochan e Asterin tinham passado muitas horas naquele dia dispondo rastros enganosos, mas apenas o tempo diria se haviam escapado.

A noite estava tão fria que elas se revezaram para erguer tendas enquanto as serpentes aladas se aninhavam contra um dos penhascos rochosos. E, embora o mais inteligente tivesse sido não ter fogueira alguma, o frio ameaçava ser tão letal que Glennis tirara a chama sagrada da esfera em que ficava durante viagens para acender sua fogueira. Outras a imitaram em seguida, e ainda que encantamentos fossem conjurados para esconder o acampamento e as fogueiras dos olhos inimigos, Dorian não conseguia se esquecer inteiramente de que as Matriarcas Dentes de Ferro as haviam encontrado independentemente daquilo.

Não tinham falado sobre para onde iriam depois. O que fariam. Se seguiriam caminhos diferentes por fim, ou se permaneceriam como um grupo unido.

Manon não perguntara ou insistira com elas por uma aliança, para que fossem à guerra. Não exigira saber para onde voavam de tão urgente que fora a necessidade de se afastarem do acampamento naquela manhã.

Mas o dia seguinte, pensou Dorian ao se deitar sob os cobertores do saco de dormir com um filete de chamas próprias aquecendo o espaço, o dia seguinte as forçaria a confrontar algumas coisas.

Cansado até os ossos, gelado apesar da magia que o aquecia, ele deitou a cabeça contra a pilha de suprimentos que usava de travesseiro.

O sono quase o levara quando um rompante de frio serpenteou para dentro da tenda, então sumiu. Dorian sabia quem era antes de ela se sentar no saco de dormir, e, quando ele abriu os olhos, encontrou Manon com os joelhos dobrados e os braços apoiados ali.

Ela encarou a escuridão da tenda, o espaço iluminado pela luz prateada das estrelas que brilhavam em sua testa.

— Não precisa usá-la o tempo todo — comentou ele. — Temos permissão de tirá-las.

Olhos dourados deslizaram para Dorian.

— Jamais o vi usar uma coroa.

— Os últimos meses não me deram muito acesso à coleção real. — Ele se sentou. — E odeio usá-las, de todo modo. Se enterram sem misericórdia em minha cabeça.

Um indício de sorriso.

— Esta não é tão pesada.

— Como parece feita da própria luz, imagino que não seja. — Embora a coroa devesse pesar de outras formas, ele sabia.

— Então está falando comigo — disse ela, sem se incomodar em mudar de assunto graciosamente.

— Falei com você antes.

— É porque agora sou rainha?

— Era rainha antes de hoje.

Os olhos dourados se semicerraram, observando-o em busca da resposta que queria. Dorian deixou que Manon fizesse aquilo e devolveu o favor. A respiração da bruxa estava constante, a postura, relaxada, pelo menos daquela vez.

— Achei que seria mais satisfatório. Vê-la fugir. — A avó de Manon. — Quando matou seu pai, o que sentiu?

— Raiva. Ódio. — Ele não recuou da verdade nas palavras, de sua feiura.

A bruxa mordeu o lábio inferior, sem sinal daqueles dentes de ferro. Uma admissão rara e silenciosa de dúvida.

— Acha que eu deveria tê-la matado?

— Alguns podem dizer que sim. Mas humilhá-la daquela forma — ponderou ele, refletindo — pode enfraquecer as forças das Dentes de Ferro, e ela mesma, mais que a morte. Matá-la poderia ter reunido as Dentes de Ferro contra você.

— Matei a Matriarca das Pernas Amarelas.

— Você a matou, poupou a bruxa Sangue Azul, e sua avó fugiu. Essa é uma derrota desmoralizante. Se tivesse matado todas elas, ou mesmo matado apenas sua avó e a Matriarca das Pernas Amarelas, isso poderia ter transformado as mortes em sacrifícios nobres em nome dos clãs Dentes de Ferro.

Ela assentiu, e seus olhos dourados recaíram sobre ele de novo com aquela nitidez e quietude sobrenaturais.

— Desculpe — lamentou Manon. — Por como falei quando descobri seus planos de ir a Morath.

Dorian ficou tão chocado que apenas piscou. Tão chocado que o humor foi sua única defesa ao responder:

— Parece que esse comportamento de Crochan boazinha está passando para você, Manon.

Um meio sorriso diante daquilo.

— Que a Mãe me ajude se eu me tornar tão sem graça.

Mas a diversão de Dorian se dissipou.

— Aceito suas desculpas. — Ele a encarou de volta, deixando que Manon visse a verdade naquilo.

Pareceu resposta o suficiente para ela. Uma resposta e, de alguma forma, a última pista que Manon buscava.

Os olhos dourados se apagaram.

— Você vai partir — sussurrou a bruxa. — Amanhã.

Ele não se incomodou em mentir.

— Sim.

Estava na hora. Manon enfrentara a avó, desafiara o que ela criara. Estava na hora de Dorian fazer o mesmo. Ele não precisava do calor de confirmação de Damaris ou dos espíritos dos mortos para dizer isso.

— Como?

— Vocês bruxas têm vassouras e serpentes aladas. Aprendi a fazer minhas próprias asas.

Durante alguns segundos, Manon não disse nada. Então abaixou os joelhos, virando-se para encará-lo por completo.

— Morath é uma armadilha letal.

— Sim.

— Eu... Não podemos acompanhá-lo.

— Eu sei.

Dorian podia ter jurado que medo brilhara nos olhos da bruxa. Mas Manon não perdeu a calma com ele, não gritou — nem mesmo grunhiu. Apenas perguntou:

— Não tem medo de ir sozinho?

— É claro que tenho medo. Qualquer pessoa sã teria medo. Mas minha tarefa é mais importante que o medo, acho.

Raiva lampejou no rosto de Manon, e os ombros ficaram tensos.

Então aquilo sumiu e foi substituído por algo que ele só vira mais cedo naquele dia — aquele rosto de rainha. Firme e sábio, com um toque de tristeza e iluminado pela compreensão. Os olhos de Manon passaram para o saco de dormir, depois se ergueram para encontrar os olhos do rei.

— E se eu pedisse a você para ficar?

A pergunta também o pegou de surpresa. Dorian cuidadosamente pensou na resposta.

— Acho que eu precisaria de um motivo muito convincente.

Os dedos de Manon foram até as fivelas e os botões das roupas de couro, então começaram a soltá-los.

— Porque não quero que você vá. — Foi tudo o que ela disse.

O coração de Dorian galopou no momento que Manon revelou centímetro após centímetro de pele nua, sedosa. Não uma retirada sedutora das roupas, mas uma oferta exposta.

Os dedos da bruxa começaram a tremer, e Dorian se moveu, por fim, ajudando-a a tirar as botas, depois o cinto da espada. Ele deixou o casaco de Manon aberto, o volume dos seios levemente visível entre as lapelas. Eles subiam e desciam com um ritmo desigual que apenas se tornou mais instável quando Manon elevou a mão entre ambos e começou a tirar o casaco de Dorian.

Ele permitiu. Deixou que Manon lhe despisse o casaco, então a camisa por baixo.

Do lado de fora, o vento soprava.

E, quando se ajoelharam, um diante do outro, nus da cintura para cima, aquela coroa de estrelas ainda no alto da cabeça, Manon disse, baixinho:

— Poderíamos fazer uma aliança. Entre Adarlan e as Crochan. E quaisquer Dentes de Ferro que possam me seguir.

Foi a resposta da bruxa, percebeu Dorian, a seu pedido por um motivo convincente para que ficasse.

Manon pegou a mão do rei e entrelaçou os dedos dos dois.

Foi mais íntimo que qualquer coisa que eles tivessem compartilhado, mais vulnerável do que Manon jamais se permitira ser.

— Uma aliança — disse ela, engolindo em seco — entre você e eu.

Os olhos dourados da bruxa se ergueram para os dele, a oferta brilhava ali.

De que se casassem. De que unissem os povos no termo mais forte e indissolúvel.

— Você não quer isso — respondeu Dorian, com igual quietude. — Jamais iria querer estar acorrentada a um homem dessa forma.

Ele conseguia ver a verdade ali, no lindo rosto de Manon. Que ela concordava com ele. Mas a bruxa sacudiu a cabeça, a luz das estrelas dançando em seus cabelos.

— As Crochan não se ofereceram para voar para a guerra. Ainda não ousei perguntar a elas. Mas, se eu tivesse a força de Adarlan a meu lado, talvez pudessem se convencer por fim.

Se não tivessem sido convencidas pelo triunfo daquele dia, então nada as faria mudar de ideia. Mesmo que a rainha oferecesse a própria liberdade pela qual tanto ansiavam.

Mas que Manon sequer considerasse aquilo...

Dorian enroscou uma mecha dos cabelos prateados no dedo. Por um segundo, se permitiu sorvê-la.

Manon seria sua esposa, sua rainha. Ela já era sua igual, seu espelho de tantas maneiras. E com aquela união, o mundo saberia.

Mas ele podia ver as barras da jaula que se aproximaria, que a sufocaria mais a cada dia. E que a destruiria de vez ou a transformaria em algo que nenhum dos dois jamais gostaria que ela fosse.

— Você se casaria comigo só para que pudéssemos ajudar Terrasen nessa guerra?

— Aelin está disposta a morrer para acabar com esse conflito. Por que ela deveria carregar a carga do sacrifício?

E ali estava, a resposta de Manon, embora Dorian soubesse que ela não tivesse percebido.

Sacrifício.

A outra mão de Dorian foi até os botões da calça da bruxa, abrindo-os com poucas manobras ágeis. Revelando a longa cicatriz no abdômen.

Será que ele teria mostrado o mesmo controle que Manon naquele dia caso tivesse enfrentado a avó?

De maneira alguma.

Dorian passou os dedos pela cicatriz. Por cima dela, depois pela barriga da bruxa. Mais e mais para cima, a pele de Manon se arrepiou ao toque, até que ele parou logo acima do coração. Até que colocou a palma da mão aberta sobre ele, enquanto a curva do seio da bruxa se elevava para encontrar o toque de Dorian a cada fôlego trêmulo que ela tomava.

— Você estava certo — afirmou Manon, baixinho. — Tenho medo. — A jovem bruxa colocou a mão sobre a dele. — Tenho medo que você entre em Morath e volte como algo que não conheço. Algo que precisarei matar.

— Eu sei. — Aqueles mesmos medos assombravam seus passos.

Os dedos de Manon apertaram os dele, pressionando com mais força. Como se tentasse marcar a mão de Dorian sobre o coração acelerado abaixo.

— Ficaria se tivéssemos essa aliança entre nós?

Dorian ouviu cada palavra não dita.

Então ele roçou a boca contra a da bruxa. Ela soltou um ruído baixinho.

Dorian a beijou de novo, e a língua de Manon encontrou a do rei, faminta e exploradora. Em seguida, suas mãos mergulharam para os cabelos dele, e os dois se ajoelharam para se encontrar no caminho.

Manon gemeu, suas mãos deslizaram dos cabelos de Dorian para seu peito, para a calça. Ela o acariciou por cima do material, e Dorian gemeu contra a boca da bruxa.

O tempo se perdeu, e só havia Manon, uma lâmina viva, em seus braços. As calças dos dois se juntaram às camisas e aos casacos no chão, então Dorian a deitou no saco de dormir.

Manon tirou as mãos do corpo de Dorian para remover a coroa reluzente da cabeça, mas Dorian a impediu com um toque fantasma.

— Não — disse ele, com a voz quase gutural. — Deixe aí.

Os olhos de Manon se tornaram ouro derretido, suas pálpebras pesaram quando ela se contorceu, inclinando a cabeça para trás.

A boca de Dorian secou diante da beleza que ameaçava arrasá-lo, a tentação que o próprio instinto rugia para que reivindicasse. Não o corpo, mas o que ela oferecera.

Ele quase disse sim naquele momento.

Foi quase tão egoísta, tão ávido por ela que chegou perto de dizer sim. Sim, Dorian a aceitaria como sua rainha. Para jamais precisar se despedir daquilo, para que aquela bruxa magnífica e destemida permanecesse a seu lado durante todos os seus dias.

Manon levou a mão até ele, os dedos se enterraram nos ombros de Dorian, e ele se elevou acima dela, encontrando a boca da bruxa com um beijo voraz.

Com um movimento do quadril de Manon, Dorian se enterrou dentro da bruxa; aquela seda morna bastava para fazer com que ele se esquecesse de que tinham um acampamento ao redor, ou reinos para proteger.

Dorian não se incomodou com toques fantasmas. Queria Manon toda para ele, pele contra pele.

Cada avanço contra ela era respondido com um movimento ondulante, exigente. *Fique.* A palavra ecoava a cada fôlego.

Dorian pegou uma das pernas da bruxa e a ergueu mais alto, o que o aproximou de Manon. Ele gemeu diante daquela perfeição, e Manon engoliu o ruído com um beijo próprio, a mão se fechando nas costas dele para impulsioná-lo; mais forte, mais rápido.

Ele deu a Manon o que ela queria. Deu a si mesmo o que queria. De novo e de novo.

Como se aquilo pudesse durar para sempre.

∽

A respiração de Manon estava tão irregular quanto a de Dorian quando eles finalmente se afastaram.

Ela mal conseguia mover os braços e as pernas, mal conseguia puxar fôlego o suficiente enquanto olhava para o teto da tenda. Dorian, tão exausto quanto ela, não se incomodou em tentar falar.

O que restava para dizer, de toda forma?

Manon expusera o que queria. Tinha dito tanto da verdade quanto ousaria proferir.

Depois daquilo, um tipo de compreensão irradiava. Do tipo que Manon não sentira em muito, muito tempo.

Os olhos cor de safira se detiveram no rosto da bruxa, e Manon se virou para ele e lentamente removeu a coroa de estrelas, colocando-a de lado.

Então Manon puxou os cobertores em volta dos dois.

Dorian nem mesmo recuou quando Manon se aproximou do músculo sólido que era seu corpo.

Não, ele apenas passou o braço por cima dela e a puxou com força contra si.

Manon ainda lhe ouvia a respiração quando caiu no sono, quente em seus braços.

</br>

Ela acordou ao alvorecer em uma cama fria.

Manon olhou uma vez para o lugar vazio em que o rei estivera, para a falta de suprimentos e daquela espada antiga, e soube.

Dorian fora para Morath. E levara as duas chaves de Wyrd com ele.

63

Apesar do pânico dos soldados, Aedion e Kyllian mantinham as tropas em formação conforme marchavam até as margens do Florine.

Era inútil correr para o norte. Ainda mais quando os tambores de ossos começaram a bater, ficando mais altos a cada minuto que se passava enquanto Aedion ordenava que a legião assumisse a formação.

Caminhando para as linhas de frente, com a armadura tão pesada que poderia ter sido feita de pedra e a ausência da espada antiga na lateral do corpo parecendo um membro fantasma, Aedion disse a Ren:

— Preciso que me faça um favor.

O jovem lorde, afivelando a aljava, não se incomodou em erguer os olhos.

— Não me diga para fugir.

— Jamais. — Perto... estavam tão perto de Theralis. Como seria adequado morrer por fim no campo em que Terrasen caíra uma década antes. Que seu sangue encharcasse a terra onde tantos da corte que Aedion amara tinham morrido, que seus ossos se juntassem aos dos outros, sem identificação na planície.

— Preciso que peça ajuda.

Ren ergueu o rosto então. O rosto com a cicatriz estava mais magro do que estivera semanas antes. Quando fora a última vez em que qualquer um deles comera direito? Ou dormira uma noite inteira? Onde estava Lysandra, qual forma usava, ele não sabia. Não a procurara na noite anterior, e ela ficara bem longe de Aedion também.

— Não sou ninguém agora — explicou Aedion, com as fileiras de soldados se abrindo para eles. A Devastação e os feéricos, os Assassinos Silenciosos e os soldados de Wendlyn e dos desertos. — Mas você é o Lorde de Allsbrook. Mande mensageiros. Mande Nox Owen. Peça ajuda. Despache-os em todas as direções, para qualquer um que encontrarem. Diga a Nox e aos demais para implorar se for preciso, mas que falem que Terrasen pede ajuda.

Apenas Aelin tinha a autoridade de fazer aquilo, ou Darrow e seu conselho, mas o guerreiro não se importava.

Ren parou, e Aedion pausou ao lado, bastante ciente dos soldados ao alcance da conversa. Da audição feérica que muitos possuíam. Endymion e Sellene já estavam nas linhas de frente do flanco esquerdo, com os rostos sérios e cansados. Um lar — era o que tinham perdido, o que lutavam para recuperar. Se algum deles sobrevivesse àquilo. O que seu pai pensaria do filho, lutando ao lado de seu povo por fim?

— Alguém virá? — perguntou Ren, ciente daqueles ouvidos atentos também. Ciente dos rostos sombrios que permaneciam com eles, apesar da morte que marchava às costas.

Aedion prendeu o elmo na cabeça, o metal dolorosamente frio.

— Ninguém veio há dez anos. Mas talvez alguém se dê o trabalho desta vez.

Ren lhe pegou o braço, puxando-o para perto.

— Pode não restar nada para defender, Aedion.

— Mande o chamado mesmo assim. — Ele indicou com o queixo as linhas pelas quais tinham passado. Ilias polia as lâminas entre um aglomerado de assassinos comandados pelo pai, a atenção fixa no inimigo adiante. Preparando-se para a resistência final naquela planície nevada tão longe do deserto quente. — Você não insiste que ainda sou seu general? Então eis minha última ordem. Peça ajuda.

Um músculo estremeceu na mandíbula de Ren, mas ele assentiu.

— Considere feito. — E se foi.

Eles não se incomodaram com despedidas. A sorte era ruim o bastante.

Então Aedion prosseguiu, sozinho, para as linhas de frente. Dois soldados da Devastação abriram caminho, e o guerreiro ergueu o escudo, encaixando-se perfeitamente na frente unificada. A parede de metal contra a qual Morath atacaria primeiro e com mais força.

A neve rodopiava, escondendo todos além de cerca de trinta metros.

Mas os tambores de ossos batiam mais forte. Logo a terra tremia sob os pés que marchavam.

A resistência final, ali, em um campo sem nome diante do Florine. Como chegara àquele ponto?

Aedion sacou a espada, e os demais soldados o acompanharam. O grito do metal retinindo cortou o uivo do vento.

Morath surgiu, uma linha de preto sólido emergindo da neve.

A cada metro que ganhavam, mais surgiam atrás. A que distância estaria aquela torre de bruxa? Em quanto tempo o poder daquilo seria liberado?

Pelo bem dos soldados, Aedion rezou para que fosse rápido e relativamente indolor. Para que não sentissem muito medo antes de serem explodidos em cinzas.

A Devastação não bateu as espadas nos escudos daquela vez.

Havia apenas a marcha de Morath e os tambores.

Se tivessem ido para Orynth quando Darrow exigira, teriam conseguido. Teriam tido tempo de atravessar a ponte ou de tomar a rota para o norte.

Aquela derrota, aquelas mortes, pesavam somente sobre os ombros de Aedion.

No fim da fileira, um movimento chamou sua atenção — no momento em que uma cabeça peluda e enorme despontou entre o príncipe Galan e um de seus soldados restantes. Um leopardo-fantasma.

Olhos verdes deslizaram na direção de Aedion, exaustos e inexpressivos.

O guerreiro virou o rosto primeiro. Aquilo seria ruim o bastante sem saber que ela estava ali. Que Lysandra sem dúvida ficaria até que também caísse.

Aedion rezou para que ele fosse primeiro. Para que não testemunhasse aquilo.

Quando Morath se aproximou o bastante, a ordem de Ren ecoou para os arqueiros.

Flechas voaram, sumindo na neve.

Morath lançou uma saraivada em resposta que bloqueou a luz aquosa.

Aedion inclinou o escudo, agachando-se. Cada impacto reverberou por seus ossos.

Grunhidos e gritos encheram o lado deles do campo de batalha. Quando o ataque acabou, quando se esticaram de novo, muitos homens não se levantaram.

Não apenas flechas foram atiradas, salpicando a neve.

Mas cabeças. Cabeças humanas, muitas ainda com os elmos; estampados com a insígnia do lobo rugindo de Ansel de penhasco dos Arbustos.

O restante do exército que ela prometera. Pelo qual tinham esperado.

Deviam ter interceptado Morath... e foram aniquilados.

Gritos se elevaram do exército atrás de Aedion conforme essa percepção ondulava pelas fileiras. Uma voz feminina em particular passou por cima da balbúrdia, o grito de luto ecoando no elmo do guerreiro.

Os olhos leitosos e arregalados da cabeça decapitada que caíra perto das botas de Aedion encaravam o céu, a boca ainda aberta em um grito de terror.

Quantos Ansel conhecia? Quantos amigos estavam entre eles?

Não era a hora de buscar a jovem rainha, de oferecer condolências. Não quando nenhum dos dois provavelmente sobreviveria ao dia. Não quando poderiam ser as cabeças de seus próprios soldados lançadas às muralhas de Orynth.

Ren ordenou mais um ataque, as flechas eram tão poucas em comparação com o que fora liberado segundos antes. Pingos de chuva em comparação com uma tempestade. Muitas encontraram os alvos, soldados de armadura escura caíram. Mas foram substituídos por aqueles atrás deles, meras engrenagens de uma terrível máquina.

— Lutamos como um — gritou Aedion para a fileira, obrigando-se a ignorar as cabeças espalhadas. — Morremos como um.

Uma corneta soou do interior das fileiras inimigas. Morath começou a corrida direta contra a linha de frente do Lobo do Norte.

As botas de Aedion se enterraram na lama quando ele preparou o braço do escudo. Como se pudesse segurar a maré que se estendia no horizonte.

Ele contou os fôlegos, sabendo que eram limitados. O grunhido de um leopardo-fantasma ondulou pela fileira, um desafio ao exército agressor.

Quinze metros. Os arqueiros de Ren ainda atiravam, mas cada vez menos flechas. Doze metros. Dez metros.

A espada que segurava na mão não se comparava à espada antiga que Aedion usara com tanto orgulho. Mas ele faria com que funcionasse. Seis metros. Três metros.

O guerreiro inspirou. Os olhos pretos e infinitos dos soldados de Morath se tornaram claros sob os elmos.

A linha de frente de Morath inclinou as espadas, as lanças...

Fogo ruidoso explodiu do flanco esquerdo.

De *seu* flanco esquerdo.

Aedion não ousou tirar a concentração do inimigo sobre ele, mas vários dos soldados de Morath o fizeram.

Aedion os massacrou por isso. Também massacrou seus companheiros chocados ao se virarem para outra explosão de chamas.

Aelin. *Aelin...*

Soldados atrás de Aedion gritaram. Com triunfo e alívio.

— Cubram a distância — grunhiu ele para os guerreiros de cada lado, conforme recuavam o suficiente para ver a fonte da própria salvação, livre e segura, por fim...

Não fora Aelin quem liberara o fogo sobre o flanco esquerdo.

Não fora Aelin que se aproximara de fininho pelo rio coberto de neve.

Navios enchiam o Florine, quase fantasmas sob a neve espiralada. Alguns levavam as flâmulas da frota unida.

Mas muitos, tantos que Aedion não conseguia contar, carregavam uma bandeira cobalto adornada com um dragão marinho verde.

A frota de Rolfe. Os mycenianos.

Mas não havia sinal dos antigos dragões marinhos que um dia haviam batalhado com eles. Apenas soldados humanos marchavam sobre a neve, cada um levando uma geringonça familiar, usando lenços sobre a boca.

Lança-chamas.

Uma corneta soou do rio. E então os lança-chamas soltaram chama branca incandescente sobre o exército de Morath, como se fossem chamas do inferno. Dragões, todos eles, cuspindo fogo no inimigo.

Chama derreteu armadura e carne e queimou os demônios que odiavam calor e luz.

Como se fossem fazendeiros queimando os campos colhidos para o inverno, os mycenianos de Rolfe marcharam adiante, lança-chamas cuspindo, até formarem uma fileira entre Aedion e o inimigo.

Morath se virou e fugiu.

Correu descaradamente, com os gritos de aviso erguendo-se acima das chamas crepitantes. *A Portadora do Fogo os armou! Seu poder queima de novo!*

Os tolos não se deram conta de que não havia magia — nenhuma além de pura sorte e sincronia perfeita.

Então uma voz familiar ecoou:

— *Rápido! A bordo, todos vocês!* — Era Rolfe.

Pois os navios no rio tinham aportado, os passadiços estavam abaixados e os barcos a remo já se encontravam na margem.

Aedion não perdeu tempo.

— *Para o rio! Para a frota!*

Os soldados não hesitaram. Correram para a armada que esperava, para qualquer navio que conseguissem alcançar, saltando para os escaleres. Caótico e confuso, mas com Morath em retirada por apenas os deuses sabiam quanto tempo, ele não se importava.

Aedion manteve a posição na linha de frente, assegurando-se de que nenhum soldado ficasse para trás.

No fim da linha, o príncipe Galan e uma forma peluda sarapintada faziam o mesmo. Ao lado deles, com os cabelos vermelhos balançando ao vento, Ansel de penhasco dos Arbustos mantinha a espada apontada para o inimigo. Lágrimas escorriam pelas bochechas sardentas. As cabeças de seus homens ainda estavam esparralhadas na neve ao redor.

E adiante, ainda soltando chamas, os mycenianos de Rolfe ganhavam tempo para a retirada.

Cada segundo passou, mas lentamente aqueles barcos se encheram. Lentamente, o exército deixou a margem, substituindo o barco que partia por outro. Muitos feéricos se transformaram, aves de rapina encheram o céu cinzento conforme voavam sobre o rio.

Quando não restavam mais que alguns barcos, entre eles um belo navio com o mastro entalhado com a imagem de um dragão marinho em posição de ataque, Rolfe rugiu do leme:

— *Recuem, todos vocês!*

Os mycenianos e seus lança-chamas fizeram uma rápida retirada, correndo para os escaleres que voltavam para a margem.

Lysandra e Ansel correram com eles, e Aedion seguiu atrás. Foi a corrida mais longa de sua vida.

Mas então ele estava na prancha do navio de Rolfe; o rio era tão profundo que tinham conseguido parar perto da margem. Lysandra, Galan e Ansel já o haviam ultrapassado, e Aedion mal atravessara o convés quando o passadiço foi erguido. Abaixo, ao redor, os mycenianos saltavam para os escaleres e remavam como condenados. Sequer um soldado restava. Apenas os mortos.

Luz brilhou, e Aedion se virou para o elmo do navio a tempo de ver Lysandra mudar de leopardo-fantasma para mulher, nua como no dia em que nasceu.

Rolfe, para seu crédito, apenas pareceu levemente surpreso quando a metamorfa jogou os braços em volta de seu pescoço. E para seu crédito mais uma vez, o lorde pirata envolveu o corpo da jovem com a capa antes de devolver o abraço.

Aedion os alcançou, ofegante e tão aliviado que poderia ter vomitado nas tábuas reluzentes.

Rolfe soltou Lysandra, oferecendo a capa a ela de vez. Quando a metamorfa envolveu o corpo, o homem disse:

— Vocês pareciam precisar de um resgate.

Aedion apenas o abraçou, então assentiu na direção das mãos enluvadas de Rolfe.

— Presumo que devemos agradecer àquele seu mapa.

— Pelo visto serve para mais coisas do que saquear. — Rolfe sorriu. — Ravi e Sol de Suria nos interceptaram perto da fronteira setentrional — admitiu ele. — Acharam que vocês poderiam estar em apuros, por isso nos mandaram para cá. — Ele passou a mão pelo cabelo. — Os dois estão com o que restou de sua frota, vigiando a costa. Se Morath atacar do mar, não terão navios o suficiente para sobreviver. Eu disse isso a eles, mas me mandaram vir para cá mesmo assim. — O rosto do lorde pirata ficou tenso. — Então aqui estou.

Aedion mal reparou nos marujos e soldados que velejavam rapidamente para o outro lado do rio.

— Obrigado — sussurrou ele. E graças aos deuses por Ravi e Sol.

Rolfe sacudiu a cabeça, olhando para a massa de soldados de Morath que ainda recuava.

— Nós os surpreendemos, mas isso não os manterá longe por muito tempo.

Lysandra deu um passo para o lado de Rolfe. Aedion tentou não se encolher ao ver os pés e as pernas expostos, os ombros descobertos, conforme o vento gélido os açoitava.

— Só precisamos chegar a Orynth e ir para trás das muralhas. Dali podemos nos recompor.

— Não posso carregar seu exército inteiro para Orynth — avisou Rolfe, indicando os soldados reunidos na margem mais afastada. — Mas posso levá-los agora, se quiserem chegar antes para se preparar. — O lorde pirata estudou a margem, como se procurasse alguém. — Ela não está aqui, está?

Lysandra fez que não com cabeça.

— Não.

— Então daremos um jeito. — Foi tudo o que Rolfe disse, o retrato do comando tranquilo. Os olhos verde-mar deslizaram para Ansel de penhasco dos Arbustos, que estava de pé no parapeito do navio, olhando para o campo de cabeças deixadas na neve.

Nenhum deles falou quando a jovem rainha caiu de joelhos, a armadura ressoando no convés, e abaixou a cabeça.

— Deixe-me passar o recado para que nossas tropas marchem para Orynth, e depois velejamos para a cidade — murmurou Aedion.

— Eu faço isso — disse Lysandra, sem olhar para ele. Ela não se incomodou em dizer mais nada. A capa caiu nas tábuas, e a mulher se transformou em falcão, então seguiu para onde Kyllian estava, descendo de um escaler. Eles trocaram apenas algumas palavras antes do rapaz se virar para Aedion e erguer a mão em despedida.

O guerreiro ergueu a própria mão em resposta, então Lysandra se transformou de novo. Ao aterrissar no navio, retornando à forma humana e pegando a capa, foi para Ansel que Lysandra se dirigiu.

Em silêncio, a metamorfa apoiou a mão na armadura do ombro da rainha. Ansel nem mesmo olhou para cima.

— Quantos daqueles lança-chamas você tem? — perguntou Aedion a Rolfe.

O lorde pirata voltou o olhar de Ansel para a massa escura que se afastava deles conforme sua boca ficava tensa.

— Não o suficiente para sobreviver a um cerco.

E até mesmo os lança-chamas não fariam nada, absolutamente nada, depois que as torres de bruxa chegassem às muralhas de Orynth.

64

Horas depois, Yrene ainda estava trêmula.

Devido ao desastre que por pouco evitaram, às mortes que testemunhara antes que aquela onda estourasse, ao poder da rainha na planície. E ao poder do príncipe que evitara que o vapor que se seguiu fervesse vivo qualquer um em seu caminho.

Yrene se atirara de volta à cura durante o caos que veio depois. Deixara a realeza e os comandantes para lidar com as consequências, e voltara ao grande salão. Outros curandeiros perambularam pelo campo de batalha em busca daqueles que precisavam de ajuda.

Todos eles, cada pessoa na fortaleza ou no céu ou no campo de batalha, ficavam olhando para a abertura agora vazia entre os dois picos montanhosos. Para a cidade inundada, dizimada, e para a linha de demarcação entre a vida e a morte. Água e escombros tinham destruído a maior parte de Anielle, e o rio agora escorria para o lago Prateado.

Uma visão do que teria restado deles, não fosse por Aelin Galathynius.

Yrene se ajoelhou diante de uma montadora ruk, o peito da mulher fora aberto com um golpe de espada, e estendeu as mãos ensanguentadas brilhando.

Magia, limpa e luminosa, fluiu para a mulher, reparando pele rasgada e músculo. A perda de sangue exigiria tempo de recuperação... mas a mulher não perdera tanto a ponto de Yrene precisar gastar energia recuperando os níveis de sangue.

Ela precisava descansar logo. Durante algumas horas.

Fora requisitada para inspecionar a rainha, que havia sido carregada para um aposento particular pelo príncipe Rowan, os dois levados da planície por Nesryn. Yrene não conseguira impedir que as mãos tremessem ao passá-las sobre o corpo inconsciente de Aelin.

Não havia sinal de ferimento além de alguns cortes que já se curavam e arranhões da própria batalha. Nada além de uma mulher dormindo e cansada.

Que tinha o poder de um deus nas veias.

Em seguida, Yrene inspecionara o príncipe Rowan, que parecia muito pior, com uma laceração considerável descendo pela coxa. Mas ele havia gesticulado para ela se afastar, alegando que chegara perto demais da exaustão e que só precisava descansar também.

Então a curandeira os deixara, apenas para cuidar de outro.

Lorcan, cujos ferimentos... A jovem precisara chamar Hafiza para ajudá-la com parte dos machucados. Para pegar emprestado o poder da velha curandeira, pois o de Yrene ficara muito exaurido.

O guerreiro inconsciente, que aparentemente caíra aos tropeços de Farasha quando ele e Elide passaram pelos portões, nem mesmo tinha se agitado enquanto trabalhavam nele.

Isso fora horas antes. Dias antes, ao que parecia.

Sim, ela precisava descansar.

Yrene se dirigiu à estação de água nos fundos do salão, com a boca seca como papel. Um pouco de água, um pouco de comida e talvez uma soneca. Então estaria pronta para trabalhar de novo.

Contudo, uma corneta, nítida e alegre, ressoou do lado de fora.

Todos pararam... então correram para as janelas. O sorriso de Yrene aumentou quando ela também encontrou um lugar para olhar o campo de batalha.

Para o restante do exército do khagan, com o príncipe Kashin à frente, que marchava em sua direção.

Graças aos deuses. Todos no salão murmuraram palavras semelhantes.

Da fortaleza, uma corneta de resposta cantou as boas-vindas.

Não apenas um exército fora poupado naquele dia, percebeu Yrene ao se voltar para a estação de água. Se aquela onda tivesse atingido Kashin...

Sorte. Todos tiveram tanta, tanta sorte.

Mas ela se perguntou por quanto tempo aquela sorte duraria.

Se os acompanharia pela marcha cruel até o norte, até as próprias muralhas de Orynth.

～

Lorcan soltou um gemido baixo ao emergir do abraço morno e pesado da escuridão.

— Você é um desgraçado sortudo.

Cedo demais. Cedo demais depois de pairar perto da morte para ouvir a provocação de Fenrys.

O semifeérico entreabriu um olho, encontrando-se deitado na cama de um aposento estreito. Uma única vela iluminava o espaço, dançando nos cabelos dourados do guerreiro que estava sentado em uma cadeira de madeira ao pé da cama de Lorcan.

O sorriso irônico de Fenrys pareceu um lampejo branco.

— Está apagado há um dia. Tirei o palitinho mais curto e fiquei encarregado de cuidar de você.

Uma mentira. Por qualquer que fosse o motivo, ele escolhera estar ali.

Lorcan moveu o corpo... levemente.

Nenhum indício de dor além de um latejar constante às costas e um puxão forte na barriga. Ele conseguiu erguer a cabeça o suficiente para tirar o cobertor de lã pesada que cobria o corpo nu. Onde ele conseguira ver as próprias entranhas, apenas uma grossa cicatriz vermelha restava.

Lorcan deixou a cabeça cair de volta no travesseiro.

— Elide. — O nome saiu como um arranhão na língua.

De acordo com a última coisa de que se lembrava, eles tinham cavalgado pelos portões, o poder profano de Aelin Galathynius exaurido. Então a inconsciência tomara conta.

— Ajudando com a cura no grande salão — respondeu Fenrys, esticando as pernas diante do corpo.

Lorcan fechou os olhos, algo tenso em seu peito se afrouxou.

— Bem, como você não está morto... — começou Fenrys, mas o macho já voltara a dormir.

～

Lorcan acordou mais tarde. Horas, dias, ele não sabia.

A vela ainda queimava no parapeito da janela, quase até a base. Horas, então. A não ser que ele tivesse dormido tanto que a tinham substituído.

Ele não se importava. Não quando a luz fraca revelou a mulher delicada com o rosto deitado na ponta de sua cama, a parte inferior do corpo ainda na cadeira de madeira em que Fenrys estivera. Os braços apoiavam a cabeça, e um deles estava esticado na direção do guerreiro. Estendendo-se para sua mão, a centímetros da dela.

Elide.

Os cabelos pretos da jovem estavam soltos sobre a coberta, sobre as canelas do guerreiro, escondendo grande parte do rosto.

Estremecendo devido à dor ainda no corpo, Lorcan esticou o braço apenas o bastante para lhe tocar os dedos.

Estavam frios, as pontas tão menores que as dele. Os dedos se contraíram, afastando-se, quando Elide tomou um fôlego intenso ao despertar.

Lorcan aproveitou cada feição enquanto ela fazia uma careta para a cãibra no pescoço. Mas os olhos de Elide recaíram sobre ele.

Ela ficou imóvel ao vê-lo encarando-a, desperto e completamente maravilhado com a mulher que cavalgara pelo inferno para encontrá-lo...

Cansada. Ela parecia exausta, mas seu queixo permanecia erguido.

Lorcan não tinha palavras. De toda forma, ele dera tudo a ela no dorso daquele cavalo.

Mas Elide perguntou:

— Como está se sentindo?

Dolorido. Exausto. Mas ao vê-la sentada a seu lado...

— Vivo — respondeu ele, sendo sincero.

O rosto da jovem permaneceu indecifrável, mesmo quando os olhos percorreram o corpo do semifeérico. O cobertor deslizara o suficiente para revelar a maior parte do tronco, embora ainda escondesse a cicatriz do ferimento no abdômen. Mesmo assim, Lorcan jamais se sentira tão evidentemente nu.

Foi difícil manter a respiração tranquila sob o olhar aguçado.

— Yrene disse que você teria morrido se elas não tivessem chegado a você naquele momento.

— Eu teria morrido — disse ele, com a voz rouca — se você não tivesse desbravado o inferno para me encontrar.

O olhar de Elide encontrou o dele.

— Eu lhe fiz uma promessa.

— Foi o que você disse.

Aquilo era um indício de rubor invadindo as bochechas pálidas de Elide? Mas ela não recuou.

— Você também disse algumas coisas interessantes.

Lorcan tentou se sentar, mas o corpo irradiou um rompante de dor em protesto.

— Yrene avisou que, embora os ferimentos estejam curados, alguma dor vai permanecer — explicou Elide.

O macho trincou os dentes contra a pontada forte nas costas, na barriga. Ele conseguiu se apoiar nos cotovelos e julgou que era progresso o bastante.

— Faz um tempo desde que me feri tão gravemente. Tinha me esquecido de como é inconveniente.

Um leve sorriso repuxou a boca de Elide.

O coração de Lorcan deu um salto. O primeiro sorriso que ela lhe dirigia em meses e meses. Desde aquele dia no navio, quando Lorcan tinha tocado sua mão enquanto os dois balançavam nas redes.

O sorriso da jovem se dissipou, mas o rubor nas bochechas permaneceu.

— Foi sincero? No que disse.

Ele a encarou de volta e deixou que alguma parede interior desmoronasse. Apenas para ela. Para aquela pequena e ardilosa mentirosa de olhos espertos que passara por cada defesa e regra rigorosa que Lorcan tecera para si mesmo. Ele deixou que Elide visse isso em seu rosto. Deixou que ela visse tudo, como ninguém jamais fizera.

— Sim.

A boca da jovem se contraiu, mas não com desprazer.

Então Lorcan falou, baixinho:

— Fui sincero em cada palavra. — O coração galopava, tão selvagemente que era incrível que Elide não o ouvisse. — E vou continuar sendo até o dia em que desaparecer no Além-mundo.

Ele não respirou quando Elide carinhosamente estendeu a mão. E entrelaçou os dedos de ambos.

— Eu amo você — sussurrou ela.

Lorcan ficou feliz por estar deitado. As palavras o teriam derrubado de joelhos. Mesmo agora, estava quase inclinado a se curvar diante de Elide, da verdadeira dona de seu coração antigo e cruel.

— Amo você — prosseguiu ela — desde o momento em que você foi lutar por mim contra Vernon e os ilken. — A luz nos olhos da jovem roubou o fôlego de Lorcan. — E quando soube que você estava em algum lugar daquele campo de batalha, a única coisa que eu queria era poder dizer isso. Era a única coisa que importava.

Em outra ocasião, o guerreiro poderia ter debochado. Poderia ter declarado que coisas muito maiores importavam, principalmente naquela guerra. Ainda assim, a mão que segurava a dele... Lorcan jamais conhecera nada mais precioso.

Ele passou o polegar pelo dorso da mão da jovem.

— Sinto muito, Elide. Por tudo.

— Eu sei — respondeu ela com a voz baixa, e nenhum arrependimento ou mágoa entristecia seu semblante. Apenas uma calma nítida e inabalável brilhava ali. O rosto da poderosa senhora que Elide seria ao amadurecer, e que já se tornara, e que governaria Perranth com sabedoria em uma das mãos e compaixão na outra.

Eles se encararam durante minutos. Por uma eternidade divina.

Então Elide soltou as mãos e se levantou.

— Preciso voltar para ajudar Yrene.

Lorcan lhe segurou a mão de novo.

— Fique.

Ela arqueou aquela sobrancelha escura.

— Só vou até o grande salão.

Lorcan acariciou o dorso da mão da jovem com o polegar mais uma vez.

— Fique — sussurrou ele.

Por um segundo, o macho achou que ela diria não, e estava pronto para aceitar aquilo, para aceitar aqueles últimos minutos como um presente maior do que merecia.

Mas então Elide se sentou na beira da cama dele, logo ao lado do ombro de Lorcan, e passou a mão pelo cabelo do guerreiro. Ele fechou os olhos, inclinando-se para o toque, incapaz de impedir o ronronado grave que ondulou pelo próprio peito.

Elide emitiu um ruído baixo de espanto, talvez algo mais, e os dedos o acariciaram de novo.

— Diga — sussurrou ela, parando os dedos no cabelo do semiféerico.

Lorcan abriu os olhos, encontrando o olhar da jovem.

— Eu amo você.

Elide engoliu em seco, e ele trincou os dentes ao se sentar de vez. Tão perto dela, ele se esquecera do quanto era mais alto. Acima daquele cavalo, Elide fora uma força da natureza, uma tempestade desafiadora. O cobertor deslizou perigosamente, mas Lorcan o deixou onde caiu, no colo.

O macho não deixou de notar que o olhar de Elide desceu. Nem que aqueles olhos se arrastaram lentamente para cima de seu tronco. Ele quase conseguia senti-los, detendo-se em cada músculo e cicatriz.

Um ruído baixo escapou de Lorcan quando Elide continuou olhando. Pedindo por coisas que ele certamente não podia dar. E que ela ainda podia não estar pronta para dar a ele, mesmo com as declarações.

Lorcan foi imediatamente desafiado a provar sua determinação quando Elide passou os dedos levemente trêmulos pela nova cicatriz em seu abdômen.

— Yrene disse que você talvez fique com essa para sempre — comentou ela, com a mão se afastando, felizmente.

— Então será a cicatriz a que darei mais valor. — Fenrys gargalharia até chorar se o ouvisse falar assim, mas Lorcan não se importava. Ao inferno com o restante deles.

Outro daqueles pequenos sorrisos curvou os lábios de Elide, e as mãos de Lorcan se fecharam nos lençóis com o esforço que foi preciso para não provar aquele sorriso, adorando-o com a própria boca.

Mas aquela coisa nova e frágil que murmurava entre eles... Lorcan não arriscaria aquilo por nada no mundo.

Elide, graças aos deuses, não tinha tais preocupações. Nenhuma mesmo, ao que parecia, conforme ela erguia a mão para a bochecha do macho e passava o polegar por ali. Cada fôlego era um esforço por autocontrole.

Lorcan ficou completamente imóvel quando Elide levou a boca até a dele. Roçou os lábios contra os seus.

Ela se afastou.

— Descanse, Lorcan. Estarei de volta quando você acordar.

Qualquer coisa que ela pedisse, o guerreiro daria. Qualquer coisa mesmo. Abalado demais com aquele beijo suave e lindo para se incomodar com palavras, ele se deitou de novo.

Elide sorriu para a obediência indiscriminada do macho e, como se não conseguisse evitar, se aproximou mais uma vez.

Aquele beijo foi demorado. A boca de Elide acompanhou a dele, e, com a leve pressão dos lábios da jovem, o pedido suave, Lorcan correspondeu com os seus.

O gosto da lady ameaçou arrasar com ele de vez, e a carícia hesitante da língua de Elide contra a sua arrancou mais um ronronado ondulante do fundo do peito de Lorcan. Mas ele permitiu que Elide o explorasse, lenta e carinhosamente, dando a ela o que pedisse.

E, quando a boca da jovem se tornou mais insistente, quando a respiração se tornou irregular, Lorcan passou a mão por trás do pescoço de Elide, segurando-lhe a nuca. Ela se abriu para ele, e, diante do gemido baixo, o guerreiro achou que fugiria da própria pele.

Sua mão deslizou da nuca de Elide para lhe percorrer as costas, saboreando o corpo morno e indestrutível sob as camadas de roupas. Ela arqueou ao toque, e deixou escapar outro daqueles pequenos sons. Como se estivesse igualmente faminta por ele.

Mas Lorcan se obrigou a se afastar. Ele se obrigou a puxar a mão da lombar de Elide. Ofegando levemente, compartilhando o fôlego, ele disse contra a boca da jovem:

— Mais tarde. Vá ajudar os outros.

Olhos escuros reluzindo com desejo encontraram os de Lorcan, e ele ajustou o cobertor caído no colo.

— Vá ajudar os outros — repetiu ele. — Estarei aqui quando você estiver pronta para dormir.

O pedido não dito pairou, e Elide se afastou, estudando-o mais uma vez.

— Dormir apenas — explicou Lorcan, sem se incomodar em esconder o calor que lampejou em seu olhar. — Por enquanto.

Até que ela estivesse pronta. Até que Elide dissesse a ele, mostrasse a ele, que desejava compartilhar tudo com Lorcan. Aquela última reivindicação.

Mas até então, ele a queria ali. Dormindo a seu lado, onde poderia cuidar dela. Como Elide cuidara dele.

Quando a jovem se levantou, estava com o rosto vermelho e as mãos trêmulas. Não de medo, mas do mesmo esforço de que Lorcan fazia para não estender a mão para ela.

Ele gostaria muito de levar Elide ao ápice. Ensinar lentamente a ela tudo o que sabia sobre prazer, sobre desejo. E não tinha dúvidas de que aprenderia muitas coisas com ela também.

Elide pareceu ler aquilo no rosto de Lorcan, e suas bochechas ficaram mais vermelhas.

— Mais tarde, então — sussurrou ela, seguindo até a porta.

Lorcan lançou um lampejo de poder para envolver seu tornozelo, e o coxear sumiu.

Com a mão na maçaneta, Elide deu a ele um breve aceno de cabeça em agradecimento.

— Senti falta disso.

Ele ouviu as palavras não ditas quando Elide sumiu no corredor tumultuado.

Senti sua falta.

Lorcan se permitiu um raro sorriso.

65

Dorian tinha ido para Morath.

Voara do acampamento com asas que ele mesmo fizera. Manon sabia que ele teria escolhido algum tipo de pássaro pequeno, comum. Algo que nem mesmo as treze teriam notado.

A bruxa ficou de pé na beira do ponto de observação, olhando para o leste.

O barulho de neve sendo pisada lhe disse que Asterin se aproximava.

— Ele foi embora, não foi?

Ela assentiu, incapaz de encontrar palavras. Tinha oferecido tudo a ele e achado que Dorian queria aceitar. Achado que ele *tinha* aceitado, com o que fizeram depois.

Mas fora uma despedida. Um último acasalamento antes de ele se aventurar nas presas da morte. Não a enjaularia, não aceitaria o que ela entregara.

Como se a conhecesse melhor do que ela mesma se conhecia.

— Vamos atrás dele?

À luz do alvorecer, o acampamento despertava. Naquele dia... naquele dia elas decidiriam para onde ir. Naquele dia, Manon ousaria pedir às Crochan que a seguissem. Será que ouviriam?

Mas seguir para Morath, onde seriam reconhecidas muito antes de se aproximarem, voltar para o inferno...

O sol nasceu, pleno e dourado, como se fosse a nota solitária de uma canção que enchia o mundo.

Manon abriu a boca, mas a voz de uma Crochan ecoou pelo acampamento.

— Terrasen pede ajuda!

Manon e Asterin se viraram, e outras seguiram quando a bruxa correu para a tenda de Glennis. A idosa surgiu no momento em que a bruxa deslizou, parando de súbito. Uma batedora, certamente, sem fôlego e com os cabelos embaraçados pelo vento.

— Terrasen pede ajuda — repetiu a batedora, ofegando ao apoiar as mãos nos joelhos e se curvar para tomar fôlego. — Morath os derrotou na fronteira, depois em Perranth, e avança para Orynth conforme nos falamos. Vão saquear a cidade em uma semana.

Notícias piores do que Manon antecipara. Mesmo que precisasse delas, esperasse por elas.

As Treze se aproximaram, Bronwen um passo atrás, e Manon não ousou respirar quando Glennis encarou a chama imortal que queimava na fogueira a poucos metros. A Chama da Guerra.

Então ela se virou para Manon.

— O que você diz, Rainha das Bruxas?

Um desafio e uma provocação.

Manon ergueu o queixo para os dois caminhos adiante.

Um para o leste, para Morath. O outro para o norte, para Terrasen e a batalha.

O vento cantou, e nele, ela ouviu a resposta.

— Atenderei ao chamado de Terrasen — declarou.

Asterin passou para seu lado, destemida ao observar o acampamento reunido.

— Assim como eu.

Sorrel passou para a direita de Manon.

— Assim como as Treze.

Manon esperou, mal ousando reconhecer a coisa que começava a queimar em seu peito.

Então Bronwen deu um passo adiante, os cabelos escuros soprando ao vento frio.

— A fogueira de Vanora voará para o norte.

Outra bruxa esticou os ombros.

— Assim como a de Silian.

E assim foi.

Até que as líderes de todas as sete Grandes Fogueiras estivessem reunidas ali.

Até que Glennis dissesse para Manon:

— Há muito tempo, Rhiannon Crochan cavalgou ao lado do rei Brannon para a batalha. E assim como sua semelhante renasceu, as velhas alianças serão forjadas novamente. — Ela indicou a chama eterna. — Acenda a Chama da Guerra, Rainha das Bruxas, e reúna seu esquadrão.

O coração de Manon acelerou, pulsando selvagemente nas palmas das mãos. Mesmo assim, a jovem bruxa pegou um galho de bétula caído entre a lenha.

Ninguém falou conforme ela o mergulhava na chama eterna.

Vermelho e dourado e azul saltaram sobre a madeira, devorando-a. Manon tirou o galho apenas no momento que o fogo pegou, profundo e verdadeiro.

Mesmo o vento não agitou a chama quando Manon a ergueu, uma tocha no novo dia.

A multidão das Crochan se abriu, revelando um caminho direto para a fogueira de Bronwen. A bruxa já estava à espera, sua aliança reunida em volta.

Cada passo era como a batida de um tambor de guerra. A resposta a uma pergunta feita havia muito tempo.

Os olhos de Bronwen estavam brilhando no momento que Manon parou. Ela apenas disse:

— Sua rainha a convoca para a guerra.

E tocou com a própria chama aquela na fogueira de Bronwen.

Luz se acendeu, forte e dançante.

Bronwen pegou o próprio galho, um graveto longo que queimava na fogueira.

— As Vanora voarão.

Ela retirou a madeira e caminhou para a fogueira do clã seguinte, onde mergulhou aquela semente de fogo sagrado nas chamas. De novo, a luz aumentou, bem no momento que Bronwen declarou, alto e tão nitidamente quanto o dia ao redor:

— Sua rainha as convoca para a guerra. As Vanora voarão com ela. E vocês?

A líder da fogueira apenas disse:

— As Redbriar voarão! — E acendeu a própria tocha antes de correr para a fogueira do clã seguinte.

De fogueira em fogueira. Até que todas as sete do acampamento tivessem aceitado e acendido o fogo.

Então, e somente então, a jovem batedora do último clã pegou a tocha em chamas e a vassoura, em seguida saltou para o céu. Para encontrar o clã seguinte, para dizer que a convocação fora feita.

Manon e as Treze, com as Crochan ao redor, observaram até que a batedora não passasse de uma partícula incandescente contra o céu, então nada.

Manon ofereceu uma oração silenciosa ao vento para que a chama sagrada que a jovem batedora levava queimasse constantemente no percurso dos longos e perigosos quilômetros.

Até os campos de batalha de Terrasen.

De fogueira em fogueira, a Chama da Guerra seguiu.

Sobre montanhas cobertas de neve e entre árvores de florestas retorcidas, escondida dos inimigos que espreitavam os céus. Durante longas noites amargamente frias, nas quais o vento uivava ao tentar limpar qualquer vestígio daquela chama.

Mas o vento não conseguiu, não contra a chama da rainha.

Então, de fogueira em fogueira, ela seguiu.

Para aldeias remotas onde as pessoas gritaram e fugiram quando uma mulher de rosto jovem desceu dos céus em uma vassoura, balançando a tocha no alto.

Não para sinalizar para eles, mas para as poucas mulheres que não fugiram. Que caminharam na direção da chama e da montadora quando ela chamou.

— *Sua rainha a convoca para a guerra. Você voará?*

Baús escondidos em sótãos foram escancarados. Pedaços dobrados de tecido vermelho foram tirados do interior. Vassouras deixadas em armários, ao lado de portas, enfiadas debaixo de camas, foram reveladas, amarradas com dourado ou prata ou barbante.

E espadas — antigas e lindas — foram sacadas de baixo de tábuas de piso, ou puxadas de palheiros, o metal brilhando tão forte e recente quanto no dia em que foram forjadas em uma cidade agora em ruínas.

Bruxas, sussurravam os aldeões, maridos de olhos arregalados e incrédulos conforme as mulheres tomavam os céus, com as capas vermelhas oscilando. *Bruxas entre nós esse tempo todo.*

De aldeia em aldeia, onde fogueiras que nunca sequer tinham se apagado por completo brilharam em resposta. Sempre com uma montadora saindo para encontrar a fogueira seguinte, o bastião seguinte de seu povo.

Bruxas, aqui entre nós. Bruxas, agora indo para a guerra.

Uma maré crescente de bruxas que tomaram os céus, usando as capas vermelhas, com espadas presas às costas, vassouras soltando anos de poeira a cada quilômetro para o norte.

Bruxas que se despediram das famílias, sem oferecer explicação antes de beijarem os bebês dormindo e sumirem na noite estrelada.

Quilômetro após quilômetro, através do mundo escuro, o chamado ecoou, incessante e interminável, como a chama eterna que passava de fogueira em fogueira.

— *Voem, voem, voem!* — gritavam elas. — *Para a rainha! Para a guerra*!

Por todos os lados, em meio à neve, à tempestade e aos perigos, as Crochan voavam.

66

Aelin acordou e sentiu o cheiro de pinho e neve, então soube que estava em casa.

Não em Terrasen, ainda não, mas no sentido de que *sempre* estaria em casa se Rowan estivesse com ela.

A respiração tranquila do parceiro enchia seu ouvido direito, o som dos que dormiam profundamente, e o braço que ele passara sobre sua barriga era como um peso sólido, quente. Luz prateada lustrava as pedras antigas do teto.

Manhã... ou um dia nublado. Os corredores além do quarto ofereciam fragmentos de som que Aelin selecionava, pedaço por pedaço, como se montasse um espelho quebrado que poderia revelar o mundo além.

Aparentemente, fazia três dias desde a batalha. E o restante do exército do khagan, liderado pelo príncipe Kashin, seu terceiro filho, havia chegado.

Foi esse trechinho de informação que a fez despertar completamente, deslizando a mão pelo braço de Rowan. Uma carícia, só para saber o quão profundamente o sono rejuvenescedor o agarrava. Três dias, tinham dormido ali, alheios ao mundo. Um momento perigoso e vulnerável para qualquer possuidor de magia, quando os corpos exigiam um sono profundo para se recuperar do gasto de tamanho poder.

Aquele era outro fragmento que Aelin recuperara: Gavriel estava sentado do lado de fora da porta. Na forma de leão da montanha. As pessoas se calavam quando se aproximavam, sem perceber que, assim que passavam, seus sussurros de *Aquele gato estranho e assustador* podiam ser detectados por ouvidos feéricos.

Aelin passou o dedo pela borda da manga de Rowan, sentindo o músculo definido por baixo. Limpa; sua mente e seu corpo pareciam *limpos*. Como o primeiro fôlego gelado inspirado em uma manhã de inverno.

Durante os dias em que tinham dormido, nenhum pesadelo a acordara nem a assombrara. Um alívio pequeno, piedoso.

Aelin engoliu, sentindo a garganta seca. O que fora real, o que Maeve tentara plantar em sua mente... importava, se a dor fora verdadeira ou imaginada?

Ela fugira, fugira de Maeve e de Cairn. Encarar as partes quebradas dentro de si viria depois.

Por enquanto, bastava ter aquela nitidez de volta. Ainda que liberar o poder, gastar aquele golpe poderoso ali, não fosse o plano.

Aelin voltou os olhos para Rowan, o rosto sério tinha se suavizado e se tornado belo com o sono. E limpo... o sangue que manchava os dois sumira. Alguém devia tê-los limpado enquanto dormiam.

Como se sentisse a atenção, ou apenas sentisse a mão que se detinha em seu braço, os olhos de Rowan se entreabriram. Ele a olhou de cima a baixo, julgou que estava tudo bem e a encarou.

— Exibida — murmurou ele.

Aelin deu tapinhas no braço do guerreiro.

— Você também deu um belo espetáculo, príncipe.

Ele sorriu, e a tatuagem se enrugou.

— Esse espetáculo será a última de suas surpresas, ou há mais por vir?

Ela refletiu; contar a ele, revelar. *Talvez.*

Rowan se sentou, o cobertor deslizou do corpo do guerreiro. *É o tipo de surpresa que vai acabar com meu coração parando subitamente no peito?*

Ela riu, apoiando a cabeça no punho ao traçar marcas aleatórias no cobertor áspero.

— Mandei uma carta... quando estávamos naquele porto em Wendlyn.

Rowan assentiu.

— Para Aedion.

— Para Aedion — afirmou ela, baixo o suficiente para Gavriel não ouvir de seu posto do lado de fora da porta. — E para seu tio. E para Essar.

As sobrancelhas de Rowan se ergueram.

— Dizendo o quê?

Ela murmurou consigo mesma.

— Dizendo que fui realmente aprisionada por Maeve e que, enquanto era sua prisioneira, ela expôs uns planos bastante funestos.

O parceiro ficou imóvel.

— Com que objetivo?

Aelin se sentou e limpou as unhas.

— Convencê-los a abandonar o exército da rainha. Começar uma revolta em Doranelle. Chutar Maeve do trono. Você sabe, essas coisas.

Rowan apenas olhou para ela. Então passou a mão no rosto.

— Acha que uma carta poderia fazer isso?

— Escolhi palavras bem fortes.

Ele ficou levemente boquiaberto.

— Que tipo de planos funestos você mencionou?

— O desejo de conquistar o mundo, a total falta de interesse em poupar vidas feéricas em uma guerra, o interesse pelo assunto valg. — Aelin engoliu em seco. — Talvez tenha mencionado que ela é possivelmente valg.

Rowan se sobressaltou.

Ela deu de ombros.

— Foi um palpite de sorte. As melhores mentiras estão sempre misturadas com a verdade.

— Sugerir que Maeve é valg é uma mentira bastante bizarra, mesmo para você. Embora tenha se revelado verdade.

Ela gesticulou com a mão.

— Veremos se isso dará em alguma coisa.

— Se funcionar, se eles de alguma forma se revoltarem e o exército se voltar contra ela... — Rowan sacudiu a cabeça, rindo baixinho. — Seria uma misericórdia nesta guerra.

— Eu tramo e minto tão majestosamente, e esse é todo o crédito que recebo?

O macho lhe deu um peteleco no nariz.

— Vai receber crédito se o exército de Maeve não aparecer. Até lá, nós nos prepararemos como se fosse esse o caso. O que é muito provável. — Diante do franzir de testa de Aelin, ele falou: — Essar não tem muito poder, e meu tio não se arrisca muito. Não como Enda e Sellene. Para que eles destronassem Maeve... seria monumental. Se é que sobreviveriam a isso.

O estômago de Aelin se revirou.

— A escolha do que fazer é deles. Eu só expus os fatos. — Fatos e meias verdades cuidadosamente colocados. Uma aposta total, se fosse sincera.

Rowan sorriu com sarcasmo.

— E além de tentar destronar Maeve? Alguma outra surpresa que eu deveria saber?

O sorriso de Aelin se desfez quando ela deitou de novo. Rowan também o fez, ao lado da parceira.

— Não há mais nada. — Diante das sobrancelhas erguidas do guerreiro, ela acrescentou: — Juro por meu trono. Não resta mais nenhuma.

A diversão nos olhos de Rowan se extinguiu.

— Não sei se me sinto aliviado.

— Tudo o que sei, você sabe. Todas as cartas estão na mesa agora. Com os vários exércitos que tinham se reunido, com o Fecho, com tudo aquilo.

— Acha que conseguiria fazer aquilo de novo? — perguntou ele. — Reunir tanto poder?

— Não sei. Acho que não. Exigiu que eu fosse... contida. Com os ferros.

Uma sombra perturbou a expressão de Rowan, e ele virou de lado, apoiando a cabeça.

— Nunca vi nada como aquilo.

— E jamais verá de novo. — Era verdade.

— Se o custo de tanto poder é o que você sofreu, então ficarei feliz em não ver.

Aelin passou a mão pelos poderosos músculos da coxa de Rowan, os dedos ficaram presos no rasgo de tecido logo acima do joelho.

— Não o senti sofrer esse ferimento pelo laço de parceria — observou ela, roçando a saliência grossa da nova cicatriz. Um troféu da batalha. Aelin se obrigou a encarar os olhos penetrantes de Rowan. *Será que Maeve de alguma forma quebrou essa parte do laço? Essa parte de nós?*

— Não — sussurrou ele, acariciando os cabelos em sua testa. — Percebi que o laço só passa a dor dos ferimentos mais graves.

Aelin tocou o ponto no ombro de Rowan onde a flecha de Asterin Bico Negro o perfurara tantos meses antes. O momento que soubera o que o príncipe feérico era para ela.

— Foi por isso que eu não soube o que estava acontecendo com você na praia — explicou Rowan, com dificuldade. Porque as chibatadas, por mais cruéis e insuportáveis, não a deixaram à beira da morte. Apenas em um caixão de ferro.

Aelin fez uma careta.

— Se está prestes a me dizer que se sente culpado por isso...

— Nós dois temos coisas com que lidar... a respeito do que aconteceu nesses meses.

Um olhar para ele e Aelin soube que Rowan estava bastante ciente do que ainda lhe anuviava a alma.

E porque ele era a única pessoa que via tudo o que ela era e não lhe dava as costas, Aelin falou:

— Eu queria que aquele fogo fosse para Maeve.

— Eu sei. — Palavras tão simples, mas que significavam tudo, aquela compreensão.

— Queria que tornasse as coisas... melhores. — Aelin exalou longamente. — Que limpasse tudo. — Cada lembrança e pesadelo e mentira.

— Vai levar tempo, Aelin. Para encarar isso, lidar com isso.

— Não tenho tempo.

O maxilar do parceiro ficou tenso.

— Ainda não está decidido.

Aelin não se incomodou em discutir. Não quando admitiu:

— Quero que isso acabe.

Rowan ficou completamente imóvel, mas deu a ela espaço para pensar, para falar.

— Quero que isso acabe de vez — reafirmou Aelin, com a voz rouca. — Esta guerra e os deuses e o portão de Wyrd e o Fecho. Tudo isso. — Ela esfregou as têmporas, afastando o peso, a mancha remanescente que fogo algum poderia limpar. — Quero ir para Terrasen, lutar, e então quero que isso acabe.

Ela havia desejado que aquilo acabasse desde que descobrira o verdadeiro custo de forjar o Fecho novamente. Tinha desejado que acabasse a cada uma das chibatadas de Cairn na praia, em Eyllwe. E com tudo o que ele fizera com ela depois. O que quer que acontecesse, qualquer que fosse o fim, Aelin queria que aquilo acabasse.

Ela não sabia quem e o que aquilo a tornava.

Rowan permaneceu calado por um longo momento antes de dizer:

— Então nos certificaremos de que o exército do khagan vá para o norte. Voltaremos para Terrasen e esmagaremos os exércitos de Erawan. — Ele levou suas mãos à boca, lhes dando um beijo rápido. — E depois disso tudo, veremos o que fazer com o maldito Fecho. — Vontade irrefreável envolveu cada fôlego do macho, assim como o ar em volta dos dois.

Aelin deixou que aquilo fosse o suficiente para ambos. Afastou as palavras de Rowan, sua promessa, todos aqueles votos entre os dois, e estendeu a palma da mão no ar entre eles.

Ela conjurou a magia — a gota d'água que a linhagem da mãe lhe dera. A linhagem de Mab.

Uma minúscula bola d'água tomou forma na mão de Aelin. Sobre os calos cuidadosamente reconstruídos.

Aelin permitiu que o poder suave e tranquilo a percorresse. Deixou que acalmasse as partes afiadas dentro de si e cantasse para que dormissem. O dom de sua mãe.

Você não se rende.

Quando o Fecho tomasse tudo, será que reivindicaria aquela parte também? Aquela parte mais preciosa de seu poder?

Aelin afastou aqueles pensamentos.

Concentrando-se, trincando os dentes, ordenou que a bola d'água girasse na palma de sua mão.

Um tremor foi tudo o que recebeu como resposta.

Ela riu com escárnio.

— Rainha Feérica do Ocidente, com certeza.

Rowan conteve uma risada baixa.

— Continue praticando. Daqui a mil anos, pode conseguir fazer algo com isso.

Aelin bateu no braço do parceiro, e a gota d'água encharcou a manga da camisa.

— É um espanto eu ter aprendido alguma coisa com você com esse tipo de encorajamento. — Ela sacudiu a umidade da mão. No rosto do guerreiro.

Rowan a beliscou no nariz.

— Estou contando, princesa. Todas as coisas terríveis que saem de sua boca.

Os dedos do pé de Aelin se flexionaram, e ela passou as mãos pelos cabelos do parceiro, deliciando-se com as mechas sedosas.

— Como devo pagar por essa?

Do outro lado da porta, ela podia jurar que suaves pés felinos se afastaram rapidamente.

Rowan sorriu com malícia, como se também sentisse a saída rápida de Gavriel. Então sua mão se espalmou sobre o abdômen de Aelin, e a boca roçou a parte inferior do maxilar da parceira.

— Andei pensando em algumas formas.

Mas a mão que Rowan apoiara na barriga de sua rainha desceu o bastante para que Aelin soltasse um *humpf*. E percebesse que estava dormindo fazia três dias... e que a bexiga era prova disso. Ela se encolheu, disparando de pé. Aelin ficou zonza, e Rowan estava imediatamente ali, amparando-a.

— Antes de me arrebatar completamente — declarou ela —, preciso encontrar um banheiro.

Rowan gargalhou, caminhando para encontrar o cinto de espadas, deixado perto da parede, junto do dela. Apenas Gavriel os teria disposto com tanto cuidado.

— Essa necessidade realmente vence o que eu tinha planejado.

As pessoas olhavam boquiabertas nos corredores, algumas sussurrando ao passar.

A rainha e o consorte. Onde acha que estiveram nos últimos dias?

Soube que foram para as montanhas e trouxeram os homens selvagens de volta com eles.

Soube que estão colocando feitiços em torno da cidade para protegê-la de Morath.

Rowan ainda sorria quando Aelin saiu do comunal banheiro feminino.

— Está vendo? — Ela passou a caminhar ao lado do parceiro ao se dirigirem não para o quarto e para o arrebatamento, mas para o corredor, onde comida fora servida. — Está começando a gostar da notoriedade.

Ele arqueou uma sobrancelha.

— Acha que sussurros não me acompanharam em todo lugar a que fui durante os últimos trezentos anos? — Ela revirou os olhos, mas Rowan riu. — Isso é muito melhor que *Desgraçado frio* ou *Soube que ele matou alguém com a perna de uma mesa*.

— Você *matou* alguém com a perna de uma mesa.

O sorriso de deboche de Rowan aumentou.

— E você *é* um desgraçado frio — acrescentou Aelin.

O macho riu.

— Eu jamais disse que os sussurros eram mentiras.

Aelin enlaçou seu braço no dele.

— Vou começar um boato sobre você, então. Algo realmente grotesco.

Ele soltou um resmungo.

— Odeio pensar no que *você* poderia inventar.

Ela passou a sussurrar forte quando passaram por um grupo de soldados humanos.

— *Você voou de volta para o campo de batalha para arrancar os olhos de nossos inimigos?* — O arquejo ecoou pela rocha. — *E comeu aqueles olhos?*

Um dos soldados tropeçou, os demais viraram a cabeça para os dois. Rowan a beliscou no ombro.

— Obrigado por isso.

Aelin inclinou a cabeça.

— Não há de quê.

Ela continuou sorrindo conforme encontravam comida e devoravam um almoço rápido — era meio-dia, descobriram eles — sentados lado a lado em uma escada empoeirada, semiesquecida. Bem parecido com os dias passados em Defesa Nebulosa, joelho contra joelho, ombro contra ombro na cozinha, ouvindo as histórias de Emrys.

Contudo, diferentemente daqueles meses na primavera, ao apoiar o prato entre os pés, Aelin passou os braços em volta do pescoço de Rowan e a boca do parceiro imediatamente encontrou a sua.

Não, certamente não se pareceu em nada com o tempo que passaram em Defesa Nebulosa quando ela sentou no colo do guerreiro, sem se importar muito que alguém pudesse passar, subindo ou descendo as escadas, e o beijou intensamente.

Os dois pararam, sem fôlego e de olhos arregalados, antes que Aelin decidisse que realmente não seria uma má ideia abrir a calça dele ali mesmo, ou que a mão de Rowan, discreta e preguiçosamente esfregando aquele maldito ponto entre suas coxas, deveria estar dentro dela.

E, se fosse sincera consigo mesma, ainda estava debatendo se deveria levá-lo para o armário mais próximo quando os dois, por fim, partiram para encontrar os companheiros. Um olhar para os olhos vítreos de Rowan informou a Aelin que ele debatia o mesmo.

Mesmo assim, até o desejo que aquecia o sangue da rainha se esfriou conforme eles entravam no antigo escritório quase no alto da fortaleza e viam o grupo reunido. Fenrys e Gavriel já estavam ali, Chaol com eles, nenhum sinal de Elide ou Lorcan.

Mas o pai de Chaol, infelizmente, estava presente. E fez uma expressão irritada quando o casal entrou na reunião que parecia já estar na metade. Aelin lhe deu um sorriso debochado e caminhou até a mesa maior.

Um homem alto, de ombros largos, estava ao lado de Nesryn, Sartaq e Hasar, lindo e emanando um tipo de energia impaciente. Os olhos castanhos eram acolhedores, e o sorriso, tranquilo. Aelin gostou imediatamente do rapaz.

— Meu irmão — disse Hasar, gesticulando com a mão sem tirar os olhos do mapa. — Kashin.

O príncipe esboçou uma reverência graciosa.

A rainha ofereceu outra de volta, e Rowan fez o mesmo.

— Uma honra — disse ela. — Obrigada por vir.

— Na verdade, pode agradecer a meu pai por isso. E a Yrene — respondeu Kashin. O uso que fazia da língua deles era tão impecável quanto o dos irmãos.

De fato, Aelin tinha muito pelo que agradecer à curandeira.

Os olhos aguçados de Nesryn observaram a amiga da cabeça aos pés.

— Está se sentindo bem?

— Só precisava descansar. — Aelin indicou Rowan com o queixo. — Ele precisa de sonecas constantes com a idade que tem.

Sartaq tossiu, mantendo a cabeça baixa ao continuar estudando o mapa.

Fenrys, no entanto, gargalhou.

— De volta ao velho humor, estou vendo.

Aelin deu um sorriso sarcástico para o pai de Chaol, de costas eretas.

— Veremos quanto dura.

O homem não disse nada.

Rowan indicou a mesa e perguntou à realeza:

— Já decidiram para onde marcharão agora?

Uma pergunta tão casual, calma. Como se o destino de Terrasen não dependesse daquilo.

Hasar abriu a boca, mas Sartaq a interrompeu.

— Norte. Iremos, de fato, para o norte com vocês. Ao menos para compensá-la por ter salvado nosso exército... nosso povo.

Aelin tentou não parecer aliviada demais.

— Deixando de lado a gratidão — disse Hasar, sem parecer muito grata —, os batedores de Kashin confirmaram que Terrasen é onde Morath está concentrando seus esforços. Então é para lá que iremos.

Aelin desejou que não tivesse comido tanto no almoço.

— O quão ruim?

Nesryn sacudiu a cabeça, respondendo pelo príncipe Kashin:

— Os detalhes eram confusos. Só sabemos que hordas foram vistas marchando para o norte, deixando um rastro de destruição a reboque.

A rainha manteve os punhos ao lado do corpo, evitando a vontade de esfregar o rosto.

— Espero que seu poder possa ser conjurado de novo — comentou o pai de Chaol.

Aelin deixou que uma brasa queimasse nos olhos.

— Obrigada pela armadura — cantarolou.

— Considere um presente de coroação adiantado — replicou o Lorde de Anielle, com um sorriso debochado.

Sartaq pigarreou.

— Se você e seus companheiros estiverem recuperados, então seguiremos para o norte assim que pudermos. — Nenhuma objeção de Hasar diante daquilo.

— E marcharemos pelas montanhas? — perguntou Rowan, observando o mapa. Aelin traçou a rota que seguiriam. — Precisaríamos passar direto na frente do desfiladeiro Ferian. Assim que chegarmos à outra ponta deste lago, estaremos em outra batalha.

— Então os atrairemos para fora — sugeriu Hasar. — Nós os enganaremos para que esvaziem quaisquer que sejam as forças que esperam no desfiladeiro, depois os surpreenderemos por trás.

— Adarlan controla o Avery inteiro — argumentou Chaol, traçando uma linha invisível do continente para Forte da Fenda. — Para atravessar para o norte, precisamos cruzar aquele rio de qualquer maneira. Se escolhermos o desfiladeiro como campo de batalha, evitaremos a confusão que viria com uma luta na névoa da floresta de Carvalhal. Os ruks, pelo menos, conseguiriam fornecer cobertura aérea, o que não seria tão possível com as árvores.

Rowan assentiu.

— Precisaríamos marchar a maior parte do exército para as montanhas, então... pegar o desfiladeiro por onde menos esperariam. Mas o terreno é difícil. Temos que escolher a rota com cuidado.

O pai de Chaol grunhiu. Aelin ergueu as sobrancelhas, mas o filho do homem respondeu:

— Enviei emissários no dia depois da batalha... para dentro das montanhas Canino Branco. Para entrar em contato com os homens selvagens que moram ali, caso soubessem de passagens secretas através das montanhas para o desfiladeiro.

Antigos inimigos daquela cidade.

— E?

— Eles conhecem. Mas tem um custo.

— Um que não será pago — disparou o Lorde de Anielle.

— Deixe-me adivinhar: território — supôs Aelin.

Chaol assentiu. Por isso a tensão naquela sala.

Ela bateu com o pé ao observar o Lorde de Anielle.

— E não lhes dará um fiapo de terra?

O homem apenas olhou com raiva.

— Parece que não — murmurou Fenrys.

Aelin deu de ombros e se virou para Chaol.

— Bem, então está decidido.

— O que está decidido? — gritou o pai do antigo capitão.

Ela o ignorou e piscou um olho para o amigo.

— Você é a Mão do rei de Adarlan. Está acima dele. Tem autorização para agir em nome de Dorian. — A rainha indicou o mapa. — A terra pode ser parte de Anielle, mas pertence a Adarlan. Vá em frente e a negocie.

O pai de Chaol se espantou.

— *Você...*

— Vamos para o norte — retrucou Aelin. — Você não vai se colocar em nosso caminho. — Ela deixou mais uma vez que parte do fogo se acendesse em seus olhos, que acendesse o dourado neles. — Impedi aquela onda. Considere esta aliança com os homens selvagens uma forma de retribuir o favor.

— Aquela onda destruiu metade de minha cidade — cuspiu o homem.

Fenrys soltou uma risada baixa, incrédula, e Rowan grunhiu baixinho.

— Você é um canalha! — gritou Chaol com o pai.

— Cuidado com a língua, menino.

Aelin assentiu de forma empática para o amigo.

— Entendo por que partiu.

Ele, para crédito próprio, encolheu o corpo e voltou para o mapa.

— Se conseguirmos passar pelo desfiladeiro Ferian, então prosseguiremos para o norte.

Passando por Endovier. Aquele trajeto os levaria direto por Endovier. O estômago de Aelin se revirou. A mão de Rowan roçou a sua.

— Precisamos decidir logo — declarou Sartaq. — No momento, estamos estacionados entre o desfiladeiro Ferian e Morath. Seria muito fácil Erawan mandar exércitos para nos esmagar entre os dois.

Hasar se virou para Chaol.

— Yrene está quase acabando?

Ele apoiou um cotovelo contra o braço da cadeira de rodas.

— Mesmo com os poucos sobreviventes, há muitos deles. Ficaríamos aqui durante semanas.

— Quantos feridos? — perguntou Rowan.

Chaol sacudiu a cabeça.

— Não feridos. — O maxilar se contraiu. — Valg.

Aelin franziu a testa.

— Yrene está curando os valg?

Hasar sorriu.

— De certa forma.

Aelin gesticulou para que ela se calasse.

— Posso ver?

Eles encontraram Yrene não na fortaleza, mas em uma tenda nos resquícios do campo de batalha, inclinada sobre um humano que se debatia em uma cama. O homem tinha sido preso a âncoras no chão, pelos pulsos e tornozelos.

Aelin olhou uma vez para aquelas correntes e engoliu em seco.

Rowan apoiou a mão na curva de suas costas, e Fenrys se colocou ao lado da rainha.

Yrene parou, com as mãos envoltas em luz branca. Borte, com a espada em punho, permanecia próxima.

— Algo errado? — perguntou Yrene, e o brilho em suas mãos se apagou. O homem desabou, parecendo um corpo mole quando o ataque da curandeira ao demônio dentro de seu corpo parou.

Chaol levou a cadeira para mais perto da esposa, as rodas equipadas para o terreno mais árduo.

— Aelin e seus companheiros querem uma demonstração. Se você estiver disposta.

Yrene prendeu de volta o cabelo que havia escapado de sua trança.

— Não é realmente algo que se possa ver. O que acontece é sob a pele... mente contra mente.

— Você enfrenta os demônios valg diretamente — disse Fenrys, bastante impressionado.

— São coisas desprezíveis, odiosas e covardes. — Yrene cruzou os braços e fez uma careta para o sujeito amarrado à cama. — Completamente patéticas — disparou ela para ele, para o demônio ali dentro.

O homem sibilou. A curandeira apenas sorriu. O homem — o demônio — soluçou.

Aelin piscou, sem saber se ria ou se caía de joelhos.

— Me mostre. Faça o que quer que seja que você faz, mas me mostre.

Então Yrene o fez. Com as mãos brilhando, ela as colocou sobre o peito do sujeito. Ele gritou e gritou e gritou.

Yrene ofegava, com as sobrancelhas franzidas. Por longos minutos, os gritos continuaram.

— Não é muito emocionante com eles amarrados, né? — comentou Borte.

Sartaq lançou a ela um olhar de exasperação. Como se aquela fosse uma conversa que tivessem tido várias vezes.

— Você pode pegar o turno da limpeza se preferir.

Borte revirou os olhos, mas se voltou para Aelin, olhando a rainha de cima a baixo com uma franqueza de que a jovem até gostou.

— Alguma outra missão para mim?

A rainha sorriu.

— Ainda não. Em breve, talvez.

Borte sorriu de volta.

— Por favor. *Por favor* me poupe desse tédio.

Aelin olhou para a curandeira que irradiava luz.

— Quantas curas hoje, contando com essa?

— Dez — resmungou Borte.

— E quantas ela pode fazer por dia? — perguntou Aelin a Chaol.

— Quinze, no máximo. Alguns requerem mais energia que outros para expurgar os demônios, então nesses dias são menos.

A rainha tentou fazer as contas de quantos soldados infestados restavam no campo.

— E depois que estão curados? O que fazem com eles?

— Nós os interrogamos — respondeu Chaol, franzindo a testa. — Vemos quais são suas histórias, como acabaram capturados. Onde estão suas alianças.

— E você acredita neles? — acrescentou Fenrys.

Hasar deu tapinhas no cabo da espada luxuosa.

— Nossos interrogadores são habilidosos em obter a verdade.

Aelin ignorou o embrulho no estômago.

— Então vocês os libertam — observou Gavriel, que estava calado havia minutos — e depois os torturam?

— Isso é guerra — disse a princesa, simplesmente. — Nós os deixamos capazes de funcionar. Mas não arriscaremos lhes poupar a vida apenas para encontrar outro exército em nossas costas.

— Alguns se juntaram a Erawan voluntariamente — explicou Chaol, baixinho. — Alguns aceitaram o anel voluntariamente. Yrene consegue dizer, quando está lá dentro, quem o queria e quem não o queria. Ela não se incomoda em salvar aqueles que se ajoelharam voluntariamente. Então a maioria dos que salva ou eram tolos, ou foram pegos à força.

— Alguns querem lutar conosco — explicou Sartaq. — Aqueles que passam por nosso processo de veto têm permissão de começar a treinar com os soldados de infantaria. Não são muitos, mas alguns.

Tudo bem. Tudo bem e tudo bem.

Yrene arquejou, sua luz se acendeu tanto que Aelin semicerrou os olhos.

O homem preso à cama tossiu, arqueando o corpo.

Vômito escuro e nojento jorrou.

Borte fez uma careta, abanando o cheiro. Então abanou a fumaça escura que tomou a boca do homem.

Yrene caiu de costas, e Chaol estendeu o braço para segurá-la. A curandeira apenas se sentou no braço da cadeira do marido, a mão no peito que se elevava.

Aelin esperou um momento para a curandeira recuperar o fôlego. Conseguir tal feito era impressionante. Fazer aquilo enquanto estava grávida... a rainha sacudiu a cabeça, maravilhada.

— Aquele demônio não queria ir — disse Yrene, para ninguém em especial.

— Mas agora se foi? — perguntou Aelin.

A curandeira apontou para o homem na cama, que estava abrindo os olhos. Marrons, não pretos, olhando para cima.

— Obrigado. — Foi tudo o que ele disse, a voz rouca.

E humano. Completamente humano.

67

Rowan seguiu Aelin conforme ela ziguezagueava pelo campo de batalha, para a margem do lago Prateado, parando apenas de vez em quando a fim de pegar alguma arma inimiga que valesse a pena. Eram poucas.

Os demais tinham se dispersado: Gavriel se detivera para aprender como Yrene curava os valg, Fenrys saíra com Chaol para encontrar emissários dos homens selvagens, e a realeza do khaganato fora cuidar das tropas.

Partiriam em dois dias se o tempo se mantivesse firme. Dois dias, e então começariam o avanço para o norte.

Graças aos deuses. Embora fossem os últimos seres a quem Rowan desejava agradecer.

Aelin parou na margem rochosa, olhando para a extensão lisa e espelhada do rio, agora cheia de escombros. Ela apoiou a mão sobre o cabo de Goldryn, e chamas dançaram em seus dedos, parecendo habitar a própria pedra vermelha.

— Levaria anos — observou ela — para curar todos infectados pelos valg.

— Cada um daqueles soldados tem uma família, amigos que gostariam que nós tentássemos.

— Eu sei. — O vento frio lhe açoitava os cabelos pelo rosto, soprando para o norte.

— Então por que a caminhada até aqui? — Aelin ficara contemplativa durante a reunião na tenda, sua testa se franzira.

— Será que Yrene poderia curar *os dois*? Erawan e Maeve? Não sei por que não pensei nisso.

— O corpo de Erawan foi feito por ele ou roubado? E o de Maeve? — Rowan sacudiu a cabeça. — Podem ser totalmente diferentes.

— Não vejo como posso pedir a Yrene para fazer isso. Pedir isso de Chaol. — Aelin engoliu em seco. — Sequer colocá-la *perto* de Erawan ou Maeve... Não posso fazer isso.

Rowan não conseguiria também. Por mil motivos diferentes.

— Mas é um erro colocar a segurança de Yrene acima deste mundo todo? — refletiu Aelin, examinando uma das adagas inimigas que saqueara. Uma lâmina incomumente bela, provavelmente roubada. — Ela é a maior arma que temos, se as chaves não estiverem em jogo. Somos tolos por não insistirmos em usá-la?

Não era escolha de Rowan, sua decisão. Mas ele poderia se oferecer para escutá-la.

— Você conseguiria viver consigo mesma se algo acontecesse a Yrene, a seu filho ainda não nascido?

— Não. Mas o restante do mundo viverá, pelo menos. Minha culpa seria secundária.

— E se não insistir para que Yrene os destrua, e Erawan e Maeve vencerem... então o quê?

— Ainda há o Fecho. Ainda há... eu.

Rowan engoliu em seco. Viu o motivo pelo qual ela precisara se afastar dos outros, precisara caminhar.

— Yrene é um raio de esperança para você. Para nós. De que talvez não precise forjar o Fecho. Você ou Dorian.

— Os deuses o exigem.

— Os deuses podem ir para o inferno.

Aelin jogou a adaga longe.

— Odeio isso. Odeio mesmo.

Ele colocou o braço sobre seus ombros. Era tudo o que Rowan podia oferecer.

Que acabasse... ela dissera que queria que aquilo acabasse. Rowan faria o possível para atendê-la.

Aelin encostou a cabeça contra o peito do parceiro, e os dois observaram o lago frio em silêncio.

— Você me deixaria fazer isso se eu fosse Yrene? Se eu estivesse carregando nosso filho?

Rowan não conseguiu bloquear a imagem daquele sonho — de Aelin, enorme de grávida, rodeada pelos filhos de ambos.

— Eu não a *deixo* fazer nada.

Ela gesticulou com a mão.

— Sabe o que eu quero dizer.

O guerreiro precisou de um momento para responder.

— Não. Mesmo que o mundo acabasse por causa disso, eu não suportaria.

E, com aquele Fecho, ele poderia muito bem precisar tomar essa mesma decisão.

Rowan passou os dedos pelas marcas de reivindicação no pescoço.

— Eu disse a você que o amor era uma fraqueza. Seria muito mais fácil se todos nos odiássemos.

Ela riu.

— Dê mais umas semanas na estrada com esse exército, naquelas montanhas, e talvez não sejamos mais aliados tão agradáveis.

Rowan beijou o alto da cabeça de Aelin.

— Que os deuses nos ajudem.

Mas Aelin se afastou diante das palavras, da frase que saiu da boca de Rowan. Ela franziu a testa para o exército acampado.

— O quê? — perguntou ele.

— Quero ver aqueles livros de marcas de Wyrd que Chaol e Yrene trouxeram com eles.

˷

— O que isso diz? — perguntou Aelin a Borte, batendo com o dedo em uma linha de texto rabiscada em halha, a língua do continente sul.

Sentada a seu lado à mesa da tenda de guerra do príncipe Sartaq, a montadora de ruk inclinou o pescoço para estudar o bilhete escrito à mão ao lado de uma longa coluna de marcas de Wyrd.

— *Um bom feitiço para encorajar os canteiros de ervas a crescerem.*

Do outro lado da mesa, Rowan riu. Um livro estava aberto diante dele, seu progresso era muito mais lento que o de Aelin.

A maior parte dos tomos estava totalmente escrita em marcas de Wyrd, mas anotações rabiscadas na margem a levaram a buscar a jovem rukhin. Borte, completamente entediada de ajudar Yrene, correu diante da chance de assisti-los, passando o turno dos valg para seu revoltado prometido.

Mas durante as duas horas em que Aelin e Rowan folhearam a coleção que Chaol e Yrene tinham trazido da biblioteca proibida de Hafiza no alto da Torre, nada se provara útil.

Aelin suspirou para o teto de lona da grande tenda. Uma sorte que Sartaq tivesse levado aqueles baús com ele em vez de os deixar com a armada, mas... a exaustão a dominava, embaçando o intricado arabesco de símbolos nas páginas amareladas.

Rowan se esticou.

— Este aqui abre alguma coisa — comentou ele, virando o livro para ela. — Não conheço os outros símbolos, mas este aqui diz "abrir". — Mesmo com as horas de instruções na jornada de volta para aquele continente, Rowan e os demais não tinham dominado por completo a língua das marcas semiesquecidas. Mas o parceiro se lembrava de grande parte, como se tivessem sido plantadas em sua mente.

Aelin cuidadosamente estudou a linha de símbolos sobre a página. Leu uma segunda vez.

— Não é o que estamos procurando. — Ela puxou o lábio inferior. — É um feitiço para abrir um portal entre locais... mas neste mundo apenas.

— Como o que Maeve pode fazer? — perguntou Borte.

Aelin deu de ombros.

— Sim, mas esse é para viagens mais curtas. Mais como o que Fenrys é capaz de fazer. — Ou um dia pudera fazer, antes de Maeve lhe quebrar aquilo.

A boca de Borte repuxou para o lado.

— Qual é o objetivo disso, então?

— Entreter as pessoas nas festas? — Aelin entregou o livro de volta a Rowan.

Borte riu e encostou na cadeira, brincando com a ponta de uma longa trança.

— Acha que o feitiço existe... para encontrar uma forma alternativa de selar o portão de Wyrd? — A pergunta mal passou de um sussurro, mas Rowan lançou a ela um olhar de aviso. Borte apenas gesticulou, ignorando-o.

Não. Elena teria lhe contado, ou Brannon, se tal coisa existisse.

Aelin passou a mão pela página antiga e seca, os símbolos se embaçando.

— Vale a pena olhar, não é?

Rowan, de fato, retomou a cuidadosa busca e decodificação. Ele se sentaria ali durante horas, Aelin sabia. E, se não encontrassem nada, ela sabia que ele permaneceria ali e releria todos os livros apenas para ter certeza.

Uma saída... um caminho alternativo. Para ela, para Dorian. Para qualquer um dos dois que pagasse o preço de forjar o Fecho e selar o portão. Uma esperança desesperada, tola.

As horas se passaram, as pilhas de livros encolheram. Fenrys se juntou a eles depois de um tempo. Incomumente sério conforme buscavam e buscavam. Sem encontrar nada.

Quando não restaram mais livros no baú, quando Borte estava batendo a cabeça de sono e Rowan caminhando pela tenda, Aelin fez um favor a todos e ordenou que voltassem para a fortaleza.

Valera a pena olhar, disse a si mesma. Mesmo que o peso de chumbo no estômago dissesse o contrário.

∽

Chaol encontrou o pai onde o deixara, irritado no escritório.

— Não pode dar um único hectare deste território para os homens selvagens — sibilou ele, quando Chaol empurrou a cadeira de rodas para dentro do aposento e fechou a porta.

Chaol cruzou os braços, sem se incomodar em parecer apaziguador.

— Eu posso e vou.

O pai se levantou de súbito e apoiou as mãos na mesa.

— Você cuspiria na vida de todos os homens de Anielle que lutaram e morreram para manter este território longe daquelas mãos imundas?

— Se oferecer a eles um pequeno trecho de terra significar que gerações futuras de homens e mulheres de Anielle não precisarão lutar ou morrer, então acho que nossos ancestrais ficariam satisfeitos.

— Eles são bestas, mal servem para governar a si mesmos.

Chaol suspirou, recostando-se na cadeira. Uma vida inteira daquilo... era o que Dorian colocara sobre ele. Como Mão, precisaria lidar com senhores e governantes justamente como o pai. Se sobrevivessem. Se Dorian sobrevivesse também. O pensamento foi suficiente para que Chaol dissesse:

— Todos nesta guerra estão fazendo sacrifícios. A maior parte está sacrificando muito, muito mais que alguns quilômetros de terra. Sinta-se grato por isso ser tudo o que estão pedindo.

A expressão do homem exibia desprezo.

— E se eu negociasse com você?

Chaol revirou os olhos, estendendo a mão a fim de virar a cadeira de volta para a porta.

O pai ergueu um pedaço de papel.

— Não quer saber o que seu irmão escreveu para mim?

— Não tanto a ponto de impedir essa aliança — respondeu Chaol, virando a cadeira para longe.

O homem abriu a carta mesmo assim e leu:

— *Espero que Anielle queime até o chão. E que você vá junto.* — Um sorriso breve, cheio de ódio. — Foi tudo o que seu irmão disse. Meu herdeiro... é assim que ele se sente em relação a este lugar. Se ele não protegerá Anielle, então o que será da cidade sem você?

Outra abordagem, para que ele sentisse culpa e cedesse.

— Eu apostaria que a forma como Terrin se sente a respeito de Anielle está ligada aos sentimentos que nutre por você — argumentou Chaol.

O velho lorde se sentou novamente.

— Queria que você soubesse o que Anielle enfrentará caso fracasse em protegê-la. Estou disposto a negociar, menino. — Ele gargalhou. — Embora saiba como você é bom em manter sua parte dos acordos.

Chaol aceitou o golpe.

— Sou um homem rico e não preciso de nada que você possa oferecer.

— Nada? — O pai apontou para um baú perto da janela. — E quanto a algo mais inestimável que ouro?

Quando Chaol não respondeu, o homem caminhou até o baú, destrancou-o com uma chave que trazia no bolso e puxou a tampa pesada. Empurrando a cadeira para mais perto, Chaol olhou o conteúdo.

Cartas. O baú inteiro estava cheio de cartas contendo seu nome em caligrafia elegante.

— Ela descobriu o baú. Logo antes de descobrirmos que Morath marchava para cá — contou o pai, o sorriso debochado e frio. — Eu deveria tê-las queimado, é claro, mas algo me fez guardá-las. Para este exato momento, acho.

O baú estava cheio de cartas. Todas escritas pela mãe. Para Chaol.

— Quanto tempo — disse ele, baixinho.

— Desde o dia em que você partiu. — O riso de escárnio do lorde se deteve.

Anos. Anos de cartas, de uma mãe de quem Chaol não tivera notícias, que ele acreditara que não quisera falar com ele, que cedera aos desejos do marido.

— Você a fez acreditar que eu não escrevia de volta — observou Chaol, surpreso ao perceber que sua voz ainda estava calma. — Jamais as enviou e deixou que ela acreditasse que eu não escrevia de volta.

O pai fechou o baú e o trancou de novo.

— Parece que sim.

— Por quê? — Era a única pergunta que importava.

O homem franziu a testa.

— Eu não podia permitir que você desse as costas a seu direito de nascença, a Anielle, sem consequências, podia?

Chaol se agarrou aos braços da cadeira para não fechar as mãos no pescoço do pai.

— Acha que me mostrar esse baú com as cartas de minha mãe me fará negociar com você?

O lorde riu com escárnio.

— É um homem sentimental. Observá-lo com aquela sua mulher só prova isso. Acho que negociaria bastante para conseguir ler essas cartas.

Chaol apenas o encarou. Piscou uma vez, como se aquilo acalmasse o rugido na mente, no coração.

A mãe jamais o esquecera. Jamais deixara de escrever para ele.

Chaol abriu um leve sorriso.

— Fique com as cartas — disse ele, virando a cadeira de volta para as portas. — Agora que ela o deixou, pode ser sua única forma de se lembrar dela. — Ele abriu a porta do escritório e olhou por cima do ombro.

O pai continuava ao lado do baú, rígido como uma espada.

— Não negocio com canalhas — concluiu Chaol, sorrindo de novo ao entrar no corredor adiante. — E certamente não começarei com você.

Chaol deu aos homens selvagens das montanhas Canino Branco um pequeno trecho de território no sul de Anielle. O pai se revoltara, recusando-se a reconhecer o acordo, mas ninguém lhe dera atenção, para a diversão eterna de Aelin.

Dois dias depois, uma pequena unidade daqueles homens chegou ao limite oeste da cidade, perto do buraco aberto onde a represa estivera, e mostrou o caminho.

Cada um dos homens barbudos cavalgava um pônei montês peludo, e, embora as peles pesadas escondessem muito dos corpos fortes, as armas estavam bem à mostra: machados, espadas, facas, todos reluziam à luz cinzenta.

O povo de Cain — ou havia sido. Aelin decidiu não mencioná-lo durante a breve apresentação. E Chaol, sabiamente, evitou admitir que matara o homem.

Outra vida. Outro mundo.

Sentada sobre um belo cavalo Muniqi que Hasar lhe emprestara, Aelin cavalgava à frente da companhia conforme marchavam de Anielle, flanqueada por Chaol, montado em Farasha ao lado esquerdo, e Rowan, sobre o próprio cavalo Muniqi à direita. Os companheiros estavam espalhados na retaguarda; Lorcan curado o suficiente para cavalgar, Elide a seu lado.

Atrás deles, serpenteando ao longe, o exército do khagan avançava.

Parte dele, pelo menos. Metade dos rukhin e dos cavaleiros darghan marcharia sob a bandeira de Kashin do lado leste das montanhas, para atrair para fora as forças do desfiladeiro Ferian em uma batalha deflagrada no vale. Enquanto eles espreitariam por trás, direto pela porta dos fundos.

Neve caía pesadamente sobre as montanhas, o céu cinzento ameaçava mais, embora os batedores rukhin e os homens selvagens tivessem verificado que qualquer tempo ruim demoraria a atingi-los — pelo menos até que chegassem ao desfiladeiro.

Uma caminhada de cinco dias, com o exército e as montanhas. Seriam três para aqueles que marchavam pela margem do lago e do rio.

Aelin inclinou o rosto para o céu frio conforme começavam a série interminável de desvios para cima das encostas rochosas. Os rukhin conseguiam carregar grande parte do equipamento mais pesado, graças aos deuses, mas a escalada para as montanhas seria o primeiro teste.

Os exércitos do khagan haviam atravessado cada território, no entanto. Montanhas e desertos e mares. Eles não recuariam agora.

Então Aelin supôs que também não o faria. Por tanto tempo quanto lhe restasse, até o fim daquilo.

Aquele último impulso para o norte, para casa... Ela abriu um sorriso sombrio para as montanhas que pairavam acima, para o exército que se estendia bem atrás deles.

E só porque podia, só porque se dirigiam a Terrasen por fim, a rainha liberou um lampejo de poder. Alguns dos porta-bandeiras atrás do grupo murmuraram, surpresos, mas Rowan apenas sorriu. Sorriu com aquela esperança destemida, aquela determinação brutal que se acendeu no coração da parceira conforme Aelin começava a queimar.

Ela deixou que a chama a envolvesse, um brilho dourado que a jovem rainha sabia que poderia ser visto mesmo das linhas mais distantes do exército, assim como da cidade e da fortaleza que tinham deixado para trás.

Um farol brilhando forte nas sombras das montanhas, nas sombras das forças que os aguardavam, era Aelin iluminando o caminho para o norte.

PARTE DOIS
Deuses e Portões

68

As torres pretas de Morath se erguiam sobre forjas fumegantes e fogueiras de acampamento no vale abaixo, como um aglomerado de espadas sombrias erguidas ao céu.

Elas se projetavam para as nuvens baixas; algumas quebradas e lascadas, outras ainda orgulhosamente de pé. A ira e o último ato de Kaltain Rompier permaneciam estampados em todas elas.

Abrindo as asas cor de fuligem, Dorian tomou uma corrente de ar que fedia a ferro e carniça, então deu a volta pela fortaleza. Ele aprendera a usar os ventos durante aqueles longos dias de viagem, e, embora tivesse percorrido grande parte da jornada como um ágil gavião de cauda vermelha, tinha se metamorfoseado naquela manhã em um corvo comum.

Bandos daquelas aves circundavam Morath, os grasnidos tão constantes quanto o ecoar dos martelos nas bigornas por todo o vale. Mesmo com o inferno sendo liberado no norte, havia ainda mais acampados ali. Mais tropas, mais bruxas.

Dorian seguiu o exemplo dos outros corvos e deu às serpentes aladas bastante espaço, voando baixo enquanto aliança após aliança seguia, reconhecendo ou relatando ou treinando. Tantas Dentes de Ferro. Todas esperando.

Ele circundou as torres mais altas de Morath, observando a fortaleza, o exército no vale e as serpentes aladas nos ninhais elevados. Com cada batida de asas, o peso do que escondera em uma protuberância rochosa, quinze quilômetros ao norte, ficava maior.

Teria sido arriscado levar as duas chaves com ele. Então as enterrara na rocha de xisto, nem mesmo ousando sinalizar o local. Dorian só podia rezar para que fosse longe o bastante para evitar a atenção de Erawan.

Na lateral de uma torre, duas criadas carregando pilhas de roupas limpas surgiram de uma pequena porta e começaram a subir pela escada externa, as cabeças baixas, como se tentando ignorar o exército que se movia abaixo. Ou as serpentes aladas cujos urros ecoavam da rocha preta.

Ali. Aquela porta.

Dorian bateu as asas até ela, desejando que o coração se acalmasse, que seu cheiro — a única coisa que poderia condená-lo — permanecesse despercebido. Mas nenhuma das Dentes de Ferro sobrevoando o local percebeu o corvo que não tinha cheiro de corvo. E as duas lavadoras subindo as escadas da torre não se manifestaram quando ele aterrissou no pequeno parapeito de pedra e fechou as asas cuidadosamente.

Com um salto, estava nas pedras.

Com uma metamorfose, músculos e ossos queimando, o mundo se tornou menor e infinitamente mais perigoso.

E infinitamente menos ciente de sua presença.

Os bigodes de Dorian tremeram, as enormes orelhas se aprumaram. O rugido das serpentes aladas estremeceu pelo corpo pequeno e peludo, e Dorian trincou os dentes; grandes, quase grandes demais para a boca. O fedor se tornou quase enjoativo.

Ele conseguia sentir o cheiro... de tudo. O frescor da roupa que acabara de passar. O cheiro almiscarado de algum tipo de ensopado agarrado às lavadeiras depois do almoço. Dorian jamais havia considerado que ratos eram extraordinários, mas nem mesmo voando como um gavião se sentira tão alerta, *desperto* naquele nível.

Em um mundo designado para matá-los, Dorian supôs que ratos precisavam de tamanha astúcia para sobreviver.

Ele se permitiu um longo fôlego antes de se espremer por baixo da porta fechada. E para o interior de Morath.

Os sentidos podiam estar mais aguçados, mas Dorian jamais percebera o quanto um lance de escadas era realmente desafiador sem pernas humanas.

Ele se manteve nas sombras, desejando parecer poeira e escuridão a cada par de pés que cruzava. Alguns em armadura, outros calçando botas, alguns com sapatos desgastados. Todos os que os calçavam pareciam pálidos e abatidos.

Nenhuma bruxa, graças aos deuses. E nenhum príncipe valg ou seus brutamontes.

Certamente nenhum sinal de Erawan.

A torre na qual Dorian entrara era uma escadaria de criados que Manon descrevera durante uma das muitas explicações da bruxa para Aelin. Era graças a ela que Dorian seguia um mapa mental, confirmado ao sobrevoar o lugar em círculos pelas últimas horas.

A torre de Erawan... era por onde começaria. E se o rei valg estivesse lá... ele daria um jeito. Tentaria se vingar por tudo o que este fizera, independentemente do aviso de Kaltain.

Com a respiração ofegante, Dorian chegou à base dos degraus circulares, fechando a longa cauda em torno do corpo ao olhar para o corredor escuro adiante.

Dali, precisaria atravessar o andar inteiro, pegar outra escada para cima e outro corredor, então, se tivesse sorte, a torre de Erawan estaria lá.

Manon jamais ganhara acesso a ela. Jamais soubera o que esperava lá em cima. Apenas que era vigiada pelos valg o tempo todo. Um lugar bom o bastante para começar a caçada.

Suas orelhas coçaram. Nenhum passo se aproximando. Nenhum gato, felizmente.

Dorian virou uma esquina, o pelo cinza-amarronzado mesclando-se à rocha, e saiu correndo pela depressão em que a parede encontrava o chão. Um vigia montava guarda no final do corredor, olhando para o nada. Ele pairava, alto como uma montanha, conforme o rato se aproximava.

Ele tinha quase chegado ao guarda e ao cruzamento monitorado quando sentiu aquilo — a agitação, depois o silêncio.

Até mesmo o guarda se endireitou, olhando para a fenda de uma janela atrás de si.

Dorian parou, escondendo-se em uma sombra.

Nada. Nenhum grito ou berro, e, no entanto...

O vigia voltou para a posição, mas observou o corredor.

Dorian permaneceu imóvel e calado, esperando. Será que tinham descoberto sua presença? Soado algum alarme?

Não poderia ser tão fácil quanto havia parecido. Erawan, sem dúvida, tinha armadilhas para alertá-lo de presenças inimigas...

Passos leves e apressados soaram do outro lado da esquina, e o guarda se virou naquela direção.

— O que foi? — indagou o homem.

O criado que se aproximava não diminuiu o passo.

— Quem sabe ultimamente, com a companhia que nós temos? Não vou ficar aqui para descobrir. — Então ele seguiu apressado, passando direto por Dorian.

Não estava seguindo apressado para alguma coisa, mas para *longe*.

Os bigodes do rato se moveram quando ele cheirou o ar. Nada.

Esperar em um corredor não ajudaria. Mas mergulhar adiante, buscar o que quer que estivesse acontecendo... também não seria esperto.

Havia um lugar onde ele poderia ouvir algo. Onde as pessoas estavam sempre fofocando, mesmo em Morath.

Então Dorian se aventurou de volta pelo corredor. Por mais um lance de escadas, com as pernas pequenas quase incapazes de se mover rápido o bastante. Na direção das cozinhas, quentes e iluminadas com a luz da grande lareira.

Lady Elide trabalhara ali... conhecera aquelas pessoas. Não eram valg, mas pessoas forçadas à servidão. Pessoas que sem dúvida falariam sobre as idas e vindas daquela fortaleza. Assim como faziam no palácio de Forte da Fenda.

Os vários criados e cozinheiros estavam, de fato, esperando. Olhando para as escadas do lado oposto da cozinha cavernosa. Assim como o gato rajado magro e de olhos verdes do outro lado do cômodo.

Dorian se tornou o menor possível. Mas a besta não lhe deu atenção, estava concentrada nas escadas. Como se também soubesse.

E, então, passos; apressados e abafados. Duas mulheres entraram com bandejas vazias nas mãos. Ambas pálidas e trêmulas.

— Viram alguma coisa? — perguntou o homem que devia ser o cozinheiro principal.

Uma das mulheres fez que não com a cabeça.

— Não estavam na sala do conselho ainda. Graças aos deuses.

As mãos de sua colega tremeram quando a criada apoiou a bandeja.

— Mas chegarão em breve.

— Sorte que vocês saíram antes que eles entrassem — comentou alguém.

— Ou poderiam acabar como parte do almoço também.

Sorte mesmo. Dorian se demorou, mas a cozinha retomou o ritmo, satisfeita por duas das suas terem voltado em segurança.

A sala do conselho... talvez a mesma que Manon descrevera. Onde Erawan preferia fazer suas reuniões. E se o próprio estava a caminho de lá...

Dorian saiu às pressas, atento àquele mapa mental que Manon fizera. Um tolo — apenas um tolo iria voluntariamente atrás de Erawan. Assumiria tal risco.

Talvez ele tivesse um desejo de morte. Talvez fosse realmente um tolo. Mas queria vê-lo. Precisava vê-lo, aquela criatura que destruíra tantas coisas. Que estava prestes a devorar seu mundo.

Precisava olhar para ele, para aquela *coisa* que ordenara que Dorian fosse escravizado, que assassinara Sorscha. E, se tivesse sorte, talvez o matasse.

Dorian poderia permanecer naquela forma e atacar. Mas seria muito mais satisfatório voltar ao próprio corpo, sacar Damaris e acabar com Erawan. Deixar que este visse o círculo pálido em volta de seu pescoço e soubesse quem o havia matado, que ainda não o havia destruído.

Então Dorian encontraria aquela chave.

O silêncio lhe mostrou o caminho, talvez mais que o mapa mental que memorizara.

Corredores vazios. O ar se tornou espesso, frio. Como se a própria depravação emanasse de Erawan.

Não havia vigias, humanos ou valg, montando guarda diante das portas abertas.

Ninguém para marcar a figura sombria que entrava com uma capa preta esvoaçante.

Dorian se apressou e correu atrás daquela figura no momento que as portas se fecharam. Sua magia se inflou, e o rapaz fez com que o poder se acalmasse, que se recolhesse, como uma víbora pronta para o ataque.

Um golpe para derrubar Erawan, então ele mudaria de forma e sacaria Damaris.

A figura parou, a capa oscilando, e Dorian disparou para a sombra mais próxima — na fenda entre a porta e o chão.

A câmara era simples, exceto por uma mesa de vidro preto no centro. E o homem de cabelos e olhos dourados sentado diante do móvel.

Manon não mentira: Erawan tinha, de fato, abandonado a pele de Perrington em favor de algo muito mais belo.

Embora ainda exibisse sofisticação, percebeu Dorian quando o rei valg se levantou, com o casaco cinzento e a calça de alfaiataria impecáveis. Nenhuma arma à vista ao lado do corpo. Nenhum indício da chave de Wyrd.

Mas Dorian conseguia *sentir* o poder de Erawan, o que havia de errado vazando de seu ser. Conseguia sentir e se lembrar daquele poder dentro de si mesmo, corrompendo sua alma.

Gelo estalou em suas veias. Rápido; ele precisava ser rápido. Atacar *agora*.

— Esta é uma surpresa inesperada — disse Erawan, com a voz jovem, mas ao mesmo tempo não. Ele indicou a variedade de comida, frutas e carne curada. — Podemos começar?

A magia de Dorian vacilou quando duas mãos finas e pálidas como a lua surgiram das dobras da capa preta e abaixaram o capuz.

A mulher sob ele não era bela, não da forma clássica. Mas com os cabelos pretos, os olhos escuros, os lábios vermelhos... Era magnífica. Hipnotizante.

Aqueles lábios vermelhos se curvaram, revelando dentes brancos como osso.

Frio percorreu a coluna de Dorian diante das orelhas pontudas e delicadas que despontaram da cortina de cabelos pretos. Feérica. A mulher... a fêmea era feérica.

Ela tirou a capa e revelou um vestido esvoaçante de um roxo profundo ao se sentar diante de Erawan à mesa. Nenhuma gota de hesitação ou medo conteve os movimentos graciosos.

— Sabe por que vim, então.

Erawan sorriu ao se sentar, servindo uma taça de vinho para a fêmea, então para si mesmo. E todos os pensamentos de assassinato sumiram da cabeça de Dorian quando o rei valg perguntou:

— Tem algum outro motivo pelo qual ousaria visitar Morath, Maeve?

69

Orynth não estivera tão silenciosa desde o dia em que Aedion e os resquícios da corte de Terrasen haviam marchado para Theralis.

Mesmo então se ouvira um zumbido na cidade antiga, erguida entre a abertura do rio Florine e o limite das montanhas Galhada do Cervo, com Carvalhal como um filete de bosque a oeste.

Naquela época, as paredes brancas ainda brilhavam.

Agora estavam manchadas e cinzentas, tão desoladas quanto o céu, conforme Aedion, Lysandra e seus aliados atravessavam as altas portas de metal do portão oeste. Ali, as paredes tinham 1,80 metro de espessura, e os blocos de pedra eram tão pesados que, diziam as lendas, Brannon empregara gigantes das montanhas Galhada do Cervo para empilhá-los no lugar.

Aedion daria qualquer coisa para que aqueles gigantes esquecidos encontrassem o caminho até a cidade no momento. Para que as antigas Tribos dos Lobos descessem correndo os altos picos atrás da cidade, trazendo com eles os feéricos perdidos de Terrasen. Para que qualquer um dos antigos mitos surgisse das sombras do tempo, como Rolfe e os mycenianos haviam feito.

Mas ele sabia que sua sorte se esgotara.

Os companheiros também sabiam. Mesmo Ansel de Penhasco dos Arbustos tinha ficado tão silenciosa quanto Ilias e seus assassinos, os ombros curvados. Ela ficara daquela forma desde que as cabeças dos próprios guerreiros haviam caído entre as tropas aliadas. O cabelo vermelho-vinho de Ansel parecia opaco, seus passos, pesados. Aedion reconhecia o terror e a culpa.

Queria ter tido um momento para reconfortar a jovem rainha além de um pedido rápido de desculpas. Mas Ilias, ao que parecia, assumira a tarefa de fazer exatamente aquilo, cavalgando ao lado de Ansel, como uma companhia constante e calada.

A cidade se espalhava aos pés do castelo imponente, quase mítico, construído no alto de um protuberante fragmento de rocha. Um castelo que se erguia tão alto que as torres mais elevadas pareciam perfurar o céu. Certa vez, aquele castelo brilhara, com rosas e heras caindo sobre as pedras aquecidas pelo sol, a canção de mil fontes soando em todos os corredores e pátios. Certa vez, orgulhosas bandeiras oscilaram daquelas torres impossivelmente altas, vigiando as montanhas e a floresta e o rio e a planície de Theralis abaixo.

Agora ele se tornara um mausoléu.

Ninguém falava enquanto o grupo arrastava os pés pelas ruas íngremes e sinuosas. Pessoas de expressões tristes se detinham para olhar ou seguiam às pressas a fim de se organizar para o cerco.

Não havia escapatória. Não com as montanhas Galhada do Cervo às costas, Carvalhal a oeste e o exército que avançava do sul. Sim, poderiam fugir para o leste pelas planícies, mas para onde? Para Suria, onde seria apenas uma questão de tempo até serem encontrados? Para o interior além das montanhas, onde os invernos eram tão violentos que se alegava que nenhum mortal poderia sobreviver? O povo de Orynth estava tão preso quanto seu exército.

Aedion sabia que deveria empertigar os ombros. Deveria sorrir para aquele povo — seu povo — e oferecer um pingo de coragem.

Mas ele não conseguia. Não conseguia evitar se perguntar quantos tinham perdido família e amigos na batalha diante do rio. Nas semanas de luta antes daquilo. Quantos ainda rezavam para que as intermináveis fileiras de soldados se encaminhando para a cidade revelassem um ente querido.

Culpa sua, fardo seu. Suas escolhas o haviam levado até lá. Suas escolhas tinham deixado tantos corpos na neve, um verdadeiro caminho de mortos, desde a fronteira sul, chegando até o Florine.

O castelo branco assomava, maior a cada colina que subiam. Pelo menos tinham aquilo; a vantagem do terreno mais alto.

Pelo menos tinham aquilo.

Darrow e os outros lordes estavam à espera.

Não na sala do trono, mas na espaçosa câmara do conselho do outro lado do palácio.

Da última vez que Aedion estivera naquela sala, um canalha arrogante de Adarlan presidira a reunião. O vice-rei de Terrasen, como se intitulara.

Ao que parecia, o homem havia levado seus luxos, inclusive as cadeiras e a decoração da parede, e fugido no momento que o rei fora morto.

Então uma antiga mesa de trabalho servia agora de escrivaninha de guerra, e ao seu redor, havia uma variedade de cadeiras quase podres de vários aposentos do castelo. No momento ocupadas por Darrow, Sloane, Gunnar e Ironwood. Murtaugh, para a surpresa de Aedion, estava entre eles.

Os senhores se levantaram quando Aedion e os companheiros entraram. Não em respeito ao guerreiro, mas à realeza com ele.

Ansel de Penhasco dos Arbustos observou o espaço miserável, como fizera durante toda a caminhada pelo castelo escuro e deprimente, e soltou um assobio baixo.

— Vocês não estavam brincando quando disseram que Adarlan saqueou seus cofres. — Suas primeiras palavras em horas. Dias.

— Até a última moeda — resmungou Aedion, e parou diante da mesa.

— Onde está Kyllian? — indagou Darrow.

Aedion lhe deu um sorriso que não chegou a seus olhos. Ren ficou tenso, lendo o aviso naquele sorriso.

— Ele me pediu para vir na frente enquanto lidera o exército até aqui.

— Mentira.

Darrow revirou os olhos, então os fixou em Rolfe, que ainda franzia a testa diante do castelo decrépito.

— Devemos a você a retirada de sorte, suponho.

Rolfe fixou o olhar verde-mar sobre o homem.

— Devem mesmo.

Darrow se sentou de novo, e os outros lordes o acompanharam em seguida.

— E você é?

— Corsário Rolfe — respondeu o pirata, tranquilamente. — Comandante na Armada de Sua Majestade. E herdeiro do povo myceniano.

Os outros lordes se endireitaram.

— Os mycenianos sumiram há uma era — comentou Lorde Sloane, mas então reparou na espada ao lado de Rolfe, no punho de dragão marinho. Sem dúvida vira a frota que subia pelo Florine.

— Sumiram, mas não morreram — replicou Rolfe. — E viemos pagar uma dívida antiga.

Darrow esfregou a têmpora. Velho... o homem realmente parecia ter sua idade ao se inclinar contra a borda da mesa.

— Bem, temos de agradecer aos deuses por isso.

— Vocês têm de agradecer a Aelin por isso — intrometeu-se Lysandra, tomada pelo ódio.

O homem semicerrou os olhos, e o temperamento de Aedion se moldou em algo letal. Mas a voz de Darrow soou exausta e pesada quando ele perguntou:

— Não está fingindo hoje, *lady*?

Lysandra apenas apontou para Rolfe, então para Ansel e Galan. Depois indicou com o braço as janelas, onde a realeza feérica e Ilias dos Assassinos Silenciosos cuidavam dos seus no terreno do castelo.

— Todos eles. Todos eles vieram até aqui por causa de *Aelin*. Não de você. Então, antes de debochar que não existe Armada de Sua Majestade, permita-me dizer que há *sim*. E você não faz parte dela.

Darrow soltou um longo suspiro, esfregando a têmpora de novo.

— Você está dispensada desta sala.

— Ao inferno que está — grunhiu Aedion.

Mas Murtaugh interferiu:

— Tem alguém, lady, que gostaria de vê-la. — Lysandra ergueu a sobrancelha, e o velho se encolheu. — Eu não queria arriscar deixá-la em Allsbrook sozinha. Evangeline está na torre norte, no antigo quarto de minha neta. Ela viu sua chegada da janela, quase não consegui convencê-la a esperar.

Uma forma educada e inteligente de dissipar a tempestade que se formava. Aedion pensou em dizer a Lysandra que ela podia ficar, mas a metamorfa já estava saindo, os cabelos pretos balançando atrás de si.

Quando ela partiu, Aedion falou:

— Ela lutou na linha de frente de todas as batalhas. Quase morreu contra nossos inimigos. Não vi nenhum de vocês se incomodar em fazer o mesmo.

O grupo de velhos lordes franziu a testa com desprezo. Mas foi Darrow quem se agitou na cadeira... levemente. Como se Aedion tivesse atingido uma ferida pútrida.

— Ser velho demais para lutar — retrucou o senhor, em voz baixa — enquanto homens e mulheres mais jovens morrem não é tão fácil quanto pensa, Aedion. — Ele olhou para baixo, para a espada sem nome ao lado do guerreiro. — Não é nada fácil.

Aedion pensou em dizer a Darrow que perguntasse às pessoas que tinham morrido se *aquilo* também não fora fácil, mas o príncipe Galan pigarreou.

— Que providências estão sendo tomadas para um cerco?

Os lordes de Terrasen não pareceram gostar de ser questionados, mas abriram as bocas odiosas e falaram.

~

Uma hora depois, após levar os demais a seus quartos, então ao banho e às refeições quentes, Aedion se viu seguindo o cheiro de Lysandra.

Ela não fora para a torre norte e para a protegida que a aguardava, mas para a sala do trono.

As imponentes portas de carvalho estavam rachadas, os dois cervos rampantes entalhados ali o encaravam do alto. Outrora, filigranas de ouro cobriam a chama imortal que brilhava entre as orgulhosas galhadas.

Durante a última década, alguém descascara o ouro. Ou por rancor, ou para obter dinheiro rápido.

Aedion passou pelas portas. A câmara cavernosa era como o fantasma de um velho amigo.

Quantas vezes detestara ser obrigado a vestir suas roupas mais formais e ficar ao lado dos tronos sobre o altar no fundo da sala ladeada por pilastras? Quantas vezes vira Aelin cochilando durante um dia interminável de pompa?

Naquela época, as bandeiras de todos os territórios de Terrasen pendiam do teto. E o piso de mármore pálido era tão polido que Aedion conseguia ver o próprio reflexo.

Naquela época, um trono com galhada repousava sobre o altar, imponente e primitivo. Construído das galhadas perdidas pelos cervos imortais da floresta de Carvalhal.

Cervos agora massacrados e queimados, como o trono de galhada depois da batalha de Theralis. O rei ordenara que aquilo fosse feito bem no campo de batalha.

Era diante daquele altar vazio que Lysandra estava. Encarando o mármore branco, como se pudesse ver o trono que um dia estivera ali. Ver os outros tronos menores postados a seu lado.

— Eu não tinha me dado conta de que Adarlan tinha destruído este lugar tão completamente — comentou ela, sentindo-o ou reconhecendo a cadência dos passos de Aedion.

— A estrutura ainda está intacta — replicou ele. — Por quanto tempo permanecerá assim, não sei.

Os olhos verdes de Lysandra se voltaram para ele, tristes com exaustão e luto.

— Bem no fundo — disse ela, baixinho —, alguma parte de mim achou que eu viveria para vê-la sentada aqui. — A metamorfa apontou para o altar, para onde o trono de galhadas um dia estivera. — Bem no fundo, achei que poderíamos realmente conseguir, de alguma forma. Mesmo com Morath, o Fecho, e tudo mais.

Não havia esperança em seu rosto.

Talvez por isso Lysandra tivesse se dado o trabalho de falar com ele.

— Também achei — retrucou Aedion, igualmente baixo, embora as palavras ecoassem na câmara ampla e vazia. — Também achei.

70

A rainha dos feéricos fora até Morath.

Dorian obrigou as batidas de seu coração a se acalmarem, sua respiração a se equilibrar quando Maeve provou o vinho.

— Você não me reconhece, então — disse a rainha feérica, estudando o rei valg.

Erawan parou, a taça a meio caminho dos lábios.

— Não é Maeve, rainha de Doranelle?

Aelin. Será que Maeve levara Aelin até *ali*? Para ser vendida a Erawan? Pelos deuses, pelos deuses...

A rainha sombria inclinou a cabeça para trás e gargalhou.

— Milênios separados e você se esqueceu até mesmo da própria cunhada.

Dorian ficou feliz por ser pequeno e silencioso e despercebido. Ele poderia muito bem ter cambaleado.

Erawan ficou imóvel.

— Você.

Maeve sorriu.

— Eu.

Aqueles olhos dourados percorreram a rainha feérica.

— Em pele feérica. Todo esse tempo.

— Estou decepcionada por você não ter descoberto.

A pulsação do poder de Erawan deslizou sobre Dorian. Tão semelhante... tão terrivelmente semelhante ao poder pegajoso daquele príncipe valg.

— Sabe o que você... — O rei valg se calou. Esticou os ombros. — Suponho que eu deveria lhe agradecer, então — disse Erawan, controlando-se. — Se não tivesse traído meu irmão, eu não teria descoberto este mundo maravilhoso. E não estaria pronto para conquistá-lo. — Ele tomou um gole da taça. — Mas ainda resta a pergunta: por que vir até aqui? Por que se revelar agora? Minha antiga inimiga... talvez não mais inimiga.

— Jamais fui sua inimiga — respondeu Maeve, a voz inabalada. — Seus irmãos, no entanto, foram meus.

— E, mesmo assim, se casou com Orcus sabendo muito bem como ele é.

— Talvez devesse ter me casado com você quando ofereceu. — Um pequeno sorriso... horrível e falsamente tímido. — Mas eu era tão jovem na época. Facilmente enganada.

Erawan soltou uma risada baixa que fez o estômago de Dorian se revirar.

— Você jamais foi essas coisas. E agora aqui estamos.

Se Aelin estivesse ali, se Dorian conseguisse encontrá-la, talvez pudessem enfrentar a rainha e o rei valg...

— Aqui estamos — repetiu Maeve. — Você, pronto para varrer este continente. E eu, disposta a ajudar.

Erawan cruzou o tornozelo sobre o joelho.

— Novamente: por quê?

Os dedos da rainha alisaram as facetas de sua taça.

— Meu povo me traiu. Depois de tudo o que fiz por eles, do modo que os protegi, se levantaram contra mim. O exército que reuni se recusou a marchar. Meus nobres e meus criados se recusaram a se ajoelhar. Não sou mais a rainha de Doranelle.

— Consigo imaginar quem está por trás de tal coisa — comentou Erawan.

Treva lampejou na sala, terrível e fria.

— Mantive Aelin do Fogo Selvagem presa. Esperava trazê-la até aqui para você quando ela estivesse... pronta. Mas a sentinela que designei para supervisioná-la cometeu um grave erro. Eu mesma admito que fui ludibriada. E agora ela está livre novamente. E assumiu a tarefa de mandar cartas para alguns indivíduos influentes em Doranelle. Já deve estar neste continente.

O corpo de Dorian estremeceu de alívio.

Erawan gesticulou com a mão.

— Em Anielle. Gastando seu poder inconsequentemente.

Os olhos de Maeve brilharam.

— Ela me custou meu reino, meu trono. Meu círculo de guerreiros de confiança. Qualquer neutralidade que eu pudesse ter nesta guerra, qualquer piedade que pudesse ter oferecido, sumiram assim que ela e o parceiro foram embora.

Eles a haviam encontrado. De alguma forma, a haviam encontrado. E Anielle... será que Dorian ousaria ter esperanças de que Chaol também estivesse por lá?

Ele poderia ter rugido com aquela vitória. Mas Maeve prosseguiu:

— Aelin Galathynius virá atrás de mim se sobreviver a você. Não planejo lhe dar a chance de fazê-lo.

O sorriso de Erawan aumentou.

— Então pensou em se aliar a mim.

— Apenas juntos poderemos garantir que a linhagem de Brannon seja destruída para sempre. Para jamais se erguer de novo.

— Então por que não a matou quando teve a chance?

— Você teria feito isso, irmão? Não teria tentado dobrá-la?

O silêncio de Erawan servia como confirmação. Então o rei valg perguntou:

— Está expondo muito a mim, irmã. Espera que eu acredite tão prontamente?

— Previ isso. — Os lábios se curvaram. — Afinal de contas, não me resta nada além de meus próprios poderes.

Erawan não disse nada, como se estivesse bastante ciente da dança na qual a rainha o conduzia.

Ela estendeu a mão branca como a lua na direção do centro da sala.

— Tem algo mais que posso trazer à mesa, caso interesse.

Um estalo dos dedos magros fez um buraco simplesmente surgir no coração da câmara.

Dorian se assustou, encolhendo-se mais nas sombras e na poeira. Sem se incomodar em esconder o tremor quando um terror que apenas a verdadeira treva poderia criar surgiu do outro lado daquele buraco. O *portal*.

— Tinha me esquecido de que você havia dominado esse talento — observou Erawan, os olhos dourados se incendiando diante da coisa se curvando para eles, as quelíceras estalando.

A aranha.

— E tinha me esquecido de que elas ainda se incomodam em lhe obedecer — prosseguiu ele.

— Quando os feéricos me jogaram de lado — contou Maeve, sorrindo levemente para a enorme aranha —, retornei para aquelas que sempre foram leais a mim.

— As aranhas estígias se tornaram criaturas independentes — replicou Erawan. — Sua lista de aliados permanece curta.

Maeve sacudiu a cabeça, e os cabelos pretos reluziram.

— Essas não são as aranhas estígias.

Pelo portal, Dorian conseguia discernir rochas pontiagudas e cinzentas. Montanhas.

— Essas são as *kharankui*, como o povo do continente sul as chama. Minhas mais leais damas de companhia.

O coração de Dorian retumbou quando a aranha fez outra reverência.

O rosto de Erawan ficou frio e entediado.

— Que utilidade eu teria para elas? — Ele indicou as janelas adiante, a paisagem infernal que produzira. — Criei *exércitos* de bestas leais a mim. Não preciso de algumas centenas de aranhas.

Maeve nem mesmo hesitou.

— Minhas damas de companhia são habilidosas, suas teias têm longo alcance. E me contam sobre os acontecimentos do mundo. Elas me contaram da próxima... fase de seus grandiosos planos.

Dorian se preparou. Erawan enrijeceu o corpo.

— As princesas valg precisam de hospedeiras — prosseguiu a rainha sombria. — Você anda tendo dificuldades em garantir que sejam poderosas o suficiente para recebê-las. A princesa do khaganato conseguiu sobreviver àquela que você plantou e é mais uma vez senhora do próprio corpo.

Princesas valg. No continente sul. Chaol...

— Estou ouvindo — disse Erawan.

Maeve apontou para a aranha que ainda fazia reverência no portal... o portal para o continente sul, aberto tão facilmente quanto uma janela.

— Por que se incomodar com hospedeiras humanas para as seis princesas restantes quando pode conseguir outras muito mais poderosas? E dispostas.

Os olhos dourados de Erawan se voltaram para aranha.

— Você e sua espécie permitiriam isso? — Suas primeiras palavras para a criatura.

As quelíceras da aranha estalaram enquanto os horríveis olhos piscavam.

— Seria uma honra provar nossa lealdade à rainha.

Maeve sorriu para a aranha. Dorian estremeceu.

— Hospedeiros imortais e poderosos — ronronou Maeve para o rei valg. — Com seus dons natos, imagine como as princesas podem se desenvolver dentro delas. Tanto aranha quanto princesa se tornando *mais*.

Tornando-se um horror irreconhecível.

Erawan não disse nada, e Maeve estalou os dedos, fazendo o portal e a aranha sumirem. Ela se levantou, graciosa como uma sombra.

— Deixarei que reflita sobre essa aliança, se é o que deseja. As *kharankui* farão como eu pedir: marcharão satisfeitas sob sua bandeira.

— Mas e o que eu digo para meu irmão quando o vir de novo?

Maeve inclinou a cabeça.

— Planeja ver Orcus de novo?

— Por que acha que passei tanto tempo montando esse exército, preparando este mundo, se não para cumprimentar meus irmãos outra vez? Se não para impressioná-los com o que fiz aqui?

Erawan traria os reis valg de volta a Erilea se tivesse a oportunidade. E se fizesse isso...

Maeve estudou o rei sentado.

— Diga a Orcus que me cansei de esperar que ele retornasse de suas conquistas. — Um sorriso de aranha. — Eu preferiria ter me juntado a ele.

Erawan piscou, o único sinal de sua surpresa. Então ele gesticulou com a mão elegante, e as portas se abriram com um vento fantasma.

— Pensarei sobre isso, irmã. Por sua coragem em me abordar, vou deixar que fique como minha hóspede até me decidir. — Dois guardas surgiram no corredor, e Dorian se preparou, as patas tensas sobre as pedras. — Eles a levarão a seu quarto.

Permanecer naquela câmara por tempo demais poderia levá-lo à exposição, mas Dorian não sentira a chave no rei valg. Depois; poderia continuar procurando depois. Contemplar a melhor forma de matar o rei também. Se fosse tolo o suficiente para arriscar. Por enquanto...

Maeve puxou a capa, arrastando-a em volta do corpo, e Dorian se apressou adiante, abaixando-se para se esconder em suas sombras de novo, quando a rainha feérica saiu andando.

Os guardas a levaram até o fim de um corredor, então por uma escada espiralada, para dentro de uma torre adjacente à de Erawan. Era bem decorada com mobília de carvalho polido e lençóis de linho impecáveis. Provavelmente resquícios dos anos em que aquela fora uma fortaleza humana, e não um lar de horrores.

No momento que a porta se fechou atrás de Maeve, ela encostou na madeira decorada com ferro e suspirou.

— Planeja se esconder nessa forma patética o dia todo?

Dorian avançou para a fenda entre a porta e o chão, mas o pé da rainha sombria, calçado em bota preta, pisou em seu rabo.

Dor irradiou pelos ossos de Dorian, mas o pé de Maeve permaneceu no lugar. Sua magia emergiu, libertando-se, mas um vento sombrio a envolveu com garras, sufocando-a. Abafando-a.

A rainha feérica sorriu para ele.

— Você não é um espião muito habilidoso, rei de Adarlan.

71

A magia de Dorian lutou e rugiu quando o poder sombrio da rainha o prendeu na teia. Se conseguisse se transformar em uma serpente alada e arrancar a cabeça de Maeve...

Mas ela sorriu, enfadada e entretida, depois tirou o pé do rabo do pobre do rato. Então libertou sua magia.

Dorian estremeceu sob o poder sombrio e pútrido conforme as garras acariciavam sua magia, roçavam o núcleo brilhante e puro, e sumiam.

Foi difícil não vomitar, não tocar o colar pálido no pescoço apenas para se certificar de que havia sumido.

O sorriso de Maeve permaneceu na boca vermelha enquanto a magia de Dorian ainda estremecia com a sensação remanescente do poder da rainha. O poder de invadir mentes, de destruir a psique. Um tipo de inimigo diferente. Um que exigiria outro caminho. Um caminho inconsequente, de um tolo. O caminho de um cortesão.

Então Dorian se metamorfoseou. O pelo se tornou pele; as patas, mãos. Quando por fim ficou de pé diante da rainha feérica, um homem novamente, o sorriso de Maeve se alargou.

— Como você é belo.

Ele esboçou uma reverência. Sem ousar estender a mão para Damaris a seu lado.

— Como sabia?

— Acha que não o vi, senti seu cheiro e seu poder nas lembranças de Aelin? — Ela inclinou a cabeça. — Embora minha espiã não tenha relatado seu interesse pela metamorfose.

Cyrene. O horror tomou conta do rei.

Maeve caminhou para o interior do quarto e ocupou um assento no banco diante do pé da cama, tão majestosamente quanto se estivesse sentada no próprio trono.

— Como acha que as Matriarcas sabiam onde encontrá-los?

— Cyrene só ficou no acampamento por um dia — conseguiu dizer.

— Acha mesmo que não há outras aranhas lá em cima nas montanhas? Todas obedecem a ela, e a mim. Cyrene só precisou sussurrar uma vez para as criaturas certas, e elas me encontraram. E encontraram as Dentes de Ferro. — Maeve alisou a frente do vestido. — Resta saber se Erawan tem conhecimento de seus dons. Antes que você a matasse, Cyrene de fato me informou que você era... diferente.

Dorian não se arrependia de tê-la matado.

— Mas isso não vem ao caso. Cyrene está morta, e você está muito longe dos braços de Manon Bico Negro.

Ele apoiou a mão no cabo de Damaris.

Maeve sorriu diante da espada antiga.

— Parece que a rainha de Terrasen aprendeu a compartilhar. Ela adquiriu um belo tesouro, não foi? — Dorian se sobressaltou. Se Maeve sabia de tudo que Aelin possuía...

— Também sei disso — afirmou a rainha sombria, os olhos escuros parecendo infinitos. Damaris aqueceu em sua mão. — E sei que a aranha não adivinhou essa verdade, pelo menos. — Ela o observou. — Onde estão agora, Dorian Havilliard?

Algo viperino e afiado deslizou pela mente do rei. Tentando *entrar*...

A magia de Dorian rugiu. Um lençol de gelo se chocou contra aquelas garras mentais. E as explodiu para longe.

Maeve riu, e ele piscou, encontrando o quarto também coberto de gelo.

— Um método dramático, mas eficiente.

Dorian sorriu para ela.

— Acha que eu seria tolo o suficiente para deixar que entrasse em minha mente? — Ainda com uma das mãos na espada, ele deslizou a outra para um bolso, pelo menos para esconder o tremor. — Ou para lhe contar onde estão escondidas?

— Valeu a pena tentar — respondeu Maeve.

— Por que não soa o alarme? — Foi a única réplica de Dorian.

Maeve se inclinou para trás, estudando-o de novo.

— Você quer o que eu quero. Algo em posse de Erawan. Isso não nos torna aliados, de certa forma?

— Deve ter perdido o juízo se acha que eu lhe daria as chaves.

— Estou? O que você faria com elas, Dorian? Iria destruí-las?

— O que você faria? Conquistaria o mundo?

Maeve gargalhou.

— Ah, nada tão comum quanto isso. Eu me certificaria de que Erawan e os irmãos jamais pudessem retornar. — Damaris permanecia quente na mão de Dorian. A rainha dizia a verdade. Ou parte dela.

— Admite com tanta facilidade que planeja trair Erawan?

— Por que acha que vim até aqui? — perguntou Maeve. — Meu povo me exilou, e achei que você procuraria Morath em breve.

O calor de Damaris não vacilou, mas, mesmo assim, Dorian falou:

— Não pode achar que eu acreditaria que veio até aqui para forjar uma aliança comigo. Não quando vi que planeja oferecer a Erawan suas aranhas como ajuda para as princesas. — Ele não queria saber o que as princesas valg podiam fazer. Por que Erawan atrasara sua libertação.

— Um pequeno sacrifício de minha parte para conquistar a confiança de Erawan. — Damaris se mantinha quente. — Não somos tão diferentes, você e eu. E não tenho nada a perder agora, graças a sua amiga.

Verdade, verdade, verdade.

E ali estava — a brecha que ele estivera esperando.

Mantendo a mente encapsulada por aquela parede de gelo, com a magia medindo o inimigo diante de si, Dorian deixou a mão descer de Damaris. Deixou que Maeve visse sua desconfiança se dissipando ao retrucar:

— Aelin parece boa em destruir reinos alheios enquanto protege o próprio.

— E em deixar que outros paguem suas dívidas.

Dorian ficou imóvel, embora sua magia continuasse a vigília, monitorando o poder sombrio da rainha enquanto este lhe rondava a própria mente.

— Não é por isso que você está aqui? — perguntou Maeve. — Para ser o sacrifício, de modo que Aelin não precise se destruir? — Ela estalou a língua. — Um desperdício tão terrível... que qualquer um de vocês pague o preço pela tolice de Elena.

— É mesmo. — Verdade.

— Posso lhe contar o que Aelin revelou para mim durante aqueles momentos em que consegui entrar em sua mente?

Dorian não ousou levar a mão a Damaris de novo.

— Você a escravizou — grunhiu ele. — Não quero ouvir nenhuma maldita história sobre o assunto.

Maeve passou a cortina de cabelos para trás de um ombro, murmurando.

— Aelin está feliz por ser você — disse ela, simplesmente. — Ela espera que seja tarde demais quando retornar. Que você realize o que se dispôs a fazer e que a poupe de uma escolha terrível.

— Ela tem um parceiro e um reino. Não a culpo. — O tom afiado das palavras não era totalmente fingido.

— E você não? Não tem um reino para cuidar, um não menos poderoso e nobre que Terrasen? — Quando Dorian não respondeu, Maeve continuou: — Aelin está livre há semanas agora. E não veio encontrá-lo.

— O continente é um lugar grande.

Um sorriso sábio.

— Ela poderia encontrá-lo se quisesse. Em vez disso, foi para Anielle.

Dorian conhecia aquele tipo de jogo que a rainha sombria fazia. Sua magia deslizou uma fração. Uma brecha.

A magia de Maeve disparou até ela, buscando uma entrada. Ela mal atravessara o limiar quando Dorian trincou os dentes e a expulsou da mente de novo, a parede de gelo colidindo com ela.

— Se quer que me alie a você, escolheu uma forma bem esquisita de demonstrar.

Maeve riu baixinho.

— Pode me culpar por tentar?

Dorian não respondeu e a encarou por um longo minuto. Uma demonstração dramática de que refletia. Cada gota de intriga da corte e treinamento mantinha seu rosto indecifrável.

— Acha que eu trairia meus amigos tão facilmente?

— Isso é traição? — ponderou Maeve. — Encontrar uma alternativa a você e Aelin Galathynius pagarem o preço final? Era minha intenção desde o início: evitar que ela fosse um sacrifício para deuses insensíveis.

— Esses deuses são seres poderosos.

— Então onde estão agora? — Ela indicou o quarto, a fortaleza. Silêncio respondeu. — Estão com medo. De mim, de Erawan. Das chaves. — Maeve lançou um sorriso viperino para Dorian. — Estão com medo de *você*. Você e Aelin, Portadora do Fogo. Poderosos o bastante para mandá-los para casa ou condená-los.

Ele não respondeu. Ela não estava totalmente errada.

— Por que não os desafiar? Por que se curvar a seus desejos? O que sequer fizeram por você?

A expressão de dor de Sorscha lampejou diante dos olhos do jovem rei.

— Não tem outro jeito — respondeu Dorian, por fim. — De acabar com isso.

— As chaves poderiam acabar com isso.

Usá-las em vez de selá-las de volta no portão.

— Elas poderiam fazer qualquer coisa — prosseguiu Maeve. — Destruir Erawan, banir aqueles deuses de volta para seu lar, se é o que querem. — Ela inclinou a cabeça. — Abrir outra porta para reinos de paz e descanso.

Para a mulher que sem dúvida estaria lá.

O poder sombrio e predatório que espreitava sua mente se dissipou, recuando de volta para a própria dona.

Aelin fizera aquilo uma vez. Abrira uma porta para ver Nehemia. Era possível. Os encontros com Gavin e Kaltain apenas confirmavam aquilo.

— E se você se aliasse não apenas a mim — perguntou Dorian, enfim —, mas a Adarlan?

Maeve não respondeu. Como se estivesse surpresa com a oferta.

— Uma aliança maior do que apenas trabalharmos juntos para encontrar a chave — ponderou ele, então deu de ombros. — Você não tem um reino e é evidente que quer outro. Por que não emprestar seus dons para Adarlan, para mim? Traga suas aranhas para nosso lado.

— Um segundo atrás você estava lívido porque escravizei sua amiga.

— Ah, ainda estou. Mas não sou tão orgulhoso a ponto de me recusar a considerar a possibilidade. Você quer um reino? Então se junte ao meu. Alie--se a mim, trabalhe comigo para conseguir o que precisamos de Erawan, e eu a tornarei rainha. De um território muito maior, com um povo que não vai se levantar contra você. Um novo começo, suponho.

Quando ainda assim ela não falou, Dorian se encostou contra a porta. O retrato da despreocupação da corte.

— Acha que estou tentando enganá-la. Talvez eu esteja.

— E Manon Bico Negro? E quanto a suas promessas a ela?

— Não fiz promessa alguma a ela a respeito do trono, e ela não quer nada com promessas, de toda forma. — Ele não escondeu a amargura ao dar de ombros de novo. — Casamentos foram construídos sobre fundações muito mais voláteis que essa.

— Aelin do Fogo Selvagem pode muito bem marcá-lo como inimigo, caso façamos uma união verdadeira.

— Ela não vai arriscar matar um aliado, não agora. E vai descobrir que não é a única capaz de salvar este mundo. Talvez até mesmo me agradeça, se estiver tão ansiosa para evitar ser sacrificada quanto você alega.

A boca vermelha de Maeve se curvou para cima.

— Você é jovem e impetuoso.

Dorian esboçou uma reverência de novo.

— Também sou excessivamente belo e disposto a oferecer meu trono em um gesto de boa-fé.

— Eu poderia entregá-lo a Erawan agora mesmo, e ele me daria uma bela recompensa.

— Recompensa... como se você fosse um cachorro trazendo de volta um faisão para o dono. — Dorian gargalhou, e os olhos da rainha brilharam. — Foi você quem acabou de propor essa aliança entre nós, não eu. Mas considere isto: vai se ajoelhar ou vai governar, Maeve? — Ele apontou para o pescoço, bem acima do aro pálido ao seu redor. — Eu me ajoelhei e descobri que não tenho interesse em fazê-lo de novo. Por Erawan, ou por Aelin, ou por qualquer um. — Outro dar de ombros. — A mulher que amo está morta. Meu reino está em ruínas. O que tenho a perder? — Ele deixou que parte do antigo gelo, o vazio no peito, subissem até a expressão no rosto. — Estou disposto a jogar esse jogo. E você?

A rainha sombria se calou de novo. E, lentamente, aquelas mãos fantasmas espreitaram para os cantos da mente do jovem.

Dorian deixou que ela visse. Que visse a verdade que buscava.

Ele suportou aquilo, aquele toque exploratório.

Por fim, Maeve suspirou.

— Você veio para Morath atrás de uma chave e sairá com uma noiva.

Ele quase se curvou de alívio.

— Sairei com ambas. E rápido.

— E como propõe que encontremos o que buscamos?

Dorian sorriu para a rainha feérica. A rainha valg.

— Deixe isso comigo.

Sobre a torre mais alta de Morath, horas depois, Dorian olhou para as fogueiras do exército que enchiam o leito do vale, as penas de corvo arrepiadas sob o vento congelante que soprava dos picos ao redor.

Os gritos e grunhidos tinham se calado, por fim. Como se até mesmo os mestres das masmorras de Morath levassem rotinas de trabalho comuns. Ele poderia ter achado a noção sombriamente engraçada se não soubesse que tipo de coisa era quebrada e cultivada ali.

O primo, Roland, acabara naquele lugar. Dorian sabia, embora ninguém jamais tivesse confirmado. Será que sobrevivera à transição para príncipe valg, ou será que simplesmente se tornara refeição para um dos terrores que espreitavam a fortaleza?

Dorian ergueu a cabeça, observando o céu nublado. A lua era um borrão pálido atrás das nuvens, um filete de luz que parecia determinado a permanecer escondido dos olhos vigilantes de Morath.

Um jogo perigoso. Ele estava fazendo um jogo perigosíssimo.

Será que Gavin estava observando, de onde quer que descansasse? Será que descobrira a que tipo de monstro Dorian se aliara?

Ele não ousou conjurar o rei ali. Não com Erawan tão perto.

Perto o suficiente para que Dorian pudesse tê-lo atacado. Talvez fosse um tolo por não ter feito isso. Talvez fosse um tolo se tivesse tentado, como Kaltain avisara, quando poderia comprometer sua missão. Quando Erawan tinha aqueles colares à mão.

Ele olhou para a torre adjacente, onde Maeve dormia. Um jogo muito, muito perigoso.

A torre escura além da rainha parecia latejar de poder. A sala do conselho no fim do corredor ainda estava acesa, no entanto. E no corredor, movimento. Pessoas passando pelas tochas. Apressadas.

Estupidez. Pura estupidez, e, no entanto, ele se viu batendo as asas para a noite frígida. E se viu guinando, então disparando para uma janela entreaberta no corredor.

Dorian abriu a janela um pouco mais com o bico e ouviu.

— Há meses estou aqui, e agora ele recusa meu parecer? — Um homem alto e magro batia os pés pelo corredor. Para longe da sala do conselho de Erawan. Na direção da porta da torre no fim do corredor, até os guardas de rostos inexpressivos posicionados ali.

A seu lado, dois homens mais baixos se esforçavam para acompanhar. Um deles respondeu:

— Os motivos de Erawan são misteriosos, de fato, Lorde Vernon. Ele não dá ponto sem nó. Tenha confiança.

Dorian congelou.

Vernon Lochan. O tio de Elide.

Sua magia se agitou, e gelo estalou sobre o parapeito.

Dorian acompanhou o lorde magro que passava em disparada, com a capa de pelo escuro arrastando nas pedras.

— Tive mais fé do que se poderia esperar — disparou Vernon.

O lorde e seus lacaios colocaram bastante espaço entre eles e a porta da torre ao passarem por ela, virarem a esquina e sumirem, as vozes se dissipando.

Dorian observou o corredor vazio. A sala do conselho na ponta. A porta ainda estava entreaberta.

Ele não hesitou. Não se deu tempo para reconsiderar ao formular seu plano. E esperar.

Erawan surgiu uma hora depois.

O coração de Dorian latejou no corpo todo, mas ele manteve a posição no corredor, manteve os ombros retos e as mãos às costas. Exatamente como aparecera aos guardas quando tinha virado a esquina, depois de ter disparado para um corredor vazio antes de se metamorfosear e chegar ali.

O rei valg o observou uma vez, e sua boca se contraiu.

— Achei que tivesse dispensado você, Vernon.

Dorian fez uma reverência com a cabeça, desejando que a respiração se acalmasse a cada passo que Erawan dava em sua direção. Sua magia despertou, encolhendo-se de terror diante da criatura que se aproximava, mas Dorian a empurrou para baixo. Para um lugar em que Erawan não pudesse notá-la.

Como não tinha detectado Dorian mais cedo. Talvez a magia pura dentro de si também apagasse qualquer cheiro detectável.

Ele fez uma reverência com a cabeça.

— Eu tinha voltado para meus aposentos, mas me dei conta de que ainda tinha uma pergunta, milorde.

Ele rezou para que Erawan não reparasse nas roupas diferentes. Na espada que mantinha escondida sob a capa. Rezou para que Erawan decidisse que Vernon tinha ido para o quarto, trocado de roupa e voltado. E rezou para que ele soasse como o Lorde de Perranth o bastante para ser convincente.

Um homem arrogante e bajulador... o tipo que venderia a própria sobrinha para um rei demônio.

— O que foi? — Erawan caminhou pelo corredor até a torre, um pesadelo envolto em um belo corpo.

Ataque-o agora. Mate-o.

No entanto, Dorian sabia que não fora até ali para isso. De modo algum. Ele manteve a cabeça e a voz baixas.

— Por quê?

Erawan voltou os olhos dourados brilhantes para ele. Os olhos de Manon.

— Por que o quê?

— Você poderia ter se tornado o senhor de dezenas de outros territórios, mas nos agraciou com este. Há muito me pergunto o motivo.

Os olhos do rei valg se semicerraram até parecerem fendas, e Dorian manteve a expressão como o retrato da curiosidade bajuladora. Será que Vernon perguntara aquilo antes?

Um risco estúpido. Se Erawan reparasse na espada em seu quadril...

— Meus irmãos e eu planejamos conquistar este mundo, acrescentá-lo ao tesouro que já tomamos. — Os cabelos dourados de Erawan dançaram com a luz das tochas conforme ele caminhava pelo longo corredor. Dorian tinha a sensação de que, quando chegassem à torre na outra ponta, a conversa terminaria. — Chegamos, encontramos uma resistência surpreendente, e os dois foram banidos de volta. A única coisa que eu podia fazer enquanto estava preso aqui era obrigar este mundo a pagar pelo golpe que nos desferiu. Então o tornarei um espelho de nossa terra natal, a fim de honrar meus irmãos e a fim de aprontá-lo para seu retorno.

Dorian consultou inúmeras lembranças sobre as casas reais das terras valg e falou:

— Também sei o que é ter uma rivalidade fraterna. — Ele lançou ao rei um sorriso afetado.

— Você matou o seu — retrucou Erawan, já entediado. — Amo meus irmãos profundamente.

A ideia era risível.

Restava metade do caminho até a porta da torre.

— Vai realmente dizimar este mundo, então? Todos que vivem nele?

— Aqueles que não se curvarem.

Maeve, pelo menos, queria preservá-lo. Governar, mas preservá-lo.

— Receberiam colares e anéis ou uma morte limpa?

Erawan o observou de esguelha.

— Você nunca refletiu sobre o destino de seu povo. Nem mesmo sobre o destino de sua sobrinha, aquele fracasso.

Dorian se obrigou a encolher o corpo, então fez uma reverência com a cabeça.

— Peço desculpas de novo por isso, milorde. Ela é uma garota esperta.

— Tão esperta que, com um confronto, ao que parece, você se assustou.

Dorian, de novo, fez uma reverência com a cabeça.

— Vou caçá-la, se é o que deseja.

— Estou ciente de que ela não tem mais o que procuro e que agora isso está perdido para mim. Uma perda que você causou. — A chave de Wyrd que Elide carregara, entregue a ela por Kaltain.

Dorian se perguntou se Vernon vinha, de fato, se esquivando havia meses, evitando aquela conversa. Ele se encolheu de novo.

— Diga-me como consertar isso, milorde, e será feito.

Erawan parou, e a boca de Dorian secou. Sua magia se encolheu dentro do corpo, preparando-se.

Mas ele se obrigou a encarar o rei. A olhar no olho da criatura que causara tanto sofrimento.

— Sua linhagem se provou inútil para mim, Vernon — argumentou Erawan, em tom baixo demais. — Devo encontrar outra utilidade para você aqui em Morath?

Dorian sabia exatamente que tipo de utilidade o homem teria. Ele ergueu as mãos em súplica.

— Sou seu lacaio, milorde.

Erawan o encarou por longos segundos. Então disse:

— Vá.

Dorian se esticou, deixando o rei valg caminhar mais alguns metros na direção da torre. Os guardas de rosto inexpressivo posicionados à porta saíram da frente quando ele se aproximou.

— Você realmente os odeia? — disparou Dorian.

Erawan deu meia-volta.

— Os humanos — explicou Dorian. — Aelin Galathynius. Dorian Havilliard. Todos eles. Realmente os odeia? — *Por que nos faz sofrer tanto?*

Os olhos dourados de Erawan se apagaram.

— Eles querem me manter longe de meus irmãos — respondeu ele. — Não deixarei que nada fique no caminho de minha reunião com eles.

— Mas certamente há outra forma de reunir vocês. Sem uma guerra tão grande.

O olhar de Erawan o percorreu, e Dorian ficou imóvel, desejando que seu cheiro permanecesse comum, que a metamorfose se mantivesse.

— Onde estaria a graça nisso? — perguntou o rei valg, virando-se de novo para o corredor.

— O antigo rei de Adarlan fazia tais perguntas? — As palavras lhe escapuliram.

Erawan pausou de novo.

— Ele não era um criado tão fiel quanto você pode acreditar. E veja o que lhe custou.

— Ele o enfrentou. — Não foi exatamente uma pergunta.

— Ele jamais se curvou. Não completamente. — Dorian ficou tão chocado que abriu a boca. Mas Erawan começou a andar de novo e falou, sem olhar para trás:

— Você faz muitas perguntas, Vernon. Perguntas demais. E eu as acho entediantes.

Dorian fez uma reverência, mesmo com as costas de Erawan voltadas para ele. Mas o rei valg prosseguiu, abriu a porta da torre, revelando um interior sem luz, e a fechou atrás de si.

Um relógio soou meia-noite, desafinado e detestável, e Dorian caminhou de volta pelo corredor, encontrando outro caminho até os aposentos de Maeve. Uma breve metamorfose em uma alcova escura o fez sair em disparada pelo chão de novo, com os olhos de rato vendo muito bem no escuro.

Apenas brasas permaneciam na fogueira quando ele passou por baixo da porta.

— Você é um tolo — disse Maeve da cama, no escuro.

Dorian se agitou de novo, de volta ao velho corpo.

— Por quê?

— Sei aonde foi. Quem procurou. — A voz serpenteava pela escuridão. — Você é um tolo. — Quando ele não respondeu, Maeve perguntou: — Planejava matá-lo?

— Não sei.

— Não poderia enfrentá-lo e sobreviver. — Palavras ríspidas, casuais. Dorian não precisava tocar Damaris para saber que eram verdade. — Ele teria colocado outro colar em seu pescoço.

— Eu sei. — Talvez devesse ter descoberto onde o rei valg os guardava e destruído o estoque.

— Esta aliança não vai dar certo se ficar saindo às escondidas e agindo como um menino inconsequente — sibilou a rainha sombria.

— Eu sei — repetiu ele, as palavras soaram vazias.

Maeve suspirou quando ele não disse mais nada.

— Pelo menos achou o que estava procurando?

Dorian se deitou diante da lareira, dobrando um braço sob a cabeça.

— Não.

⚜ 72 ⚜

De longe, o desfiladeiro Ferian não parecia ser o posto avançado de um grande número do esquadrão aéreo de Morath.

E também não parecia ser o local de criação de serpentes aladas havia anos, decidiu Nesryn.

Ela supôs que a falta de qualquer sinal óbvio da presença de um rei valg fosse parte do motivo para ter permanecido em segredo por tanto tempo.

Ao planar mais perto dos imponentes picos idênticos que flanqueavam — Canino do Norte de um lado, Ômega do outro — e separavam as montanhas Canino Branco das montanhas Ruhnn, Nesryn mal conseguia discernir as estruturas construídas em cada uma. Como o ninhal Eridun e, no entanto, nada parecido. O lar na montanha Eridun era cheio de movimento e vida. O que fora construído no desfiladeiro, unido por uma ponte de pedra próximo ao topo, estava em silêncio. Frio e desolado.

A neve quase ofuscava a visão de Nesryn, mas Salkhi voou para os picos, permanecendo no alto. Borte e Arcas vieram do norte, pouco mais que sombras escuras em meio ao branco fustigante.

Bem atrás deles, na planície do vale além do desfiladeiro, metade do exército esperava, os ruks em sua companhia; esperava que Nesryn e Borte, assim como os outros batedores que haviam saído, reportassem que chegara a hora do ataque. Tinham feito a travessia do rio sob o manto da escuridão na noite anterior, e aqueles que os ruks não puderam carregar foram levados em barcos.

Uma posição precária, aquela planície diante do desfiladeiro. O Avery se bifurcava a suas costas, cercando-os, na verdade. Muito do rio estava congelado, mas o gelo não parecia espesso o suficiente para arriscar uma travessia a pé. Se aquela batalha corresse mal, não haveria para onde correr.

Nesryn cutucou Salkhi, dando a volta pelo lado sul da Canino do Norte. Bem abaixo, a neve rodopiante se dissipou o suficiente para revelar o que parecia ser um portão dos fundos para dentro das montanhas. Nenhum sinal de sentinelas ou qualquer serpente alada.

Talvez o tempo tivesse forçado todos para dentro.

Ela olhou para o sul, para as montanhas Canino Branco. Mas não havia sinal da segunda metade de seu exército, marchando para o norte entre os picos para chegar ao desfiladeiro pela entrada oeste. Uma jornada muito mais traiçoeira que aquela que haviam feito.

Mas, se cronometrassem direito, se atraíssem a horda no desfiladeiro para a planície momentos antes da chegada dos demais, vindos do oeste, poderiam esmagar as forças de Morath entre eles. E isso sem o poder disparado de Aelin Galathynius. E do consorte e de sua corte.

Salkhi voou em arco em torno da Canino do Norte. De longe, Nesryn conseguia distinguir Borte fazendo o mesmo em volta da Ômega. Mas não havia sinal do inimigo.

E quando as duas deram mais uma volta pelo desfiladeiro Ferian, chegando até mesmo a planar entre os dois picos, também não encontraram indício algum.

Como se o inimigo tivesse sumido.

∽

As montanhas Canino Branco eram absolutamente inclementes.

Os homens selvagens que os lideravam evitavam a letalidade das montanhas com o conhecimento de quais caminhos poderiam ter sido varridos pela neve, quais poderiam ter uma camada de gelo instável, quais eram abertos demais para os olhos que voavam acima. Mesmo com o exército seguindo-os, Chaol se maravilhou com a velocidade da viagem, com como, depois de três dias, tinham atravessado as montanhas e passado para as planícies assoladas pela neve adiante.

Ele jamais colocara os pés naquele território, embora fosse tecnicamente um nativo. A fronteira oficial de Adarlan reivindicava as planícies além das montanhas Canino Branco por uma boa distância antes de se tornarem os territórios sem nome dos desertos. Mas ainda *passava a mesma sensação*, um silêncio estranho e amplo, uma vastidão esquisita que se ampliava, ininterruptamente, para o horizonte.

Mesmo os estoicos guerreiros do khaganato não olhavam por muito tempo para os desertos à esquerda conforme cavalgavam para o norte. À noite, se aglomeravam perto da fogueira.

Todos eles faziam o mesmo. Yrene se abraçava ao marido com mais força à noite, sussurrando sobre a estranheza da terra, seu silêncio oco. *Como se a própria terra não cantasse*, dissera ela algumas vezes, estremecendo.

Um lugar muito melhor para Erawan construir seu império, pensou Chaol enquanto cavalgavam para o norte, ladeando a fronteira das montanhas Canino Branco à direita. Ora, poderiam ter dado o território a ele se o rei valg tivesse montado a fortaleza no interior da planície e permanecido ali.

— Estamos a um dia do desfiladeiro Ferian — informou um dos homens selvagens, Kai, para Chaol ao cavalgarem durante uma manhã incomumente ensolarada. — Vamos acampar ao sul da Canino do Norte esta noite, e a marcha de amanhã de manhã nos levará para o desfiladeiro.

Havia outro motivo pelo qual os homens selvagens haviam se aliado a eles, além do território que poderiam ganhar. Bruxas caçavam seu povo desde a primavera, clãs e acampamentos inteiros transformados em destroços ensanguentados. Muitos tinham sido reduzidos a cinzas, e os poucos sobreviventes sussurravam sobre uma mulher de cabelos pretos e poder profano. Chaol estava disposto a apostar que fora Kaltain, mas não contara aos homens selvagens que essa ameaça particular fora apagada. Ou tinha se incinerado no fim.

Não importaria mesmo. Dos pouco mais de duzentos homens selvagens que haviam se juntado ao exército desde que deixaram Anielle, todos foram ao desfiladeiro Ferian para se vingar das bruxas. De Morath. Chaol deixou de mencionar que ele mesmo tinha assassinado um deles havia quase um ano.

Poderia muito bem ter sido uma década antes, com tudo que acontecera desde que matara Cain durante o duelo com Aelin. Ainda faltavam semanas para o Yulemas, se sobrevivessem tempo o bastante para comemorar.

Chaol perguntou ao homem magro e barbudo cujos olhos atentos e inteligência compensavam a ausência da tradicional corpulência dos homens do clã:

— Há algum lugar que poderia esconder um exército deste tamanho à noite?

Kai sacudiu a cabeça.

— Não tão perto. Esta noite será o maior risco.

Chaol olhou para as carroças das curandeiras a distância, onde Yrene viajava, trabalhando em soldados que haviam adoecido ou se ferido na caminhada. Ele não a via desde que tinham acordado, mas sabia que Yrene passara a viagem daquele dia curando; o aperto em sua coluna crescia a cada quilômetro.

— Só nos resta rezar — decidiu Chaol, virando-se para a montanha imponente que tomava forma adiante.

— Os deuses não vêm até estas terras. — Foi tudo o que Kai disse antes de ficar para trás, com um grupo do próprio povo.

Um cavalo se aproximou devagar de sua montaria, e Chaol encontrou Aelin enroscada em uma capa forrada com pelo, a mão no cabo de Goldryn. Gavriel cavalgava atrás da rainha, ao lado de Fenrys. O primeiro estava de olho nas planícies ocidentais, o segundo monitorava a parede de picos à direita. Os dois machos feéricos de cabelos dourados permaneceram calados, no entanto, quando Aelin franziu a testa para a forma de Kai, que desaparecia.

— Aquele homem tem uma queda para o drama que deveria ter lhe garantido um emprego em um dos melhores palcos de Forte da Fenda.

— De fato, um belo elogio, vindo de você.

Ela piscou um olho, dando tapinhas no pomo de rubi de Goldryn. A pedra pareceu se acender em resposta.

— Conheço um espírito semelhante quando vejo um.

Apesar da batalha que aguardava à frente, Chaol riu.

Mas então Aelin disse:

— Rowan e a equipe andam canalizando o poder durante os últimos dias. — Ela indicou por cima dos ombros Fenrys e Gavriel, então Rowan, que cavalgava à frente da companhia, os cabelos prateados brilhando como o sol sobre a neve ao redor. — E eu também. Nós nos certificaremos de que nada machuque o exército esta noite. — Um olhar sábio para as carroças das curandeiras. — Algumas áreas serão especialmente vigiadas.

Chaol assentiu em agradecimento. Poder contar com os poderes de Aelin, com os de seus companheiros também, tornaria a batalha muito, muito mais fácil. Serpentes aladas poderiam nem mesmo conseguir se aproximar o suficiente para tocar os soldados se a rainha de Terrasen conseguisse explodi-las no céu, ou se Rowan conseguisse lhes quebrar as asas com uma lufada de vento. Ou apenas arrancar o ar dos pulmões das criaturas.

Ele vira bastante das habilidades de combate de Fenrys e Gavriel em Anielle para saber que, mesmo sem tanta magia, seriam letais. E Lorcan... Chaol não olhou por cima do ombro para onde o guerreiro sombrio e Elide cavalgavam. Aqueles poderes não eram nada que Chaol jamais desejasse enfrentar.

Com um aceno em resposta, Aelin cavalgou para o lado de Rowan, o rubi no cabo de Goldryn parecia um pequeno sol. Fenrys seguiu, vigiando a retaguarda da rainha mesmo entre aliados. Mas Gavriel permaneceu, levando o cavalo para o lado de Farasha. A égua preta olhou para o macho ruão castrado do guerreiro, porém não fez menção de se mover para mordê-lo. Graças aos deuses.

O Leão deu um leve sorriso a Chaol.

— Não tive a chance de parabenizá-lo pela boa notícia.

Uma coisa estranha para ele dizer, considerando que mal tinham se falado além de conselhos, mas Chaol fez uma reverência com a cabeça.

— Obrigado.

Gavriel olhou para a neve e as montanhas... para o norte distante.

— Não tive a oportunidade que você tem, de estar presente desde o início. De ver meu filho crescer e se tornar um homem.

Chaol pensou naquilo... na vida que crescia no ventre de Yrene, na criança que criariam. Pensou no que o Leão não vivera.

— Sinto muito. — Era a única coisa, de fato, a se dizer.

Gavriel sacudiu a cabeça, os olhos amarelados brilharam dourados, e pontos de esmeralda surgiram sob o sol ofuscante.

— Não lhe contei isso para incitar empatia. — O Leão o fitou, e Chaol sentiu cada um dos séculos de Gavriel pesando sobre ele. — Mas para lhe dizer o que talvez já saiba: aproveite cada momento.

— Sim. — Se sobrevivessem àquela guerra, ele aproveitaria. Cada maldito segundo.

Gavriel inclinou as rédeas, como se para levar o cavalo de volta a seus companheiros, mas Chaol disse:

— Suponho que Aedion não tenha facilitado as coisas quando você apareceu em sua vida.

A expressão do guerreiro ficou tensa.

— Ele tem bons motivos para isso.

E, embora Aedion fosse o filho de Gavriel, Chaol falou:

— Tenho certeza de que já sabe disso, mas Aedion é tão teimoso e esquentado quanto parece possível. — Ele indicou com o queixo Aelin, cavalgando adiante, dizendo algo a Fenrys que fez Rowan rir e o lobo dar uma gargalhada. — Aelin e Aedion poderiam muito bem ser gêmeos. — O fato de que Gavriel não o interrompeu confirmou que Chaol interpretara bem a mágoa remanescente nos olhos do Leão. — Os dois costumam falar uma coisa, mas querem dizer outra totalmente diferente. E então negam até o último suspiro. — Ele sacudiu a cabeça. — Dê tempo a Aedion. Quando chegarmos a Orynth, tenho a sensação de que ele ficará mais feliz ao vê-lo do que deixa transparecer.

— Estou levando sua rainha de volta e cavalgando com um exército. Acho que ele ficaria feliz ao ver o mais odiado de seus inimigos, se fizesse o mesmo por ele. — Preocupação empalideceu as feições do Leão. Não por causa da reunião, mas pelo que o filho poderia estar enfrentando no norte.

Chaol refletiu.

— Meu pai é um canalha — confessou ele, baixinho. — Esteve em minha vida desde que fui concebido. Mas jamais sequer se incomodou em fazer as perguntas que você faz — contou Chaol. — Ele jamais sequer se importou o suficiente para fazer isso. Jamais se preocupou. Essa será a diferença.

— Se Aedion escolher me perdoar.

— Ele vai — assegurou Chaol. Ele mesmo o obrigaria a fazê-lo.

— Por que tem tanta certeza?

Chaol pensou nas palavras com cuidado antes de mais uma vez encarar o olhar hipnotizante de Gavriel.

— Porque você é o pai dele — respondeu. — E não importa o que haja entre vocês, Aedion sempre vai *querer* perdoá-lo. — Ali estava, sua própria vergonha secreta, ainda se debatendo dentro de si depois de tudo que o pai fizera. Mesmo depois do baú cheio das cartas da mãe. — E Aedion vai perceber, do próprio jeito, que você partiu para salvar Aelin não por ela ou por Rowan, mas por ele. E que os acompanhou e marchou neste exército por ele também.

O Leão olhou para o norte, os olhos brilhando.

— Espero que esteja certo. — Nenhuma tentativa de negar aquilo... que tudo que ele fizera e faria era apenas por Aedion. Que estava marchando para o norte, para o inferno certeiro, por Aedion.

O guerreiro começou a avançar com o cavalo para além de Farasha de novo, mas Chaol se viu dizendo:

— Eu queria... eu queria ter tido a sorte de tê-lo como pai.

Surpresa e algo muito mais profundo passou pelo rosto de Gavriel, que engoliu em seco.

— Obrigado. Talvez seja nosso fardo... jamais ter o pai que desejamos e, ainda assim, esperar que eles possam superar o que são, com as falhas e tudo.

Chaol se conteve para não dizer a Gavriel que ele já era mais que o bastante.

— Vou me empenhar para ser digno de meu filho — sussurrou o Leão.

Chaol estava prestes a murmurar que seria bom que Aedion o considerasse digno quando duas silhuetas tomaram forma no céu acima. Grandes, escuras e movendo-se rápido.

Ele pegou o arco preso às costas no momento que os soldados gritaram. O arco do próprio Gavriel já estava apontado para o céu, mas Rowan gritou por cima da confusão:

— *Não disparem!* — Cascos galopantes ecoaram em sua direção, então Aelin e o príncipe feérico estavam ali, com ele anunciando: — São Nesryn e Borte.

Em minutos, as duas mulheres tinham descido, os ruks cobertos com o gelo do ar muito acima dos picos.

— Quão ruim é? — perguntou Aelin, enquanto Fenrys, Lorcan e Elide se juntavam ao grupo.

Borte se encolheu.

— Não faz sentido. Nada disso.

Nesryn explicou antes que Chaol pudesse dizer à menina que chegasse logo ao cerne do problema:

— Já passamos pelo desfiladeiro três vezes. Até aterrissamos na Ômega. — Ela sacudiu a cabeça. — Está vazia.

— Vazia? — perguntou Chaol. — Nem vivalma?

Os guerreiros feéricos se entreolharam diante daquilo.

— Algumas das fornalhas ainda estavam acesas, então deve haver alguém por lá — observou Borte. — Mas não havia uma bruxa ou serpente alada. Seja lá que grupo tenha ficado para trás é mínimo... provavelmente não passam de treinadores ou criadores.

O desfiladeiro Ferian estava vazio. A legião Dentes de Ferro se fora.

Rowan observou o pico adiante.

— Precisamos descobrir o que eles sabem, então.

O aceno de Nesryn foi sombrio.

— Sartaq já tem gente cuidando disso.

73

Dorian vasculhou Morath em centenas de peles diferentes.

Nos pés silenciosos de um gato, ou correndo pelos corredores como uma barata, ou pendurado de uma viga como um morcego, ele passou grande parte da semana ouvindo. Procurando.

Erawan ainda não estava ciente de sua presença. Talvez a natureza da magia pura de Dorian realmente lhe desse anonimato — e Maeve só conseguira reconhecê-la graças ao que quer que tivesse arrancado da mente de Aelin.

À noite, Dorian voltava para o aposento da rainha sombria na torre, onde repassavam tudo o que ele vira. O que ela fazia durante o dia para evitar que Erawan reparasse na pequena presença constantemente em mutação que caçava pelos corredores, Maeve não revelava.

Mas ela levara as aranhas. Dorian ouvira os sussurros apavorados dos criados em relação ao portal passageiro que a rainha abrira a fim de permitir que seis das criaturas entrassem nas catacumbas; onde elas, por meio de alguma terrível magia, permitiram a entrada das princesas valg.

Dorian não conseguia decidir se era um alívio que ainda não tivesse encontrado aqueles híbridos. Embora tivesse visto os corpos humanos definhados, meros cascos, que eram ocasionalmente atirados pelos corredores. *A janta*, sussurravam os guardas que os carregavam para os criados petrificados. Para alimentar uma fome sem fundo. Para prepará-las para a batalha.

O que as criações das princesas-aranhas poderiam fazer, o que *fariam* com seus amigos no norte... Dorian só conseguia se lembrar do que Maeve dissera a Erawan. Que as princesas valg eram mantidas ali para a segunda fase do que quer que ele estivesse planejando. Talvez para garantir que fossem todos completamente destruídos depois que a maior parte de seus exércitos passasse.

Aquilo afiava sua concentração conforme Dorian procurava. Impulsionava e o empurrava para a frente, mesmo quando a razão e o instinto lhe diziam para fugir daquele lugar. Mas não faria isso. Não podia. Não sem a chave.

Às vezes, ele podia jurar que a sentia. A chave. A presença terrível e sobrenatural.

Mas, quando saía atrás daquele poder desprezível pelas escadas e por corredores antigos, apenas poeira e sombras o recebiam.

Em geral, isso o levava de volta à torre de Erawan. À porta de ferro trancada e aos guardas valg posicionados do lado de fora. Um dos poucos lugares restantes que não ousara vasculhar. Embora ainda restassem outras possibilidades.

O fedor da câmara subterrânea chegou a Dorian muito antes de ele descer pela escada espiralada. A passagem escura era cavernosa e agourenta para seus sentidos de mosca, que fora a forma mais segura para aquele dia. O gato da cozinha estivera eriçado mais cedo, e as bruxas Dentes de Ferro corriam pela fortaleza, preparando-se para o que Dorian só podia presumir ser uma ordem para marchar para o norte.

Ele caçava a chave desde o alvorecer, enquanto Maeve ocupava a atenção de Erawan nas catacumbas ocidentais do outro lado da fortaleza. Onde aquelas princesas-aranha testavam os novos corpos.

Dorian jamais entrara tão profundamente na fortaleza. Sob os armazéns. Sob o calabouço. Só havia encontrado a escada com a ajuda do cheiro que vazara de trás da porta simples no alto, o cheiro detectado pelo olfato incrível da mosca. Ele já passara pela porta tantas vezes nas caçadas inúteis, supondo que era apenas um armário de suprimentos — até que a sorte havia intervindo naquele dia.

Dorian percorreu a última volta das escadas espirais e quase caiu do ar quando o cheiro o atingiu em cheio. Mil vezes pior naquela forma, com aqueles sentidos.

Um fedor de morte, de putrefação, de ódio e de desespero. O cheiro que apenas os valg podiam conjurar.

Dorian jamais se esqueceria daquilo. Jamais se livrara totalmente.

Volte. O aviso era como um sussurro em sua mente. *Volte.*

O corredor inferior estava aceso com apenas algumas tochas em arandelas enferrujadas. Nenhum guarda estava posicionado em sua extensão, ou ao lado da solitária porta de ferro na ponta mais afastada.

O fedor pulsava pelo corredor, emanando daquela porta. Chamando-o.

Será que Erawan deixaria a chave tão desprotegida? Dorian lançou sua magia saltitando pelo corredor, testando armadilhas ocultas.

Não encontrou nenhuma. Quando chegou à porta de ferro, a magia se encolheu. Fugiu.

Ele recolheu o poder de volta para dentro de si, guardando-o mais perto.

A porta de ferro estava amassada e arranhada pelo tempo. Havia nove trancas na borda, cada uma mais complicada que a anterior. Trancas antigas, estranhas.

Dorian não hesitou. Ele se dirigiu à pequena fenda entre as pedras e a porta de ferro, então se metamorfoseou. A mosca se encolheu até a forma de um mosquito, tão pequeno que era quase uma partícula de poeira. Ele voou sob a porta, bloqueando o cheiro, a terrível pulsação contra o sangue.

Foi preciso um momento para entender para o que olhava na câmara entalhada de forma tosca, iluminada por uma pequena lanterna que pendia do teto em arco. Um filete de chama esverdeada dançava ali dentro. Não era uma chama daquele mundo.

A luz deslizava sobre a pilha de pedra preta no centro do quarto. Pedaços de um sarcófago.

E ao redor do ataúde, embutidos em prateleiras entalhadas na própria montanha, reluziam colares de pedra de Wyrd.

Apenas os instintos do corpo pequeno e insignificante de Dorian o mantinham no ar. E o mantinham circundando a câmara sem luz. Os escombros no centro do espaço.

A tumba de Erawan... diretamente sob Morath. O local onde Elena e Gavin o haviam aprisionado e construído em seguida a fortaleza acima do sarcófago que não podia ser movido.

Onde toda aquela confusão tivera início. Onde, séculos depois, o pai alegara que se aventurara com Perrington durante a juventude, usando a chave de Wyrd para abrir tanto a porta quanto o sarcófago, libertando, sem saber, Erawan.

O rei demônio tinha tomado o corpo do duque. O pai...

O coração de Dorian acelerou quando ele passou por um colar após o outro, dando voltas e mais voltas no quarto. Erawan não precisara de um para prender seu pai, não quando o homem não tinha magia alguma nas veias.

Mas o rei valg dissera que o homem não se curvara; não totalmente. Enfrentara-o durante décadas.

Dorian não tinha se permitido pensar naquilo durante a última semana. Se as últimas palavras do pai no alto do castelo de vidro foram, de fato, sinceras. Em como o matara, sem a desculpa do colar para justificar aquilo.

A cabeça latejou conforme a forma de mosquito continuava circundando a tumba. Os colares vazavam o fedor profano no mundo, pulsando ao ritmo de seu sangue.

Pareciam dormir. Pareciam esperar.

Será que um príncipe espreitava dentro de cada um? Ou seriam cascas prontas para serem preenchidas?

Kaltain avisara a ele sobre aquela câmara. Aquele lugar ao qual Erawan o levaria, caso fosse pego. Por que Erawan escolhera aquela sala para guardar os colares... Talvez fosse um santuário, se tal coisa pudesse existir para um rei valg. Um lugar onde ele poderia contemplar o método de seu próprio aprisionamento e se lembrar de que não seria aprisionado de novo. Que usaria os colares para escravizar aqueles que tentassem fechá-lo de volta no sarcófago.

A magia de Dorian se agitou, impaciente e desesperada. Haveria um colar ali destinado a ele? A Aelin?

Uma volta atrás da outra, Dorian passava voando pelo sarcófago e pelos colares. Nenhum sinal da chave.

Ele sabia qual seria a sensação dos colares contra a pele. O toque gelado da pedra de Wyrd.

Kaltain enfrentara aquilo. Destruíra o demônio ali dentro.

Dorian ainda conseguia sentir o peso do joelho do pai enterrando-se em seu peito quando o homem o havia prendido ao piso de mármore em um castelo de vidro que não mais existia. Ainda sentia a pedra escorregadia do colar contra o pescoço conforme se fechava. Ainda via a mão inerte de Sorscha enquanto ele tentava segurá-la uma última vez.

A sala girava e girava, o sangue de Dorian latejava no mesmo ritmo.

Não era um príncipe, não era um rei.

Os colares tentavam pegá-lo com dedos invisíveis.

Ele não era melhor que eles. Aprendera a gostar do que o príncipe valg lhe mostrara. Destruíra homens bons e deixara que o demônio se alimentasse de seu ódio, sua ira.

A câmara começou a ondular, espiralando, arrastando-o para o interior.

Não era humano — não completamente. Talvez não quisesse ser. Talvez ficasse em outra forma para sempre, talvez apenas se entregasse...

Um vento sombrio estalou pela câmara. E o agarrou com a boca escancarada, arrastando-o.

Dorian se debateu, gritando sem som.

Ele não seria levado. Não daquela forma, não de novo...

Mas o vento o puxou para longe dos colares. Por baixo da porta e para fora da câmara.

Para a palma da mão pálida de alguém. Olhos escuros e infinitos olharam para ele de cima. Uma boca vermelha enorme se abriu e revelou dentes brancos como osso.

— Menino tolo — sibilou Maeve. As palavras soaram como um trovão.

Dorian ofegou, o corpo de mosquito tremia da ponta de uma asa à outra. Um aperto do dedo da rainha e ele morreria.

Dorian se preparou, esperando.

Mas Maeve manteve a palma da mão aberta. E ao começar a caminhar pelo corredor, para longe da câmara selada, ela disse:

— O que você sentiu ali... foi por isso que deixei o mundo deles. — A rainha olhou para a frente, uma sombra tomou sua expressão. — Todo dia, era assim que eu me sentia.

∽

Ajoelhado no chão, em um canto do aposento de Maeve, Dorian vomitava o conteúdo do estômago no balde de madeira.

Maeve observava da cadeira ao lado do fogo, diversão cruel nos lábios vermelhos.

— Você viu os horrores dos calabouços e não enjoou — constatou ela, quando Dorian vomitou de novo. A pergunta silenciosa brilhava nos olhos da rainha. *Por que hoje?*

Dorian ergueu a cabeça, limpando a boca no ombro do casaco.

— Aqueles colares... — Ele passou a mão no pescoço. — Não achei que me afetaria desse jeito. Vê-los de novo.

— Foi descuidado ao entrar naquela câmara.

— Eu teria conseguido sair se você não tivesse me encontrado? — Ele não perguntou como Maeve havia conseguido, como sentira o perigo. Aquele poder sem dúvida o rastreava aonde ia.

— Os colares não conseguem fazer nada se não estiverem presos a um hospedeiro. Mas aquele cômodo é um lugar de ódio e dor, a memória disso está gravada nas pedras. — Ela examinou as longas unhas. — E isso o capturou. Você se *permitiu* ser capturado.

Kaltain não dissera quase o mesmo em relação aos colares?

— Fui pego de surpresa.

Maeve soltou um zumbido, bastante ciente da mentira. Mas então falou:

— Os colares são uma de suas criações mais geniais. Nenhum dos irmãos foi esperto o bastante para pensar nisso. Mas Erawan... ele sempre teve um dom para as ideias. — Ela recostou na cadeira, cruzando as pernas. — No entanto, esse dom também o tornou arrogante. — A rainha sombria indicou Dorian. — O fato de ter deixado você permanecer em Forte da Fenda com seu pai, em vez de trazê-lo até aqui, só comprova isso. Ele achou que poderia controlar os dois de longe. Se tivesse sido mais cuidadoso, teria trazido você até Morath imediatamente. E começado a trabalhar.

Os colares lampejaram diante dos olhos de Dorian outra vez, emanando o cheiro envenenado e pegajoso no mundo, chamando-o, esperando por ele...

Dorian vomitou de novo.

Maeve soltou uma risada baixa que lhe deu arrepios na espinha. No temperamento.

Dorian se controlou, então se virou para ela.

— Você entregou aquelas aranhas para as princesas de Erawan sabendo o que sofreriam, sabendo qual seria a sensação de ficarem presas daquela forma, ainda que de uma maneira diferente. — *Como*, ele não completou. *Como pôde fazer isso, quando conhecia aquele tipo de terror?*

Maeve se calou por um momento, e ele podia ter jurado que algo semelhante a arrependimento lhe percorrera o rosto.

— Eu não teria feito isso se a necessidade de provar minha lealdade não houvesse me obrigado. — Sua atenção se voltou para onde Damaris pendia, na lateral do corpo de Dorian. — Não quer comprovar minha afirmação?

O rei não tocou o cabo dourado.

— Quer que eu faça isso?

Ela estalou a língua.

— Você é diferente, de fato. Eu me pergunto se parte do valg passou para você quando seu pai procriou com sua mãe.

Dorian se encolheu. Ainda não ousara perguntar a Damaris sobre aquilo... se era humano. Se é que importava agora.

— Por quê? — perguntou ele, indicando a fortaleza a sua volta. — Por que Erawan faz isso? — Uma semana depois de perguntar ao próprio rei valg, Dorian ainda queria... *precisava* saber.

— Porque ele pode. Porque Erawan sente prazer com tais coisas.

— Você fez parecer que ele era o menos pior dos três irmãos.

— Ele é. — A rainha passou a mão pelo pescoço. — Orcus e Mantyx são os que ensinaram tudo o que ele sabe. Se voltarem para cá, o que Erawan cria nestas montanhas parecerá ovelhas.

Ele tinha obedecido ao aviso de Kaltain, pelo menos. Não ousara se aventurar nas cavernas além do vale. Até os altares de pedra e as monstruosidades que Erawan criava sobre eles.

— Você jamais teve filhos? Com Orcus? — perguntou Dorian.

— Meu futuro marido quer realmente saber?

Dorian se sentou apoiado nos calcanhares.

— Quero entender meu inimigo.

Ela sopesou as palavras.

— Não permiti que meu corpo amadurecesse, que se preparasse para filhos. Um pequeno ato de rebeldia, e meu primeiro, contra Orcus.

— Os príncipes e as princesas valg são filhos de outros reis?

— Alguns são, outros não. Nenhum herdeiro digno se apresentou. Embora vá saber o que aconteceu no mundo deles durante esses milênios. — O mundo deles. Não o dela. — Os príncipes que Erawan conjurou não são fortes... não como eram. Tenho certeza de que isso o irrita profundamente.

— Por isso ele trouxe as princesas?

Um aceno de cabeça.

— As fêmeas são as mais letais. Porém mais difíceis de conter em um hospedeiro.

O anel de pele branca em torno do pescoço de Dorian pareceu queimar, mas ele acalmou o estômago daquela vez.

— Por que deixou seu mundo?

Ela piscou para ele, como se estivesse surpresa.

— O que foi? — perguntou ele.

Maeve inclinou a cabeça.

— Faz muito, muito tempo desde que conversei com alguém que me conhece pelo que sou. E com alguém cuja mente permaneceu intacta.

— Mesmo Aelin?

Um músculo no maxilar estreito se contraiu.

— Mesmo Aelin do Fogo Selvagem. Não consegui me infiltrar em sua mente por completo, mas pequenas coisas... essas eu consegui convencê-la a ver.

— Por que a capturou e torturou? — Uma forma tão simples de descrever o que acontecera em Eyllwe e depois.

— Porque ela jamais concordaria em trabalhar comigo. E jamais teria me protegido de Erawan e dos valg.

— Você é forte... por que não proteger a si mesma? Usar aquelas aranhas em sua vantagem?

— Porque nosso povo só teme alguns dons. O meu, infelizmente, não é um desses. — Maeve brincou com uma mecha dos cabelos pretos. — Costumo manter outra fêmea feérica comigo. Uma que tem poderes que funcionam contra os valg. Diferentes daqueles que Aelin Galathynius têm. — O fato de Maeve não especificar quais eram esses poderes informou a Dorian que não desperdiçasse o fôlego perguntando aquilo. — Ela fez o juramento de sangue para mim há muito tempo e raramente deixou meu lado desde então. Mas não ousei trazê-la até Morath. Tê-la aqui não convenceria Erawan de que vim em boa-fé. — A rainha sombria enroscou a mecha de cabelo em um dedo. — Então, como vê, sou tão indefesa contra Erawan quanto você.

Dorian duvidava muito daquilo. Mas ficou de pé, por fim, e se dirigiu à mesa onde água e comida tinham sido postas. Uma boa variedade, para o castelo de um rei demônio no meio do inverno. O rapaz se serviu de um copo d'água e bebeu o conteúdo.

— Essa é a verdadeira aparência de Erawan?

— De certa forma. Não somos como os humanos e os feéricos, cujas almas são invisíveis, não vistas. Nossas almas têm uma forma. Temos corpos que podemos moldar a partir delas, adorná-las, como joias. A forma que você vê em Erawan foi sempre sua decoração preferida.

— Como são suas almas por baixo?

— Você as acharia desagradáveis.

Dorian conteve um tremor.

— Acho que isso também nos torna metamorfos — ponderou Maeve, quando ele se dirigiu à cadeira a seu lado. Ele passara as noites dormindo no chão perto da fogueira, com um dos olhos observando a rainha cochilando na cama com dossel a suas costas. Mas Maeve não fizera menção de feri-lo. Nenhuma.

— Você se sente valg ou feérica?

— Eu sou o que sou. — Por um segundo, ele quase conseguiu ver o peso das eras de existência de Maeve nos olhos da rainha.

— Mas quem você quer ser? — Uma pergunta cautelosa.

— Não como Erawan. Ou seus irmãos. Jamais quis.

— Essa não é exatamente uma resposta.

— Sabe quem e o que você quer ser? — Um desafio, assim como uma pergunta sincera.

— Estou descobrindo — argumentou ele. Estranho. Tão estranho ter aquela conversa. Poupando os dois por enquanto, Dorian esfregou o rosto.

— A chave está na torre. Tenho certeza disso.

A boca de Maeve se contraiu.

— Não tem como entrar... não com os guardas — continuou Dorian. — E voei pelo exterior o suficiente para saber que não há janelas, nenhuma fenda para que eu sequer entre às escondidas. — O rapaz encarou os olhos sobrenaturais de Maeve. Sem vacilar. — Precisamos entrar. Ao menos para confirmar que está ali. — Ela um dia tivera as chaves... sabia qual era a sensação. O fato de ter chegado tão perto então...

— E suponho que espere que eu faça isso?

Dorian cruzou os braços.

— Não consigo pensar em mais ninguém que Erawan deixaria entrar.

O piscar de olhos solitário de Maeve foi seu único sinal de surpresa.

— Seduzir e trair um rei... um dos truques mais antigos existentes, como dizem vocês, humanos.

— Erawan pode ser seduzido por qualquer um?

Dorian teria jurado que asco brilhou no rosto pálido da rainha antes de ela responder:

— Pode.

⁓

Não desperdiçaram tempo. Não esperaram.

E mesmo Dorian se viu incapaz de tirar os olhos quando Maeve agitou a mão para o próprio corpo e o vestido roxo derreteu, sendo substituído por um outro, preto, transparente e fluido. Pouco mais que uma camisola. Fios de ouro tinham sido bordados no tecido, habilidosamente ocultando as partes destinadas apenas aos olhos daquele que o retirasse. Ao se virar do espelho, o rosto da rainha sombria estava sério.

— Não vai gostar do que está prestes a testemunhar. — Então ela fechou a capa em torno de si, escondendo aquele corpo exuberante e a camisola pecaminosa, e saiu pela porta.

Dorian se transformou em um inseto rastejante, ágil e flexível, e a seguiu, permanecendo ao encalço de Maeve conforme ela percorria os corredores. Até a base daquela torre.

Ele se enfiou em uma fenda na parede escura quando Maeve disse ao valg posicionado do lado de fora:

— Sabe quem eu sou. O que sou. Diga a ele que vim.

Dorian poderia ter jurado que as mãos de Maeve tremeram levemente.

Então um dos guardas — que ele jamais vira sequer piscar — se virou para a porta, bateu uma vez e entrou.

O vigia surgiu momentos depois, retomou a posição e não disse nada.

Maeve esperou. Em seguida, passos tranquilos soaram no interior da torre.

E, quando a porta se abriu de novo, o vento pútrido e a treva rodopiante do lado de dentro ameaçaram fazer com que ele fugisse. Erawan, ainda vestido apesar da hora avançada, ergueu as sobrancelhas.

— Temos uma reunião amanhã, irmã.

Maeve avançou um passo.

— Não vim falar de guerra.

Erawan ficou imóvel. Então disse aos guardas:

— Deixem-nos.

74

Como um, os guardas do lado de fora da torre de Erawan se foram.

Sozinhos, com o rei valg bloqueando a entrada da torre, Maeve falou:

— Isso quer dizer que sou bem-vinda? — Ela afrouxou a capa, as dobras da frente se abriram e revelaram a camisola transparente.

Os olhos dourados de Erawan observaram cada centímetro. Então, o rosto.

— Embora você possa não acreditar, é a esposa de meu irmão.

Dorian piscou diante daquilo. Diante da honra do demônio dentro do corpo masculino.

— Não preciso ser — murmurou Maeve, e Dorian soube, então, por que ela dera aquele aviso a ele antes de partirem.

Um aceno de cabeça, e os grossos cabelos pretos da rainha se tornaram dourados. A pele branca como a lua escureceu levemente, até um bronzeado de sol. O rosto anguloso se arredondou um pouco, os olhos pretos clarearam até ficarem turquesa e dourado.

— Poderíamos brincar assim, se preferir.

Até mesmo a voz pertencia a Aelin.

Os olhos de Erawan se incendiaram, o peito inflou com um fôlego irregular.

— Isso seria atraente para você? — Maeve deu um meio sorriso que Dorian só vira no rosto da rainha de Terrasen.

Nojo e horror lhe percorreram o corpo. Dorian compreendeu... compreendeu que não havia desejo de verdade nos olhos de Erawan por Aelin. Nenhuma vontade verdadeira além da reivindicação, da dor.

O encantamento de Maeve mudou de novo. Cabelos dourados empalideceram até ficarem brancos, olhos turquesa queimaram até o dourado.

Ódio gélido, puro e espesso tomou conta de Dorian quando Manon ficou de pé diante do rei valg.

— Ou talvez esta forma, linda, sem qualquer dúvida. — Ela olhou para o próprio corpo, sorrindo. — Era ela sua rainha pretendida quando esta guerra acabasse, a Líder Alada? Ou apenas uma égua de procriação premiada?

As narinas de Erawan se dilataram, e Dorian se concentrou na respiração, nas pedras sob ele, qualquer coisa para evitar que a magia irrompesse diante do desejo, do verdadeiro desejo, que fazia o rosto do rei valg se contrair.

Mas se aquilo a colocasse dentro daquela torre...

Erawan piscou, e aquele desejo se extinguiu.

— Você é a esposa de meu irmão — reforçou ele. — Não importa a pele que usar. Se precisar de alívio, mandarei alguém para seus aposentos.

Com isso, ele bateu a porta. E não voltou mais.

∽

Maeve levou Dorian para a reunião na manhã seguinte.

No bolso da capa da rainha, como um rato do campo, ele se manteve imóvel e ouviu.

— Depois de todo o alvoroço ontem à noite — dizia Erawan —, você dispensou o que lhe mandei.

De fato, nem quinze minutos depois de terem voltado para a torre de Maeve, uma batida havia soado à porta. Um rapaz de rosto pálido estivera parado ali, lindo e frio. Não um príncipe, não com o anel que ele usava. Apenas um humano escravizado. A rainha o dispensara, embora não por bondade.

Não, Dorian sabia que o homem fora poupado dos deveres por causa de sua presença ali, e nada mais. A própria Maeve o confessara antes de dormir.

— Eu queria vinho — replicou ela a Erawan, suavemente. — Não cerveja aguada.

Ele riu, e papel farfalhou.

— Tenho considerado mais detalhes desta aliança, irmã. — O título era uma alfinetada, uma provocação pela rejeição da noite anterior. — E tenho me perguntado: o que mais vai trazer para ela? Afinal de contas, você tem mais a ganhar que eu. E oferecer seis de suas aranhas é relativamente pouco, mesmo que tenham sido hospedeiras receptivas para as princesas.

As orelhas de Dorian se empertigaram quando ele esperou pela resposta de Maeve. Ela indagou, a voz baixa, mais tensa do que ele jamais a vira:

— O que você quer, irmão?

— Traga o resto das *kharankui*. Abra um portal e as transporte até aqui.

— Nem todas serão hospedeiras tão dispostas.

— Não hospedeiras. Soldados. Não pretendo correr riscos. Não haverá segunda fase.

O estômago de Dorian se revirou. Maeve hesitou.

— Há uma chance, sabe, de que, mesmo com tudo isso, mesmo que eu convoque as *kharankui*, você enfrente Aelin Galathynius e fracasse. — Uma pausa. — Anielle confirmou seus piores medos. Eu soube o que aconteceu. O poder que ela conjurou para impedir aquele rio. — Maeve soltou um murmúrio. — Estava destinada a mim, sabia? A explosão. Mas se ela conjurar tal poder de novo, digamos que contra você em um campo de batalha... conseguiria sair com vida, irmão?

— Por isso o avanço para o norte com suas aranhas será vital. — Foi a única resposta de Erawan.

— Talvez — replicou a rainha sombria. — Mas não se esqueça de que você e eu, juntos, poderíamos vencer. Sem as aranhas. Sem as princesas. Mesmo Aelin Galathynius não conseguiria enfrentar nós dois. Podemos ir para o norte e acabar com ela. Manter as aranhas na reserva para outros reinos. Outros momentos.

Maeve não queria sacrificá-las. Como se tivesse algum afeto pelos seres que haviam permanecido leais durante milênios.

— E além disso — prosseguiu ela —, você sabe muito sobre caminhar entre mundos. Mas não tudo. — Sua mão deslizou para o bolso, e Dorian se preparou conforme os dedos passavam por suas costas. Como se pedindo a ele que ouvisse.

— E suponho que só descobrirei quando você e eu tivermos vencido essa guerra — disse Erawan, por fim.

— Sim, embora eu esteja disposta a fazer uma demonstração. Amanhã, depois que eu tiver me preparado. — De novo, aquele silêncio horrível. Maeve falou: — Eles são fortes demais, poderosos demais para que eu abra um portal entre reinos que permita sua entrada. O esforço para trazer tudo o que são para este mundo desestabilizaria demais minha magia. Mas eu poderia mostrá-los a você, apenas por um momento. Eu poderia mostrar seus irmãos a você. Orcus e Mantyx.

~§ 75 §~

Darrow e os outros lordes de Terrasen haviam passado o tempo sabiamente nos últimos meses, graças aos deuses, e Orynth parecia bem abastecida contra o cerco que marchava para mais perto a cada hora.

Comida, armas, suprimentos de cura, planos a fim de acomodar os cidadãos, caso fugissem para o castelo, reforços ao longo das muralhas da cidade e do castelo onde a pedra antiga tinha se enfraquecido; Aedion encontrara poucas falhas.

Ainda assim, depois de uma noite de sono conturbada no antigo quarto no castelo — horrível e estranho e frio —, ele estava rondando uma das torres inferiores no momento que o dia raiou. Ali em cima, o vento era tão mais selvagem, mais gelado.

Passos fortes e firmes soaram do arco atrás do general.

— Eu o vi aqui em cima quando desci para tomar café da manhã — disse Ren, como cumprimento. A ala da corte dos Allsbrook sempre ficara na torre adjacente à de Aedion; quando eram meninos, os dois certa vez passaram um verão criando um sistema de sinalização para os quartos um do outro com a ajuda de uma lanterna.

Foi o último verão que passaram como amigos, quando ficara evidente para o pai de Ren que Aedion era o preferido para fazer o juramento de sangue. E então a rivalidade havia começado.

Em um verão: próximos como unha e carne, e selvagens. No seguinte: presos em competições intermináveis de superioridade, desde corridas pelos pátios até empurrões pelas escadas e brigas descaradas no grande salão. Rhoe tentara apaziguar aquilo, mas jamais fora um bom mentiroso. E se recusara a negar ao pai de Ren que Aedion seria aquele a fazer o juramento de sangue. Então, ao fim daquele verão, até mesmo o príncipe herdeiro começara a virar o rosto quando os dois rapazes começavam mais uma briga na terra. Não que importasse agora.

Será que seu pai, será que Gavriel teria encorajado a rivalidade? Aedion supunha que não importava também. Mas, por um segundo, tentou imaginar: Gavriel ali, supervisionando seu treinamento. Seu pai e Rhoe, ensinando-o juntos. E ele sabia que Gavriel teria encontrado alguma forma de apaziguar a competição, da mesma forma como mantinha a paz na equipe. Que tipo de homem ele teria se tornado caso o Leão tivesse estado ali? Gavriel provavelmente teria sido massacrado com o restante da corte, mas... teria estado ali.

Um caminho de tolo... percorrer aquela linha de pensamento. Aedion era quem era, e, na maior parte do tempo, não se importava com aquilo. Rhoe fora seu pai para as coisas importantes. Mesmo que houvesse vezes em que ele tivesse olhado para Rhoe e Evalin e Aelin e se sentido como um hóspede.

Aedion afastou o pensamento da cabeça. Estar ali, naquele castelo, o atordoara. Arrastara-o para um mundo de fantasmas.

— Não espere que Darrow sirva uma mesa de café da manhã como costumávamos ter — comentou o guerreiro. Não que ele esperasse ou quisesse uma. Só comia porque o corpo exigia que o fizesse, comia porque era força, e precisaria daquilo, seu povo precisaria daquilo, em pouco tempo.

Ren observou a cidade, então a planície de Theralis adiante. O horizonte ainda vazio.

— Vou organizar os arqueiros hoje. E garantir que os soldados nos portões saibam usar aquele óleo fervente.

— *Você* sabe como usá-lo? — Aedion arqueou uma sobrancelha.

Ren riu.

— O que preciso aprender? Você vira um caldeirão gigante do outro lado das muralhas. Estrago feito.

Certamente exigia um pouco mais de habilidade que isso, mas era melhor que nada. Pelo menos Darrow se certificara de que *tinham* tais suprimentos.

Aedion rezou para que tivessem a chance de usá-los. Com as torres de bruxa de Morath, era mais provável que fossem explodidos até virar escombros antes de a horda inimiga sequer chegar a qualquer dos dois portões que se abriam para a cidade.

— Precisávamos mesmo de um fogo do inferno — murmurou Ren. — Isso os manteria longe dos portões.

E potencialmente derreteria todos ao redor também

Aedion abriu a boca para concordar quando suas sobrancelhas se franziram. Ele observou a planície, o horizonte.

— Desembuche — falou Ren.

Ele virou o jovem lorde de volta para a entrada da torre.

— Precisamos falar com Rolfe.

∾

Não sobre fogo do inferno nos portões sul e oeste. De modo algum.

Eles esperaram até o manto de escuridão, quando os espiões de Morath talvez não vissem o pequeno grupo que seguiu sorrateiro, quilômetro após quilômetro, pela planície de Theralis.

Usando o preto da batalha, eles se moviam sobre o campo que mais uma vez seria banhado em sangue. Ao chegarem aos marcos nos quais Aedion e Ren haviam usado a luz do dia para planejar, Aedion estendeu a mão.

Os assassinos silenciosos fizeram jus ao nome quando Ilias sinalizou para trás e eles se espalharam. Os mycenianos de Rolfe, carregando as pesadas cargas, se moveram entre eles.

Mas foi a metamorfa que começou a trabalhar primeiro. Transformando-se em um texugo gigante, maior que um cavalo, que cavava a terra congelada com patas habilidosas e fortes.

O cheiro de seu sangue encheu o ar, mas Lysandra não parou de cavar.

E ao terminar o primeiro poço, seguiu para o seguinte, deixando o grupo de Assassinos Silenciosos e mycenianos para que montassem a armadilha, então a enterrassem novamente.

O vento cruel gemia ao soprar por eles. Mas o grupo trabalhou noite adentro, usando cada minuto que lhes era concedido. E, quando eles terminaram, sumiram de volta para dentro da cidade, invisíveis de novo.

∾

Morath surgiu no horizonte um dia depois.

Das torres e passagens mais altas do castelo, cada fileira do exército podia ser contada. Uma após a outra e após a outra.

Com as mãos ainda feridas e com curativos por cavar a terra congelada, Lysandra estava com um grupo de aliados em uma daquelas passagens, com Evangeline grudada a ela.

— São quinze mil — anunciou Ansel de penhasco dos Arbustos, quando mais uma fileira surgiu. Ninguém disse nada. — Vinte.

— Morath deve estar vazia para ter tantos soldados aqui, agora — murmurou o príncipe Galan.

Evangeline tremia, não totalmente de frio, e Lysandra a abraçou. Na ponta da muralha da passagem, Darrow e os outros lordes de Terrasen sussurravam. Como se sentindo a atenção da metamorfa, o homem se virou para ela com os olhos semicerrados — então abaixou o rosto para Evangeline, que estava trêmula, o rosto pálido. Darrow não disse nada, e Lysandra não se incomodou em parecer agradável antes de ele se virar de volta para os companheiros.

— Agora trinta — avisou Ansel.

— Sabemos contar — interrompeu Rolfe.

Ansel ergueu a sobrancelha vermelha como vinho.

— Sabem mesmo?

Apesar do exército que marchava contra eles, a boca de Lysandra se repuxou para cima.

Rolfe apenas revirou os olhos e voltou a observar os soldados que se aproximavam.

— Não chegarão até o alvorecer, no mínimo — observou Aedion, a expressão sombria.

Lysandra ainda não decidira qual forma assumir. Onde lutar. Se ainda houvesse ilken voando entre as fileiras, então seria uma serpente alada, mas, se fosse necessária mais proximidade, então... ela não decidira. Ninguém pedira que ela ficasse em algum lugar em especial, embora o pedido de Aedion na outra noite para que ajudasse em seu plano atroz tivesse sido um raro alívio naqueles dias de espera e temor.

Lysandra alegremente escolheria dias caminhando de um lado para outro em vez do que se aproximava.

— Cinquenta mil — disse Ansel, lançando um olhar sarcástico para Rolfe.

A metamorfa engoliu em seco o nó em sua garganta. Evangeline escondeu o rosto contra a lateral do corpo da jovem.

E então as torres de bruxa tomaram forma.

Como imensas lanças se projetando do horizonte, elas surgiram na luz cinzenta da manhã. Três delas, espalhadas igualmente entre o exército que continuava marchando atrás das estruturas.

Mesmo Ansel parou de contar naquele momento.

— Não achei que seria tão terrível — sussurrou Evangeline, enterrando as mãos na pesada capa de Lysandra. — Não achei que seria tão horrível.

A metamorfa deu um beijo no alto da cabeça vermelho-dourada.

— Nenhum mal vai lhe acontecer.

— Não tenho medo por mim — respondeu ela. — Mas por meus amigos.

Aqueles olhos de citrino de fato brilhavam com lágrimas de terror, e Lysandra limpou uma delas antes de observar as torres de bruxa avançando devagar até eles. Não tinha palavras para confortar a menina.

— A qualquer minuto agora — murmurou Aedion, e Lysandra olhou para a planície nevada abaixo.

Para as figuras que surgiram de sob a neve, vestidas de branco. Flechas em chamas a postos nos arcos. As linhas de frente de Morath estavam quase sobre eles, mas aqueles soldados não eram o alvo.

Na ponta da muralha, Murtaugh se agarrou às pedras antigas quando uma silhueta que só podia ser Ren deu a ordem. Flechas em chamas recuaram e voaram, os soldados de Morath se abaixaram sob os escudos.

Eles não se incomodaram em olhar sob os pés.

Nem as bruxas que guiavam as três torres.

As flechas em chamas atingiram a terra com uma precisão absoluta, graças aos Assassinos Silenciosos que empunhavam aqueles arcos.

Bem acima das linhas dos rastilhos que seguiam direto para os poços que haviam cavado. Logo no momento que as torres de bruxas passaram por eles.

Clarões ofuscantes irromperam no mar escuro do exército. Em seguida, veio o poderoso estrondo.

E, então, uma chuva de pedras, todas as forças de Morath se virando para ver. Fornecendo a distração certa enquanto Ren, Ilias e os Assassinos Silenciosos corriam até os cavalos brancos escondidos atrás de um banco de neve.

Quando o clarão se dissipou, quando a fumaça sumiu, um suspiro de alívio percorreu a passagem.

Duas das torres de bruxas tinham parado diretamente sobre os poços. Poços que haviam enchido com reagentes químicos e os pós que alimentavam os lança-chamas de Rolfe, escondendo-os sob a terra... esperando que uma faísca os acendesse.

Aquelas duas torres tinham caído em ruínas, destroçando as serpentes aladas sob elas, enquanto soldados eram esmagados sob pedras que caíam.

Mas uma ainda permanecia de pé. O poço do qual estivera mais próxima havia explodido rápido demais. Uma das serpentes aladas que a puxava fora atingida pelos escombros de outra torre e estava morta ou ferida.

E aquela terceira torre restante havia parado.

Uma corneta cruel e grave soou da horda inimiga, e o exército também parou.

— Graças aos malditos deuses — disse Rolfe, abaixando a cabeça.

Mas Aedion ainda olhava para a planície... para as silhuetas a cavalo galopando até as muralhas de Orynth. Certificando-se de que todos retornassem.

— Por quanto tempo isso vai impedi-los? — perguntou Evangeline.

Todos, inclusive Darrow, se viraram para a menina. Ninguém tinha uma resposta. Nenhuma mentira a oferecer.

Então, de novo, encararam o exército reunido na planície, as partes mais afastadas agora visíveis.

— Cem mil — anunciou Ansel de Penhasco dos Arbustos, baixinho.

76

— É possível... *mostrar* outro mundo? — perguntou Dorian a Maeve, quando estavam de volta ao aposento da torre.

A rainha sombria se acomodou em uma cadeira, sua expressão ausente.

— Usando espelhos, sim.

Ele ergueu uma sobrancelha.

— Você mesmo já viu o poder dos espelhos de bruxa. O que isso fez com Aelin Galathynius e Manon Bico Negro. Quem você acha que ensinou tal poder às bruxas? Não foram os feéricos. — Uma risada baixa. — E como acha que pude ver tão longe, ouvir as vozes de meus olhos, lá de Doranelle? Há espelhos para espionar, para viajar, para matar. Mesmo agora, Erawan os utiliza em vantagem própria com as Dentes de Ferro. — Com as torres de bruxa.

Maeve se recostou, uma rainha sem coroa.

— Posso mostrar o que ele deseja ver.

Dorian abriu a boca, então considerou as palavras.

— Uma ilusão. Não planeja mostrar a ele Orcus ou Mantyx de fato.

Maeve lhe lançou um olhar frio.

— Um trunfo, enquanto você entra na torre.

— Não consigo entrar.

— Sou uma andarilha de mundos — argumentou ela. — Viajei entre universos. Acha que me mover entre aposentos será muito difícil?

— Algo a impediu de ir a Terrasen durante todos esses anos.

O maxilar de Maeve se contraiu.

— Brannon Galathynius sabia de meus dons de locomoção. As proteções em torno de seu reino me impedem de fazê-lo.

— Então não poderia transportar os exércitos de Erawan até lá para ele.

— Não. Só posso entrar a pé. Há muitos deles, de toda forma, para que eu mantenha o portal por tanto tempo.

— Erawan sabe de seu dom, então provavelmente terá tomado medidas para proteger o próprio quarto.

— Sim, e passei meu tempo aqui lentamente as desfazendo. Ele não é tão habilidoso com feitiços quanto acha. — Um sorriso arrogante, de triunfo.

Mesmo assim, Dorian perguntou:

— Por que não fez isso desde o início?

— Porque eu não tinha decidido se valia o risco. Porque ele ainda não havia insistido para que eu trouxesse minhas damas de companhia até aqui, para serem meros soldados de infantaria.

— Você se importa com elas... com as aranhas.

— Vai descobrir, Vossa Majestade, que um amigo leal é algo raro, na verdade. Não são tão fáceis de sacrificar.

— Você ofereceu seis delas para aquelas princesas.

— E vou me lembrar disso pelo resto da vida — retrucou Maeve, e algum pingo de emoção de fato dançou sobre a expressão em seu rosto. — Elas foram voluntariamente. Digo isso a mim mesma sempre que as olho e não vejo nada das criaturas que eu conhecia. Elas queriam me ajudar. — Os olhos da rainha encontraram os de Dorian. — Nem todos os valg são maus.

— Erawan é.

— Sim — afirmou ela, e seus olhos ficaram sombrios. — Ele e os irmãos... são os piores de nosso tipo. Seu governo era por meio de medo e dor. Eles sentem prazer com tais coisas.

— E você não?

Maeve girou uma mecha de cabelo preta como nanquim no dedo. E não respondeu.

Tudo bem. Dorian prosseguiu:

— Então você vai quebrar as proteções de Erawan no quarto, abrir o portal para mim, e eu vou entrar, sorrateiro, enquanto você o distrai com uma ilusão sobre os irmãos. — Ele franziu atesta. — Assim que eu encontrar a chave, ele vai saber que você o enganou. Precisaremos partir rápido.

A boca de Maeve se curvou.

— Partiremos. E iremos para onde você escondeu as outras.

Dorian afastou qualquer expressão do rosto.

— Tem certeza de que ele não vai saber que está sendo enganado?

— Orcus é irmão dele. Mas também foi meu marido. A ilusão será real o suficiente.

Ele refletiu.

— A que horas agimos?

∽

Ao anoitecer.

Foi quando Maeve disse a Erawan que se encontrassem. Naquele limiar entre luz e escuridão, quando uma força cedia à outra. Quando ela abriria o portal para Dorian de alguns quartos de distância.

Conforme o sol se punha — não que Dorian conseguisse ver com as nuvens e a escuridão de Morath —, ele se pegou encarando a parede do quarto de Maeve.

Ela partira minutos antes, com nada além de um olhar de despedida. A rota de fuga fora planejada, assim como uma alternativa. Tudo deveria seguir de acordo com o plano.

E o corpo que Dorian usava, os cabelos e olhos dourados... Se alguém que não o próprio Erawan aparecesse na torre, encontraria o cômodo ocupado pelo próprio mestre.

Dorian não tinha espaço dentro do corpo para o medo, para a dúvida. Não pensou nos colares de pedra de Wyrd sob a fortaleza, ou em cada aposento e calabouço perturbador pelos quais passara. A escuridão tomou o quarto.

Ele recuou quando as pedras escureceram mais, mais e mais... então sumiram.

O fedor da morte, da podridão, do ódio fluiu para fora. Muito mais pútrido que nos níveis da tumba abaixo.

E ameaçou fazer seus joelhos cederem, mas Dorian sacou Damaris. Reuniu o poder e ergueu a mão esquerda, uma fraca luz dourada brilhou de seus dedos. Fogo.

Com uma oração para quaisquer dos deuses que poderiam se incomodar em ajudá-lo, Dorian passou pelo portal.

77

Dorian não sabia o que poderia esperar dos aposentos de um rei valg, mas a cama com dossel de madeira preta entalhada, a pia e a escrivaninha estariam no fim da lista de palpites.

Nada extraordinário. Nenhum tesouro de armas ou heranças antigas roubadas, nenhuma poção borbulhando ou livro de feitiços, nenhuma besta grunhindo no canto. Nenhum colar de pedra de Wyrd adicional.

Um quarto e nada mais.

Ele observou o cômodo circular, chegando até mesmo a olhar escada abaixo. Uma corrida reta para a porta de ferro e os guardas posicionados do lado de fora. Nenhum guarda-roupa. Nenhum alçapão.

Ele abriu o armário e encontrou fileira após fileira de roupas limpas. Nenhuma das gavetas continha nada; e não havia compartimentos ocultos.

Mas Dorian sentia aquilo. Aquela presença sobrenatural, terrível. Conseguia sentir a seu redor...

Um ruído baixo o fez se virar.

Ele olhou para a cama então. Para o que não tinha visto, deitada entre lençóis obsidiana que quase engoliam o corpo pequeno e frágil.

A jovem. O rosto era vazio, inexpressivo. Mas ela o encarava. Como se tivesse acordado.

Uma menina bonita, de cabelos pretos. Não passava dos 20 anos. Quase idêntica a Kaltain.

Bile lhe subiu à garganta. E quando a jovem se sentou, os lençóis caindo e revelando um corpo nu e exausto, revelando um braço magro demais e a horrível cicatriz roxa perto do pulso... Dorian soube por que sentira a presença da chave pela fortaleza. Movendo-se. Sumindo.

Estivera caminhando. Seguindo seu mestre. Seu escravizador.

Um colar de pedra preta fora fechado em torno do pescoço da jovem.

Mesmo assim, ela ficou sentada ali, naquela cama desarrumada. Encarando-o.

Oca e vazia... e com dor.

Ele não tinha palavras. Havia apenas o silêncio ressoando.

Kaltain destruíra o príncipe valg dentro de si mesma, mas a chave de Wyrd a fizera perder a cabeça. Dera a ela um poder terrível, mas destruíra sua mente.

Dorian lenta e cuidadosamente deu um passo para mais perto da cama.

— Você está acordada — disse ele, disciplinando a voz ao sotaque arrastado do rei valg. Sabendo que a jovem via seu captor.

Um piscar de olhos.

Ele testemunhara os experimentos de Erawan, os horrores de seu calabouço. Mas aquela jovem, tão faminta, com os hematomas na pele, a coisa profana no braço, a coisa profana que Dorian sabia que compartilhara aquela cama com ela...

Ele ousou liberar um fio do poder. O poder se aproximou do braço da jovem e se encolheu.

Sim, a chave estava ali.

Ele se aproximou, desejando que ela não olhasse na direção do portal na parede.

A jovem tremeu... apenas levemente.

Dorian se segurou para não vomitar. Para não fazer nada a não ser olhar para ela com comando frio ao dizer:

— Estique o braço para mim.

Os olhos castanhos lhe observaram o rosto, mas a jovem estendeu o braço.

Dorian quase cambaleou para trás diante do ferimento pútrido, as veias pretas estaiando a partir do centro; liberando o veneno para dentro da moça. Como o ferimento de Kaltain sem dúvida se parecera, e o motivo para a cicatriz permanecer, mesmo na morte.

Mas ele embainhou Damaris e pegou o braço da jovem nas mãos.

Gelo. A pele era como gelo.

— Deite — ordenou Dorian.

A jovem tremeu, mas obedeceu. Preparando-se. Para ele.

Kaltain. Pelos deuses, Kaltain. O que suportara...

Dorian tirou a faca da lateral do corpo — aquela que Sorrel lhe dera — e a inclinou sobre o braço da moça. Kaltain fizera o mesmo para libertar a pedra, fora o que dissera Manon.

Mas ele lançou um lampejo da magia de cura para o braço da jovem. Para adormecer e acalmar. Ela se debateu, mas Dorian segurou firme. Deixou que a magia irradiasse por ela. A jovem arquejou, arqueando o corpo, e Dorian aproveitou a quietude repentina para mergulhar a faca, rápido e agilmente.

Três movimentos, com a magia de cura ainda trabalhando na jovem, acalmando-a o melhor que podia, e a lasca ensanguentada estava em seus dedos. Pulsando o poder oco e doentio através de Dorian.

A última chave de Wyrd.

Ele soltou o braço da jovem, colocando a chave no bolso, e se virou para o portal.

Mas a mão de alguém se fechou na de Dorian, fraca e trêmula.

Ele girou, levando uma das mãos até Damaris, e encontrou a jovem encarando-o. Lágrimas lhe escorriam pelo rosto.

— Me mate — sussurrou ela. Dorian piscou. — Você... você o encurralou. — Não a chave, mas o demônio dentro da jovem, percebeu ele. De alguma forma, com aquela magia de cura... — Me mate — repetiu a jovem, começando a chorar. — *Me mate*, por favor.

Damaris aqueceu em sua mão. Verdade. Dorian a olhou horrorizado.

— Eu... eu não posso.

Ela começou a agarrar o colar no pescoço. Como se fosse arrancá-lo.

— *Por favor* — pediu ela, soluçando. — *Por favor*.

Dorian não tinha tempo. De achar uma forma de tirar aquele colar. Nem mesmo tinha certeza de que aquilo *poderia* sair sem aquele anel dourado que Aelin usara.

— Não posso.

Desespero e dor inundaram os olhos da jovem.

— Por favor. — Era tudo o que ela dizia. — Por favor.

Damaris continuava quente. Verdade. A súplica não passava da verdade.

Mas ele precisava ir — precisava ir *imediatamente*. Não podia levá-la junto. Sabia que aquela coisa dentro da jovem, apesar de sua magia tê-la afastado, voltaria. E gritaria para Erawan onde ele estava. O que roubara.

A jovem chorou, e suas mãos agarraram o corpo violentado.

— *Por favor*.

Seria um ato de misericórdia... matá-la? Seria um crime pior deixá-la ali, com Erawan? Escravizada a ele e ao demônio valg em seu interior?

Damaris não respondeu às perguntas silenciosas de Dorian.

E ele deixou a mão descer completamente para longe da lâmina ao olhar a jovem que chorava.

Manon teria acabado com aquilo. Libertando-a da única forma que restava. Chaol a teria levado consigo e mandado as consequências ao inferno. Aelin... Dorian não sabia o que ela teria feito.

Quem você quer ser?

Ele não era nenhum deles. Ele era... ele não passava de si mesmo.

Um homem que conhecera perda e dor, sim. Mas um homem que conhecera amizade e alegria.

A perda e a dor... não o haviam destruído por completo. Sem elas, será que os momentos de felicidade seriam igualmente alegres? Sem elas, será que Dorian lutaria com tanto afinco para garantir que não aconteceria de novo?

Quem você quer ser?

Um rei digno da coroa. Um rei que reconstruiria o que fora destruído, tanto dentro de si quanto nas próprias terras.

A jovem soluçava e soluçava, e a mão de Dorian foi até o cabo de Damaris.

Então um estalo soou. Osso se partindo.

Em um momento, a jovem estava chorando. No seguinte, a cabeça caiu para o lado, os olhos não viam mais.

Dorian se virou com um grito nos lábios quando Maeve entrou no quarto.

— Considere um presente de casamento, Majestade — disse ela, os lábios se contraindo. — Para poupá-lo dessa decisão.

E foi o sorriso no rosto da rainha, assim como o ritmo predatório de seu andar, que fez a magia de Dorian se agitar.

Maeve assentiu para o bolso do rei.

— Muito bem.

O poder sombrio da rainha saltou para a mente de Dorian.

E ele não teve a chance de pegar Damaris antes de ser capturado por aquela teia sombria.

78

Ele estava no quarto de Erawan, mas não estava.

— A chave, por favor — ronronou Maeve.

A mão de Dorian deslizou para o bolso. Para a lasca ali dentro.

— E então buscaremos as outras — prosseguiu ela, indicando o portal pelo qual ambos tinham entrado. Dorian a seguiu, tirando a lasca do bolso. — Tantas coisas que tenho planejadas para nós, Majestade. Para nossa união. Com as chaves, eu poderia mantê-lo eternamente jovem. E seu poder, sem comparação, nem mesmo ao de Aelin Galathynius, vai nos proteger de qualquer um que possa retornar a este mundo de novo.

Os dois apareceram no quarto da rainha, e um gesto da mão de Maeve fez o portal se fechar.

— Rápido agora — ordenou ela. — Vamos partir. A serpente alada está esperando.

Dorian parou no meio do quarto.

— Não acha que é falta de educação sair sem deixar um bilhete?

Maeve se virou para ele, mas era tarde demais.

Tarde demais, quando as garras que ela prendera em sua mente ficaram enroscadas ali. Quando chama, branca-incandescente e chiando, se fechou no pedaço da rainha sombria que ela ignorantemente expusera ao tentar prendê-lo.

Uma armadilha dentro de outra. Uma que Dorian formara desde o momento que a vira. Tinha sido um truque simples. *Mudar* a mente, como se estivesse mudando o corpo. Para fazer com que ela visse uma coisa quando olhasse ali dentro.

Para fazer com que visse aquilo em que desejava acreditar: sua inveja e seu ressentimento por Aelin; o desespero; a ingenuidade tola. Dorian deixara que a mente se tornasse tais coisas, deixara que a atraísse para dentro. E sempre que Maeve havia se aproximado, enganada por aqueles deslizes do poder de Dorian, sua magia estudara a da rainha, assim como estudara a semente da metamorfose roubada por Cyrene, aprendendo a habilidade de entrar em mentes, de tomá-las.

Fora apenas uma questão de esperar que ela agisse, deixar que a rainha sombria montasse a armadilha que usaria para selar Dorian a ela para sempre.

— Você... — Um sorriso, e Maeve não foi mais capaz de falar.

Dorian disse para dentro do abismo sombrio da mente da rainha: *Fui um escravizado um dia. Não achou mesmo que eu me permitiria ser escravizado de novo, achou?*

Maeve se debateu, mas ele a segurou firme. *Você vai me libertar*, sibilou ela, e a voz não foi a de uma bela rainha, mas de algo cruel e frio. Faminto e odioso.

Você é tão velha quanto a terra, mas, mesmo assim, realmente achou que eu cairia em sua oferta. Ele riu, deixando um filete do fogo queimá-la. Maeve gritou, silenciosa e infinitamente na mente de ambos. *Fico surpreso por ter caído em* minha *armadilha.*

Vou matá-lo por isso.

Não se eu a matar primeiro. O fogo de Dorian se tornou algo vivo, fechando-se no pescoço pálido da rainha. No mundo real, no lugar em que seus corpos existiam.

Você machucou minha amiga, disse ele, com uma calma letal. *Não será tão difícil acabar com você por isso.*

É esse o rei que quer ser? Torturando uma fêmea indefesa?

Dorian riu de novo. *Você não é indefesa. E, se pudesse, eu a selaria em uma caixa de ferro pela eternidade.* Ele olhou para as janelas, para a noite adiante. Precisava ir... rápido. Mas, mesmo assim, falou: *O rei que quero ser é o oposto do que você é.* Dorian deu a Maeve um sorriso. *E há apenas uma bruxa que será minha rainha.*

Um murmúrio ressoou pela montanha abaixo dos dois. Morath estremeceu. Os olhos da rainha se arregalaram mais.

Um estalo mais alto que trovão ecoou pelas pedras. A torre balançou.

A boca de Dorian se curvou para cima. *Não achou que passei todas aquelas horas apenas procurando, achou?*

Ele não permitiria que aquilo existisse por mais um dia... aquela câmara de colares. Nem mais um dia.

Então derrubaria toda a maldita fortaleza sobre ela.

Não fora difícil. Pedacinhos de magia, do gelo mais frio, que percorreram as rachaduras na fundação de Morath. Que corroeram a pedra antiga. Pouco a pouco, uma teia de instabilidade crescendo a cada corredor e sala que ele vasculhava. Até que toda a metade leste da fortaleza permanecesse de pé somente pela vontade de Dorian.

Até agora. Até que meio pensamento fez sua magia se expandir entre aquelas rachaduras, caindo sobre elas.

E assim Morath começou a desabar.

Sorrindo para Maeve, Dorian recuou. Ele se afastou, mesmo enquanto segurava a mente da rainha.

A torre estremeceu de novo. O fôlego da rainha ficou irregular. *Não pode me deixar assim. Ele vai me encontrar, vai me levar...*

Como você teria me levado? Dorian se transformou em um corvo, batendo as asas no ar da câmara.

Morath gemeu de novo, e, acima disso, subiu um grito de ódio, tão perfurante e sobrenatural que os ossos de Dorian fraquejaram.

Diga a Erawan, falou ele, parando no parapeito da janela, *que fiz isso por Adarlan.*

Por Sorscha e Kaltain e todos aqueles destruídos. Como a própria Adarlan fora destruída.

Mas, da total ruína, poderia ser reconstruída. Se não por ele, por outros, então.

Talvez aquele fosse seu primeiro e único presente para Adarlan como rei: um novo começo, caso sobrevivessem àquela guerra.

Gritos tomaram os corredores. Dorian observara onde os criados humanos trabalhavam, onde viviam. Descobririam, conforme fugissem, que suas passagens permaneciam estáveis. Até que o último saísse.

Por favor, implorou Maeve, cambaleando de joelhos quando a torre balançou de novo. *Por favor.*

Ele deveria deixar que Erawan a encontrasse. Deveria condená-la à vida que Maeve pretendera para ele. Para Aelin.

Ela se curvou de joelhos, com a mente e o poder contidos. Esperando, desesperada, pelo rei sombrio de quem tentara tão avidamente fugir. Ou que a fortaleza trêmula desabasse a seu redor.

Dorian sabia que se arrependeria. Sabia que deveria matá-la. Mas condená-la ao que ele sofrera...

Não desejaria aquilo a ninguém. Mesmo que lhes custasse aquela guerra.

Não achava que aquilo o tornava fraco. Não mesmo.

Além da janela, Dentes de Ferro disparavam para o céu, serpentes aladas rugiam conforme as pedras de Morath começavam a ceder. No vale abaixo, o exército tinha parado para olhar a montanha que pairava alta sobre eles. A torre trêmula construída sobre ela.

Por favor, repetiu Maeve. Andares abaixo deles, outro urro de ódio vindo de Erawan ecoou — mais perto.

Então Dorian disparou para a noite caótica.

O grito silencioso de desespero de Maeve o acompanhou. Até os picos que davam para Morath e para aquela projeção rochosa... para as duas chaves de Wyrd enterradas sob o xisto.

Dorian mal conseguiu se lembrar do próprio nome quando as colocou no outro bolso. Quando todas as três chaves de Wyrd repousaram com ele, enfim.

Em seguida, Dorian voltou para a mente que ainda estava presa à sua.

Foi tão simples quanto uma incisão. Cortar o elo entre a mente dos dois — e cortar outra parte dela.

Amarrar o dom que permitia que Maeve saltasse entre lugares. Que abrisse aqueles portais.

Não mais andarilha de mundos, observou Dorian, quando sua magia pura alterou a dela. Mudou a própria essência. *Sugiro que invista em um bom par de sapatos.*

Então ele soltou a mente de Maeve.

Um grito odioso, infinito, foi a única resposta.

Dorian se transformou de novo, tornando-se grande e cruel, não mais que uma serpente alada no bando que voava para o norte, levando suprimentos para a legião aérea.

Um rei — ele poderia ser um rei para Adarlan naqueles últimos dias que lhe restavam. Limpar a mancha de podridão do que o reino se tornara. Para que pudesse começar de novo. E se tornar quem quisesse ser.

Dorian tomou uma corrente de vento ágil, disparando forte e rápido.

E, ao olhar para trás, para a montanha e o vale que fediam a morte, para o lugar onde tantas coisas terríveis tinham começado, ele sorriu e derrubou as torres de Morath.

79

Yrene odiava o desfiladeiro Ferian. Odiava o ar sufocante entre os dois picos, odiava os ossos e os dejetos de serpentes aladas que enchiam o leito rochoso, odiava o fedor que emanava de quaisquer que fossem as aberturas escavadas na montanha.

Pelo menos estava vazio. Embora ainda não tivessem decidido se aquilo era uma bênção.

Os dois exércitos agora tomavam o desfiladeiro, os soldados de Hasar já se preparando para fazer a travessia de volta pelo Avery e para o emaranhado da floresta de Carvalhal. *Aquela* caminhada levaria uma era, mesmo com os rukhin carregando as carruagens e os suprimentos mais pesados. E, então, viria o avanço para o norte pela floresta, pegando a antiga estrada que se estendia ao longo do afluente norte do Avery.

— Passe aquela faca para mim — pediu Yrene a Lady Elide, apontando com o queixo para o kit de suprimentos. Deitado em um cobertor no piso da carruagem coberta, um soldado darghan estava inconsciente, o suor brotando frio na testa. Ele não vira uma curandeira depois de sofrer um corte na coxa durante a batalha por Anielle, e, ao tombar do cavalo naquela manhã, fora arrastado até ali.

As mãos de Elide permaneceram firmes conforme ela pegava a faca fina e a entregava a Yrene.

— Isso vai acordá-lo? — perguntou ela, enquanto Yrene se curvava sobre o guerreiro inconsciente e examinava a ferida infeccionada que era feia o suficiente para revirar a maioria dos estômagos.

— Minha magia o contém em um sono profundo. — A curandeira inclinou a faca. — Ele continuará inconsciente até que eu o acorde.

Elide, para crédito dela, não sentiu ânsia de vômito quando Yrene começou a limpar o ferimento, raspando as partes mortas e infeccionadas.

— Nenhum sinal de envenenamento do sangue, graças aos deuses — anunciou ela, conforme o tecido ao lado do homem ficava coberto com a podridão descartada. — Mas precisaremos colocá-lo em uma infusão especial para ter certeza.

— Sua magia não pode simplesmente fazer uma varredura? — Elide jogou o tecido encharcado no balde de lixo próximo e abriu outro.

— Pode, e vou fazer isso — respondeu Yrene, combatendo a ânsia de vômito quando o fedor do ferimento subiu por suas narinas. — Mas pode não ser o suficiente se a infecção quiser realmente aparecer.

— Você fala sobre doenças como se fossem criaturas vivas.

— Elas são, de certa forma — argumentou a curandeira. — Com segredos e temperamentos próprios. Às vezes é preciso ser mais esperta que elas, como faria com qualquer inimigo.

Yrene pegou a lanterna espelhada do lado da cama e ajustou as placas ali dentro a fim de apontar um feixe de luz para o corte infeccionado. Quando a luminosidade não revelou mais sinais de pele podre, ela pousou a lanterna e a faca.

— Não foi tão ruim quanto eu temia — admitiu ela, então estendeu as mãos sobre o ferimento ensanguentado.

Calor e luz subiram dentro de Yrene, como uma lembrança do verão naquele frígido desfiladeiro montanhoso, e, quando suas mãos brilharam, a magia a guiou para dentro do corpo do homem. Ela fluiu ao longo de sangue e cartilagem e osso, costurando e remendando, ouvindo as dores e a febre que corria desenfreada. Confortando-as, acalmando-as. Limpando-as.

Ela estava ofegante ao terminar, mas a respiração do homem tinha se tranquilizado. O suor na testa havia secado.

— Incrível — sussurrou Elide, olhando boquiaberta para a perna agora lisa do guerreiro.

Yrene apenas virou a cabeça para o lado e vomitou no balde de lixo.

Elide ficou de pé com um salto.

Mas a curandeira estendeu a mão, limpando a boca com a outra.

— Por mais que seja uma alegria saber que em breve serei mãe, a realidade dos primeiros meses é... menos alegre.

Elide andou com dificuldade até a jarra de água potável e serviu um copo.

— Aqui. Tem algo que eu possa trazer para você? Pode... *você* pode curar seu enjoo, ou precisa que outra pessoa faça isso?

Yrene bebeu a água, deixando que lavasse a bile amarga.

— O vômito é um sinal de que as coisas estão progredindo com o bebê. — A mão desceu até o ventre. — Não é algo que possa realmente ser curado, a não ser que eu tivesse uma curandeira a meu lado dia e noite, acalmando a náusea.

— Está tão ruim assim? — Elide franziu a testa.

— O momento é terrível, eu sei. — Yrene suspirou. — A melhor opção é gengibre... qualquer coisa com gengibre. Mas eu preferiria guardar isso para os estômagos irritados de nossos soldados. Hortelã também ajuda. — Ela indicou a sacola. — Tenho algumas folhas secas ali. Coloque-as em uma xícara com água quente e ficarei bem. — Atrás delas, um pequeno braseiro continha uma chaleira fumegante, usada para desinfetar suprimentos em vez de fazer chá.

Elide entrou imediatamente em ação, e Yrene observou em silêncio conforme a lady preparava o chá.

— Eu poderia curar sua perna, sabia.

A jovem ficou imóvel, estendendo a mão para a chaleira.

— Mesmo?

Yrene esperou até que Elide tivesse colocado uma xícara de chá de hortelã em suas mãos para indicar as botas da lady com a cabeça.

— Posso ver o ferimento?

Elide hesitou, mas se sentou no banquinho ao lado de Yrene e tirou a bota, depois a meia por baixo.

Yrene avaliou as cicatrizes, o osso torcido. Elide dissera a ela dias antes por que tinha o ferimento.

— Tem sorte por não ter tido uma infecção também. — A curandeira bebeu do chá, julgou estar muito quente e o deixou de lado antes de dar um tapinha no colo. Elide obedeceu, colocando o pé na coxa de Yrene. Cuidadosamente, ela tocou as cicatrizes e os ossos retorcidos, e sua magia fez o mesmo.

A violência do ferimento bastou para tirar o fôlego de Yrene. E para fazer com que ela trincasse os dentes, sabendo o quanto Elide era jovem quando ocorrera, o quão insuportavelmente doloroso havia sido... sabendo que o próprio tio fizera aquilo com ela.

— O que foi? — sussurrou Elide.

— Nada... quero dizer, além do que você já sabe.

Tanta crueldade. Tanta crueldade terrível e imperdoável.

Yrene recolheu a magia de volta, mas manteve as mãos no tornozelo da jovem.

— Esse ferimento precisaria de semanas de trabalho para ser consertado, e, com nossas circunstâncias atuais, não acho que nenhuma de nós conseguiria. — Elide assentiu. — Mas se sobrevivermos a esta guerra, posso ajudá-la, caso queira.

— O que seria preciso?

— Há dois caminhos — explicou Yrene, deixando que parte de sua magia passasse para a perna de Elide, acalmando os músculos doloridos, os pontos onde osso raspava em osso sem amortecimento. A lady suspirou. — O primeiro é o mais difícil. Seria preciso que eu reestruturasse completamente seu pé e seu tornozelo. O que significa que eu precisaria quebrar o osso, tirar as partes que se curaram ou se fundiram errado e, então, fazê-las crescer de novo. Você não poderia andar enquanto eu trabalhasse nisso, e, mesmo com a ajuda que eu poderia dar para a dor, a recuperação seria dolorosa. — Não havia como disfarçar aquela verdade. — Eu precisaria de três semanas para tirar os ossos e recolocá-los, mas você precisaria de pelo menos um mês descansando e aprendendo a andar de novo.

O rosto de Elide empalidecera.

— E a outra opção?

— A outra opção seria não fazer a cura, mas lhe dar um bálsamo, como aquele que você disse que Lorcan lhe deu, para ajudar com as dores. Mas preciso avisar: a dor jamais irá completamente embora. Com a forma como seus ossos raspam aqui — ela tocou cuidadosamente um ponto no peito do pé de Elide, então um ponto perto dos dedos —, a artrite já está se estabelecendo. Conforme os ossos continuam a raspar uns nos outros, a artrite, essa dor que você sente quando anda, só vai piorar. Pode haver um momento em alguns anos, talvez cinco, talvez dez, é difícil dizer, em que vai achar a dor tão intensa que nem mesmo o bálsamo poderá ajudar.

— Então eu precisaria da cura, de toda forma.

— A decisão é sua sobre se sequer vai querer a cura. Só quero que tenha uma ideia melhor do caminho adiante. — Ela sorriu para a jovem. — Cabe a você decidir como quer lidar com isso.

Yrene deu tapinhas no pé de Elide, e ela o abaixou de novo para o chão, então colocou a meia, depois a bota. Movimentos eficientes, fáceis.

A curandeira bebeu o chá, já frio o bastante. A energia refrescante da hortelã a percorreu, limpando sua mente e acalmando seu estômago.

— Não sei se consigo enfrentar aquela dor de novo — confessou Elide.

Yrene assentiu.

— Com esse tipo de ferimento, seria preciso enfrentar muitas coisas dentro de você. — Ela sorriu para a entrada da carruagem. — Meu marido e eu acabamos de passar por uma jornada assim juntos.

— Foi difícil?

— Incrivelmente. Mas ele conseguiu. Nós conseguimos.

Elide refletiu, então deu de ombros.

— Precisaríamos sobreviver a esta guerra primeiro, suponho. Se sobrevivermos... aí poderemos conversar sobre isso.

— Justo.

Elide franziu a testa para o teto da carruagem.

— Eu me pergunto o que descobriram lá em cima.

Lá em cima na Ômega e na Canino do Norte, onde Chaol e os demais estavam reunidos com os criadores e os pastores que foram deixados para trás.

Yrene não queria saber mais que isso, e Chaol não lhe oferecera qualquer outro indício de como iriam extrair informação dos homens.

— Espero que seja algo que valha nossa visita a este lugar terrível — murmurou a curandeira, bebendo o resto do chá. Quanto antes se fossem, melhor.

Era como se os deuses estivessem rindo dela... das duas. Uma batida às portas da carruagem fez com que Elide fosse até lá pouco antes de Borte surgir. O rosto da jovem estava estranhamente sério.

Yrene se preparou, mas foi com Elide que a montadora de ruks falou.

— Você precisa vir comigo — avisou Borte, sem fôlego. Atrás da menina, Arcas esperava, com um pardal empoleirado na sela. Falkan Ennar. Não um companheiro, percebeu Yrene, mas um guarda a mais.

— O que houve? — perguntou Elide.

Borte se inquietou, se por impaciência ou ansiedade, Yrene não soube dizer.

— Encontraram alguém na montanha. Querem você lá em cima... para decidir o que fazer com ele.

Elide ficou imóvel. Completamente imóvel.

— Quem? — perguntou Yrene.
A boca de Borte se contraiu.
— O tio dela.

⁓

Elide se perguntou se a rukhin a rejeitaria para sempre caso vomitasse em Arcas inteira. De fato, durante o voo rápido e íngreme para o alto da ponte que se estendia da Ômega para a Canino do Norte, ela fez o possível para não vomitar o conteúdo do estômago nas penas do pássaro.

— Eles o encontraram escondido na Canino do Norte — explicara Borte antes de puxar Elide para a sela, com Falkan já voando para o alto da face lisa do desfiladeiro. — Tentando fingir ser um treinador de serpentes aladas. Mas um dos outros treinadores o entregou. A rainha Aelin a chamou assim que o prenderam. Seu tio, não o treinador, quero dizer.

Elide não conseguira responder. Apenas assentira.

Vernon estava lá. No desfiladeiro. Não em Morath com o mestre, mas *ali*.

Gavriel e Fenrys estavam esperando quando Arcas aterrissou na abertura cavernosa que dava para a Canino do Norte. A rocha toscamente escavada pairava como uma boca aberta, e o fedor do que havia ali dentro fez o estômago de Elide se revirar de novo. Como carne pútrida e coisa pior. Valg, sem dúvida, mas também um cheiro de ódio e crueldade e corredores fechados, sufocantes.

Os dois machos feéricos silenciosamente caminharam a seu lado enquanto entravam. Nenhum sinal de Lorcan ou Aelin. Ou do tio de Elide.

Homens estavam mortos em alguns dos corredores escuros pelos quais Fenrys e Gavriel a levaram, mortos pelos rukhin quando eles entraram. De nenhum deles escorria sangue escuro, mas, mesmo assim, exalavam aquele fedor. Como se o lugar tivesse contaminado suas almas.

— Estão logo ali — avisou Gavriel, baixinho, carinhosamente.

As mãos de Elide começaram a tremer, e Fenrys colocou a dele no ombro da moça.

— Ele está bem preso.

Ela sabia que não era com meras cordas ou correntes. Provavelmente com fogo e gelo, e talvez até mesmo o próprio poder sombrio de Lorcan.

Mas isso não a impediu de tremer, de se tornar pequena e frágil quando viraram uma esquina e viram Aelin, Rowan e Lorcan parados diante de uma porta fechada. Mais adiante no corredor, Nesryn e Sartaq, assim como Lorde Chaol, esperavam; deixando que decidissem o que fazer.

Deixando que Elide decidisse.

O rosto sério de Lorcan parecia congelado com ódio, os olhos infinitos eram poças frígidas de noite. Com a voz baixa, ele falou:

— Não precisa entrar lá.

— Pedimos para trazê-la aqui — começou Aelin, o próprio rosto um retrato de ira contida — para que pudesse escolher o que fazer com ele. Se vai querer falar com seu tio antes de nós.

Um olhar para as facas ao lado de Rowan e Lorcan, para a forma como os dedos da rainha se flexionaram, e Elide soube o que aquele tipo de conversa incluiria.

— Querem torturá-lo por informação? — Ela não ousou encarar Aelin.

— Antes de receber o que merece — grunhiu Lorcan.

Elide olhou do macho que amava para a rainha a quem servia. E seu coxear jamais pareceu tão acentuado, tão óbvio, quanto quando se aproximou um passo.

— Por que ele está aqui?

— Ele ainda precisa revelar isso — respondeu Rowan. — E, embora não tenhamos confirmado sua presença aqui, ele suspeita. — Um olhar para Lorcan. — A decisão é sua, lady.

— Vão matá-lo independentemente disso?

— Quer que nós o matemos? — perguntou Lorcan. Meses antes, ela dissera a ele que fizesse isso. E o guerreiro concordara. Isso fora antes de Vernon e os ilken sequestrarem-na, antes da noite em que Elide estivera disposta a se entregar à morte em vez de acompanhá-lo até Morath.

A jovem olhou para dentro. Deram a ela a cortesia do silêncio.

— Eu gostaria de falar com ele antes de decidirmos seu destino.

Uma reverência da cabeça de Lorcan foi sua única resposta antes de abrir a porta atrás de si.

Tochas tremeluziram; a câmara estava vazia, exceto por uma mesa de trabalho contra uma das paredes.

E o tio, preso por ferro grosso, sentado em uma cadeira de madeira.

As roupas requintadas estavam desgastadas, os cabelos pretos embaraçados, como se tivesse lutado ao ser amarrado. De fato, havia sangue seco em uma de suas narinas. Seu nariz estava inchado.

Estilhaçado.

Um olhar para a direita de Elide confirmou o sangue nas articulações dos dedos de Lorcan.

Vernon esticou o corpo quando sua sobrinha parou a vários metros de distância e a porta se fechou. Lorcan e Aelin estavam meros passos atrás, enquanto os demais permaneceram no corredor.

— De que poderosa companhia você desfruta ultimamente, Elide — comentou Vernon.

Aquela voz. Mesmo com o nariz quebrado, aquela voz sedosa, horrível, parecia garras passando em sua pele.

Mas Elide manteve o queixo erguido. Manteve os olhos no tio.

— Por que está aqui?

— Primeiro deixa o brutamontes me atacar — disse Vernon, em tom arrastado, assentindo para Lorcan —, então manda a menina de rosto doce para arrancar respostas? — Um sorriso para Aelin. — Uma técnica sua, Majestade?

Aelin encostou na parede de pedra, e suas mãos deslizaram para os bolsos. Nada humano naquele rosto. Embora Elide tivesse percebido a forma como as mãos, mesmo contidas, se agitaram.

Amarrado em ferro. Surrado.

Apenas semanas antes, havia sido a própria rainha quem estivera no lugar de Vernon. E agora parecia que ela estava ali por pura força de vontade. Estava ali, pronta para arrancar informações de Vernon, por Elide.

Isso deu à jovem força suficiente para que dissesse ao tio:

— Seus fôlegos estão contados. Sugiro que os use sabiamente.

— Impiedosa. — Vernon riu. — O sangue de bruxa em suas veias é verdadeiro, no fim das contas.

Ela não podia suportar aquilo. Estar naquela sala com ele. Respirar o mesmo ar que o homem que sorrira enquanto seu pai era executado, sorrira enquanto a trancava naquela torre durante dez anos. Sorrira enquanto tocava Kaltain, fizera muito pior talvez, e então tentara vender Elide a Erawan para procriação.

— Por quê? — perguntou ela.

Era a única pergunta em que conseguia pensar, que realmente importava.

— Por que fazer tudo aquilo?

— Como meus fôlegos são limitados — argumentou Vernon —, suponho que não faça diferença o que eu conte. — Um leve sorriso lhe repuxou os lábios. — Porque eu podia — declarou o tio. Lorcan grunhiu. — Porque meu irmão, seu pai, era um brutamontes insuportável cuja única qualificação para governar era a ordem em que nascemos. Um guerreiro-brutamontes — disparou Vernon, com escárnio para Lorcan. Então para Elide. — A preferência de sua mãe parece ter passado para você também. — Uma sacudida de cabeça cheia de ódio. — Uma pena. Ela era de uma beleza rara, sabe. Uma pena que tenha sido morta defendendo Vossa Majestade. — Calor emanou pela sala, mas o rosto de Aelin permaneceu inabalado. — Poderia ter havido um lugar para ela em Perranth se não tivesse...

— Chega — interrompeu Elide, baixo, mas não com fraqueza. Ela deu mais um passo na direção do tio. — Então você sentia inveja. De meu pai. Inveja de sua força e de seu talento. De sua esposa. — Vernon abriu a boca, mas a jovem ergueu a mão. — Ainda não terminei.

Ele piscou.

Elide manteve a respiração calma, os ombros eretos.

— Não me importa o motivo de sua presença aqui. Não me importo com o que planejam fazer a você. Mas quero que saiba que assim que eu sair desta câmara, jamais pensarei em você de novo. Seu nome será apagado de Perranth, de Terrasen, de Adarlan. Jamais se ouvirá um sussurro sobre você, e não haverá nenhum lembrete. Você será esquecido.

Vernon empalideceu... apenas de leve. Então sorriu.

— Apagado de Perranth? Diz isso como se não soubesse, *Lady* Elide. — Ele se curvou para a frente até onde as correntes permitiam. — Perranth está agora nas mãos de Morath. *Sua* cidade foi saqueada.

As palavras a atingiram como um golpe, e mesmo Lorcan inspirou fundo.

O tio se reclinou de volta, arrogante como um gato.

— Vá em frente e me apague, então. Com os escombros, não será difícil.

Perranth tinha sido capturada por Morath. Elide não precisava olhar por cima do ombro para saber que os olhos de Aelin estavam quase brilhando. Ruim... aquilo era muito pior do que tinham antecipado. Precisavam agir rápido. Chegar ao norte o mais rápido possível.

Então Elide se virou para a porta, Lorcan caminhando à frente para abri-la.

— É isso? — indagou Vernon.

Ela parou. E se virou lentamente.

— O que mais eu poderia ter para dizer a você?

— Não me pediu detalhes. — Outro sorriso viperino. — Ainda não aprendeu a jogar o jogo, Elide.

A jovem devolveu o sorriso com um próprio.

— Não há nada mais que eu queira ouvir de você. — Ela olhou para Lorcan e Aelin, para seus companheiros reunidos no corredor. — Mas eles ainda têm perguntas.

O rosto de Vernon ficou da cor de leite estragado.

— Quer me deixar nas mãos deles, completamente indefeso?

— Eu estava indefesa quando você deixou minha perna sem tratamento — lembrou ela, tomada por um tipo de calma tranquila. — Eu era uma criança na época e sobrevivi. Você é um homem adulto. — Elide deixou seus lábios se curvarem em outro sorriso. — Veremos se também sobreviverá.

Ela não tentou esconder o coxear ao sair andando. Ao ver o olhar de Lorcan e o orgulho que brilhava ali.

Nenhum sussurro — sequer um sussurro daquela voz que a tinha guiado. Não por medo, mas... Talvez ela não precisasse de Anneith, Senhora das Coisas Sábias. Talvez a deusa soubesse que não era necessária.

Não mais.

༄

Aelin sabia que com apenas uma palavra, Lorcan rasgaria a garganta de Vernon. Ou talvez começasse lhe quebrando os ossos.

Ou o esfolasse vivo, como Rowan fizera com Cairn.

E ao seguir Elide, a cabeça da Lady de Perranth ainda erguida, Aelin obrigou a própria respiração a permanecer calma. A se preparar para o que viria. Ela conseguiria superar aquilo. Afastar o tremor nas mãos, o suor frio nas costas. Para descobrir o que precisavam, poderia encontrar alguma forma de suportar a tarefa seguinte.

Elide parou no corredor, então Gavriel, Rowan e Fenrys deram um passo mais para perto. Nenhum sinal de Nesryn, Chaol ou Sartaq, embora um grito provavelmente bastasse para reuni-los naquela ala pútrida.

Pelos deuses, o fedor daquele lugar. Aquela *sensação*.

Aelin estivera debatendo durante a última hora se não seria melhor, por sua sanidade e seu estômago, voltar à forma humana — para o abençoado olfato menos aguçado que oferecia.

Então Elide falou para nenhum deles em especial:

— Não me importa o que façam com ele.

— Você faz questão de que ele saia daqui com vida? — perguntou Lorcan, com uma calma letal.

Ela estudou o macho de cujo coração era dona.

— Não. — *Que bom*, foi o que Aelin quase disse. A jovem acrescentou: — Mas que seja rápido. — Lorcan abriu a boca, mas Elide sacudiu a cabeça. — Meu pai desejaria assim.

Puna todos eles, foi o que Kaltain fizera Aelin prometer. E Vernon, pelo que Elide contara à rainha, parecia estar no topo da lista de Kaltain.

— Precisamos interrogá-lo primeiro — disse Rowan. — Ver o que ele sabe.

— Então façam isso — respondeu Elide. — Mas, quando chegar a hora, que seja rápido.

— Rápido — ponderou Fenrys. — Mas não indolor?

O rosto de Elide estava frio, impassível.

— Podem decidir.

O sorriso cruel de Lorcan disse o bastante a Aelin. Assim como o machado, idêntico ao de Rowan, brilhando ao lado do corpo do guerreiro.

As palmas das mãos da rainha ficaram suadas. Estavam suadas desde que tinham amarrado Vernon, desde que vira as correntes de ferro.

Aelin buscou a própria magia. Não a chama revolta, mas a gota d'água tranquilizadora. Ela ouviu aquela canção silenciosa, deixando que percorresse seu corpo. E ao encalço, Aelin soube o que queria fazer.

Lorcan deu um passo na direção da porta da câmara, mas a rainha lhe bloqueou o caminho e falou:

— A tortura não vai tirar nada dele.

Mesmo Elide piscou diante daquilo.

— Vernon gosta de jogos — prosseguiu Aelin. — Então vou jogar.

Os olhos de Rowan se extinguiram. Como se pudesse sentir o cheiro do suor nas mãos da parceira, como se soubesse que fazer aquilo do jeito antiquado... Isso a faria vomitar as entranhas na beira da Canino do Norte.

— Jamais subestime o poder de quebrar alguns ossos — replicou Lorcan.

— Veja o que consegue arrancar dele — disse Rowan para ela em vez disso. Lorcan se virou, abrindo a boca, mas o príncipe feérico grunhiu: — Podemos decidir, aqui e agora, o que queremos ser como corte. Agimos como nossos inimigos? Ou encontramos métodos alternativos para fazê-los ceder?

O parceiro a encarou, a compreensão brilhando ali.

Lorcan ainda parecia pronto para discutir.

Apesar da dor fantasma das correntes nos pulsos, o peso de uma máscara no rosto, Aelin falou:

— Faremos do meu jeito primeiro. Ainda pode matá-lo, mas tentamos de minha forma primeiro. — Quando Lorcan não protestou, ela acrescentou: — Precisamos de cerveja.

Aelin deslizou a caneca de cerveja fria sobre a mesa para onde Vernon estava agora sentado, com as correntes frouxas o suficiente para que usasse as mãos.

Um movimento em falso e seu fogo o derreteria.

Apenas o Leão e Fenrys estavam no aposento, posicionados às portas.

Rowan e Lorcan tinham grunhido para a ordem de Aelin para que ficassem no corredor, mas ela argumentara que apenas minariam seus esforços ali.

A rainha bebeu da própria caneca e soltou um murmúrio.

— Que dia esquisito, quando é preciso elogiar o bom gosto do inimigo em cerveja.

Vernon franziu a testa para a caneca.

— Não está envenenada — disse Aelin. — Não teria propósito algum se estivesse.

Ele tomou um pequeno gole.

— Suponho que ache que me encher de cerveja e falar comigo como se fôssemos velhos amigos vá me fazer contar o que quer saber.

— Preferiria a outra opção? — Ela deu um leve sorriso. — Eu certamente não.

— Os métodos podem ser diferentes, mas o resultado final será o mesmo.

— Conte algo interessante, Vernon, e talvez isso mude.

Os olhos do homem a examinaram.

— Se eu soubesse que se tornaria tal rainha, talvez não tivesse me incomodado em me ajoelhar para Adarlan. — Um sorriso malicioso. — Tão diferente de seus pais. Seu pai já torturou um homem?

Ignorando a provocação, Aelin bebeu, molhando a boca com a cerveja, como se pudesse lavar a mácula daquele lugar.

— Você tentou, sem sucesso, conquistar poder para si mesmo. Primeiro ao roubá-lo de Elide, então ao tentar vendê-la para Erawan. Morath saqueou Perranth e sem dúvida marcha para Orynth, mas, mesmo assim, nós o encontramos aqui. Escondido. — Aelin bebeu de novo. — Alguém poderia achar que as graças de Erawan estão com outra pessoa.

— Talvez ele tenha me posicionado aqui por um motivo, Majestade.

Sua magia já o sondara. Para se certificar de que nenhum coração de ferro ou pedra de Wyrd batia no peito do homem.

— Acho que você foi deixado de lado — comentou ela, recostando-se e cruzando os braços. — Acho que durou mais que sua utilidade, principalmente depois de fracassar em recapturar Elide, e Erawan não teve vontade de se livrar de vez de um lacaio, mas também não o queria emburrado por lá. Então aqui está. — Ela gesticulou com a mão para a câmara, para a montanha acima de ambos. — No adorável desfiladeiro Ferian.

— É lindo na primavera — observou Vernon.

Aelin sorriu.

— De novo, diga algo interessante e talvez viva para vê-la.

— Jura? Por seu trono? Que não vai me matar? — Um olhar para Fenrys e Gavriel, impassíveis atrás da jovem. — E nenhum de seus companheiros também?

Aelin riu com escárnio.

— Eu esperava que você fosse aguentar um pouco mais antes de mostrar seu trunfo. — Ela entornou o resto da cerveja. — Mas sim. Juro que nem eu nem meus companheiros o mataremos se nos contar o que sabe.

Fenrys se sobressaltou. Toda a confirmação de que Vernon precisava da sinceridade de Aelin... de que não tinham planejado aquilo.

O homem bebeu intensamente da cerveja. Então falou:

— Maeve foi até Morath.

Aelin ficou feliz por estar sentada. Ela manteve a expressão entediada, impassível.

— Para ver Erawan?

— Para se unir a ele.

⇥ 80 ⇤

A sala estava girando devagar. Mesmo a gota de magia de sua mãe não conseguiu acalmá-la.

Pior. Pior que qualquer coisa que Aelin imaginara ouvir dos lábios de Vernon.

— Maeve levou o exército? — Sua voz fria e inabalada soou distante, muito distante.

— Ela não levou ninguém além de si mesma.

— Nenhum exército... nenhum mesmo?

Vernon bebeu de novo.

— Não que eu tivesse visto, antes de Erawan me mandar para longe em uma serpente alada, na calada da noite, alegando que eu havia feito perguntas demais e que seria *mais adequado* me posicionar aqui.

Erawan ou Maeve deviam saber. De alguma forma. Que eles acabariam ali, e o tinham plantado naquele caminho. Para contar aquilo ao grupo.

— Ela contou onde seu exército estava? — Não em Terrasen, se tivesse avançado para Terrasen...

— Ela não disse, mas presumi que suas forças foram deixadas perto da costa, aguardando ordens de para onde velejar.

Aelin dominou a náusea crescente.

— Descobriu o que Maeve e Erawan planejam fazer?

— Enfrentá-la, eu apostaria.

Ela se obrigou a encostar na cadeira, com expressão entediada, casual.

— Sabe onde Erawan guarda a terceira chave de Wyrd?

— O que é isso?

Não era uma pergunta capciosa.

— Uma pedra preto-prateada, como aquela implantada no braço de Kaltain Rompier.

Os olhos de Vernon estremeceram.

— Ela também tinha o dom do fogo, sabia? Tremo ao pensar no que poderia acontecer se Erawan colocasse a pedra dentro de *seu* braço.

Ela o ignorou.

— Então?

O homem terminou a cerveja.

— Não sei se ele possuía outra além daquela no braço de Kaltain.

— Ele tinha. Tem.

— Então não sei onde está, sei? Só sabia que minha ardilosa sobrinha a roubou.

Aelin se conteve para não trincar os dentes. Maeve e Erawan... unidos. E nenhum sussurro de onde estavam Dorian e Manon com as outras duas chaves.

Ela não deu atenção às paredes, que começaram a se aproximar, ao suor frio, que escorreu de novo pelas costas.

— Por que Maeve se aliou a Erawan?

— Não me incluíram nessa discussão. Fui despachado até aqui rapidamente. — Um lampejo de irritação. — Mas ela, de alguma forma, tem... influência sobre Erawan.

— O que aconteceu com as Dentes de Ferro posicionadas aqui no desfiladeiro?

— Chamadas para o norte. Para Terrasen. Receberam ordens de se juntar à legião que já estava a caminho depois de desviar o exército na fronteira, então em Perranth.

Pelos deuses. Foi preciso todo o seu treinamento para pensar além do rugido na cabeça.

— Cem mil soldados marcham em Orynth — disse Vernon, rindo. — Seu fogo será o bastante para impedi-los?

Aelin colocou a mão no cabo de Goldryn. O coração batia forte.

— A que distância estão da cidade?

Ele deu de ombros.

— Já estavam marchando havia alguns dias quando a legião das Dentes de Ferro saiu daqui.

Aelin calculou a distância, o terreno, o tamanho do exército. Estavam a duas semanas de distância na melhor das hipóteses, se o tempo não os detivesse. Duas semanas atravessando a floresta densa e o território inimigo.

Jamais chegariam a tempo.

— Maeve e Erawan se juntarão a eles?

— Eu presumiria que sim. Não com o grupo inicial, por motivos que não me foram informados, mas seguirão para Orynth. E a enfrentarão lá.

Sua boca secou. Aelin ficou de pé.

Vernon franziu a testa para ela.

— Não gostaria de perguntar se sei sobre as fraquezas de Erawan, ou qualquer surpresa reservada a você?

— Tenho tudo de que preciso saber. — Ela indicou com o queixo Fenrys e Gavriel, e o primeiro se afastou da parede para abrir a porta. O segundo, no entanto, começou a apertar as correntes de Vernon de novo. Ancorando-o à cadeira, amarrando as mãos do homem aos braços.

— Não vai me soltar? — indagou ele. — Eu lhe dei o que você queria.

Aelin recuou um passo, para o corredor, reparando na fúria no rosto de Lorcan. Ele ouvira cada palavra, incluindo o juramento de não deixar que o macho matasse Vernon.

A rainha lançou ao homem um sorriso torto por cima do ombro.

— Não disse nada sobre soltá-lo.

Vernon ficou imóvel.

Aelin deu de ombros.

— Eu disse que nenhum de *nós* o mataria. Não é nossa culpa se não consegue se soltar dessas correntes, é?

O sangue se esvaiu do rosto do homem.

— Você acorrentou e trancou minha amiga em uma torre durante dez anos. Vejamos o que acha da experiência — acrescentou Aelin, a voz baixa, o sorriso se tornando cruel. — Mas, depois que lidarmos com os treinadores, não acho que restará ninguém para alimentá-lo; ou lhe trazer água; ou mesmo ouvir seus gritos. Então duvido de que sobreviva dez anos antes de o fim reivindicá-lo, mas dois dias? Três? Posso aceitar isso, acho.

— Por favor — implorou Vernon, enquanto Gavriel estendia a mão para a maçaneta da porta, a fim de selar o homem do lado de dentro.

— Marion salvou minha vida — lembrou Aelin, encarando-o. — E você alegremente se curvou para o homem que a matou. Talvez tenha até mesmo dito ao rei de Adarlan onde nos encontrar. Todos nós.

— *Por favor*! — guinchou o homem.

— Devia ter guardado aquela caneca de cerveja. — Foi tudo o que ela disse antes de assentir para Gavriel.

Vernon começou a gritar quando a porta se fechou. E Aelin virou a chave. Silêncio tomou o corredor.

A rainha encarou os olhos arregalados de Elide. Lorcan estava parado, selvagemente satisfeito, ao lado da jovem.

— Não será rápido dessa forma — observou Aelin, estendendo a chave para a jovem. O resto da pergunta pairou no ar.

Vernon continuava gritando, implorando para que voltassem, para que o desamarrassem.

Elide estudou a porta selada. O homem desesperado atrás dela.

A Lady de Perranth pegou a chave que lhe fora estendida e a colocou no bolso.

— Deveríamos encontrar uma forma melhor de selar essa sala.

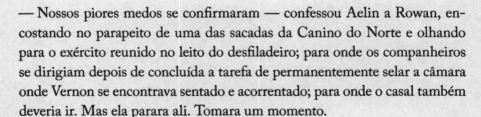

— Nossos piores medos se confirmaram — confessou Aelin a Rowan, encostando no parapeito de uma das sacadas da Canino do Norte e olhando para o exército reunido no leito do desfiladeiro; para onde os companheiros se dirigiam depois de concluída a tarefa de permanentemente selar a câmara onde Vernon se encontrava sentado e acorrentado; para onde o casal também deveria ir. Mas ela parara ali. Tomara um momento.

Rowan apoiou a mão no ombro de Aelin.

— Nós os enfrentaremos juntos. Maeve e Erawan.

— E os cem mil soldados marchando para Orynth?

— Juntos, Coração de Fogo. — Foi tudo o que ele disse.

Ela só encontrou séculos de treinamento e cálculo frio no rosto do parceiro. Aquela determinação inabalável.

Aelin apoiou a cabeça no ombro de Rowan, a têmpora se enterrando na armadura leve.

— Será que conseguiremos? Será que restará alguma coisa?

Ele afastou os cabelos do rosto da rainha.

— Nós tentaremos. É o melhor que podemos fazer. — As palavras de um comandante que havia entrado e saído de campos de batalha durante séculos.

Rowan uniu as mãos de ambos, e juntos os dois olharam para o exército abaixo. Para a gota de salvação que aquilo representava.

Será que fora uma tola ao gastar aqueles três árduos meses de acúmulo de poder naquele exército em vez de gastá-los em Maeve? Maeve e Erawan? Ainda que ela começasse agora, não seria, não podia jamais ser a mesma coisa.

— Não carregue o fardo dos *e se* — declarou Rowan, lendo as palavras em sua expressão.

Não sei o que fazer, disse Aelin, silenciosamente.

Ele beijou o alto da cabeça da amada. *Juntos*.

E, conforme o vento uivava pelos picos, Aelin percebeu que, talvez, o parceiro também não tivesse uma solução.

81

— Cem mil — sussurrou Ren, aquecendo as mãos diante do fogo crepitante no grande salão. Tinham perdido dois dos Assassinos Silenciosos para arqueiros de Morath em busca de retaliação pela destruição das torres de bruxa, mas não mais que isso, felizmente.

Mesmo assim, a refeição da noite fora sombria. Ninguém tinha realmente comido, não quando a escuridão havia caído e as fogueiras inimigas se acenderam. Mais que conseguiam contar.

Aedion permanecera ali, depois de todos terem se arrastado para as próprias camas. Apenas Ren havia ficado, enquanto Lysandra escoltava Evangeline, ainda trêmula, até o quarto. O que a manhã traria apenas os deuses sabiam.

Talvez os deuses os tivessem abandonado de novo, agora que seu caminho de volta para casa fora trancafiado em uma caixa de ferro. Ou concentravam os esforços inteiramente em Dorian Havilliard.

Ren expirou longamente.

— É isso, não é? Não resta ninguém para vir nos ajudar.

— Não vai ser um fim bonito — admitiu Aedion, recostado na lareira.

— Principalmente depois de conseguirem fazer aquela terceira torre voltar a funcionar.

Não teriam outra chance de surpreender Morath agora.

Ele indicou com o queixo o jovem lorde.

— Você deveria descansar.

— E você?

Aedion apenas encarou a chama.

— Teria sido uma honra — declarou Ren. — Servir nesta corte. Com você.

O príncipe-general fechou os olhos, engolindo em seco.

— Teria sido uma honra de fato.

Ren deu tapinhas no ombro do guerreiro. Então seus passos em retirada soaram pelo corredor.

Aedion permaneceu sozinho à luz tremeluzente da fogueira por mais alguns minutos, antes de se recolher, atrás de qualquer sono que conseguisse.

Ele quase chegara à entrada da torre leste quando a viu.

Lysandra parou, um copo do que parecia ser leite fervendo nas mãos.

— Para Evangeline — explicou a metamorfa. — Ela não consegue dormir. A menina estivera trêmula o dia todo. Parecera prestes a vomitar na mesa.

— Posso falar com ela? — perguntou Aedion, apenas.

Lysandra abriu a boca, como se para negar, e ele estava disposto a não insistir, mas ela assentiu.

Os dois caminharam em silêncio durante todo o trajeto para a torre norte, então subiram, mais e mais e mais. Até o antigo quarto de Rose. Ren devia tê-lo arrumado de novo. A porta estava entreaberta, e luz dourada vazava para o lance de escadas.

— Trouxe um pouco de leite — anunciou Lysandra, quase inabalada pela subida. — E companhia — acrescentou ela para a menina, quando Aedion entrou no cômodo aconchegante. Apesar dos anos de negligência, o quarto de Rose no castelo real permanecia intocado, um dos poucos quartos de que se poderia dizer tal coisa.

Os olhos de Evangeline se arregalaram no momento que ela o viu, e Aedion ofereceu à menina um sorriso antes de se sentar do lado da cama. Evangeline tomou o leite que Lysandra ofereceu, bebendo um gole, os nós dos dedos esbranquiçados em torno do copo, conforme a metamorfa se sentava na outra ponta do colchão.

— Antes de minha primeira batalha — confessou Aedion para a menina —, passei a noite toda no banheiro.

— Você? — Ela deu um gritinho.

O guerreiro sorriu.

— Ah, sim. Quinn, o velho capitão da guarda, disse que era um milagre eu ainda ter alguma coisa dentro do corpo quando o dia raiou. — Uma dor antiga lhe encheu o peito ao mencionar seu mentor e amigo, o homem que ele admirara tão imensamente. Que encontrara seu destino, como Aedion faria, na planície além daquela cidade.

Evangeline soltou uma risadinha.

— Que nojo!

— Certamente foi — concordou Aedion, e podia ter jurado que Lysandra sorria um pouco. — Então você já é *muito* mais corajosa do que eu jamais fui.

— Eu vomitei mais cedo — sussurrou ela.

O príncipe-guerreiro falou, com um sussurro conspiratório:

— Melhor que cagar nas calças, querida.

Evangeline soltou uma gargalhada profunda que a obrigou a segurar o copo para não derramar o leite.

Aedion sorriu, então bagunçou os cabelos vermelho-dourados da menina.

— A batalha não será bonita — observou ele, quando Evangeline tomou o leite. — E você provavelmente vomitará de novo. Mas lembre-se de que esse seu medo significa que tem algo pelo que lutar, algo com que se importa tanto a ponto de não ser capaz de imaginar a vida sem isso. — Ele apontou para as janelas cobertas de gelo. — Aqueles desgraçados lá fora na planície? Eles não têm nada. — Ele apoiou a mão na de Evangeline e apertou com carinho. — Não têm *nada* por que lutar. E, embora estejamos em menor número, *nós* temos algo que vale a pena defender. E por causa disso podemos superar o medo. Podemos lutar contra eles, até o fim. Por nossos amigos, por nossa família... — Ele apertou a mão da menina depois disso de novo. — Por aqueles que amamos... — Aedion ousou erguer o rosto para Lysandra, cujos olhos verdes estavam cheios de lágrimas. — Por aqueles que amamos podemos superar esse medo. Lembre-se disso amanhã. Mesmo que vomite, mesmo que passe a noite toda no banheiro. Lembre-se de que temos algo pelo qual vale a pena lutar, e isso sempre triunfará.

Evangeline assentiu.

— Vou lembrar.

Aedion bagunçou seus cabelos de novo e caminhou até a porta, parando à ombreira. Ele encarou Lysandra, os olhos da metamorfa brilhavam como esmeraldas.

— Perdi minha família há dez anos. Amanhã lutarei pela que conquistei.

Não apenas por Terrasen e sua corte e seu povo. Mas também pelas duas damas naquele quarto.

Eu queria que fosse você no fim das contas.

Ele quase disse as palavras de Lysandra naquele momento. Quase as repetiu para ela quando algo como tristeza e desejo invadiu a expressão da jovem.

Mas Aedion saiu do quarto, fechando a porta atrás de si.

Lysandra mal dormiu. Sempre que fechava os olhos, via a expressão no rosto de Aedion, ouvia suas palavras.

Ele não esperava sobreviver àquela batalha. Não esperava que nenhum deles o fizesse.

Lysandra devia ter seguido o general. Corrido pelas escadas da torre atrás de Aedion.

Mas não o fez.

O alvorecer chegou, trazendo um dia claro. Para que pudessem ver com mais nitidez o tamanho da horda que os aguardava.

A metamorfa trançou os cabelos de Evangeline, que estava com as costas mais rígidas que na véspera. Lysandra podia agradecer a Aedion por isso. Pelas palavras que permitiram que a menina dormisse à noite.

Com o queixo de Evangeline erguido, elas caminharam em silêncio até o grande salão para o que poderia muito bem ser o último café da manhã de ambas.

Estavam quase lá quando uma voz idosa chamou:

— Eu gostaria de conversar com vocês.

Darrow.

Evangeline se virou antes de Lysandra.

O velho lorde estava parado à porta do que parecia ser um escritório, e as chamou para dentro.

— Não levará muito tempo — explicou ele ao reparar no desprazer ainda no rosto de Lysandra.

Já estava farta de ser *agradável* com homens que não lhe despertavam o menor interesse em parecer *agradável*.

Evangeline olhou para ela com uma pergunta silenciosa, mas a metamorfa indicou com o queixo o idoso.

— Muito bem.

O escritório estava entulhado com livros; pilhas e pilhas contra as paredes, pelo chão. Bem mais que mil. Muitos quase carcomidos devido à idade.

— Os últimos textos sagrados da Biblioteca de Orynth — comentou Darrow, dirigindo-se para a mesa cheia de papéis diante de uma estreita janela de vidro. — Tudo o que os Mestres Acadêmicos conseguiram salvar há dez anos.

Tão poucos. Tão poucos em comparação com o que Aelin disse que um dia existira naquela biblioteca quase mítica.

— Mandei trazê-los para fora do esconderijo depois da queda do rei — explicou Darrow, sentando-se atrás da mesa. — O otimismo de um tolo, suponho.

Lysandra caminhou para uma das pilhas, olhando um dos títulos. Em uma língua que não reconhecia.

— Os resquícios de uma civilização um dia grandiosa — disse o lorde, com a voz pastosa.

E foi o leve embargo naquela voz que a fez se virar. Ela abriu a boca para indagar o que ele queria, mas viu o que estava ao lado da mão direita de Darrow.

Fechada em um cristal não maior que uma carta de baralho, a flor vermelha e laranja ali dentro parecia brilhar; como o poder que lhe dava nome.

— A chama do rei — sussurrou Lysandra, incapaz de se conter ao se aproximar.

Aelin e Aedion tinham contado a ela sobre a lendária flor, que florescera nas montanhas e nos campos no dia em que Brannon havia colocado os pés naquele continente, prova da paz que ele trouxera.

E desde aqueles dias antigos, apenas flores avulsas foram vistas, tão raras que seu surgimento era considerado um sinal de que a terra havia abençoado quem quer que fosse o governante sentado no trono de Terrasen. Que o reino estava, de fato, em paz.

Aquela fechada em cristal na mesa do antigo lorde, dissera Aelin, surgira durante o reinado de Orlon. Orlon, o amor da vida de Darrow.

— Os Mestres Acadêmicos pegaram os livros quando ocorreu a invasão de Adarlan — contou o homem, sorrindo com tristeza para a chama do rei. — Eu peguei isto.

O trono de galhadas, a coroa... tudo fora destruído. Exceto por aquele tesouro, tão grandioso quanto qualquer outro pertencente à casa Galathynius.

— É muito linda — disse Evangeline, aproximando-se da mesa. — Mas muito pequena.

Lysandra podia ter jurado que os lábios do velho se contraíram em um sorriso.

— É, de fato — afirmou ele. — Assim como você.

Ela não esperava a suavidade do tom de voz, a bondade. E não esperava as palavras seguintes também:

— A batalha nos alcançará antes do meio-dia — disse Darrow a Evangeline. — Acho que precisarei de alguém de ágil esperteza e pés ainda mais rápidos para me ajudar aqui. Para entregar mensagens a nossos comandantes neste castelo, pegar suprimentos para mim conforme sejam necessários.

A menina inclinou a cabeça.

— Quer que eu o ajude?

— Você treinou durante suas viagens com os guerreiros, imagino.

Evangeline olhou para Lysandra em indagação, e a metamorfa assentiu para a protegida. Todos a tinham supervisionado conforme ela aprendia o básico de espada e arco e flecha na estrada.

A menina assentiu para o velho lorde.

— Tenho alguma habilidade, mas não como Aedion.

— Poucos têm — rebateu Darrow, sarcasticamente. — Mas precisarei de alguém com um coração destemido e a mão firme para me ajudar. Você é essa pessoa?

Evangeline não olhou para Lysandra de novo.

— Sou sim — confirmou ela, erguendo o queixo.

Darrow deu um leve sorriso.

— Então desça até o grande salão, tome seu café da manhã, e, quando voltar para cá, haverá uma armadura a esperando.

Os olhos de Evangeline se arregalaram diante da menção de armadura, nenhum traço de medo os entristeceu.

— Vá. Descerei em um minuto — murmurou Lysandra para ela.

A menina disparou para fora, com a trança voando atrás de si.

Apenas quando a metamorfa teve certeza de que Evangeline *descera*, ela falou:

— Por quê?

— Presumo que essa pergunta signifique que me permite comandar sua protegida.

— Por quê.

Darrow pegou o cristal com a chama do rei.

— Nox Owen não tem mais utilidade para mim, agora que sua lealdade está evidente e ele, aparentemente, sumiu, sabem os deuses para onde, provavelmente a pedido de Aedion. — Ele virou o cristal nos dedos finos. — Mas, além disso, nenhuma criança deveria testemunhar a morte de seus amigos. Mantê-la ocupada, dar-lhe um propósito e um pouco de poder será melhor que trancá-la na torre norte, morrendo de medo de cada som e agonia terríveis.

Lysandra não sorriu, não abaixou a cabeça.

— Faria isso pela protegida de uma prostituta?

Darrow apoiou o cristal.

— É do rosto das crianças de que me lembro há mais de dez anos. Até mesmo mais que o de Orlon. E o rosto de Evangeline ontem, conforme ela olhava para aquele exército... foi o mesmo desespero que vi naquela época. Então você pode achar que sou um grande canalha, como Aedion diria, mas não sou tão desalmado quanto deve imaginar. — Ele indicou a porta aberta.

— Ficarei de olho nela.

Lysandra não tinha tanta certeza do que dizer. Se deveria cuspir no rosto do lorde e mandá-lo para o inferno com a oferta.

Mas a luz nos olhos de Evangeline, a forma como ela saíra correndo dali... Propósito. Darrow oferecera propósito e objetivo à menina.

Então a metamorfa se virou para sair da sala, ficando de costas para o precioso tesouro, os livros antigos que valiam mais que ouro. Os companheiros tristes e silenciosos de Darrow.

— Obrigada.

O lorde gesticulou para que ela se fosse, e voltou a estudar quaisquer que fossem os papéis na mesa, embora seus olhos não se movessem sobre as páginas.

∽

As ameias da cidade estavam cheias de soldados. Cada um com a expressão petrificada diante do que marchava mais e mais perto.

A torre de bruxa ainda estava caída, graças aos deuses. Mas, mesmo de longe, Aedion conseguia ver soldados trabalhando para consertar a roda quebrada. Mas sem outra serpente alada para substituir aquela que caíra no dia anterior, não se moveria tão cedo.

Isso não tornaria aquele dia mais fácil, no entanto. Não, aquele dia doeria.

— Estarão ao alcance dos arqueiros em cerca de uma hora — relatou Elgan.

Ao inferno com as ordens de Darrow. Kyllian ainda era o general, sim, mas cada relatório que o amigo recebia, Aedion também recebia.

— Lembre a eles de fazer os disparos valerem. De escolher alvos.

A Devastação sabia daquilo sem precisar ser lembrada. Os demais... tinham provado seu valor naquelas batalhas, mas um lembrete nunca era demais.

Elgan mirou as seções das muralhas da cidade que Ren e os nobres feéricos julgaram ser vantajosas aos arqueiros. Contra cem mil soldados, talvez só escasseassem as tropas, mas deixar que o inimigo avançasse sem impedimentos até as muralhas seria completa estupidez. E quebraria o espírito daquelas pessoas antes de elas encontrarem seu fim.

— O que é aquilo? — murmurou Ren, apontando para o horizonte.

Aguçados. Os olhos de Ren deviam ser mais aguçados que os da maioria dos humanos, pois não passava de um borrão no horizonte para Aedion.

Um segundo se passou. O borrão escuro começou a tomar forma, subindo para o céu azul.

Voando em sua direção.

— Ilken? — Ren semicerrou os olhos ao protegê-los da luz.

— Grande demais — murmurou Aedion.

Mais perto, a massa voando acima do exército fervilhante se tornou mais clara. Maior.

— Serpentes aladas — disse Aedion, com temor lhe embrulhando o estômago.

O esquadrão aéreo das Dentes de Ferro fora liberado, por fim.

— Pelos deuses — sussurrou Ren.

Contra um cerco terrestre, Orynth poderia ter se mantido; alguns dias ou semanas, mas poderiam ter resistido.

Mas com as mil, ou mais, bruxas Dentes de Ferro que disparavam para eles naquelas serpentes aladas... Não precisariam de torres infernais para destruir aquela cidade e o castelo; para derrubar os portões e as muralhas de Orynth e deixar entrar as hordas de Morath.

Os soldados começaram a notar as serpentes aladas. As pessoas gritavam ao longo das ameias. No alto do castelo que assomava atrás deles.

O cerco nem mesmo teria a chance de ser um cerco.

Acabaria naquele dia. Em algumas horas.

Pés apressados derraparam até parar, então Lysandra estava ali, ofegante.

— Diga o que devo fazer, para onde ir. — Os olhos esmeralda estavam arregalados de terror, terror e desespero impotentes. — Posso me transformar em serpente alada, tentar mantê-las...

— São mais de mil Dentes de Ferro — argumentou Aedion, a voz oca nos ouvidos. O medo da metamorfa afiou algo aguçado e perigoso dentro do guerreiro, mas ele se impediu de estender a mão para ela. — Não há nada que você ou nós possamos fazer.

Algumas dezenas de Dentes de Ferro tinham saqueado Forte da Fenda em questão de horas.

Aquele esquadrão...

Aedion se concentrou na respiração, em manter a cabeça erguida conforme os soldados começavam a abandonar as posições ao longo das muralhas.

Inaceitável.

— *FIQUEM ONDE ESTÃO* — urrou. — *MANTENHAM A LINHA E NÃO RECUEM.*

O comando rugido parou aqueles que pareciam dispostos a fugir, pelo menos. Mas isso não impediu as espadas trêmulas, o fedor do medo crescente.

Aedion se virou para Lysandra e Ren.

— Coloque os lança-chamas de Rolfe no alto das torres e das construções. Veja se conseguem queimar as Dentes de Ferro do céu.

Quando o jovem lorde hesitou, Aedion grunhiu:

— *Faça isso agora.*

Então Ren correu para onde o lorde pirata estava com os soldados mycenianos.

— Isso não vai fazer diferença, vai? — indagou Lysandra, baixinho.

— Pegue Evangeline e vá — respondeu Aedion. — Há um pequeno túnel no andar inferior do castelo que dá nas montanhas. Pegue Evangeline e *vá*.

Ela sacudiu a cabeça.

— Com que objetivo? Morath vai nos encontrar de qualquer forma.

Seus comandantes corriam na direção de Aedion, e, pela primeira vez desde que ele os tinha conhecido, havia um verdadeiro temor brilhando nos olhos da Devastação. Nos olhos de Elgan.

Mas o príncipe-general manteve a atenção fixa em Lysandra.

— Por favor. Estou implorando. Estou *implorando a você*, Lysandra, para que vá.

O queixo da jovem se ergueu.

— Não está pedindo a nossos outros aliados que fujam.

— Porque não estou apaixonado por nossos outros aliados.

Por um segundo, a metamorfa piscou para ele.

Então a expressão de Lysandra se partiu, e Aedion apenas a encarou, sem medo das palavras que dissera. Apenas temendo a massa escura que varria o céu em sua direção, permanecendo em formação acima do exército infinito. Com medo do que aquela legião poderia fazer com ela, com Evangeline.

— Eu deveria ter dito a você — censurou-se Aedion, a voz falhando. — Todo dia depois que me dei conta, todos esses meses. Eu deveria ter dito a você todos os dias.

Lysandra começou a chorar, e ele limpou suas lágrimas.

Os comandantes o alcançaram, pálidos e ofegantes.

— Ordens, general?

Aedion não se incomodou em dizer a eles que não era o general. Não importaria por qual porcaria de nome o chamassem em algumas horas.

Mas Lysandra permaneceu a seu lado. Não fez menção de fugir.

— Por favor — pediu ele à mulher.

A metamorfa apenas entrelaçou os dedos aos dele, em uma resposta silenciosa. E um desafio.

O coração de Aedion se partiu diante daquela recusa. Diante da mão, trêmula e fria, que se agarrou à sua.

Ele apertou os dedos da jovem com força e não os soltou ao encarar os comandantes.

— Nós...

— *Serpentes aladas do norte!*

O aviso gritado estilhaçou as ameias, e Aedion e Lysandra se abaixaram ao se virarem na direção do ataque que vinha pela retaguarda.

Treze serpentes aladas disparavam das montanhas Galhada do Cervo, mergulhando para as muralhas da cidade.

E ao dispararem na direção de Orynth, conforme pessoas e soldados gritavam e fugiam diante delas, o sol bateu na menor das serpentes, que liderava o ataque.

Iluminando asas que pareciam prata viva.

Aedion conhecia aquela serpente alada. Conhecia a montadora de cabelos brancos em seu dorso.

— *NÃO ATIREM* — urrou ele para as fileiras. Os comandantes ecoaram a ordem, e todas as flechas que estavam apontadas para o alto pararam.

— É... — sussurrou Lysandra, tirando a mão da dele ao dar um passo à frente, como se em transe. — É...

Soldados ainda batiam em retirada das muralhas da cidade enquanto Manon Bico Negro e as Treze pousavam ao longo do muro, bem diante de Aedion e Lysandra.

Não era a bruxa que ele vira pela última vez numa praia em Eyllwe.

Não, não havia nada daquela criatura fria e estranha no rosto que lhe dava um sorriso sombrio. Nada dela naquela incrível coroa de estrelas sobre a testa.

Uma coroa de estrelas.

Para a última rainha Crochan.

Uma respiração ofegante e rouca se aproximou, e Aedion tirou os olhos de Manon Bico Negro para ver Darrow correndo pelas muralhas da cidade, boquiaberto ao encarar a bruxa e sua serpente alada, assim como Aedion, por não ter disparado contra ela; ela, que Darrow acreditava ser uma inimiga que viera negociar antes do massacre.

— Não vamos nos render — disparou o lorde.

Asterin Bico Negro, com a serpente alada azul ao lado da de Manon, soltou uma risada baixa.

De fato, os lábios de Manon se curvaram com diversão fria quando ela disse a Darrow:

— Nós viemos nos certificar de que não façam isso, mortal.

— Então por que seu mestre a enviou para falar conosco? — sibilou ele.

Asterin gargalhou diante daquilo.

— Não temos um mestre — respondeu Manon Bico Negro, e foi, de fato, a voz de uma rainha com a qual ela falou, os olhos dourados brilhando. — Viemos honrar uma amiga.

Não havia sinal de Dorian entre as Treze, mas Aedion estava tão zonzo que não tinha palavras para perguntar.

— Viemos — explicou Manon, alto o suficiente para que todos nas muralhas da cidade pudessem ouvir — para honrar uma promessa feita a Aelin Galathynius. Para lutar pelo que *ela* nos prometeu.

Em voz baixa, Darrow perguntou:

— E o que foi isso?

A bruxa sorriu.

— Um mundo melhor.

O lorde deu um passo para trás. Como se não acreditasse no que estava diante de si, desafiando a legião que avançava para sua cidade.

Manon apenas olhou para Aedion, ainda com aquele sorriso nos lábios.

— Há muito tempo, as Crochan lutaram ao lado de Terrasen para honrar a grande dívida que tínhamos com o rei feérico Brannon por nos conceder um lar. Durante séculos, fomos suas aliadas e amigas mais próximas. — Aquela coroa de estrelas brilhava forte em sua testa. — Ouvimos seu chamado por ajuda. — Lysandra começou a chorar. — E viemos atendê-lo.

— Quantas — sussurrou Aedion, observando os céus, as montanhas. — Quantas?

Orgulho e assombro tomaram a expressão da bruxa-rainha, e até os olhos dourados estavam cheios d'água quando Manon apontou para as montanhas Galhada do Cervo.

— Veja você mesmo.

E então, irrompendo de entre os picos, elas surgiram.

Com capas vermelhas esvoaçantes ao vento, elas tomaram o céu setentrional. Tantas que Aedion não conseguia contar, nem as espadas e os arcos e as armas que elas levavam às costas, com suas vassouras voando retas, sem vacilar.

Milhares. Milhares desceram sobre Orynth. Milhares avançaram para a cidade conforme os soldados de Aedion olhavam boquiabertos para cima, para o fluxo de vermelho tremeluzente, destemido e imperturbado pela força inimiga que sombreava o horizonte. Uma a uma, elas pousaram nas ameias vazias do castelo.

Uma legião aérea para desafiar as Dentes de Ferro.

As Crochan tinham retornado, enfim.

82

Cada Crochan que podia voar e usar uma espada havia ido.

Durante dias, correram para o norte, mantendo-se no interior das montanhas, então avançando baixo sobre a floresta de Carvalhal antes de formarem um círculo amplo a fim de evitar a detecção de Morath.

De fato, quando Manon e as Treze se empoleiraram nas muralhas da cidade, com as Crochan passando acima enquanto seguiam para qualquer que fosse o local de aterrissagem que pudessem encontrar nas ameias do castelo, ainda era difícil acreditar que tinham conseguido.

E sem perder uma hora.

Quanto mais avançavam para o norte, mais bruxas Crochan se colocavam em posição. Como se a coroa de estrelas que Manon usava fosse um ímã, convocando-as até ela.

A cada quilômetro, mais surgiam das nuvens, das montanhas, da floresta. Jovens e velhas, de olhar sábio ou rosto inexperiente, elas vinham.

Até que cinco mil seguiam Manon e as Treze.

— O exército parou completamente — sussurrou a metamorfa ao lado de Aedion, apontando para o campo de batalha.

Ao longe, a legião de Morath havia parado.

Parado completamente. Como se em dúvida e choque.

— Sua avó está lá — murmurou Asterin para a bruxa-rainha. — Consigo sentir.

— Eu sei. — Manon se virou para o jovem príncipe-general. — Nós cuidaremos das Dentes de Ferro.

Os olhos turquesa brilhavam como o dia acima quando Aedion indicou a planície.

— Por favor, vão em frente.

A boca de Manon se repuxou para o lado, então ela indicou as Treze com o queixo.

— Estaremos nas ameias de seu castelo. Deixarei uma de minhas sentinelas aqui com você caso precise mandar notícias. — Um aceno de cabeça para Vesta, e a bruxa de cabelos vermelhos não fez menção de voar conforme as demais se afastavam na direção do grande palácio imponente. Manon jamais vira algo como aquilo, mesmo o antigo castelo de vidro em Forte da Fenda não era nada em comparação com aquele.

Manon sorriu para o velho que sibilara para ela, mostrando todos os dentes.

— De nada — disse a bruxa, e, com um estalar das rédeas, foi para o ar.

Morath tinha parado completamente.

Como se reavaliando a estratégia depois que as Crochan surgiram das névoas das lendas. Sem terem sido caçadas até quase a extinção como acreditavam, ao que parecia.

Isso deu a Manon e ao exército que ela levantara a chance de recuperar o fôlego, pelo menos.

E uma noite para dormir, se possível. Ela encontrou os líderes mortais durante o jantar, quando se tornou evidente que Morath não acabaria com eles naquele dia.

Cinco mil Crochan não venceriam aquela guerra. Não impediriam cem mil soldados. Mas poderiam afastar as legiões das Dentes de Ferro; evitar que saqueassem a cidade e que deixassem entrar as hordas de demônios.

Tempo o bastante para um pequeno milagre; qual seria Manon não sabia. Ela não ousara perguntar, e nenhum dos mortais tinha feito a pergunta também.

Será que a cidade poderia sobreviver a cem mil soldados martelando nas muralhas e nos portões? Talvez.

Mas não com a torre de bruxa ainda operacional na planície. Manon tinha poucas dúvidas de que estava sendo consertada no momento, que uma nova serpente alada era trazida. Talvez fosse por isso que tivessem parado... a fim de dar a eles mesmos tempo para subir aquela torre de novo. E explodir as Crochan para o esquecimento.

Apenas o alvorecer revelaria a escolha das Dentes de Ferro. O que tinham realizado.

Manon e as Treze, Bronwen e Glennis com elas, tinham passado horas organizando as Crochan. Designando-as a determinados flancos das Dentes de Ferro com base no conhecimento da bruxa-rainha sobre as formações do inimigo.

Ela criara aquelas formações. Tinha planejado liderá-las.

E, depois que aquilo foi feito, quando a reunião com os governantes mortais acabou, todos eles ainda de rosto sombrio, mas não tão perto do pânico, Manon e as Treze encontraram um quarto no qual dormir.

Algumas velas queimavam no quarto espaçoso, mas nenhuma mobília o preenchia. Nada exceto os sacos de dormir que haviam levado. Manon tentou não olhar por muito tempo para o seu, tentou não encontrar o cheiro que diminuíra a cada quilômetro para o norte.

Onde Dorian estava, o que estava fazendo — ela não se permitiu pensar naquilo.

Apenas porque fazê-lo a mandaria voando de volta ao sul, até Morath.

No quarto escuro, Manon se sentou no saco de dormir, com as Treze a sua volta, e ouviu o caos do castelo.

O lugar mal passava de uma tumba, o fantasma das riquezas assombrava cada canto. Ela se perguntou o que aquele quarto fora um dia, uma sala de reunião, um lugar para dormir, um escritório... Não havia indícios.

A bruxa encostou a cabeça nas pedras frias da parede atrás de si, a coroa descartada perto das botas.

Asterin foi quem falou primeiro, interrompendo o silêncio da aliança:

— Conhecemos cada movimento delas, cada arma. E agora as Crochan conhecem também. As matriarcas devem estar em pânico.

Ela jamais vira a avó em pânico, mas Manon soltou uma gargalhada sombria.

— Veremos amanhã, suponho. — Ela observou as Treze. — Vocês vieram comigo até aqui, mas amanhã enfrentarão seu próprio povo. Talvez venham a enfrentar amigas ou amantes ou familiares. — A líder engoliu em seco. — Não as culparei se não conseguirem.

— Viemos até aqui — disse Sorrel — porque estamos todas preparadas para o que o amanhã trará.

De fato, as Treze assentiram, e Asterin falou:

— Não temos medo.

Não, não tinham. Observando os olhos límpidos ao redor, Manon conseguia ver aquilo.

— Esperaria pelo menos que *algumas* — resmungou Vesta — do desfiladeiro Ferian se juntassem a nós.

— Elas não entendem — comentou Ghislaine. — Sequer o que oferecemos.

Liberdade; liberdade das Matriarcas que as haviam forjado em ferramentas de destruição.

— Um desperdício — grunhiu Asterin. Mesmo as gêmeas-demônio de olhos verdes assentiram.

Silêncio caiu de novo. Apesar dos olhos nítidos, as Treze estavam bastante cientes das limitações de cinco mil Crochan contra as Dentes de Ferro, assim como o exército abaixo destas.

Então Manon falou, encarando cada uma das companheiras:

— Eu preferiria voar com vocês a voar com dez mil Dentes de Ferro a meu lado. — Ela deu um leve sorriso. — Amanhã, nós mostraremos a elas o motivo.

A aliança de Manon sorriu, maliciosa e desafiadora, e levou dois dedos à testa em sinal de respeito.

A líder devolveu o gesto, fazendo uma reverência com a cabeça.

— Nós somos as Treze — disse ela. — De agora até que a Escuridão nos clame.

Evangeline decidiu que não queria mais ser pajem de Lorde Darrow, e sim uma bruxa Crochan.

Uma das mulheres chegou ao ponto de dar à menina de olhos arregalados uma capa vermelha sobressalente, que Evangeline ainda estava usando quando Lysandra a colocou na cama. Ajudaria Darrow no dia seguinte, prometeu ela ao cair no sono. Depois que se certificasse de que as Crochan tinham toda a ajuda de que precisavam.

Lysandra sorrira diante daquilo, apesar de ainda estarem em tamanha desvantagem. Manon Bico Negro — agora Manon Crochan, supunha ela — fora direta na avaliação. As Crochan poderiam manter as Dentes de Ferro longe, talvez derrotá-las se tivessem realmente sorte, mas as hordas de Morath ainda estariam ali para o combate. Depois que o exército marchasse novamente, o plano de defender as muralhas permaneceria o mesmo.

Sem capacidade e disposição para dormir na cama ao lado da de Evangeline, Lysandra se viu perambulando pelos corredores do castelo antigo e em ruínas. Que lar teria sido para ela e Evangeline. Que corte.

Talvez tivesse inconscientemente seguido seu cheiro, mas a metamorfa não ficou nada surpresa ao entrar no grande salão e encontrar Aedion diante do fogo que se extinguia.

Ele estava sozinho, e ela não tinha dúvidas de que já estava assim havia um tempo.

Aedion se virou antes de Lysandra sequer atravessar a porta, e observou cada passo da metamorfa.

Porque não estou apaixonado por nossos outros aliados. Como as palavras mudavam tudo e, no entanto, nada.

— Você deveria estar dormindo.

Aedion deu um meio sorriso para ela.

— Você também.

Silêncio caiu entre os dois conforme se encaravam.

Ela podia ter passado a noite toda daquele jeito. Passara muitas noites daquele jeito, na pele de outra besta. Apenas observando-o, absorvendo os poderosos ângulos daquele corpo, a vontade inabalável nos olhos de Aedion.

— Achei que fôssemos morrer hoje — comentou ela.

— Nós íamos.

— Ainda estou com raiva de você — disparou a metamorfa. — Mas...

As sobrancelhas do guerreiro se ergueram, luz que Lysandra não via tinha um tempo brilhava em seu rosto.

— Mas?

Ela fez uma careta.

— Mas vou pensar no que me disse. Só isso.

Um sorriso familiar, malicioso, se estampou nos lábios dele.

— Vai pensar?

Lysandra ergueu o queixo, olhando para ele de cima, o máximo que podia, pois Aedion era mais alto que ela.

— Sim, vou pensar. No que planejo fazer.

— A respeito do fato de que estou apaixonado por você.

— Ah. — Aedion sabia que a atitude arrogante a deixaria desnorteada. — Se é assim que você quer chamar.

— Eu deveria chamar de alguma outra coisa? — Ele deu um único passo na direção de Lysandra, deixando que ela decidisse se permitiria aquilo. Ela permitiu.

— Apenas... — A metamorfa contraiu os lábios. — Não morra amanhã. É tudo o que peço.

— Para você ter tempo de pensar no que planeja fazer com minha declaração.

— Exatamente.

O sorriso de Aedion se tornou predatório.

— Posso pedir algo a você, então?

— Não acho que esteja em posição de fazer pedidos, mas tudo bem.

Aquele sorriso lupino permaneceu enquanto ele sussurrava ao ouvido da metamorfa:

— Se eu não morrer amanhã, posso beijá-la ao fim do dia?

O rosto de Lysandra corou quando ela recuou, cedendo um passo. Era uma cortesã treinada, pelos deuses. *Altamente* treinada. Ainda assim, aquele simples pedido reduzia seus joelhos a tremores.

Ela se controlou, endireitando os ombros.

— Se não morrer amanhã, Aedion, então conversaremos. E veremos no que isso vai dar.

O sorriso lupino do guerreiro nem mesmo vacilou.

— Até amanhã à noite, então.

O inferno os esperava no dia seguinte. Talvez o próprio fim. Mas Lysandra não o beijaria, ainda não. Não daria aquele tipo de promessa ou despedida.

Então ela saiu do corredor com o coração acelerado.

— Até amanhã.

≈ 83 ≈

Dorian voou e voou. Ao longo do dorso das montanhas Canino Branco, com a floresta de Carvalhal parecendo uma extensão despida pelo inverno à direita, ele disparou para o norte durante quase dois dias antes de ousar parar.

Escolhendo uma clareira entre um emaranhado de árvores antigas, ele caiu entre os galhos, mal registrando o frio na pele espessa de serpente alada. Dorian se metamorfoseou assim que atingiu a neve, e sua magia imediatamente derreteu o córrego congelado que serpenteava pelo terreno.

Então ele caiu de joelhos e bebeu. Goles grandes, ofegantes, de água.

Encontrar comida foi mais fácil do que Dorian antecipara. Não precisava de uma armadilha ou de flechas para pegar o coelho magro que se encolhia perto dele. Nenhuma necessidade de facas para esfolá-lo. Nem de espeto.

Quando sua sede e fome foram saciadas, quando um olhar para o céu lhe disse que nenhum inimigo se aproximava, Dorian desenhou as marcas. Apenas mais uma vez.

Precisava partir logo. Mas por aquilo poderia atrasar o voo para o norte mais um pouco. Damaris, ao que parecia, também concordava. Ela conjurou quem Dorian queria daquela vez.

Gavin surgiu no círculo de sangue das marcas de Wyrd, mais pálido e mais embaçado à luz da manhã.

— Você a encontrou, então — disse o antigo rei, à guisa de cumprimento.
— E deixou Erawan com uma bagunça imensa para limpar.

— Sim. — Dorian colocou a mão no bolso do casaco. No terrível poder que latejava ali. Fora preciso cada gota da concentração durante aquele voo desenfreado desde Morath para bloquear os sussurros do poder. Seu tremor não se devia apenas ao ar frígido.

— Então por que me conjurar?

Dorian encontrou o olhar do homem. De rei para rei.

— Queria contar que consegui... para que você possa ter a chance de se despedir. De Elena, quero dizer. Antes que o Fecho seja forjado.

Gavin ficou imóvel. Dorian não se encolheu diante do olhar observador do rei.

Depois de um momento, o antigo rei disse, em um tom mais suave:

— Então suponho que também me despedirei de você.

Dorian assentiu. Ele estava pronto. Não tinha outra escolha a não ser estar pronto.

— Já decidiu, então? Que será você o sacrificado? — perguntou Gavin.

— Aelin está no norte — argumentou Dorian. — Quando eu a encontrar, suponho que decidiremos o que fazer. — Quem seria aquele a unir as três chaves. E que não sairia com vida. — Mas espero que ela tenha conseguido pensar em outra solução. Para Elena também — admitiu ele.

Aelin escapara de Maeve. Talvez tivesse a mesma sorte ao encontrar uma forma de escapar do destino.

Um vento fantasma soprou as mechas dos longos cabelos de Gavin sobre seu rosto.

— Obrigado — agradeceu o antigo rei, rouco. — Por levá-la em consideração. — Mas o luto brilhou em seus olhos. O homem sabia exatamente o quanto seria impossível.

— Sinto muito — lamentou Dorian, então. — Pelo que o sucesso com o Fecho significará para vocês.

Gavin engoliu em seco.

— Minha parceira fez sua escolha há muito tempo. Ela sempre esteve pronta para enfrentar as consequências, mesmo que eu não estivesse.

Assim como Sorscha fizera as próprias escolhas. Seguira o próprio caminho.

E, pela primeira vez, a lembrança não doeu. Na verdade, brilhou como um desafio reluzente. Para que fizesse valer a pena. Para ela, para tantos outros. E para ele mesmo também.

— Não desista da vida tão facilmente — pediu Gavin. — É a vida que tive com Elena que me permite sequer considerar me despedir dela agora.

Uma vida boa, tão boa quanto qualquer uma que se pudesse desejar. — Ele inclinou a cabeça. — Desejo o mesmo para você.

Antes que Dorian conseguisse dizer o que surgiu em seu coração diante das palavras, Gavin olhou para o céu. As sobrancelhas escuras se uniram.

— Você precisa ir. — Pois o ecoar de asas tomou o ar. Milhares de asas.

A legião das Dentes de Ferro em Morath ainda se reunira depois do colapso da fortaleza, ao que parecia. E agora fazia o longo voo para o norte, até Orynth, provavelmente muito mais ansiosas para destruir os amigos de Dorian.

Ele rezou para que Maeve não estivesse em meio àquela horda. Para que ainda estivesse remoendo suas mágoas em Morath com Erawan. Até que o restante dos horrores de ambos marchasse com as aranhas-princesas.

Mas, apesar do exército que se aproximava, Dorian tocou o cabo de Damaris e disse:

— Vou cuidar dela. De Adarlan. Por tanto tempo quanto me restar. Não a abandonarei.

A espada brilhou, se aquecendo.

E Gavin, apesar da perda iminente, deu um leve sorriso. Como se também sentisse o calor da espada.

— Eu sei — disse ele. — Sempre soube disso.

O calor de Damaris se manteve.

Dorian engoliu o aperto na garganta.

— Quando o portão de Wyrd for selado, conseguirei abrir este tipo de portal de novo? — *Conseguirei vê-lo, buscar seus conselhos?*

Gavin se dissipou.

— Não sei. — Ele acrescentou, baixinho: — Mas espero que sim.

Dorian colocou a mão sobre o peito e fez uma reverência profunda.

E, quando o antigo rei desapareceu na neve e no sol, Dorian podia ter jurado que ele fizera uma reverência de volta.

Minutos depois, quando asas cobriram o sol, ninguém reparou na serpente alada solitária que subiu de Carvalhal e entrou em formação com a horda agitada.

84

Não restava armadura no arsenal minguado do castelo. E nenhuma teria cabido nas serpentes aladas, de toda forma.

O que sobrevivera à ocupação de Adarlan, ou fora adquirido desde a queda, tinha sido distribuído, e, embora o príncipe Aedion tivesse oferecido pedir que um ferreiro forjasse folhas de metal para compor chapas peitorais, Manon olhou uma vez para as portas recondicionadas que usariam e soube que seriam pesadas demais. Contra a legião das Dentes de Ferro, velocidade e agilidade seriam as maiores aliadas.

Então seguiriam para a batalha como sempre haviam feito: com nada além das lâminas, dos dentes de ferro e das unhas, e com esperteza.

De pé em uma grande sacada no alto da torre mais elevada do castelo de Orynth, com o exército de Morath se estendendo bem abaixo, Manon observou o sol nascente, sabendo que poderia muito bem ser seu último.

Mas as Treze, muitas encostadas no parapeito da sacada, não olhavam para o leste.

Não, sua atenção estava no inimigo, despertando à luz crescente. Ou nas duas Crochan que estavam junto de Manon, com vassouras na mão e espadas já presas às costas.

Não fora um choque ver Bronwen chegar naquela manhã, vestida para a batalha. Mas Manon parou quando Glennis surgiu com uma espada e os cabelos trançados para trás.

Já tinham repassado os detalhes. E tinham feito isso três vezes na noite anterior. E agora, à luz do dia que nascia, elas se demoravam no alto da torre antiga.

Bem longe, no interior das fileiras agitadas de Morath, uma corneta ecoou.

Lentamente, como uma grande besta despertando do sono profundo, a horda de Morath começou a se mover.

— Estava na hora — murmurou Asterin ao lado de Manon, os cabelos trançados amarrados com uma faixa de couro sobre a testa.

As serpentes aladas das Dentes de Ferro subiram para o ar, atrapalhadas com o peso das armaduras.

Aquilo não ganharia o dia, no entanto. Não, as Dentes de Ferro, depois de um começo difícil, em breve encheram os céus. Mil delas, pelo menos. Onde estava a horda do desfiladeiro Ferian, aquilo Manon não queria saber. Ainda não.

Nas torres do castelo, nos telhados da cidade e ao longo das ameias, o exército das Crochan esticou as vassouras ao lado do corpo, pronto para o sinal de voar.

Um sinal de Bronwen, da corneta entalhada a seu lado. A corneta estava rachada e escurecida pela idade, os símbolos ali entalhados estavam tão desgastados que mal se podia vê-los.

Ao reparar em Manon observando, Bronwen disse:

— Uma relíquia do antigo reino. Pertenceu a Telyn Vanora, uma guerreira jovem e inexperiente durante os últimos dias da guerra, que estava perto dos portões quando Rhiannon caiu. Minha ancestral. — A bruxa passou a mão pela corneta. — Ela soprou esta corneta para avisar nosso povo de que Rhiannon tinha sido morta, para que fugissem da cidade. Logo depois de dar o sinal de aviso, a Matriarca Sangue Azul a assassinou. Mas isso deu a nosso povo tempo o bastante para fugir. Para sobreviver. — Lágrimas encheram os olhos escuros da Crochan. — É minha honra soprar esta corneta hoje mais uma vez. Não para alertar nosso povo, mas para reuni-lo.

Nenhuma das Treze olhava na direção de Bronwen, mas Manon sabia que tinham ouvido cada palavra.

Bronwen colocou a mão na placa peitoral de couro.

— Telyn está aqui hoje. No coração de cada Crochan que fugiu, que chegou até aqui. Todas aquelas que caíram nas guerras das bruxas estão conosco, mesmo que não possamos vê-las.

Manon pensou naquelas duas presenças que sentira ao enfrentar as Matriarcas, e soube que as palavras de Bronwen eram verdadeiras.

— É por elas que lutamos — disse a Crochan, com o olhar recaindo sobre o exército que se aproximava. — E pelo futuro que podemos conquistar.

— Um futuro que todas nós podemos conquistar — ressaltou Manon, encarando cada uma das Treze. Embora não tivessem sorrido, a ferocidade no rosto das bruxas dizia o bastante.

Manon se virou para Glennis

— Você pretende mesmo lutar?

A idosa assentiu, firme e irredutível.

— Há quinhentos anos, minha mãe escolheu o futuro da linhagem real em vez de lutar ao lado de entes queridos. E, embora jamais tenha se arrependido da escolha, o peso do que deixou para trás foi um fardo. Carrego seu fardo pela vida inteira. — A bruxa indicou Bronwen, então Asterin. — Todas nós que lutamos aqui hoje fazemos isso com alguém de pé, invisível, atrás de nós.

Os olhos pretos salpicados de dourado de Asterin se suavizaram um pouco.

— Sim. — Foi tudo o que a imediata de Manon disse quando a mão passou para o abdômen.

Não em memória da palavra odiosa marcada ali, do que tinha sido feito a ela.

Em memória da bruxinha natimorta que fora atirada pela avó de Manon no fogo antes de Asterin ter a chance de segurá-la.

Em memória do caçador que Asterin tinha amado, como nenhuma das Dentes de Ferro jamais amara um homem, e para o qual nunca voltara, por vergonha e medo. O caçador que sempre havia esperado por seu retorno, mesmo quando era um idoso.

Por eles, pela família que ela perdera, Manon sabia que a imediata lutaria naquele dia. Para que jamais acontecesse de novo.

Manon lutaria naquele dia para se certificar de que não acontecesse também.

— Então chegamos a ela depois de quinhentos anos — disse Glennis, com a voz inabalada, porém distante, como se puxada para as profundezas da memória. O sol nascente banhou as paredes brancas de Orynth de dourado. — A última resistência das Crochan.

Como se as próprias palavras fossem um sinal, Bronwen levou a corneta de Telyn Vanora aos lábios e soprou.

A maioria acreditava que o rio Florine corria para baixo das montanhas Galhada do Cervo, bem além do limite ocidental de Orynth, antes de atravessar as terras baixas.

Mas a maioria não sabia que o antigo rei feérico construíra aquela cidade sabiamente, cavando esgotos e córregos subterrâneos que carregavam a água doce montanhosa diretamente para a própria cidade. Por baixo do castelo.

Com uma tocha erguida no alto, Lysandra olhou para uma daquelas galerias subterrâneas, a água escura se aproximando conforme fluía pelo túnel de pedra e para fora das muralhas da cidade. O hálito se condensou diante do rosto quando a metamorfa falou para o grupo de soldados da Devastação que a acompanhava:

— Tranquem a grade depois que eu sair.

Um grunhido foi a única confirmação que ela recebeu.

Lysandra franziu a testa para a pesada grade de ferro do outro lado do rio subterrâneo, os aros de metal eram tão espessos quanto seus antebraços. Havia sido Lorde Murtaugh quem sugerira aquela rota de ataque em especial, pois seu conhecimento das galerias sob a cidade e o castelo estava além até mesmo do conhecimento de Aedion.

Lysandra se preparou para o mergulho, sabendo que a água estaria fria. Mais que fria.

Mas Morath estava se movendo, e, se ela não entrasse em posição logo, poderia muito bem ser tarde demais.

— Que os deuses estejam com você — disse um dos soldados da Devastação.

A metamorfa lançou ao homem um sorriso tenso.

— E com todos vocês.

Ela não se permitiu reconsiderar. Apenas caminhou direto para além da borda de pedra.

O mergulho foi rápido, infinito. O frio arrancou o ar de seus pulmões, mas Lysandra já se metamorfoseava: luz e calor preencheram seu corpo enquanto ossos se curvavam e a pele desaparecia. A magia pulsou, drenando-se rapidamente diante do desgaste que tomar aquela forma exigia, mas então a transformação acabou.

Ao longe, acima da superfície, a Devastação xingou. Se por medo ou assombro, ela não se importou.

Subindo o suficiente para tomar fôlego, Lysandra submergiu de novo. Mesmo naquela forma, o frio a feria. A água estava turva e escura, mas ela nadou com a corrente, deixando que esta a guiasse para a saída do túnel antigo.

Sob as muralhas da cidade. Para o lado mais amplo do Florine, onde o frio ficava quase insuportável. Blocos espessos de gelo passavam acima, ocultando-a de olhos inimigos.

Lysandra nadou pelo rio, bem ao longo do flanco leste da horda de Morath, e esperou pelo sinal.

As Crochan ocuparam os céus, uma onda de vermelho que varreu a cidade e as muralhas.

No alto da seção sul do muro, com Ren ao lado, Aedion inclinou a cabeça para trás enquanto as via disparar para o ar acima da planície.

— Acha mesmo que podem lutar contra aquilo? — Ren assentiu na direção do mar de bruxas Dentes de Ferro e serpentes aladas que se aproximava.

— Acho que não temos qualquer outra escolha a não ser esperar que possam — respondeu Aedion, tirando o arco das costas. Ren fez o mesmo.

Diante do sinal silencioso, arqueiros nas muralhas da cidade abaixo pegaram os arcos.

Espalhados entre eles, os mycenianos de Rolfe posicionaram seus lança-chamas, apoiando os dispositivos de metal na própria muralha.

Morath marchava. Não haveria mais atrasos, nenhuma outra surpresa. Aquela batalha aconteceria.

Aedion olhou para a curva do Florine, os lençóis de gelo brilhavam forte ao sol da manhã. Ele afastou o pavor no coração. Estavam desesperados demais, em desvantagem numérica demais, para ele negar a Lysandra a tarefa que ela assumira naquele dia.

Um olhar por cima do ombro e o guerreiro confirmou que soldados da Devastação estavam com as catapultas apoiadas sobre as ameias, e a realeza feérica parecia pronta para usar a magia esgotada e levantar os enormes blocos de pedras fluviais, posicionando-os. E nas muralhas da cidade, arqueiros feéricos permaneciam vigilantes conforme esperavam pelo sinal.

Aedion engatilhou uma flecha no arco, esticando o braço ao puxar a corda. Como um, o exército reunido nas muralhas da cidade fez o mesmo.

— Vamos tornar esta luta digna de uma canção — falou ele.

85

Manon e as Treze dispararam para o céu enquanto o exército das Crochan descia, uma maré vermelha correndo para o mar de sombras adiante.

Forçando a legião das Dentes de Ferro a escolher: os antigos inimigos ou os novos.

Era um teste, e um que Manon quisera fazer logo. Ver quantas das Dentes de Ferro atenderiam ao comando de mergulhar adiante, e quantas fugiriam das ordens, pois a tentação de combater as Treze era muito para suportar. E um teste, ela supôs, para as Matriarcas e as herdeiras que lideravam suas legiões — será que cairiam na armadilha? Que dividiriam suas forças para cercar as Dentes de Ferro, ou continuariam o ataque às Crochan?

Mais e mais alto, Manon e as Treze subiam, e os dois exércitos se aproximavam um do outro.

As Crochan não hesitaram quando as espadas brilharam ao sol, apontando para as serpentes aladas cada vez mais próximas.

As Dentes de Ferro não tinham treinado contra um inimigo capaz de revidar. Um inimigo que poderia estar no ar, menor e mais rápido, e atacar onde eram mais fracas: as montadoras. Aquela era a meta das Crochan: derrubar as montadoras, não as bestas.

Mas para fazê-lo, precisariam desbravar as mandíbulas se fechando e as caudas de espinhos, assim como o veneno que as cobria. E, se conseguissem navegar em torno das serpentes aladas, então ainda restaria o problema de enfrentar as flechas voadoras, além das guerreiras treinadas sobre as bestas. Não seria fácil, e não seria rápido.

As Treze se ergueram tanto que o ar ficou rarefeito. Tão alto que Manon conseguia ver a ponta final do esquadrão, onde a massa horrível e inconfundível da serpente alada de Iskra Pernas Amarelas voava.

Um desafio e uma promessa do confronto que viria. Manon sabia, apesar da distância, que Iskra a marcara.

Nenhum sinal de Petrah. Ou das duas Matriarcas restantes. Quem substituíra a idosa das Pernas Amarelas para se tornar a Grã-Bruxa, Manon não sabia. Nem se importava. Talvez a avó as tivesse convencido a não indicar Iskra ou uma nova bruxa ainda... para deixar livre o caminho para ela se tornar rainha.

No momento que a cabeça de Manon ficou zonza devido à altitude, cinquenta ou mais serpentes aladas se afastaram da legião inimiga. Voando para cima... disparando até elas, as bestas livres das amarras. Famintas pela glória e pelo direito de se vangloriar que matar as Treze lhes garantiria.

Manon sorriu.

Os dois exércitos se chocaram.

Exalando, ela puxou subitamente as rédeas de Abraxos.

A serpente alada de coração destemido estendeu as asas ao arquear o corpo... e mergulhou.

O mundo se inclinou conforme giravam e mergulhavam mais e mais fundo, com as Treze caindo com a dupla. Elas atravessaram filetes de nuvens, o exército agressor se tornando um borrão enquanto o castelo e a cidade se aproximavam abaixo.

E quando as Dentes de Ferro estavam tão perto que Manon conseguia ver que eram Pernas Amarelas e Sangue Azul, Abraxos deu uma guinada súbita para um dos lados e uma corrente o atirou direto para o coração delas.

As Treze se colocaram em formação atrás de Manon, como um aríete que atravessou as Dentes de Ferro.

O arco de Manon cantava conforme ela disparava flecha após flecha.

Ao primeiro jato de sangue azul, alguma parte de si deslizou para longe.

Mas a bruxa continuou disparando. E Abraxos continuou voando, arrancando asa e garganta com a cauda e os dentes.

E então aquilo começou.

Mesmo no rio, o estrondo de pés em marcha ecoava por Lysandra.

Eles não viram o imenso focinho branco que de vez em quando emergia entre as placas de gelo em busca de ar. O céu estava escuro, carregado com o embate entre as serpentes aladas e as Crochan.

Corpos ocasionalmente mergulhavam para o rio, tanto das Dentes de Ferro quanto das Crochan.

As Crochan que se debatiam, que ainda estavam vivas, eram disfarçadamente carregadas para a margem por Lysandra. O que pensavam sobre ela, não diziam. A metamorfa não se demorava por tempo o suficiente para permitir.

As Dentes de Ferro que caíam no rio eram arrastadas para o fundo e presas às rochas.

Ela precisara virar o rosto todas as vezes que fizera isso.

O focinho de Lysandra irrompeu da superfície quando uma corneta aguda atravessou a balbúrdia, vindo diretamente das muralhas da cidade. Não uma corneta de aviso, mas de libertação.

A metamorfa mergulhou até o fundo. Mergulhou, então impulsionou o corpo para *cima*, a cauda poderosa se debatendo para lançá-la à superfície.

Ela irrompeu do gelo e da água, correndo pelo ar, e se chocou direto contra o flanco leste de Morath.

Soldados gritaram no momento que Lysandra se atirou em um redemoinho de dentes e garras, além de uma cauda imensa que açoitava.

Onde o dragão marinho branco se movia, sangue escuro jorrava.

E quando os soldados dominaram o terror tempo o suficiente para atirar flechas e lanças contra as escamas opalescentes reforçadas com Seda de Aranha, Lysandra girou e desceu de volta ao rio profundo, sumindo sob o gelo. Lanças mergulharam nas águas turquesa, errando o alvo, mas Lysandra já fugia em disparada.

O corpo do dragão marinho — ou dragão fluvial, supunha ela — não diminuiu a velocidade. Lysandra o levou ao limite, os pulmões imensos trabalhando como um fole.

O rio se curvou, e ela usou isso em vantagem própria ao saltar para fora d'água de novo.

Os soldados, tão concentrados nos danos que ela causara adiante, não olharam para a direção de Lysandra até o animal estar sobre eles.

A metamorfa só conseguiu um lampejo das muralhas da cidade, onde uma onda de trevas agora se chocava contra eles, escadas de cerco subindo e flechas voando, rompantes de chamas em meio a tudo aquilo, antes de voltar para as profundezas gélidas do rio.

Sangue escuro escorria de sua mandíbula, assim como das caudas e garras, conforme dava meia-volta, a sombra das bruxas guerreando no céu projetada no gelo acima da besta.

Então Lysandra lutou, tendo as placas de gelo como um escudo. Atacando, então se movendo; desestabilizando o flanco leste a cada ataque, obrigando-os a fugir da beira do rio para se amontoar nas fileiras do centro.

Lentamente, as águas turquesa do Florine foram cobertas de azul e preto.

Mesmo assim, Lysandra continuava arrancando pedaços da lateral do gigante que se lançava contra Orynth.

⁓

O calor que vinha dos lança-chamas queimava a bochecha de Aedion, aquecendo seu elmo até torná-lo quase desconfortável.

Um preço pequeno, pois as explosões de chamas lançavam para trás, cambaleando, os soldados de infantaria valg nas muralhas. Onde os arqueiros derrubavam inimigos, mais apareciam. E onde os lança-chamas os derretiam, apenas terra chamuscada e armadura derretida restavam. Mas não havia o bastante; nem de longe.

Acima, além das muralhas, as Dentes de Ferro e as Crochan guerreavam.

Tão violentamente, tão rapidamente que uma névoa azul pairava no céu devido ao derramamento de sangue.

Ele não sabia quem estava ganhando. As Treze lutavam juntas, e onde mergulhavam para o combate, Dentes de Ferro e suas montarias caíam. Esmagando soldados de infantaria valg abaixo.

Escadas de cerco em ferro subiram de novo, mirando as muralhas da cidade. Explosões de resposta dos lança-chamas mandaram aqueles que já estavam nas escadas para o chão, como cadáveres carbonizados. Contudo, mais dos valg subiam, o medo da chama não bastava para detê-los.

Correndo para a escada mais próxima, Aedion engatilhou uma flecha atrás da outra, disparando contra os soldados escalando os degraus. Disparos livres entre as fendas nas armaduras pretas.

Os arqueiros ao redor faziam o mesmo, e os soldados da Devastação atrás de Aedion se acomodavam em posição de combate, esperando que o primeiro atravessasse as muralhas.

Nos portões da cidade, chama explodiu e se revoltou. Ele concentrara muitos dos mycenianos em cada um dos dois portões que davam para Orynth, o ponto mais vulnerável ao longo das muralhas.

O fato de o fogo continuar disparando naquele ritmo dizia o bastante a Aedion: Morath avançava ali.

A ordem de Rolfe de *Conservar munição!* fez um nó de medo se formar em seu estômago, mas Aedion se concentrou na escada de cerco. Seu arco disparou, e outro soldado caiu. Então outro.

Na ponta da muralha, Ren tinha se ocupado da outra escada de cerco próxima, e o arco do lorde cantava.

Aedion ousou olhar para o exército adiante. Tinham se aproximado o bastante agora.

Recuando, deixando que um arqueiro tomasse seu lugar, ele ergueu a espada, sinalizando para a Devastação nas catapultas, para a realeza feérica e os arqueiros próximos.

— *Agora!*

Madeira estalou e rangeu. Pedregulhos tão grandes quanto carruagens dispararam por cima das muralhas. Cada um fora embebido em óleo, reluzindo ao sol conforme subia.

E, quando os pedregulhos atingiram o ápice, bem no momento que começaram a cair no inimigo, os arqueiros feéricos dispararam as flechas em chamas.

Eles acertaram os pedregulhos embebidos em óleo logo antes de as pedras se chocarem contra a terra.

Chamas surgiram, fluindo direto pelos buracos que Aedion ordenara que fossem feitos na rocha, até o ninho de pó explosivo que eles haviam mais uma vez tirado da reserva preciosa dos lança-chamas de Rolfe.

Os pedregulhos estouraram em bolas de chamas e pedras.

Ao longo das muralhas da cidade, soldados comemoraram a carnificina que as ruínas em chamas revelaram. Nada além de brutamontes valg derretidos, esmagados ou destroçados. Cada lugar em que as seis catapultas haviam disparado exibia agora um anel de terra queimada em volta.

— *Reposicionem-se!* — rugiu Aedion. A Devastação já estava empurrando as rodas que girariam as catapultas sobre os palanques de madeira. Em segundos, tinham mirado em outro ponto; em segundos, a realeza feérica erguia mais pedregulhos banhados em óleo da pilha que Darrow adquirira ao longo de muitas semanas.

Ele não deu a Morath a chance de se recuperar.

— *Fogo!*

Pedregulhos dispararam, flechas em chamas seguiram.

As explosões no campo de batalha estremeceram as muralhas da cidade daquela vez.

Outra comemoração e Aedion indicou que a Devastação e a realeza feérica parassem. Que deixassem Morath pensar que o estoque havia acabado, que só tinham alguns disparos de sorte no arsenal.

Aedion se virou de novo para a escada de cerco conforme o primeiro dos brutamontes valg acabava de subir as muralhas.

O homem foi morto antes de os pés terminarem de tocar o chão, cortesia de um soldado da Devastação à espera.

Aedion soltou o escudo das costas e inclinou a espada no momento que a onda de soldados chegou ao alto das muralhas.

Mas não foi um soldado de infantaria valg que apareceu a seguir, subindo a escada com facilidade.

O rosto do jovem era frio como a morte, os olhos pretos tinham o brilho de uma fome profana.

Um colar preto estava preso em volta de seu pescoço.

Um príncipe valg viera.

86

— Concentração na escada — grunhiu Aedion para os soldados que se afastavam do lindo príncipe demônio que subia nas muralhas da cidade, como se estivesse apenas entrando em uma sala.

Ele não usava armadura. Nada além de uma túnica preta justa ao corpo esguio.

O príncipe valg sorriu.

— Príncipe Aedion — ronronou a coisa dentro dele, sacando uma espada de uma bainha preta ao lado do corpo. — Estávamos esperando por você.

Aedion golpeou.

Ele não tinha magia, não tinha nada para combater o poder sombrio nas veias do príncipe, mas tinha velocidade. Tinha força.

Aedion fez uma finta com a espada, aquela espada comum, sem nome, e o príncipe golpeou com a própria lâmina no momento que Aedion acertou com o escudo a lateral do corpo do valg.

Empurrando-o de volta. Não na direção da escada, mas do myceniano que usava o lança-chamas...

O myceniano estava morto.

O príncipe riu, e um açoite de poder sombrio disparou contra Aedion.

Ele se abaixou, erguendo o escudo. Como se funcionasse contra aquele poder.

Treva golpeou metal, e o braço de Aedion cantou com o eco.

Mas a dor, aquela agonia de exaurir a vida, não aconteceu.

Aedion imediatamente atacou, um golpe para cima, do qual o príncipe valg desviou com um salto para o lado.

Os olhos do demônio arregalaram quando ele viu o escudo. Então Aedion.

— Bastardo feérico — sibilou o príncipe valg.

Aedion não entendeu o que aquilo queria dizer, não se importou quando absorveu mais um golpe com o escudo nas ameias já escorregadias com sangue tanto escuro quanto vermelho. Se o myceniano perto do general estava morto, então havia outro ao lado da escada de Ren...

O príncipe valg liberava uma explosão de poder atrás da outra.

Aedion recebeu cada uma com o escudo, o poder do príncipe ricocheteava como se fosse uma borrifada de água sobre pedra. E para cada explosão de poder atirada contra ele, o guerreiro golpeava com a espada.

Aço encontrou aço; treva se chocou contra metal antigo. Aedion tinha a vaga sensação de que soldados valg e humanos paravam conforme ele e o príncipe demônio guerreavam ao longo da muralha.

Ele mantinha os pés no chão, como Rhoe ensinara. Como Quinn ensinara, e Cal Lochan. Como todos os seus mentores e os guerreiros que Aedion admirava acima de todos os outros tinham lhe ensinado. Para aquele momento, quando ele seria chamado para defender as muralhas de Orynth.

Era para eles que Aedion agitava a espada, para eles que tomava um golpe após o outro.

O príncipe valg sibilava a cada explosão, como se enfurecido por seu poder não ser capaz de quebrar aquele escudo.

O escudo de Rhoe.

Não havia magia nele. Brannon jamais o carregara. Mas um deles o havia forjado, alguém da linhagem ininterrupta de reis e rainhas que viera depois dele, que amara o reino mais que a própria vida. Que carregara o escudo para a batalha, para a guerra, para defender Terrasen.

E conforme Aedion e o príncipe valg lutavam ao longo das muralhas, conforme aquele escudo antigo se recusava a ceder, ele se perguntava se havia um tipo diferente de poder no metal. Um que os valg jamais conseguiriam nem poderiam entender. Não magia verdadeira, não como a que Brannon e Aelin possuíam. Mas algo tão forte quanto; ou mais forte.

Que os valg talvez jamais destruíssem, não importava o quanto tentassem.

A espada de Aedion cantou, e o príncipe valg rugiu quando o guerreiro lhe atingiu o braço, cortando profundamente.

Sangue escuro jorrou. Ele aproveitou aquela vantagem, empurrando com o escudo e descendo a lâmina.

Mas o príncipe estava esperando.

Tinha montado uma armadilha, usado o corpo como isca.

E, quando Aedion se chocou contra o príncipe valg, o demônio sacou uma adaga do cinto e golpeou. Bem onde a armadura de Aedion expunha um filete perto da axila, vulnerável com a posição esticada de seu braço.

A faca mergulhou, perfurando pele, músculo e osso.

Dor, branca-incandescente e ofuscante, ameaçou fazer com que Aedion abrisse a mão e soltasse a espada. Apenas seu treinamento, apenas aqueles anos de trabalho, mantiveram seus pés no chão quando ele saltou para trás, libertando-se da faca.

O príncipe valg riu, e Aedion estava vagamente ciente do combate ao longo das muralhas, dos gritos e das mortes e das explosões de fogo conforme o demônio sorria para a adaga ensanguentada.

Levando-a à boca sensual, o príncipe passou a língua pela lâmina e lambeu o sangue de Aedion.

— Diferente — sussurrou o demônio, estremecendo de prazer.

Aedion recuou mais um passo, o braço queimava sem parar, sangue se empoçava dentro da armadura.

O príncipe valg foi atrás do guerreiro.

Um chicote de poder sombrio disparou contra Aedion, e ele mais uma vez se defendeu com o escudo, deixando que aquele poder o lançasse ao chão e o fizesse cair sobre o corpo vestido de ferro de um soldado da Devastação.

Seu fôlego se tornou tão doloroso quanto a facada que ele levara.

O príncipe parou diante de Aedion.

— Banquetear-me com você será um prazer.

Aedion ergueu o escudo acima do corpo, preparando-se para o golpe.

O príncipe fez menção de levar a adaga ensanguentada até a boca de novo, os olhos se revirando.

Aqueles olhos ficaram arregalados quando uma flecha perfurou a pele de sua garganta. Bem acima do colar.

O príncipe arquejou, virando-se na direção da flecha que não viera de Aedion, mas de trás. Bem no caminho de Ren Allsbrook e do lança-chamas que ele levava nos braços.

Ren bateu com a mão no gatilho e chamas acenderam.

Aedion se abaixou, encolhendo o corpo sob o escudo quando as chamas ameaçaram lhe derreter até mesmo os ossos.

O mundo se tornou calor e luz. Então nada. Apenas os gritos da batalha e de homens morrendo.

Aedion conseguiu abaixar o escudo.

Onde o príncipe valg estivera, restavam uma pilha de cinzas e um colar de pedra de Wyrd preta.

Aedion estava ofegante, com a mão sobre o lado ensanguentado.

— Eu tinha ele na mira.

Ren apenas sacudiu a cabeça e se virou, abrindo o lança-chamas sobre os soldados valg mais próximos.

O Lorde de Allsbrook se virou de volta para Aedion, com a boca aberta para dizer algo. Mas a cabeça do guerreiro estava zonza, o corpo mergulhando em um frio que ele jamais conhecera. E então não havia nada.

෴

A batalha era muito pior do que Evangeline tinha imaginado.

Apenas o som a fazia tremer até os ossos, e somente a missão de entregar mensagens para Lorde Darrow, que estava em uma das sacadas mais altas do castelo, a impedia de se encolher.

A respiração da menina era algo irregular e seco conforme ela corria de volta para a sacada, para onde Darrow estava de pé, ao lado do parapeito de pedra, com mais dois outros lordes de Terrasen.

— De Kyllian — conseguiu dizer Evangeline, esboçando uma reverência, como fazia sempre que entregava uma mensagem.

Batalhas não eram lugar para boas maneiras, ela sabia; Aelin certamente teria dito isso. Mas Evangeline continuava fazendo aquilo, a reverência, mesmo com as pernas trêmulas. Não conseguia se impedir.

O mensageiro de Kyllian a encontrara nas escadas do castelo e agora esperava pela resposta de Darrow. Era o mais perto da batalha que a menina estivera. Não que estar ali em cima fosse melhor.

Encostada contra as pedras da parede da torre, Evangeline deixou que Darrow lesse a carta. As Crochan e as serpentes aladas estavam tão mais perto ali em cima. Naquela altura, Evangeline estava no mesmo nível, e o mundo era um borrão abaixo. A menina colocou as palmas das mãos abertas contra as pedras geladas, como se pudesse puxar alguma força dali.

Mesmo com o rugido da batalha, ela ouviu Darrow declarar para os outros lordes:

— Aedion foi ferido.

O estômago de Evangeline embrulhou; náusea — pegajosa e espessa — surgiu.

— Ele está bem?

Os outros dois lordes a ignoraram, mas Darrow olhou para a menina.

— Ele perdeu a consciência, mas o moveram para um prédio perto da muralha. Curandeiros estão trabalhando no ferimento enquanto conversamos, e vão trazê-lo para cá assim que ele for capaz de suportar.

Evangeline cambaleou até o parapeito da sacada, como se pudesse ver aquele prédio no meio do mar de caos próximo às muralhas da cidade.

Ela jamais tivera um irmão ou um pai. A menina ainda não decidira qual gostaria que Aedion fosse. E se ele estava tão ferido que tinha sido necessário mandar uma mensagem para Darrow...

A garota levou a mão à barriga, tentando conter a bile que queimava na garganta.

Murmúrios soaram, então a mão de alguém repousou no ombro de Evangeline.

— Lorde Gunnar vai entregar minha resposta — disse Darrow. — Você vai permanecer aqui comigo. Talvez precise de você.

As palavras soaram rigorosas, mas a mão no ombro da menina era gentil.

Evangeline apenas assentiu, enjoada e arrasada, e se agarrou ao parapeito da sacada, como se sua mão pudesse, de alguma forma, manter Aedion daquele lado da vida.

— Bebidas quentes, Sloane — ordenou Darrow, com um tom de voz que não deixou margem para discordância.

O outro lorde saiu. Evangeline não sabia quanto tempo tinha se passado depois daquilo. Quanto tempo havia levado até que o lorde chegasse e Darrow colocasse uma caneca fervendo nos dedos da menina.

— Beba.

Evangeline obedeceu, descobrindo que era algum tipo de caldo. Carne, talvez. Ela não se importava.

Seus amigos estavam lá embaixo. Sua família, aquela que formara.

Bem longe, perto do rio, um borrão de movimento foi a única indicação de que Lysandra ainda estava viva.

Nenhuma notícia chegara sobre o destino de Aedion.

Então Evangeline permaneceu na torre, com Darrow calado a seu lado, e rezou.

87

Mesmo seguindo o mais rápido que conseguia, o exército do khagan era lento demais. Lento demais e grande demais para chegar a Terrasen a tempo.

Passaram a semana avançando para o norte, com Aelin implorando à floresta de Carvalhal, ao Povo Pequenino e a Brannon por perdão conforme devastava uma trilha, e apenas agora se aproximavam de Endovier e da fronteira a meros quilômetros além. Dali, se tivessem sorte, levaria mais dez dias até Orynth. E provavelmente se tornaria um desastre se Morath tivesse mantido forças posicionadas em Perranth depois da captura da cidade.

Então escolheram seguir pelos limites da cidade no flanco oeste, circundando as montanhas Perranth em vez de atravessar as terras baixas pela caminhada mais fácil por terra. Com Carvalhal como proteção, poderiam se aproximar furtivamente de Morath em Orynth.

Se restasse alguma coisa em Orynth quando chegassem. Ainda estavam longe demais dos montadores ruk para fazer qualquer tipo de reconhecimento, e nenhum mensageiro havia atravessado seu caminho. Nem mesmo os homens selvagens das montanhas Canino Branco, que tinham ficado com eles e agora juravam marchar até Orynth para vingar seu povo, conheciam um caminho mais rápido.

Aelin tentou não pensar naquilo. Ou em Maeve e Erawan, onde quer que estivessem. O que quer que pudessem ter planejado.

Endovier, o único posto avançado de civilização que tinham visto em uma semana, seria a primeira notícia que receberiam desde que haviam deixado o desfiladeiro Ferian.

Ela tentou não pensar naquilo também. No fato de que passariam por Endovier no dia seguinte, ou em dois dias. Que ela veria aquelas montanhas cinzentas que abrigavam as minas de sal.

Deitada de bruços na cama de acampamento — não havia sentido em fazer alguém montar uma cama real para ela e Rowan quando marchariam em algumas horas —, Aelin encolheu o corpo devido ao ardor doloroso nas costas.

O clangor das ferramentas de Rowan e o estalo dos braseiros eram os únicos sons na tenda.

— Vai acabar esta noite? — perguntou ela quando o guerreiro parou para mergulhar a agulha em um frasco de tinta com sal.

— Se você parar de falar. — Foi a resposta seca.

Aelin bufou, apoiando-se nos cotovelos para olhar para ele por cima do ombro. Ela não conseguia ver o que Rowan tatuava, mas conhecia o desenho. Uma réplica do que ele escrevera em suas costas naquela primavera, as histórias dos entes queridos e de suas mortes, escritas bem onde estiveram suas cicatrizes. Exatamente onde estiveram, como se ele tivesse a lembrança gravada na mente.

Mas havia outra tatuagem ali agora. Uma tatuagem que se estendia pelos ombros de Aelin, como se fosse um par de asas abertas. Ou pelo menos era o que ele havia esboçado para ela.

A história dos dois. Rowan e Aelin.

Uma história que começara com raiva e tristeza, e se tornara algo totalmente diferente.

Aelin ficou contente por ele parar por ali. Na felicidade.

Ela apoiou o queixo nas mãos.

— Estaremos perto de Endovier em breve.

Rowan voltou a trabalhar, mas ela sabia que ele ouvira cada palavra, que pensava na resposta.

— O que quer fazer a respeito?

Ela se encolheu com o ardor de um ponto especialmente sensível na coluna.

— Queimar aquele lugar até o chão. Explodir as montanhas em escombros.

— Que bom. Vou ajudar.

Um pequeno sorriso lhe repuxou os lábios.

— O lendário príncipe-guerreiro não me diria para evitar gastar minha força inconsequentemente?

— O lendário príncipe-guerreiro lhe diria para manter o curso, mas, se destruir Endovier ajudar, então ele estará com você.

Aelin se calou enquanto Rowan continuou trabalhando por mais alguns minutos.

— Não me lembro da tatuagem levar tanto tempo da última vez.

— Fiz melhorias. E você está ganhando marcas completamente novas.

Ela murmurou, mas não disse nada por um tempo.

Rowan continuou trabalhando, limpando sangue quando necessário.

— Não acho que consigo — sussurrou Aelin. — Não acho que consigo sequer olhar para Endovier, que dirá destruí-la.

— Quer que eu faça isso? — A pergunta tranquila de um guerreiro. Ele destruiria as minas, Aelin sabia disso. Se ela pedisse, Rowan voaria até Endovier e a transformaria em pó.

— Não — admitiu ela. — Os capatazes e os escravizados se foram mesmo. Não há ninguém para destruir e ninguém para salvar. Só quero passar por ali e jamais pensar naquele lugar de novo. Isso faz de mim uma covarde?

— Eu diria que a torna humana. — Uma pausa. — Ou qualquer que seja a expressão semelhante para os feéricos.

Ela franziu a testa para os dedos entrelaçados sob o queixo.

— Parece que ultimamente sou mais feérica que qualquer outra coisa. Até me esqueço às vezes... de quando foi a última vez que estive em meu corpo humano.

— Isso é bom ou ruim? — As mãos não hesitaram.

— Não sei. Eu *sou* humana, bem no fundo, deixando de lado essa baboseira de rainha feérica. Tive pais humanos, e os pais deles eram humanos, a maioria, e mesmo que a linhagem de Mab seja verdadeira... Sou uma humana que pode se transformar em feérica. Uma humana que usa um corpo feérico. — Aelin não mencionou o tempo de vida imortal. Não com tudo que tinham pela frente.

— Por outro lado — replicou Rowan —, eu diria que você é uma humana com instintos feéricos. Talvez mais deles do que de humanos. — Aelin o sentiu sorrir. — Territorial, dominante, agressiva...

— Suas habilidades quando se trata de elogiar mulheres são incomparáveis.

A risada de Rowan foi como um sopro de ar quente sobre sua coluna.

— Por que não pode ser tanto humana quanto feérica? Por que sequer escolher?

— Porque as pessoas sempre parecem exigir que você seja uma coisa ou outra.

— Você nunca se incomodou com o que as outras pessoas exigem.

Ela deu um sorriso contido.

— Verdade.

Aelin trincou os dentes conforme a agulha de Rowan lhe perfurava a coluna.

— Estou feliz por você estar aqui, por ver Endovier de novo pela primeira vez com você.

Para enfrentar aquela parte do passado, aquele sofrimento e tormenta, mesmo que ainda não conseguisse relembrar em detalhes os últimos meses.

As ferramentas e a dor entorpecente pararam. Então os lábios de Rowan roçaram o alto de sua coluna, bem acima do começo da nova tatuagem. A mesma tatuagem que Rowan pedira que Gavriel e Fenrys fizessem em sua própria pele nos últimos dias, sempre que paravam durante a noite.

— Também estou feliz por estar aqui, Coração de Fogo.

Por tanto tempo mais quanto os deuses permitissem.

∽

Elide desabou na cama, gemendo baixinho ao se abaixar para desamarrar os cadarços. Um dia ajudando Yrene na carruagem não era uma tarefa simples, e a ideia de passar bálsamo no tornozelo e no pé não parecia nada menos que divina. O trabalho, pelo menos, mantinha o turbilhão de pensamentos afastado: o que ela fizera com Vernon, o que recaíra sobre Perranth, o que os aguardava em Orynth, o que poderiam fazer para derrotar aquilo.

Da cama oposta, Lorcan apenas a observava, com uma maçã em parte descascada nas mãos.

— Você deveria descansar com mais frequência.

Elide gesticulou, desconsiderando o comentário e tirando a bota, então a meia.

— Yrene está grávida e vomitando a cada hora. Se ela não descansa, eu não o faço também.

— Não tenho tanta certeza de que Yrene é totalmente humana. — Embora a voz soasse áspera, humor brilhou nos olhos do semifeérico.

Elide tirou a lata de bálsamo do bolso. Eucalipto, dissera Yrene, nomeando uma planta da qual a jovem jamais ouvira falar, mas de cujo cheiro — forte, mas calmante — ela gostou bastante. Sob a erva pungente, havia lavanda, alecrim e mais alguma coisa misturada com o unguento opaco e pálido.

Um farfalhar de roupas, então Lorcan estava ajoelhado diante da jovem, com o pé de Elide nas mãos. Quase engolido pelas mãos dele, na verdade.

— Deixe que eu faço isso — ofereceu.

Elide ficou tão chocada que permitiu que ele tirasse a lata de suas mãos e observou em silêncio enquanto Lorcan mergulhava os dedos no unguento e, então, começava a lhe esfregar o tornozelo.

Seu polegar chegou ao ponto do calcanhar em que osso raspava contra osso, e Elide soltou um grunhido. Ele cuidadosamente, quase de forma reverencial, ao que parecia, começou a aliviar a dor.

Aquelas mãos tinham atravessado reinos cometendo assassinatos. Carregavam leves cicatrizes como prova. Mas Lorcan segurava seu pé como se fosse um pequeno pássaro, como se fosse algo... divino.

Não tinham compartilhado uma cama — não quando aquelas camas de acampamento eram pequenas demais, e Elide costumava apagar depois do jantar. Mas compartilhavam a tenda, e Lorcan tomava o cuidado, talvez demais, pensava ela às vezes, de dar a Elide privacidade quando ela se trocava e se banhava.

De fato, uma banheira fumegava no canto da tenda, mantida morna por cortesia de Aelin. Muitas das banheiras do acampamento estavam aquecidas graças a ela, para a gratidão eterna de soldados reais e de infantaria.

Alternando carícias longas com pequenos círculos, Lorcan lentamente tirou a dor de seu pé. Parecia contente em fazer isso a noite toda, caso ela quisesse.

Mas a jovem não estava quase dormindo. Pela primeira vez. E cada toque daqueles dedos no pé de Elide a fazia se sentar mais reta, aquecendo algo dentro de si.

O polegar de Lorcan lhe empurrava o arco do pé, e Elide chegou a soltar um murmúrio baixinho. Não pela dor, mas...

Calor lhe corou as bochechas, que ficaram mais quentes quando Lorcan ergueu o rosto para ela sob os cílios, com uma faísca de malícia iluminando os olhos escuros.

Elide ficou um pouco boquiaberta. Então bateu no ombro do guerreiro. Músculos duros como rocha a receberam.

— Você fez isso de propósito.

Ainda encarando-a, a única resposta de Lorcan foi repetir o movimento. Bom; aquilo era tão *bom*...

Elide tirou o pé da mão do semifeérico. Fechou as pernas. Com força.

Lorcan deu um meio sorriso que fez os dedos dos pés da jovem se contraírem. Mas então ele falou:

— Você é devidamente a Lady de Perranth agora.

Ela sabia. Tinha pensado naquilo sem parar durante os difíceis dias de viagem.

— É disso mesmo que quer falar?

Os dedos não pararam o trabalho milagroso e pecaminoso.

— Não conversamos sobre isso. Sobre Vernon.

— O que tem isso? — perguntou ela, tentando, sem sucesso, parecer despreocupada. Mas Lorcan ergueu o olhar para ela por baixo dos espessos cílios. Bastante ciente do comentário evasivo de Elide. Ela expirou, olhando para o teto pontiagudo da tenda. — Isso não me torna nada melhor que Vernon, como escolhi puni-lo no fim, não é?

Elide não se arrependera no primeiro dia. Ou no segundo. Mas durante aqueles longos quilômetros, conforme ficava evidente que Vernon devia estar morto, ela se questionara.

— Somente você pode decidir isso, acho — disse Lorcan. No entanto, os dedos no pé da jovem pararam. — Se faz alguma diferença, ele mereceu aquilo. — O poder sombrio do guerreiro ressoou pelo aposento.

— É claro que você diria isso.

Ele deu de ombros, sem se incomodar em negar.

— Perranth vai se recuperar, sabe — ofereceu ele. — Do saque de Morath. E de tudo o que Vernon fez até agora.

Esse era o outro pensamento que tanto pesava a cada quilômetro para o norte. Que sua cidade, que a cidade do pai e da mãe tivesse sido dizimada. Que Finnula, sua dama de companhia, pudesse estar entre os mortos. Que qualquer um de seu povo pudesse estar sofrendo.

— Isso se ganharmos esta guerra — observou Elide.

Lorcan retomou as carícias tranquilizadoras.

— Perranth será reconstruída. — Foi tudo o que ele disse. — Nós nos certificaremos de que seja.

— Você já fez isso? Já reconstruiu uma cidade?

— Não — admitiu ele, seus polegares tirando a dor dos ossos cansados de Elide. — Apenas as destruí. — Os olhos de Lorcan encontraram os dela, inquisidores e abertos. — Mas eu gostaria de tentar. Com você.

Ela viu a outra oferta ali... de não apenas construir uma cidade, mas uma vida. Juntos.

Calor subiu até suas bochechas quando Elide assentiu.

— Sim — sussurrou ela. — Por quanto tempo tivermos.

Pois se sobrevivessem à guerra, ainda haveria aquilo entre eles: a imortalidade de Lorcan.

Algo estremeceu nos olhos do macho diante daquilo, e ela achou que ele diria mais. Contudo, Lorcan apenas abaixou a cabeça, então começou a abrir a outra bota de Elide.

— O que está fazendo? — As palavras eram um sussurro sem fôlego.

Os dedos ágeis — pelos deuses, aqueles *dedos* — trabalharam rapidamente nos cadarços.

— Você deveria colocar esse pé de molho. E se colocar de molho, de forma geral. Como eu disse, está trabalhando demais.

— Você disse que eu deveria descansar mais.

— Porque está trabalhando demais. — Ao tirar a bota e ajudar Elide a se levantar, Lorcan indicou a banheira com o queixo. — Vou encontrar alguma comida.

— Eu já comi...

— Você deveria comer mais.

Dar privacidade a ela sem a estranheza da jovem precisar pedir. Era o que ele tentava fazer.

Descalça diante de Lorcan, Elide encarou o rosto com feições de granito. Então tirou o manto e o casaco. O guerreiro engoliu em seco.

Elide sabia que ele conseguia ouvir seu coração, que tinha começado a acelerar. E provavelmente conseguia sentir o cheiro de cada emoção. Ainda assim, a jovem falou:

— Preciso de ajuda. Para entrar na banheira.

— Precisa mesmo? — A voz soou quase gutural.

Elide mordeu o lábio, seus seios ficaram pesados, formigando.

— Posso escorregar.

Os olhos de Lorcan lhe percorreram o corpo, mas ele não se moveu.

— Um momento perigoso esse, o do banho.

Elide reuniu coragem para caminhar até a banheira de cobre. Ele seguiu alguns passos atrás, dando espaço a ela. Deixando que Elide conduzisse a situação.

Ela parou ao lado da banheira, de onde se desprendia vapor. Então tirou a blusa de dentro da calça.

Lorcan observava cada movimento. Ela não tinha tanta certeza de que ele respirava.

Mas... as mãos de Elide pararam. Insegura. Não por ele, mas por aquele ritual, aquele caminho.

— Mostre o que preciso fazer — sussurrou ela.

— Está indo muito bem — respondeu Lorcan, a voz áspera.

Mas ela lhe deu um olhar perdido, e ele caminhou para mais perto. Os dedos de Lorcan encontraram a bainha solta da blusa de Elide.

— Posso? — perguntou o guerreiro, baixinho.

— Sim — sussurrou Elide.

Lorcan ainda lhe observava os olhos, como se lesse a sinceridade daquela palavra. Verificasse que era verdade.

Carinhosamente, ele afastou o tecido. Ar frio beijou a pele de Elide, arrepiando-a. A faixa flexível em torno dos seios permaneceu, mas o olhar de Lorcan ainda estava no de Elide.

— Diga o que quer agora — pediu ele, a voz gutural.

Com a mão trêmula, Elide passou um dedo pela faixa.

As mãos do próprio Lorcan tremeram quando ele a desamarrou. Quando ele a revelou para o ar, para ele.

Os olhos do macho pareceram ficar completamente pretos conforme ele observava seus seios e a respiração irregular.

— Linda — murmurou.

A boca de Elide se contraiu quando ela absorveu a palavra. Isso deu à jovem coragem o suficiente para que erguesse as mãos até o casaco de Lorcan e começasse a desafivelar, desabotoar. Até que o peito do semifeérico também estivesse nu, e então ela passou os dedos pela mancha de pelos pretos sobre a superfície esculpida.

— Lindo — ecoou ela.

Lorcan tremeu; com autocontrole, com emoção, Elide não sabia. Aquele delicioso ronronar ecoou dentro de si conforme Elide pressionava a boca contra o peito do guerreiro.

A mão de Lorcan subiu até os cabelos da jovem, cada carícia lhe desfazendo a trança.

— Iremos apenas até onde e por quanto tempo você quiser — comentou ele. Mas Elide ousou olhar para o corpo do macho, para o que ficava tenso sob a calça.

Sua boca ficou seca.

— Eu... eu não sei o que estou fazendo.

— Qualquer coisa que fizer será suficiente — respondeu Lorcan.

Ela ergueu a cabeça, observando seu rosto.

— Suficiente para quê?

Outro meio sorriso.

— Suficiente para me dar prazer. — Elide riu da arrogância, mas o macho roçou a boca contra seu pescoço. Então as mãos dele seguraram sua cintura, e os polegares roçaram contra as costelas de Elide. Contudo, não foram mais para cima.

A jovem arqueou o corpo ao toque, e um ruído baixinho lhe escapuliu quando os lábios de Lorcan roçaram logo abaixo de sua orelha. Em seguida sua boca encontrou a dela, carinhosa e detalhista.

As mãos de Elide se entrelaçaram em volta do pescoço de Lorcan, e ele a levantou, carregando-a não para o banho, mas para a cama de acampamento atrás dos dois, sem que seus lábios deixassem os da jovem.

Lar. Aquilo com ele. Aquilo era seu lar, como Elide jamais tivera. Por quanto tempo pudessem compartilhá-lo.

E, no momento que Lorcan a deitou na cama, com a respiração irregular como a de Elide, no momento que parou, deixando que ela decidisse o que fazer, até onde levar aquilo, Elide o beijou de novo e sussurrou:

— Mostre tudo para mim.

Então ele mostrou.

Havia um portão e um caixão.

Ela não escolhera nenhum dos dois.

Ela estava de pé em um lugar que não era um lugar, com névoa envolvendo-a, e as encarou. Suas escolhas.

Uma batida soou do caixão, então os gritos e as súplicas abafados de uma fêmea aumentaram.

E o portão, o arco preto para a eternidade — sangue escorria pelas laterais, vazando para a pedra preta. Quando o portão havia terminado com o jovem rei, aquele sangue fora tudo o que restara.

— Você não é melhor que eu — disse Cairn.

Ela se virou para ele, mas não era o guerreiro que a havia atormentado parado na névoa.

Doze espreitavam ali, sem forma, porém presentes, antigos e frios. Como um, eles falaram:

— Mentirosa. Traidora. Covarde.

O sangue no portão encharcou a pedra, como se o próprio devorasse até mesmo aquele último pedaço. Aquele que fora em seu lugar. Aquele que ela deixara que fosse em seu lugar.

As batidas dentro do caixão não pararam.

— Aquela caixa jamais se abrirá — disseram eles.

Ela piscou e estava dentro da caixa; a pedra era tão fria, o ar, sufocante. Piscou e estava batendo na tampa, gritando e gritando. Piscou e havia correntes, uma máscara presa em seu rosto...

∽

Aelin acordou e viu braseiros se extinguindo, então o cheiro de pinho e neve do parceiro a envolveu. Do lado de fora da tenda, o vento uivava, fazendo as paredes de lona baterem e inflarem.

Cansada. Ela estava tão, tão cansada.

Aelin encarou a escuridão por muitas horas, e não voltou a dormir.

∽

Mesmo com a cobertura da Floresta Carvalhal, apesar do caminho mais amplo, depois que Aelin incinerara as laterais da antiga estrada que percorria o continente como uma veia murcha, ela conseguia sentir Endovier assomando. Conseguia sentir as montanhas Ruhnn projetando-se em sua direção, uma parede contra o horizonte.

Ela cavalgava perto da frente da companhia, sem dizer muito conforme a manhã, então a tarde passavam. Rowan permanecia ao lado de sua parceira, sempre à esquerda — como se pudesse ser um escudo entre Aelin e Endovier — enquanto ela lançava chamas que derretiam árvores antigas adiante. O vento do príncipe feérico abafava qualquer fumaça que pudesse alertar o inimigo de sua aproximação.

Ele terminara as tatuagens na noite anterior. Pegara um pequeno espelho de mão para mostrar a Aelin o que fizera. A tatuagem que fizera para eles.

Ela havia olhado uma vez para as asas abertas — as asas de um gavião — às costas e o beijara. Beijara até que as roupas de Rowan tivessem sumido e ela estivesse montada nele, nenhum dos dois se incomodando com palavras, ou mesmo capaz de encontrá-las.

As costas de Aelin haviam se curado pela manhã, embora tivessem permanecido sensíveis em alguns pontos, e, nas horas em que cavalgaram para mais perto de Endovier, ela havia descoberto que o peso invisível da tinta era tranquilizador.

Aelin conseguira sair. Ela sobrevivera.

A Endovier... e a Maeve.

E agora cabia a ela cavalgar como nunca até o norte para tentar salvar seu povo antes que Morath os devastasse para sempre. Antes que Erawan e Maeve chegassem para fazer exatamente isso.

Mas aquilo não impedia o peso, aquele puxão para o oeste. Para olhar o lugar do qual levara tanto tempo para escapar, mesmo depois de ter sido fisicamente libertada.

Depois do almoço, Aelin encontrou Elide a sua direita, cavalgando calada sob as árvores. Cavalgando mais imponente do que ela vira antes. Com vermelhidão nas bochechas.

Aelin tinha a sensação de que sabia exatamente por que aquele vermelho brotava ali, de que se olhasse para trás, para onde Lorcan cavalgava, o encontraria com um sorriso de macho satisfeito.

Mas as palavras de Elide não foram nada como as de uma donzela apaixonada.

— Não achei que chegaria a ver Terrasen de novo, depois que Vernon me tirou de Perranth.

Aelin piscou. E mesmo o vermelho no rosto de Elide sumiu, sua boca ficou tensa.

De todos eles, apenas Elide vira Morath. Vivera lá. Sobrevivera ao lugar.

— Houve uma época em que também achei que jamais a veria de novo — revelou a rainha.

O rosto de Elide ficou contemplativo.

— Quando era uma assassina, ou quando era uma escravizada?

— Ambos. — E talvez Elide tivesse passado para o lado de Aelin apenas para fazer com que ela falasse, mas ela explicou: — Era uma tortura de outro tipo, quando eu estava em Endovier, saber que meu lar estava a apenas quilômetros de distância. E que eu não poderia vê-lo uma última vez antes de morrer.

Os olhos escuros da jovem brilharam com compreensão.

— Achei que morreria naquela torre e que ninguém se lembraria de mim.

Ambas tinham sido prisioneiras, escravizadas... de certa forma. Ambas tinham usado grilhões. E levavam as cicatrizes.

Ou Elide levava. Sua ausência em Aelin ainda a arrasava, uma ausência da qual ela jamais havia achado que se arrependeria.

— Mas nós conseguimos escapar no final — observou Aelin.

Elide estendeu a mão para apertar a da rainha.

— Sim, conseguimos.

Mesmo que ela agora desejasse que aquilo acabasse. Tudo aquilo. Cada fôlego parecia mais pesado por isso, esse desejo.

Elas prosseguiram depois daquilo, e, quando Aelin viu a bifurcação na estrada — a bifurcação que os levaria para as próprias minas de sal —, um grito de aviso soou dos rukhin que voavam no limite entre a floresta e as montanhas.

Aelin imediatamente sacou Goldryn. Rowan se armou a seu lado, e o exército inteiro parou ao observar o bosque, o céu.

Ela ouviu o aviso no instante que uma silhueta escura disparou por eles, tão grande que bloqueou o sol acima do dossel da floresta.

Serpente alada.

Arcos rangeram, e os ruks passaram em disparada, perseguindo aquela serpente alada. Se uma batedora Dentes de Ferro os visse...

Aelin preparou a magia. A serpente alada guinou para o grupo, quase invisível entre o emaranhado de galhos.

Mas luz brilhou então. Empurrou os rukhin para trás, inofensivamente.

Não luz. Mas gelo, tremeluzindo e brilhando antes de se transformar em chama.

Rowan também reconheceu aquela magia e rugiu a ordem para que não disparassem.

Não foi Abraxos quem aterrissou na bifurcação. E não havia sinal de Manon Bico Negro.

Luz brilhou de novo. Então Dorian Havilliard estava parado ali, o casaco e a capa manchados e desgastados.

Aelin galopou pela estrada em sua direção, com Rowan e Elide ao lado e os demais às costas.

Dorian ergueu a mão, seu rosto estava sério como a morte, mesmo quando seus olhos se arregalaram ao vê-la.

Mas Aelin sentiu então.

O que Dorian carregava.

As chaves de Wyrd.

Todas as três.

88

O braço e as costelas de Aedion estavam em chamas.

Pior que o calor lancinante dos lança-chamas, pior que qualquer nível do reino em chamas de Hellas.

Ele recuperara a consciência quando a curandeira começou os primeiros pontos. Trincara os dentes no mordedor de couro que ela oferecera, e rugira para abafar a dor conforme ela o costurava.

Quando a mulher terminou, Aedion desmaiara de novo. Ele acordou minutos depois, de acordo com os soldados designados para se certificar de que o príncipe-general não morreria, e viu que a dor tinha, em parte, aliviado, mas ainda estava forte o bastante para que usar o braço da espada fosse quase impossível. Pelo menos até que sua ascendência feérica o curasse, mais rápido que a homens mortais.

O fato de não ter morrido da perda de sangue, de poder mover o braço ao pedir que a armadura fosse presa de volta ao corpo e de ter cambaleado para as ruas da cidade, dirigindo-se para a muralha, se devia à ascendência feérica. Da mãe, sim, mas em grande parte do pai.

Será que Gavriel ouvira, do outro lado do mar, ou onde quer que a busca por Aelin o tivesse levado, que Terrasen estava prestes a cair? Será que se importaria?

Não fazia diferença. Mesmo que parte dele desejasse que o Leão estivesse ali. Rowan e os demais sem dúvida, mas a presença constante de Gavriel teria sido um remédio para aqueles homens. Talvez para ele.

Aedion trincou os dentes, cambaleando enquanto avançava pelas escadas escorregadias com sangue até as muralhas da cidade, desviando de corpos, humanos e valg. Uma hora; ficara uma hora apagado.

Nada mudara. Os valg ainda tomavam as muralhas e os portões sul e oeste; mas as forças de Terrasen os seguravam. No céu, o número de Crochan e Dentes de Ferro tinha diminuído, porém pouco. As Treze eram um aglomerado distante e cruel, destroçando quem quer que voasse em seu caminho.

E no rio... sangue vermelho manchava as margens nevadas. Muito sangue vermelho.

Ele cambaleou um degrau, perdendo de vista o rio por um momento enquanto os soldados matavam os brutamontes valg a sua frente. Quando passaram, Aedion mal conseguiu respirar ao observar as margens ensanguentadas. Havia soldados mortos caídos por todo lado, mas... ali. Mais perto das muralhas da cidade do que ele percebera.

Branco contra neve e gelo, ela ainda lutava. Sangue escorria pelos flancos. Sangue vermelho.

Mas ela não recuou para a água. Manteve-se firme.

Era estúpido... desnecessário. Emboscá-los fora muito mais eficiente.

Mas Lysandra lutava, com a cauda quebrando colunas vertebrais e a boca imensa arrancando cabeças, bem onde o rio fazia a curva além da cidade. Então ele percebeu que havia algo errado. Além do sangue na metamorfa.

Percebeu que Lysandra descobrira algo que não sabiam. E, ao manter a posição, tentava sinalizar para eles nas muralhas.

Com a cabeça girando, braço e costelas latejando, Aedion observou o campo de batalha. Um grupo de soldados avançou contra ela. Um golpe da cauda partiu as lanças e quem as carregava também.

Mas outro grupo de soldados tentou passar por ela na margem do rio.

Aedion viu o que carregavam, o que tentavam carregar, e xingou. Lysandra destroçou um escaler com a cauda, mas não conseguiu alcançar o segundo conjunto de soldados... que levava outro.

Eles chegaram às águas gélidas, o barco espirrando água, e Lysandra avançou. Bem no momento que foi cercada por outro grupo de soldados, com tantas lanças que ela não teve escolha a não ser enfrentá-lo. O que permitiu que o barco e os soldados que o carregavam escapulissem.

Aedion reparou para onde aqueles soldados seguiam, e começou a gritar as ordens. A cabeça girava a cada comando.

Ao ter avançado às escondidas pelo rio usando os túneis, Lysandra contara com o elemento surpresa. Mas aquilo também revelara a Morath que existia outro caminho para a cidade. Um logo abaixo de seus pés.

Se passassem pela grade, se conseguissem passar para dentro das muralhas...

Lutando contra a tontura que aumentava em sua cabeça, Aedion começou a sinalizar. Primeiro para a metamorfa que segurava a posição, que tentava tão corajosamente conter aquelas forças. Então para as Treze, perigosamente altas no céu, para que voltassem para as muralhas... para impedir que Morath entrasse antes que fosse tarde demais.

∽

No alto, onde os gritos do vento mesclavam-se aos dos moribundos e feridos, Manon viu o sinal do general, o padrão cauteloso de luz que ele mostrara a ela na noite anterior.

Um comando para correr até as muralhas imediatamente. Apenas ela e as Treze.

As Crochan continham a maré das Dentes de Ferro, mas recuar, *partir*...

O príncipe Aedion sinalizou de novo. *Agora. Agora. Agora.*

Algo estava errado. Muito errado.

Rio, sinalizou ele. *Inimigo*.

Manon voltou o olhar para a terra bem abaixo e viu o que Morath tentava fazer às escondidas.

— *Para as muralhas!* — gritou a bruxa para as Treze, que ainda combatiam atrás da líder, e fez menção de guinar Abraxos para a cidade, puxando as rédeas para que ele voasse acima da confusão.

O grito de aviso de Asterin a alcançou um segundo tarde demais.

Disparando de baixo, como um predador emboscando a presa, o imenso macho disparou para Abraxos.

Manon reconheceu a montadora quando o macho se chocou contra Abraxos, garras e dentes se enterrando profundamente.

Iskra Pernas Amarelas já sorria.

O mundo se inclinou e girou, mas Abraxos, rugindo de dor, se manteve no ar e continuou batendo as asas.

Mesmo quando o macho de Iskra levou a cabeça para trás — apenas para fechar a mandíbula no pescoço de Abraxos.

89

O macho de Iskra o agarrou pelo pescoço, mas Abraxos os manteve no ar.

Ao ver aquela poderosa mandíbula em volta do pescoço da serpente alada, o medo e a dor nos olhos dele...

Manon não conseguiu respirar. Não conseguiu pensar além do terror que percorria seu corpo, tão ofuscante e nauseante que, por alguns segundos, ela congelou. Congelou por completo.

Abraxos, *Abraxos*...

Seu. Ele era seu, e ela era dele, e a Escuridão os escolhera para estarem juntos.

Manon não teve noção de tempo, nenhuma noção de quanto tempo se passou entre a mordida e quando ela se moveu de novo. Poderia ter sido um segundo, poderia ter sido um minuto.

Mas então ela sacou uma flecha da aljava quase vazia. O vento ameaçou arrancá-la de seus dedos, mas Manon a engatilhou no arco. O mundo girou, girou, girou, o vento rugiu, e ela mirou.

O macho de Iskra guinou quando a flecha acertou; apenas a um milímetro do olho.

Mas a serpente alada não soltou.

Ele não tinha agarrado tão profundamente para lacerar o pescoço de Abraxos, mas se esmagasse por tempo o bastante, se cortasse o ar da montaria...

Manon soltou mais uma flecha. O vento a desviou o suficiente, levando-a a atingir a mandíbula da besta, mal enterrando a flecha no couro espesso.

Iskra estava gargalhando. Gargalhando enquanto Abraxos lutava e não conseguia se desvencilhar...

Manon procurou alguma das Treze, alguém que os salvasse. Que o salvasse.

Ele que importava mais que qualquer outro, com quem ela trocaria de lugar se a Deusa de Três Rostos permitisse, para que a própria garganta fosse agarrada por aquela mandíbula terrível...

Mas as Treze estavam espalhadas, pois a aliança de Iskra estava separando suas fileiras. Asterin e a imediata de Iskra lutavam corpo a corpo conforme as serpentes aladas das duas entrelaçavam as garras e mergulhavam para o campo de batalha.

Manon mediu a distância até o macho de Iskra, até as mandíbulas em torno do pescoço de Abraxos. Sopesou a força das faixas das rédeas. Se conseguisse se balançar para baixo, se desse sorte, poderia cortar o pescoço do macho, apenas o suficiente para afastá-lo de...

Mas as asas de Abraxos hesitaram. A cauda, tentando tão bravamente atingir o macho, começou a diminuir o ritmo.

Não.

Não.

Não assim. Qualquer coisa, mas não isso.

Manon jogou o arco para as costas, seus dedos quase congelados se atrapalharam com as faixas e as fivelas da sela.

Ela não podia suportar. Não suportaria isso, sua morte, a dor e o medo de Abraxos antes disso.

Ela talvez estivesse chorando. Talvez estivesse gritando quando as batidas das asas falharam de novo.

Manon saltaria pelo maldito vento, arrancaria aquela vadia da sela e cortaria o pescoço de sua montaria...

Abraxos começou a cair.

Não cair. Mas mergulhar; tentando ficar mais baixo. Alcançar o chão, puxando aquele macho com ele.

Para que Manon pudesse sobreviver.

— *POR FAVOR.* — O grito para Iskra ecoou pelo campo de batalha, pelo mundo. — *POR FAVOR.*

Manon imploraria, rastejaria, se isso desse a ele a chance de sobreviver.

Sua montaria com coração de guerreiro. Que a salvara muito mais do que Manon jamais o salvara.

Que a salvara das formas que mais importavam.

— POR FAVOR. — Ela gritou, gritou com cada gota da alma dilacerada.

Iskra apenas gargalhou. E o macho não soltou, mesmo quando Abraxos tentou de novo e de novo aproximá-los do chão.

As lágrimas de Manon foram levadas pelo vento, e ela libertou as últimas fivelas da sela. O espaço entre as serpentes aladas era impossível, mas a bruxa dera sorte antes.

Ela não se importava com nada daquilo. Os desertos, as Crochan e as Dentes de Ferro, a coroa. Não se importava com nada daquilo se Abraxos não estivesse lá com ela.

As asas enfraqueciam, lutando com aquele coração poderoso e amoroso para descer mais.

Manon mediu a distância para o flanco do macho, tirando as luvas para libertar as unhas de ferro. Tão fortes quanto qualquer gancho.

A bruxa se levantou na sela, deslizando uma perna para baixo do corpo, preparando-se para o salto. Então disse a Abraxos, lhe tocando a coluna:

— Eu amo você.

Era a única coisa que importava no final. A única coisa que importava naquele instante.

Abraxos se debateu. Como se fosse tentar impedi-la.

Manon desejou força para as pernas, para os braços, e inspirou, talvez seu último fôlego...

Disparando pelo céu, mais rápido que uma estrela percorrendo a noite, uma silhueta se chocou contra o macho de Iskra.

A mandíbula se soltou do pescoço de Abraxos, e as duas serpentes caíram, rodopiando.

Manon conseguiu raciocinar o bastante para se agarrar à sela, para se segurar com tudo que tinha conforme o vento ameaçava separar os dois.

O sangue de Abraxos voou enquanto caíam, mas então suas asas se abriram e ele se inclinou, batendo-as para cima. A serpente alada se equilibrou o suficiente para que Manon se balançasse de volta para a sela, prendendo-se ao se virar para ver o que acontecera atrás dela. Quem os salvara.

Não fora Asterin.

Não fora nenhuma das Treze.

Mas Petrah Sangue Azul.

E atrás da herdeira do clã das bruxas Sangue Azul, agora chocando-se contra a legião aérea de Morath, de onde haviam se lançado do alto das nuvens para o campo de batalha, estavam as Dentes de Ferro.

Centenas delas.

Centenas de bruxas Dentes de Ferro com suas serpentes aladas se chocaram contra os próprios clãs.

Petrah e Iskra se afastaram, a herdeira Sangue Azul batendo as asas na direção de Manon enquanto Abraxos lutava para se manter firme.

Mesmo com o vento e a batalha, Manon ainda conseguiu ouvir Petrah dizer:

— Um mundo melhor.

Ela não tinha palavras. Nenhuma, apenas olhava para a muralha da cidade, para a força que tentava entrar pelos portões do rio.

— As muralhas...

— Vá. — Então Petrah apontou para onde Iskra parara no ar a fim de observar boquiaberta o que acontecia. Para o ato de insubordinação e de rebelião tão impensável que chocara igualmente muitas das Dentes de Ferro de Morath. Petrah exibiu os dentes, revelando ferro reluzindo à luz aquosa do sol. — *Ela é minha*.

Manon olhou das muralhas da cidade para Iskra, voltando-se para elas mais uma vez. Duas contra uma... certamente fariam picadinho dela.

— *Vá* — grunhiu Petrah. E quando Manon hesitou de novo, a herdeira Sangue Azul disse apenas: — Por Keelie.

Pela serpente alada que Petrah amara, como Manon amava Abraxos. Que lutara pela bruxa até o último fôlego enquanto o macho de Iskra a massacrava.

Então Manon assentiu.

— Que a Escuridão a envolva.

Abraxos começou a disparar para a muralha, com as batidas das asas irregulares e a respiração curta.

Ele precisava descansar, precisava ver um curandeiro...

Manon olhou para trás no momento que Petrah se chocou contra Iskra.

As duas herdeiras saíram às cambalhotas em direção à terra, chocando-se novamente, enquanto as serpentes aladas se atacavam.

Manon não conseguiria virar o rosto nem se quisesse.

Não quando as serpentes aladas se afastaram e então guinaram, executando voltas perfeitas, afiadas como uma lâmina, que as fizeram se encontrar mais uma vez, subindo ao céu, com as caudas golpeando conforme entrelaçavam as garras.

Mais e mais para cima, Iskra e Petrah voavam. Serpentes aladas cortando e mordendo, garras entrelaçadas, mandíbulas mordendo. Para cima entre os níveis de luta nos céus, para cima entre as Crochan e Dentes de Ferro, entre os filetes de nuvem.

Uma corrida, um deboche da dança de acasalamento das serpentes aladas, para que subissem até o ponto mais alto do céu e então mergulhassem para a terra como uma.

Dentes de Ferro pararam a luta. Crochan pararam no ar. Mesmo no campo de batalha, soldados de Morath ergueram o rosto.

As duas herdeiras dispararam mais e mais para cima. E quando chegaram a um lugar onde nem mesmo as serpentes aladas conseguiam puxar ar suficiente para os pulmões, elas fecharam as asas, entrelaçaram as garras e mergulharam de cabeça para a terra.

Manon viu a armadilha antes de Iskra.

Viu assim que Petrah se desvencilhou, com os cabelos dourados esvoaçando, e sacou a espada enquanto a serpente alada começou a circundar.

Círculos curtos, precisos, em volta de Iskra e do macho conforme mergulhavam.

Tão curtos que o macho de Iskra não tinha espaço para abrir as asas. Quando tentava, a serpente alada de Petrah estava lá, com a cauda ou a mandíbula estalando. Quando tentava, a espada de Petrah estava lá, dilacerando a besta.

Iskra percebeu então.

Percebeu conforme caíam e caíam, Petrah os circundando, tão rápido que Manon se perguntou se a herdeira Sangue Azul andara praticando naqueles meses, treinando para aquele exato momento.

Para a vingança devida a ela e a Keelie.

O próprio mundo pareceu parar.

Petrah e sua serpente alada circundaram de novo e de novo. O sangue da serpente alada de Iskra pingava, e a besta ficava mais frenética a cada centímetro que se aproximavam da terra.

Mas Petrah não abrira as asas da própria serpente alada também. Não puxara as rédeas para desviar a montaria.

— Afaste-se — sussurrou Manon. — Desvie agora.

Ela não fez isso. Duas serpentes aladas seguiram na direção da terra, estrelas escuras caindo do céu.

— *Pare* — disparou Iskra.

Petrah não ousou responder.

Elas não podiam desviar àquela velocidade. E em breve Petrah não conseguiria sequer desviar. Ela se arrebentaria no chão, bem ao lado de Iskra.

— *Pare!* — O medo transformou a ordem de Iskra em um grito agudo. Nenhuma piedade se acendeu dentro de Manon. Nenhuma.

O chão se aproximou, cruel e implacável.

— *Sua vadia estúpida, eu mandei parar!*

Sessenta metros até a terra. Trinta. Manon não conseguia tomar fôlego. Quinze metros.

E quando o chão pareceu subir para encontrá-las, Manon ouviu as únicas palavras de Petrah para Iskra, como se tivessem sido carregadas pelo vento.

— *Por Keelie.*

A serpente alada de Petrah abriu as asas, desviando mais subitamente que qualquer serpente alada que Manon já vira. Subindo, com a ponta das asas roçando o chão gélido antes de disparar de volta para o céu.

Deixando Iskra e o macho se estatelarem na terra.

O estrondo ressoou por Manon, ecoando pelo mundo.

Iskra e o macho não subiram de novo.

Abraxos soltou um gemido de dor, e Manon se virou na sela, o coração galopando.

Iskra estava morta. A herdeira das Pernas Amarelas estava morta.

Aquilo não a encheu de alegria como deveria. Não com aquela grade vulnerável na muralha da cidade sob ataque.

Então ela estalou as rédeas, e Abraxos voou até lá. Logo Sorrel e Vesta estavam a seu lado, com Asterin se aproximando rápido por trás. Elas voaram baixo, sob Dentes de Ferro que agora combatiam Dentes de Ferro e Dentes de Ferro que ainda combatiam as Crochan. Dirigindo-se para os pontos onde o rio fluía a seu lado.

Um escaler já alcançara as muralhas. Flechas voavam através da grade: guardas desesperados para afastar o inimigo.

Os soldados de Morath estavam tão preocupados com o alvo adiante que não olharam para trás até que Abraxos estivesse sobre eles.

O sangue escorreu por Manon quando o animal aterrissou, golpeando com garras e dentes e cauda. Sorrel e Vesta cuidaram dos outros, e o escaler rapidamente se reduziu a farpas.

Mas não bastou. Nem de perto.

— As rochas — sussurrou Manon, guinando Abraxos para o outro lado do rio.

Ele entendeu. O coração se apertou até doer por forçá-lo, mas Abraxos voou até o outro lado do rio e puxou uma das pedras menores de volta. As Treze viram o plano de Manon e seguiram, rápidas e sem hesitação.

Cada uma das batidas das asas de Abraxos era mais lenta que a anterior. Ele perdia altura a cada centímetro de rio atravessado.

Mas então Abraxos conseguiu, bem no momento que outro grupo de soldados de Morath tentava entrar pela passagem pequena e vulnerável. Manon jogou a pedra na água diante de si. As Treze soltaram as respectivas pedras também, os jorros d'água subindo por cima das muralhas da cidade.

Mais e mais, cada viagem até o outro lado do rio mais lenta que a última.

Mas então havia rochas empilhadas, saindo pela superfície. Subindo além dela e bloqueando todo o acesso ao túnel do rio. Alto o bastante para selá-lo, mas sem dar uma brecha para os soldados de Morath que lotavam a margem oposta.

A respiração de Abraxos soava difícil, a cabeça estava baixa.

Manon se virou na sela para ordenar que a imediata parasse de empilhar rochas, mas Asterin já o fizera. Então ela apontou para as muralhas da cidade acima.

— *Entre*!

Manon não perdeu tempo discutindo. Puxando as rédeas de Abraxos, a bruxa o mandou voando sobre as muralhas da cidade, seu sangue pingando nos soldados que lutavam ali.

Ele chegou às ameias do castelo antes que sua força se extinguisse.

Antes de atingir as pedras e escorregar, o estrondo do impacto ecoando por Orynth.

Abraxos se chocou contra a lateral do castelo, as asas inertes, e Manon imediatamente se libertou da sela conforme gritava por um curandeiro.

O ferimento no pescoço da serpente alada estava muito pior do que ela pensara.

E ele, mesmo assim, lutara por ela. Permanecera no céu.

Manon pressionou as mãos contra a mordida profunda, e sangue lhe escorreu pelos dedos, como água em uma represa rachada.

— A ajuda está a caminho — disse ela para a besta, percebendo que sua voz soava áspera e falhada. — Estão vindo.

As Treze aterrissaram, e Sorrel correu para o castelo a fim de, sem dúvida, arrastar um curandeiro para fora. Havia onze pares de mãos no pescoço de Abraxos.

Estancando o sangue. Pressionando como uma para manter aquele sangue precioso dentro do animal enquanto o curandeiro era encontrado.

Manon não conseguia olhar para elas, não conseguia fazer outra coisa que não fosse fechar os olhos e rezar para a Escuridão, para a Mãe de Três Rostos enquanto pressionava as mãos contra os cortes ensanguentados.

Passos apressados soaram sobre as pedras da ameia, e então Sorrel estava ao lado de Manon, erguendo as mãos para cobrir os ferimentos também.

Uma mulher mais velha abriu um kit, pedindo que elas continuassem fazendo pressão.

Manon não se incomodou em responder que elas não iriam a lugar algum. Nenhuma delas.

Mesmo com a batalha se deflagrando no céu e na terra.

∽

Lysandra mal conseguia inspirar, cada batida de asas era mais pesada que a anterior conforme se dirigia para as ameias do castelo, onde vira Manon Bico Negro e sua aliança caírem.

Ela havia se transformado em serpente alada também, usando o caos da chegada das Dentes de Ferro rebeldes como distração, mas o esgotamento da magia cobrava seu preço. Assim como a luta, com ferimentos que nem mesmo ela conseguia estancar...

A metamorfa viu as duas figuras puxando um guerreiro de cabelos dourados familiar para cima das escadas do castelo no momento que chegou às ameias e as bruxas se viraram para ela.

Então Lysandra se esforçou para se metamorfosear, obrigando o corpo a fazer isso uma última vez, a retornar para aquela forma humana. Ela mal terminara de vestir a calça e a camisa que escondera em uma bolsa ao lado da muralha do castelo quando Ren Allsbrook e um soldado da Devastação chegaram ao topo das ameias, com Aedion semiconsciente entre eles.

Havia tanto sangue.

Lysandra correu até eles, ignorando o próprio coxear acentuado, a dor lancinante que ondulava na perna esquerda e no ombro direito. No outro lado das ameias, uma curandeira trabalhava na ferida de Abraxos, com as Treze, cobertas do sangue da serpente alada, em vigília.

— O que aconteceu? — A metamorfa derrapou até parar diante de Aedion, que conseguiu erguer a cabeça para dar a ela um sorriso sombrio.

— Príncipe valg — explicou Ren, o próprio corpo coberto de sangue, o rosto pálido de exaustão.

Pelos deuses.

— Ele não saiu com vida — respondeu Aedion, rouco.

— E você não descansou por tempo suficiente, seu canalha estúpido. Rasgou seus pontos — disparou Ren.

Lysandra passou as mãos pelo rosto de Aedion, pela testa.

— Vamos levá-lo até uma curandeira...

— Já fui em uma — grunhiu ele, apoiando os pés no chão e tentando esticar o corpo. — Eles me trouxeram até aqui para *descansar*. — Como se tal coisa fosse uma ideia ridícula.

Ren de fato tirou o braço de Aedion de cima do ombro.

— Sente-se, antes que caia e quebre a cabeça nas pedras. — Lysandra estava disposta a concordar, mas então o jovem lorde falou: — Vou voltar para as muralhas.

— Espere.

Ren se virou para ela, mas a metamorfa não falou até que o soldado da Devastação ajudasse Aedion a se sentar contra a lateral do castelo.

— Espere — repetiu ela para Ren quando ele abriu a boca. O coração da jovem estava acelerado, náusea se acumulava em seu estômago. Ela assobiou, e Manon Bico Negro e as Treze olharam em sua direção. Lysandra gesticulou para que se aproximassem. O braço urrava de dor.

— Você está ferida — grunhiu Aedion.

Ela o ignorou conforme as bruxas se aproximavam, cobertas em sangue e vísceras.

— Abraxos vai viver? — perguntou Lysandra a Manon.

Um aceno curto. Os olhos dourados da bruxa-rainha pareciam inexpressivos.

A metamorfa não tinha forças para sentir alívio. Não com a novidade que a fizera voltar de forma tão desesperada. Lysandra engoliu a bile na garganta, então apontou para o campo de batalha. Para o centro sombrio e nebuloso.

— Eles ergueram a torre de bruxa de novo. Está vindo para cá. Acabei de ver. As bruxas se reuniram no alto.

Silêncio absoluto.

E como se em resposta, a torre irrompeu.

Não em sua direção, mas para cima. Um clarão, um estrondo mais alto que trovão, então uma porção do céu ficou vazia.

Onde Dentes de Ferro, tanto rebeldes quanto leais, estiveram lutando, onde as Crochan estiveram, não restava nada.

Apenas cinzas.

A voz de Lysandra falhou quando a torre continuou se movendo. Uma linha reta, inquebrável, na direção de Orynth.

— Elas querem explodir a cidade.

※

Com mãos e braços cobertos do sangue de Abraxos, Manon encarou o campo de batalha. Encarou onde todas aquelas bruxas, Dentes de Ferro e Crochan que lutavam por ambos os exércitos, haviam acabado de... sumir.

Tudo que a avó alegara sobre as torres de bruxa era verdade.

E não fora Kaltain e seu fogo de sombras que alimentara aquela explosão de destruição, mas bruxas Dentes de Ferro.

Jovens Dentes de Ferro que tinham se voluntariado. Que fizeram a Renúncia ao saltarem para o poço forrado de espelhos dentro da torre.

Uma Renúncia comum poderia acabar com vinte, trinta bruxas. Talvez mais, se ela fosse mais velha e mais poderosa.

Mas uma Renúncia ampliada pelo poder daqueles espelhos de bruxa... Uma explosão, e o castelo acima delas se tornaria escombros. Outra explosão, talvez duas, e Orynth seguiria.

Dentes de Ferro lotavam a torre, uma parede cruel mantendo longe as Crochan e as Dentes de Ferro rebeldes.

Algumas Crochan, de fato, tentaram passar por aquelas defesas.

E os corpos vestidos de vermelho caíram aos pedaços na terra.

Petrah, agora dentro dos confinamentos da própria aliança, até chegou a disparar para a torre. Para destruí-la.

Mas o grupo foi jogado para trás por uma multidão de Dentes de Ferro.

A torre avançava. Mais e mais perto.

Estaria ao alcance em breve. Mais alguns minutos e aquela torre estaria próxima o bastante para que a explosão chegasse ao castelo. Para limpar aquele exército, aquele resquício de resistência, para sempre.

Não restariam sobreviventes. Nenhuma segunda chance.

Manon se virou para Asterin e disse, baixinho:

— Preciso de outra serpente alada.

A imediata apenas a encarou.

— *Preciso de outra serpente alada* — repetiu a bruxa.

Abraxos não estava em condições de voar. Não estaria durante horas ou dias.

— Ninguém vai passar por aquela muralha de Dentes de Ferro — argumentou Aedion Ashyver, rouco.

Manon exibiu os dentes.

— *Eu vou.* — Ela apontou para a metamorfa. — Você pode me carregar.

— *Não* — grunhiu o príncipe-general.

Mas Lysandra sacudiu a cabeça, com tristeza e desespero nos olhos verdes.

— Não posso... a magia está esgotada. Se eu tivesse uma hora...

— Temos cinco minutos — disparou Manon, virando-se para as Treze. — Nós treinamos para isso. Para dispersar fileiras inimigas. Podemos atravessá-la. Destruir aquela torre.

Então todas se entreolharam. Como se tivessem tido alguma conversa não dita e chegado a um consenso.

As Treze caminharam até as próprias montarias. Sorrel agarrou o ombro de Manon ao passar, depois subiu no dorso da própria serpente alada. Deixando Asterin diante da bruxa-rainha.

A imediata, a prima, a amiga sorriu, os olhos brilhantes como estrelas.

— Viva, Manon.

Ela piscou.

Asterin sorriu mais, beijou a testa de Manon e sussurrou de novo:

— *Viva.*

Manon não viu o golpe se aproximando.

O soco no estômago, tão forte e preciso que lhe tirou o fôlego. Que a deixou de joelhos.

Ela estava lutando para respirar, para se levantar, no momento que Asterin chegou a Narene e subiu na fêmea azul, puxando as rédeas.

— Leve nosso povo para casa, Manon.

A bruxa soube então. O que elas fariam.

As pernas fraquejaram, o corpo fraquejou quando ela tentou se levantar. Quando disse, rouca:

— *Não.*

Mas Asterin e as Treze já estavam no céu.

Já em formação, aquele aríete que as servira tão bem. Disparando para o campo de batalha. Para a torre de bruxa que se aproximava.

Manon abriu caminho com as garras até o parapeito da ameia e se colocou de pé. Encostada nas pedras, ofegante, tentando puxar ar para os pulmões a fim de encontrar alguma forma de voar, encontrar alguma Crochan e lhe roubar a vassoura...

Mas não havia bruxas ali. Nenhuma vassoura à vista. Abraxos permanecia inconsciente.

Manon estava vagamente ciente da metamorfa e do príncipe Aedion aproximando-se, Lorde Ren com eles. Vagamente ciente do silêncio que havia recaído sobre o castelo, a cidade, as muralhas.

Conforme todos observavam aquela torre de bruxa se aproximar, a destruição avançando dentro dela.

Conforme as Treze corriam até a torre, corriam contra o vento e a própria morte.

Uma muralha de Dentes de Ferro subiu diante da construção, bloqueando seu caminho.

Cem contra doze.

Dentro da torre de bruxa, perto o bastante para que Manon conseguisse ver pelo arco aberto do nível superior, uma jovem bruxa de vestes pretas se jogou no interior oco.

Dando um passo para onde a avó de Manon estava, gesticulando para o poço abaixo.

As Treze se aproximaram do inimigo no caminho e não hesitaram.

Manon enterrou os dedos nas pedras com tanta força que as unhas de ferro racharam. Ela começou a sacudir a cabeça, algo em seu peito se partiu por inteiro.

Partiu-se quando as Treze se chocaram contra o bloqueio das Dentes de Ferro.

A manobra foi perfeita. Mais perfeita que qualquer uma já feita. Uma falange que irradiou pelas fileiras inimigas. Mirando a torre diretamente.

Segundos. Tinham segundos até aquela jovem bruxa conjurar o poder e liberar a Renúncia em uma explosão de trevas.

As Treze perfuraram as Dentes de Ferro, espalhando-se, empurrando-as para o lado.

Abrindo um caminho direto para a torre conforme Asterin disparava dos fundos, mirando o nível superior.

Imogen caiu primeiro.

Então Lin.

Depois Ghislaine, com a serpente alada cercada pelo inimigo.

Em seguida Thea e Kaya, juntas, como sempre estiveram.

Então as gêmeas-demônio de olhos verdes, gargalhando ao cair, e as Sombras, Edda e Briar, ainda disparando flechas. Ainda acertando alvos.

Então Vesta, rugindo sua rebeldia para o céu.

E Sorrel. Sorrel, que mantinha o caminho livre para Asterin, uma parede sólida para a imediata de Manon enquanto ela voava para dentro. Uma parede contra quem as ondas de Dentes de Ferro quebravam e quebravam.

A jovem bruxa dentro da torre começou a brilhar em preto, a alguns passos do poço.

Ao lado de Manon, Lysandra e Aedion se abraçaram. Prontos para o fim a poucos segundos.

E então Asterin estava ali. Ela avançava direto para a própria torre, na direção daquele trecho de ar livre conquistado com a vida das Treze. Com seu sacrifício final.

Manon só podia observar, observar e observar e observar, sacudindo a cabeça, como se pudesse desfazer aquilo, conforme Asterin retirava o couro de montar, a camisa por baixo.

Conforme se levantava na sela, livre das fivelas, com uma adaga na mão e a serpente alada apontada direto para a torre.

A avó de Manon se virou então. Para longe do poço e da acólita que estava pronta para pular e destruir todas elas.

Asterin atirou a adaga.

A lâmina disparou determinada.

E mergulhou nas costas da acólita, levando-a a se estatelar nas pedras. A trinta centímetros da queda até o poço.

Asterin sacou as espadas gêmeas das bainhas no quadril e bateu com a serpente alada na lateral da torre. O estalo de osso em rocha ecoou pelo mundo.

Mas a imediata já saltava. Já arqueava o corpo no ar, com as espadas erguidas, conforme a serpente alada caía abaixo dela, o corpo de Narene partido com o impacto.

Manon começou a gritar então.

Gritar, infinitamente e sem palavras, quando aquela coisa em seu peito, seu coração, se estilhaçou.

Quando Asterin aterrissou no arco aberto da torre, com as espadas descendo contra as bruxas que correram para matá-la. Poderiam muito bem ser lâminas de grama. Poderiam muito bem ter sido névoa, pela facilidade com que Asterin as cortava, uma após a outra, avançando na direção da Matriarca que tinha marcado as letras em exposição gritante em seu abdômen.

IMPURA.

Girando, revirando-se, as lâminas voando, Asterin massacrou para abrir caminho até a avó de Manon.

A Grã-Bruxa do clã Bico Negro recuou, sacudindo a cabeça. A boca se moveu, como se sussurrasse:

— *Asterin, não...*

Mas Asterin já estava ali.

E não foi treva, mas luz... luz, forte e pura como o sol sobre a neve, que surgiu da bruxa.

Luz, quando Asterin executou a Renúncia.

Quando as Treze, com os corpos partidos espalhados pela torre quase em círculo, também executaram a Renúncia.

Luz. Todas queimaram com ela. Irradiando-a.

Luz que fluiu de suas almas, dos corações destemidos enquanto se entregavam àquele poder. E se tornaram incandescentes com ele.

Asterin derrubou a Matriarca Bico Negro no chão. A avó de Manon era pouco mais que uma sombra contra o brilho. Então pouco mais que um filete de ódio e lembrança quando Asterin explodiu.

Quando ela e as Treze fizeram a Renúncia por completo, explodindo a si mesmas, assim como a torre de bruxa, até virarem fragmentos.

⇥ 90 ⇤

Manon desabou nas pedras das ameias do castelo e não se moveu por muito, muito tempo.

Não ouviu aqueles que falavam com ela, que tocavam seu ombro. Não sentiu o frio.

O sol subiu em arco e desceu.

Em algum momento, Manon se deitou nas pedras, enroscada contra a parede, e, quando acordou, uma asa a cobria, com o hálito morno sussurrando por sua cabeça enquanto Abraxos cochilava.

A bruxa não tinha palavras. Nada além de um zumbido de silêncio.

Manon se levantou, passando com cuidado pela asa que a protegia.

O alvorecer chegava.

E onde aquela torre de bruxa estivera, onde o exército estivera, apenas terra explodida restava.

Morath tinha recuado. Muito.

A cidade e as muralhas ainda estavam de pé.

Manon despertou Abraxos com a mão ao lado do corpo da besta.

Ele não conseguia voar, ainda não, então caminharam juntos.

Até os degraus das ameias. Pelos portões do castelo e para as ruas adiante.

Ela não se importou que outros os seguissem. Mais e mais deles.

As ruas estavam cheias de sangue e escombros, tudo emoldurado pelo sol nascente.

Manon não sentiu o calor daquele sol no rosto conforme caminhavam pelo portão sul e para a planície adiante. Não se importou que alguém tivesse aberto o portão para eles.

A seu lado, Abraxos empurrava pilhas de soldados valg, abrindo caminho para a bruxa. Para todos aqueles que os seguiam.

Estava tão quieto. Dentro dela e na planície.

Tão quieto e vazio.

Manon atravessou o campo de batalha silencioso. Não parou até chegar ao centro da explosão. Até estar no núcleo.

Nenhum vestígio da torre. Ou daqueles que estiveram nela, em volta dela. Até as pedras tinham sido derretidas a ponto de virar nada.

Não havia um vestígio das Treze, ou de suas corajosas e nobres serpentes aladas.

Manon caiu de joelhos.

Cinzas subiram, flutuando, suaves como neve ao se agarrarem às lágrimas no rosto da rainha-bruxa.

Abraxos se deitou ao lado de Manon, enroscando a cauda em volta da bruxa quando ela se curvou sobre os joelhos e chorou.

Atrás de si, se tivesse olhado, teria visto Glennis. E Bronwen. E Petrah Sangue Azul.

Aedion Ashryver e Lysandra e Ren Allsbrook.

O príncipe Galan e o capitão Rolfe e Ansel de Penhasco dos Arbustos, Ilias e a realeza feérica a seu lado.

Se tivesse olhado, teria visto as pequenas flores brancas que levavam. Teria se perguntado como e onde as haviam encontrado em pleno inverno.

Se tivesse olhado, teria visto pessoas reunidas atrás deles, tantas que chegavam até os portões da cidade. Teria visto os humanos de pé lado a lado com as Crochan e as Dentes de Ferro.

Todos haviam vindo honrar as Treze.

Mas Manon não olhou. Mesmo quando os líderes que foram com ela, que tinham caminhado até ali com ela, começaram a dispor as flores sobre a terra explodida e ensanguentada. Mesmo quando suas lágrimas escorreram, caindo nas cinzas com as oferendas de tributo.

Eles não falaram. Assim como a fila de pessoas que vinha atrás deles também não falou. Algumas carregavam flores, mas muitas tinham levado pequenas pedras para colocar no local. Aquelas que não tinham nenhuma das duas coisas dispunham quaisquer pertences que pudessem oferecer. Até que o local da explosão estivesse coberto, como se um jardim tivesse crescido de um campo de sangue.

Glennis ficou até o fim.

E, no momento que ficaram sozinhas no campo de batalha silencioso, a avó de Manon colocou a mão em seu ombro e disse, baixinho, com a voz um pouco distante:

— *Seja a ponte, seja a luz. Quando o ferro derreter, quando as flores brotarem de campos de sangue... que a terra seja testemunha e volte para casa.*

Manon não ouviu as palavras. Não reparou quando até mesmo Glennis voltou para a cidade que pairava atrás dela.

Durante horas, a bruxa se ajoelhou no campo de batalha, com Abraxos ao lado. Como se pudesse ficar com elas, com suas Treze, por mais um pouco.

E bem longe, do outro lado das montanhas cobertas de neve, em uma planície estéril diante das ruínas do que um dia fora uma grandiosa cidade, uma flor começou a crescer.

91

Dorian não havia acreditado; não ousara ter esperanças diante do que via.

Um exército estrangeiro, marchando para o norte. Um exército que ele crescera estudando. Havia soldados de infantaria do khagan e a cavalaria darghan. Havia os lendários ruks, magníficos e orgulhosos, voando acima dos pelotões em um mar de asas.

Ele mirara o mais perto da frente do exército quanto podia chegar, perguntando-se qual dos membros da realeza tinha vindo. Perguntando-se se Chaol estava com eles. Se a presença daquele exército milagroso significava que seu amigo obtivera sucesso, contra todas as probabilidades.

Os ruks o viram naquele momento.

E o perseguiram. Então Dorian havia começado a sinalizar conforme se aproximava. Rezando para que hesitassem.

Mas então ele pousou na bifurcação. E então ele os viu. Ele a viu.

Aelin, galopando até ele. Com Rowan ao lado, Elide e os demais com ela.

Maeve acreditara que Aelin se dirigira a Terrasen. E ali estava ela, com o exército do khagan.

O sorriso da jovem sumiu assim que ele se aproximou. Como se tivesse sentido o que ele levava.

— Onde está Manon? — Foi tudo o que ela perguntou.

— Terrasen — sussurrou Dorian, levemente ofegante. — E provavelmente com as Crochan, se tudo tiver corrido como planejado.

Ela abriu a boca, os olhos arregalados, mas outro cavaleiro se aproximou galopando pela estrada.

O mundo ficou silencioso.

O cavaleiro que se aproximava parou, outro — uma linda mulher que Dorian só conseguia descrever como dourada — logo atrás dele.

Mas Dorian encarou o cavaleiro a sua frente. A postura do corpo, a aura de comando que emanava.

Quando Chaol Westfall desceu do cavalo e correu os últimos centímetros até o amigo, o rei de Adarlan chorou.

⁓

Chaol não escondeu as lágrimas e o tremor que tomaram conta de si ao se chocar com Dorian e abraçar seu rei.

Ninguém disse uma palavra, embora Chaol soubesse que estavam todos reunidos. Soubesse que Yrene estava a seu lado, chorando também.

Ele apenas permaneceu abraçando o amigo, seu irmão.

— Eu sabia que você conseguiria — disse Dorian, com voz rouca. — Eu sabia que você encontraria uma solução. Para tudo.

O exército. O fato de que ele estava de pé.

Chaol apenas o abraçou mais forte.

— Você tem uma história e tanto para contar também.

Dorian se afastou com a expressão séria.

Uma história, percebeu Chaol, que poderia não ser tão feliz quanto a do amigo.

Mas antes que qualquer fardo que Dorian carregasse pudesse cair sobre eles, Chaol indicou Yrene, que descera do cavalo e agora enxugava as próprias lágrimas.

— A mulher responsável por isso — contou ele, indicando a própria postura, de pé, seu caminhar e o exército que se estendia pela estrada. — Yrene Towers. Uma curandeira na Torre Cesme. E minha esposa.

A jovem fez uma reverência, e Chaol podia ter jurado que uma sombra de tristeza havia escurecido os olhos de Dorian. Mas então o rei tomou as mãos de Yrene, erguendo-a da reverência. E, embora aquela tristeza ainda tocasse seu sorriso, Dorian disse a ela:

— Obrigado.

A curandeira ficou escarlate.

— Ouvi tanto a seu respeito, Vossa Majestade.

Dorian apenas piscou um olho, um fantasma do homem que fora antes.

— Somente coisas ruins, espero.

Yrene gargalhou, e a alegria em seu rosto — a alegria que Chaol sabia ser para os dois — o fez se apaixonar completamente de novo.

— Sempre quis uma irmã — confessou Dorian, inclinando-se para beijar Yrene em cada bochecha. — Bem-vinda a Adarlan, lady.

O sorriso da jovem ficou mais suave... mais profundo, e ela colocou a mão na barriga.

— Então ficará feliz ao saber que logo será tio.

Dorian se virou para Chaol, que assentiu, incapaz de encontrar as palavras para dizer o que encheu seu coração.

Mas o sorriso de Dorian diminuiu quando ele olhou para a árvore na qual Aelin tinha se encostado, com Rowan e Elide ao lado.

— Eu sei — disse ela, e Chaol entendeu que a rainha não estava falando da gravidez.

Dorian fechou os olhos, e Chaol apoiou a mão no ombro do amigo, independentemente do fardo que ele estivesse prestes a revelar.

— Peguei a terceira chave em Morath — declarou Dorian.

Os joelhos de Chaol fraquejaram, e Yrene estava imediatamente ali, com um braço em volta da cintura do marido.

As chaves de Wyrd.

— Você tem todas as três agora? — perguntou Chaol.

Dorian assentiu uma vez.

Um olhar de Rowan e a equipe se afastou para se certificar de que ninguém do exército se aproximasse o bastante para ouvir.

— Entrei escondido em Morath para pegar a terceira — explicou Dorian.

— Pelos deuses — sussurrou Aelin. Chaol apenas piscou.

— Essa foi a parte fácil — disse ele, empalidecendo. A realeza do khaganato emergiu do exército, e Dorian sorriu para Nesryn. Então assentiu para a realeza. Apresentações viriam mais tarde.

— Maeve estava lá — contou a Aelin.

Chamas dançaram nas pontas dos dedos da jovem quando ela apoiou a mão em Goldryn. O fogo pareceu mergulhar para a lâmina, e o rubi brilhou.

— Eu sei — afirmou ela, baixinho.

As sobrancelhas de Dorian se ergueram, e Aelin apenas sacudiu a cabeça, indicando para que ele prosseguisse conforme a equipe voltava.

— Maeve descobriu minha presença e... — O rapaz suspirou, e a história toda saiu aos tropeços.

Quando ele terminou, Chaol ficou feliz por Yrene ter mantido o braço em torno de sua cintura. Silêncio caiu, pesado e tenso. Dorian destruíra Morath.

— Tenho poucas dúvidas — admitiu ele — de que tanto Erawan quanto Maeve sobreviveram ao colapso de Morath. Provavelmente só serviu para irritá-los.

Isso não impediu Chaol de se maravilhar com o amigo, e os demais também o encararam, boquiabertos.

— Bem feito — disse Lorcan, observando o rei da cabeça aos pés. — Muito bem feito mesmo.

Aelin deu um assobio impressionado.

— Eu queria poder ter visto isso — comentou ela, sacudindo a cabeça. Em seguida Aelin se virou para Rowan. — Seu tio e Essar cumpriram sua parte, então. Chutaram Maeve para fora.

O príncipe feérico riu com deboche.

— Você disse que sua carta tinha palavras fortes. Eu devia ter acreditado. — A rainha esboçou uma reverência. Chaol não tinha a menor ideia do que os dois diziam, mas Rowan prosseguiu: — Se Maeve não pode ser rainha dos feéricos, vai encontrar outro trono.

— Vadia — disparou Fenrys. Chaol estava inclinado a concordar.

— Nossos piores medos se confirmaram, então — observou o príncipe Sartaq, olhando para os irmãos. — Um rei e uma rainha valg se uniram. — Um aceno de cabeça na direção de Elide. — Seu tio não mentiu.

— Maeve não tem exército agora — lembrou Dorian. — Apenas o próprio poder.

Nesryn se encolheu.

— Os híbridos que ela criou com as princesas podem ser desastrosos o bastante.

Chaol olhou para Yrene, a mulher que tinha a maior arma contra os valg dentro do próprio corpo.

— Quando você saiu de Morath? — perguntou Rowan.

— Há três dias — respondeu Dorian.

O guerreiro se virou para Aelin, que estava com o rosto pálido e ainda encostada na árvore. Chaol se perguntou se ela fazia aquilo apenas porque as próprias pernas não conseguiriam sustentá-la.

— Então pelo menos sabemos que Erawan ainda não foi para Terrasen.

— Seu esquadrão de Dentes de Ferro seguiu na frente — contou Dorian.

— Nós sabemos — afirmou Chaol. — Já estão em Orynth.

Dorian sacudiu a cabeça.

— Isso é impossível. Elas partiram pouco depois de mim. Estou surpreso por não tê-las visto voando pelas montanhas Ruhnn.

Silêncio.

— O esquadrão completo das Dentes de Ferro ainda não está em Orynth — disse Aelin em voz baixa. Baixa demais.

— Contei mais de mil no esquadrão com que voei — comentou Dorian. — Muitas levavam soldados, todos valg.

Chaol fechou os olhos, e o braço de Yrene se apertou em volta do marido em um conforto silencioso.

— Sabíamos que os rukhin estariam em menor número de toda forma — ponderou Nesryn.

— Não restará nada de Terrasen para os rukhin defenderem — disse o príncipe Kashin, coçando o queixo. — Mesmo que as Crochan tenham chegado antes de nós.

A rainha de Terrasen se afastou da árvore por fim.

— Temos duas escolhas, então — começou ela, a voz determinada apesar do inferno que caía sobre eles. — Continuamos para o norte, o mais rápido possível, e vemos o que resta para combater quando chegarmos a Terrasen. Posso conseguir derrubar um bom número daquelas serpentes aladas.

— E a outra opção? — perguntou a princesa Hasar.

O rosto de Aelin ficou sério.

— Estamos com as três chaves de Wyrd. Eu estou aqui. Posso acabar com isso agora. Ou pelo menos tirar Erawan da equação antes que ele consiga nos encontrar, recuperar as chaves e governar este mundo e todos os outros.

Rowan se espantou, sacudindo a cabeça. Mas Aelin ergueu a mão. E até mesmo o príncipe feérico recuou.

— A escolha não é só minha.

E Chaol percebeu que era, de fato, uma rainha diante deles, não a assassina que ele arrastara para fora de uma mina de sal a poucos quilômetros adiante na estrada. Nem mesmo a mulher que vira em Forte da Fenda.

Dorian endireitou os ombros.

— A escolha também é minha.

Devagar, muito devagar, Aelin olhou para ele. Chaol se preparou. A voz da jovem soou mortalmente baixa quando disse a Dorian:

— Você recuperou a terceira chave. Seu papel nisso acabou.

— Ao inferno que acabou — retrucou o rapaz, os olhos cor de safira brilhando. — O mesmo sangue e a mesma dívida correm em minhas veias.

As mãos de Chaol se fecharam ao lado do corpo enquanto ele lutava para manter a boca fechada. Rowan parecia fazer o mesmo enquanto os dois governantes se enfrentavam.

O rosto de Aelin permaneceu inescrutável; distante.

— Está tão ansioso assim para morrer?

Dorian não recuou.

— Você está?

Silêncio. Total silêncio na clareira.

Então Aelin deu de ombros, como se o peso de mundos inteiros não estivesse em risco.

— Independentemente de quem recolocará as chaves no portão, esse é um destino que pertence a todos nós. Então todos nós deveríamos decidir. — Ela ergueu o queixo. — Continuamos para a guerra, esperamos chegar a Orynth a tempo e então destruímos as chaves? Ou destruímos as chaves agora, e então vocês continuam para o norte? — Uma pausa, terrível e insuportável. — Sem mim.

Rowan estava trêmulo, se pelo autocontrole exercido ou por pavor, Chaol não sabia dizer.

— Eu gostaria de fazer uma votação — disse Aelin, calma e sem hesitação.

Uma votação.

Rowan jamais ouvira algo tão absurdo.

Mesmo quando parte de si brilhou de orgulho por ela ter escolhido aquele instante, bem ali, como o momento que o novo mundo que ela prometera se ergueria.

Um mundo no qual o poder não ficaria na mão de poucos, mas de muitos. Começando com aquilo, aquela escolha tão vital. Aquele destino insuportável.

Todos tinham avançado mais para o fim da estrada, e Rowan não deixou de ver que estavam em uma bifurcação. Ou que Dorian e Aelin e Chaol estavam no coração daquela bifurcação a poucos quilômetros das minas de sal. Onde tanto daquilo começara, pouco mais de um ano antes.

Havia um rugido constante nos ouvidos de Rowan conforme o debate prosseguia.

Ele sabia que deveria cair de joelhos e agradecer a Dorian por recuperar a terceira chave. Mas odiava o rei mesmo assim.

Odiava aquele caminho em que tinham sido colocados mil anos antes. Odiava que aquela escolha estivesse diante deles, quando já haviam lutado tanto, cedido tanto.

— Marcharemos contra cem mil tropas inimigas, talvez mais — dizia o príncipe Kashin. — Esse número não vai mudar quando o portão de Wyrd for fechado. Precisaremos da Portadora do Fogo para matá-los.

A princesa Hasar sacudiu a cabeça.

— Mas há a possibilidade de colapso daquele exército caso Erawan suma. Se cortar a cabeça da besta, talvez o corpo morra.

— Esse é um grande risco — argumentou Chaol, a mandíbula tensa. — A retirada de Erawan pode ajudar ou não. Um exército inimigo desse tamanho, cheio de soldados valg que podem estar ansiosos para tomar o lugar do mestre, pode ser impossível de impedir a esta altura.

— Então por que não usar as chaves? — perguntou Nesryn. — Por que não levar as chaves para o norte e usá-las, destruir o exército e...

— As chaves não podem ser usadas — interrompeu Dorian. — Não sem destruir o portador. Não temos absoluta certeza de que um mortal *poderia* suportar o poder. — Ele assentiu na direção de Aelin, calada e observadora enquanto era preciso todo o treino de Rowan para não arrancar as tripas de Dorian. — Apenas colocá-las de volta no portão já exigirá tudo. — Ele acrescentou, tenso: — De um de nós.

Rowan sabia que deveria argumentar contra aquilo, deveria gritar.

— Eu deveria fazer isso — prosseguiu o jovem rei.

— Não. — A palavra escapuliu de Chaol... e de Aelin. A primeira palavra da rainha desde que aquele debate havia começado.

Mas foi Fenrys quem perguntou a Chaol, com a voz mortalmente baixa:

— Então minha rainha deveria morrer, mas não seu rei?

Chaol enrijeceu.

— Nenhum de meus amigos deveria morrer. Nada disso deveria acontecer.

Antes que Fenrys pudesse grunhir uma resposta, Yrene interrompeu:

— Quando o Fecho for forjado e o portão de Wyrd, selado, os deuses partirão?

— E já vão tarde — murmurou Fenrys.

Mas a curandeira enrijeceu diante da dispensa casual e levou a mão ao coração.

— Amo Silba. Muito. Quando ela se for deste mundo, será que meus poderes deixarão de existir? — Ela indicou o grupo reunido.

— Duvido — respondeu Dorian. — Esse custo, pelo menos, jamais foi exigido.

— E quanto aos outros deuses neste mundo? — perguntou Nesryn, franzindo a testa. — Os 36 do khaganato. Não são deuses também? Será que serão mandados embora, ou apenas esses doze?

— Talvez nossos deuses sejam de outro tipo — ponderou a princesa Hasar.

— Não podem nos ajudar, então? — perguntou Yrene, a tristeza pela deusa que a abençoara ainda sombreando os olhos dourados. — Não podem intervir?

— Há, de fato, outras forças em ação neste mundo — observou Dorian, tocando o cabo de Damaris. O deus da verdade, fora ele quem abençoara a espada de Gavin. — Mas acho que se essas forças pudessem nos ajudar, já o teriam feito.

Aelin bateu com o pé no chão.

— Esperar presentes divinos é perda de tempo. E não é o tópico em questão. — Ela fixou o olhar incandescente em Dorian. — Também não vamos debater quem pagará o preço.

— Por quê? — A pergunta em voz baixa de Rowan saiu antes que ele conseguisse impedir.

Lentamente, sua parceira se virou para ele.

— Porque não vamos. — Palavras afiadas, frias. Ela olhou para Dorian, e o rei de Adarlan abriu a boca. — Não vamos — grunhiu Aelin.

Dorian abriu a boca de novo, mas Rowan o encarou. Fixou o olhar nele e deixou que ele lesse as palavras ali. *Depois. Debateremos isso depois.*

Se Aelin reparou na conversa silenciosa dos dois, se viu o aceno sutil de Dorian, não transpareceu. Apenas disse:

— Não temos tempo para desperdiçar em debates intermináveis.

Lorcan assentiu.

— Cada momento em posse das três chaves é um risco de Erawan nos encontrar e finalmente conseguir o que busca. Ou Maeve — acrescentou ele, franzindo a testa. — Mas, mesmo com isso, eu iria para o norte e deixaria que Aelin abrisse um buraco nas forças de Morath.

— Sejam objetivos — grunhiu a rainha. Ela observou todos. — Finjam que não me conhecem. Finjam que não sou ninguém e nada para vocês. Finjam que sou uma arma. Vocês me usam agora ou depois?

— Mas você não é ninguém — disse Elide, baixinho. — Não para muita gente.

— As chaves voltam para o portão — declarou Aelin, um pouco fria. — Em algum momento. E eu vou com elas. Estamos decidindo se isso acontece agora ou em algumas semanas.

Rowan não conseguia suportar aquilo. Não podia ouvir mais uma palavra.

— Não.

Todos pararam de novo.

Aelin expôs os dentes.

— Não fazer nada não é uma opção.

— Nós as esconderemos de novo — sugeriu Rowan. — Ele as perdeu durante milhares de anos. Podemos fazer isso de novo. — Ele apontou para Yrene. — Ela poderia destruí-lo sozinha.

— *Isso* não é uma opção — grunhiu Aelin. — Yrene está carregando um filho...

— Eu posso — afirmou a jovem, afastando-se de Chaol. — Se houver uma forma, eu poderia fazer isso. Vejo se as outras curandeiras podem ajudar...

— Haverá valg aos milhares para você destruir ou salvar, Lady Westfall — retrucou Aelin, com aquela mesma frieza. — Erawan poderia matá-la antes que tivesse a chance de sequer tocá-lo.

— Por que você pode abrir mão da própria vida e ninguém mais pode? — desafiou Yrene.

— Não sou eu quem está carregando um filho dentro de mim.

A curandeira piscou devagar.

— Hafiza pode conseguir...

— Não vou apostar em um jogo de *e se* e *poderíamos* — interrompeu Aelin, com um tom de voz que Rowan tinha ouvido muito raramente. Aquele tom de rainha. — Nós votaremos. Agora. Colocamos as chaves de volta no portão imediatamente, ou continuamos para Terrasen e o fazemos se conseguirmos impedir aquele exército?

— Erawan pode ser impedido — insistiu Yrene, inabalada pelas palavras da rainha. Sem medo de sua ira. — Sei que pode. Sem as chaves, podemos impedi-lo.

Rowan queria acreditar nela. Queria mais que qualquer coisa acreditar em Yrene Westfall. Chaol, olhando para Dorian, parecia querer o mesmo.

Mas Aelin apontou para a princesa Hasar.

— Qual seu voto?

Hasar a encarou. Refletiu por um momento.

— Voto para fazermos agora.

Aelin apenas apontou para Dorian.

— Você?

Ele ficou tenso, o debate inacabado ainda transparecendo na expressão de seu rosto. Mas o rei respondeu:

— Fazemos agora.

Rowan fechou os olhos, mal ouvindo os outros governantes e aliados enquanto davam suas respostas. Ele caminhou até o limite das árvores, preparado para correr caso começasse a vomitar.

— Você por último, Rowan — disse Aelin, então.

— Voto não. Não agora ou jamais.

Os olhos da rainha estavam frios, distantes. Da forma como estiveram em Defesa Nebulosa.

— Está decidido, então — disse Chaol, a voz baixa. Triste.

— Ao alvorecer, o Fecho será forjado e as chaves voltarão para o portão — concluiu Dorian.

Rowan apenas encarou e encarou sua parceira. A razão de ele respirar.

— Qual seu voto, Aelin? — perguntou Elide, baixinho.

A rainha afastou os olhos de Rowan, e ele sentiu a ausência daquele olhar como um vento congelado conforme ela dizia:

— Não importa.

92

Aelin não disse a eles que pedir que votassem não fora apenas para deixar que decidissem, como povos livres na terra, de que modo selar o destino do mundo. Não disse que também fora uma ação covarde. Deixar que outra pessoa decidisse por ela. Que escolhesse a estrada adiante.

Eles acamparam naquela noite em Endovier, com as minas de sal a meros 4,5 quilômetros no fim da estrada.

Rowan os obrigou a montar a tenda real. A cama real.

Ela não comeu com os outros. Mal conseguiu tocar na comida que o macho havia colocado na mesa. Ainda estava sentada diante do prato, com o coelho assado agora frio, debruçada sobre aqueles livros inúteis sobre marcas de Wyrd, quando Rowan disse, do outro lado da mesa:

— Não aceito isso.

— Eu aceito. — As palavras soaram inexpressivas, mortas.

Como ela estaria, antes de o sol terminar de nascer. Aelin fechou o livro antigo diante de si.

Apenas alguns dias os separavam da fronteira de Terrasen. Talvez devesse ter concordado em fazer aquilo naquele momento, mas sob a condição de que fosse no solo de Terrasen. No solo de Terrasen em vez de perto de Endovier.

Mas cada dia que se passava era um risco. Um risco terrível.

— Você jamais aceitou qualquer coisa na vida — grunhiu Rowan, ficando de pé e apoiando as mãos na mesa. — E agora está subitamente disposta a fazer isso?

Ela engoliu em seco para afastar a dor na garganta. Observou os livros que já folheara três vezes, sem sucesso.

— O que eu deveria fazer, Rowan?

— Mandar tudo ao inferno! — Ele socou a mesa, chacoalhando os pratos. — Deveria mandar os planos de todos para o inferno, as profecias e os destinos, e fazer os seus! Fazer *qualquer coisa*, menos aceitar isso!

— O povo de Erilea se pronunciou.

— Ao inferno com isso também — grunhiu ele. — Pode começar seu mundo livre *depois* desta guerra. Deixe que votem para os próprios malditos reis e rainhas, se quiserem.

Ela soltou um grunhido também.

— Não quero esse fardo por nem mais um segundo. Não quero precisar escolher, então descobrir que tomei a decisão errada ao atrasar tudo.

— Então gostaria de ter votado contra. Preferia ter ido para Terrasen.

— Isso importa? — Aelin se levantou. — Os votos não foram a meu favor de toda forma. Ouvir que eu queria ir para Orynth, para lutar uma última vez, só os teria influenciado.

— É você quem está prestes a morrer. Eu diria que tem o direito de dar sua opinião sobre o assunto.

Ela exibiu os dentes.

— Esse é meu *destino*. Elena tentou me livrar. E olha onde foi parar, com uma penca de deuses vingativos jurando acabar com sua alma eterna. Quando o Fecho for forjado, quando eu fechar o portão, destruirei outra vida com a minha.

— Elena teve mil anos de existência, viva ou como espírito. Perdoe-me se não dou a mínima para o fato de que o tempo dela chegou ao fim agora, enquanto você só recebeu vinte anos.

— Cheguei aos vinte anos por causa dela.

Nem mesmo aos vinte. O aniversário ainda estava a meses de acontecer. Em uma primavera que Aelin não veria.

Rowan começou a caminhar de um lado a outro, os passos firmes desgastando o tapete.

— Essa confusão é por causa dela também. Por que você deveria carregar esse fardo sozinha?

— Porque sempre foi meu, desde o início.

— Besteira. Poderia ter sido de Dorian com a mesma facilidade. Ele está disposto a fazer isso.

Aelin piscou.

— Elena e Nehemia disseram que Dorian não estava pronto.

— Dorian entrou e saiu de Morath, enfrentou Maeve e fez o lugar inteiro desabar. Eu diria que ele está tão pronto quanto você.

— Não permitirei que ele se sacrifique em meu lugar.

— Por quê?

— Porque ele é meu *amigo*. Porque não poderei *viver* comigo mesma se o deixar partir.

— Ele disse que faria isso, Aelin.

— Ele não sabe o que quer. Mal retornou dos horrores que precisou suportar.

— E você não? — desafiou Rowan, totalmente inabalado. — Ele é um homem adulto. Pode fazer as próprias escolhas, *nós* podemos fazer escolhas sem que você as dite.

Ela exibiu os dentes.

— *Foi decidido.*

Rowan cruzou os braços.

— Então você e eu faremos isso. Juntos.

O coração de Aelin parou de bater no peito.

— Não vai forjar o Fecho sozinha — continuou ele.

— Não. — As mãos de Aelin começaram a tremer. — Isso não é uma opção.

— De acordo com quem?

— De acordo *comigo*. — Ela não conseguia respirar ao pensar naquilo, em Rowan sendo apagado da existência. — Se fosse possível, Elena teria me falado. Alguém com minha linhagem *precisa* pagar.

Ele abriu a boca, mas contemplou a verdade no rosto da parceira, em suas palavras. Rowan sacudiu a cabeça.

— Prometi a você que encontraríamos uma forma de pagar essa dívida... juntos.

Aelin observou os livros espalhados. Nada; os livros, aquele pingo de esperança que ofereceram não levara a *nada*.

— Não há uma alternativa. — Aelin passou as mãos pelos cabelos. — *Eu* não tenho uma alternativa — corrigiu ela. Nenhuma carta na manga, nenhuma grande revelação. Não para aquilo.

— Não faremos isso amanhã, então — insistiu Rowan. — Esperaremos. Diremos aos demais que queremos chegar a Orynth primeiro. Talvez a biblioteca real tenha alguns textos...

— Qual é o objetivo de uma votação se ignoramos seu resultado? *Eles decidiram*, Rowan. Amanhã isso acabará.

As palavras pairaram ocas e nauseantes dentro da jovem.

— Deixe-me encontrar outro caminho. — A voz do guerreiro falhou, mas seus passos não hesitaram. — *Vou* encontrar outro caminho, Aelin...

— Não há outro caminho. Não entende? Tudo isto — sibilou ela, abrindo os braços. — Tudo *isto* foi para mantê-los vivos. *Todos* vocês.

— Com você como preço a pagar. Para expiar algum resquício de culpa.

Ela bateu com a mão sobre a pilha de livros antigos.

— Acha que eu *quero* morrer? Acha que alguma parte disso é fácil, olhar para o céu e me perguntar se é o último que verei? Olhar para você e me perguntar sobre aqueles anos que não teremos?

— Não sei o que você quer, Aelin — grunhiu Rowan. — Não tem sido completamente sincera.

O coração da rainha galopava.

— Quero que isso acabe, de uma forma ou de outra. — Os dedos de Aelin se fecharam em punhos. — Quero que isso *acabe*.

Ele sacudiu a cabeça.

— Eu sei. E sei o que você passou, que aqueles meses em Doranelle foram infernais, Aelin. Mas não pode parar de lutar. Não agora.

Os olhos da parceira ardiam.

— Eu aguentei por isso. Por *esse* propósito. Para poder colocar as chaves de volta no portão. Quando Cairn me despedaçou, quando Maeve destruiu tudo o que eu conhecia, foi somente a lembrança de que essa tarefa dependia de minha sobrevivência que evitou que eu cedesse. Sabendo que, se eu fracassasse, todos vocês morreriam. — A respiração ficou irregular, afiada. — E, desde então, fui tão *estúpida* por pensar que talvez não precisasse pagar a dívida, que poderia ver Orynth de novo. Que Dorian poderia fazer isso em meu lugar. — Ela cuspiu no chão. — Que tipo de pessoa isso me torna? Ter ficado cheia de medo quando ele chegou hoje?

Rowan mais uma vez abriu a boca para responder, mas Aelin o interrompeu com a voz falhando:

— Achei que poderia escapar disso, apenas por um momento. E, assim que pensei isso, os deuses trouxeram Dorian direto para meu caminho. Diga se isso não é intencional. Diga que aqueles deuses, ou quaisquer que sejam as *forças* que talvez também governem este mundo, não estão urrando que eu ainda deveria ser aquela a forjar o Fecho.

Rowan apenas a encarou por um longo momento, o peito inflando. Então disse:

— E se essas forças tiverem colocado Dorian em seu caminho para que não pagasse a dívida sozinha?

— Não entendi.

— E se *uniram* vocês? Não para escolher um ou outro, mas para compartilhar o fardo. Um com o outro.

Mesmo o fogo nos braseiros pareceu parar.

Os olhos de Rowan brilharam quando ele olhou para a frente.

— Naquele dia em que vocês destruíram o castelo de vidro... quando deram as mãos, seus poderes... Eu jamais tinha visto algo assim. Vocês conseguiram unir seus poderes, tornar-se *um*. Se o Fecho exigir você *inteira*, então por que não dar metade? Metade de *cada* um, considerando que os *dois* carregam o sangue de Mala.

Aelin deslizou lentamente para a cadeira.

— Eu... não sabemos se funcionaria.

— É melhor que caminhar para a própria execução com a cabeça baixa.

— Como eu poderia pedir a ele que fizesse isso? — disparou ela.

— Porque não é somente seu fardo, por isso. Dorian sabe e aceitou. Porque a alternativa é perdê-la. — O ódio em seus olhos se fragmentou, assim como a voz. — Eu iria em seu lugar se pudesse.

O coração de Aelin se quebrou.

— Eu sei.

Rowan caiu de joelhos diante da parceira, colocando a cabeça em seu colo e lhe abraçando a cintura.

— Não consigo suportar isso, Aelin. Não consigo.

Ela passou os dedos pelos cabelos do macho.

— Eu queria aqueles mil anos com você — confessou ela, baixinho. — Queria ter filhos com você. Queria que fôssemos para o Além-mundo juntos. — Suas lágrimas caíram nos cabelos de Rowan.

Ele levantou a cabeça.

— Então lute por isso. Mais uma vez. Lute por esse futuro.

Ela olhou para Rowan, para a vida que via naquele rosto. Para tudo que ele oferecia.

Tudo o que ela poderia ter também.

— Preciso pedir uma coisa a você.

A voz de Aelin despertou Dorian de um sono intermitente. Ele se sentou na cama. Pelo silêncio no acampamento, devia ser a calada da noite.

— O quê?

Rowan estava montando guarda atrás de Aelin, observando o acampamento do exército sob as árvores. Dorian viu o olhar de esmeralda; a resposta de que já precisava.

O príncipe cumprira com a promessa silenciosa de mais cedo.

Aelin engoliu em seco.

— Juntos — pediu ela, com a voz falhando. — E se forjássemos o Fecho juntos?

Dorian entendeu o plano, a esperança desesperada, antes de Aelin o expor. E ao terminar, Aelin apenas disse:

— Sinto muito por sequer pedir.

— Sinto muito por não ter pensado nisso — respondeu ele, colocando-se de pé e calçando as botas.

Rowan se virou para eles então. Esperando pela resposta que sabia que Dorian daria.

Então o jovem rei disse aos dois:

— Sim.

Aelin fechou os olhos, e ele não sabia dizer se era por alívio ou arrependimento. Dorian colocou a mão no ombro da amiga. Ele não queria saber como fora a discussão entre ela e Rowan para fazer com que Aelin concordasse, com que aceitasse aquilo. Para que ela sequer tivesse dito sim...

Os olhos da rainha se abriram; apenas determinação desesperançada restava ali.

— Faremos isso agora — decidiu ela, a voz rouca. — Antes dos outros. Antes de despedidas.

Dorian assentiu. Aelin apenas perguntou:

— Quer que Chaol esteja lá?

Ele pensou em dizer não. Pensou em poupar o amigo de outra despedida quando havia tanta alegria no rosto de Chaol, tanta paz.

Mas, mesmo assim, Dorian falou:

— Quero.

⋺ 93 ⋻

Os quatro caminharam em silêncio entre as árvores. Seguindo pela antiga estrada em direção às minas de sal.

Era o único lugar que os batedores não estavam observando.

Cada passo a deixava enjoada, e uma camada de suor brotava em suas costas. Rowan mantinha uma das mãos agarrada à dela, com o polegar acariciando a pele de Aelin.

Ali, naquele lugar terrível e morto, cheio de tanto sofrimento — seria ali que ela enfrentaria seu destino. Como se jamais tivesse escapado daquele local, não de verdade.

Sob a escuridão, as montanhas onde as minas haviam sido escavadas pareciam pouco mais que sombras. A grande muralha que cercava o campo de morte não era nada além de uma mancha escura.

Os portões foram deixados abertos, um deles quebrado nas dobradiças. Talvez os escravizados libertos tivessem tentado derrubá-lo na saída.

Os dedos de Aelin apertaram mais os de Rowan conforme eles passavam sob o arco e entravam na propriedade aberta das minas. Lá, no centro... lá ficavam os postes de madeira onde ela fora açoitada. No primeiro dia, em tantos dias.

E lá, na montanha à esquerda... lá era onde jaziam as covas. As covas sem luz nas quais a jogaram.

Os prédios dos capatazes das minas eram escuros. Casebres.

Foi preciso todo o autocontrole de Aelin para não olhar seus pulsos, onde as cicatrizes dos grilhões tinham estado. Para não sentir o suor frio escorrendo por suas costas e saber que não havia nenhuma cicatriz ali também. Apenas a tatuagem de Rowan, marcada sobre a pele macia.

Como se esse lugar fosse um sonho; algum pesadelo conjurado por Maeve.

A ironia não passava despercebida. Ela já escapara de grilhões duas vezes — somente para acabar mais uma vez ali. Uma liberdade temporária. Tempo emprestado.

Aelin deixara Goldryn na tenda. A espada seria de pouco uso no lugar aonde iam.

— Nunca pensei que fôssemos ver esse lugar de novo — murmurou Dorian.

— Certamente não dessa forma. — Nenhum dos passos do rei vacilou, e o rosto estava sombrio enquanto ele segurava o cabo de Damaris. Pronto para enfrentar o que quer que os aguardasse.

A dor que Aelin sabia que viria.

Não, ela jamais havia escapado de verdade, não é?

Eles pararam próximos ao centro do quintal de terra. Elena a tinha instruído sobre como forjar o Fecho e colocar as chaves de volta no portão. Embora não fosse ter nenhuma grande demonstração de magia, nenhuma ameaça àqueles ao redor, ela quisera ficar longe. Afastada do grupo.

No luar, o rosto de Chaol estava pálido.

— O que você precisa que façamos?

— Estejam aqui — respondeu Aelin, simplesmente. — Isso é suficiente.

Era a única razão pela qual ela ainda conseguia suportar ficar de pé ali, naquele lugar detestável.

Aelin encontrou o olhar inquisidor de Dorian e assentiu. Não havia por que perder tempo.

Dorian abraçou Chaol, e os dois falaram baixo demais para que Aelin ouvisse.

A rainha apenas começou a desenhar uma marca de Wyrd na terra, grande o bastante para que ela e Dorian ficassem de pé no centro. Haveria duas, sobrepondo-se: Abrir. Fechar.

Trancar. Destrancar.

Aelin as tinha aprendido desde o começo. Ela mesma as usara.

— Nenhuma despedida carinhosa, princesa? — perguntou Rowan conforme ela traçava a marca com o pé.

— Isso soa dramático — respondeu Aelin. — Muito dramático, até mesmo para mim.

Mas Rowan a parou, com o segundo símbolo inacabado, e lhe levantou o queixo.

— Mesmo quando estiver... lá — disse ele, com os olhos verde-pinho tão claros sob o luar. — Estarei com você. — O guerreiro colocou a mão sobre o coração da parceira. — Aqui. Estou com você aqui.

Ela apoiou a mão no peito do macho e inspirou seu cheiro profundamente para o pulmão, para o coração.

— Assim como estou com você. Sempre.

Rowan a beijou.

— Eu amo você — sussurrou ele contra a boca de Aelin. — Volte para mim.

Então o príncipe feérico recuou, ficando logo atrás das marcas inacabadas. A falta de seu cheiro e de seu calor encheu Aelin de frio. Mas ela manteve os ombros retos. Manteve a respiração constante ao memorizar as linhas do rosto de Rowan.

Dorian, com os olhos brilhando, deu um passo para as marcas.

— Sele a última quando tivermos terminado — ordenou Aelin a Rowan.

Seu príncipe, seu parceiro, assentiu.

Dorian tirou um pedaço de tecido dobrado do casaco, abrindo-o e revelando duas lascas de pedra preta. E o Amuleto de Orynth.

O estômago de Aelin se revirou, e a náusea devido ao caráter sobrenatural das pedras ameaçou colocá-la de joelhos. Mas ela pegou o Amuleto de Orynth da mão dele.

— Achei que você poderia querer abrir o amuleto — disse Dorian, em voz baixa.

Ali, no lugar onde ela havia sofrido e sobrevivido, no lugar onde tantas coisas tinham começado.

Aelin sopesou a joia antiga na palma das mãos, passando os polegares pelo contorno dourado das arestas. Por um segundo, ela estava novamente naquele quarto aconchegante na propriedade à margem do rio, com sua mãe ao lado, deixando o amuleto sob os cuidados da filha.

Aelin passou os dedos sobre as marcas de Wyrd na parte de trás. As runas que proclamavam seu destino odioso: *Meu preço é inominável.*

Escrito ali, aquele tempo todo, por tantos séculos. Um aviso de Brannon, assim como uma confirmação. O sacrifício de ambos. Seu sacrifício.

Brannon havia se enfurecido com aqueles deuses, havia marcado o amuleto e deixado todas aquelas pistas para que ela um dia encontrasse. Para que pudesse entender. Como se pudesse de algum modo desafiar aquele destino. A esperança de um tolo.

Aelin virou o amuleto de novo, traçando com os dedos o cervo imortal na parte da frente.

Tempo emprestado. Tudo havia sido tempo emprestado.

O ouro selando o amuleto derreteu em suas mãos, chiando ao cair na terra gelada. Com uma torção, Aelin abriu os dois lados da joia.

O odor sobrenatural da terceira chave a atingiu, chamando-a. Sussurrando em línguas que não existiam em Erilea, e que nunca existiriam.

Aelin apenas jogou a lasca de chave de Wyrd na mão à espera de Dorian. A pedra tilintou contra as outras duas, e o som podia ter ecoado para a eternidade, para outros mundos.

Dorian tremeu; Chaol e Rowan se esquivaram.

Aelin simplesmente colocou as duas metades do amuleto no bolso. Um pedaço de Terrasen para levar consigo. Para onde quer que estivessem prestes a ir.

Ela encontrou o olhar de Rowan uma última vez. Viu as palavras ali. *Volte para mim.*

Aelin levaria aquelas palavras com ela, aquele rosto também. Mesmo quando o Fecho exigisse tudo, aquilo permaneceria. Sempre permaneceria.

Ela engoliu apesar do nó na garganta. Quebrou o olhar penetrante de Rowan. Então cortou a palma de sua mão. E depois a de Dorian.

Com as montanhas espreitando acima dos ombros de Aelin e Dorian, as estrelas pareceram se aproximar enquanto ela passava a faca uma terceira vez, sobre o antebraço. Um corte profundo e amplo, partindo a pele.

Para abrir o portão, ela precisava *se tornar* o portão.

Erawan havia começado o processo de transformar Kaltain Rompier naquele portão — tinha colocado a pedra dentro de seu braço; não para guardá-la em segurança, mas para preparar o corpo da mulher para as outras pedras. Para transformá-la em um portão de Wyrd vivo que ele pudesse controlar.

Apenas uma lasca no corpo de Kaltain já a havia destruído. Colocar as três no próprio...

Meu nome é Aelin Galathynius, e não terei medo.
Não terei medo.
Não terei medo.
— Está pronto? — sussurrou Aelin.
Dorian assentiu.

Com um último olhar para as estrelas, com um último olhar para o Senhor do Norte guardando Terrasen a apenas alguns quilômetros de distância, Aelin pegou os pedaços da palma da mão aberta de Dorian.

E conforme os dois juntavam as mãos ensanguentadas, conforme a magia de ambos rugia pelos corpos e se entrelaçava, indistinta e eterna, Aelin enfiou as três chaves de Wyrd na ferida aberta de seu braço.

༄

Rowan selou as marcas de Wyrd com uma passada de seu pé pela terra congelada.

Justamente no instante que Aelin bateu a palma da mão sobre o próprio braço, fechando as três chaves de Wyrd em seu corpo enquanto a outra mão pegava a de Dorian.

Tinha de funcionar. Tinha de ser o porquê de os caminhos de ambos terem se cruzado, o motivo pelo qual Aelin e Dorian já tinham se achado duas vezes antes, naquele exato lugar. Ele não podia aceitar nenhuma outra alternativa. Ele não podia tê-la deixado ir caso contrário.

Rowan não estava respirando. Ao lado, ele não tinha certeza se Chaol respirava também.

Mas, enquanto Aelin e Dorian ainda permaneciam de pé ali, as cabeças erguidas apesar do medo que ele sentia no cheiro de ambos, o rosto dos dois ficara desabitado. Vazio.

Nenhum lampejo de luz.

Nenhum clarão de poder.

Aelin e Dorian simplesmente permaneciam de pé, as mãos dadas, e olhavam para a frente.

Inexpressivos. Sem ver. Congelados.

Ausentes.

Ali, mas ausentes. Como se os corpos fossem cascas.

— O que houve? — sussurrou Chaol.

A mão de Aelin caiu de onde estava apoiada no próprio braço, pendendo sem vida na lateral do corpo. Revelando aquela ferida aberta. As lascas de pedra preta enfiadas ali dentro.

Algo no peito de Rowan, intricado e essencial, começou a tensionar. Começou a se retesar.

O laço de parceria.

Rowan cambaleou para a frente com a mão no peito.

Não. O laço de parceria se contorceu, como se estivesse agonizando, como se estivesse aterrorizado. Ele parou, com o nome de Aelin nos lábios.

Rowan caiu de joelhos quando as três chaves de Wyrd no braço de sua parceira se dissolveram no sangue da jovem.

Como orvalho ao sol.

94

Como havia sido antes, era novamente.

O início e o fim e a eternidade, uma torrente de luz, de *vida* que fluía entre eles, duas metades de uma linhagem partida.

Névoa rodopiava, escondendo o chão sólido abaixo. Uma ilusão, talvez — para suas mentes suportarem o entorno. Um lugar que não era um lugar, em uma câmara de muitas portas. Mais portas do que poderiam contar. Algumas feitas de ar, outras de vidro, algumas de chamas e ouro e luz.

Um novo mundo além de cada uma; um novo mundo chamando.

Mas eles permaneceram ali, na bifurcação de todas as coisas.

Em corpos que não eram os seus, ficaram de pé entre todas aquelas portas, com o poder escorrendo, empoçando-se diante de ambos. Misturando-se e unindo-se, uma bola de luz, de criação, pairando no ar.

Cada faísca que fluía dos dois para a esfera crescente adiante, para o Fecho que tomava forma, não voltaria. Não seria reposta.

Um poço secando. Para sempre.

Mais e mais e mais, saindo deles com cada fôlego. Criação e destruição.

A esfera girou, as bordas se curvaram, encolheram. Tomaram a forma que tinham escolhido, uma coisa de ouro e prata. O Fecho que selaria todas aquelas portas infinitas para sempre.

Mesmo assim, ambos entregaram o próprio poder; e, mesmo assim, o Fecho que se formava exigiu mais.

E começou a doer.

Ela era Aelin, mas não era.

Ela era Aelin, mas era infinita; era todos os mundos, era...

Ela era Aelin.

Ela era *Aelin*.

E ao deixar as chaves entrarem em seu corpo, ela e o rei tinham atravessado o *verdadeiro* portão de Wyrd. Um passo, ou um pensamento, ou um desejo permitiria que eles acessassem qualquer mundo que desejassem. Qualquer possibilidade.

Havia um arco atrás de ambos. Um arco que teria o cheiro de pinho e neve. Lentamente, o Fecho se formou; luz se tornou metal — ouro e prata.

Dorian estava ofegante, a mandíbula tensa, conforme os dois entregavam de novo e de novo o poder para aquilo. Para nunca mais vê-lo de novo.

Era dor. Dor como nada que ela tivesse sentido.

Ela era Aelin. Ela era Aelin e não as coisas que colocara no braço, não aquele lugar que existia além da razão. Ela era Aelin; ela era Aelin; e fora até ali para fazer algo, fora até ali prometendo fazer *algo*...

Ela lutou contra o grito crescente enquanto seu poder era extirpado, como pele que se destaca da carne. Exatamente como Cairn fizera, como sentira prazer. Mas ela tinha sobrevivido a ele. Escapado das garras de Maeve. Tinha sobrevivido aos dois. Para fazer aquilo. Para ir até ali.

Mas estivera errada.

Não podia suportar. Não tinha estômago para aquilo, para aquela perda e a dor e o desatino crescente conforme uma nova verdade se tornava evidente:

Eles não deixariam aquele lugar. Não lhes restaria nada de toda forma. Eles se dissolveriam, gotículas flutuando na neblina ao redor.

∽

Era uma dor que Dorian jamais conhecera. A sensação de ser desfeito, fio a fio.

O formato do Fecho, dissera Elena a Aelin, não fazia diferença. Poderia ter sido um pássaro ou uma espada ou uma flor até onde aquele lugar, aquele portão, se importava. Mas as mentes de ambos, o que restava delas enquanto se desfaziam, escolheram o formato que conheciam, aquele que fazia mais sentido. O Olho de Elena, renascido; o Fecho mais uma vez.

Aelin começou a gritar. Gritar e gritar.

A magia de Dorian era forçada para fora daquele lugar sagrado e perfeito dentro de si.

Forjá-lo os mataria. Mataria os dois. Tinham ido até lá com a esperança desesperada de que *ambos* sairiam com vida.

E se não parassem, se não impedissem aquilo, nenhum dos dois sairia.

Dorian tentou mover a cabeça. Tentou dizer a ela. *Pare.*

A magia era arrancada do rei, o Fecho a sorvia, uma força que não podia ser contida. Uma fome insaciável que os devorava.

Pare. Ele tentou falar. Tentou recuar.

Aelin estava chorando — chorando com os dentes trincados.

Em breve. Em breve, o Fecho tomaria tudo. E aquela destruição final seria a mais brutal e dolorosa de todas.

Será que os deuses os fariam assistir enquanto reivindicavam a alma de Elena? Será que ele sequer teria a chance, a habilidade, de tentar ajudá-la, como prometera a Gavin? Ele sabia a resposta.

Pare.

Pare.

— Pare.

Dorian ouviu as palavras e por um segundo não reconheceu o falante.

Até que um homem surgiu de uma das portas impossíveis, porém possíveis. Um homem que parecia de carne e osso, como eles, mas cujas bordas tremeluziam.

Seu pai.

95

O pai estava parado ali. O homem que ele vira pela última vez em uma ponte, em um castelo de vidro, mas ao mesmo tempo não.

Havia bondade em seu rosto. Humanidade.

E tristeza. Uma tristeza tão terrível, dolorida.

A magia de Dorian hesitou.

Até mesmo a magia de Aelin diminuiu o ritmo, surpresa, e a torrente escasseou até virar um gotejar, um dreno constante e doloroso.

— Pare — sussurrou o homem, cambaleando até eles, olhando para a fita de poder, ofuscante e pura, alimentando a formação do Fecho.

— Isso não pode ser impedido — falou Aelin.

O pai de Dorian sacudiu a cabeça.

— Eu sei. O que começou não pode ser parado.

O pai dele.

— Não — disse Dorian. — Não, você não pode estar aqui.

O homem apenas olhou para baixo... para o lado de Dorian. Para onde poderia haver uma espada.

— Você não me convocou?

Damaris. Ele estivera usando Damaris naquele anel de marcas de Wyrd. Em seu mundo, em sua existência, ainda usava.

A espada, o deus sem nome a quem servia, aparentemente achava que Dorian tinha uma última verdade a enfrentar. Mais uma verdade antes do fim.

— Não — repetiu Dorian. Era tudo o que conseguia pensar em dizer ao olhar para ele, o homem que fizera coisas tão terríveis a todos.

O pai ergueu as mãos em súplica.

— Meu menino — sussurrou ele, apenas.

Dorian não tinha nada a dizer a ele. Odiava que aquele homem estivesse ali, no fim e no começo.

Ainda assim, o pai de Dorian olhou para Aelin.

— Deixe-me fazer isso. Deixe-me acabar com isso.

— O quê? — A palavra disparou de Dorian.

— Você não foi escolhido — retrucou Aelin, embora a frieza em sua voz parecesse hesitar.

— Meu preço é inominável — disse o rei.

Aelin ficou imóvel.

— Meu preço é inominável — repetiu o pai dele. O aviso de uma bruxa idosa, as palavras malditas escritas no verso do Amuleto de Orynth. — Pela marca do bastardo que carrega, você é Inominável, mas também sou, não sou? — Ele olhou de um para o outro, com os olhos arregalados. — Qual é meu nome?

— Isso é ridículo — disse Dorian, entre dentes. — Seu nome é...

Mas onde deveria haver um nome, havia apenas um buraco vazio.

— Você... — sussurrou Aelin. — Seu nome é... Como não tem um nome, como não sabemos qual é?

O ódio de Dorian se dissipou. E a dor de ter a magia e a alma arrancadas se tornou secundária quando seu pai falou:

— Erawan o tomou. Limpou da história, da memória. Um feitiço antigo e terrível, tão poderoso que só pôde ser usado uma vez. Tudo para que eu pudesse ser seu criado mais fiel. Nem mesmo eu sei meu nome, não mais. Eu o perdi.

— Meu preço é inominável — murmurou Aelin.

Dorian olhou então. Para o homem que tinha sido seu pai. Olhou de verdade para ele.

— Meu menino — sussurrou ele de novo. E foi amor, amor e orgulho e tristeza que brilharam no rosto do homem.

O pai de Dorian, que estivera possuído como ele, que tentara salvá-los da própria maneira e fracassara. O pai de Dorian, de quem tudo fora tomado, mas que jamais se curvara a Erawan, não completamente.

— Quero odiá-lo — disse Dorian, a voz falhando.

— Eu sei — respondeu o homem.

— Você destruiu tudo. — Ele não conseguiu impedir as lágrimas. A mão de Aelin apenas apertou mais a do jovem rei.

— Sinto muito — sussurrou o pai. — Sinto muito por tudo, Dorian.

E mesmo a forma como o pai disse o nome do filho... Dorian jamais o ouvira falar daquela forma.

Esquecê-lo. Atirá-lo em um mundo infernal. Era o que deveria fazer.

No entanto, Dorian sabia por quem ele tinha, de fato, derrubado Morath. Por quem tinha enterrado aquela câmara de colares e a tumba odiosa a seu redor.

— Sinto muito — repetiu o pai.

Dorian não precisava de Damaris para lhe dizer que as palavras eram verdadeiras.

— Deixe-me pagar essa dívida — pediu o pai, aproximando-se. — Deixe-me pagar isto. O sangue de Mala também não flui em minhas veias?

— Você não tem magia, não como nós — respondeu Aelin, os olhos tristes.

O homem a encarou.

— Tenho o bastante, o suficiente no sangue. Para ajudar.

Dorian olhou por cima do ombro, na direção do arco que se abria para Erilea. Para casa.

— Então o faça — declarou ele, embora as palavras não tivessem saído com a frieza desejada. Apenas peso e exaustão.

— Eu tinha planejado isso antes do fim — murmurou Aelin para o pai de Dorian.

— Então, agora, não estará sozinha — respondeu o homem, sorrindo em seguida para Dorian, uma visão do rei e do pai que poderia ter sido. Sempre fora, apesar do que recaíra sobre ele. — Eu agradeço... por ter podido vê-lo de novo. Uma última vez.

Dorian não tinha palavras, não conseguia encontrá-las. Não quando Aelin se virou para ele, com lágrimas escorrendo pelo rosto, e disse:

— Um de nós precisa governar.

Antes que Dorian conseguisse entender, antes que conseguisse perceber o acordo que ela acabara de fazer, Aelin puxou a mão da dele.

E o empurrou por aquele portão atrás dos dois. De volta para o mundo deles.

Rugindo, ele caiu.

Quando o mundo nebuloso do portão de Wyrd sumiu, Dorian viu Aelin pegar a mão de seu pai.

96

Rowan não tinha se mexido durante as horas em que estiveram ao lado de Aelin e Dorian, vendo-os olhar para o nada. Chaol nem mesmo mudara de posição também.

A noite passou, com as estrelas correndo acima daquele lugar odioso e frio.

E então Dorian arqueou o corpo, inspirando... e desabou de joelhos.

Aelin permaneceu onde estava. Permaneceu de pé e simplesmente soltou a mão de Dorian.

A alma de Rowan parou.

— Não — disse Dorian, rouco, arrastando-se na direção da rainha, tentando pegar sua mão de novo, se juntar a ela.

Mas o ferimento na mão de Aelin tinha se fechado.

— Não, *não*! — gritou Dorian, e Rowan soube então.

Soube o que ela fizera.

A trapaça final, a última mentira.

— O que aconteceu? — indagou Chaol, estendendo a mão para levantar Dorian. O rei, chorando, soltou a antiga espada da lateral do corpo e a atirou longe. Damaris fez um barulho oco ao cair na terra.

Rowan apenas encarava Aelin.

Sua parceira, que mentira para ele. Para todos eles.

— Não era o suficiente, nós dois juntos. Teria destruído os dois — soluçou Dorian. — Mas Damaris, de alguma forma, conjurou meu pai, e... ele tomou meu lugar. Ele se ofereceu para tomar meu lugar, então ela... —

Ele avançou, tentando pegar a mão de Aelin, mas o rapaz deixara o círculo de marcas de Wyrd.

Elas agora o mantinham do lado de fora.

Uma parede que selava Aelin do lado de dentro.

O laço de parceria ficava cada vez mais fino.

— Os dois vão acabar com aquilo — explicou Dorian, trêmulo.

Rowan mal ouviu as palavras.

Ele deveria saber. Deveria saber que, se o plano fracassasse, Aelin jamais sacrificaria um amigo voluntariamente. Mesmo por aquilo. Mesmo pelo próprio futuro.

Ela sabia que ele tentaria evitar que ela forjasse o Fecho se mencionasse essa possibilidade, o que faria se tudo desse errado. Tinha concordado em deixar que Dorian a ajudasse apenas para conseguir chegar até ali. Provavelmente teria soltado a mão de Dorian mesmo que o pai deste não aparecesse.

Acabado; ela dissera tantas vezes que desejava que aquilo tivesse acabado. Ele deveria ter ouvido.

Chaol segurou Dorian, e o jovem lorde disse a Rowan, baixinho, com tristeza:

— Sinto muito.

Ela havia mentido.

Seu Coração de Fogo havia mentido.

E ele agora a veria morrer.

⁂

De mãos dadas com o inimigo, Aelin permitiu que a magia fluísse de novo. Permitiu que se debatesse para fora de si mesma.

O poder do rei sem nome não era nada comparado com o de Dorian. Mas era o suficiente, como dissera ele. O suficiente para ajudar.

Ela jamais quisera que Dorian se destruísse pelo Fecho. Apenas que desse o suficiente. E então o teria atirado de volta a Erilea. De modo que ela pudesse terminar aquilo sozinha.

Pagamento por dez anos de egoísmo, dez anos longe de Terrasen, dez anos fugindo.

A dor se tornou um rugido entorpecente. Mesmo o velho rei ofegava de dor.

Perto agora. As espirais e os círculos dourados do Fecho se solidificavam.

Ainda era preciso mais. Para fechar aquele lugar, fechar todos os mundos. Ele jamais a perdoaria.

Seu parceiro.

Ela precisara que ele a deixasse ir, precisara que aceitasse. Jamais teria conseguido fazê-lo, ir até ali, se ele estivesse implorando para que não o fizesse, se estivesse chorando como ela quisera chorar quando o beijara pela última vez.

Volte para mim, sussurrara ele.

Ela sabia que Rowan esperaria. Até que se dissipasse no Além-mundo, Rowan aguardaria seu retorno. Que ela voltasse para ele.

A magia de Aelin lhe era arrancada, um pedaço tão vital e profundo que ela gritava, cambaleando. Apenas a mão do rei evitava que caísse.

O Fecho estava quase terminado, os dois círculos sobrepostos do Olho quase completos.

A magia se contorceu, implorando para que Aelin parasse. Mas ela não conseguia. Não o faria.

— Daqui a pouco — prometeu o rei.

Ela viu que o homem sorria.

— Recebi uma mensagem para você — disse ele, em voz baixa. Os limites do corpo do homem se embaçavam quando o restante de seu poder era drenado. Mas, ainda assim, ele sorria. Ainda parecia em paz. — Seus pais estão... Eles estão tão orgulhosos de você. Pediram que eu dissesse que a amam muito. — Ele parecia quase invisível, as palavras eram pouco mais que um sussurro de vento. — E que a dívida foi paga o suficiente, Coração de Fogo.

E então ele se foi. O que restava dele fluiu para dentro do Fecho. Varrido da existência.

Ela mal sentiu as lágrimas no rosto ao cair de joelhos. Ao dar sua magia sem parar, ao dar seu próprio ser. *Meu nome é Aelin Ashryver Galath...*

Um grito sufocante saiu de dentro de Aelin quando, por fim, o Fecho foi selado.

Quando o Fecho foi forjado mais uma vez, tão real quanto sua carne.

Quando a magia de Aelin sumiu completamente.

97

Ela mal conseguia se mover. Mal conseguia pensar.

Sumido. Onde luz e vida haviam fluído dentro de si, não restava nada.

Nem uma brasa. Apenas uma gotícula, apenas uma, de água.

Aelin se agarrou àquilo, protegeu-a quando eles surgiram, doze figuras pelo portal atrás da rainha. Entrando naquele lugar de lugares, aquele cruzamento de eternidade.

— Está feito, então — disse aquela figura com muitos rostos, aproximando-se do Fecho que pairava no ar. Um gesto de uma mão fantasmagórica, em constante mutação, e o Fecho flutuou até Aelin. Caiu em seu colo, dourado e reluzente.

— Conjure nosso mundo para nós, menina — falou aquela de voz parecida com aço e gritos. — E nos deixe ir para casa por fim.

A última destruição. Mandá-los de volta, selar o portão. Ela usaria a última gota de seu ser, a última gotícula, para selar o portão com o Fecho. E então partiria.

Era uma vez, em uma terra há muito queimada até virar cinzas, uma jovem princesa que amava seu reino...

— Agora — ordenou aquela de voz parecida com ondas quebrando. — Já esperamos muito.

Aelin conseguiu levantar a cabeça. Olhar para as silhuetas tremeluzentes. Coisas de outro mundo.

Mas entre as figuras, esmagada entre a fila, como se a mantivessem cativa...

Os olhos de Elena estavam arregalados. Cheios de dor.

Que amava seu reino...

Um deles estalou os dedos fantasmagóricos para Aelin.

— Basta disso.

Aelin olhou para ela, para a deusa que falara. Ela conhecia aquela voz. Deanna.

Silenciosamente, Aelin os observou. Encontrou aquela que parecia um alvorecer tremeluzente, o coração de uma chama.

Mala não olhou para ela. Ou para Elena, a própria filha.

Aelin desviou o rosto do da Portadora do Fogo e disse para ninguém em especial:

— Eu gostaria de fazer um acordo com vocês.

Os deuses ficaram imóveis.

— Um acordo? Ousa pedir um acordo? — sibilou Deanna.

— Eu gostaria de ouvir — disse uma silhueta cuja voz era bondosa e amorosa.

A coisa no braço de Aelin se contorceu, e ela fez com que revelasse o que os deuses buscavam.

O portal para seu reino. Luz do sol sobre um campo verde ondulante quase a desnorteou. Eles se viraram para lá, alguns suspiraram diante da visão.

— Uma troca. Antes de vocês cumprirem *sua* parte — disse Aelin.

As palavras estavam distantes, tão difíceis e dolorosas. Mas ela as obrigou a sair.

Os deuses pararam. Aelin apenas olhou para Elena. Sorriu levemente.

— Vocês juraram levar Erawan consigo. Destruí-lo — disse a jovem, e aquela figura com a voz como a morte a encarou. Como se lembrasse que, de fato, tinham prometido tal coisa ultrajante.

— Eu gostaria de trocar — pediu ela. E conseguiu apontar, com aquele braço que carregava a eternidade ali dentro. — A alma de Erawan pela de Elena.

Mala se virou para Aelin naquele instante. E a encarou.

Para o silêncio dos deuses, Aelin disse:

— Deixem Erawan para Erilea. Mas, em troca, deixem Elena. Permitam que sua alma permaneça no Além-mundo com aqueles que ama.

— Aelin — sussurrou Elena, e lágrimas como prata lhe escorreram pelas bochechas.

Aelin sorriu para a antiga rainha.

— A dívida foi paga o suficiente.

Ela quisera que eles debatessem; seus amigos. Pedira uma votação sobre o portão não apenas para aliviar o fardo da escolha, mas para ouvir deles, ouvi-los dizer que poderiam derrotar Erawan sozinhos. Que Yrene Towers poderia ter uma chance de destruí-lo.

Para que ela pudesse fazer aquele acordo, aquela troca, e não selar o destino dos amigos de vez.

— Não façam isso — implorou Elena. Implorou a todos aqueles deuses frios e impassíveis. — Não concordem com isso.

— Deixem Elena em paz e vão — insistiu Aelin.

— Aelin, *por favor* — implorou Elena, chorando.

Aelin sorriu.

— Você me garantiu aquele tempo a mais. Para que eu pudesse viver. Deixe-me garantir isso para você.

Elena cobriu o rosto com as mãos e chorou.

Os deuses se entreolharam. Então Deanna se moveu, graciosa como um cervo em um bosque.

Aelin expirou, curvando-se sobre os joelhos, quando a deusa se aproximou de Elena.

Ninguém além de si mesma. Não permitiria que ninguém além de si mesma fosse sacrificado naquela última tarefa.

Deanna apoiou as mãos de cada lado do rosto de Elena.

— Eu torci por isso.

Então ela uniu as mãos, com a cabeça de Elena presa entre elas.

Uma chama de luz vinda de Mala, de aviso e dor, quando os olhos de Elena se arregalaram. Quando Deanna apertou.

E então Elena explodiu. Em mil pedaços reluzentes que sumiram ao cair.

O grito de Aelin morreu na garganta, seu corpo incapaz de se levantar conforme Deanna limpava as mãos fantasmagóricas, dizendo:

— Não fazemos acordos com mortais. Não mais. Pode ficar com Erawan, se é o que deseja.

Então a deusa passou pelo arco para o próprio mundo.

Aelin olhou para o lugar vazio onde Elena estivera apenas segundos antes.

Nada restava.

Nem mesmo uma brasa reluzente para mandar de volta para o Além--mundo, para o parceiro que ficara para trás.

Nada mesmo.

98

Estava se partindo.

O laço de parceria.

Curvado sobre os joelhos, Rowan ofegava com a mão no peito conforme o laço se enfraquecia.

O guerreiro se agarrou a ele, envolveu sua magia, sua alma, em torno dele, como se pudesse evitar que ela, onde quer que estivesse, fosse a um lugar para o qual ele não pudesse seguir.

Rowan não aceitava aquilo. Jamais aceitaria aquele destino. Nunca.

Ao longe, ele ouvia Dorian e Chaol debatendo algo. Não se importava.

O laço de parceria estava se partindo.

E não havia nada que ele pudesse fazer além de segurar firme.

Um a um, os deuses caminharam pelo arco para o próprio mundo. Alguns fazendo cara de escárnio ao passarem.

Eles não levariam Erawan.

Não fariam... não fariam *nada*.

O peito de Aelin estava vazio, a alma estava extinta, mas aquilo...

Mas aquilo...

Aelin cravou as unhas no chão que não era chão encoberto pela névoa quando o último dos deuses sumiu. Até restar apenas uma.

Um pilar de luz e chamas. Brilhando na névoa.

Mala permaneceu no portal do mundo.

Como se ela se lembrasse.

Como se ela se lembrasse de Elena e de Brannon e de quem estava ajoelhada diante dela. Sangue de seu sangue. O recipiente de seu poder. Sua herdeira.

— Sele o portão, Portadora do Fogo — disse Mala, baixinho.

Mas a Senhora da Luz ainda hesitava.

E de longe, Aelin ouviu a voz de outra mulher.

Certifique-se de que sejam punidos algum dia. Cada um deles.

Eles serão, jurara ela para Kaltain.

Eles tinham mentido. Tinham traído Elena e Erilea, como acreditavam ter sido traídos.

O mundo verde tomado pelo sol ondulou.

Grunhindo, Aelin ficou de pé.

Ela não era um cordeiro para ser sacrificado. Não era um sacrifício no altar do bem maior.

E ainda não tinha terminado.

Aelin encontrou o olhar incandescente de Mala.

— Faça — disse a deusa, baixinho.

Aelin olhou além de si mesma, para aquele mundo imaculado para o qual tentaram voltar durante tanto tempo. E percebeu que Mala sabia... que via os pensamentos na cabeça de Aelin.

— Não vai me impedir?

Mala apenas estendeu a mão.

Nela havia uma semente de poder branco incandescente. Uma estrela cadente.

— Pegue. Um último presente para minha linhagem. — Ela podia ter jurado que Mala sorria. — Pelo que ofereceu em nome dela. Por lutar por ela. Por todos eles.

Aelin cambaleou os poucos passos até a deusa, até o poder que ela oferecia.

— Eu me lembro — disse Mala, em voz baixa, e as palavras eram alegria e dor e amor. — Eu me lembro.

Aelin pegou a semente de poder da palma da mão da deusa.

Era o alvorecer contido em uma semente.

— Quando acabar, sele o portão e pense em sua casa. As marcas a guiarão.

Aelin piscou, o único sinal de confusão que conseguiu mostrar enquanto aquele poder a preenchia mais e mais e mais, fundindo-se aos pontos quebrados, aos lugares vazios.

Mala estendeu a mão de novo, e uma imagem se formou ali dentro. As tatuagens nas costas de Aelin.

A nova tatuagem, de asas abertas, sua história e a de Rowan escrita no velho idioma entre as penas.

Um estalo dos dedos de Mala e símbolos se destacaram. Escondidos dentro das palavras, das penas.

Marcas de Wyrd.

Rowan escondera marcas de Wyrd na tatuagem.

Tinha tatuado marcas de Wyrd nela inteira.

— Um mapa de volta para casa — disse Mala, enquanto a imagem se dissipava. — Para ele.

Rowan suspeitara, de alguma forma. Que poderiam chegar àquele ponto. Tinha pedido a ela que lhe ensinasse para que pudesse fazer aquela aposta.

E, quando Aelin olhou para trás, para o arco que dava para seu mundo, ela realmente conseguiu... *senti-los*. Como se as marcas de Wyrd que ele tatuara secretamente fossem uma corda. Um fio de volta para casa.

Um corda salva-vidas para a eternidade.

Uma última trapaça.

Então outra voz sussurrou por elas, um fragmento de memória, dito em um telhado em Forte da Fenda. *E se seguirmos em frente e só encontrarmos mais dor e desespero?*

Então não é o fim.

Aquele poder fluía cada vez mais para Aelin. Seus lábios se curvaram para cima.

Não era o fim. E Aelin não tinha acabado.

Mas eles, sim.

— Por um mundo melhor — disse Mala, passando pelo portal para seu próprio mundo.

Um mundo melhor.

Um mundo sem deuses. Sem mestres do destino.

Um mundo de liberdade.

Aelin se aproximou do arco que dava para o mundo dos deuses. Onde Mala agora caminhava pela grama reluzente, ela mesma pouco mais que um feixe de luz do sol.

A Senhora da Luz parou... e ergueu um braço para se despedir.

Aelin sorriu e se curvou.

Ao longe, caminhando sobre as colinas, os deuses pararam.

O sorriso de Aelin se tornou malicioso. Perverso e colérico.

Não hesitou quando ela encontrou o mundo que buscava. Quando mergulhou naquele poder eterno, terrível.

Fora uma escravizada e um peão antes. Jamais seria de novo.

Não por eles. Jamais por eles.

Os deuses começaram a gritar, a correr até ela, no momento que Aelin abriu um buraco naquele céu.

Direto para um mundo que ela só vira uma vez. Para o qual acidentalmente abrira um portal certa noite em um castelo de pedra. Uivos altos e distantes surgiram da extensão cinzenta arrasada.

Um portal para um reino infernal. Uma porta agora escancarada.

Aelin ainda estava sorrindo ao fechar o arco para o mundo dos deuses.

E deixá-los lá, com os sons de seus gritos revoltados e assustados ecoando.

Havia ainda uma última tarefa para selar o portão para sempre.

Aelin abriu a palma da mão, estudando o Fecho que forjara. Ela o deixou flutuar para o centro daquele espaço nebuloso, cheio de portas.

Ela não teve medo. Não quando abriu a outra palma, e poder escorreu adiante.

O último presente de Mala. E a última rebeldia.

A força de mil sóis explodindo irrompeu da palma da mão de Aelin.

Tranque. Feche. Sele.

Ela desejou, desejou e desejou. Desejou que se fechasse ao oferecer seu poder.

Mas não aquele último pedaço de ser.

A dívida já foi paga o suficiente.

Um mapa de volta para casa, um mapa tatuado com as palavras dos universos, que a guiaria.

Mais e mais e mais. Mas não tudo.

Ela não abriria mão daquilo. Seu eu mais interior.

Ela não se renderia.

Eles não tomariam aquela semente restante.

Ela não a entregaria.

Luz fluiu pelo Fecho, fraturando-o como um prisma, disparando para todos aqueles portais infinitos.

Fechando e selando e trancando. Um arco para todo lugar que agora se fechava.

Eles não a destruiriam. Não teriam *permissão* de tomar aquilo.

Volte para mim.

Mais e mais e mais, o último poder de Mala saía de dentro de Aelin para o Fecho.

Eles não venceriam. Não poderiam levar aquilo — não poderiam levá-la.

Ela se recusava.

Ela estava gritando. Gritando e rugindo sua rebeldia.

Um feixe de luz disparou para o arco atrás de si. Começando a selá-lo também.

Ela viveria. *Viveria*, e eles poderiam ir todos para o inferno.

Um mundo melhor. Sem deuses, sem destinos.

Um mundo feito por eles mesmos.

Aelin urrava e urrava, e o som ecoava por todos os mundos.

Eles não a derrotariam. Não poderiam levar aquilo, aquela semente mais essencial do ser. Da alma.

Era uma vez, em uma terra há muito transformada em cinzas, uma jovem princesa que amava seu reino...

Seu reino. Seu lar. Ela o veria de novo.

Não havia acabado.

Às suas costas, o arco era lentamente selado.

As chances eram pequenas; as chances eram intransponíveis. Ela não fora destinada a escapar daquilo... a chegar àquele ponto e ainda estar respirando.

A mão de Aelin foi até o coração e ficou ali.

É a força disto *que importa*, dissera a mãe, há muito tempo. *Aonde quer que vá, Aelin, não importa o quão longe, isto a levará para casa.*

Não importava onde estivesse.

Não importava a distância.

Mesmo que aquilo a levasse além de todos os mundos conhecidos.

Os dedos de Aelin se fecharam, pressionando a palma no coração latejante abaixo. *Isto a levará para casa.*

O arco para Erilea se fechou mais.

Andarilha de mundos. Caminhando entre mundos.

Outros já haviam conseguido. Ela também encontraria uma forma. Um caminho para casa.

Não mais a Rainha Que Fora Prometida. Mas a Rainha Que Caminhava Entre Mundos.

Ela não iria calada.

Ela não tinha medo.

Então Aelin arrancou seu poder. Arrancou um pedaço do que Mala lhe dera, uma força para equilibrar um mundo, e o atirou no Fecho.

O pedaço final. O último pedaço.

E ela saltou pelo portão.

⊰ 99 ⊱

Ela estava caindo.

Caindo e sendo atirada.

O portão de Wyrd se fechava atrás dela, mas Aelin não estava em casa.

Conforme se fechava, todos os mundos se sobrepunham.

E ela caía por eles.

Um após o outro após o outro. Mundos de água, mundos de gelo, mundos de escuridão.

Aelin passava através de todos, mais rápido que uma estrela cadente, mais rápido que a luz.

Casa.

Precisava achar sua *casa*...

Mundos de luzes, mundos de torres que se estendiam até o céu, mundos de silêncio.

Tantos.

Havia tantos mundos, todos milagrosos, todos tão preciosos e perfeitos que, mesmo enquanto caía entre eles, seu coração se partia ao vê-los.

Casa. O caminho de *casa*...

Aelin buscou o fio, o laço em sua alma. Marcado em sua pele.

Volte para mim.

Aelin mergulhou por mundo após mundo após mundo.

Rápido demais.

Ela cairia no próprio mundo rápido demais e passaria direto por ele.

Mas não conseguia reduzir a velocidade. Não conseguia parar.

Dando cambalhotas, girando no próprio eixo, ela passava por eles, um após o outro após o outro após o outro após o outro.

É a força disto que importa. Aonde quer que vá, Aelin, não importa o quão longe, isto a levará para casa.

Aelin rugiu, uma faísca de seu ser piscando pelo céu.

O fio ficou mais forte. Mais tenso. Puxando-a.

Rápido demais. Precisava reduzir a velocidade...

Aelin mergulhou para dentro do que restava de si, do que sobrara, agarrando qualquer tipo de poder para reduzir a velocidade.

Ela passou por um mundo onde uma grande cidade fora construída ao longo da curva de um rio. As construções eram impossivelmente altas e brilhavam com luzes.

Passou por um mundo de chuva e verde e vento.

Rugindo, ela tentou reduzir a velocidade.

Aelin passou por um mundo de oceanos sem terras à vista.

Perto. Seu lar estava tão perto que ela quase conseguia sentir o cheiro de pinho e neve. Se o perdesse, se passasse direto por ele...

Ela passou por um mundo de montanhas cobertas de neve sob estrelas reluzentes. Passou por cima de uma daquelas montanhas, na qual um macho com asas estava ao lado de uma fêmea bastante grávida, olhando para aquelas mesmas estrelas. Feéricos.

Eram *feéricos*, mas aquele não era seu mundo.

Aelin estendeu a mão, como se pudesse sinalizar para eles, como se pudessem de alguma forma ajudá-la quando não passava de uma partícula invisível de poder...

O macho alado, lindo além da razão, virou a cabeça para ela conforme Aelin disparava pelo céu estrelado.

Ele ergueu a mão, como se a cumprimentasse.

Uma explosão de poder escuro, como uma noite de verão suave, se chocou contra ela.

Não para atacar... mas para reduzir sua velocidade.

Uma muralha, um escudo que Aelin rasgou e pelo qual mergulhou.

Mas aquilo reduziu sua velocidade. O poder daquele macho alado reduziu sua velocidade apenas o suficiente.

Aelin sumiu daquele mundo sem um sussurro.

E ali estava.

Ali estava, o pinho e a neve, a coluna sinuosa das montanhas no alto de seu continente, o emaranhado da floresta de Carvalhal à direita, os desertos à esquerda. Uma terra de muitos povos, muitos seres.

Ela viu todos eles, familiares e desconhecidos, lutando e em paz, em cidades espalhadas ou escondidos nas profundezas da natureza. Tantas pessoas, reveladas para ela. Erilea.

Aelin se atirou ali. Agarrou o fio e gritou ao se atirar para aquilo. Caindo.

Casa.

Casa.

Casa.

Não era o fim. Ela não acabara.

Aelin se obrigou a parar, obrigou o mundo a parar. No momento que o portão de Wyrd se fechou com um estalo estrondoso, e todas as outras portas com ele.

E ela mergulhou de volta ao próprio corpo.

∽

As marcas de Wyrd se dissiparam no chão rochoso quando o sol nasceu sobre Endovier.

Rowan estava de joelhos diante de Aelin, preparando-se para os últimos suspiros da parceira, para o fim que ele esperava que, de alguma forma, o levasse junto.

Ele faria daquele seu fim. Quando ela se fosse, ele iria.

Mas então ele havia sentido. Conforme o sol subia, ele havia sentido, aquela torrente pelo laço de parceria em frangalhos.

Uma explosão de calor e luz que remendava os fios partidos.

Rowan não ousou respirar. Ter esperanças.

Mesmo quando Aelin caiu de joelhos onde as marcas de Wyrd estiveram.

Rowan estava imediatamente ali, estendendo a mão para o corpo inerte.

As batidas de um coração ecoaram em seus ouvidos, dentro de sua alma.

E era o peito de Aelin, enchendo-se e esvaziando-se. E aqueles eram seus olhos, abrindo-se lentamente.

O cheiro das lágrimas de Dorian e de Chaol substituiu o sal de Endovier no instante que Aelin encarou Rowan de volta e sorriu.

O guerreiro a segurou contra o peito e chorou à luz do sol nascente.

A mão fraca de alguém recaiu em suas costas, percorrendo a tatuagem que Rowan fizera. Como se traçasse os símbolos que ele escondera ali, em um ato desesperado, selvagem de esperança.

— Eu voltei — disse ela, rouca.

※

Ela estava quente, mas... fria, de alguma forma. Uma estranha no próprio corpo.

Aelin se sentou, gemendo devido à dor nos ossos.

— O que aconteceu? — perguntou Dorian, mantido de pé pelo braço que Chaol passara em torno de sua cintura.

Aelin fechou as palmas das mãos em concha diante do corpo. Uma pequena chama surgiu dentro delas.

Nada mais.

Ela olhou para Rowan, então para Chaol e Dorian, cujos rostos estavam exaustos sob a luz do dia nascente.

— Ele se foi — disse Aelin, baixinho. — O poder. — Ela virou as mãos, a chama rolando sobre elas. — Só resta uma brasa.

Eles não falaram.

Mas Aelin sorriu. Sorriu para a ausência daquele poço dentro de si, daquele mar revolto de fogo. E o que restava — um poder significativo, sim, mas nada além do ordinário.

Tudo o que restava do que Mala lhe dera, como agradecimento por Elena.

Mas...

Aelin buscou dentro de si, naquele lugar dentro da alma.

Ela levou a mão ao peito, colocando-a ali, e sentiu as batidas do coração lá dentro.

O coração feérico. O custo.

Dera tudo de si. Desistira da vida.

A vida humana. A mortalidade. Queimada, transformada em nada além de poeira entre mundos.

Não haveria mais transformação. Apenas aquele corpo, aquela forma.

Aelin contou isso a eles. E contou o que acontecera.

E quando terminou, quando Rowan continuou abraçado a ela, Aelin estendeu a mão mais uma vez, apenas para ver.

Talvez fosse um último presente de Mala também. Preservar aquele pedaço que se formava em sua mão... aquela gota d'água.

O dom de sua mãe.

O que Aelin guardara até o fim, do qual não quisera se separar até que as últimas gotas fossem entregues ao Fecho, ao portão de Wyrd.

Ela estendeu a outra mão, e a semente de fogo ganhou vida ali dentro.

Um dom comum. Não mais uma Portadora do Fogo.

Mas, mesmo assim, Aelin.

100

Um cutucão do pé de Kyllian acordou Aedion antes do alvorecer.

Ele resmungou ao se espreguiçar na cama de acampamento no grande salão. O espaço ainda estava escuro, e inúmeros outros soldados dormiam ao seu redor, a respiração pesada tomando o recinto.

Aedion semicerrou os olhos para a pequena lanterna que o guerreiro segurava acima dele.

— Está na hora — avisou Kyllian, os olhos cansados e vermelhos.

Todos já tiveram melhor aparência. Já estiveram melhor.

Mas ainda estavam vivos. Uma semana depois que as Treze haviam se sacrificado e feito recuar a maré de Morath, eles estavam vivos. A vida das bruxas lhes conquistara um dia inteiro de descanso. Um dia, e então Morath marchara contra as muralhas de Orynth de novo.

Aedion vestiu sobre os ombros a pesada capa de pele que estivera usando como cobertor, encolhendo o corpo diante da dor latejante no braço esquerdo. Um ferimento descuidado, quando desviara a atenção do escudo por um momento e um soldado de infantaria valg conseguira cortá-lo.

Pelo menos, não estava andando com dificuldade. E, pelo menos, o ferimento que o príncipe valg lhe dera havia se curado.

Jogando o escudo por cima daquele mesmo ombro, ele pegou a espada e prendeu na cintura conforme entremeava o labirinto de corpos adormecidos e exaustos. Um aceno para Kyllian levou o homem a seguir para as muralhas da cidade.

Mas Aedion virou à esquerda ao deixar o grande salão, dirigindo-se para a torre norte.

Foi uma caminhada solitária e fria até o quarto que buscava. Como se o castelo inteiro fosse um túmulo.

Ele bateu de leve na porta de madeira perto do alto da torre, e ela imediatamente se abriu e fechou, com Lysandra saindo para o corredor antes que Evangeline pudesse se agitar na cama.

À luz tremeluzente da vela de Aedion, as sombras que se projetavam no rosto da metamorfa, marcas da semana de luta ininterrupta do alvorecer ao pôr do sol, eram mais fortes, mais profundas.

— Pronta? — perguntou ele, baixinho, voltando-se de novo para as escadas.

Aquilo tinha se tornado uma tradição... que Aedion levasse Lysandra para cima à noite, então fosse encontrá-la pela manhã. O único momento feliz nos dias longos e horríveis de ambos. Às vezes, Evangeline os acompanhava, descrevendo os momentos em que entregava mensagens e fazia pequenas tarefas para Darrow. Às vezes, eram apenas os dois caminhando penosamente.

Lysandra estava calada, com o andar gracioso mais pesado a cada passo que desciam.

— Café da manhã? — perguntou Aedion quando se aproximaram da base.

Um aceno. Os ovos e as carnes curadas tinham dado lugar a mingau e caldo quente. Duas noites antes, Lysandra havia voado na forma de serpente alada depois que o dia de luta cessara, e voltado após uma hora, carregando um veado preso em cada pata cheia de garras.

Aquela carne preciosa acabara rápido demais.

Eles chegaram à base da escada da torre, e Aedion fez menção de seguir para o refeitório quando Lysandra o impediu, pousando a mão em seu braço. No escuro, ele se virou para ela.

Mas a mulher, com aquele lindo rosto tão cansado, apenas passou os braços pela cintura de Aedion e pressionou a cabeça contra seu peito. Ela apoiou o suficiente do peso no guerreiro, de modo que ele pôs a vela em um parapeito próximo e, então, a abraçou com força.

Lysandra deixou o corpo ceder, aconchegando-se mais a ele. Como se o peso da exaustão fosse insuportável.

Aedion colocou o queixo no alto de sua cabeça e fechou os olhos, inspirando o cheiro sempre em mutação da metamorfa.

As batidas do coração de Lysandra ressoaram contra as do seu, conforme Aedion lhe passava a mão pela coluna. Carícias longas, tranquilizadoras.

Não tinham compartilhado a cama. Não havia lugar onde fazer isso, de todo modo. Mas aquilo, abraçar um ao outro — ela começara na noite em que as Treze tinham se sacrificado. Parara Aedion naquele mesmo lugar, e apenas o abraçara por longos minutos. Até que qualquer que fosse a dor e o desespero diminuíssem o suficiente para que pudessem retomar a caminhada para cima.

Lysandra se afastou, mas sem sair completamente dos braços do guerreiro.

— Pronto?

— Estamos ficando sem flechas — avisou Petrah Sangue Azul a Manon na luz azul-acinzentada da quase alvorada. Elas caminhavam pelo ninhal improvisado no alto de uma das torres do castelo. — Talvez seja bom ordenar que uma das alianças inferiores fique para trás hoje, a fim de produzir mais.

— Faça isso — respondeu Manon, observando as serpentes aladas ainda pouco familiares que compartilhavam o espaço com Abraxos. Sua montaria já estava acordada, olhando para o nada, solitária e fria, na direção do campo de batalha além das muralhas da cidade. Na direção da extensão de terra que nenhuma neve conseguira cobrir totalmente.

Ela passara horas também olhando para lá. Mal conseguia passar pelo local durante as intermináveis lutas de cada dia.

Seu peito e seu corpo haviam sido esvaziados.

Apenas mover-se, passar por cada simples movimento, evitava que ela se enroscasse em um canto daquele ninhal e jamais voltasse.

Precisava continuar em movimento. Precisava.

Ou deixaria de funcionar de vez.

Não se importava se era óbvio para os outros. Ansel de Penhasco dos Arbustos a procurara no grande salão, na noite anterior, por causa daquilo. A guerreira de cabelos vermelhos tinha se sentado no banco ao lado da bruxa, e os olhos cor de vinho não deixaram de reparar na comida que Manon mal tocara.

— Sinto muito — lamentara Ansel.

A bruxa apenas havia continuado olhando para o prato quase intocado.

A jovem rainha observara o salão sério ao redor.

— Perdi a maioria de meus soldados — confessara ela, o rosto sardento pálido. — Antes de você chegar. Morath os massacrou.

Fora um esforço para Manon virar o rosto na direção de Ansel. Encontrar o olhar pesado. A bruxa havia piscado uma vez, a única confirmação que se dignava a exibir.

Ansel esticara a mão para a fatia de pão de Manon, tirando um pedaço para comer.

— Podemos compartilhar, sabe? Os desertos. Se você quebrar aquela maldição.

Na ponta da longa mesa, algumas das bruxas ficaram tensas, mas não olharam naquela direção.

— Honrarei as antigas fronteiras do Reino das Bruxas — prosseguira Ansel. — Mas ficarei com o restante. — A rainha se levantara, levando o pão de Manon consigo. — Apenas algo a considerar, caso a oportunidade surja. — Então ela se fora, caminhando com arrogância para o próprio aglomerado de soldados sobreviventes.

Manon não a havia olhado quando ela saiu, mas as palavras, a oferta, permaneceram.

Compartilhar a terra, reivindicar o que tinham tido, mas não a totalidade dos desertos... *Leve nosso povo para casa, Manon.*

As palavras não haviam parado de ecoar em seus ouvidos.

— Você pode ficar fora do campo de batalha hoje também — dizia Petrah Sangue Azul no momento, com a mão no flanco da própria montaria. — Use o dia para ajudar as outras. E descansar.

Manon a encarou.

Mesmo com duas Matriarcas mortas, Iskra com elas, e nenhum sinal da mãe de Petrah, as Dentes de Ferro tinham conseguido permanecer organizadas. Manter Manon, Petrah e as Crochan ocupadas.

Todo dia, cada vez menos saíam com vida dos campos de batalha.

— Ninguém mais descansa — retrucou Manon, friamente.

— Mas todo mundo consegue dormir — argumentou Petrah. Quando Manon a encarou, a bruxa disse, sem piscar: — Acha que não a vejo deitada, acordada, a noite toda?

— Não preciso descansar.

— Exaustão pode ser tão mortal quanto qualquer arma. Descanse hoje e se junte a nós amanhã.

Manon exibiu os dentes.

— Da última vez que cheguei, *você* não estava no comando.

Petrah nem mesmo abaixou a cabeça.

— Lute, então, se é o que deseja. Mas considere que muitas vidas dependem de você, e, se cair porque está tão cansada que se tornou descuidada, *todos* sofrerão.

Foi um conselho sábio. Um conselho sólido.

Mas Manon olhou para o campo de batalha, para o mar de trevas que acabava de se tornar visível. Em uma hora, mais ou menos, os tambores de ossos soariam de novo e os ruídos frenéticos da guerra recomeçariam.

Ela não conseguia parar. Não pararia.

— Não vou descansar. — Manon se virou para buscar Bronwen nos aposentos das Crochan. Ela, pelo menos, não teria opiniões tão ridículas. Ainda que Manon soubesse que Glennis ficaria ao lado de Petrah.

A bruxa suspirou, o som arranhando a coluna de Manon.

— Então a verei no campo de batalha.

O rugido e o estrondo da guerra se tornaram um zumbido distante nos ouvidos de Evangeline no meio do dia. Mesmo com o vento frígido, suor lhe escorria pelas costas sob as pesadas camadas de roupas conforme ela corria mais uma vez para as escadas das ameias, com a mensagem na mão. Darrow e os outros velhos lordes continuavam como estiveram durante as últimas duas semanas: ao longo das muralhas do castelo, monitorando a batalha além da cidade.

A mensagem que ela recebera, direto de uma Crochan que tinha aterrissado tão rapidamente que seus pés mal haviam tocado o chão, viera de Bronwen.

Era raro, aprendera Evangeline, que as Dentes de Ferro ou as Crochan reportassem algo aos humanos. Que a soldada Crochan tivesse encontrado *a menina*, que soubesse quem ela era... Era orgulho, mais que medo, que a fazia correr escada acima, então pelas ameias, até Darrow.

Lorde Darrow, com Murtaugh ao lado, já estendera a mão quando Evangeline derrapou até parar.

— Cuidado — avisou Murtaugh a ela. — O gelo pode ser traiçoeiro.

A menina assentiu, embora planejasse ignorá-lo completamente. Ainda que tivesse escorregado escada abaixo no dia anterior, sem que ninguém testemunhasse, felizmente. Principalmente Lysandra. Se ela houvesse visto o hematoma que crescia na perna de Evangeline, e um semelhante no antebraço, já a teria trancado na torre.

Lorde Darrow leu a mensagem e franziu a testa para a cidade.

— Bronwen relata que viram Morath puxando uma torre de cerco para a muralha oeste. Vai nos alcançar em uma hora ou duas.

Evangeline olhou para além do caos das muralhas da cidade, onde Aedion e Ren e a Devastação lutavam tão bravamente, olhou sob a confusão nos céus, onde bruxas combatiam bruxas e Lysandra voava em forma de serpente alada.

E, de fato, uma silhueta imensa era arrastada até eles.

Seu estômago se revirou.

— Aquilo é... é uma das torres de bruxas?

— Uma torre de cerco é diferente — respondeu Darrow, com a aspereza habitual. — Graças aos deuses.

— Ainda fatal — completou Murtaugh. — Mas de outra forma. — O velho franziu a testa para Darrow. — Vou até lá.

Evangeline piscou ao ouvir aquilo. Nenhum... *nenhum* dos lordes mais velhos fora até o front.

— Para avisá-los? — perguntou Darrow, com cautela.

Murtaugh deu tapinhas no cabo da espada.

— Aedion e Ren estão esgotados. Kyllian também, se você quiser continuar se enganando que é ele quem os lidera. — Murtaugh nem mesmo abaixou o queixo para Darrow, que enrijeceu o corpo. — Vou cuidar da muralha oeste. E daquela torre de cerco. — Um piscar de olhos para Evangeline. — Não podemos ser todos destemidos mensageiros, podemos?

A menina se obrigou a sorrir, embora o medo assomasse dentro de si.

— Eu deveria... deveria avisar a Aedion que você estará lá?

— Eu mesmo direi a ele — respondeu Murtaugh, bagunçando os cabelos da menina ao passar. — Cuidado no gelo — avisou ele de novo.

Darrow não tentou impedi-lo conforme Murtaugh saía andando das ameias. Lento. Ele parecia tão lento, e velho, e frágil. Mesmo assim, mantinha o queixo erguido. As costas retas.

Se ela tivesse tido a chance de escolher um avô para si, teria sido ele.

O rosto de Darrow estava tenso quando Murtaugh, por fim, desapareceu.

— Velho tolo — murmurou o lorde, com preocupação nos olhos, ao se virar para a batalha que se deflagrava adiante.

101

Não mais humana.

A respiração de Aelin soava em suas orelhas — nas orelhas permanentemente arqueadas, imortais — a cada passo de volta ao acampamento do exército. Rowan continuava a seu lado, com a mão na cintura da parceira.

Ele não a soltara uma vez. Nenhuma vez, desde que ela voltara.

Desde que caminhara entre mundos.

Aelin ainda conseguia vê-los. Mesmo andando em silêncio sob as árvores, com a escuridão dando lugar à luz acinzentada antes do alvorecer, ela conseguia ver cada um daqueles mundos que atravessara.

Talvez jamais deixasse de vê-los. Talvez somente ela, naquele mundo e em todos os outros, soubesse o que havia além das paredes invisíveis que os separavam. Quanta *vida* habitava e prosperava. Amava e odiava e lutava para sobreviver.

Tantos mundos. Mais do que ela conseguia contemplar. Será que seus sonhos seriam para sempre assombrados por eles? Tê-los visto, mas incapaz de explorá-los... será que aquele desejo criaria raízes?

Os galhos da floresta de Carvalhal formavam uma treliça esquelética acima. Barras de uma jaula.

Como o próprio corpo e aquele mundo deviam ser.

Aelin afastou o pensamento. Ela vivera; vivera, quando deveria ter morrido. Mesmo que seu eu mortal... tivesse sido assassinado. Derretido.

Os limites externos do acampamento ficaram mais próximos, e Aelin olhou para as mãos. Frias; aquilo era um vestígio do frio que agora as tomava.

Transformada de todas as formas.

Quando se aproximaram do primeiro dos rukhin, Dorian perguntou:

— O que vai dizer a eles?

As primeiras palavras que qualquer um deles havia pronunciado desde que tinham começado a caminhada de volta até ali.

— A verdade — respondeu Aelin.

Ela supunha que era tudo que tinha a oferecer depois do que fizera.

— Sinto muito... por seu pai — disse Aelin a Dorian, então.

O vento frio soprou as mechas dos cabelos do jovem rei para longe da testa.

— Também sinto — comentou ele, apoiando a mão sobre o cabo de Damaris.

Ao seu lado, Chaol se mantinha calado, embora olhasse para o amigo de vez em quando. Ele cuidaria de Dorian. Como sempre fizera, supôs Aelin.

Eles passaram pelos primeiros dos ruks, observados pelos pássaros, e encontraram Lorcan, Fenrys, Gavriel e Elide esperando no limite das tendas.

Chaol e Dorian murmuraram algo a respeito de reunir os outros da realeza e se afastaram.

Aelin permaneceu perto de Rowan ao se aproximarem de sua corte. Fenrys a olhou da cabeça aos pés, com as narinas se dilatando ao sentir seu cheiro. Ele cambaleou um passo adiante, o horror lhe tomando o rosto. Gavriel apenas empalideceu.

Elide arquejou.

— Você foi até lá, não foi?

Mas foi Lorcan quem respondeu, enrijecendo o corpo, como se sentindo a mudança que acontecera com ela:

— Você... você não é humana.

Rowan grunhiu em aviso. Aelin apenas os encarou, aqueles que deram tanto e que haviam escolhido segui-la até ali, com a ruína ainda sendo possível. Ter êxito, apenas para fracassar tão completamente.

Erawan restava. Seu exército restava.

E não haveria Portadora do Fogo, nenhuma chave de Wyrd, nenhum deus para ajudá-los.

— Eles se foram? — perguntou Elide em voz baixa.

Aelin assentiu. Explicaria mais tarde. Explicaria a todos eles.

Assassina de deuses. Era o que ela era. Uma assassina de deuses. Não se arrependia. Nem um pouco.

— Você... você se sente diferente? — perguntou Elide a Lorcan. A ausência dos deuses que os vigiavam.

O macho olhou para as árvores acima, como se lesse a resposta nos galhos emaranhados. Como se buscasse Hellas ali.

— Não — admitiu ele.

— O que isso quer dizer? — refletiu Gavriel, conforme os primeiros raios de sol começavam a emoldurar os cabelos dourados. — Que eles tenham partido. Existe um reino dos infernos cujo trono agora está vazio?

— É cedo demais para esse tipo de besteira filosófica — rebateu Fenrys, e ofereceu a Aelin um meio sorriso que não chegou a seus olhos. Havia reprovação ali, não pela escolha da rainha, mas por não lhes ter contado. No entanto, o guerreiro ainda tentava dar leveza à situação.

Condenados; aquele lindo sorriso lupino poderia estar nos últimos dias de existência.

Podiam estar todos nos últimos dias de existência. Por sua causa.

Rowan leu aquilo nos olhos de Aelin, em seu rosto, e as mãos apertaram a cintura da parceira.

— Vamos encontrar os outros.

Parado dentro de uma das luxuosas tendas de guerra do khagan, Dorian estendeu as mãos para uma fogueira que ele mesmo acendera e encolheu o corpo.

— Aquela reunião poderia ter sido melhor.

Chaol, sentado diante das chamas, com Yrene no colo, brincava com a ponta da trança da esposa.

— Poderia mesmo.

A jovem curandeira franziu a testa.

— Não sei como ela não deu as costas e abandonou todos para que apodrecessem. Eu teria feito isso.

— Nunca subestime o peso da culpa quando se trata de Aelin Galathynius — disse Dorian, suspirando. A fogueira que ele conjurara tremeluziu.

— Ela selou o portão de Wyrd. — Yrene fez uma careta. — O mínimo que poderiam fazer é ficar gratos por isso.

— Ah, não tenho dúvida de que estão — comentou Chaol, franzindo a testa também. — Mas a questão ainda é que Aelin prometeu uma coisa e fez o oposto.

De fato. Dorian não sabia muito bem o que achar da escolha da rainha. Ou de ela sequer lhes ter contado sobre aquilo... sobre trocar Erawan por Elena. Com os deuses traindo-a em resposta.

E Aelin os destruindo por isso.

— Típico — disse Dorian, tentando usar de humor, mas fracassando. Alguma parte de si ainda sentia como se estivesse naquele lugar de lugares.

Principalmente quando uma parte de si fora entregue.

A magia que havia parecido infinita no dia anterior agora tinha um limite bastante real e sólido. Um poder grandioso, sim, mas não acreditava que seria capaz de estilhaçar castelos de vidro ou fortalezas inimigas de novo.

Dorian ainda não havia decidido se era um alívio.

Era mais poder, pelo menos, do que restara a Aelin. Do que lhe fora dado, ao que parecia. Aelin havia queimado cada faísca da própria magia. O que agora possuía era tudo que tinha restado do que Mala lhe dera para selar o portão; para punir os deuses que haviam traído as duas.

Essa ideia ainda deixava Dorian inquieto. E a memória de Aelin escolhendo atirá-lo para fora daquele não lugar ainda o fazia trincar os dentes. Não pela escolha da jovem, mas por seu pai...

Dorian pensaria no pai depois. Jamais.

O pai sem nome, que fora até ele no final.

Chaol não perguntara sobre aquilo, não insistira. E Dorian sabia que, quando se sentisse pronto para falar, o amigo estaria à espera.

— Aelin não matou Erawan — começou Chaol, então. — Mas, pelo menos, ele jamais poderá trazer os irmãos. Ou usar as chaves para nos destruir. Temos isso. Ela... vocês *dois* fizeram isso.

Não haveria mais colares. Mais nenhum quarto sob uma fortaleza sombria para guardá-los.

Yrene passou os dedos pelos cabelos castanhos de Chaol, e Dorian tentou combater a dor no peito ao ver aquilo. O amor que fluía entre eles tão livremente.

Não se ressentia do amigo pela felicidade. Mas aquilo não impedia a pontada no coração sempre que os via. Sempre que via as curandeiras da Torre e desejava que Sorscha as tivesse encontrado.

— Então o mundo foi salvo apenas em parte — ponderou Yrene. — Mas é melhor que nada.

Dorian sorriu diante daquilo. Ele já adorava a esposa do amigo. Provavelmente teria se casado com ela também, se tivesse tido a chance.

Mesmo que seus pensamentos ainda flutuassem até o norte... para uma bruxa de olhos dourados, que caminhava com a morte a seu lado e não a temia. Será que ela pensava nele? Será que se perguntava o que acontecera com ele em Morath?

— Aelin e eu ainda temos magia — lembrou Dorian. — Não como antes, mas ainda temos. Não estamos completamente indefesos.

— O suficiente para enfrentar Erawan? — indagou Chaol, com os olhos cor de bronze cautelosos. Bastante ciente da resposta. — E Maeve?

— Vamos ter de achar uma forma — respondeu Dorian, rezando para que fosse verdade.

Mas não restavam deuses para os quais rezar.

⁓

Elide mantinha um olho em Aelin enquanto as duas se lavavam na tenda da rainha. E um olho na água deliciosamente morna que fora trazida.

E que era mantida morna pela mulher na banheira ao seu lado.

Como se em desafio à terrível reunião que tiveram com a realeza do khaganato diante do retorno inesperado de Aelin.

Triunfante. Mas apenas de algumas formas.

Uma ameaça fora derrotada. A outra escapulira.

Aelin escondera bem, mas também tinha gestos que a denunciavam. A completa quietude... a inclinação predatória da cabeça. Assim estivera naquela manhã. Completa quietude enquanto era questionada, criticada, enquanto gritavam com ela.

A rainha não estivera tão calada desde o dia em que escapara de Maeve.

E não era o trauma que a fazia baixar a cabeça, mas a culpa. O temor. A vergonha.

Mergulhadas quase até os ombros nas banheiras altas e longas, Elide fora quem sugerira o banho. Para dar ao príncipe Rowan a chance de ficar livre e voar, aliviando um pouco da tensão em seu temperamento. Para dar a Aelin um momento para se acalmar.

Ela havia planejado se banhar naquela manhã de todo modo. Embora tivesse imaginado um parceiro diferente na banheira ao lado.

Não que Lorcan soubesse disso. Ele apenas beijara a têmpora de Elide antes de sair caminhando manhã adentro, para se juntar a Fenrys e Gavriel e preparar o avanço do exército. Seu desbravar contínuo até o norte.

Aelin esfregou os longos cabelos, a massa flutuante caída sobre o corpo. À luz dos braseiros, as tatuagens nas costas da rainha pareciam fluir, como um rio escuro e vivo.

— Então sua magia ainda está aí? — disparou Elide.

Aelin desviou os olhos turquesa para ela.

— Sua água está morna?

A jovem riu com escárnio, passando os dedos pela água.

— Sim.

— Quer saber o quanto, exatamente.

— Tenho permissão?

— Eu não estava mentindo na reunião — respondeu Aelin, com a voz ainda oca. Ela ficara de pé e aceitara todas as perguntas gritadas pela princesa Hasar, cada careta de reprovação do príncipe Sartaq. — É... — Ela ergueu os braços e colocou as mãos no ar, uma acima da outra, com 30 centímetros de espaço entre ambas. — Aqui ficava o fundo antes — explicou a rainha, agitando os dedos da mão de baixo. Ela subiu essa mão até pairar a 5 centímetros da outra. — É aqui que está agora.

— Você já testou?

— Consigo sentir. — Aqueles olhos turquesa, apesar de tudo o que ela fizera, estavam pesados. Solenes. — Jamais senti um fundo antes. Eu o senti sem precisar procurá-lo. — Aelin mergulhou a cabeça ensaboada na água, esfregando e enxaguando as bolhas e os óleos. — Não é tão impressionante, não é?

— Jamais me importei se você tinha ou não magia.

— Por quê? Todo mundo se importava. — Uma pergunta inexpressiva. Sim, quando eram crianças, tantos temiam o tipo de poder que Aelin possuía. O que se tornaria ao crescer.

— Você não é sua magia — respondeu Elide, simplesmente.

— Não sou? — Aelin apoiou a cabeça nas costas da banheira. — Eu gostava de minha magia. Amava minha magia.

— E de ser humana? — A jovem sabia que não deveria ter ousado perguntar, mas escapuliu.

Aelin olhou de esguelha para ela.

— Será que ainda sou humana, bem no fundo, sem possuir um corpo humano?

Elide refletiu.

— Acho que você é a única pessoa que pode decidir isso.

Aelin murmurou, mergulhando na água de novo.

Quando ela emergiu, Elide perguntou:

— Você tem medo? De enfrentar Erawan em batalha?

Aelin abraçou os joelhos, a tatuagem flexionando-se nas costas, e ficou quieta por um longo momento.

— Tenho medo de não chegar a Orynth a tempo — admitiu ela, por fim. — Se Erawan escolher arrastar a carcaça até aqui para me enfrentar, lidarei com isso então.

— E Maeve? E se ela chegar com Erawan?

Mas Elide sabia a resposta. Eles morreriam. Todos eles.

Devia haver um modo... algum modo de derrotar os dois. Ela supôs que Anneith seria inútil agora. E talvez estivesse na hora de contar consigo mesma, de toda forma. Mesmo que o momento pudesse ter sido bem melhor.

— Tantas perguntas, Lady de Perranth.

Elide corou e estendeu a mão para o sabão, esfregando os braços.

— Desculpe.

— Entende agora por que não pedi que fizesse o juramento de sangue?

— Os machos feéricos a desafiam o tempo todo.

— Sim, mas gosto de não tê-la presa a mim. — Um suspiro baixo. — Não planejei nada disso.

— O quê?

— Sobreviver ao Fecho. Ao portão. De fato precisar... governar. Viver. Estou em um território desconhecido, ao que parece.

Elide refletiu. Então tirou o anel dourado do dedo. O anel de Silba, não de Mala.

— Tome — disse ela, estendendo o anel entre as banheiras das duas, com sabão pingando dos dedos.

Aelin piscou para a joia.

— Por quê?

— Porque, entre nós duas, é mais provável que você enfrente Erawan ou Maeve.

A rainha não pegou o anel.

— Eu preferiria que você ficasse com ele.

— E eu preferiria que você o tivesse — desafiou Elide, encarando-a. Com a voz baixa, ela perguntou: — Já não deu o bastante, Aelin? Por que não deixa um de nós fazer algo por você?

Aelin olhou para o anel.

— Eu fracassei. Entende isso, não entende?

— Você colocou as chaves de volta no portão. Isso não é fracassar. E, mesmo que tivesse falhado, eu lhe daria este anel.

— Devo a sua mãe fazer de tudo para que você sobreviva.

O peito de Elide se apertou.

— O que você deve a minha mãe é *viver*, Aelin. — Ela se inclinou para mais perto, praticamente empurrando o anel para o rosto da rainha. — Pegue. Se não por mim, então por ela.

Aelin encarou a joia de novo. E então a pegou.

Elide tentou não suspirar quando a rainha colocou o anel no dedo.

— Obrigada — murmurou Aelin.

A jovem estava prestes a responder quando as abas da tenda se abriram e o ar gelado soprou para dentro... com Borte.

— Não me convidaram para o banho? — perguntou a rukhin, franzindo a testa dramaticamente para a rainha.

Os lábios de Aelin se curvaram para cima.

— Achei que os rukhin eram valentões demais para banhos.

— Já viu como os homens têm os cabelos bonitos? Acha que isso não indica uma obsessão por limpeza? — Borte saiu caminhando pela tenda real e se sentou no banco ao lado da banheira da rainha. Não parecendo se importar em nada com o fato de Aelin ou Elide estarem nuas.

Foi preciso toda a força de vontade de Elide para não se cobrir. Pelo menos com Aelin na banheira adjacente, a borda era alta o suficiente para oferecer privacidade. Mas com Borte sentada *acima* de ambas daquela forma...

— Eis o que penso — declarou a menina, jogando para trás a ponta de uma das tranças.

Aelin deu um leve sorriso.

— Hasar é resmungona e fria. Sartaq se acostumou a isso e não se importa. Kashin está tentando fazer o melhor que pode, porque é tão absurdamente distinto, mas estão todos só *um pouco* nervosos por estarmos marchando contra cem mil soldados, potencialmente mais a caminho, e por Erawan *não* estar fora de cena. Nem Maeve. Então eles estão putos. Gostam de você, mas estão putos.

— Isso eu entendi — disse Aelin, sarcasticamente — quando Hasar me chamou de vaca estúpida.

Fora preciso todo o autocontrole de Elide para não avançar contra a princesa. E, pelo urro que saíra dos machos feéricos, até mesmo de Lorcan, pelos deuses, ela sabia que fora igualmente difícil para eles.

Aelin apenas havia inclinado a cabeça para a princesa e sorrido. Assim como sorria agora.

Borte ignorou as palavras da rainha com um gesto.

— Hasar chama todo mundo de vaca estúpida. Você está bem acompanhada. — Outro sorriso de Aelin diante daquilo. — Mas não estou aqui para falar sobre isso. Quero falar sobre você e eu.

— Meu assunto preferido — brincou Aelin, rindo baixinho.

Borte sorriu.

— Você está viva. Você conseguiu. Todos achamos que estaria morta. — Ela traçou uma linha contra o pescoço para dar ênfase, e Elide se encolheu. — Sartaq provavelmente vai me fazer liderar um dos flancos até a batalha, mas já fiz isso. Já sou boa nisso. — Aquele sorriso aumentou. — Quero liderar *seu* flanco.

— Não tenho um flanco.

— Então com quem vai cavalgar até a batalha?

— Não tinha planejado a esse ponto — comentou Aelin, erguendo uma sobrancelha. — Pois esperava estar morta.

— Bem, quando chegar, espere que eu esteja nos céus acima de você. Odiaria que a batalha fosse entediante.

Apenas aquela rukhin de olhos destemidos teria a coragem de chamar uma marcha contra cem mil soldados de *entediante*.

Mas, antes que Aelin pudesse responder, ou que Elide pudesse perguntar a Borte se os ruks estavam preparados para as serpentes aladas, a montadora se foi.

Quando Elide olhou para o lado, o rosto da rainha estava sombrio.

Aelin assentiu para as abas da tenda.

— Está nevando.

— Está nevando quase sem parar há dias.

Aelin engoliu em seco audivelmente.

— É uma neve do norte.

A tempestade se chocou contra o acampamento, tão violenta que Nesryn e Sartaq deram aos ruks ordens de se esconder durante o dia e a noite.

Como se atravessar as fronteiras de Terrasen dias antes tivesse oficialmente os colocado dentro do inverno brutal.

— Continuamos seguindo para o norte — dizia Kashin, deitado diante da fogueira, na ampla tenda de Hasar.

— Como se houvesse outra opção — disparou a irmã, tomando vinho morno. — Chegamos até aqui. É melhor irmos logo até Orynth.

Nesryn, sentada em um sofá baixo com Sartaq, ainda se perguntava o quê, exatamente, fazia naquelas reuniões. E refletia sobre o fato de estar sentada com os irmãos reais, com o herdeiro do khaganato a seu lado.

Imperatriz. A palavra parecia pairar sobre cada sussurro, cada movimento.

— Nosso povo já enfrentou desvantagens como essas antes — argumentou Sartaq. — E as enfrentaremos de novo.

De fato, ele ficara acordado até tarde nas últimas semanas, lendo relatos e diários de guerreiros do khaganato e líderes de gerações passadas. Tinham levado um baú cheio deles do império ao sul... por esse motivo. A maior parte Sartaq já lera, dissera o herdeiro a ela. Mas não fazia mal relembrar.

Se isso lhes desse uma chance contra cem mil soldados, Nesryn não reclamaria.

— Sequer os enfrentaremos se essa tempestade não diminuir — disse Hasar, franzindo a testa para as abas seladas da tenda. — Quando eu voltar para Antica, nunca mais vou sair de lá.

— Não tem gosto pela aventura, irmã? — Kashin sorriu levemente.

— Não quando é em um inferno congelado — resmungou ela.

Nesryn deu uma risada baixa e abafada, e Sartaq passou o braço em volta de seus ombros. Um pequeno contato casual e despreocupado.

— Continuaremos em frente — disse ele. — Até as muralhas de Orynth. Juramos que faríamos isso, e não quebramos nossas promessas.

Nesryn teria se apaixonado por ele somente por aquela frase. Ela encostou o corpo no de Sartaq, aproveitando seu calor, em um agradecimento silencioso.

— Então vamos rezar — concluiu Kashin — para que essa tempestade não diminua tanto nossa velocidade a ponto de não restar nada de Orynth para defender.

102

Tinham liberado um pequeno cômodo no grande salão para o velório.

O quarto estava iluminado por quaisquer velas que se pudesse usar, e um padrão tremeluzente se projetava nas antigas pedras em volta da mesa em que o haviam deitado.

Lysandra, parada à porta, olhava para o corpo envolto em lençóis nos fundos da sala.

Ren estava ajoelhado diante dele, a cabeça curvada. Como fazia havia horas. Desde que chegara a notícia, ao pôr do sol, de que Murtaugh tinha caído.

Dilacerado por soldados de infantaria valg enquanto tentava conter seu fluxo sobre as muralhas da cidade, cortesia de uma das torres de cerco.

Haviam carregado Murtaugh de volta da muralha da cidade, com uma multidão de soldados ao seu redor.

Mesmo do céu, voando com as bruxas depois de Morath soar a ordem de parar outra vez, Lysandra ouvira o grito de Ren. Vira do alto quando ele saiu correndo nas ameias até o corpo carregado pelas ruas da cidade.

Aedion chegara em segundos, e mantivera Ren de pé enquanto o jovem lorde chorava. Ele o carregara até ali, de certo modo, apesar dos ferimentos recentes.

E, então, havia permanecido. Fazendo vigília ao lado de Ren durante todo aquele tempo, com a mão no ombro do amigo.

Lysandra levara Evangeline. Abraçara a menina chocada conforme ela chorava, e ficara esperando enquanto Evangeline caminhava até o corpo de

Murtaugh para dar um beijo em sua testa. O pouco que o lençol permitia vislumbrar, depois do que os valg tinham feito.

Ela escoltara a protegida da câmara no momento que Darrow e os demais chegaram.

Lysandra não se incomodara em olhar para o lorde, para qualquer um que não ousara imitar o que Murtaugh fizera. Tinham descoberto que a morte do homem agitara os homens na muralha. Fizera com que derrubassem aquela torre de cerco. Uma vitória de sorte, e que havia lhes custado caro.

A metamorfa ajudara Evangeline a se banhar, certificara-se de que a menina fizesse uma refeição quente, então a colocara na cama antes de voltar.

E encontrar Aedion ainda ao lado de Ren, a mão ainda no ombro do lorde ajoelhado.

Então ela havia ficado ali, à porta. Fazendo a própria vigília enquanto seu poço do poder se enchia de novo, enquanto os ferimentos que sofrera se curavam centímetro a centímetro.

Aedion murmurou algo para Ren e retirou a mão. Ela se perguntou se seriam suas primeiras palavras em horas.

O guerreiro se virou para ela então, piscando. Esgotado. Arrasado. Exausto e de luto e carregando um peso que Lysandra não aguentava testemunhar.

Até mesmo o habitual andar firme de Aedion era pouco mais que um arrastar de pés.

Ela o seguiu para fora, olhando por sobre o ombro apenas uma vez, para onde Ren ainda estava ajoelhado, a cabeça baixa.

Um silêncio tão terrível ao seu redor.

Lysandra acompanhou Aedion conforme ele seguia para o refeitório. Àquela hora, a comida seria escassa, mas ela encontraria algo. Para os dois. Sairia para caçar, se precisasse.

A metamorfa abriu a boca para dizer exatamente isso ao príncipe.

Mas lágrimas escorriam pelo rosto do guerreiro, cortando sangue e sujeira.

Lysandra parou de andar, puxando-o para que parasse também.

Aedion não a encarou quando ela limpou as lágrimas de uma de suas bochechas. Então da outra.

— Eu devia ter lutado na muralha oeste — disse ele, a voz falhando.

Lysandra sabia que palavra nenhuma o confortaria. Então ela limpou as lágrimas de Aedion de novo, lágrimas que ele só mostraria naquele corredor sombreado, depois que todos os outros tivessem encontrado suas camas.

E, quando ainda assim ele não a encarou, Lysandra segurou o rosto do guerreiro com as mãos em concha, erguendo sua cabeça.

Por um segundo, por uma eternidade, eles se entreolharam.

Ela não podia suportar aquilo, a tristeza, o luto no rosto de Aedion. Não conseguia aguentar aquilo.

Lysandra ficou nas pontas dos pés e roçou a boca na do príncipe.

Um sopro de beijo, uma promessa de vida quando a morte pairava.

Ela se afastou, encontrando o rosto de Aedion tão transtornado quanto antes.

Então Lysandra o beijou de novo. E se demorou próxima à boca do guerreiro conforme sussurrava:

— Ele era um homem bom. Um homem corajoso e nobre. Assim como você. — Ela o beijou uma terceira vez. — E, quando esta guerra terminar, não importa como acabe, ainda estarei aqui, com você. Seja nesta vida ou na próxima, Aedion.

Ele fechou os olhos, como se inspirando aquelas palavras. Seu peito chegou a inflar, os ombros largos estremeceram.

Então o guerreiro abriu os olhos, pura chama turquesa, alimentada por aquele luto e raiva e rebeldia diante da morte que os cercava.

Aedion agarrou a cintura de Lysandra com uma das mãos, mergulhando a outra nos cabelos da metamorfa. Em seguida, ele lhe inclinou a cabeça para trás quando a boca encontrou a dela.

O beijo a inflamou até os ossos em constante mutação, e Lysandra passou os braços pelo pescoço de Aedion, segurando firme.

Sozinhos no corredor escuro e silencioso, com a morte alastrando-se no campo de batalha próximo, a metamorfa se entregou àquele beijo incandescente, a Aedion, incapaz de segurar o gemido conforme a língua se movia contra a sua.

O som foi um catalisador, e Aedion os virou, colocando-a de costas na parede. Lysandra arqueou o corpo, desesperada para senti-lo contra ela. Ele grunhiu em sua boca, então a mão apoiada no quadril deslizou até a coxa da metamorfa, puxando a perna em torno da cintura enquanto Aedion se pressionava contra o corpo de Lysandra, exatamente onde ela precisava.

O príncipe afastou a boca e começou a explorar seu pescoço, depois o maxilar e a orelha. Lysandra sussurrou seu nome, passando as mãos pelas costas poderosas do guerreiro, que se flexionavam ao toque.

Mais. Mais. Mais.

Mais daquela vida, daquele fogo para queimar e afastar todas as sombras.

Mais dele.

Lysandra deslizou as mãos até o peito de Aedion, os dedos se enterrando na frente do casaco, buscando a pele morna por baixo. Ele apenas lhe mordiscou a orelha, arrastou os dentes pelo queixo da metamorfa e tomou a boca de Lysandra em mais um beijo intenso, que a fez gemer de novo.

Passos ecoaram pelo corredor, acompanhados de uma tosse forçada, e Aedion ficou imóvel.

Barulho; deviam estar fazendo muito barulho...

Mas ele não se afastou, embora Lysandra tivesse desenganchado a perna de sua cintura. No momento que a sentinela passou com os olhos baixos.

Passou *rápido*.

Aedion acompanhou o homem o tempo todo, nada humano em seus olhos. Um superpredador que encontrara a presa por fim.

Não, ela não era sua presa. Jamais para ele.

Mas sua companheira. Sua parceira.

Quando a sentinela virou o corredor, sem dúvida correndo para contar a todos o que interrompera, quando Aedion se inclinou para beijá-la de novo, Lysandra o impediu com uma mão carinhosa contra a boca.

— Amanhã — disse ela, baixinho.

Aedion soltou um grunhido... mas sem qualquer irritação.

— Amanhã — repetiu ela, beijando-o na bochecha e desvencilhando-se de seus braços. — Sobreviva ao dia de amanhã, lute pelo dia de amanhã, e nós... continuaremos.

A respiração de Aedion estava irregular, os olhos desconfiados.

— Foi por pena? — Uma pergunta arrasada, miserável.

Lysandra passou a mão pelo rosto coberto pela barba por fazer e pressionou a boca contra a de Aedion. Permitindo-se sentir o gosto do guerreiro de novo.

— Foi porque estou farta de tanta morte. E precisava de você.

Aedion soltou um ruído grave e doloroso, em seguida Lysandra lhe deu um último beijo, chegando a lhe traçar o contorno dos lábios com a língua. O guerreiro se abriu para ela, e então estavam entrelaçados de novo, dentes e línguas e mãos passeando, tocando, provando.

Mas Lysandra conseguiu se libertar outra vez, a respiração tão irregular quanto a do príncipe.

— Amanhã, Aedion — sussurrou ela.

— Temos o suficiente no arsenal para nossos arqueiros usarem por mais três dias, talvez quatro se conservarem os estoques — disse Lorde Darrow, com os braços cruzados enquanto lia os números.

Manon não desgostava do velho; em parte até admirava o controle que exercia com punho de ferro. Mas aqueles conselhos de guerra todas as noites começavam a cansá-la.

Principalmente quando traziam notícias cada vez mais devastadoras.

No dia anterior, houvera mais um de pé naquela câmara. Lorde Murtaugh. Naquele dia, apenas seu neto estava sentado em uma cadeira, os olhos vermelhos. Um espectro vivo.

— Estoques de comida? — perguntou Aedion do outro lado da mesa. O príncipe-general também já vira dias melhores. Todos tinham. Cada rosto naquela sala exibia a mesma expressão desolada e arrasada.

— Temos comida para pelo menos um mês — respondeu Darrow. — Mas nada disso vai importar sem alguém para defender as muralhas.

O capitão Rolfe se aproximou da mesa.

— Os lança-chamas estão nas últimas. Teremos sorte se durarem até amanhã.

— Então vamos poupá-los também — sugeriu Manon. — Vamos usá-los apenas para os valg de hierarquia maior que atravessarem as muralhas da cidade.

Rolfe assentiu. Outro homem que ela relutantemente admirava; apesar de a arrogância ser irritante.

Era difícil não olhar para as portas seladas da câmara. Onde Asterin e Sorrel deveriam estar esperando. Defendendo.

Em vez disso, Petrah e Bronwen estavam ali. Não como uma nova imediata e terceira na hierarquia de Manon, mas apenas como representantes das próprias alianças.

— Supondo que façamos as flechas durarem quatro dias — disse Ansel de Penhasco dos Arbustos, franzindo a testa profundamente. — E façamos os lança-chamas durarem três, se usados com moderação. Quando ambos acabarem, o que resta?

— As catapultas ainda funcionam — ofereceu um membro da realeza feérica de cabelos prateados. A fêmea.

— Mas elas servem para causar danos a distância — comentou o príncipe Galan, que tinha os olhos de Aelin, como Aedion. — Não para combate corpo a corpo.

— Então temos nossas espadas — lembrou Aedion, com a voz rouca. — Nossa coragem.

Aquilo, Manon sabia, também estava acabando.

— Podemos manter as Dentes de Ferro afastadas — falou a bruxa —, mas não temos como também ajudar nas muralhas.

Estavam, de fato, combatendo uma maré irrefreável que não diminuía.

— Então esse é o fim? — perguntou Ansel. — Em quatro, cinco dias, oferecemos nossos pescoços a Morath?

— Lutaremos até o último de nós — grunhiu Aedion. — Até o último.

Nem mesmo Lorde Darrow protestou contra aquilo. Assim, partiram, encerrando a reunião.

Não havia mais nada a discutir. Em poucos dias, seriam todos um grande banquete para os corvos.

103

A tempestade havia parado o exército de vez.

Na primeira manhã, caíra tão violentamente que Rowan não conseguira ver poucos centímetros adiante. Os ruks ficaram no chão, e apenas os mais experientes batedores tinham sido enviados... por terra.

Então o exército permaneceu estacionado ali. A menos de 80 quilômetros além da fronteira de Terrasen. A uma semana de Orynth.

Se Aelin tivesse seus poderes completos...

Não eram seus poderes completos. Não mais, lembrou-se Rowan, sentado na tenda de guerra, com sua parceira e esposa e rainha no sofá baixo ao lado.

Os poderes completos de Aelin eram agora... Ele não sabia bem. Como tinham sido em Defesa Nebulosa, talvez. Quando ainda havia aquela represa que Aelin mesma erguera. Não tão pequenos quanto no momento que ela havia chegado, mas não tão poderosos quanto quando ela circundara Doranelle inteira com as próprias chamas.

Certamente não o bastante para enfrentar Erawan e sair com vida. Ou Maeve.

Ele não se importava. Não dava a mínima se Aelin tinha todo o poder do sol ou nem mesmo uma brasa.

Aquilo jamais importara para ele, na verdade.

Do lado de fora, o vento uivava, e a tenda estremecia.

— É sempre assim tão ruim? — perguntou Fenrys, franzindo a testa para as paredes trêmulas.

— Sim — responderam Elide e Aelin, compartilhando um sorriso raro. Um milagre aquilo, aquele sorriso na boca de Aelin.

Mas o de Elide sumiu quando disse:

— A tempestade pode durar dias. Pode acumular quase um metro de neve.

— Mesmo depois que a neve parar, ainda será um problema a enfrentar — resmungou Lorcan, parado perto do braseiro. — Soldados perdendo dedos dos pés e das mãos para o frio e a umidade.

O sorriso de Aelin sumiu de vez.

— Vou derreter o máximo que conseguir.

Ela o faria. Chegaria à beira da exaustão para fazê-lo. Mas juntos, se unissem os poderes, a força da magia de Rowan poderia bastar para derreter um caminho. Para manter o exército aquecido.

— Ainda teremos um exército que chegará a Orynth exausto — observou Gavriel, esfregando a mandíbula.

Quantos dias Rowan o vira olhar para o norte, para o filho que lutava em Orynth? Perguntando-se, sem dúvida, se Aedion ainda estava vivo.

— Eles são profissionais — disse Fenrys, seco. — Conseguem dar conta.

— Tomar o caminho mais longo só vai aumentar a exaustão — argumentou Lorcan.

— Pela última notícia que tivemos — começou Rowan —, Morath tomou Perranth. — Um tremor doloroso de Elide diante da notícia. — Não arriscaremos passar perto demais de lá. Não quando significaria ficarmos potencialmente presos em um conflito que apenas atrasaria nossa chegada a Orynth e reduziria nossos números.

— Olhei os mapas dezenas de vezes. — Gavriel franziu a testa para onde estavam abertos na mesa de trabalho. — Não tem outro caminho até Orynth, não sem se aproximar de Perranth.

— Talvez tenhamos sorte e essa tempestade terá atingido o norte inteiro — arriscou Fenrys. — Talvez congele parte das forças de Morath para nós.

Rowan duvidava de que tivessem tanta sorte. Tinha a sensação de que qualquer sorte que possuíam fora gasta com a mulher que estava sentada ao seu lado.

Aelin olhou para o macho, séria e cansada. Ele não conseguia imaginar qual era a sensação. Ela entregara-se por inteira. Abrira mão da humanidade, da magia. Ele sabia que era a falta de poder que a deixava com aquele olhar assombrado e ferido. Que a tornava uma estranha no próprio corpo.

Rowan se demorara na noite anterior para fazê-la se acostumar de novo com certas partes daquele corpo. E do dele. Inclusive, passara muito tempo fazendo isso. Até que aquele olhar assombrado tivesse sumido, até que ela estivesse se contorcendo sob ele, queimando enquanto ele se movia dentro dela. O guerreiro não tinha impedido as próprias lágrimas de escorrerem, mesmo quando se tornaram vapor antes de tocar o corpo da parceira; e houvera lágrimas no rosto de Aelin também, brilhantes como prata diante de chama, enquanto ela o abraçava com força.

Mas naquela manhã, quando Rowan a tinha acordado com beijos no maxilar e no pescoço, aquele olhar assombrado voltara. E permanecera.

Primeiro as cicatrizes. Então o corpo mortal, humano.

Bastante. Ela dera o bastante. Ele sabia que Aelin planejava dar mais.

Uma batedora rukhin chamou a rainha da entrada da tenda, e Aelin deu um comando baixo para que entrasse. Mas a montadora apenas colocou a cabeça para dentro, os olhos arregalados. Neve lhe cobria o capuz, assim como as sobrancelhas e os cílios.

— Vossa Majestade. Majestades — corrigiu ela, olhando para o guerreiro. Rowan não se incomodou em dizer a ela que era simplesmente e sempre seria *Vossa Alteza*. — Vocês precisam vir. — A batedora estava tão ofegante que o hálito se condensava no ar frio que entrava pelas abas da tenda. — Todos vocês.

Levou minutos para colocarem as roupas mais quentes e os equipamentos, para se prepararem para a neve e o vento.

Mas, então, estavam todos subindo aos poucos pelos bancos de neve, com a batedora os levando além das tendas quase enterradas. Mesmo sob as árvores, havia pouco abrigo.

No entanto, logo chegaram ao limite do acampamento. A neve ofuscante rugia para além do grupo, encobrindo o que a batedora apontava ao dizer:

— Olhem.

Ao seu lado, Aelin cambaleou. Rowan estendeu a mão para ela, a fim de evitar que caísse.

Mas ela não estava caindo. Estava inclinando o corpo para a frente... como se para correr até lá.

Rowan viu por fim o que Aelin via. Quem surgia entre as árvores.

Contra a neve, o pelo branco o deixava quase invisível. Teria sido invisível não fosse pela chama dourada tremeluzindo entre a galhada orgulhosa e imponente.

O Senhor do Norte.

E a seus pés, ao seu redor... O Povo Pequenino.

Com neve presa aos cílios, Aelin deixou um ruído baixo escapar conforme a criatura mais próxima flexionava a mão, chamando. Como se para dizer: *Sigam-nos*.

Os demais olharam boquiabertos e em silêncio o cervo magnífico e orgulhoso que viera recebê-los.

Para guiar a rainha de Terrasen para casa.

Então o vento começou a sussurrar, mas não era a canção que Rowan costumava ouvir.

Não, era uma voz que *todos* ouviam ao passar por eles.

A destruição está sobre Orynth, herdeira de Brannon. Você precisa se apressar.

Um calafrio que não tinha nada a ver com o frio percorreu a pele de Rowan.

— A tempestade — disparou Aelin, as palavras engolidas pela neve.

Precisa se apressar. Nós mostraremos o caminho, rápido e invisível.

Aelin ficou imóvel. Então disse para aquela voz, tão antiga quanto as árvores, tão velha quanto as rochas entre elas:

— Você já me ajudou tantas vezes.

E você deu muito de si, herdeira de Brannon. Nós que nos lembramos sabemos que ele teria feito tal escolha, se pudesse. A floresta de Carvalhal jamais se esquecerá de Brannon... ou de sua herdeira.

Aelin se esticou e observou as árvores, o vento açoitado pela neve.

Dríade. Era essa a palavra que ele buscava. Dríade. Um espírito das árvores.

— Qual é o custo? — perguntou Aelin, a voz mais alta.

— Quer mesmo perguntar? — murmurou Fenrys. Rowan grunhiu para ele.

Mas a rainha ficara imóvel enquanto esperava a dríade responder. A voz de Carvalhal, do Povo Pequenino e de criaturas que há muito se importavam com a floresta.

Um mundo melhor, respondeu a dríade, por fim. *Mesmo para nós.*

∽

O exército era um borrão de atividade ao se preparar para marchar; para correr até o norte.

Mas Aelin arrastou Rowan até sua tenda. Até a pilha de livros que Chaol e Yrene tinham trazido do continente sul.

Ela passou o dedo pelos títulos, procurando, observando.

— O que está fazendo? — perguntou o parceiro.

Aelin ignorou a pergunta e murmurou ao encontrar o livro que buscava. Ela folheou o exemplar, com o cuidado de não rasgar as páginas.

— Posso ser uma vaca estúpida — murmurou ela, girando o livro para mostrar a Rowan a página que procurava —, mas não sem opções.

Os olhos do macho dançaram. *Está me incluindo nesse ardil particular, princesa?*

Aelin sorriu com malícia. *Eu não iria querer que se sentisse excluído.*

Ele inclinou a cabeça.

— Precisamos nos apressar, então.

Ouvindo a balbúrdia do exército que se preparava além da tenda, Aelin assentiu. E começou.

⊰ 104 ⊱

Com o suor e o sangue que o cobriam congelando rapidamente, Aedion ofegou ao se inclinar contra as muralhas arrasadas da cidade, observando o inimigo encampado recuar naquela noite.

Era uma piada doentia, um tormento cruel que Morath parasse todo pôr do sol. Como se houvesse algum tipo de civilidade, como se as criaturas que infestavam tantos dos soldados abaixo precisassem de luz.

Ele sabia por que Erawan ordenara que fosse assim. Para cansá-los dia após dia, para minar seu ânimo, em vez de deixar que desvanecessem em glória colérica.

Não era apenas a vitória ou a conquista que Erawan desejava, mas sua entrega total. Que implorassem para que aquilo terminasse, para que o rei valg acabasse com eles, que os governasse.

Aedion cerrou os dentes ao andar com dificuldade pelas ameias. A luz sumia rapidamente, a temperatura caía.

Cinco dias.

As armas que estimaram acabar em três ou quatro dias haviam durado até aquele momento. Até ali.

Abaixo da muralha, uma myceniana lançou uma nuvem de chamas para o valg que ainda tentava escalar a escada de cerco. Onde queimava, demônios caíam.

Rolfe estava ao lado da mulher que manejava o lança-chamas, o rosto tão ensanguentado e suado quanto o de Aedion.

Um punho coberto em armadura preta se agarrou à ameia ao lado de Aedion, tentando se segurar enquanto ele passava.

Mal olhando, o guerreiro bateu com o escudo antigo. Um arquejo e um grito distante foram a única confirmação de que o soldado desgarrado encontrara o chão.

Rolfe abriu um sorriso sombrio quando Aedion parou, o peso da armadura o de mil pedras. Acima, as Crochan e Dentes de Ferro voavam lentamente de volta às muralhas da cidade, com capas vermelhas caídas sobre as vassouras e asas encouraçadas batendo irregularmente. Aedion observou o céu até ver a serpente alada sem montadora pela qual procurava todos os dias, todas as noites.

Ao vê-lo também, Lysandra guinou e começou uma descida lenta e dolorosa até a muralha da cidade.

Tantos mortos. Mais e mais a cada dia. Aquelas vidas perdidas pesavam cada passo seu. Nada que Aedion pudesse fazer jamais consertaria aquilo; não de verdade.

— Os arqueiros estão fora — disse o príncipe-general para Rolfe, como um cumprimento, conforme Lysandra se aproximava, seu sangue e o de outros nas asas e no peito. — Acabaram as flechas.

O lorde pirata indicou com o queixo a guerreira myceniana que ainda usava o lança-chamas com explosões curtas e estouros.

Lysandra aterrissou, metamorfoseando-se com um clarão, e estava imediatamente ao lado de Aedion, abrigada sob o braço do escudo. Um beijo suave e breve foi o único cumprimento dos dois. A única coisa pela qual ele esperava toda noite.

Às vezes, depois que tinham sido enrolados em ataduras e comido algo, o guerreiro conseguia mais que isso. Frequentemente, não se incomodavam em se lavar antes de encontrar uma alcova escura. Então não havia nada além de Lysandra, sua pura perfeição, os ruídos baixos que fazia quando Aedion passava a língua por seu pescoço, quando as mãos do general lentamente, tão lentamente, exploravam cada centímetro. Deixando-a ditar o ritmo, mostrar e dizer a ele até que ponto queria ir. Mas não aquela união final, ainda não.

Algo pelo qual os dois podiam viver; pois era esse o voto não dito de ambos.

Lysandra fedia a sangue valg, mas, ainda assim, Aedion deu mais um beijo em sua têmpora antes de olhar de volta para Rolfe. O lorde pirata abriu um sorriso triste.

Bastante ciente de que aqueles provavelmente seriam seus últimos dias. As últimas horas.

A guerreira myceniana mirou o lança-chamas de novo, e os valg restantes caíram na escuridão, pouco mais que ossos derretidos e tecido esvoaçante.

— Acho que foi o último — disse Rolfe, baixinho.

Aedion precisou de um segundo para entender que ele não se referia ao último soldado da noite.

A myceniana apoiou o lança-chamas com um pesado ruído metálico.

— Os lança-chamas acabaram — anunciou o lorde pirata.

Escuridão caiu sobre Orynth, tão espessa que até mesmo as chamas do castelo encolheram.

Nas ameias, com Darrow calado a seu lado, Evangeline observava as fileiras de soldados arrastando-se pelas muralhas, pelo céu.

Tambores de ossos começaram a bater.

Uma batida de coração, como se o exército inimigo na planície fosse uma imensa besta que despertara e estava pronta para devorá-los.

Na maioria dos dias, eles apenas soavam do alvorecer ao pôr do sol, e o ruído era bloqueado pelos barulhos da batalha. O fato de terem recomeçado depois que o sol sumiu... O estômago da menina se revirou.

— Amanhã — murmurou Lorde Sloane, que estava ao lado de Darrow. — Ou no dia seguinte. Acabará então.

Não a vitória. Evangeline sabia disso.

Darrow não disse nada, e Lorde Sloane lhe deu tapinhas no ombro antes de entrar.

— O que acontece no fim? — A menina ousou perguntar a Darrow.

O velho olhou para a cidade, para o campo de batalha cheio de uma escuridão terrível.

— Ou nos rendemos — respondeu ele, com a voz rouca —, e Erawan faz de todos nós escravizados, ou lutamos até virarmos carniça.

Palavras tão diretas e ríspidas. Mas Evangeline gostava daquilo no homem; ele não suavizava nada para ela.

— Quem vai decidir o que faremos?

Os olhos cinzentos lhe observaram o rosto.

— Isso recairia sobre nós, os senhores de Terrasen.

A menina assentiu. Fogueiras inimigas tremeluziram ao se acender, as chamas parecendo ecoar a batida dos tambores de ossos.

— O que você decidiria? — A pergunta de Darrow foi baixa, hesitante.

Ela refletiu. Ninguém jamais perguntara tal coisa.

— Eu teria gostado muito de morar em Caraverre — admitiu Evangeline. Ela sabia que Darrow não reconhecia o território, mas já não importava, não é? — Murtaugh me mostrou a terra, os rios e as montanhas próximos, as florestas e colinas. — Uma dor latejou em seu peito. — Vi os jardins perto da casa, e teria gostado de vê-los na primavera. — A garganta da menina deu um nó. — Eu teria gostado que fosse meu lar. Que isso... que toda Terrasen fosse meu lar.

Darrow não disse nada, e Evangeline apoiou a mão nas pedras do castelo, olhando para o oeste, como se pudesse ver até Allsbrook e o pequeno território à sombra deste. Até Caraverre.

— É o que Terrasen sempre significou para mim, entende — continuou a menina, falando mais consigo mesma. — Assim que Aelin libertou Lysandra e ofereceu para que fizéssemos parte de sua corte, Terrasen sempre significou um lar. Um lugar onde... onde o tipo de pessoa que nos fere não tem o direito de viver. Onde qualquer um, não importa quem seja ou de onde veio, qual sua posição, pode viver em paz. Onde podemos ter um jardim na primavera, e nadar nos rios no verão. Jamais tive tal coisa antes. Um lar, quero dizer. E teria gostado que Caraverre, que Terrasen, fosse o meu. — Ela mordeu o lábio. — Então eu escolheria lutar. Até o fim. Por meu lar, ainda que seja novo. Escolho lutar.

Darrow ficou calado por tanto tempo que Evangeline ergueu o rosto para ele.

Ela jamais vira os olhos do homem tão tristes, como se o peso de todos os anos tivesse realmente caído sobre eles.

Então o lorde apenas disse:

— Venha comigo.

Ela o seguiu pelas ameias e para o calor do castelo, pelos vários corredores sinuosos, até o grande salão, onde uma refeição noturna pequena demais era posta. Uma das últimas.

Ninguém se incomodou em tirar os olhos dos pratos quando Evangeline e Darrow passaram entre as longas mesas cheias de soldados esgotados e feridos.

O idoso não olhou para eles também ao seguir direto para a fileira de pessoas que esperava a comida. Até Aedion e Lysandra, que estavam com os braços ao redor um do outro enquanto esperavam a vez. Como deveria ter sido desde o início... os dois juntos.

Aedion, sentindo a chegada de Darrow, se virou. O general parecia esgotado.

Ele sabia, então. Que o dia seguinte, ou o outro, seria o último. Lysandra deu a Evangeline um pequeno sorriso, e a menina entendeu que ela também estava ciente. Que tentaria achar uma forma de tirá-la dali antes do fim.

Mesmo que Evangeline jamais fosse permitir aquilo.

Darrow soltou a espada do lado do corpo para entregá-la a Aedion.

Silêncio começou a tomar o corredor diante da visão da espada... A espada de Aedion. A Espada de Orynth.

Darrow a estendeu entre eles, o punho de osso antigo reluzindo.

— Terrasen é seu lar.

O rosto arrasado do guerreiro permaneceu inabalado.

— Desde o dia em que cheguei aqui.

— Eu sei — disse o lorde, olhando para a espada. — E você a defendeu muito mais do que teria sido esperado de qualquer filho nato. Além do que qualquer um deveria ser, sensatamente, compelido a dar. Fez isso sem reclamar, sem medo, e serviu seu reino com nobreza. — Ele estendeu a espada. — Perdoe um velho orgulhoso que tentou fazer o mesmo.

Aedion tirou o braço do ombro de Lysandra e pegou a lâmina.

— Servir este reino foi a grande honra de minha vida.

— Eu sei — repetiu Darrow, olhando para Evangeline antes de olhar para Lysandra. — Alguém muito sábio me disse recentemente que Terrasen não é apenas um lugar, mas um ideal. Um lar para aqueles que vagueiam, para aqueles que precisam de um lar que os acolha de braços abertos. — Ele inclinou a cabeça para a metamorfa. — Eu formalmente reconheço Caraverre e suas terras, e você como sua senhora.

Os dedos de Lysandra encontraram os de Evangeline e apertaram firme.

— Por sua coragem inabalada diante do inimigo reunido a nossa porta, por tudo o que fez para defender esta cidade e este reino, Caraverre será reconhecida e sua para sempre. — Um olhar entre ela e Aedion. — Quaisquer herdeiros que tenham a herdarão, e os herdeiros deles depois disso.

— Evangeline é minha herdeira — disse Lysandra, com a voz embargada, apoiando a mão quente no ombro da menina.

Darrow deu um leve sorriso.

— Sei disso também. Mas gostaria de dizer mais uma coisa nesta que talvez seja nossa última noite. — Ele inclinou a cabeça para Evangeline. — Jamais tive filhos e também não adotei nenhum. Seria uma honra nomear uma jovem tão sábia e corajosa como minha herdeira.

Silêncio absoluto. Evangeline piscou... e piscou de novo.

Darrow prosseguiu no silêncio atônito:

— Eu gostaria de enfrentar meus inimigos sabendo que o coração de minhas terras, deste reino, baterá no peito de Evangeline. Que independentemente da sombra que se reúna, Terrasen viverá para sempre em alguém que entende sua própria essência sem precisar que seja ensinada. Que personifica suas melhores qualidades. — Ele acenou para Lysandra. — Se você estiver de acordo.

Torná-la sua protegida... e uma lady... Evangeline segurou a mão de Darrow. Ele a apertou em resposta.

— Eu... — A metamorfa piscou e se virou para a menina, com os olhos brilhando. — Não é minha decisão, não é?

Então Evangeline sorriu para Darrow.

— Eu gostaria muito disso.

༄

Os tambores de ossos tocaram a noite toda.

Que novos horrores seriam libertados ao amanhecer, Manon não sabia.

Sentada ao lado de Abraxos na torre do ninhal, os dois observavam o mar infinito de trevas.

Acabaria em breve. A esperança desesperada de Aelin Galathynius havia se apagado.

Será que alguém conseguiria escapar depois que as muralhas da cidade fossem invadidas? E para onde sequer iriam? Depois que a sombra de Erawan se assentasse, haveria algo que o impediria?

Dorian; Dorian poderia. Se tivesse conseguido as chaves. Se tivesse sobrevivido.

Ele poderia estar morto. Poderia estar marchando contra eles naquele momento, com um colar no pescoço.

Manon encostou a cabeça contra o flanco morno e encouraçado de Abraxos.

Não conseguiria levar seu povo para casa. Levá-las até os desertos.

O dia seguinte... Manon sentia em seus ossos cruéis e antigos que seria no dia seguinte que as muralhas da cidade cairiam por fim. Não lhes restavam armas além de espadas e da própria ousadia. Isso não duraria muito contra a força interminável que os esperava.

Abraxos moveu a asa de forma a protegê-la do vento.

— Eu gostaria de tê-los visto — murmurou a bruxa. — Os desertos. Apenas uma vez.

A serpente alada resfolegou, cutucando-a levemente com a cabeça. Manon acariciou seu focinho.

E, mesmo com a escuridão que ocupava o campo de batalha, ela conseguia imaginar; o verde ondulante e vibrante que avançava até o mar cinzento e revolto. Uma cidade brilhante ao longo do litoral, com bruxas voando em vassouras ou serpentes aladas no céu acima. Ela conseguia ouvir os risos de bruxinhas nas ruas, a música há muito esquecida de seu povo fluindo ao vento. Um espaço amplo, aberto, exuberante e perene.

— Eu gostaria de tê-los visto — sussurrou Manon, de novo.

105

Sangue chovia no campo de batalha.

Sangue e flechas; tantas que, conforme encontravam seu alvo no flanco e nas asas de Lysandra, ela mal as sentia.

Morath estivera guardando seu arsenal. Até aquele dia.

Com o alvorecer, tinham libertado tal torrente de flechas que chegar ao céu fora um desafio letal. Ela não quisera saber quantas Crochan haviam caído, apesar dos esforços das Dentes de Ferro rebeldes de protegê-las com os corpos das serpentes aladas.

Mas a maioria chegara ao ar... e entrara direto no massacre da legião das Dentes de Ferro.

Abaixo, Morath avançava com uma urgência que ela ainda não testemunhara. Um mar sombrio que se chocava contra as muralhas da cidade, arrebentando contra elas vez por outra.

Escadas de cerco subiam mais rápido do que conseguiam ser empurradas, e naquele instante, com o sol mal despontando, torres de cerco se aproximavam aos poucos.

Lysandra se chocou contra uma bruxa Dentes de Ferro — uma Bico Negro, pelo couro pintado e a faixa na testa — e a derrubou da sela antes de lacerar o pescoço da serpente alada.

Uma. Apenas uma da massa no céu.

Ela mergulhou, escolhendo outro alvo.

Então outro. E outro. Não seria o bastante.

E, embora a legião das Dentes de Ferro tivesse se contentado em enfrentá-las em batalha durante as últimas semanas, elas pressionavam naquele dia. Forçavam-nas a recuar centímetro a centímetro na direção de Orynth.

E não havia nada que Lysandra, ou qualquer uma das Crochan ou das Dentes de Ferro rebeldes, pudesse fazer para impedir aquilo.

Então bruxas morriam.

E abaixo delas, nas muralhas da cidade, soldados de tantos reinos também morriam.

A última resistência, as últimas horas, de sua aliança desesperada.

~

O fôlego de Manon arranhava a garganta, e seu braço da espada doía.

De novo e de novo, elas se reuniam e avançavam contra a legião das Dentes de Ferro.

De novo e de novo, eram empurradas para trás. De volta a Orynth. Para as muralhas.

As fileiras de Crochan cediam. Mesmo as Dentes de Ferro rebeldes tinham começado a voar de modo descuidado.

Como tinham lutado tanto e ainda assim chegado àquele ponto? As Treze tinham entregado as vidas; o peito de Manon estava vazio, a balbúrdia da batalha ainda era um rugido distante sobre o silêncio em sua cabeça. E, no entanto, chegara àquele ponto.

Se persistissem, seriam massacradas ao anoitecer. Se não reconfigurassem o plano de ataque, não lhes restaria nada ao alvorecer. Ainda havia uma fagulha no espírito arrasado de Manon para achar isso inaceitável. Para se revoltar contra tal fim.

Tinham de recuar para as muralhas da cidade. Para se reagrupar e usar Orynth, as montanhas atrás da cidade, em vantagem própria. Quanto mais tempo permanecessem a céu aberto, mais mortal se tornaria.

Manon tirou a corneta do lado do corpo e soprou duas vezes.

As Crochan e Dentes de Ferro se viraram para ela, os olhos arregalados de choque. A bruxa-rainha soprou a corneta de novo.

Recuar, soava a corneta. *Recuar para a cidade.*

~

O portão oeste da cidade tremia.

Onde entalhes complexos e antigos um dia haviam agraciado as imponentes placas de ferro, agora se viam apenas mossas e sangue borrifado.

Um estrondo poderoso ecoou pela cidade, pelas montanhas, e Aedion, ofegante ao lutar no alto das ameias acima dos portões, ousou tirar os olhos do mais recente adversário. Ousou observar o balanço do último golpe do aríete.

Soldados tomavam a passagem para o portão, mais se enfileiravam nas ruas adiante. Tantos quantos se pudesse poupar das muralhas.

Em breve. Em breve o portão oeste cederia. Depois de milhares de anos, finalmente se partiria.

A Espada de Orynth estava escorregadia na mão ensanguentada, o escudo antigo, coberto de sangue.

Pessoas já fugiam para o castelo. As almas corajosas que tinham ficado na cidade todo aquele tempo, ansiando a todo custo que pudessem sobreviver. Agora corriam, com crianças nos braços, para o castelo que seria o último bastião contra as hordas de Morath. Por tanto tempo quanto possível.

Horas, talvez.

Manon dera a ordem de recuar, e as Crochan e Dentes de Ferro aterrissaram na muralha ao lado do portão sul, ainda firme, algumas se juntando à batalha, outras mantendo a fileira contra a legião aérea do inimigo em seu encalço.

O portão oeste tremeu de novo, balançando para dentro, a madeira e o metal e as correntes usados para reforçá-lo cedendo.

Aedion sentiu o inimigo correndo até seu flanco esquerdo, desprotegido, e ergueu o escudo, tão infinitamente pesado. Mas uma serpente alada sem montadora interceptou o soldado, rasgando-o ao meio antes de atirar os restos para fora das ameias.

Com um clarão de luz, Lysandra estava ali, pegando roupas, espada e escudo de um Assassino Silencioso morto.

— Diga para onde mando Manon e as demais posicionadas na cidade — pediu ela, muito ofegante. Uma ferida cortava seu braço, sangue lhe escorria por todo o corpo, mas Lysandra não parecia notar.

Aedion tentou mergulhar naquele lugar frio e calculista que o guiara em outras batalhas, outras quase-derrotas. Mas aquilo não era uma quase-derrota.

Aquilo seria uma derrota, pura e brutal. Um massacre.

— Aedion. — Seu nome era uma súplica frenética.

Um soldado valg correu até eles, e o príncipe-general o cortou do umbigo ao nariz com um golpe da Espada de Orynth. Lysandra mal piscou para o sangue escuro que jorrou em seu rosto.

O portão oeste cedeu, e ferro rangeu quando ele começou a se abrir.

Aedion precisava ir; precisava descer até lá e liderar a luta no portão.

Onde faria sua última investida. Onde encontraria seu fim, defendendo o lugar que mais amara. Era o mínimo que podia fazer, por todos os guerreiros que tinham caído graças a ele, a suas escolhas. Cair ele mesmo por Terrasen.

Uma morte digna de uma canção. Um fim digno de ser contado em volta de uma fogueira.

Se chamas ainda tivessem o direito de existir no novo mundo de sombras de Erawan.

A legião de Dentes de Ferro de Morath atacava seu povo rebelde; as Crochan exaustas, repousando nas pedras enquanto bebiam água, verificavam ferimentos. Um respiro antes do ataque final.

Ao longo da muralha, soldados valg avançavam, avançavam e avançavam sobre as ameias.

Então Aedion se inclinou para a frente e beijou Lysandra, beijou a mulher que deveria ter sido sua esposa e parceira uma última vez.

— Eu amo você.

Tristeza tomou conta do lindo rosto da metamorfa.

— E eu amo você. — Ela indicou o portão oeste, os soldados que esperavam sua queda derradeira. — Até o fim?

Aedion ergueu o escudo e girou a Espada de Orynth na mão, liberando a tensão que tomara seus dedos.

— Vou encontrá-la de novo — prometeu ele. — Em qualquer vida que venha depois desta.

Lysandra assentiu.

— Em todas as vidas.

Juntos, eles se viraram para as escadas que os levariam até os portões. Para o abraço da morte à espera.

Uma corneta partiu o ar, a batalha, o mundo.

Aedion ficou imóvel.

E se virou na direção daquela corneta, para o sul. Além das fileiras fervilhantes de Morath. Além do mar de trevas, para as encostas que ladeavam a fronteira da planície extensa de Theralis.

De novo, aquela corneta soou, um rugido de desafio.

— Essa não é uma corneta de Morath — sussurrou Lysandra.

E então eles surgiram. Ao longo do limite das encostas. Uma fileira de guerreiros com armadura dourada, tanto soldados de infantaria quanto de cavalaria. Mais e mais e mais, uma grande fila se espalhando no cume da última colina.

Tomando os céus, estendendo-se até o horizonte, voavam poderosos pássaros em armaduras e com montadores. Ruks.

E diante de todos eles, com a espada erguida ao céu quando aquela corneta tocou uma última vez, o rubi no pomo incandescente como um pequeno sol...

Diante de todos eles, montada no Senhor do Norte, estava Aelin.

106

Entre os caminhos antigos e esquecidos de Carvalhal, pelas montanhas de Perranth, o Senhor do Norte e o Povo Pequenino os guiaram. Ágeis e sem hesitação, correndo contra o destino, haviam feito o último avanço para o norte.

Mal pararam para descansar. Deixaram para trás suprimentos desnecessários.

Os batedores em ruks não ousaram voar adiante por medo de serem descobertos por Morath. Por medo de arruinar a vantagem da surpresa.

Seis dias marchando, o grande exército correndo atrás da rainha.

O terreno inóspito era suavizado; pequenos rios, congelados para sua passagem. As árvores bloqueavam a neve que caía.

Tinham viajado pela noite no dia anterior. E, quando o alvorecer havia chegado, o Senhor do Norte se ajoelhara ao lado de Aelin e se oferecera como montaria.

Não havia sela para ele; nenhuma jamais seria admitida ou necessária. Qualquer montador que fosse permitido em seu dorso, Aelin sabia, jamais cairia.

Alguns se ajoelharam conforme ela passava. Mesmo Dorian e Chaol inclinaram a cabeça.

Rowan, no alto de um cavalo darghan de olhar destemido, apenas tinha assentido. Como se sempre tivesse esperado que ela terminasse ali, à frente do exército que galopava as horas finais até o limite de Orynth.

Aelin colocara a coroa de batalha na cabeça, assim como a armadura que pegara em Anielle, e complementara com qualquer arma sobressalente que Fenrys e Lorcan lhe tivessem dado.

Yrene, Elide e as curandeiras permaneceriam na retaguarda... até que ruks pudessem carregá-las para Orynth. Dorian e Chaol liderariam os homens selvagens das montanhas Canino Branco no flanco direito, a realeza do khaganato à esquerda, Sartaq e Nesryn no céu com os ruks. E Aelin e Rowan com Fenrys, Lorcan e Gavriel ocupariam o centro.

O exército tinha se espalhado ao se aproximar das encostas além de Orynth, as colinas que os levariam para o limite da planície de Theralis e ofereceriam a primeira visão da cidade além.

Com o coração acelerado e o Senhor do Norte inabalável, Aelin havia subido a última daquelas colinas, a mais alta e mais íngreme, e olhado para Orynth pela primeira vez em dez anos.

Um silêncio terrível, pulsante, percorreu seu corpo então.

Onde uma linda cidade branca um dia brilhara entre rio e planície e montanha...

Fumaça e caos e terror reinavam. O turquesa do Florine corria escuro.

O mero tamanho, o *estrondo* do imenso exército que retumbava contra as muralhas, no céu acima...

Ela não percebera. O quanto o exército de Morath seria grande. O quanto Orynth pareceria pequena e preciosa diante dele.

— Estão quase passando pelo portão oeste — murmurou Fenrys, com a visão feérica sorvendo os detalhes.

O exército do khagan se espalhou pela colina, ao seu redor. O cume de uma onda prestes a arrebentar. Mas até mesmo os soldados darghan hesitaram, com cavalos se inquietando, diante do exército entre eles e a cidade.

O rosto de Rowan estava sério; sério, mas destemido, enquanto ele observava o inimigo.

Tantos. Tantos soldados. E a legião das bruxas Dentes de Ferro acima dos batalhões.

— As Crochan lutam nas muralhas da cidade — observou Gavriel.

De fato, ela mal conseguia discernir as capas vermelhas.

Manon Bico Negro não quebrara sua promessa.

E ela também não o faria.

Aelin olhou para a mão escondida sob a luva. Para onde deveria haver uma cicatriz.

Prometo a você que não importa o quanto eu me afaste, não importa o custo, quando pedir minha ajuda, virei.

Não haveria tempo para discursos. Nenhum tempo para motivar os soldados.

Estavam prontos. E ela também.

— Soe o chamado — ordenou Aelin para Lorcan, que levou a corneta aos lábios e soprou.

No final da fileira, arautos do khaganato soaram as próprias cornetas em resposta. Até que fossem todos uma grande nota, urrando, correndo até Orynth.

Eles sopraram as cornetas de novo.

Aelin sacou Goldryn da bainha nas costas e elevou o escudo conforme erguia a espada até o céu. Conforme um fio de magia penetrava o rubi no punho da lâmina e o fazia brilhar.

Os soldados darghan apontaram as *suldes* para a frente, madeira rangeu e crina de cavalo balançou ao vento.

No fim da fileira, a princesa Hasar e o príncipe Kashin apontaram as próprias lanças para o exército inimigo. Dorian e Chaol sacaram as espadas e as direcionaram para a frente.

Rowan também desembainhou a sua, com um machado na outra mão. O rosto como pedra. Indestrutível.

As cornetas soaram uma terceira e última vez, o grito crescente ecoando até o outro lado da planície ensanguentada.

O Senhor do Norte empinou, erguendo Goldryn mais para perto do céu, e Aelin soltou um clarão de fogo pelo rubi; o sinal pelo qual o exército logo atrás esperava.

Por Terrasen. Tudo aquilo por Terrasen.

O Senhor do Norte se aprumou, e a chama imortal dentro de sua galhada brilhou forte quando o cervo começou a avançar. O exército em volta e atrás de Aelin descia pela encosta, aproximando-se a cada passo, disparando na direção das fileiras traseiras de Morath.

Disparando para Orynth.

Para casa.

Eles avançaram rumo à batalha, destemidos e coléricos.

A rainha sobre o cervo branco não hesitou a cada centímetro vencido na direção das legiões que a esperavam. Ela apenas virou a espada na mão — uma vez, duas, o braço do escudo próximo ao corpo.

Os guerreiros imortais a seu lado também não fraquejaram. Os olhos fixos no inimigo adiante.

Mais e mais rápido, a cavalaria do khaganato galopando a seu lado, a linha de frente se formando, mantendo-se, conforme se aproximavam da primeira das linhas da retaguarda de Morath.

O inimigo se virou para eles então. Lanças apontadas; arqueiros correndo para se posicionar.

O primeiro impacto doeria. Muitos cairiam antes de sequer lutarem.

Mas a linha de frente precisava avançar. Não podiam se dispersar.

Das linhas inimigas, uma ordem se elevou:

— *Arqueiros!*

Arcos rangeram, alvos prontos.

— *Disparar!*

Enormes flechas cobriram o sol, mirando a cavalaria que disparava.

Mas ruks, dourados e marrons e pretos como a noite, mergulharam mais e mais e mais dos céus, voando asa contra asa. E, quando aquelas flechas se arquearam para a terra, os ruks as interceptaram, absorvendo o impacto ao protegerem o exército que avançava sob eles.

Ruks caíram.

E mesmo a rainha que liderava o ataque chorou de raiva e luto quando pássaros e montadores se chocaram contra a terra. Acima dela, tomando flecha após flecha, com o escudo erguido para o céu, uma jovem montadora rugia seu grito de batalha.

As linhas de frente não podiam se dispersar.

Bruxas Dentes de Ferro sobre serpentes aladas guinaram em sua direção, na direção dos ruks que voavam para suas costas expostas.

Na cidade, ao longo das muralhas de Orynth, uma rainha de cabelos brancos berrava:

— *Avancem! Avancem! Avancem!*

Bruxas exaustas tomavam os céus sobre vassouras e bestas, com as espadas erguidas. Disparando para a frente da legião aérea que se voltava para os ruks. Para esmagar as Dentes de Ferro entre eles.

No chão ensanguentado, Morath mirou lanças, espinhos, espadas, qualquer coisa que tivessem contra a cavalaria estrondosa.

Não bastava para impedi-los.

Não quando escudos de vento e chamas e da mais sombria morte se fechavam em posição — e cortavam as linhas de frente de Morath.

Derrubando os soldados prontos para a batalha. Expondo aqueles atrás, ainda esperando para levantar as armas.

Deixando Morath aberta para o exército dourado que se chocava contra o inimigo com a força de uma onda de maré.

107

O fôlego de Rowan era como um arranhão constante na garganta conforme ele avançava pelas fileiras de soldados valg, gritos ecoando ao redor. Perto, abrindo um caminho entre o volume de Morath, Aelin e o Senhor do Norte lutavam. Soldados os cercavam, mas nem rainha nem cervo recuavam.

Não quando as chamas de Aelin, mesmo reduzidas, evitavam que qualquer um fora de seu campo de visão acertasse um golpe.

A cavalaria darghan empurrou o exército inimigo para trás, e, acima deles, ruks e serpentes aladas se chocaram.

Bestas, com penas e escamas, bateram contra a terra.

Borte continuava lutando acima da rainha, protegendo-a das Dentes de Ferro que viam aquele cervo branco, que mais parecia um farol no meio do mar de trevas, e disparavam contra ela. Ao lado da montadora, o prometido vigiava um dos flancos, e Falkan Ennar, na forma de ruk, vigiava o outro.

Com o destemido cavalo darghan, Rowan descia o braço esquerdo, fazendo o machado cantar. Uma cabeça valg saiu rolando, mas o macho já cortava com a espada o adversário seguinte.

As probabilidades estavam contra eles, mesmo com o planejamento feito. Mas, se pudessem liberar a cidade, se reagrupar e reabastecer antes que Erawan e Maeve chegassem, poderiam ter alguma chance.

Pois Erawan e Maeve apareceriam. Em algum momento, eles apareceriam, e Aelin iria enfrentá-los. Rowan não tinha intenção de deixar que ela o fizesse sozinha.

Ele olhou para Aelin. A rainha avançara mais adiante, e a linha de frente se dispersara, com punhados de soldados de Morath entre eles. Perto. Ele precisava ficar perto.

Uma Crochan passou, disparando além de Rowan e subindo mais, mais e mais — direto até a barriga desprotegida da serpente alada de uma bruxa Dentes de Ferro.

Com a espada erguida, a bruxa percorreu o lado inferior da besta, ágil e brutal.

Por onde ela passou, sangue e vísceras choveram.

A besta gemeu, abrindo as asas, e Rowan atirou uma lufada de vento. A serpente alada caiu contra o exército de Morath com um estrondo que fez até seu maldito cavalo disparar para longe.

Quando as asas trêmulas pararam, quando Rowan acalmou o cavalo e matou os soldados que corriam até ele, o macho mais uma vez buscou Aelin.

Mas a parceira não estava mais por perto.

Não, avançando adiante, uma visão de ouro e prata, Aelin se afastara tanto que quase saíra de vista. Não havia sinal de Gavriel também.

Contudo, Fenrys lutava perto de Rowan, com Lorcan à esquerda — um vento escuro e mortal disparava com a espada do guerreiro.

Certa vez, tinham sido pouco mais que escravizados de uma rainha que os espalhara pelo mundo. Juntos, tinham derrotado exércitos e dizimado cidades.

Ele não se importara, então, se sairia vivo daqueles campos de batalha distantes. Não se importara se aqueles reinos caíssem ou sobrevivessem. Recebera suas ordens e as executara.

Mas ali, naquele dia... Aelin não lhes dera ordens, nenhum comando além de o primeiro que juraram obedecer: proteger Terrasen.

Então fariam isso. Juntos, mais uma vez uma equipe.

Lutariam por aquele reino; sua nova corte. O novo lar.

Rowan via nos olhos de Fenrys, conforme ele cortava um soldado ao meio com uma laceração profunda no torso. Conseguia ver aquela visão de um futuro no rosto colérico de Lorcan, conforme o guerreiro usava magia e espada para rasgar as linhas inimigas.

Uma equipe, porém mais que isso. Irmãos; os guerreiros lutando a seu lado eram seus irmãos. Tinham ficado com ele durante tudo aquilo. E continuariam ali.

Isso o encorajava tanto quanto pensar na parceira, ainda lutando adiante. Precisava chegar até ela, ficar perto. Todos precisavam. Orynth dependia disso.

Não eram mais escravizados. Não estavam mais revoltados e arrasados.

Um lar. Aquele seria seu lar. O futuro. Juntos.

Soldados de Morath caíam diante deles. Alguns, evidentemente, fugiam quando viam quem lutava ali perto.

Talvez por isso Maeve os tivesse reunido desde o início. Mas ela jamais conseguira cultivar aquilo — seu potencial, o verdadeiro poder. Escolhera grilhões e dor para controlá-los. Incapaz de compreender, de sequer considerar, que glória e riquezas tinham um limite.

Mas um verdadeiro lar e uma rainha que os via como machos, e não armas... Algo pelo qual valia a pena lutar. Nenhum inimigo podia resistir àquilo.

Com Lorcan e Fenrys batalhando a seu lado, Rowan trincou os dentes e impulsionou o cavalo para seguir Aelin, para o caos e a morte que devastavam e devastavam, e não paravam.

∽

Aelin viera.

Escapara de Maeve e viera.

Aedion não conseguia acreditar. Mesmo ao ver o exército que lutava com ela. Mesmo ao ver Chaol e Dorian liderando o flanco direito, avançando com as linhas de frente e os homens selvagens das montanhas Canino Branco, conforme a magia do rei estourava em nuvens de gelo contra o inimigo.

Chaol Westfall não falhara com eles. E tinha, de alguma forma, convencido o khagan a mandar o que parecia ser a maioria de seus exércitos.

Mas aquele exército estava se aproximando aos poucos de Orynth, ainda longe do outro lado de Theralis.

Morath não havia parado o ataque contra os dois portões da cidade. O do sul se mantinha firme. Mas o portão oeste... começava a ceder.

Lysandra tinha se transformado em serpente alada e acompanhava o último avanço desesperado de Manon Bico Negro e as Crochan contra as legiões das Dentes de Ferro, esperando esmagá-las entre elas e os ruks. A metamorfa lutava ali no momento, perdida na confusão do combate.

Então Aedion seguiu em direção ao portão oeste para o combate, com um grito de guerra nos lábios conforme os homens abriam caminho para que o príncipe-general chegasse até as portas de ferro... e o exército inimigo pouco visível através das placas de separação. Assim que o portão se abrisse, estaria acabado.

As pernas exaustas fraquejaram, os braços estavam tensos, mas Aedion manteve a posição. Por quantos fôlegos ainda lhe restassem.

Aelin viera. Aquilo bastava.

A magia de Dorian disparava para fora, matando os soldados que avançavam. Lado a lado com Chaol, os homens selvagens das montanhas cercando-os, eles abriam caminho pelas fileiras de Morath, com as espadas mergulhando e subindo, o hálito queimando a garganta.

Ele jamais vira uma batalha. Sabia que jamais desejava ver outra. O caos, o barulho, o sangue, os cavalos relinchando...

Mas não tinha medo. E Chaol, cavalgando perto dele, destruindo soldados entre os dois, também não hesitava. Apenas seguia adiante, matando, com os dentes trincados.

Por Adarlan; pelo que fora feito com o reino e pelo que poderia se tornar. As palavras ecoavam em cada fôlego ofegante. *Por Adarlan*.

O exército de Morath se estendia à frente, ainda entre eles e as muralhas destruídas de Orynth.

Dorian não se permitiu pensar em quantos ainda restavam. Ele apenas pensava na espada e no escudo em suas mãos, Damaris já banhada em sangue, e na magia que empunhava para suplementar seus golpes. Não se metamorfosearia; ainda não. Não até as armas e a magia começarem a falhar. Jamais lutara em outra forma, mas tentaria. Como serpente alada ou ruk, tentaria.

Em algum lugar acima, Manon Bico Negro voava. Dorian não ousou olhar por tempo o suficiente para buscar um lampejo de cabelo branco-prateado, ou o brilho das asas com enxerto de Seda de Aranha.

Ele não viu nenhuma das Treze. Ou reconheceu qualquer uma das Crochan que cruzava o céu.

Então Dorian continuou lutando, com seu irmão de alma e batalha ao lado.

Ele apenas se permitiria contar no fim do dia. Se sobrevivessem. Se chegassem às muralhas da cidade.

Apenas então ele contaria os mortos.

Havia apenas a cidade cercada de Aelin, o inimigo diante de si e a antiga espada em sua mão.

Torres de cerco se aproximavam das muralhas. Três se amontoavam perto do portão sul, cada uma cheia de soldados.

Ainda longe demais para alcançar. E distantes demais para sua magia.

Magia que já estava se esgotando, breve e passageira, de suas veias.

Não havia mais o infinito poço de poder. Ela precisava conservá-lo, usá-lo em vantagem própria.

E usar o treinamento que lhe fora dado durante os últimos dez anos. Ela fora uma assassina muito antes de ter dominado o poder.

Não era difícil voltar àquelas habilidades. Deixar que Goldryn tirasse sangue, atacar vários soldados e deixá-los sangrando atrás de si.

O Senhor do Norte era uma tempestade sob a rainha, com a pele branca já manchada de carmesim e preto.

Aquela chama imortal entre a galhada nem mesmo tremeluzia.

Acima, chovia sangue do céu, bruxas, serpentes aladas e ruks morriam e lutavam.

Borte ainda lhe dava cobertura, atacando qualquer Dentes de Ferro que descesse do alto.

Minutos eram horas, ou talvez o oposto fosse verdade. O sol atingiu o ápice e começou a descer, as sombras se estenderam.

Rowan e os demais haviam sido espalhados pelo campo, mas uma lufada gélida de gelo ocasional lhe dizia que o parceiro ainda lutava, ainda matava para abrir caminho entre as fileiras. Ainda tentava chegar a seu lado mais uma vez.

Lentamente, Orynth começou a se aproximar. Lentamente, as muralhas passaram de um marco distante a uma presença imponente.

As torres de cerco chegaram às muralhas, e soldados dispararam, descontrolados, por cima das ameias.

Mas os portões ainda se mantiveram firmes.

Aelin ergueu a cabeça a fim de dar a ordem a Borte e Yeran para que derrubassem as torres de cerco.

Bem a tempo de ver as seis serpentes aladas das Dentes de Ferro, com as montadoras, se chocarem contra os ruks.

Lançando Borte, Falkan e Yeran para longe, conforme ruk e serpente alada gritavam ao atingirem a terra e rolarem.

Abrindo o caminho para que uma imensa serpente alada mergulhasse contra Aelin.

Ela disparou uma parede de chamas para o céu quando o animal esticou as garras para ela e para o Senhor do Norte.

A serpente alada desviou, subindo, então mergulhou de novo.

O Senhor do Norte parou, mantendo a posição enquanto a serpente alada descia até eles.

Mas Aelin saltou do dorso do cervo e bateu em seu flanco com a parte chata da espada, a garganta tão rouca pelos gritos que não conseguia formar as palavras. *Vá.*

O Senhor do Norte apenas abaixou a cabeça conforme a serpente alada disparava contra eles.

Ela não tinha magia o suficiente; não para transformar a coisa em cinzas.

Então Aelin lançou a magia em volta do cervo. E saiu da esfera de chamas, com o escudo erguido e a espada inclinada.

Ela se preparou para o impacto, observou cada detalhe da armadura da serpente alada, onde era mais fraca, onde poderia acertar se conseguisse desviar das mandíbulas que estalavam.

A podridão no hálito da criatura era como uma explosão quente quando a boca se escancarou.

A cabeça do animal saiu rolando pelo chão.

Não saiu rolando, mas caiu destroçada.

Sob uma imensa cauda de espinhos. Pertencente a uma serpente alada com olhos cor de esmeralda.

Aelin se agachou enquanto a serpente alada sem montadora se voltava para a bruxa Dentes de Ferro boquiaberta, ainda sobre a montaria decapitada.

Com um golpe forte da cauda, o animal de olhos verdes empalou a bruxa nos espinhos — e lançou o corpo pelo campo.

Então o clarão e o tremeluzir. E um leopardo-fantasma disparou para ela, e Aelin para ele.

Ela o abraçou, e o animal se levantou, com o corpo imenso quase a derrubando no chão.

— Que reencontro, minha amiga! — Foi tudo o que Aelin conseguiu dizer ao abraçar Lysandra.

Uma corneta soou da cidade; um pedido frenético por ajuda.

Aelin e Lysandra se viraram para Orynth. Para as três torres de cerco contra as paredes ao lado do portão sul.

Olhos esmeralda encontraram aqueles turquesa e dourados. A cauda de Lysandra balançou.

Aelin sorriu.

— Vamos?

∽

Ele precisava chegar a seu lado de novo.

Um campo de batalha os separava, e Rowan massacrava para abrir caminho até Aelin, enquanto Fenrys e Lorcan se mantinham próximos.

Dor se tornara um rugido constante em seus ouvidos. Ele há muito perdera a noção dos próprios ferimentos; se lembrava deles apenas por causa do estilhaço de ferro que uma flecha deixara no ombro após ser retirada.

Um erro tolo, apressado. O fragmento de ferro bastava para impedir que ele se transformasse, que voasse até ela. O macho não ousara parar por tempo o suficiente para tirá-lo, não com o inimigo em polvorosa. Então ele continuava lutando, a equipe com ele. Os cavalos avançavam, corajosos e destemidos sob os feéricos, ganhando território, mas ele não conseguia ver Aelin.

Apenas o Senhor do Norte, saltando pela batalha, disparando até Carvalhal.

Como se tivesse sido libertado.

— Onde ela está? — gritou Fenrys, com o rosto sujo de sangue escuro.

Rowan observou o campo com o coração acelerado. Mas o laço no peito brilhava forte como fogo.

Lorcan apenas apontou para a frente. Para as paredes da cidade ao lado do portão sul.

Para o leopardo-fantasma que avançava pelas legiões de soldados de Morath, acompanhado de explosões de chamas conforme uma guerreira em armadura dourada corria a seu lado.

Para as três torres de cerco que levavam o caos para as muralhas.

Com as laterais abertas das torres, Rowan conseguia ver tudo que acontecia.

Conseguia ver Aelin e Lysandra avançarem pela rampa de dentro, cortando e dilacerando soldados entre elas, nível após nível após nível. Onde uma perdia um soldado, a outra o matava. Onde uma golpeava, a outra vigiava.

Até o alto, para a pequena catapulta perto do topo.

Soldados gritaram, e alguns saltaram da torre quando Lysandra os rasgou.

Enquanto Aelin se atirava nos degraus que cobriam a base de rodas da catapulta e começava a empurrar.

Virando-a. Para longe de Orynth, do castelo. Exatamente como Aelin contara a ele que Sam Cortland fizera em baía da Caveira, pois os mecanismos da catapulta permitiam que ela girasse a base. Rowan se perguntou se o jovem assassino estaria sorrindo agora; sorrindo ao vê-la empurrando a catapulta para posição.

Até a torre de cerco à esquerda.

Na segunda torre, uma figura de cabelos vermelhos também lutara até chegar ao topo. E estava virando a catapulta na direção da terceira e última torre.

Ansel de Penhasco dos Arbustos.

Um lampejo da espada da jovem e a catapulta disparou, atirando o pedregulho encaixado ali. Bem no momento que Aelin desceu Goldryn na catapulta diante de si.

Pedregulhos idênticos foram lançados.

E se chocaram contra as torres de cerco ao lado.

Ferro rangeu; madeira se partiu.

E as duas torres começaram a cair. Para onde Ansel de Penhasco dos Arbustos fugiu para escapar da destruição, nem mesmo Rowan tinha visto.

Não quando Aelin permaneceu no alto da primeira torre de cerco e saltou sobre o braço da catapulta agora estendido, projetando-se sobre o campo de batalha abaixo. Não quando ela gritou para Lysandra, que se transformou de novo, uma serpente alada subindo do salto de um leopardo-fantasma.

Segurando o braço estendido da catapulta com uma das patas cheias de garras enquanto pegava Aelin com a outra.

Com um bater de asas poderoso, Lysandra arrancou a catapulta dos parafusos no alto da torre. E, virando-se, ela a jogou contra a última torre de cerco.

Fazendo a torre cair no chão. Bem sobre uma horda de soldados de Morath que tentava arrombar o portão sul.

De olhos arregalados, os três guerreiros feéricos piscaram.

— É lá que está Aelin. — Foi tudo o que Fenrys disse.

˜

Salkhi permanecia no ar. Assim como Sartaq e Kadara.

Era tudo o que Nesryn sabia, tudo que importava, conforme derrubavam uma serpente alada após a outra.

Eram mais perigosas em batalha do que ela antecipara. Por mais rápidos e destemidos que os ruks pudessem ser, as serpentes aladas tinham a envergadura. Os espinhos envenenados nas caudas. E montadores sem alma que não temiam destruir as próprias montarias se isso significasse derrubar um ruk.

Perto agora. O exército do khaganato havia avançado mais e mais, aproximando-se de Orynth, a cidade cercada, em chamas e estilhaçada. Se pudessem continuar em vantagem, talvez conseguissem destruí-los contra as muralhas, como tinham destruído a legião de Morath em Anielle.

Precisavam agir rapidamente, no entanto. O inimigo cercara os dois portões da cidade, determinado a invadir. O portão sul se mantinha, com as torres de cerco que o estavam atacando momentos antes agora em ruínas.

Mas o portão oeste... não permaneceria selado por muito tempo.

Com Salkhi voando acima da confusão para tomar fôlego, Nesryn ousou medir quantos rukhin ainda voavam. Apesar das Crochan e das Dentes de Ferro rebeldes, continuavam em menor número, mas os rukhin estavam descansados. Prontos e ansiosos para a batalha.

Não foi o número de rukhin restantes que tirou seu fôlego.

Mas o que vinha logo atrás.

Nesryn mergulhou. Mergulhou até Sartaq, com Kadara dilacerando o pescoço de uma serpente alada no meio do voo.

O príncipe estava ofegante, sujo de sangue azul e preto, quando Nesryn passou a voar a seu lado.

— Soe o chamado — gritou ela por cima da confusão, do rugir do vento. — Vá até as muralhas da cidade! Para o portão sul!

Os olhos de Sartaq se semicerraram sob o elmo, e Nesryn apontou para trás deles.

Para a sombria horda secundária que espreitava a suas costas. Direto de Perranth, onde sem dúvida ficara escondida.

O restante do exército de Morath. Bruxas Dentes de Ferro e serpentes aladas com eles.

Aquela batalha fora uma armadilha. Para atraí-los até ali, para esgotar suas forças derrotando aquele exército.

Enquanto o restante os surpreendia por trás e os cercava contra as muralhas de Orynth.

O portão oeste cedeu por fim.

Aedion estava pronto quando aconteceu. Quando o aríete avançou e ferro gritou ao ceder. Então havia soldados de Morath por toda parte.

Escudo contra escudo, o guerreiro organizara seus homens em formação de falange para recebê-los.

Ainda não era o suficiente. A Devastação não podia fazer nada para impedir a maré que fluía do campo de batalha e os empurrava mais e mais para trás da passagem. E até mesmo Ren, liderando os homens no alto das muralhas, não conseguia impedir o fluxo que avançava sobre eles.

Precisavam fechar o portão de novo. Precisavam encontrar uma forma de fechá-lo.

Aedion mal conseguia tomar fôlego, mal conseguia manter as pernas firmes.

Uma corneta de aviso soou. Morath havia mandado um segundo exército. Escuridão cobria a extensão total das fileiras.

Príncipes valg; muitos deles. Morath estivera esperando.

— Eles liberaram o portão sul! — gritou Ren por cima da confusão. — Estão colocando o máximo possível de nossas forças para dentro das muralhas!

Para se reagrupar e se reunir antes de enfrentar o segundo exército. Mas com o portão oeste ainda aberto, Morath passando em peso, jamais teriam chance.

Ele precisava fechá-lo. Aedion e a Devastação golpeavam e cortavam, uma parede contra a qual Morath precisaria lutar. Mas não bastaria.

Uma serpente alada caiu na direção do portão, debatendo-se no chão ao rolar em sua direção. Aedion se preparou para o impacto, para que aquele corpo imenso destruísse o que restava da entrada.

Mas a besta caída parou, esmagando soldados sob o próprio peso, bem no portal.

Bloqueando o caminho. Uma barricada diante do portão oeste.

Intencionalmente, percebeu Aedion quando um guerreiro de cabelos dourados saltou da sela da serpente alada, com a bruxa Dentes de Ferro ainda pendurada ali, a garganta jorrando sangue azul pelas laterais de couro.

O guerreiro correu até eles, com uma espada em uma das mãos, a outra sacando uma adaga. Correu até Aedion, os olhos amarelos observando-o da cabeça aos pés.

Seu pai.

108

Os soldados de Morath raspavam as garras sem parar sobre a serpente alada que lhes bloqueava o caminho. Eles preenchiam o arco, a passagem.

Um escudo dourado os segurava. Mas não por muito tempo.

Ainda assim, o alívio que Gavriel lhes proporcionou permitiu que a Devastação bebesse as últimas gotas dos cantis e que pegasse as armas caídas.

Aedion ofegava, o braço apoiado na passagem do portão. Atrás do escudo de Gavriel, o inimigo se acumulava e se enfurecia.

— Está ferido? — perguntou o pai. As primeiras palavra para Aedion.

Ele conseguiu erguer a cabeça.

— Você encontrou Aelin. — Foi tudo o que príncipe-general disse.

A expressão de Gavriel se suavizou.

— Sim. E ela selou o portão de Wyrd.

Aedion fechou os olhos. Pelo menos isso.

— Erawan?

— Não.

Ele não precisava dos motivos específicos para o desgraçado não estar morto. O que dera errado.

Aedion se afastou da parede, cambaleando. O pai o segurou pelo cotovelo.

— Precisa descansar.

O guerreiro se desvencilhou da mão de Gavriel.

— Diga isso aos soldados que já morreram.

— Você também vai morrer — retorquiu o macho, em um tom mais afiado do que o filho jamais ouvira — se não se sentar por um minuto.

Aedion o encarou. Gavriel sustentou o olhar.

Nada de conversa fiada, sem tempo para discutir. O rosto do Leão.

Aedion apenas sacudiu a cabeça.

O escudo dourado de Gavriel titubeou sob o avanço dos valg que ainda se amontoavam atrás do feérico.

— Precisamos fechar o portão de novo — disse Aedion, apontando para as duas portas abertas, porém intactas, empurradas contra a parede. O acesso a elas fora bloqueado pelos brutamontes de Morath, que ainda tentavam passar do escudo de Gavriel. — Ou eles tomarão a cidade antes que nossas forças possam se reagrupar. — Passar para trás das muralhas não faria diferença alguma se o portão oeste estivesse escancarado.

O macho seguiu a linha de raciocínio de Aedion. Então olhou os soldados que tentavam passar por suas defesas, aquele fluxo obrigado a se tornar um gotejar por causa da serpente alada que ele tão cuidadosamente soltara diante do portão.

— Então vamos fechá-los — disse o feérico, abrindo um sorriso triste. — Juntos.

A palavra foi mais uma pergunta, sutil e pesarosa.

Juntos. Como pai e filho. Como os dois guerreiros que eram.

Gavriel... seu pai. Ele viera.

E ao olhar para aqueles olhos amarelos, Aedion soube que não fora por Aelin ou por Terrasen que o pai fizera aquilo.

— Juntos — repetiu Aedion, rouco.

Não apenas aquele obstáculo. Não apenas aquela batalha. Mas o que quer que viesse depois, caso sobrevivessem. Juntos.

Aedion podia ter jurado que algo como alegria e orgulho encheu os olhos de Gavriel. Alegria e orgulho e tristeza, pesadas e antigas.

O príncipe-general caminhou de volta para a fileira da Devastação, indicando que o soldado ao lado abrisse caminho para que Gavriel entrasse em formação. Um grande empurrão, e então protegeriam o portão. O exército aliado entraria pelo sul, e eles encontrariam uma forma de se reunir antes de o novo exército inimigo chegar à cidade. Mas o oeste, aquele eles limpariam e selariam. Permanentemente.

Pai e filho, eles fariam aquilo. Derrotariam aquilo.

Mas, quando seu pai não se colocou a seu lado, Aedion se virou.

Gavriel fora direto para o portão. Para a linha dourada do escudo, que agora ele lançava mais e mais para trás. Empurrando aquela parede de soldados inimigos, que cedia a cada batida do coração. Para fora da passagem. Pelo arco do portão.

Não.

Gavriel sorriu para ele.

— Feche o portão, Aedion. — Foi tudo o que o pai lhe disse.

E então o Leão passou para além dos portões, com aquele escudo dourado se tornando mais fraco.

Não.

A palavra ganhou corpo, um grito crescente na garganta de Aedion.

Mas soldados da Devastação corriam para as portas. Empurrando-as para que se fechassem.

Aedion abriu a boca para rugir que parassem. Para pedir *parem, parem, parem*.

Gavriel ergueu a espada e a adaga, brilhando dourado sob a luz do dia que se extinguia. O portão se fechou atrás do guerreiro. Selando-o do lado de fora.

Aedion não conseguia se mover.

Ele jamais parara, jamais deixara de se mover. Mas não conseguia se obrigar a ajudar os soldados que empilhavam madeira e correntes e metal contra o portão oeste.

Gavriel podia ter ficado. Podia ter ficado e empurrado o escudo por tempo o suficiente para que eles fechassem os portões. Ele podia ter ficado ali...

Aedion correu então.

Lento demais. Os passos eram lentos demais, o corpo era grande e pesado demais conforme ele abria caminho entre os homens. Conforme seguia para as escadas que davam na muralha.

Luz dourada lampejou no campo de batalha.

Então se apagou.

Aedion correu mais rápido, com o choro queimando sua garganta, saltando e rastejando sobre soldados caídos, tanto mortais quanto valg.

Em seguida, ele estava no alto das muralhas, correndo até o limite.

Não. A palavra soava como uma batida do coração do guerreiro.

Aedion matou os valg no caminho, matou qualquer um que subisse a escada de cerco.

A escada. Ele podia lutar para descer por ela, chegar ao campo de batalha, ao pai...

Aedion agitou a espada com tanta força contra o soldado valg diante dele que a cabeça do homem caiu quicando dos ombros.

E então ele estava na muralha, olhando para aquele espaço ao lado do portão.

O aríete estava aos pedaços.

Havia soldados valg caídos em pilhas altas ao seu redor. Diante do portão. Em volta da serpente alada.

Tantos que o acesso ao portão oeste estava interditado. Tantos que o portão estava seguro, um ferimento aberto, agora estancado.

Por quanto tempo ele ficara ali, incapaz de se mover? Ficara ali, incapaz de qualquer coisa enquanto o pai fazia *aquilo*?

Foi o cabelo dourado que Aedion viu primeiro.

Diante do monte de valg que ele empilhara alto. Do portão que fechara para eles. Da cidade que protegera.

Um tipo de quietude terrível e ansiosa tomou o corpo de Aedion.

Ele parou de ouvir a batalha. Parou de ver a luta ao redor e acima.

Parou de ver tudo, exceto o guerreiro caído, que olhava para o céu que escurecia com olhos que não enxergavam.

O pescoço tatuado dilacerado. A espada ainda presa na mão.

Gavriel.

Seu pai.

A tropa inimiga recuou do portão oeste bloqueado. Recuou e bateu em retirada, na direção dos braços do exército que avançava. Para o restante da horda de Morath.

Andando com dificuldade devido a uma laceração profunda na perna, com o ombro dormente por causa da ponta de flecha ainda alojada ali, Rowan enterrou a espada no rosto de um soldado fugitivo. Sangue escuro jorrou, mas o guerreiro continuava em movimento, seguindo para o portão oeste.

Onde as coisas haviam ficado muito, muito quietas.

Ele pouco avançara quando viu Aelin duelando para abrir caminho até o distante portão sul, acompanhada de Ansel, depois que tinham derrubado as torres de cerco ao redor da entrada. Era pelo portão liberado que a extensão de seu exército corria, as forças do khagan disparando a fim de adentrar as muralhas da cidade antes que estas fossem seladas.

Tinham uma hora no máximo até Morath cair mais uma vez sobre eles — antes de serem forçados a fechar também o portão sul, trancando do lado de fora qualquer retardatário para que fosse jogado contra as muralhas.

O portão oeste permaneceria selado. A serpente alada e as pilhas de corpos em volta da abertura garantiriam aquilo, assim como qualquer defesa interior.

Rowan vira a luz dourada se acender minutos antes e lutara até chegar ali, xingando o caco de ferro no braço que o impedia de se transformar. Fenrys e Lorcan haviam se afastado para eliminar qualquer brutamontes de Morath que tentasse atacar aqueles que fugiam para o portão sul e, acima, ruks carregando as curandeiras, Elide e Yrene entre elas, voavam para a cidade em pânico.

Ele precisava encontrar Aelin. Colocar seus planos em ação antes que fosse tarde demais.

O macho sabia quem provavelmente marchava com aquela horda que investia contra eles. Não tinha intenção de deixar que ela enfrentasse aquilo sozinha.

Mas essa tarefa... ele sabia o que o esperava adiante. Sabia e, mesmo assim, foi.

Rowan encontrou Gavriel diante do portão oeste, com uma pilha de mortos ao seu redor.

Uma verdadeira parede entre o portão e a iminente horda inimiga.

A luz diminuía a cada minuto. Soldados de Morath e bruxas Dentes de Ferro sobreviventes fugiam em direção aos reforços que se aproximavam.

O exército do khagan tentava matar tantos quanto conseguia conforme disparava para o portão sul.

Precisavam entrar na cidade. De qualquer forma possível.

Levantando escadas de cerco que foram derrubadas na terra apenas minutos ou horas antes, o exército do khagan subia as muralhas, alguns carregando os feridos nas costas.

Sua magia mal passava de uma brisa, mas Rowan trincou os dentes ao sentir a perna e o ombro latejando e empurrou para longe o brutamontes de Morath meio estatelado sobre Gavriel.

Séculos de existência, anos travando guerras e viajando pelo mundo... findos. Transformados em nada além daquele corpo imóvel, daquela casca descartada.

Os joelhos de Rowan ameaçaram fraquejar. Mais e mais de seus homens subiam as paredes da cidade, uma fuga ordenada, porém rápida, até um refúgio temporário.

Continuar. Precisavam continuar. Gavriel desejaria que ele o fizesse. Dera a vida por isso.

Ainda assim, Rowan abaixou a cabeça.

— Espero que tenha encontrado paz, meu irmão. E, no Além-mundo, espero que se encontre com ela de novo.

Ele agachou, resmungando com a dor na coxa, puxou o companheiro por cima do ombro bom e, então, subiu.

Pela escada de cerco ainda ancorada ao lado do portão oeste. Para as muralhas. Cada passo era mais pesado que o anterior. Cada passo era uma lembrança do amigo, uma imagem dos reinos que haviam visto, dos inimigos que tinham enfrentado, dos momentos de quietude que nenhuma canção jamais mencionaria.

Mas as canções mencionariam aquilo... que o Leão caíra diante do portão oeste de Orynth, defendendo a cidade e o filho. Se sobrevivessem àquele dia, se de alguma forma vivessem, os bardos cantariam o feito.

Mesmo com o caos dos soldados do khaganato e da cavalaria darghan avançando para a cidade, silêncio reinou onde Rowan descia as escadas das ameias, carregando Gavriel.

Ele mal conseguiu acenar em gratidão e alívio para Enda e Sellene, que se recuperavam, arrasados e ensanguentados, com um aglomerado de seus primos ao lado dos resquícios das catapultas. Seu sangue e sua família, mas o guerreiro sobre seu ombro... Gavriel também fora família. Mesmo quando ele não havia percebido.

O peso impossível e terrível no ombro piorava a cada passo até onde Aedion se encontrava, aos pés da escada, com a Espada de Orynth pendurada na mão.

— Ele podia ter ficado. — Foi tudo o que o príncipe-general disse conforme Rowan cuidadosamente deitava Gavriel no primeiro dos degraus. — Ele podia ter ficado.

Rowan olhou para o amigo caído. Seu amigo mais próximo. Que o acompanhara em tantas guerras e perigos. Que merecera aquele novo lar tanto quanto qualquer um deles.

O macho fechou os olhos já sem foco de Gavriel.

— Verei você no Além-mundo.

Os cabelos dourados de Aedion pendiam com sangue e suor, e a espada antiga em suas mãos estava cheia de sangue escuro. Soldados passavam por ele, descendo as escadas, mas o guerreiro apenas olhava para o pai. Uma rocha ensanguentada no fluxo da guerra.

Então Aedion foi para as ruas. Lágrimas e gritos viriam depois. Rowan o seguiu.

— Precisamos nos preparar para a segunda parte desta batalha — avisou Aedion, a voz rouca. — Ou não sobreviveremos à noite. — Enda e Sellene já estavam usando a magia para empurrar blocos de escombros caídos contra o portão oeste. As pedras cambaleavam, mas se moviam. Era mais poder do que Rowan poderia alegar possuir.

Ele se virou para subir de novo as muralhas, sem ousar se permitir olhar para trás — para onde sabia que soldados moviam Gavriel mais para dentro da cidade. Para algum lugar seguro.

Morto. Seu amigo, seu irmão, estava morto.

— Vossa Alteza. — Um ofegante montador de ruk, sujo de sangue, estava nas ameias, apontando para o horizonte. — A escuridão esconde grande parte, mas temos uma estimativa do exército que se aproxima. — Rowan se preparou. — Vinte mil no mínimo. — O montador engoliu em seco. — As fileiras estão cheias de valg... e seis *kharankui*.

Não apenas *kharankui*. Mas as seis princesas valg que as haviam infestado.

Rowan se esforçou para se metamorfosear. O corpo se recusou.

Trincando os dentes, ele tirou a armadura do ombro e estendeu a mão para o ferimento. Mas a pele já cicatrizara. Absorvendo o estilhaço de ferro. Evitando que ele se transformasse, que voasse até Aelin. Onde quer que ela estivesse.

Ele precisava chegar até ela. Precisava encontrar Fenrys e Lorcan, encontrar Aelin. Antes que fosse tarde demais.

Mas conforme a noite caía, conforme ele pegava uma adaga e a erguia para o ferimento selado no ombro, Rowan sabia que já poderia ser.

Embora os deuses já tivessem partido, o macho ainda se viu rezando. Diante da dor ao abrir o ombro, ele rezou. Para que conseguisse chegar a Aelin a tempo.

Tinham sobrevivido todo aquele tempo, contra todas as adversidades e desafiando antigas profecias. Rowan enterrou a faca mais fundo, buscando o caco de ferro preso ali dentro.

Rápido; precisava se apressar.

109

As costas de Chaol estavam tensas, e a dor irradiava pela coluna. Se era por causa das sessões de cura da esposa dentro das muralhas do castelo ou pelas horas de luta, ele não saberia dizer.

Não fazia diferença, conforme ele e Dorian galopavam pelo portão sul até Orynth. Os dois pouco mais que cavaleiros comuns em meio ao exército que corria para dentro, preparando-se para o impacto da tropa descansada que marchava até eles.

A noite cairia em breve. Morath não esperaria até o alvorecer. Não com a escuridão que pairava acima deles, como algum tipo de nuvem terrível.

O que voava e rastejava naquela escuridão, o que esperava por eles...

Dorian estava quase deitado na sela, o escudo preso às costas e Damaris embainhada ao lado do corpo.

— Você parece externar minhas dores. — Foi o que Chaol conseguiu dizer.

Dorian desviou os olhos cor de safira até ele, e uma faísca de humor iluminou as profundezas assombradas.

— Sei que um rei não deveria andar curvado — disse ele, esfregando o rosto sujo de sangue e terra. — Mas não consigo me importar.

Chaol abriu um sorriso sombrio.

— Temos coisas piores com que nos preocupar.

Muito piores.

Eles correram para o castelo, virando para cima da colina que os levaria até os portões, quando uma corneta soou pelo campo de batalha.

Um aviso.

Com a visão que a colina oferecia, ambos conseguiam ver com nitidez o que havia ali. O que fazia os soldados saírem correndo em sua direção com uma pressa renovada.

Morath estava acelerando.

Como se percebesse que a presa estava sem fôlego e não desejasse que o recuperasse.

Chaol olhou para Dorian, e os dois viraram os cavalos de volta para as muralhas da cidade. Os soldados do khagan também o fizeram, descendo pelas colinas que haviam escalado.

De volta para as ameias. E para o inferno que em breve estouraria contra elas mais uma vez.

───

Encostada em uma serpente alada morta, Aelin bebeu o que restava do cantil.

A seu lado, Ansel de Penhasco dos Arbustos ofegava entre dentes enquanto magia de curandeira unia as bordas de seu ferimento. Um corte feio e profundo no braço.

Tão ruim que Ansel não conseguira segurar uma arma. Então pararam, bem no momento que a maré da batalha tinha mudado, que o inimigo começara a fugir das muralhas de Orynth.

A cabeça de Aelin estava zonza, a magia, nas últimas, braços e pernas como chumbo. O rugido da batalha ainda zumbia em seus ouvidos.

Cobertas de sangue e lama, ninguém reconheceria qualquer das rainhas caídas de joelhos, tão perto do portão sul. Soldados passavam correndo, tentando entrar na cidade antes que o exército a suas costas os alcançasse.

Apenas um minuto. Precisava tomar fôlego por um minuto. Então correriam para o portão sul. Para Orynth.

Para seu lar.

Ansel xingou, cambaleando, e a curandeira estendeu a mão para segurá-la.

Não era bom. Não mesmo.

Aelin sabia o que e quem marchava em sua direção.

Lysandra voltara ao céu havia muito, juntando-se de novo às Dentes de Ferro rebeldes e às Crochan. Onde estava Rowan, onde estava a equipe, ela não sabia. Perdera-os horas ou dias ou vidas antes.

O macho estava seguro; o laço de parceria dizia o bastante. Nenhum ferimento mortal. E pelo juramento de sangue, ela sabia que Fenrys e Lorcan ainda respiravam.

Se poderia dizer o mesmo sobre o resto de seus amigos, Aelin não sabia. Não queria saber, ainda não.

A curandeira terminou de trabalhar em Ansel, e, quando a mulher se virou, Aelin estendeu a mão.

— Vá ajudar alguém que precisa — ordenou ela, rouca.

A mulher não hesitou antes de sair correndo, disparando para o som de gritos.

— Precisamos entrar na cidade — murmurou Ansel, recostando a cabeça contra o couro vestido em ferro atrás de si. — Antes de fecharem o portão.

— Precisamos — concordou Aelin, desejando forças para as pernas exaustas a fim de conseguir levantar. Para avaliar a que distância estava aquela última e esmagadora horda.

Um plano. Tinha um plano para aquilo. Todos tinham.

Mas o tempo não estivera do seu lado. Talvez sua sorte tivesse se extinguido com os deuses que ela destruíra.

Aelin engoliu a secura em sua boca e resmungou ao se erguer. O mundo balançou, mas ela permaneceu de pé. Então conseguiu segurar as rédeas de uma amazona darghan que passava e ordenou que ela parasse.

Para levar a rainha de cabelos vermelhos quase delirante no chão.

Ansel mal protestou ao ser puxada para a sela atrás da mulher.

Aelin ficou de pé ao lado da serpente alada morta, observando a amiga até que passasse pelo portão sul. Para Orynth.

Lentamente, Aelin se virou para a onda crescente de trevas.

Ela os condenara.

Atrás de Aelin, o portão sul rangeu e se fechou.

O estrondo ecoou em seus ossos.

Soldados deixados no campo gritaram em pânico, mas ordens soaram. Formem fileiras. Prepararem-se para a batalha.

Ela conseguiria fazer aquilo. Ajustar o plano.

Ainda procurava no céu o gavião de cauda branca.

Nenhum sinal dele.

Bom. Bom, disse Aelin a si mesma.

Ela fechou os olhos por um segundo. Colocou a mão no peito. Como se isso pudesse acalmá-la, prepará-la para o que residia na sombriedade iminente.

Soldados gritaram ao se reunirem, os gritos dos feridos e moribundos ecoando, com asas batendo por toda parte.

Mesmo assim, Aelin permaneceu ali por mais um momento, logo além dos portões de sua cidade. Seu lar. Mesmo assim, ela pressionou a mão ao peito, sentindo o coração acelerado logo abaixo, sentindo a poeira de cada estrada pela qual viajara nos últimos dez anos para voltar até ali.

Para aquele momento. Para aquele propósito.

Então a rainha sussurrou consigo uma última vez. A história.

A própria história.

Era uma vez, em uma terra há muito transformada em cinzas, uma jovem princesa que amava seu reino...

~

Yrene interrompera a cura somente por alguns minutos. Seu poder fluía, forte e luminoso, sem descanso, apesar do trabalho que vinha fazendo havia horas.

Mas ela tinha parado, pois precisava ver o que acontecera. Ouvir que os soldados, com a vitória na mão, haviam fugido de volta às muralhas da cidade apenas a fizera correr até as ameias do castelo mais rápido, com Elide a seu lado. Onde a jovem estivera o dia todo, ajudando-a.

Elide se encolheu quando elas tomaram as escadas para as ameias, mas não se queixou. A lady observou o espaço lotado, procurando alguém, alguma coisa. Seu olhar pousou sobre um idoso, com uma criança de incríveis cabelos ruivo--dourados ao lado. Mensageiros se aproximaram do homem, então dispararam.

Um líder; alguém no comando, percebeu Yrene depois de Elide, que já andava até eles.

O idoso olhou conforme elas se aproximavam e se sobressaltou. Ao ver Elide.

Yrene parou de se importar com as apresentações quando o olhar recaiu sobre o campo de batalha.

Sobre o exército — *outro* exército — marchando até eles, parcialmente oculto pela escuridão. Com seis *kharankui* na linha de frente.

Os soldados do khagan haviam se reunido nas muralhas, tanto fora quanto dentro da cidade. O portão sul estava agora fechado.

Não bastava. Não estava nem perto do suficiente para enfrentar o que marchava, renovado e descansado. As *criaturas* que ela mal conseguia discernir enchendo aquelas fileiras. Princesas valg; havia princesas valg entre eles.

Chaol. Onde estava *Chaol*...

Elide e o idoso conversavam.

— Não podemos enfrentar aquele número de soldados e sair com vida — disse a lady, em um tom de voz que Yrene jamais ouvira em suas palavras. Altivo e frio. Elide apontou para o campo de batalha. A escuridão, pelos deuses, a escuridão que se acumulava acima das legiões.

Um calafrio percorreu o corpo de Yrene.

— Sabe o que é aquilo? — perguntou Elide, bem baixo. — Porque eu sei.

O velho apenas engoliu em seco.

Yrene entendeu então. O que havia naquela escuridão. Quem estava ali.

Erawan.

O que restava do sol sumiu, projetando tons de azul na neve ensanguentada.

Um clarão se iluminou atrás do grupo, e a menina se virou, deixando escapulir um soluço quando uma mulher espantosamente bela, ensanguentada e arrasada, surgiu. Ela envolveu um manto no corpo nu, como se fosse um vestido, sem sequer tremer de frio.

Uma metamorfa. A mulher abriu os braços para a menina, abraçando-a.

Lysandra, como Chaol a chamara. Uma dama na corte de Aelin. Sobrinha desconhecida de Falkan Ennar.

Lysandra se virou para o velho.

— Aedion e Rowan deram a ordem, Darrow. Quem puder deve fugir imediatamente.

O velho — Darrow — apenas encarou o campo de batalha. Sem palavras conforme aquele exército chegava cada vez mais perto.

Conforme duas figuras tomavam forma a sua frente.

E caminhavam, implacáveis, na direção das muralhas da cidade, com escuridão se acumulando ao seu redor.

Erawan. O rapaz de cabelos dourados. Ela saberia mesmo que não pudesse ver.

Uma mulher de cabelos pretos e pele pálida seguia a seu lado, com o vestido esvoaçando ao redor do corpo em um vento fantasma.

— Maeve — sussurrou Lysandra.

As pessoas começaram a gritar então. De terror e desespero.

Maeve e Erawan tinham vindo. Para ver pessoalmente a queda de Orynth.

Eles caminhavam para os portões da cidade, a treva atrás dos dois acumulando-se, o exército às costas aumentando. Quelíceras estalavam dentro daquela escuridão. Criaturas que podiam devorar vida, alegria.

Pelos deuses.

— Lorde Darrow — interrompeu Elide, em tom afiado e de comando. — Tem algum caminho para fora da cidade? Algum tipo de rota pelas montanhas que as crianças e os idosos possam tomar?

O homem tirou os olhos do rei e da rainha valg que se aproximavam.

Desamparo e desespero lhe inundaram o olhar. Arrasaram a voz de Darrow quando ele falou:

— Não há um caminho que permita que eles fujam a tempo.

— Diga onde fica — ordenou Lysandra. — Para que possam tentar, pelo menos. — Ela pegou o braço da menina. — Para que Evangeline possa tentar fugir.

Uma derrota. O que parecera uma vitória triunfante estava prestes a se tornar uma derrota completa. Um massacre.

Liderado por Maeve e Erawan, agora a meros 100 metros das muralhas da cidade.

Apenas pedra e ferro antigos se colocavam entre eles e Orynth.

Darrow hesitou. Atônito. O velho estava em choque.

Mas Evangeline apontou com o dedo. Para os portões, para Maeve e Erawan.

— Olhem.

E ali estava ela.

No azul profundo da noite que descia, entre a neve que começava a cair, Aelin Galathynius surgira diante do portão sul selado.

Aparecera diante de Erawan e Maeve.

Os cabelos soltos oscilavam ao vento, como uma bandeira dourada, um último raio de luz com a morte do dia.

Silêncio caiu. Mesmo os gritos haviam cessado quando todos se viraram para o portão.

Mas Aelin não hesitou. Não fugiu da rainha e do rei valg que tinham parado, como se encantados com a figura solitária que ousava desafiá-los.

Lysandra soltou um soluço contido.

— Ela... ela não tem mais magia. — A voz da metamorfa falhou. — Ela não tem mais nada.

Mesmo assim, Aelin ergueu a espada.

Chamas desceram pela lâmina.

Uma chama contra a escuridão reunida.

Uma chama para iluminar a noite.

Aelin ergueu o escudo, e chamas o envolveram também.
Queimando forte, queimando sem medo. Uma visão antiga, renascida.
O grito percorreu as ameias do castelo, a cidade e as muralhas.
A rainha voltara para casa enfim.
A rainha viera guardar o portão.

ᛤ 110 ᛥ

Seu nome era Aelin Ashryver Whitethorn Galathynius.

E ela não teria medo.

Maeve e Erawan pararam. Assim como o exército pronto atrás dos dois, um último golpe do martelo, pronto para descer sobre Orynth.

A magia nas veias da rainha era pouco mais que um tremular de brasa.

Mas eles não sabiam disso.

As mãos trêmulas de Aelin ameaçavam soltar as armas, mas ela segurava firme. Segurava bem.

Nem mais um passo.

Nem mais um passo na direção de Orynth ela lhes permitiria dar.

Maeve sorriu.

— Que caminho longo você viajou, Aelin.

Aelin apenas inclinou Goldryn e encontrou o olhar dourado de Erawan.

Os olhos do rei valg se iluminaram quando viu a espada. Lembrou-se dela.

Aelin exibiu os dentes. Deixou que as chamas que ela fomentava na espada ficassem mais fortes.

Maeve se voltou para Erawan.

— Vamos, então?

Mas ele olhou para Aelin. E hesitou.

Ela não teria muito tempo. Não mesmo, até que percebessem que o poder que o fazia hesitar não mais existia.

Mas ela não ficara do lado de fora do portão sul para derrotá-los.

Apenas para ganhar tempo.

Para que aqueles na cidade que ela tanto amava fugissem. Corressem e vivessem para lutar no dia seguinte.

Aelin chegara em casa.

Bastava.

As palavras ecoavam a cada fôlego da jovem rainha. Aguçavam sua visão, lhe enrijeciam a coluna. Uma coroa de chamas surgiu no alto da cabeça de Aelin, girando, inquebrável.

Ela jamais poderia vencer os dois.

Mas não tornaria aquilo fácil. Levaria um deles consigo se pudesse. Ou pelo menos os seguraria o bastante para que os demais executassem o plano, para que encontrassem uma forma de pará-los ou derrotá-los. Mesmo que ambas as opções parecessem improváveis. Inúteis.

Mas era por isso que ela permanecia ali.

Para dar a eles aquele fiapo de esperança. Aquela vontade de continuar lutando.

No fim das contas, se aquilo fosse tudo o que ela pudesse fazer contra Erawan e Maeve, iria para o Além-mundo com o queixo erguido. Não teria vergonha de encarar aqueles que havia amado com o coração de fogo selvagem.

Então Aelin esboçou uma cortesia para Erawan e disse, com cada pingo de coragem que lhe restava:

— Nós nos encontramos algumas vezes, mas jamais em nossa forma verdadeira. — Ela piscou um olho para ele. Mesmo quando os joelhos cederam, Aelin piscou para ele. — Por mais que essa casca seja bonita, Erawan, acho que sinto falta de Perrington. Apenas um pouquinho.

As narinas de Maeve se dilataram.

Mas os olhos de Erawan se semicerraram, entretidos.

— Você acha que foi destino termos nos encontrado em Forte da Fenda sem nos reconhecermos?

Palavras tão casuais, simples, de uma imundície tão terrível e corrupta. Aelin se obrigou a dar de ombros.

— Destino ou sorte? — Ela indicou o campo de batalha, sua cidade destruída. — Este é um cenário bem mais grandioso para nosso confronto final, não acha? Muito mais digno de ambos.

Maeve soltou um sibilo.

— Basta!

Aelin arqueou a sobrancelha.

— Passei o último ano da vida... dez anos, se interpretar de outra maneira... me preparando para este momento. — Ela estalou a língua. — Perdoe-me se quero aproveitá-lo. Se quero conversar com meu grande inimigo por mais que um momento.

Erawan gargalhou, e o som arranhou os ossos de Aelin.

— Alguém poderia achar que está tentando nos enrolar, Aelin Galathynius. Ela indicou as muralhas da cidade.

— Por quê? As chaves se foram, os deuses também. — Ela abriu um sorriso para os dois. — Sabiam disso, não sabiam?

A diversão sumiu do rosto de Erawan.

— Sim. — Morte... morte tão terrível emanou de sua voz diante daquilo.

Aelin deu de ombros novamente.

— Fiz um favor a vocês, sabe?

— Não a deixe falar. Vamos acabar com isso agora — murmurou Maeve.

Aelin gargalhou.

— Alguém pode achar que *você* está com medo, Maeve. De qualquer tipo de embuste. — Ela se virou para Erawan mais uma vez. — Os deuses tinham planejado arrastá-lo com eles. Despedaçá-lo. — Aelin deu um meio sorriso. — Pedi que não o fizessem. Para que você e eu pudéssemos travar nosso grandioso duelo.

— Como você sobreviveu? — indagou Maeve.

— Aprendi a compartilhar — ronronou Aelin. — Depois de todo esse tempo.

— Mentiras — disparou a rainha sombria.

— Mas tenho uma pergunta para você — disse Aelin, olhando entre os governantes sombrios, separados apenas pela neve rodopiante. — *Você* por acaso vai compartilhar o poder? Agora que os dois estão presos aqui. — Ela indicou Maeve com o escudo em chamas. — A última coisa que ouvi foi que estava determinada a mandar *Erawan* para casa. E havia reunido um pequeno exército de curandeiros em Doranelle para destruí-lo assim que tivesse a chance.

O rei sombrio piscou, lentamente.

Aelin sorriu.

— O que *vai* fazer com aqueles curandeiros agora, Maeve? Já conversaram sobre o assunto?

Sombra rodopiou em volta dos dedos da rainha valg.

— Já aturei demais esse falatório.

— Eu não — retrucou Erawan, os olhos dourados brilhando.

— Que bom — disse Aelin. — *Fui* prisioneira de Maeve, sabia? Durante meses. Você ficaria surpreso com o quanto descobri. Sobre o marido, seu irmão. Sobre a biblioteca naquele castelo e como Maeve aprendeu tantas coisas interessantes sobre caminhar entre mundos. Vai compartilhar esse conhecimento, Maeve, ou isso não faz parte do acordo?

Dúvida. Era dúvida que começava a escurecer os olhos de Erawan.

— Ela o quer fora daqui, sabe? Morto — insistiu Aelin. — O que ela sequer contou quando sua chave de Wyrd sumiu? Deixe-me adivinhar: o rei de Adarlan entrou sorrateiramente em Morath, matou a menina que você havia escravizado para ser seu portão vivo, destruiu seu castelo, e Maeve chegou bem a tempo de tentar impedi-lo, mas fracassou? Por acaso sabe que ela trabalhou com ele durante dias e dias? Tentando tirar a chave de você?

— Isso é *mentira* — disparou Maeve.

— É mesmo? Preciso repetir parte das coisas que você disse em suas reuniões mais privadas com Lorde Erawan aqui? As coisas que o rei de Adarlan *me* contou?

O sorriso do rei valg aumentou.

— Você sempre teve uma queda pelo drama. Talvez esteja mentindo, como minha irmã alega.

— Talvez esteja, talvez não. Embora eu ache que a verdade sobre a punhalada de sua nova aliada seja muito mais interessante que uma mentira inventada por mim.

— Devemos lhe contar outra verdade, então? — cantarolou Maeve. — Quer saber quem matou seus pais? Quem matou Lady Marion?

Aelin ficou imóvel.

Maeve indicou Erawan.

— Não foi ele. Não foi nem mesmo o rei de Adarlan. Não, ele mandou um príncipe valg de hierarquia inferior. Nem mesmo se incomodou em fazê-lo pessoalmente. Não achou que alguém importante era realmente necessário para executar tal tarefa.

Aelin encarou a rainha. O rei valg.

E, então, arqueou a sobrancelha.

— Isso é alguma tentativa de me desestabilizar? Você tem milhares de anos e só consegue pensar nisso? — Ela gargalhou de novo e apontou para Erawan com Goldryn. Aelin podia ter jurado que ele se afastara da lâmina em chamas. — Sinto muito por você, sabe? Por estar agora preso a essa chata imortal. — A jovem rainha fez um ruído de reprovação. — E, quando Maeve traí-lo, acho que vou sentir um pouco de pena também.

— Está vendo como ela fala? — sibilou Maeve. — Esse sempre foi seu dom: distrair e tagarelar enquanto...

— Sim, sim. Mas como eu disse: o campo é de vocês. Não resta nada que possa realmente impedi-los.

— Exceto você — retrucou Erawan.

Aelin pressionou o escudo contra o peito.

— Fico lisonjeada por pensar assim. — Ela ergueu as sobrancelhas. — Embora eu ache que as duzentas curandeiras que temos agora na cidade possam se sentir um pouco ofendidas por terem sido esquecidas. Principalmente quando as vi expulsando tão diligentemente seus brutamontes valg dos hospedeiros infectados.

Erawan ficou imóvel. Apenas de leve.

— Ou seria essa outra mentira? — ponderou Aelin. — Algo arriscado para você fazer, então... entrar nesta cidade. Minha cidade, suponho eu. Para ver o que está à espera. Soube que teve muito trabalho para tentar matar uma amiga minha no verão. A herdeira de Silba. Se eu fosse você, teria sido mais zeloso ao tentar acabar com ela. A jovem está aqui, sabia? Veio até aqui para vê-lo e retribuir o favor. — Aelin deixou que suas chamas brilhassem mais forte quando Erawan hesitou de novo. — Maeve sabia. Ela sabe que os curandeiros estão aqui, esperando por você. E vai deixar que o ataquem. Pergunte a ela onde está sua coruja, a curandeira que ela mantém acorrentada. Para protegê-la de você.

— Não ouça essas tolices — disparou a rainha valg.

— Ela até mesmo fez um acordo: poupar suas vidas em troca de livrá-la de você. — Aelin balançou Goldryn na direção de Orynth. — Estará caminhando para uma armadilha no momento que entrar na cidade. Você e todos os seus amiguinhos valg. E apenas Maeve restará de pé no fim, Senhora de Tudo.

As sombras de Maeve se elevaram, como uma onda.

— Já estou farta disso, Aelin Galathynius.

Ela sabia que Maeve seguiria em frente, sem Erawan. Trabalharia sem ele se fosse preciso.

O rei sombrio olhou para Maeve e pareceu se dar conta do mesmo.

Os cabelos pretos da mulher esvoaçavam.

— Onde está o rei de Adarlan? Queremos conversar com ele. — Ódio abrasador e cruel pulsava da rainha.

Aelin deu de ombros.

— Lutando por aí em algum lugar. Provavelmente nem pensando em você. — Ela inclinou a cabeça. — Um esforço corajoso, Maeve, tentar mudar de assunto. — Aelin se virou para Erawan. — As curandeiras estão esperando por você lá dentro. Verá que estou dizendo a verdade. Embora eu suponha que será tarde demais então.

Dúvida. Havia, de fato, dúvida nos olhos de Erawan. Apenas uma fresta. Uma porta entreaberta.

E agora dependeria de Yrene — Yrene e os demais — aproveitar a oportunidade.

Aelin não quisera perguntar, planejar nada. Não quisera arrastar mais ninguém para aquilo.

Mas confiava neles. Em Yrene, em seus amigos. Confiava neles para concluir o assunto. Depois que ela se fosse. Confiava neles.

Maeve deu um passo adiante.

— Espero que tenha aproveitado estes últimos momentos. — Ela exibiu os dentes brancos demais, e todos os vestígios daquela graciosidade fria sumiram. Mesmo Erawan pareceu piscar surpreso ao ver aquilo, hesitando mais uma vez. Como se ele se perguntasse se as palavras de Aelin eram verdadeiras. — Espero que se divirta com sua tagarelice estúpida.

— Eternamente — disse Aelin, com uma reverência debochada. — Acho que me divertirei mais quando extirpá-la da face da terra. — Ela suspirou para o céu. — Pelos deuses, que visão será.

Maeve estendeu a mão diante da jovem rainha, trevas girando na palma em concha.

— Não restam deuses para vigiar, creio. E não restam deuses para ajudá-la, Aelin Galathynius.

Aelin sorriu, e Goldryn queimou mais forte.

— Eu sou um deus.

Ela avançou contra eles.

∽

Rowan tirou a ponta de ferro do ombro no instante que Maeve e Erawan chegaram.

No instante que Aelin foi encontrá-los diante das muralhas de Orynth.

A magia se extinguia em suas veias, mas o guerreiro segurou o braço ensanguentado e correu para o portão sul. Ordenando que se curasse.

Carne ardeu ao se unir; muito devagar. Devagar demais, maldição.

Mas ele não conseguiria voar com a asa rasgada, como certamente estaria caso se transformasse naquele momento. Quarteirão após quarteirão, pela cidade que teria sido seu lar, ele corria para o portão sul.

Precisava chegar até ela.

Um grito de aviso das ameias o fez erguer um escudo instintivamente. Justo quando uma escada de cerco colidiu com a muralha acima.

Os soldados de infantaria de Morath dispararam por ela, para as lâminas à espera, tanto de soldados do khagan quanto de guerreiros da Devastação. Muitos.

Dentes de Ferro lutavam com as Crochan acima deles; cada Dentes de Ferro carregando vários soldados de Morath. Elas os depositavam nas ameias, nas ruas.

As pessoas gritavam. Mais no interior da cidade, as pessoas gritavam, fugiam.

Apenas alguns quarteirões para o portão sul... para Aelin.

No entanto... aqueles gritos de terror e dor continuavam. Famílias. Crianças.

Casa. Aquela seria sua casa. Já era, se Aelin estava com ele. Rowan a defenderia.

O guerreiro sacou a espada e o machado.

Fogo explodiu além das muralhas, banhando a cidade em ouro. Ela não devia ter mais que uma brasa. Contra Erawan e Maeve, já deveria estar morta. Mas as chamas ainda queimavam. O laço de parceria permanecia forte.

Um clarão branco lampejou a seu lado, e ali estava Fenrys, sujo de sangue e grunhindo para os soldados que desciam pelas muralhas. Um se aproximou, e o golpe de uma poderosa pata foi o suficiente para o brutamontes cair aos pedaços.

Uma lufada... então um sopro de vento sombrio. Lorcan.

Eles pararam todos por um segundo. Os dois machos olharam para Rowan inquisidoramente. Sabiam muito bem onde estava Aelin. Qual era o plano.

Outra explosão de chamas além das muralhas.

Mas os gritos dos inocentes na cidade... Ela jamais o perdoaria por isso. Se Rowan lhes desse as costas.

Então ele inclinou as armas e se virou para os gritos.

— Fizemos um juramento para nossa rainha e esta corte — grunhiu o macho, observando os soldados que desciam pelas muralhas. — E não o quebraremos.

⁂

Mesmo três dos grandes poderes do mundo batalhando diante dos portões da cidade não era o bastante para impedir a guerra ao redor.

Morath invadia, e o exército exausto do khaganato se virava para enfrentá-los de novo. Para enfrentar os novos horrores que surgiam, bestas com dentes se fechando e uivos altos, além dos ilken voando logo acima. Nenhum sinal das princesas valg, ainda não. Mas Elide sabia que estavam ali. Morath esvaziara seus poços mais escuros para aquela destruição final.

E na planície, diante dos portões, fogo e escuridão mais sombria que a alta noite guerreavam.

Elide não sabia para onde olhar: para a batalha entre os exércitos ou para aquela entre Maeve e Erawan e Aelin.

Yrene permanecia a seu lado, com Lorde Darrow, Lysandra e Evangeline observando também.

Um clarão de luz, uma onda de treva em resposta.

Aelin era um redemoinho de fogo entre Maeve e Erawan; a luta ágil e brutal.

Ela não tinha mais poder. Antes de o portão de Wyrd arrancá-lo, Aelin poderia ter conseguido enfrentar um dos dois e sair triunfante. Mas deixada com um filete de poder, e depois de um dia usando-o no campo de batalha...

Maeve e Erawan não sabiam.

Não sabiam que Aelin estava apenas os distraindo, não atacando. Que aquela dança ensaiada não era pelo espetáculo, mas porque queria ganhar tempo para todos eles.

Lá embaixo, no escuro além das muralhas, soldados morriam e morriam. E na cidade, conforme escadas de cerco invadiam as ameias, Morath tomava Orynth.

Mesmo assim, Aelin guardava o portão contra Erawan e Maeve. Não os deixava se aproximar nem mais um passo da cidade. O último sacrifício de Aelin Galathynius por Terrasen.

Assim que percebessem que ela não tinha mais nada, aquilo acabaria. Qualquer diversão que sentiam com aquela troca fraca de poder e habilidade sumiria.

Onde estavam os outros? Onde estava Rowan ou Lorcan ou Dorian? Ou Fenrys e Gavriel? Onde estavam, ou será que não sabiam o que acontecia diante dos portões da cidade?

A respiração de Lysandra estava acelerada. Nada; a metamorfa não podia fazer nada contra eles. E oferecer ajuda a Aelin poderia ser exatamente o que faria Erawan e Maeve perceberem que a rainha os estava enganando.

Não havia nenhuma voz suave ao ombro de Elide. Não mais. Nunca mais ela ouviria aquela voz sábia e sussurrada, guiando-a.

Veja, era o que Anneith sempre lhe murmurara. *Veja*.

Elide observou o campo, a cidade, a rainha enfrentando os governantes valg.

Aelin não fazia nada sem motivo. Ela fora até lá para ganhar tempo. Para cansar os governantes valg, apenas um pouco. Mas a rainha não poderia derrotá-los.

Havia apenas uma pessoa capaz.

Os olhos de Elide recaíram sobre Yrene, cujo rosto estava pálido enquanto ela observava Aelin.

A rainha jamais pediria. Jamais pediria aquilo a eles, a Yrene.

Mas ela poderia abrir um caminho. Caso eles, caso Yrene, quisesse tomá-lo.

Ao reparar no olhar da jovem, a curandeira desviou a atenção da batalha.

— O quê?

Elide olhou para Lysandra, então para as muralhas da cidade, para o clarão de gelo e chamas ao longo das pedras.

E viu o que precisavam fazer.

⊰ 111 ⊱

Nesryn não antecipara os ilken. O quanto até mesmo poucas dezenas seriam terríveis.

Ágeis e cruéis, as criaturas se moviam acima das linhas de frente das fileiras inquietas de Morath. Escuras como a alta noite e mais que ansiosas para combater os ruks.

Sartaq dera a ordem para que lançassem quaisquer flechas em chamas que conseguissem encontrar. O calor de uma delas queimou os dedos de Nesryn quando a jovem escolheu um alvo entre a confusão sombria e disparou.

A chama cortou a noite, seguindo para um ilken pronto para dilacerar um cavalo darghan. A flecha acertou em cheio, e o grito da criatura chegou até mesmo aos ouvidos de Nesryn. O cavaleiro darghan perfurou fundo com a *sulde*, e o grito foi interrompido. Um golpe de sorte, corajoso.

Nesryn buscava outra flecha e suprimentos no momento que o cavaleiro darghan caiu.

Não estava morto; o ilken não estava morto, mas fingindo. O grito de dor do lindo cavalo perfurou a noite conforme garras abriam seu peito. Outro corte e o esterno do cavaleiro foi dilacerado.

Nesryn buscou a pederneira para acender o tecido embebido em óleo na cabeça da flecha.

Para cima e para baixo do campo de batalha, os ilken atacavam. Cavaleiros, tanto equinos quanto rukhin, caíam.

E pairando nos fundos do campo de batalha, como se esperando pela entrada triunfante, esperando para matar o que restasse da resistência, um novo tipo de escuridão residia.

As princesas valg. Nos novos corpos *kharankui*. A surpresa final de Erawan.

Nesryn mirou e disparou a flecha, procurando Sartaq. O príncipe liderara uma unidade de rukhin mais para o interior das linhas inimigas, ao lado de Falkan, Yeran e Borte, que estava exausta.

Uma investida final desesperada.

Da qual nenhum deles provavelmente sairia ou voaria com vida.

O fôlego de Yrene estava preso na garganta, o coração ecoava selvagemente pelo corpo todo, mas o medo ao qual achou que se entregaria não chegara. Ainda não.

Não conforme Lysandra, em forma de ruk, aterrissava nas muralhas da cidade, firme o suficiente para que Yrene e Elide conseguissem descer rapidamente. Bem onde Chaol e Dorian lutavam, um esforço desesperado para manter os valg longe das muralhas.

A menor de suas preocupações. Pois, ali perto, massacrando para abrir caminho e se aproximar mais... aqueles eram ilken.

Que Silba salvasse todos.

Chaol a viu primeiro, e seus olhos brilharam com puro terror.

— *Volte para o castelo*.

Yrene não fez tal coisa. E, quando Dorian se virou, ela disse ao rei:

— Precisamos de você, Vossa Majestade.

Chaol se afastou da muralha, o coxear acentuado.

— *Volte para o castelo*.

A curandeira o ignorou de novo. Assim como Dorian, que estripou o valg diante de si, empurrou o demônio para o outro lado da muralha e correu até Yrene.

— O que foi?

Elide apontou para o portão sul. Para o fogo que brilhava entre a escuridão que atacava.

O rosto sujo de sangue de Dorian ficou pálido.

— Ela não tem mais nada.

— Nós sabemos — disse Elide, a boca em um ricto. — Por isso precisamos de você.

Chaol devia ter percebido o plano antes do rei, porque o marido de Yrene se virou para ela então, com escudo e espada pendendo ao lado do corpo.

— Você não pode.

Elide rápida e sucintamente explicou sua ideia ousada e inconsequente. A ideia da Lady de Perranth.

Yrene tentou não se abalar. Ela tentou não tremer ao perceber que eles estavam, realmente, prestes a fazer aquilo.

Mas Elide apenas subiu nas costas encouraçadas da metamorfa e pediu que o rei a seguisse. E Dorian, para seu crédito, não hesitou.

Chaol, no entanto, soltou a espada e o escudo nas pedras ensanguentadas, então segurou o rosto de Yrene entre as mãos.

— Você não pode — repetiu ele, a voz falhando. — *Você não pode.*

A curandeira colocou as mãos sobre as de Chaol e encostou a testa na dele.

— Você é minha alegria. — Foi tudo o que disse a ele.

O marido, seu melhor amigo, fechou os olhos. O fedor de sangue valg e de metal se agarrava a ele, mas abaixo... abaixo havia seu cheiro único. O cheiro de casa.

Por fim, Chaol abriu os olhos, o bronze muito vívido. Vivo. Completamente vivo. Cheio de confiança e compreensão e orgulho.

— Vá salvar o mundo, Yrene — sussurrou ele, beijando-lhe a testa.

Yrene deixou que aquele beijo fosse absorvido pela pele, uma marca de proteção, do amor que ela levaria para o inferno e além.

Ele se virou para Dorian, que estava com Elide sobre a metamorfa, e o amor no rosto do marido se enrijeceu, tornando-se algo destemido e determinado.

— Mantenha Yrene segura. — Foi tudo o que Chaol disse. Talvez a única ordem, percebeu a curandeira, que seu marido jamais daria a seu rei. O rei deles.

Era por isso que ela o amava. Por isso sabia que aquele filho em seu ventre jamais passaria um segundo se perguntando se era amado.

Dorian abaixou a cabeça.

— Com minha vida. — Então o rei ofereceu a mão para ajudar Yrene a subir no dorso de Lysandra. — E que valha a pena.

O peito de Manon queimava a cada inspiração, mas Abraxos voava sem hesitar pela confusão.

Tantos. Muitos.

E os novos horrores que Morath liberara, entre eles os ilken...

Gritos e sangue tomavam os céus. Crochan e Dentes de Ferro e ruks — aqueles eram *ruks* — lutavam pela própria vida.

Qualquer esperança de vitória que Aelin Galathynius trouxera consigo escapulia.

Manon e Abraxos esmagavam as fileiras das Dentes de Ferro, mergulhando para rasgar ilken e soldados de infantaria. Ceifadora do Vento era um peso de chumbo em sua mão, e a bruxa já não conseguia mais diferenciar suor de sangue.

A rainha de Terrasen viera com um exército, e ainda não seria o suficiente.

Lorcan sabia que Maeve também viera. Conseguia sentir sua presença nos ossos, uma canção sombria e terrível pelo mundo. Uma canção valg.

Ele lutava no fim das muralhas da cidade, Whitethorn e Fenrys próximos, enquanto Aedion atacava soldado após soldado com uma selvageria que Lorcan sabia vir de um luto profundo e brutal.

Gavriel estava morto. Morrera para dar ao filho e àqueles no portão oeste uma chance de bloqueá-lo de novo.

Lorcan afastou a pontada no peito ao pensar naquilo. Que o Leão não existia mais. Qual deles seria o próximo?

Luz lampejou além da muralha. Escuridão a devorou. Rápido demais, fácil demais.

Aelin devia ter perdido a cabeça completamente se achava que poderia enfrentar não apenas Maeve, mas Erawan também.

Mas, então, Rowan parou. E teria sido atropelado por um soldado valg se Lorcan não tivesse atirado uma adaga direto no rosto do demônio.

Com um aceno de cabeça para Lorcan e Fenrys, o macho se transformou. Um gavião imediatamente voou sobre as muralhas.

Lorcan olhou para Fenrys e encontrou o macho irritado. Ciente da mudança além das paredes. Estava na hora.

— Terminaremos isso juntos — grunhiu Fenrys, transformando-se também.

Um lobo branco saltou das ameias para as ruas da cidade abaixo. Na direção do portão.

Lorcan olhou para o castelo, onde sabia que Elide observava.

Ele fez sua despedida silenciosa, lançando o que restava do coração ao vento, para a mulher que o salvara de todas as formas que importavam.

Então o guerreiro correu até o portão — para a rainha sombria que ameaçava tudo que ele passara a querer, a esperar. Ele passara a ter *esperança*. Tinha descoberto que havia algo melhor no mundo. *Alguém* melhor.

E morreria lutando para defender tudo aquilo.

⸎

Era uma dança, e uma que Aelin passara a vida inteira treinando.

Não apenas os movimentos da espada, do escudo. Mas o sorriso arrogante que mantinha no rosto ao encontrar cada golpe de escuridão, ao perceber de novo e de novo e de novo quem eram seus parceiros de dança.

Onde eles avançavam um passo, Aelin lançava outra nuvem de fogo. Não deixava a própria dúvida transparecer, não ousava se perguntar se conseguiam ver que o fogo era em grande parte cor e luz.

Eles ainda desviavam. Evitavam as chamas.

Esperando que ela mergulhasse bem fundo, que desse aquele golpe mortal que os dois antecipavam.

E, embora o fogo desviasse a escuridão, embora Goldryn fosse uma canção em chamas em sua mão, Aelin sabia que o poder dos dois despontaria em breve.

As chaves haviam partido. E a Portadora do Fogo também.

Eles não teriam utilidade para ela. Nenhuma necessidade de escravizá-la, exceto para atormentá-la.

Poderia ser de um jeito ou de outro. Morte ou escravidão.

Mas não haveria chaves, nenhuma possibilidade de Erawan fazer mais pedras de Wyrd ou trazer os valg para possuírem outros.

Aelin avançou com Goldryn, disparando para Erawan conforme erguia o escudo contra Maeve. Ela lançou uma onda de chamas ardentes do lado de ambos, forçando-os para perto um do outro.

Erawan devolveu a explosão, mas Maeve parou. Parou quando Aelin saltou um passo para longe, ofegante.

O gosto acobreado de sangue envolveu a boca da jovem rainha. Um arauto da exaustão que se aproximava.

Maeve observou a chama chiar na neve, derretendo-a até o gramado seco de Theralis. Um mar ondulante de verde nos meses mais quentes. Agora uma ruína enlameada e encharcada de sangue.

— Para um deus — disse Maeve, as primeiras palavras de qualquer um dos dois desde que aquela dança começara, minutos ou horas ou uma eternidade antes —, você não parece muito disposta a nos esmagar.

— Símbolos têm poder — respondeu Aelin, ofegante, sorrindo ao virar Goldryn na mão, com a chama sibilando no ar. — Se eu matá-los muito rápido, vai diminuir o impacto. — A jovem reuniu cada gota de arrogância e bravata, então piscou um olho para Erawan. — Ela quer que eu o canse, entende? Quer que eu o canse para que aquelas curandeiras no castelo acabem com você sem dificuldades.

— *Basta.* — Maeve disparou o próprio poder, e Aelin ergueu o escudo conforme chamas rebatiam o ataque.

Mas por pouco. O impacto invadiu seus ossos, seu sangue.

Aelin não se permitiu sequer se encolher ao atirar um chicote de chama em Maeve, fazendo a rainha sombria dançar para trás.

— Espere só... ela vai jogar a armadilha em você muito em breve.

— Ela é uma mentirosa e uma tola — disparou Maeve. — Quer nos dividir porque sabe que podemos derrotá-la juntos. — De novo, aquele poder sombrio se reuniu ao seu redor.

O rei valg apenas olhou para Aelin com os olhos dourados, incandescentes, e sorriu.

— De fato. Você...

Ele parou. Aqueles olhos dourados se ergueram acima de Aelin. Acima dos portões e da muralha atrás da jovem rainha. Para algo bem no alto.

Aelin não ousou olhar. Desviar a atenção por tanto tempo. Ter esperanças.

Mas o dourado nos olhos de Erawan brilhou. Brilhou com ódio e talvez uma gota de medo.

Ele virou a cabeça para Maeve.

— Há curandeiras naquele castelo.

— É claro que há — disparou a rainha valg.

Mesmo assim, Erawan ficou imóvel.

— Há curandeiras *habilidosas*. Cheias de poder.

— Direto da Torre Cesme — lembrou Aelin, assentindo seriamente. — Como eu falei.

O rei sombrio apenas encarou Maeve. E aquela dúvida lampejou de novo. Ele olhou para Aelin. Para seu fogo, sua espada. Ela fez uma reverência com a cabeça.

— Se ela disse a verdade, você vai virar carniça — sibilou Erawan para Maeve.

E, antes que Aelin pudesse reunir uma brasa para atacar, uma forma sombria e lânguida surgiu da escuridão atrás de Erawan e o pegou. Um ilken.

Aelin não desperdiçou o poder tentando descê-los, não com as defesas dos ilken contra a magia. Não com Maeve acompanhando conforme Erawan era carregado para o céu. Acima da cidade.

Contra dois governantes valg, ela já devia estar morta. Contra a fêmea diante dela, Aelin sabia que era apenas uma questão de tempo. Mas, se Yrene e os amigos pudessem derrubar Erawan...

— Apenas nós, então — declarou Maeve, os lábios se curvando naquele sorriso de aranha. O sorriso das criaturas horrendas que se lançavam em Orynth.

Aelin ergueu Goldryn de novo.

— É exatamente assim que eu queria — disse ela. Verdade.

— Mas eu sei qual é seu segredo, Herdeira do Fogo — cantarolou Maeve, golpeando de novo.

≈ 112 ≈

No topo da torre mais alta do castelo de Orynth, na sacada ampla que dava para o mundo bem abaixo, a curandeira lançou outro clarão de poder.

O brilho branco cortou a noite, projetando as pedras da torre em um relevo contrastante.

Um farol, um desafio ao rei sombrio que lutava com Aelin Galathynius abaixo.

Aqui estou eu, cantava o poder pela noite. *Aqui estou eu*.

Erawan respondeu.

A cólera, o medo e o ódio tomaram o vento quando o rei valg chegou, carregado nos braços esqueléticos de um ilken. Ele sorriu para a jovem curandeira cujas mãos brilhavam com luz pura, como se já sentisse o gosto de seu sangue. Saboreando a destruição do que ela oferecia, do dom que recebera.

A mera presença do rei fez as pessoas no castelo abaixo gritarem ao fugir.

Não a morte encarnada, mas algo muito pior. Algo quase tão antigo e quase tão poderoso.

O ilken sobrevoou a torre, soltando Erawan nas pedras da sacada. Ele aterrissou com a graciosidade de um gato, mal ofegante ao se aprumar.

Ao sorrir para ela.

— Jamais achei que você faria aquilo, sabe? — disse Maeve, com o poder sombrio formando espirais ao seu redor conforme Aelin ofegava. Uma pontada começara na lombar e agora subia pela coluna, descia pelas pernas. — Que seria tola o suficiente para colocar as chaves de volta no portão. O que aconteceu com aquela gloriosa visão que me mostrou certa vez, Aelin? De você nesta mesma cidade, com as massas adorando-a e gritando seu nome. Era simplesmente entediante demais para você, ser adorada?

Aelin se preparava a cada fôlego, com Goldryn ainda queimando forte.

Que ela falasse... que se gabasse e tagarelasse. Cada segundo que tinha para se recuperar, para recobrar uma fração da força, era uma dádiva.

Erawan mordera a isca, deixara que a dúvida que ela plantara se arraigasse em sua mente. Aelin soubera que era apenas uma questão de tempo até que ele sentisse o poder de Yrene. Ela apenas rezava para que Yrene Towers estivesse pronta para se encontrar com o rei valg.

— Sempre tive esperanças de que você e eu fôssemos verdadeiras semelhantes, de certa forma — prosseguiu Maeve. — Que você, mais que Erawan, entendesse a verdadeira natureza do poder. Do que significa empunhá-lo. Que decepção descobrir que bem no fundo você preferiu ser tão medíocre.

O escudo havia se tornado insuportavelmente pesado. Aelin não ousou olhar para trás e ver para onde fora Erawan. O que ele estava fazendo. Ela sentira o clarão de poder de Yrene, ousara esperar que pudesse até mesmo ser um sinal, uma isca, mas nada desde então. Pelo menos aquilo atraíra Erawan e o afastara. Bastava.

A escuridão ao redor de Maeve se contorceu.

— A Rainha Que Foi Prometida não existe mais — declarou ela, estalando a língua. — Agora não passa de uma assassina com uma coroa. E com um dom de magia plebeu.

Chicotes gêmeos de poder brutal se projetaram para cada lado de Aelin.

Erguendo o escudo, agitando Goldryn com o outro braço, a jovem rainha desviou, e chamas se acenderam.

O escudo falhou, mas Goldryn continuou queimando.

Contudo, ela sentiu. A dor familiar e interminável. As sombras que podiam devorar.

Aproximando-se. Devorando seu poder.

Maeve olhou para a espada incandescente.

— Inteligente de sua parte embeber a espada com seus dons. Sem dúvida, antes de entregar tudo para o portão de Wyrd.

— Uma precaução, caso eu não voltasse — respondeu Aelin, ofegante.
— Uma arma para matar valg.
— Veremos. — Maeve golpeou de novo. De novo.
Forçando Aelin a recuar um passo. Então outro.
De volta para a linha invisível que traçara entre elas e o portão sul.
Maeve avançou, o cabelo preto e as vestes esvoaçando.
— Você me negou duas coisas, Aelin Galathynius. As chaves que eu buscava. — Outra chicotada de poder disparou até a jovem. A chama de Aelin quase não a defendeu daquela vez. — E o grande duelo que me foi prometido.
Como se Maeve tivesse aberto a tampa do baú de seu poder, nuvens sombrias surgiram.
Aelin golpeou com Goldryn, e o fogo dentro da lâmina não hesitou. Mas não era o suficiente. E, quando ela recuou mais um passo, uma daquelas nuvens açoitou suas pernas.
A jovem rainha não conseguiu segurar o grito que escapou de sua garganta. Ela caiu, e seu escudo se estilhaçou na lama gelada.
O treinamento manteve seus dedos fechados em Goldryn.
Mas a pressão, insuportável e cortante, começou a latejar em sua cabeça.
— Acorde.
O mundo mudou. Neve foi substituída por luz de fogueira. O chão por uma placa de ferro.
A pressão em sua cabeça se contorcia, e Aelin se curvou sobre os joelhos, recusando-se a legitimá-la. Real; aquela batalha, a neve e o sangue, *aquilo* era real.
— Acorde, Aelin — sussurrou Maeve.
A jovem piscou. E se viu na caixa de ferro, com Maeve inclinada sobre a tampa aberta. Sorrindo.
— Estamos aqui — disse a rainha feérica.
Não feérica. Valg. Maeve era *valg*...
— Você andou sonhando — disse ela, passando o dedo sobre a máscara ainda presa ao rosto da jovem rainha. — Sonhos tão estranhos e longínquos, Aelin.
Não. Não, fora *real*. Ela conseguiu erguer a cabeça o suficiente para olhar para si mesma. Para a camisola e o corpo magro demais. As cicatrizes ainda na pele.
Ainda ali. Não tinham sido apagadas. Nada de pele nova.

— Posso facilitar isso para você — prosseguiu Maeve, afastando o cabelo de Aelin com toques suaves e carinhosos. — Diga onde estão as chaves de Wyrd, faça o juramento de sangue, e estas correntes, esta máscara, esta caixa... tudo desaparecerá.

Ainda não tinham começado. A despedaçá-la.

Tudo fora um sonho. Um longo pesadelo. As chaves permaneciam soltas, o Fecho não fora forjado.

Um sonho enquanto velejavam até ali. Onde quer que fosse.

— O que me diz, sobrinha? Vai se poupar? Vai se render a mim?

Você não se rende.

Aelin piscou.

— É mais fácil, não é? — ponderou Maeve, apoiando os antebraços na borda do caixão. — Ficar aqui. Para não precisar fazer escolhas tão terríveis. Para deixar que os outros compartilhem o fardo. Carreguem seu preço. — Um indício de sorriso. — Bem no fundo, é isso que a assombra. Esse desejo de ser *livre*.

Liberdade; ela a conhecera. Não?

— É o que você mais teme; não sou eu ou Erawan ou as chaves. Que *seu* desejo de ser livre do peso da coroa, do poder, consuma você. Que a deixe amargurada até que não se reconheça. — O sorriso de Maeve se abriu. — Desejo poupá-la de tudo. Comigo, será livre de uma forma que jamais imaginou, Aelin. Eu juro.

Um juramento.

Ela fizera um juramento. Para Terrasen. Para Nehemia. Para Rowan.

Aelin fechou os olhos, afastando a rainha acima dela, a máscara, as correntes, a caixa de ferro.

Não era real.

Aquilo não era real.

Ou era?

— Sei que está cansada — prosseguiu Maeve, suavemente, persuasiva. — Você deu e deu e deu, e ainda assim não bastou. Jamais bastará para eles, não é?

Não bastaria. Nada que ela já fizera, ou que ainda fizesse, seria o suficiente. Mesmo que salvasse Terrasen, que salvasse Erilea, ainda precisaria dar mais, fazer mais. Aquele peso já a esmagava.

— Cairn — disse Maeve.

Passos tranquilos soaram perto. Arrastando-se na pedra.

Tremores tomaram conta de Aelin, incontroláveis, involuntários. Ela conhecia aquele andar, conhecia...

O rosto odioso e debochado do macho apareceu ao lado do de Maeve, então os dois a estudaram.

— Como começaremos, Majestade?

Ele já dissera as palavras a ela. Tinham feito aquela dança muitas vezes.

Bile lhe subiu à garganta. Aelin não conseguia parar de tremer. Ela sabia o que ele faria, como começaria. Jamais deixaria de sentir aquilo, o sussurro de dor.

Cairn passou a mão pela borda do caixão.

— Eu quebrei alguma parte de você, não foi?

Eu a nomeio Elentiya, "Espírito Que Não Pôde Ser Quebrado".

Aelin passou os dedos incrustados de metal pela palma da mão. Onde deveria haver uma cicatriz. Onde ainda restava uma. Sempre restaria, mesmo que ela não conseguisse ver.

Nehemia — Nehemia, que dera tudo por Eyllwe. E, no entanto...

E, no entanto, mesmo Nehemia sentira o peso de suas escolhas. Ainda queria ser livre dos fardos.

Isso não a tornara fraca. Nem um pouco.

Cairn observou o corpo acorrentado da jovem, avaliando por onde começaria. Sua respiração se aprofundou com um prazer de antecipação.

As mãos de Aelin se fecharam em punhos. Ferro rangeu.

Espírito Que Não Pôde Ser Quebrado.

Você não se rende.

Ela aguentaria aquilo de novo, se lhe fosse pedido. Faria aquilo. Cada hora cruel e cada gota de dor.

E doeria, e ela gritaria, mas enfrentaria. Sobreviveria àquilo.

Arobynn não a quebrara. Nem Endovier.

Ela não permitiria que aquele desperdício de existência o fizesse.

Os tremores diminuíram, e o corpo ficou imóvel. Esperando.

Maeve piscou para Aelin. Apenas uma vez.

Aelin inspirou o ar; cortante e frio.

Ela não queria que acabasse. Nada daquilo.

Cairn se dissipou no vento. Então as correntes sumiram com ele.

Aelin se sentou no caixão. Maeve recuou um passo.

A jovem observou a ilusão, tão habilidosamente tecida. A câmara de pedra, com os braseiros e o gancho no teto. O altar de pedra. A porta aberta e o rugido do rio adiante.

Ela se obrigou a olhar. A encarar aquele lugar de dor e desespero. Aquilo deixaria para sempre sua marca, uma mancha, mas Aelin não permitiria que isso a definisse.

Sua história não era de sombras.

Aquela não seria a história. Ela guardaria aquilo dentro de si, aquele lugar, aquele medo, mas não seria a história toda. Não seria *sua* história.

— Como? — perguntou Maeve, simplesmente.

Aelin sabia que um mundo e um campo de batalha se deflagravam além das duas. Mas se permitiu a demora na câmara de pedra. Desceu do caixão de ferro.

Maeve apenas a encarou.

— Deveria saber — respondeu Aelin, e as brasas restantes dentro de si brilharam forte. — Você, que temia o cativeiro e fez tudo para evitá-lo. Devia saber que era melhor não me aprisionar. Devia saber que eu encontraria um caminho.

— Como? — perguntou a rainha sombria, de novo. — Como você não foi quebrada?

— Porque não tenho medo — respondeu Aelin. — Seu medo de Erawan e dos irmãos a guiou e destruiu. Se é que havia algo de valor para ser destruído.

Maeve sibilou, e Aelin riu.

— E havia seu medo de Brannon. De mim. Veja o que isso trouxe. — Ela indicou a sala ao redor, o mundo adiante. — Isso é tudo que lhe restará de Doranelle. Esta ilusão.

O poder da rainha valg ecoou pela câmara.

Aelin exibiu os dentes em um rosnar.

— Você feriu meu parceiro. Feriu a mulher que usou para induzir Rowan a acreditar que era sua parceira. Você a matou e o deixou arrasado.

Maeve sorriu de leve.

— Sim, e adorei cada momento.

Aelin respondeu ao sorriso da rainha com um próprio.

— Você se esqueceu do que eu lhe disse naquela praia em Eyllwe?

Quando Maeve apenas piscou de novo para ela, Aelin atacou.

Disparando um escudo de fogo, ela a empurrou para o lado... e atirou uma lança de chama azul.

A rainha valg desviou do ataque com uma parede de poder sombrio, mas Aelin continuou a ofensiva, golpeando de novo e de novo e de novo. Aquelas palavras que ela grunhira para Maeve em Eyllwe ecoaram entre as duas: *Vou matá-la.*

E ela mataria. Pelo que Maeve tinha feito, com ela, com Rowan e Lyria, com Fenrys e Connall, e tantos outros, ela a apagaria da lembrança.

Com meio pensamento, Goldryn estava de novo em sua mão, a lâmina zumbindo com as chamas.

Mesmo que exigisse seu último suspiro, ela tombaria lutando por aquilo.

Maeve defendia cada golpe de Aelin, e as duas queimavam coléricas pela ilusão.

O altar se rachou. Derreteu.

O gancho do teto se dissolveu em liga metálica derretida que chiou sobre as pedras.

Ela explodiu o lugar em que Fenrys se sentara, acorrentado por amarras invisíveis.

De novo e de novo, com as últimas brasas de seu fogo assomando, suor brotando da testa, Aelin atacava Maeve.

O caixão de ferro esquentou, brilhando vermelho. Apenas ali, naquela ilusão, poderia fazer aquilo.

Maeve pensara em prendê-la de novo.

Mas a rainha sombria não escaparia daquela vez.

Aelin se virou, empurrando-a de volta. Na direção do caixão incandescente.

Passo a passo, ela empurrava Maeve até o esquife. Arrebanhava a rainha.

Escuridão se espalhou pelo cômodo, bloqueando a chuva de flechas em chamas que disparavam contra ela, e a rainha sombria ousou olhar por cima do ombro para o destino vermelho incandescente que a esperava.

O rosto de Maeve ficou mais branco que a morte.

Aelin soltou uma gargalhada rouca e inclinou Goldryn, reunindo o poder uma última vez.

Mas um lampejo de movimento lhe chamou a atenção; à direita.

Elide.

Elide estava parada ali, com terror estampado nas feições. Ela estendeu a mão para Aelin em aviso:

— Cuidad...

Maeve lançou um chicote preto contra a Lady de Perranth.

Não...

Aelin avançou, fogo saltou para Elide, para bloquear aquele golpe fatal.

Ela percebeu o erro em um segundo. Percebeu quando suas mãos passaram pelo corpo e a amiga desapareceu.

Uma ilusão. Ela caíra em uma ilusão, e isso a deixara aberta, vulnerável...

Aelin se virou de volta para Maeve, chamas se erguendo de novo, porém tarde demais.

Mãos de sombra envolveram seu pescoço. Intransponíveis. Eternas.

Aelin arqueou o corpo, engasgando em busca de ar conforme aquelas mãos apertavam de novo e de novo...

A câmara se derreteu. As pedras sob ela se tornaram lama e neve enquanto o rugido do rio era substituído pela balbúrdia da batalha. Elas lampejaram entre um segundo e o outro, entre ilusão e verdade. Ar morno pelo vento gélido, vida pela morte certa.

Aelin envolveu as mãos em chamas, rasgando a sombra presa em seu pescoço.

Maeve estava diante de si, com o vestido esvoaçante conforme ofegava.

— Eis o que vai acontecer, Aelin Galathynius.

Nuvens de sombras dispararam até ela, estalando e rasgando, e não havia chama, não havia força de vontade o suficiente para mantê-las afastadas. Não quando apertavam, expulsando qualquer ar com o qual ela pudesse gritar.

O fogo de Aelin se extinguiu.

— Vai fazer o juramento de sangue para mim. E, então, você e eu vamos consertar essa bagunça. Você e o rei de Adarlan vão *consertar* o que fizeram. Pode não ser mais a Portadora do Fogo, mas ainda terá sua utilidade.

Um vento beijado pela neve passou por ela. *Não.*

Outro clarão de luz atrás de Aelin, e Maeve parou.

As sombras apertaram, e a jovem rainha arqueou o corpo de novo conforme um grito silencioso lhe escapava.

— Pode estar se perguntando por que eu acreditaria em sua rendição. O que eu teria contra você. — Uma risada baixa. — Exatamente o que você busca proteger é o que vou destruir, caso me desafie. O que lhe é mais precioso. E quando eu terminar, você irá se ajoelhar.

Não, *não...*

Escuridão pulsou de Maeve, e a visão de Aelin ondulou.

Uma onda de vento beijado pelo gelo empurrou a escuridão de volta.

Apenas o bastante para que Aelin tomasse fôlego. Para que erguesse a cabeça e visse a mão tatuada estendida para ela. Buscando alcançá-la... uma oferta para se levantar. Rowan.

Atrás dele, mais dois surgiram. Lorcan e Fenrys, o último em forma de lobo.

A equipe, que não parara naquele dia para ajudá-la em Defesa Nebulosa... mas que fazia isso agora.

Rowan manteve a mão estendida para Aelin, aquela oferta de ajuda não vacilava, e ele não tirou os olhos de Maeve ao exibir os dentes e grunhir.

Mas foi Fenrys quem atacou primeiro. Quem estivera esperando por aquele momento, aquela oportunidade.

Com as presas expostas, o pelo arrepiado, ele se lançou contra Maeve. Avançando direto para o pescoço pálido.

Aelin se debateu, e Rowan gritou em aviso, porém tarde demais.

Perdido na vingança e na fúria, o lobo branco saltou para Maeve.

E um chicote de trevas avançou contra ele.

O grito de dor de Fenrys ecoou pelos ossos de Aelin antes de ele atingir o chão. Sangue escorreu da ferida, um corte profundo no focinho.

Tão rápido. Mal passava de um piscar de olhos.

O poder de Rowan e o de Lorcan emergiram, preparando-se para atacar. Fenrys se ergueu com dificuldade. De novo, as trevas avançaram contra ele. Dilaceraram o focinho do guerreiro. Como se Maeve soubesse exatamente onde atingir.

Fenrys caiu outra vez, sangue jorrando na neve. Um clarão de luz, e ele mudou para a forma feérica. O que ela fizera com seu rosto...

Não. *Não...*

Aelin conseguiu puxar ar o suficiente para gritar, a voz rouca:

— *Fuja.*

Rowan olhou para ela então. Para o aviso.

No momento que Maeve golpeou novamente.

Como se tivesse segurado o poder para esperar por eles. Por aquilo.

Uma onda de trevas envolveu o parceiro. Envolveu Lorcan e Fenrys também.

A magia dos feéricos se incendiou, iluminando a escuridão, como relâmpago atrás de uma nuvem. Mas não fora o bastante para libertá-los das garras de Maeve. Gelo e vento sopraram contra aquilo, de novo e de novo. Golpes cruéis e calculados.

O poder de Maeve inflou.

O gelo e o vento pararam. A outra magia dentro das trevas parou. Como se tivesse sido engolida.

E, então, eles começaram a gritar.

Rowan começou a gritar.

113

Erawan ofegou ao se aproximar.

— Curandeira — sussurrou ele, o poder profano emanando como uma aura sombria.

Ela recuou um passo, mais para perto do parapeito da sacada. O rei sombrio a seguiu, um predador se aproximando de uma presa muito aguardada.

— Sabe quanto tempo a procurei? — O vento soprou os cabelos dourados. — Sequer sabe o que pode *fazer*?

Yrene hesitou, chocando-se contra o parapeito atrás dela, com a queda tão terrivelmente infinita.

— Como acha que conseguimos as chaves para começo de conversa? — Um sorriso horrível, odioso. — Em meu mundo, seu tipo também existe. Não curandeiras, mas carrascas. Damas da morte. Capazes de curar, mas também de *des*curar. Desfazendo o próprio tecido da vida. Dos mundos. — Erawan abriu um sorriso irônico. — Então pegamos seu tipo. Usamos vocês para abrir o portão de Wyrd. Para arrancar seus três pedaços da própria essência. Maeve jamais soube... e jamais saberá. — A respiração irregular se aprofundou quando Erawan saboreou cada palavra, cada passo adiante. — Foram necessárias todas elas para escavar as chaves do portão, cada uma das curandeiras entre meu povo. Mas você, com seus dons... seria preciso apenas você para fazê-lo de novo. E com as chaves agora devolvidas... — Outro sorriso. — Maeve acha que parti para matar você, destruí-la. Sua pequena rainha de fogo pensou o mesmo. Ela não conseguiu conceber que eu *queria* encontrá-la. Antes de

Maeve. Antes que qualquer mal lhe pudesse ser feito. E agora que consegui... Como nós dois vamos nos divertir, Yrene Towers.

Outro passo mais para perto. Mas nada mais.

Erawan ficou imóvel. Tentou se mover sem sucesso.

Olhou para as pedras da sacada então. Para a marca ensanguentada pela qual caminhara, concentrado demais na presa para reparar.

Uma marca de Wyrd. Para segurar. Para prender.

A jovem curandeira sorriu para ele, e a luz branca em torno de suas mãos se extinguiu quando os olhos mudaram de dourados para safira.

— Não sou Yrene.

Erawan virou a cabeça para o céu conforme Lysandra, em forma de ruk, desceu voando até a torre de onde estivera escondida do outro lado, com Yrene presa nas garras.

O poder do rei valg se agitou, mas Yrene já estava brilhando, clara como o alvorecer distante.

Lysandra abriu as garras, delicadamente soltando a curandeira nas pedras da sacada. Luz se projetava de Yrene conforme ela corria precipitadamente até Erawan.

Dorian se metamorfoseou de volta ao próprio corpo. Também liberando luz de cura conforme circundava o poder em volta da marca de Wyrd que continha Erawan. A porta da torre se escancarou, e Elide disparou por ela no momento que Lysandra se transformou, aterrissando com os pés silenciosos de um leopardo-fantasma sobre a sacada.

Erawan não pareceu saber para onde olhar. Não quando Dorian lançou um golpe da luz de cura que o desequilibrou. Não quando Lysandra saltou no rei sombrio, prendendo-o nas pedras. Não quando Elide, com Damaris nas mãos, trespassou a espada pela barriga de Erawan e entre as pedras abaixo.

Ele gritou. Mas o som não se comparou ao que saiu do rei valg quando Yrene o alcançou e desceu as mãos como estrelas em chamas em seu peito.

O mundo ficou mais lento e se curvou.

Mas a curandeira não teve medo.

Não teve medo algum da luz branca ofuscante que irrompeu de si mesma, queimando Erawan.

Ele arqueou o corpo, gritando, mas Damaris o segurou no chão, aquela lâmina antiga não hesitou.

Aquele poder sombrio subiu; uma onda para devorar o mundo.

Mas Yrene não permitiu que a tocasse. Que tocasse qualquer um deles.

Esperança.

Era esperança que Chaol dissera que ela carregava consigo. Esperança que estava crescendo em seu ventre.

De um futuro melhor. De um mundo livre.

Fora esperança que guiara duas mulheres em lados opostos daquele continente dez anos antes. Esperança que guiara a mãe de Yrene a pegar aquela faca e matar o soldado que teria queimado viva a filha. Esperança que guiara Marion Lochan quando ela escolheu ganhar tempo, usando a própria vida para que uma jovem herdeira fugisse.

Duas mulheres que jamais se conheceram, duas mulheres que o mundo considerara ordinárias. Duas mulheres, Josefin e Marion, que tinham escolhido esperança diante das trevas.

Duas mulheres, no fim, que haviam garantido a todos eles aquele momento. Aquela única chance de um futuro.

Por elas, Yrene não tinha medo. Pelo filho que carregava, não tinha medo.

Pelo mundo que ela e Chaol construiriam para aquela criança, ela não tinha medo algum.

Os deuses podiam ter partido, Silba com eles, mas a curandeira seria capaz de jurar que sentia aquelas mãos mornas e gentis guiando-a. Empurrando o peito de Erawan conforme ele se debatia, com a força de mil sóis escuros tentando rasgá-la.

O poder de Yrene perfurou todos eles.

Perfurou e dilacerou e rasgou, rasgou o verme que se contorcia ali dentro.

O parasita. A infecção que se alimentava de vida, de força, de alegria.

Distante, muito longe, ela sabia que estava incandescente com luz, mais forte que um sol do meio-dia. Sabia que o rei sombrio abaixo dela não passava de um poço de cobras se contorcendo, mordendo-a, tentando envenenar aquela luz.

Você não tem poder sobre mim, disse a curandeira para ele. Para o corpo que abrigava aquele parasita de parasitas.

Vou dilacerá-la, sibilou ele. *A começar por esse bebê em seu...*

Com um pensamento, o poder de Yrene brilhou mais forte.

Erawan gritou.

O poder da criação e da destruição. Era o que havia dentro da curandeira.

Genitora. Criadora de Mundos.

Pouco a pouco, Yrene o queimou. A começar por braços e pernas, trabalhando para dentro.

E, quando a magia começou a diminuir, a curandeira estendeu a mão.

Ela não sentiu o ardor da palma se abrindo. Mal sentiu a pressão da mão calejada que se uniu a sua.

Mas, quando a magia pura de Dorian Havilliard lhe penetrou, Yrene arquejou.

Arquejou e se transformou em luz de estrelas, em calor e força e alegria.

⁓

O poder de Yrene era a própria vida. Vida pura, bruta.

Aquilo quase deixou Dorian de joelhos quando se chocou com a própria magia. Quando ele entregou o poder a ela, voluntaria e alegremente, com Erawan prostrado diante do grupo. Empalado.

O rei demônio gritou.

Feliz. Ele deveria ficar feliz com aquela dor, aquele grito. O fim que certamente chegaria.

Por Adarlan, por Sorscha, por Gavin e Elena. Por todos eles, Dorian deixou seu poder fluir por Yrene.

Erawan se debatia, com seu poder subindo, apenas para atingir uma parede impenetrável de luz.

Mas então Dorian se viu dizendo:

— O nome.

Yrene, concentrada na tarefa diante de si, nem mesmo olhou para ele.

Erawan, no entanto, em meio aos gritos, encontrou o olhar de Dorian.

O ódio nos olhos do rei demônio bastava para devorar o mundo.

Mesmo assim, Dorian insistiu:

— O nome de meu pai. — A voz não fraquejou. — Você o tomou.

O rapaz não se dera conta de que o queria. De que precisava tanto dele.

Um homem patético, sem coragem, irritou-se Erawan. *Como você é...*

— Diga o nome. Devolva-o.

Erawan gargalhou em meio aos gritos. *Não.*

— *Devolva-o.*

Yrene olhou para ele então, com dúvida nos olhos. A magia hesitou — apenas por um segundo.

Erawan se aproveitou, e seu poder irrompeu.

Dorian o sufocou de volta e avançou para o rei demônio. Para Damaris.

O grito de Erawan ameaçou rachar as pedras do castelo quando Dorian enfiou a lâmina mais profundamente. E a girou. Lançando o poder de ambos pela espada.

— *Diga o nome* — sibilou o jovem rei entre dentes. Yrene, agarrada à outra mão de Dorian, murmurou um alerta. Ele mal ouviu.

Erawan apenas riu de novo, engasgando enquanto o poder o queimava.

— Isso importa? — perguntou Yrene, baixinho.

Sim. Ele não sabia o motivo, mas importava.

O pai de Dorian fora varrido do Além-mundo, de todos os reinos da existência, mas ainda podia ter o nome devolvido a ele.

Pelo menos para pagar a dívida. Pelo menos para que Dorian pudesse dar ao homem uma gota de paz.

O poder de Erawan avançou de novo. Dorian e Yrene o empurraram para trás.

Agora. Precisava ser agora.

— *Diga o nome* — grunhiu Dorian.

Erawan sorriu para ele. *Não.*

— Dorian — avisou a curandeira. Suor escorria por seu rosto. Yrene não conseguiria aguentar por muito mais tempo. E arriscar seu...

O jovem rei lançou o poder ondulando pela espada. O cabo de Damaris brilhou.

— *Diga o...*

É o seu.

Os olhos de Erawan se arregalaram quando as palavras lhe escaparam.

Quando Damaris as arrancou dele. Dorian, no entanto, não se assombrou com o poder da espada.

O nome do pai...

Dorian.

Tomei-lhe o nome, disparou Erawan, contorcendo-se conforme as palavras fluíam de sua boca sob o poder de Damaris. *Eu o limpei da existência. Mas ele só se lembrou uma vez. Apenas uma vez. A primeira vez que segurou você.*

Lágrimas escorreram pelo rosto de Dorian diante daquela verdade insuportável.

Talvez seu pai tivesse, sem saber, escondido o próprio nome no filho, uma última semente de rebeldia contra Erawan. E o tinha batizado com aquela rebeldia, um indício secreto de que o homem ali dentro ainda lutava. Que jamais parara de lutar.

Dorian. O nome do pai.

Dorian soltou o cabo de Damaris.

A respiração de Yrene estava irregular. Agora; precisava ser agora.

Mesmo com o rei valg diante de si, algo no peito de Dorian se aliviou. Curando-se.

Então o rapaz disse a Erawan, com as lágrimas queimando sob o calor da magia:

— Eu derrubei sua fortaleza. — Ele sorriu selvagemente. — E agora nós vamos derrubá-lo também.

Então, ele assentiu para Yrene.

Os olhos de Erawan brilharam como carvão quente. E a curandeira liberou seu poder conjunto mais uma vez.

～

Erawan não pôde fazer nada. Nada contra aquela magia pura, unida com a de Yrene, entremeando-se naquele poder criador de mundos.

A cidade inteira, a planície inteira, se tornou ofuscantemente clara. Tão clara que Elide e Lysandra protegeram os olhos. Até mesmo Dorian fechou os dele.

Mas Yrene viu naquele instante. Viu o que havia dentro de Erawan.

A criatura retorcida e odiosa dentro do rei. Velha e colérica, pálida como a morte. Pálida por uma eternidade passada na escuridão tão absoluta que jamais vira a luz do sol.

Jamais vira a luz *dela*, que agora escaldava sua carne, antiga e branca como a lua.

Erawan estremeceu, contorcendo-se no chão de qualquer que fosse aquele lugar dentro de si.

Patético, disse Yrene, simplesmente.

Olhos dourados brilharam, cheios de cólera e ódio.

Mas Yrene apenas sorriu, invocando o lindo rosto da mãe para seu coração. Mostrando-o a ele.

Desejando saber qual era a aparência da mãe de Elide para que pudesse mostrar a ele Marion Lochan também.

As duas mulheres que ele matara, direta ou indiretamente, sem jamais pensar duas vezes.

Duas mães, cujo amor pelas filhas e esperança em um mundo melhor eram maiores que qualquer poder que Erawan poderia empunhar. Maiores que qualquer chave de Wyrd.

E foi com a imagem da mãe ainda brilhando diante do rei valg, mostrando aquele erro que ele jamais soubera que havia cometido, que Yrene fechou os dedos da magia em punho.

Erawan gritou.

Os dedos de Yrene se fecharam com mais força, e, ao longe, ela sentiu sua mão física fazer o mesmo. Sentiu a dor das unhas cortando as palmas das mãos.

A curandeira não ouviu as súplicas de Erawan. As ameaças.

Ela apenas fechou o punho. Mais e mais.

Até que ele não fosse nada além de uma chama escura ali dentro.

Até ela apertar o punho, uma última vez, e aquela chama escura se apagar.

Yrene teve a sensação de cair, de sair rolando de volta para dentro de si. E estava, de fato, caindo, cambaleando para trás em direção ao corpo peludo de Lysandra, sua mão escapando da de Dorian.

Ele avançou para a mão da curandeira, para retomar o contato, mas não havia necessidade.

Necessidade alguma de seu poder, ou do de Yrene.

Não quando Erawan, com os olhos dourados abertos, mas sem enxergar, voltados para o céu noturno acima, desabou inerte nas pedras da sacada.

Não quando sua pele se tornou cinzenta, então começou a definhar, a se decompor.

Uma vida apodrecendo de dentro para fora.

— Queime isso — disse Yrene, com a voz rouca, levando a mão à barriga. Um pulso de alegria, uma faísca de luz, respondeu.

Dorian não hesitou. Chamas saltaram de si, devorando o corpo em decomposição diante dos dois.

Eram desnecessárias.

Antes de sequer começarem a transformar as roupas em pó, Erawan se dissolveu. Um pedaço de carne murcha e ossos quebradiços.

Dorian o queimou mesmo assim.

Eles observaram em silêncio conforme o rei valg se transformava em cinzas.

Conforme um vento invernal varria a sacada da torre e as carregava para muito, muito longe.

114

Ela estava morta.

Aelin estava morta.

O corpo sem vida fora empalado nos portões de Orynth, os cabelos arrancados desde o escalpo.

Rowan se ajoelhou diante dos portões, com os exércitos de Morath passando por ele. Não era real. Não podia ser. Ainda assim, o sol aquecia seu rosto. O fedor da morte enchia seu nariz.

Ele trincou os dentes, desejando sair, fugir daquele lugar. Aquele pesadelo acordado.

Não funcionou.

A mão de alguém tocou seu ombro, carinhosa e pequena.

— Você causou isso a si mesmo, sabe — disse uma cadenciada voz feminina.

Ele conhecia aquela voz. Jamais a esqueceria.

Lyria.

Ela estava atrás dele, olhando para Aelin, vestindo a armadura preta de Maeve, os cabelos castanhos trançados para trás do lindo rosto delicado.

— Você causou isso a ela também, suponho — ponderou sua parceira, a falsa parceira.

Morta. Lyria estava morta, e Aelin era quem deveria sobreviver...

— Você escolheria Aelin a mim? — indagou Lyria, os olhos castanhos se enchendo de lágrimas. — É esse o tipo de macho que se tornou?

Ele não conseguia encontrar palavras, nada para explicar, para se desculpar. Aelin estava morta.

Ele não conseguia respirar. Não queria.

～

Connall lhe lançava um sorriso perverso.

— Tudo o que aconteceu comigo foi por sua causa.

Ajoelhado naquela varanda em Doranelle, em um palácio que ele tinha esperado jamais ver de novo, Fenrys lutou contra a bile que subiu em sua garganta.

— Sinto muito.

— Sente, mas será que mudaria isso? Fui eu o sacrifício que você estava disposto a fazer para conseguir o que queria?

Fenrys sacudiu a cabeça, mas era subitamente aquela de um lobo; o corpo que ele um dia amara com tanto orgulho e coragem. A forma de um lobo... sem habilidade de fala.

— Você tirou tudo o que eu sempre quis — prosseguiu o irmão gêmeo. — *Tudo*. Por acaso ficou de luto por mim? Isso sequer importou?

Ele precisava dizer a ele... dizer ao irmão tudo o que queria, o que desejava ser capaz de comunicar. Mas aquela língua de lobo não falava a língua de homens e feéricos. Nenhuma voz. Ele não tinha voz.

— Estou morto por sua causa — sussurrou Connall. — Sofri por sua causa. E jamais me esquecerei disso.

Por favor. A palavra queimou em sua língua. *Por favor*...

～

Ela não conseguia suportar.

Rowan ajoelhado ali, gritando.

Fenrys chorando para o céu escuro.

E Lorcan — Lorcan em silêncio completo, olhos sem enxergar enquanto algum horror impronunciável se passava.

Maeve murmurava consigo mesma:

— Está vendo o que posso fazer? Contra o que eles não têm poder?

Rowan gritou mais alto, os tendões no pescoço se retesando enquanto combatia Maeve com tudo o que tinha.

Ela não conseguia suportar. Não aguentava.

Aquilo não era uma ilusão, nenhum sonho fabricado. Aquilo, a dor dos guerreiros, aquilo era real.

Os poderes valg de Maeve, por fim, revelados. O mesmo poder infernal que os príncipes valg possuíam. O mesmo poder que ela suportara. Derrotara com chamas.

Mas ela não possuía chamas para ajudá-los. Nada mesmo.

— Realmente não resta nada com que possa negociar — constatou Maeve, simplesmente. — A não ser você mesma.

Qualquer coisa menos aquilo. Qualquer coisa menos aquilo...

꠷

— Você não é nada.

Elide estava diante de Lorcan, assim como as torres altas de uma cidade que ele jamais vira, a cidade que deveria ter sido seu lar, um sinal de esperança no horizonte. O vento açoitava os cabelos pretos da jovem, tão frio quanto a luz naqueles olhos.

— Um ninguém bastardo — prosseguiu ela. — Achou que eu me sujaria com você?

— Acho que você talvez seja minha parceira — respondeu ele, rouco.

Elide riu com escárnio.

— Parceira? Por que acharia que tem o direito de tal coisa depois de tudo o que fez?

Não podia ser real; não era real. Mas aquela frieza no rosto de Elide, a distância...

Ele tinha atraído aquilo. Merecia aquilo.

꠷

Maeve os observou, os três machos que tinham sido seus escravizados, perdidos em seu poder sombrio conforme lhes rasgava as mentes e as lembranças, e gargalhou.

— Uma pena por Gavriel. Pelo menos ele caiu nobremente.

Gavriel...

Maeve se virou para ela.

— Você não sabia, não é? — Um estalo de língua. — O Leão não mais rugirá, sua vida foi o preço pedido para defender o filhote.

Gavriel estava morto. Aelin sentiu a verdade nas palavras de Maeve. Deixou que elas perfurassem seu coração.

— Você não conseguiu salvar Gavriel, ao que parece — prosseguiu a rainha sombria. — Mas pode salvá-los.

Fenrys estava gritando. Rowan se calara, e os olhos verdes pareciam vazios. O que quer que estivesse vendo o levara além dos gritos, além do choro.

Dor. Indescritível, inimaginável. Como ela suportara; talvez pior.

No entanto...

Aelin não deu a Maeve tempo para reagir, tempo para sequer virar a cabeça quando ela pegou Goldryn, caída ao lado, e a atirou.

A espada errou Maeve por poucos centímetros, a rainha valg desviou antes de a lâmina se enterrar fundo na neve, fumegando onde havia fincado. Ainda queimando.

Era tudo de que Aelin precisava.

Ela atacou, chamas cortando o mundo.

Mas não para Maeve.

Elas se chocaram contra Rowan, contra Fenrys e Lorcan. Acertaram seus ombros, forte e profundamente.

Queimando-os. Marcando-os.

～

Aelin estava morta. Estava morta, e ele fracassara com ela.

— Você é um macho inferior — disse Lyria, ainda estudando o portão em que o corpo de Aelin balançava. — Você mereceu isso. Depois do que foi feito comigo, você mereceu isso.

Aelin estava morta.

Ele não queria viver naquele mundo. Nem por mais um segundo.

Aelin estava morta. E ele...

Seu ombro formigou. Então *queimou*.

Como se alguém tivesse pressionado um ferrete contra ele. Um atiçador vermelho incandescente.

Uma chama.

Ele olhou para baixo, mas não viu um ferimento.

— Você só traz sofrimento para aqueles que ama — prosseguiu Lyria.

As palavras soaram distantes. Secundárias àquele ferimento que ardia.

Aquilo o queimou de novo, um ferimento fantasma, uma memória...

Não era uma memória. Não era uma memória, mas uma vela acesa no escuro. Numa ilusão.

Uma âncora.

Como ele um dia a ancorara, puxando-a das garras de um príncipe valg. Aelin.

As mãos se fecharam ao lado do corpo. Aelin, que conhecera sofrimento como ele. A quem foram oferecidas vidas tranquilas, e que, ainda assim, escolhera Rowan, exatamente como ele era, pelo que os dois tinham suportado. Ilusões; aquelas eram ilusões.

O macho trincou os dentes. Sentiu a coisa que envolvia sua mente. Que o mantinha em cativeiro.

Ele soltou um grunhido baixo.

Ela fizera aquilo... fizera aquilo antes. Invadira sua mente. Retorcera e lhe roubara aquela coisa mais vital. *Aelin*.

Rowan não deixaria que ela a tomasse de novo.

Lorcan rugiu devido ao ferrete que dilacerou seus sentidos, perfurando as palavras debochadas de Elide e a imagem de Perranth, o lar que ele desejava tanto e que talvez jamais visse.

Rugiu, e o mundo ondulou. Tornou-se neve e escuridão e batalha.

E Maeve. De pé diante deles, o rosto pálido lívido.

Seu poder avançou para ele, uma pantera atacando...

Elide estava agora em uma cama grande e luxuosa, a mão envelhecida estendendo-se para a dele. A mão velha, cheia de marcas, as delicadas veias azuis entremeando-se como os muitos rios em volta de Doranelle.

E o rosto... Os olhos escuros estavam opacos, as rugas, profundas; os cabelos ralos, brancos como neve.

— Essa é uma verdade da qual não pode fugir — disse ela, com a voz rouca. — Uma espada sobre suas cabeças.

O leito de morte de Elide. Era essa a cena. E a mão que ele roçava contra a dela... permanecia jovem. Ele permanecia jovem.

Bile lhe subiu à garganta.

— Por favor. — Lorcan levou a mão ao peito, como se para impedir a dor irrefreável.

Uma dor fraca e latejante respondeu.

A respiração de Elide soprava ao seu ouvido. Lorcan não conseguia ver aquilo, não podia...

Ele apertou a mão mais forte contra o peito. Contra a dor ali.

Vida... vida era dor. Dor e alegria. Alegria *por causa* da dor.

Lorcan via isso no rosto de Elide. Em cada ruga e marca de idade. Em cada fio branco. Uma vida vivida... juntos. A dor de se despedirem nascia do quanto fora maravilhosa.

A escuridão adiante diminuiu. Lorcan enterrou a mão no ferimento incandescente no ombro.

Elide tossiu seco, o que o arrasou, mas ele guardou aquilo no coração, cada pedaço. Tudo o que o futuro poderia oferecer.

E aquilo não o assustou.

De novo e de novo, Connall morreu. De novo e de novo.

Connall estava caído no chão da varanda, e o sangue escorria para o rio nebuloso abaixo.

Seu destino; deveria ter sido seu destino.

Se ele caminhasse pela borda da varanda, para dentro daquele rio revolto, será que alguém perceberia sua morte? Se ele saltasse, com o irmão nos braços, será que o rio acabaria logo com ele?

Não merecia uma morte rápida. Merecia um sangramento lento e cruel.

Sua punição, uma retribuição justa pelo que fizera com o irmão. A vida que permitira que fosse projetada em sua sombra, que sempre soubera que permanecera a sua sombra, mas não tentara, não de verdade, compartilhar a luz.

Uma queimadura, violenta e determinada, lacerou Fenrys. Como se alguém tivesse enfiado seu ombro em uma fornalha.

Ele merecia aquilo. Recebia aquilo de bom grado no coração.

Esperava que aquilo o destruísse.

Dor. A coisa que ela mais odiava causar a eles, contra a qual lutara diversas vezes a fim de protegê-los.

O cheiro da carne queimada dos machos feriu as narinas de Aelin, e Maeve soltou uma gargalhada baixa.

— Aquilo foi um escudo, Aelin? Ou estava tentando acabar com o sofrimento deles?

Quando ele se ajoelhou a seu lado, a mão de Rowan se contorceu devido a qualquer que fosse o horror para o qual olhava, bem sobre a lâmina do machado largado.

Pinho e neve e o cheiro acobreado de sangue se misturaram, subindo até ela conforme a palma da mão do parceiro se abria com a força daquele movimento.

— Podemos continuar assim, sabe — prosseguiu Maeve. — Até Orynth estar em ruínas.

Rowan olhava para a frente, sem enxergar, o sangue de sua palma escorrendo na neve.

Os dedos se fecharam. Levemente.

Um gesto para chamar atenção, sutil demais para que Maeve notasse. Para que qualquer um notasse; exceto por ela. Exceto pela linguagem silenciosa entre eles, a forma como seus corpos tinham falado um com o outro desde o momento que se encontraram naquele beco empoeirado em Varese.

Um pequeno ato de rebeldia. Como um dia se rebelara contra Maeve diante do trono em Doranelle.

Fenrys chorou de novo, e a rainha valg olhou para ele.

Aelin passou a mão pela lâmina de Rowan, a dor era como um sussurro por seu corpo.

O parceiro tremia, lutando contra a mente que invadira a sua mais uma vez.

— Que desperdício — comentou Maeve, virando-se para eles de novo. — Que esses belos machos tenham deixado meu serviço apenas para acabar presos a uma rainha que mal tem mais que algumas gotas de poder em seu nome.

Aelin fechou a mão em torno da de Rowan.

Uma porta se escancarou entre eles. Uma porta de volta para ele mesmo, para ela.

Os dedos de Rowan se entrelaçaram nos seus.

Aelin soltou uma risada baixa.

— Posso não ter magia alguma — retrucou ela. — Mas meu parceiro sim.

Esperando para atacar do outro lado daquela porta escura, Rowan puxou Aelin para que ficasse de pé no instante que os poderes de ambos, suas almas, se uniram.

A força da magia do guerreiro a atingiu, antiga e colérica. Gelo e vento se tornaram chamas incandescentes.

Seu coração cantava, rugia, diante do poder que fluía de Rowan para dentro dela. Ao lado de Aelin, seu parceiro se mantinha firme. Indestrutível.

Ele sorriu; destemido e selvagem e cruel. Uma coroa de chamas, idêntica à de Aelin, surgiu no alto da cabeça do príncipe feérico.

Como um, eles olharam para Maeve.

Maeve sibilou, e seu poder sombrio se reuniu de novo.

— Rowan Whitethorn não tem o poder bruto que você um dia teve.

— Talvez não tenha — declarou Lorcan, um passo atrás deles, os olhos nítidos e livres. — Mas, juntos, nós temos. — Ele olhou para Aelin, erguendo a mão para a queimadura vermelha e feia que marcava seu peito.

— E além de nós — disse Aelin, esboçando a marca na neve com o sangue que ela derramara, seu sangue e o de Rowan —, acho que eles também têm bastante.

Luz se acendeu a seus pés, e o poder de Maeve irrompeu, porém tarde demais.

O portão se abriu. Exatamente como as marcas de Wyrd dos livros que Chaol e Yrene trouxeram do continente sul prometeram.

Exatamente onde Aelin havia pretendido. O lugar que ela vira ao cair de volta pelo portão de Wyrd. Onde ela e Rowan tinham se aventurado dias antes, testando aquele mesmo portal.

O vale da floresta era prateado ao luar, e a neve, espessa. As árvores estranhas e antigas, mais antigas que as de Carvalhal. Árvores que só podiam ser encontradas ao norte de Terrasen, no interior mais profundo.

Mas não foi aquilo que fez Maeve parar. Não, foi a massa fervilhante de pessoas, com armaduras e armas reluzindo sob peles pesadas. Entre as pessoas, grandes como cavalos, lobos uivavam. Lobos montados por cavaleiros.

No campo de batalha, um portal atrás do outro se abria. Bem onde Rowan e a equipe os desenharam com o próprio sangue conforme lutavam. Tudo para serem abertos com aquele feitiço. Aquele comando. E, além de cada portal, aquela massa fervilhante de pessoas podia ser vista. O exército.

— Soube que você planejava vir até aqui, entende — disse Aelin para Maeve, com o poder de Rowan como uma sinfonia em seu sangue. — Soube que planejava trazer princesas *kharankui* com você. — Ela sorriu. — Então achei que poderia trazer uns amigos meus.

A primeira das figuras além do portal surgiu, montada em um grande lobo prateado. E, mesmo com as peles sobre a armadura pesada, as orelhas arqueadas da fêmea estavam à vista.

— Os feéricos que moravam em Terrasen não foram varridos tão completamente — contou Aelin, e Lorcan começou a sorrir. — Eles encontraram um novo lar, com a Tribo dos Lobos. — Pois também havia humanos montados nos lobos. Como todos os mitos alegavam. — E sabia que, embora muitos tenham acompanhado Brannon até aqui, há um clã inteiro de feéricos que veio do continente sul? Fugindo de você, acho. Todos eles, na verdade, não a apreciam muito, sinto dizer.

Mais e mais feéricos e montadores de lobos passavam pelo portal, as armas em punho. Além deles, estendendo-se ao longe, o exército se alastrava.

Maeve recuou um passo. Apenas um.

— Mas sabe quem eles odeiam ainda mais? — Aelin apontou com Goldryn para o campo de batalha. — Aquelas aranhas. Nesryn Faliq me contou tudo sobre como os ancestrais desses feéricos as enfrentaram no continente sul. Como fugiram quando *você* tentou manter os curandeiros acorrentados, e, então, acabaram tendo de lutar com suas amiguinhas. E, quando vieram para Terrasen, ainda se lembravam. Parte da verdade se perdeu, ficou nebulosa, mas eles se lembravam. Eles ensinaram aos filhos. E os treinaram.

Os feéricos e os lobos além dos portais observavam os híbridos de *kharankui* que finalmente surgiam na planície.

— Eu disse a eles que lidaria com você pessoalmente — continuou Aelin, e Rowan riu. — Mas as aranhas... Ah, as aranhas são todas deles. Acho que estão esperando por isso há um tempo, na verdade. Pelas bruxas Dentes de Ferro também. Aparentemente, as Pernas Amarelas não foram muito boas com aqueles que ficaram presos na forma animal durante esses dez anos.

Aelin soltou um clarão de luz. O único sinal que precisava dar.

Para um povo que pedira apenas uma coisa quando ela havia suplicado para que lutassem, para que se juntassem àquela última batalha: voltar para casa. Voltar para Orynth depois de uma década escondidos.

Suas chamas dançaram sobre o campo de batalha. E os feéricos perdidos de Terrasen, com a mítica Tribo dos Lobos que os recebera e protegera, avançaram pelos portais. Direto contra os pelotões de Morath que de nada suspeitavam.

Maeve ficara mortalmente pálida. E mais pálida ainda quando magia faiscou e avançou, e aqueles híbridos de aranhas caíram, os gritos de surpresa calados sob lâminas de Asterion.

Ainda assim, a mão de Rowan apertou a de Aelin. Ela olhou para o parceiro, mas seus olhos estavam sobre Fenrys. Sobre o poder sombrio que Maeve ainda mantinha no guerreiro.

O macho permanecia jogado na neve, entre lágrimas silenciosas e intermináveis. O rosto era uma ruína ensanguentada.

Pelo rugido do poder de Rowan, Aelin procurou os fios que saíam de seu coração e de sua alma.

Olhe para mim. O comando silencioso ecoou pelo juramento de sangue... até Fenrys.

Olhe para mim.

— Suponho que achem que agora podem acabar comigo de alguma forma grandiosa — disse Maeve para ela e Rowan, aquele poder sombrio aumentando. — Vocês, a quem fiz mais mal.

Olhe para mim.

Enquanto sangue escorria do rosto dilacerado, Fenrys olhou para ela. Seus olhos se voltaram, sem enxergar, para os de Aelin e se tornaram mais nítidos; apenas levemente.

Ela piscou quatro vezes. *Estou aqui, estou com você.*

Sem resposta.

— Por acaso entendem o que é uma rainha valg? — perguntou Maeve a eles, com triunfo no rosto apesar dos feéricos há muito perdidos e dos montadores de lobos avançando no campo de batalha. — Sou tão vasta e eterna quanto o mar. Erawan e os irmãos me *procuraram* por meu poder. — A magia fluía ao seu redor, como uma aura profana. — Acredita que é uma Assassina de Deuses, Aelin Galathynius? O que eram eles além de criaturas vaidosas presas neste mundo? O que eram além de coisas que sua mente humana não pode compreender? — Ela ergueu os braços. — *Eu* sou um deus.

Aelin piscou de novo para Fenrys. O poder de Rowan se acumulava dentro de suas veias, preparando-se para o primeiro e provavelmente último golpe que poderiam dar, o poder de Lorcan se reunindo paralelamente. Mas de novo e de novo, Aelin piscou para Fenrys, para aqueles olhos quase vazios.

Estou aqui, estou com você.

Estou aqui, estou com você.

Uma rainha dissera isso a ele. Na língua secreta e silenciosa dos dois. Durante as horas impronunciáveis de tormento, tinham dito isso um ao outro.

Não estava sozinho.

Ele não estivera sozinho naquele momento, e ela também não.

A varanda em Doranelle e a neve ensanguentada do lado de fora de Orynth se misturaram e lampejaram.

Estou aqui, estou com você.

Maeve permanecia de pé ali. Diante de Aelin e Rowan, queimando com poder. Diante de Lorcan, cujos poderes formavam uma sombra ao seu redor. Feéricos — tantos feéricos e lobos, alguns montados por eles — corriam para o campo de batalha através de buracos no ar.

Funcionara, então. Seu plano ousado, para ser executado quando tudo desse errado, quando não lhes restasse nada.

Ainda assim, o poder de Maeve aumentava.

Os olhos de Aelin permaneciam sobre ele, ancorando-o. Puxando-o daquela varanda ensanguentada. Para um corpo que tremia de dor. Um rosto que queimava e latejava.

Estou aqui, estou com você.

E Fenrys se viu piscando de volta. Apenas uma vez.

Sim.

E, quando os olhos de Aelin se moveram de novo, ele entendeu.

⁓

Aelin olhou para Rowan. Viu o parceiro já sorrindo para ela. Ciente do que provavelmente os aguardava.

— Juntos — disse ela, baixinho. O polegar do macho acariciou o dela. Com amor e em despedida.

E, então, eles explodiram.

Chamas, branco-incandescentes e ofuscantes, rugiram para Maeve.

Mas a rainha sombria estava à espera. Ondas gêmeas de trevas arquearam e cascatearam até eles.

Apenas para serem impedidas por um escudo de vento escuro. Desviando-as para o lado.

Aelin e Rowan golpearam de novo, rápidos como uma víbora. Flechas e lanças de chamas que fizeram Maeve recuar um passo. Então outro.

Lorcan a atacava de lado, forçando a rainha sombria a recuar mais um passo.

— Eu diria — falou Aelin, ofegante, por cima do glorioso rugido da magia que a atravessava, a canção indestrutível dela e de Rowan — que não foi a nós que você fez mais mal, de forma alguma.

Como socos se alternando, Lorcan atacava com o casal. Fogo, então morte noturna.

As sobrancelhas escuras de Maeve se franziram.

Aelin disparou uma parede de chamas que a empurrou mais um passo para trás.

— Mas ele... Ah, ele tem contas a acertar com você.

Os olhos de Maeve se arregalaram quando ela fez menção de se virar. Mas não foi rápida o bastante.

Não foi rápida o suficiente conforme Fenrys sumiu de onde estava ajoelhado e ressurgiu... bem atrás de Maeve.

E Goldryn queimou forte quando ele a mergulhou nas costas da rainha.

No coração sombrio ali dentro.

⚜ 115 ⚜

O sangue escuro de Maeve pingou na neve quando ela caiu de joelhos, os dedos tentando segurar a espada em chamas enfiada em seu peito.

Fenrys deu a volta para encará-la, então caminhou para perto de Aelin, deixando a espada onde a havia empalado.

Com brasas rodopiando em torno de si e de Rowan, Aelin se aproximou da rainha valg.

Exibindo os dentes, Maeve sibilou e tentou, sem sucesso, arrancar a espada.

— *Tire isso.*

Aelin apenas olhou para Lorcan.

— Algo a dizer?

O guerreiro sorriu sombriamente, observando os feéricos e os montadores de lobos que lançavam o caos contra as aranhas.

— Vida longa à rainha. — A Rainha Feérica do Ocidente.

Maeve grunhiu, e não foi o som de uma feérica ou de uma humana. Mas valg. Valg pura e crua.

— Ora, veja quem parou de fingir — zombou Aelin.

— Irei para qualquer lugar que escolher me banir — sibilou Maeve. — *Apenas tire isso.*

— Qualquer lugar? — perguntou a jovem rainha, soltando a mão de Rowan.

A falta de sua magia, da força do parceiro, atingiu Aelin, como se mergulhasse em um lago gelado.

Mas tinha bastante da própria.

Não magia, nunca mais como outrora, mas uma força maior, mais profunda.

Coração de Fogo, como sua mãe a chamava.

Não pelo poder. O nome jamais fora devido ao poder.

Maeve sibilou de novo, agarrando a espada.

Envolvendo os dedos em chamas, Aelin ofereceu a mão a Maeve.

— Você veio até aqui para escapar de um marido que não amava. Um mundo que não amava.

A rainha sombria parou, estudando a mão estendida. Os novos calos na pele. Ela se encolheu... se encolheu de dor por causa da lâmina que rasgava seu coração, mas que não a matava.

— Sim — sussurrou ela.

— E você ama este mundo. Ama Erilea.

Os olhos escuros de Maeve observaram Aelin, então Rowan e Lorcan, antes que respondesse:

— Sim. Da forma como consigo amar qualquer coisa.

Aelin manteve a mão estendida. A oferta não declarada.

— E se eu escolher bani-la, irá para onde decidirmos. E jamais nos incomodará de novo, ou a qualquer outro.

— *Sim* — disparou Maeve, fazendo uma careta para a lâmina imortal que perfurava seu coração. A rainha valg abaixou a cabeça, ofegante, e aceitou a mão estendida.

Aelin se aproximou. Bem no momento que deslizou algo para o dedo de Maeve.

E sussurrou a seu ouvido:

— Então vá para o inferno.

Maeve recuou, porém tarde demais.

Tarde demais, pois o anel dourado — o anel de Silba, o anel de Athril — brilhou na mão pálida.

Aelin recuou para o lado de Rowan quando Maeve começou a gritar.

Gritar e gritar para o céu escuro, para as estrelas.

Maeve quisera o anel não para proteção contra os valg. Não, ela *era* valg. Quisera o anel para que ninguém mais o tivesse.

Ainda assim, quando Elide dera a joia a Aelin, não fora para destruir uma rainha valg. Mas para manter a amiga segura. Maeve jamais conheceria aquele dom e poder: a amizade.

E Aelin sabia que aquilo evitara que a rainha diante de si se transformasse em um espelho. Aquilo a salvara, assim como salvara o reino.

Maeve se debateu, com Goldryn queimando, idêntica à luz em seu dedo. Imunidade contra os valg. E um veneno para eles.

Maeve gritou, e o som soou tão alto que estremeceu o mundo.

Eles simplesmente ficaram de pé sob a neve que caía, os rostos petrificados, observando-a.

Testemunharam aquela morte por todos que Maeve destruíra.

A rainha valg se contorcia, arranhando o próprio corpo. A pele pálida começava a se esfacelar, como uma pintura antiga.

Revelando partes da criatura sob o encantamento. A pele que ela criara para si.

Aelin apenas olhou para Rowan, para Lorcan e Fenrys, uma pergunta silenciosa nos olhos.

Rowan e Lorcan assentiram. Fenrys piscou uma vez, seu rosto ferido ainda sangrando.

Então ela se aproximou da rainha aos berros, da criatura abaixo daquilo. Passou para trás dela e arrancou Goldryn.

Maeve desabou na neve e na lama, mas o anel continuou a destruí-la de dentro para fora.

A rainha sombria ergueu os olhos pretos e cheios de ódio no momento que Aelin levantou Goldryn.

Ela apenas sorriu do alto para Maeve.

— Fingiremos que minhas últimas palavras para você foram dignas de uma canção.

Então desceu a espada incandescente.

A boca de Maeve ainda estava aberta no meio de um grito quando a cabeça rolou na neve.

Sangue escuro jorrou, e Aelin se moveu de novo, cravando Goldryn no crânio da rainha valg. Até a terra abaixo.

— Queime-a — disse Lorcan, rouco.

A mão de Rowan, quente e forte, encontrou a de sua parceira de novo.

E, quando ela ergueu o rosto para ele, havia lágrimas no rosto do macho.

Não pela rainha valg morta diante deles. Nem mesmo pelo que Aelin fizera.

Não, seu príncipe, seu marido, seu parceiro, olhava para o sul. Para o campo de batalha.

Mesmo ao fundir o poder ao dela, conforme Aelin queimava Maeve até que virasse cinzas e memória, Rowan continuava olhando para o campo de batalha.

Onde fileira após fileira de soldados valg caía de joelhos no meio da batalha contra os feéricos e os lobos e a cavalaria darghan.

Onde os ruks batiam as asas maravilhados enquanto os ilken caíam do céu, como se tivessem sido mortalmente golpeados.

Ao longe, vários gritos esganiçados tomaram o ar; então se calaram.

Um exército inteiro, no meio da batalha, no meio de um golpe, desabando.

Aquilo ondulou para fora, aquele colapso, aquele silêncio. Até que todo o exército de Morath estivesse imóvel. Até que as Dentes de Ferro lutando acima percebessem o que estava acontecendo e desviassem para o sul, fugindo dos rukhin e das bruxas que começaram a persegui-las.

Até que a sombra escura que cercava aquele exército caído flutuasse para longe com o vento.

Aelin teve certeza então. De para onde Erawan fora.

Quem o derrubara por fim.

Então a rainha puxou a espada da pilha de cinzas que fora Maeve e a ergueu para o céu noturno, para as estrelas, deixando que o grito de vitória preenchesse o mundo. Deixando que o nome que ela gritava ecoasse, que os soldados no campo de batalha e na cidade repetissem o grito até que toda Orynth cantasse com eles. Até que chegasse às estrelas reluzentes do Senhor do Norte que brilhavam acima de todos, que não mais precisavam guiar seu caminho para casa.

Yrene.

Yrene.

Yrene.

⇜ 116 ⇝

Chaol acordou com mãos mornas e delicadas acariciando sua testa, seu queixo.

Ele conhecia aquele toque. Conheceria mesmo que não pudesse ver.

Em um momento, estivera lutando nas ameias. No seguinte, esquecimento. Como se qualquer que fosse a torrente de poder que percorrera Yrene não tivesse apenas enfraquecido sua coluna, mas a consciência.

— Não sei se começo a gritar ou a chorar — disse ele, gemendo, ao abrir os olhos e encontrar a esposa ajoelhada ali. Em um segundo, ele observou os arredores: algum tipo de escada, onde fora deixado nos degraus mais baixos perto de uma plataforma. Um arco aberto para a noite frígida revelava um céu estrelado e limpo adiante. Nenhuma serpente alada à vista.

E comemoração. Comemoração vitoriosa e incontrolável.

Não havia um tambor de ossos. Nenhum grunhido ou rugido.

E Yrene, ainda acariciando seu rosto, sorria. Com lágrimas nos olhos.

— Sinta-se livre para gritar o quanto quiser — respondeu ela, com algumas daquelas lágrimas escorrendo.

Mas Chaol apenas olhou boquiaberto ao se dar conta do que, exatamente, acontecera. Por que aquela torrente de poder surgira.

O que aquela mulher incrível a sua frente tinha feito.

Pois estavam gritando seu nome. O exército, o povo de Orynth estava gritando seu nome.

Ele ficou feliz por estar sentado.

Mesmo que não se surpreendesse em nada por Yrene ter feito o impossível.

Chaol passou os braços pela cintura da esposa e enterrou o rosto em seu pescoço.

— Acabou, então — disse ele, contra a pele da curandeira, incapaz de segurar a tremedeira que lhe invadiu, uma mistura de alívio com alegria e um persistente terror fantasma.

Yrene apenas passou as mãos pelos cabelos e pelas costas de Chaol, e ele sentiu seu sorriso.

— Acabou.

Mas a mulher que ele segurava, a criança que crescia dentro dela...

Erawan podia ter acabado, a ameaça e seu exército também. Assim como Maeve.

Mas a vida, percebeu Chaol, a vida estava apenas começando.

Nesryn não acreditava. O inimigo tinha simplesmente... desabado. Até mesmo os híbridos de *kharankui*.

Era tão improvável quanto os feéricos e os lobos que tinham simplesmente *surgido* pelos buracos no mundo. Um exército desaparecido que não desperdiçara tempo se atirando contra Morath. Como se soubessem exatamente onde e como atacar. Como se tivessem sido conjurados dos antigos mitos do norte.

Nesryn aterrissou nas muralhas encharcadas de sangue, observando os rukhin e as bruxas aliadas perseguirem as Dentes de Ferro para o horizonte. Ela os acompanharia, não fossem as marcas de garras ao redor do olho de Salkhi. Não fosse o sangue.

A mulher mal tinha fôlego para gritar por uma curandeira ao descer.

Mal tinha fôlego para tirar a sela do ruk, murmurando para o pássaro ao fazê-lo. Tanto sangue, os sulcos da sentinela ilken eram profundos. Não havia brilho de veneno, mas...

— Está ferida? — Sartaq. Os olhos do príncipe estavam arregalados, e o rosto ensanguentado a observava da cabeça aos pés. Atrás dele, Kadara ofegava nas ameias, com as penas tão cobertas de sangue quanto o montador.

Sartaq agarrou os ombros de Nesryn.

— Está ferida? — Ela jamais vira tanto pânico no rosto do príncipe.

Nesryn apenas apontou para o inimigo agora imóvel, incapaz de encontrar palavras.

Mas outros encontraram. Uma palavra, um nome, de novo e de novo. *Yrene*.

Curandeiras correram para o alto das ameias, dirigindo-se para os dois ruks, e Nesryn se permitiu passar os braços pela cintura de Sartaq, pressionar o rosto contra o peito coberto pela armadura.

— Nesryn. — O nome soou como uma pergunta e um comando. Mas a mulher apenas o abraçou forte. Tão perto. Tinham chegado tão, tão perto da derrota absoluta.

Yrene. Yrene. Yrene, gritavam os soldados e o povo da cidade.

Sartaq passou a mão pelos cabelos sujos de Nesryn.

— Sabe o que a vitória significa, não sabe?

Ela ergueu a cabeça, e suas sobrancelhas se franziram. Atrás deles, Salkhi esperava pacientemente enquanto a magia da curandeira invadia seu olho.

— Uma boa noite de descanso, espero — respondeu Nesryn.

Sartaq gargalhou e lhe beijou a têmpora.

— Significa — disse ele contra a pele da jovem — que vamos para casa. Que você vai para casa... comigo.

E, mesmo com a batalha recém-terminada, mesmo com os mortos e os feridos em volta deles, Nesryn sorriu. Casa. Sim, ela o acompanharia ao continente sul. E a tudo que os esperava lá.

~

Aelin, Rowan, Lorcan e Fenrys se demoraram na planície do lado de fora dos portões da cidade até que tivessem certeza de que o exército caído não se levantaria. Até que as tropas do khagan tivessem passado pelos soldados inimigos, cutucando e empurrando. Sem receber resposta.

Mas eles não decapitaram. Não desmembraram e terminaram o serviço.

Não aqueles com os anéis ou os colares pretos.

Aqueles que as curandeiras ainda poderiam salvar.

No dia seguinte. Aquilo ficaria para o dia seguinte.

A lua atingira o ápice quando eles, silenciosamente, decidiram que tinham visto o suficiente para determinar que o exército de Erawan jamais se levantaria de novo. Quando os ruks, as Crochan e as Dentes de Ferro rebeldes sumiram, perseguindo o que restava da legião aérea noite adentro.

Aelin se virou então para o portão sul até Orynth.

Como se em resposta, ele rangeu ao se abrir para recebê-la.

Dois braços estendidos.

Ela olhou para Rowan, vendo as coroas de chamas dos dois ainda queimando, sem abrandar, e pegou sua mão.

Com o coração ressoando por todos os ossos do corpo, Aelin deu um passo na direção do portão. Na direção de Orynth. Na direção de casa.

Lorcan caminhava logo atrás com Fenrys, cujos ferimentos ainda vertiam sangue em seu rosto. Mesmo assim, o macho recusara as ofertas de Aelin e Rowan para curá-lo. Dissera que queria o lembrete. Não ousaram perguntar de quê... ainda não.

Aelin ergueu o queixo e esticou os ombros enquanto se aproximavam do arco.

Soldados já estavam alinhados de cada lado.

Não os soldados do khagan, mas homens e mulheres usando armaduras de Terrasen. E civis entre eles também — com espanto e alegria no rosto.

Aelin olhou para a ombreira do portão. Para as pedras antigas e familiares, agora cobertas de sangue e vísceras.

Ela lançou um sussurro de chamas sobre elas. As últimas gotas de seu poder.

Quando o fogo sumiu, as pedras estavam limpas de novo. Novas. Assim como aquela cidade ficaria ao ser refeita, ao atingir ainda mais, mais esplendor. Novamente um farol de aprendizado e luz.

Os dedos de Rowan se fecharam nos dela, mas Aelin não olhou para ele no momento que atravessaram a ombreira, passando pelo portão.

Não, Aelin apenas olhou para seu povo, com um sorriso grande e livre, conforme entrava em Orynth e eles começavam a comemorar, recebendo-a em casa por fim.

117

Aedion lutara até o soldado inimigo a sua frente ter desabado de joelhos, como se tivesse morrido.

Mas o homem com um anel preto no dedo não estava morto, de forma alguma.

Apenas o demônio dentro dele.

E, quando soldados de inúmeras nações começaram a comemorar, quando se espalhou a notícia de que uma curandeira da Torre Cesme derrotara Erawan, Aedion simplesmente deu as costas para as ameias.

Ele o encontrou apenas pelo cheiro. Mesmo na morte, o cheiro permanecia, um caminho que o príncipe-general acompanhou pelas ruas destruídas e pelos gritos de pessoas comemorando, chorando.

Uma vela solitária fora acesa no quarto vazio onde haviam colocado seu corpo sobre uma mesa de trabalho.

Foi ali que Aedion se ajoelhou diante do pai.

Por quanto tempo ficara ali, com a cabeça baixa, ele não sabia. Mas a vela queimara quase até a base quando a porta se entreabriu e um cheiro familiar o atingiu.

Ela não disse nada ao se aproximar com passos silenciosos. Nada ao se transformar e se ajoelhar a seu lado.

Lysandra apenas se encostou em Aedion, até ele colocar o braço em seus ombros, abraçando-a forte.

Juntos, se ajoelharam ali. Ele sabia que o luto da metamorfa era tão verdadeiro quanto o seu. Sabia que o luto era por Gavriel, mas também pela perda de Aedion.

Os anos que o pai e ele não teriam. Os anos que ele percebera que *queria* ter, as histórias que desejava ouvir, o macho que desejava conhecer. E que jamais conheceria.

Será que Gavriel soubera? Ou será que caíra acreditando que o filho não queria ter nada a ver com ele?

Ele não podia suportar aquilo, a potencial verdade. O peso seria insuportável. Quando a vela se extinguiu, Lysandra ficou de pé e o levou com ela.

Um grande enterro, prometera Aedion silenciosamente. Com toda honra, com cada insígnia real que pudesse ser encontrada depois daquela batalha. Ele enterraria o pai no cemitério real, entre os heróis de Terrasen. Onde ele mesmo seria enterrado um dia. Ao lado do guerreiro feérico.

Era o mínimo que podia fazer. Para se certificar de que o pai soubesse no Além-mundo.

Eles foram para a rua, e Lysandra parou para limpar as lágrimas de Aedion. Para beijar suas bochechas, então a boca. Toques carinhosos, amorosos.

Aedion passou os braços em torno da jovem e a segurou forte sob as estrelas e o luar.

Por quanto tempo tinham ficado na rua, ele não sabia. Mas então alguém pigarreou próximo aos dois, e eles se afastaram, virando-se para a fonte do barulho.

Um rapaz, que não passava dos 30 anos, estava ali.

Olhando para Lysandra.

Não era um mensageiro ou um soldado, embora usasse as vestes pesadas dos rukhin. Havia um propósito determinado no homem, um tipo de força silenciosa na silhueta alta conforme ele engolia em seco.

— Você é... Você é Lady Lysandra?

Ela inclinou a cabeça.

— Sou.

O homem deu um passo, e Aedion conteve a vontade de empurrá-la para trás de si. De sacar a espada contra o sujeito cujos olhos cinzentos se arregalaram... e brilharam com lágrimas.

Que sorriu para ela, um sorriso largo e feliz.

— Meu nome é Falkan Ennar — disse ele, levando a mão ao peito.

O rosto de Lysandra permaneceu o retrato da confusão cautelosa.

O sorriso de Falkan não vacilou.

— Estou procurando por você há muito, muito tempo.

E então aquilo tudo jorrou, as lágrimas de Falkan escorrendo conforme ele contava a ela.

Seu tio. Ele era seu tio.

O pai da metamorfa fora muito mais velho que ele, mas desde que Falkan descobrira a existência da sobrinha, saíra a sua procura. Por dez anos, ele buscara a filha abandonada do irmão morto, visitando Forte da Fenda sempre que podia. Sem jamais perceber que ela também poderia ter seus dons... que talvez não tivesse qualquer das feições do irmão.

Mas Nesryn Faliq o encontrara. Ou eles haviam se encontrado. E então tinham se dado conta; um pouco de sorte naquele vasto mundo.

A fortuna de Falkan como mercador seria sua herança, se Lysandra a quisesse.

— O que você quiser — disse Falkan. — Jamais vai lhe faltar mais nada de novo.

A metamorfa chorava, e pura alegria brilhava em seu rosto quando ela fechou os braços em torno de Falkan e o abraçou com força.

Aedion observou, calado e arrasado. Mas feliz por ela; ele sempre ficaria feliz por ela, por qualquer gota de felicidade que encontrasse.

Mas, então, Lysandra se afastou de Falkan, ainda sorrindo alegremente, mais linda que o céu noturno acima, e entrelaçou os dedos com os de Aedion, apertando forte ao responder ao tio por fim:

— Já tenho tudo de que preciso.

∽

Horas depois, ainda sentado na sacada em que Erawan fora explodido até virar nada, Dorian não acreditava inteiramente naquilo.

Ele continuava olhando para aquele ponto, para a mancha escura nas pedras, com Damaris se projetando do piso. O único vestígio restante.

O nome do pai. Seu próprio nome. O peso da informação se assentava, e não era algo totalmente desagradável.

Dorian flexionou os dedos ensanguentados. Sua magia estava em frangalhos, e o gosto de sangue permanecia na língua. Ele estava à beira de um esgotamento. Jamais acontecera antes. Supunha que era melhor se acostumar.

Com as pernas trêmulas, o jovem rei puxou Damaris das pedras. A lâmina havia ficado preta como ônix. Uma esfregadela no sulco da espada revelou que era uma mancha que jamais seria limpa.

Ele precisava sair daquela torre. Encontrar Chaol. Encontrar os outros. Começar a ajudar os feridos. E os soldados inconscientes na planície. Aqueles que não estavam possuídos já haviam fugido, perseguidos pelos estranhos feéricos que tinham aparecido, com os lobos gigantes e seus montadores.

Ele deveria ir. Deveria deixar aquele lugar.

Mas Dorian encarou a mancha escura. Tudo o que restava.

Dez anos de sofrimento e tormento e medo, e a mancha era tudo o que restava.

Ele virou a espada na mão, o peso maior do que antes. A espada da verdade.

Qual fora a verdade no fim? Qual era a verdade mesmo agora?

Erawan fizera aquilo, massacrara e escravizara tantos, para poder ver os irmãos de novo. Ele queria conquistar seu mundo, puni-lo, mas quisera se reunir com os irmãos outra vez. Milênios de distância, e Erawan não se esquecera. Sentira falta dos dois.

Será que Dorian teria feito o mesmo por Chaol? Por Hollin? Será que teria destruído um mundo para encontrá-los de novo?

A lâmina preta de Damaris não refletiu a luz. Nem mesmo brilhou.

Ainda assim, Dorian apertou mais a mão no cabo dourado e disse:

— Eu sou humano.

A espada se aqueceu em sua mão.

Dorian olhou para a arma. A espada de Gavin. Uma relíquia de uma época em que Adarlan fora uma terra de paz e fartura.

E seria assim novamente.

— Eu sou humano — repetiu ele para as estrelas agora visíveis acima da cidade.

A espada não respondeu de novo. Como se soubesse que ele não precisava mais dela.

Asas ressoaram, e Abraxos aterrissou na sacada. Com uma montadora de cabelos brancos às costas.

Dorian se ergueu, piscando, quando Manon Bico Negro saltou. Ela o observou, então viu a mancha escura nas pedras da sacada.

Os olhos dourados se ergueram para ele. Cansados, pesados... mas brilhantes.

— Oi, principezinho — sussurrou ela.

Um sorriso se abriu em seu rosto.

— Oi, bruxinha. — Dorian procurou nos céus pelas Treze, por Asterin Bico Negro, que sem dúvida estava vociferando a vitória para as estrelas.

— Não vai encontrá-las. Neste céu ou em nenhum outro — murmurou Manon.

O coração de Dorian se apertou quando ele entendeu. Quando a perda daquelas doze vidas destemidas e brilhantes abriu outro buraco dentro de si. Um de que Dorian não se esqueceria, um que honraria. Em silêncio, o jovem rei atravessou a sacada.

Manon não recuou quando ele a abraçou.

— Sinto muito — lamentou Dorian contra seus cabelos.

Lentamente, as mãos hesitantes de Manon passaram para as costas do rei. Então pararam, abraçando-o.

— Sinto falta delas — confessou ela, estremecendo.

Dorian apenas a segurou mais firme e deixou Manon se apoiar nele por quanto tempo precisasse, com Abraxos olhando para aquele trecho devastado de terra na planície, na direção da parceira que jamais voltaria, enquanto a cidade abaixo comemorava.

⁓

Aelin caminhou com Rowan pelas ruas íngremes de Orynth.

Seu povo ladeava aquelas ruas, com velas nas mãos. Um rio de luz, de fogo, que apontava o percurso para casa.

Direto para os portões do castelo.

Para onde estava Lorde Darrow, com Evangeline ao lado. A menina sorria, feliz.

O rosto do homem estava frio como pedra. Duro como as montanhas Galhada do Cervo além da cidade, e ele permanecia bloqueando o caminho.

Rowan soltou um grunhido baixo, e o som foi ecoado por Fenrys, um passo atrás.

Mesmo assim, Aelin soltou a mão do parceiro, com as coroas de chamas dos dois se extinguindo enquanto ela percorria os últimos metros até o arco do castelo. Até Darrow.

Silêncio tomou a rua iluminada e dourada.

Ele negaria sua entrada. Ali, diante do mundo, ele a poria para fora. Um último golpe de humilhação.

Mas Evangeline puxou a manga de Darrow... como se fosse um lembrete.

Aquilo pareceu incitar a fala do velho.

— Minha jovem protegida e eu ouvimos que, quando foi enfrentar Erawan e Maeve, sua magia estava pesadamente esgotada.

— Estava. E assim permanecerá para sempre.

Darrow sacudiu a cabeça.

— Por quê?

Não sobre a magia ser reduzida a nada. Mas por que fora enfrentá-los, com pouco mais que brasas nas veias.

— Terrasen é meu lar — declarou Aelin. Era a única resposta em seu coração.

Darrow sorriu; apenas um pouco.

— De fato. — Ele fez uma reverência com a cabeça e depois com o corpo. — Bem-vinda — disse ele. Então acrescentou ao se erguer: — Vossa Majestade.

Aelin apenas olhou para Evangeline, a menina ainda sorria.

Conquiste meu reino de volta, Evangeline.

A ordem para a menina, tantos meses antes.

E ela não sabia como Evangeline conseguira. Como mudara aquele velho lorde diante deles. Mas ali estava Darrow, indicando os portões e o castelo logo atrás.

A menina piscou para Aelin, como se em confirmação.

A rainha apenas riu, pegando sua mão, e levou aquela promessa do futuro brilhante de Terrasen para o castelo.

∽

Cada corredor antigo e destruído a trazia de volta. Arrancava seu fôlego e fazia suas lágrimas escorrerem. Pela lembrança de como tinham sido. De como estavam agora, tristes e desgastados. E o que se tornariam novamente.

Darrow os levou até o salão de jantar para encontrar qualquer que fosse a comida e a bebida disponíveis na calada da noite, depois de tal batalha.

Mas Aelin olhou uma vez para quem esperava na magnificência do grande salão e esqueceu a fome e a sede.

O salão inteiro se calou quando ela disparou para Aedion e se atirou com tanta força no primo que ambos cambalearam para trás.

Em casa, enfim; em casa, juntos.

Aelin teve a vaga sensação de que Lysandra se juntou a Rowan e os demais a suas costas, mas não se virou. Não quando a própria gargalhada de alegria se dissipou ao ver o rosto arrasado e exausto de Aedion. A tristeza ali.

Ela colocou a mão em sua bochecha.

— Sinto muito.

Aedion fechou os olhos, inclinando-se para o toque da prima, a boca trêmula.

Aelin não comentou sobre o escudo às costas do guerreiro — o escudo do próprio pai. Jamais se dera conta de que ele o carregava.

Em vez disso, ela perguntou baixinho:

— Onde ele está?

Calado, Aedion a levou do salão de jantar, pelas passagens sinuosas do castelo, o castelo dos dois, até uma sala pequena, iluminada por velas.

Gavriel fora deitado em uma mesa, e um cobertor de lã cobria o corpo que ela sabia estar dilacerado. Apenas o belo rosto estava visível, ainda nobre e carinhoso na morte.

Aedion se demorou à porta quando Aelin se aproximou do guerreiro. Ela sabia que Rowan e os demais estavam ao lado do primo, que seu parceiro estava com a mão no ombro de Aedion. Sabia que Fenrys e Lorcan abaixavam a cabeça.

Ela parou diante da mesa em que Gavriel fora colocado.

— Eu queria lhe oferecer o juramento de sangue depois que seu filho o tivesse feito — disse ela, com a voz baixa ecoando das pedras. — Mas ofereço agora, Gavriel. Com honra e gratidão, lhe ofereço o juramento de sangue. — As lágrimas de Aelin caíram no cobertor. Ela limpou uma antes de sacar a adaga da bainha ao lado do corpo e livrar o braço do feérico da coberta.

Um gesto da lâmina a fez abrir a palma da mão do guerreiro. Nenhum sangue fluiu além da leve dilatação. Mas Aelin esperou até que uma gota escorresse para as pedras. Então abriu o próprio braço, mergulhou os dedos no sangue e deixou que três gotas caíssem na boca de Gavriel.

— Que o mundo saiba — continuou Aelin, a voz falhando — que você é um macho de honra. Que ficou com seu filho, com este reino, e ajudou a salvá-lo. — Ela beijou a testa fria. — Você fez o juramento de sangue a mim. E será enterrado aqui com tal honra. — A rainha se afastou, acariciando sua bochecha mais uma vez. — Obrigada.

Era tudo o que restava para ser dito.

Quando Aelin se virou, não apenas Aedion tinha lágrimas escorrendo pelo rosto.

Ela os deixou ali. A equipe, a irmandade que agora desejava dizer adeus da própria maneira.

Fenrys, com o rosto ensanguentado ainda sem cuidados, se apoiou em um joelho ao lado da mesa. Um segundo depois, Lorcan fez o mesmo.

Ela havia chegado à porta quando Rowan se ajoelhou também. E começou a cantar as antigas palavras — as palavras de luto, tão velhas e sagradas quanto a própria Terrasen. A mesma oração que Aelin cantara e entoara um dia ao ser tatuada por ele.

Com a voz límpida e grave de Rowan preenchendo o quarto, Aelin passou o braço pelo de Aedion e deixou que ele se apoiasse nela ao caminharem de volta ao grande salão.

— Darrow me chamou de "Vossa Majestade" — comentou ela depois de um minuto.

Aedion virou os olhos vermelhos para ela. Mas uma faísca os iluminou; apenas de leve.

— Deveríamos nos preocupar?

A boca de Aelin se curvou.

— Pensei exatamente a mesma coisa.

Tantas bruxas. Havia tantas bruxas, Dentes de Ferro e Crochan, nos salões do castelo.

Elide observava seus rostos conforme trabalhava com as curandeiras no grande salão. Um senhor e uma senhora sombrios derrotados, mas, ainda assim, havia os feridos. E como ainda lhe restava força, ela ajudaria de qualquer maneira possível.

Mas, quando uma bruxa de cabelos brancos andou com dificuldade até o salão, com uma Crochan ferida apoiada entre ela e outra bruxa que Elide não reconhecia... A jovem estava a meio caminho, já do outro lado do salão onde passara tantos dias felizes na infância, antes de perceber que se movera.

Manon parou ao vê-la. Entregou a Crochan ferida à irmã de batalha. Mas não fez menção de se aproximar.

Elide viu a tristeza no rosto da bruxa antes de alcançá-la. O entorpecimento e a dor nos olhos dourados.

Ela ficou imóvel.

— Quem?

Manon engoliu em seco.

— Todas.

Todas as Treze. Todas aquelas bruxas destemidas e brilhantes. Mortas.

Elide colocou a mão no coração, como se isso pudesse impedir que ele se partisse.

Mas Manon encurtou a distância entre elas, e, mesmo com aquele luto no rosto arrasado e ensanguentado, ela colocou a mão no ombro de Elide. Para lhe dar conforto.

Como se a bruxa tivesse aprendido como fazer tais coisas.

A visão de Elide ardeu e se embaçou, mas Manon limpou a lágrima que escapuliu.

— Viva, Elide. — Foi tudo o que a bruxa disse antes de sair do salão mais uma vez. — Viva.

Manon sumiu no corredor apinhado, a trança balançando. E Elide se perguntou se o comando fora sequer destinado a ela.

Horas depois, a jovem encontrou Lorcan montando vigília ao lado do corpo de Gavriel.

Quando soubera, Elide havia chorado pelo macho que lhe mostrara tanta bondade. E pelo modo que Lorcan estava ajoelhado diante de Gavriel, ela sabia que ele acabara de fazer o mesmo.

Sentindo-a à porta, Lorcan ficou de pé, o movimento lento e doloroso dos verdadeiramente exaustos. Havia, de fato, tristeza em seu rosto. Luto e arrependimento.

Elide abriu os braços, e o fôlego do macho escapou quando ele a puxou para si.

— Ouvi — disse ele, contra os cabelos da jovem — que devemos agradecer a você pela destruição de Erawan.

Elide se desvencilhou do abraço, tirando-o daquela sala de tristeza e luz de velas.

— É a Yrene que deve agradecer — respondeu ela, caminhando até encontrar um ponto tranquilo perto de um conjunto de janelas que dava para a cidade em comemoração. — Eu só tive a ideia.

— Sem a ideia, estaríamos enchendo a barriga das bestas de Erawan.

Elide revirou os olhos, apesar de tudo que acontecera, de tudo que havia diante dos dois.

— Foi um trabalho em grupo, então. — Ela mordeu o lábio. — Perranth... teve alguma notícia de Perranth?

— Um cavaleiro ruk chegou há poucas horas. É o mesmo lá: com a queda de Erawan, os soldados que guardavam a cidade desabaram ou fugiram. O povo retomou o controle, mas aqueles que estavam possuídos precisarão de curandeiras. Um grupo será levado pelos ares amanhã, para começar.

Alívio ameaçou fazer os joelhos de Elide cederem.

— Graças a Anneith por isso. Ou Silba, suponho.
— As duas se foram. Agradeça a você mesma.
Elide gesticulou para ignorá-lo, mas Lorcan a beijou.
Quando ele se afastou, a jovem sussurrou:
— Por que isso?
— Peça que eu fique. — Foi tudo o que ele disse.
O coração da jovem começou a acelerar.
— Fique — sussurrou Elide.
Luz, uma luz tão linda, tomou conta dos olhos escuros do semifeérico.
— Peça que eu vá com você para Perranth.
A voz de Elide falhou, mas ela conseguiu repetir:
— Venha comigo para Perranth.
Lorcan assentiu, como se em resposta, e seu sorriso foi a coisa mais linda que Elide já vira.
— Peça que eu me case com você.
Ela começou a chorar, mesmo enquanto gargalhava.
— Quer se casar comigo, Lorcan Salvaterre?
Ele a pegou nos braços, enchendo seu rosto de beijos. Como se uma última corrente tivesse se partido.
— Vou pensar no seu caso.
Elide riu, batendo no ombro do macho. Então gargalhou de novo, mais alto.
Lorcan a soltou.
— O que foi?
A boca de Elide estremeceu quando ela tentou parar de rir.
— É que... Sou a Lady de Perranth. Se você se casar comigo, vai usar o nome de minha família.
Ele piscou.
Elide gargalhou de novo.
— Lorde Lorcan Lochan?
Pareceu igualmente ridículo quando pronunciado em voz alta.
Lorcan piscou para ela, então urrou de rir.
Elide jamais ouvira um som tão alegre.
Ele a pegou nos braços de novo, girando-a.
— Eu o usarei com orgulho em cada maldito dia pelo resto da vida — disse Lorcan contra o cabelo da jovem, e, quando a colocou no chão, o sorriso tinha sumido, sendo substituído por um carinho infinito. Então Lorcan

lhe afastou o cabelo e o prendeu atrás de uma orelha. — Vou me casar com você, Elide Lochan. E orgulhosamente me chamarei de Lorde Lorcan Lochan, mesmo que o reino inteiro gargalhe ao ouvir meu nome. — Ele a beijou, cheio de carinho e amor. — E, quando nos casarmos — sussurrou ele —, vou entrelaçar minha vida à sua. Para que jamais conheçamos um dia separados. Para que jamais estejamos sozinhos, nunca mais.

Elide cobriu o rosto com as mãos e chorou, diante do coração que ele oferecia, da imortalidade da qual estava disposto a abrir mão por ela. Por *eles*.

Mas Lorcan lhe segurou os pulsos, cuidadosamente afastando as mãos da jovem do rosto. Seu sorriso era hesitante.

— Se você quiser — completou ele.

Elide entrelaçou os braços no pescoço do macho, sentindo o coração estrondoso de Lorcan acelerado contra o seu, deixando que seu calor se assentasse nos ossos.

— Mais do que qualquer outra coisa — sussurrou ela de volta.

118

Yrene desabou no banquinho de três pernas em meio ao caos do grande salão. A história era familiar, embora o cenário um pouco diferente: outra grandiosa câmara transformada em enfermaria temporária. O alvorecer não estava longe, mas ela e as demais curandeiras continuavam trabalhando. Aqueles com hemorragia não conseguiriam sobreviver sem elas.

Humanos e feéricos e bruxas e lobos; Yrene jamais vira tal variedade de pessoas em um só lugar.

Elide entrara em algum momento, reluzente, apesar dos feridos que as cercavam.

A curandeira supunha que todos estampavam o mesmo sorriso. Embora o dela tivesse vacilado na última hora, conforme a exaustão a tomava. Yrene fora forçada a descansar depois de lidar com Erawan, e apenas esperara até que seu poço de poder estivesse cheio o bastante para começar a trabalhar de novo.

Ela não conseguia ficar parada. Não quando via a coisa que residia sob a pele de Erawan sempre que fechava os olhos. Morta para sempre, sim, mas... ela se perguntava quando o esqueceria. A sensação sombria e pegajosa. Horas antes, a jovem não sabia dizer se os vômitos que vieram a seguir eram por causa da lembrança ou do bebê em seu ventre.

— Você deveria encontrar aquele seu marido e se deitar — aconselhou Hafiza, aproximando-se e franzindo a testa. — Quando foi a última vez que dormiu?

Yrene ergueu a cabeça, mais pesada do que estivera minutos antes.

— A última vez que você dormiu, creio. — Dois dias antes.

Hafiza estalou a língua.

— Matar um senhor das sombras, curar os feridos... É espantoso você não estar inconsciente agora, Yrene.

A jovem curandeira estava prestes a ficar, mas a reprovação na voz de Hafiza lhe dava coragem.

— Posso trabalhar.

— Estou ordenando que encontre aquele seu marido maravilhoso e vá dormir. Pela criança em seu ventre.

Ai. Quando a alta-curandeira colocava *daquela* forma...

Yrene resmungou ao ficar de pé.

— Você é impiedosa.

Hafiza apenas bateu em seu ombro.

— Boas curandeiras sabem a hora de descansar. A exaustão leva a decisões descuidadas. E decisões descuidadas...

— Custam vidas — concluiu a jovem. Ela ergueu os olhos para o teto abaulado muito, muito alto. — Você jamais para de ensinar, não é?

A boca de Hafiza se abriu em um sorriso.

— Assim é a *vida*, Yrene. Jamais paramos de aprender. Nem mesmo na minha idade.

Yrene suspeitava havia muito tempo de que o amor pelo aprendizado era o que mantinha a alta-curandeira com o coração jovem ao longo de tantos anos. Ela apenas sorriu de volta para a mentora.

Mas os olhos de Hafiza se suavizaram. Ficaram contemplativos.

— Continuaremos por quanto tempo for necessário, até que os soldados do khagan possam ser transportados para casa. Deixaremos algumas para trás, para cuidar de qualquer ferido remanescente, mas, em algumas semanas, iremos embora.

A garganta de Yrene se apertou.

— Eu sei.

— E você — prosseguiu a idosa, pegando a mão da jovem curandeira — não voltará conosco.

Os olhos arderam, mas Yrene sussurrou:

— Não, não voltarei.

Hafiza lhe apertou os dedos com a mão morna. Forte como aço.

— Precisarei encontrar uma nova herdeira, então.

— Sinto muito — sussurrou Yrene.

— Pelo quê? — Hafiza riu. — Você encontrou amor e felicidade, Yrene. Não há mais nada que eu poderia desejar a você.

Yrene limpou a lágrima que escorreu.

— Eu só... eu não quero que pense que desperdicei seu tempo...

A alta-curandeira gargalhou.

— Desperdiçou meu tempo? Yrene Towers... Yrene Westfall. — A idosa segurou o rosto da jovem com as mãos fortes e velhas. — Você salvou *todos nós*. — Yrene fechou os olhos quando Hafiza lhe deu um beijo na testa. Uma bênção e uma despedida.

— Você vai ficar nestas terras — falou a idosa, ainda sorrindo. — Mas, mesmo com um oceano nos dividindo, permaneceremos unidas aqui. — Ela tocou o peito, bem sobre o coração. — E não importam os anos, você sempre terá um lugar na Torre. Sempre.

Yrene colocou a mão trêmula sobre o próprio coração e assentiu.

Hafiza lhe apertou o ombro e fez menção de caminhar de volta para os pacientes.

— E se... — disse Yrene.

A alta-curandeira se virou, erguendo as sobrancelhas.

— Sim.

A jovem engoliu em seco.

— E se, depois que eu me estabelecer em Adarlan e tiver esse bebê... Quando chegar a hora certa, e se eu montar minha própria Torre lá?

Hafiza inclinou a cabeça, como se ouvindo a cadência da frase conforme ecoava em seu coração.

— Uma Torre Cesme no norte.

— Em Adarlan — prosseguiu Irene. — Em Forte da Fenda. Uma nova Torre para preencher o que Erawan destruiu. Para ensinar as crianças que talvez não percebam que têm o dom, e aquelas que nascerão com ele. — Porque muitos dos feéricos vindo dos campos de batalha eram descendentes dos curandeiros que deram às mulheres da Torre seus poderes, há muito tempo. Talvez quisessem ajudar de novo.

Hafiza sorriu outra vez.

— Gosto muito dessa ideia, Yrene Westfall.

Com isso, a alta-curandeira voltou para a confusão de cura e dor.

Mas Yrene permaneceu parada ali, com a mão passando para o leve inchaço na barriga.

E ela sorriu — um sorriso largo e determinado — para o futuro que se abria adiante, brilhante como o alvorecer que chegava.

༄

O nascer do sol se aproximava, mas Manon não conseguia dormir. Nem se incomodara em encontrar um lugar para descansar, não enquanto as Crochan e as Dentes de Ferro permaneciam feridas, e ela ainda não terminara a contagem de quantas haviam sobrevivido à batalha. À guerra.

Havia um espaço vazio dentro da bruxa onde doze almas um dia queimaram corajosamente.

Talvez por isso ela não tivesse ido ao encontro da cama, nem mesmo quando sabia que Dorian provavelmente providenciara um lugar para dormirem. Por isso ainda estava no ninhal, com Abraxos cochilando a seu lado enquanto ela olhava para o campo de batalha silencioso.

Quando os corpos fossem retirados, quando a neve derretesse, quando a primavera chegasse, será que restaria um trecho de terra queimado na planície diante da cidade? Será que para sempre permaneceria assim, um marco de onde elas haviam perecido?

— Temos uma contagem final — disse Bronwen atrás de Manon, que encontrou a Crochan e Glennis chegando pela escada da torre, com Petrah ao encalço.

A bruxa-rainha se preparou para a notícia, gesticulando com a mão em um pedido silencioso.

Ruim. Mas não tão ruim quanto poderia ter sido.

Quando Manon abriu os olhos, as três apenas a olhavam. Dentes de Ferro e Crochan, de pé juntas e em paz. Como aliadas.

— Recolheremos as mortas amanhã — decidiu Manon, com a voz baixa. — E as queimaremos quando a lua surgir. — Como tanto as Crochan quanto as Dentes de Ferro faziam. Haveria uma lua cheia no dia seguinte... o Ventre da Mãe. Uma boa lua para serem queimadas. Para serem devolvidas para a Deusa de Três Rostos e renascidas dentro daquele ventre.

— E depois disso? — perguntou Petrah. — E então?

Manon olhou de Petrah para Glennis e Bronwen.

— O que gostariam de fazer?

— Ir para casa — respondeu Glennis, baixinho.

Manon engoliu em seco.

— Você e as Crochan podem ir a hora que qui...
— Para os desertos — interrompeu Glennis. — Juntas.
Manon trocou um olhar com Petrah, que falou:
— Não podemos.
Os lábios de Bronwen se curvaram para cima.
— Podem sim.
Manon piscou. E piscou de novo quando Bronwen estendeu um punho fechado para ela, então o abriu.
Dentro havia uma flor de um roxo pálido, tão pequena quanto a unha do polegar de Manon. Linda e delicada.
— Um bastião das Crochan acaba de chegar, um pouco tarde, mas ouviram o chamado e vieram. Desde os desertos.
Manon olhou sem parar para a flor roxa.
— Elas trouxeram isso. Da planície diante da Cidade das Bruxas.
A planície estéril, ensanguentada. A terra que não dera flores, nenhuma vida além de grama e musgo e...
A visão de Manon ficou embaçada, e Glennis pegou sua mão, guiando-a na direção de Bronwen antes de a bruxa colocar a flor na palma da mão de Manon.
— Apenas juntas pode ser desfeito — sussurrou Glennis. — Seja a ponte. Seja a luz.
Uma ponte entre os dois povos, como Manon se tornara.
Uma luz... quando as Treze explodiram em luz, não em escuridão, em seus últimos momentos.
— Quando ferro derreter — murmurou Petrah, com os olhos azuis cheios de lágrimas.
As Treze tinham derretido aquela torre. Derretido as Dentes de Ferro ali dentro. Assim como elas mesmas.
— Quando flores brotarem de campos de sangue — prosseguiu Bronwen.
Os joelhos de Manon fraquejaram quando ela olhou para aquele campo de batalha. No qual inúmeras flores tinham sido dispostas sobre o sangue e as ruínas onde as Treze encontraram seu fim.
— Que a terra seja testemunha — concluiu Glennis.
O campo de batalha em que os governantes e cidadãos de tantos reinos, tantas nações, tinham ido homenagear. Testemunhar o sacrifício das Treze e honrá-las.
Silêncio caiu sobre elas, e Manon sussurrou, a voz trêmula conforme ela segurava aquela pequena e preciosa flor na palma da mão:
— E retorne ao lar.

Glennis fez uma reverência com a cabeça.

— Então a maldição está quebrada. E deveremos voltar juntas para casa, como um povo.

A maldição está quebrada.

Manon apenas as encarou, a respiração se tornando irregular.

Então ela despertou Abraxos e estava na sela em segundos. Não ofereceu explicação alguma a elas, nenhuma despedida, quando os dois saltaram para a noite que se dissipava.

Quando ela guiou a serpente alada para o trecho de terra queimada no campo de batalha. Direto para o coração do lugar.

E sorrindo entre as lágrimas, gargalhando com alegria e tristeza, Manon colocou aquela preciosa flor dos desertos no chão.

Com gratidão e amor.

Para que elas soubessem, para que Asterin soubesse, no mundo em que ela e o caçador e o bebê seguiam de mãos dadas, que tinham conseguido.

Que iriam para casa.

Aelin queria, mas não conseguia dormir. Ignorara as ofertas de encontrar um quarto e uma cama em meio ao caos do castelo.

Em vez disso, ela e Rowan haviam ido ao grande salão para conversar com os feridos, para oferecer a ajuda que pudessem àqueles que mais precisavam.

Os feéricos perdidos de Terrasen, os lobos gigantes e o clã humano que haviam adotado queriam falar com ela tanto quanto os cidadãos de Orynth. Como tinham encontrado a Tribo dos Lobos uma década antes, como tinham se unido a eles nas selvas das montanhas e no interior além delas, era uma história que Aelin em breve saberia. O mundo saberia.

Suas curandeiras enchiam o grande salão, unindo-se às mulheres da Torre. Todas descendentes daquelas no continente sul — e aparentemente treinadas por elas também. Dezenas de curandeiras descansadas, cada uma carregando os suprimentos necessários. Elas haviam começado a trabalhar perfeitamente ao lado daquelas da Torre. Como se estivessem fazendo aquilo há séculos.

E quando as curandeiras, tanto humanas quanto feéricas, os enxotaram, Aelin saíra perambulando.

Por cada corredor e patamar, olhando para dentro dos cômodos tão cheios de fantasmas e memórias. Rowan caminhara a seu lado, uma presença silenciosa, que não hesitava.

Um patamar após o outro eles seguiram, subindo cada vez mais.

Estavam se aproximando do alto da torre norte quando o alvorecer chegou.

A manhã estava brutalmente fria, ainda mais no alto da torre que se elevava acima do mundo, mas o dia seria limpo. Claro.

— Então aí está — comentou Aelin, assentindo para a mancha escura nas pedras da sacada. — Onde Erawan encontrou seu fim pelas mãos de uma curandeira. — Ela franziu a testa. — Espero que dê para limpar.

Rowan riu com escárnio, e, quando ela olhou sobre um ombro, com o vento batendo em seu cabelo, Aelin o encontrou encostado contra a porta da escadaria, de braços cruzados.

— Estou falando sério — disse ela. — Seria detestável ter essa bagunça aqui. E pretendo usar a sacada para meus banhos de sol. Ele estragaria tudo.

Seu parceiro riu novamente e se afastou da porta, seguindo para o parapeito da sacada.

— Se não der para limpar, jogaremos um tapete por cima.

Aelin gargalhou e se juntou a ele, se aconchegando ao calor de Rowan enquanto via o sol emoldurar o campo de batalha, o rio, as montanhas Galhada do Cervo.

— Bem, agora você já viu cada salão e cômodo e escada. O que acha de seu novo lar?

— Um pouco pequeno, mas daremos um jeito.

Aelin o cutucou com um cotovelo e indicou com o queixo a torre oeste próxima. Onde a torre norte era alta, a torre oeste era ampla. Grandiosa. Perto dos níveis superiores, projetando-se sobre a queda perigosa, um jardim de pedra murado brilhava à luz do sol. O jardim do rei.

O da rainha, supôs ela.

Não restara nada além de um emaranhado de espinhos e neve. Mas Aelin ainda se lembrava de quando pertencera a Orlon. As rosas e as treliças de glicínias caídas, as fontes que corriam pelo limite do jardim para o ar livre abaixo, a macieira com flores parecidas com montes de neve na primavera.

— Jamais me dei conta de como seria conveniente para Ligeirinha — comentou ela a respeito do jardim secreto, particular. Reservado *apenas* para a família real. Às vezes apenas para o rei ou a rainha. — Não precisar descer as escadas da torre sempre que precisar fazer xixi.

— Tenho certeza de que seus ancestrais tinham banheiros caninos em mente quando construíram o jardim.

— Eu teria — resmungou Aelin.

— Ah, acredito — disse Rowan, sorrindo. — Mas pode me explicar por que não estamos lá agora, dormindo?

— No jardim?

Ele deu um peteleco no nariz da parceira.

— Na suíte depois do jardim. Nosso quarto.

Aelin o guiara rapidamente pelo espaço. Ainda bem preservado, apesar do descuido com o restante do castelo. Um dos lacaios de Adarlan sem dúvida o utilizara.

— Quero que seja limpo de qualquer vestígio de Adarlan antes de dormir ali — admitiu ela.

— Ah.

Aelin inspirou, puxando o ar da manhã.

Ela os ouviu antes de vê-los, antes de sentir seu cheiro. E, quando se viraram, os dois encontraram Lorcan e Elide caminhando para a sacada da torre, com Aedion, Lysandra e Fenrys logo atrás. Ren Allsbrook, hesitante e com olhos cautelosos, surgiu ao encalço.

Como souberam onde encontrá-los, por que tinham vindo, Aelin não fazia ideia. Os ferimentos de Fenrys haviam se fechado, pelo menos, embora cicatrizes vermelhas idênticas marcassem a pele da testa ao maxilar. O guerreiro não parecia notar, ou se importar.

Ela também não deixou de reparar na mão que Lorcan mantinha nas costas de Elide. O brilho no rosto da lady.

Aelin conseguia adivinhar de onde vinha aquele fulgor. Mesmo os olhos escuros de Lorcan cintilavam.

Isso não a impediu de encará-lo. E de dar a ele um olhar de aviso que dizia tudo que ela não se incomodaria em pronunciar: que se ele partisse o coração da Lady de Perranth, ela o assaria. E convidaria Manon Bico Negro para fazer um churrasco sobre seu cadáver em chamas.

Lorcan revirou os olhos, e Aelin julgou que isso era compromisso o bastante, então perguntou a todos:

— *Alguém* por acaso se deu o trabalho de dormir?

Apenas Fenrys levantou a mão.

Aedion franziu a testa para a mancha escura nas pedras.

— Vamos colocar um tapete por cima — disse Aelin a ele.

Lysandra gargalhou.

— Algo cafona, espero.

— Estou pensando em cor-de-rosa e roxo. Bordado com flores. Exatamente o que Erawan teria amado.

Os machos feéricos olharam boquiabertos para elas, e Ren piscou os olhos. Elide abaixou a cabeça ao sorrir.

Rowan gargalhou de novo.

— Pelo menos esta corte não será entediante.

Aelin colocou a mão no peito, o retrato da indignação.

— Em algum momento achou que seria?

— Que os deuses nos ajudem — resmungou Lorcan. Elide o cutucou.

Aedion disse a Ren, que se detinha à entrada, como se ainda debatesse uma fuga:

— Esta é a chance de escapar. Antes de ser puxado para essa bizarrice.

Mas os olhos escuros de Ren encontraram os de Aelin. E os analisaram.

Ela ouvira a respeito de Murtaugh. Sabia que aquele não era o momento de mencionar a perda que lhe sombreava os olhos. Então Aelin manteve a expressão aberta. Sincera. Receptiva.

— Sempre tem lugar para mais um compartilhar da bizarrice — comentou Aelin, aquela mão invisível estendida.

O jovem lorde a observou de novo.

— Você abriu mão de tudo e, mesmo assim, voltou para cá. Mesmo assim lutou.

— Tudo isso por Terrasen — disse ela, baixinho.

— Sim, eu sei — afirmou Ren, a cicatriz no rosto evidente sob o sol que nascia. — Entendo isso agora. — Ele ofereceu um leve sorriso. — Acho que talvez eu mesmo precise de um pouco de bizarrice depois dessa guerra.

— Vai se arrepender de dizer isso — murmurou Aedion.

Mas Aelin esboçou uma reverência.

— Ah, ele certamente vai. — Ela lançou um sorriso irônico para os machos reunidos. — Juro a você, não vou entediá-lo até que caia em prantos. O juramento de uma rainha.

— E o que não nos entediar compreende, então? — perguntou Aedion.

— Reconstrução — respondeu Elide. — Muita reconstrução.

— Acordos de comércio — acrescentou Lysandra.

— Treinar novas gerações em magia — prosseguiu Aelin.

De novo, os machos piscaram para elas.

Aelin inclinou a cabeça, piscando de volta.

— Por acaso vocês não têm nada de valor com que contribuir? — Ela estalou a língua. — Três de vocês são tão antigos quanto o inferno. Teria esperado mais de canalhas velhos e ranzinzas.

As narinas dos machos se dilataram. Aedion sorriu, Ren sabiamente fechou os lábios para evitar fazer o mesmo.

Mas Fenrys disse:

— Quatro. Quatro de nós são tão antigos quanto o inferno.

Aelin arqueou a sobrancelha.

Fenrys deu um sorriso, o movimento esticando as cicatrizes.

— Vaughan ainda está por aí. E agora livre.

Rowan cruzou os braços.

— Ele jamais será pego de novo.

Mas o sorriso de Fenrys se tornou sábio. Ele apontou para os feéricos acampados na planície, com lobos e humanos entre eles.

— Tenho a sensação de que alguém ali pode saber por onde começar. — Ele olhou para Aelin. — Se você estiver aberta a deixar outro canalha velho e ranzinza se juntar à corte.

Aelin deu de ombros.

— Se conseguir convencê-lo, não vejo por que não. — Rowan sorriu para aquilo e observou o céu, como se pudesse ver o amigo perdido voando ali.

Fenrys piscou um olho.

— Prometo que ele não é insuportável como Lorcan. — Elide bateu em seu braço, e Fenrys se afastou, com as mãos para cima ao gargalhar. — Você vai gostar dele — prometeu a Aelin. — Todas as donzelas gostam — acrescentou o guerreiro com outro piscar de olho para ela, Lysandra e Elide.

Aelin gargalhou, e o som foi mais leve, mais livre que qualquer um até então; em seguida, ela encarou o reino agitado.

— Prometemos a todos um mundo melhor — declarou a rainha, com a voz séria depois de um momento. — Então começaremos com isso.

— Começando aos poucos — disse Fenrys. — Gosto disso.

Aelin sorriu para ele.

— Gostei bastante daquela coisa de "vamos votar nas chaves de Wyrd". Podemos começar criando o hábito.

Silêncio. Então Lysandra perguntou:

— Votando em quê?

Aelin deu de ombros, colocando as mãos nos bolsos.

— Coisas.

Aedion arqueou a sobrancelha.

— Como o jantar?

A rainha revirou os olhos.

— Sim, o jantar. Comitê do jantar.

Elide tossiu.

— Acho que Aelin está falando sobre coisas mais vitais. Sobre como governar o reino.

— Você é a rainha — observou Lorcan. — O que há para votar?

— As pessoas deveriam ter voz ativa no governo. Em políticas que impactam suas vidas. Deveriam opinar sobre como este reino é reconstruído. — Aelin ergueu o queixo. — Eu serei rainha, e meus filhos... — As bochechas ficaram vermelhas quando Aelin sorriu para Rowan. — Nossos filhos — corrigiu ela, um pouco baixo demais — governarão. Um dia. Mas Terrasen deveria ter voz. Cada território, independentemente dos senhores que o governem, deveria ter uma voz. Alguém escolhido por seu povo.

A equipe se entreolhou então, e Rowan falou:

— Havia um reino... no leste. Faz muito tempo. Eles acreditavam em tais coisas. — Orgulho brilhou em seus olhos, mais forte que o alvorecer. — Era um lugar de paz e aprendizado. Um farol em uma parte distante e violenta do mundo. Depois que a Biblioteca de Orynth for reconstruída, pediremos aos acadêmicos para descobrirem o que puderem sobre ele.

— Poderíamos buscar o próprio reino — sugeriu Fenrys. — Ver se alguns dos acadêmicos ou líderes se interessariam em vir aqui. Para nos ajudar. — Ele deu de ombros. — Eu poderia fazer isso. Viajar até lá, se você quiser.

Ela sabia que ele faria aquilo; viajar como seu emissário. Talvez para expurgar tudo o que vira e sofrera. Para aceitar a perda do irmão. A ele mesmo. Aelin tinha a sensação de que as cicatrizes no rosto de Fenrys só sumiriam quando ele quisesse.

Então ela assentiu. E, embora fosse alegremente enviar Fenrys para onde ele quisesse ir...

— A biblioteca? — disparou ela.

Rowan apenas sorriu.

— E o Teatro Real.

— Não havia teatro... Não como em Forte da Fenda.

O sorriso de Rowan aumentou.

— Mas haverá.

Aelin gesticulou para ignorá-lo.

— Preciso lembrá-lo que, apesar da vitória nesta guerra, não estamos mais cheios de ouro?

Rowan passou o braço pelos ombros da parceira.

— Preciso lembrá-la que, desde que decapitou Maeve, sou um príncipe de Doranelle de novo, com acesso a meus bens e propriedades? E que com a farsa de Maeve revelada, metade de sua riqueza vai para você... e a outra metade para os Whitethorn?

Aelin piscou para ele lentamente. Os demais sorriram. Até mesmo Lorcan. Rowan a beijou.

— Uma nova biblioteca e um Teatro Real — murmurou ele contra a boca de Aelin. — Considere meus presentes de parceria para você, Coração de Fogo.

A rainha recuou, observando seu rosto. Lendo ali a sinceridade e a convicção. E, ao abraçar Rowan e rir para o céu que clareava, ela caiu em lágrimas.

***

Aquele seria um dia de muitas reuniões, decidiu Aelin, de pé em uma câmara empoeirada quase vazia, sorrindo para seus aliados. Seus amigos.

Ansel de Penhasco dos Arbustos, com hematomas e arranhões, sorriu de volta.

— Sua metamorfa era uma boa mentirosa — comentou ela. — Fico envergonhada por não ter notado.

O príncipe Galan, igualmente arrasado, deu uma gargalhada abafada.

— Em minha defesa, jamais a conheci. — Ele inclinou a cabeça para Aelin. — Então, oi, prima.

Aelin, recostada na mesa parcialmente podre que servia como a única mobília na sala, sorriu para ele.

— Vi você de longe... uma vez.

Os olhos de Galan Ashryver brilharam.

— Vou presumir que foi durante sua antiga profissão, e fico grato por não ter me matado.

Aelin riu, mesmo quando Rolfe revirou os olhos.

— Sim, corsário?

O lorde pirata acenou com a mão tatuada, com sangue ainda sob as unhas.

— Vou guardar meu comentário.

Aelin sorriu novamente.

— Você é o herdeiro do povo myceniano — lembrou ela. — Desentendimentos fúteis estão aquém de você agora.

Ansel riu. Rolfe olhou para ela.

— *O que* você pretende fazer com eles agora? — perguntou Aelin. Ela supunha que o restante da corte deveria estar ali, mas, quando mandara Evangeline reunir os aliados, optara por deixar que descansassem. Rowan, pelo menos, fora buscar Endymion e Sellene. A fêmea, ao que parecia, estava prestes a aprender bastante sobre o próprio futuro. O futuro de Doranelle.

Rolfe deu de ombros.

— Precisaremos decidir para onde ir. Se voltaremos para baía da Caveira ou... — Os olhos verde-mar se semicerraram.

— Ou? — perguntou Aelin, em tom doce.

— Ou se preferimos reconstruir nosso lar em Ilium.

— Por que você mesmo não decide? — indagou Ansel.

O lorde pirata gesticulou com a mão tatuada.

— Eles ofereceram as vidas para lutar nesta guerra. Deveriam poder escolher onde querem viver depois dela.

— Justo — argumentou Aelin, estalando a língua. Rolfe enrijeceu o corpo, mas relaxou ao ver o calor no olhar da rainha. Então ela olhou para Ilias, cuja armadura estava amassada e arranhada. — Você sequer falou durante essa guerra toda?

— Não — respondeu Ansel por ele. O filho do Mestre Mudo olhou para a jovem rainha de cabelos vermelhos. Encarou-a.

Aelin piscou para o olhar que os dois trocaram. Nenhuma animosidade; nenhum medo. Ela podia jurar que Ansel havia corado.

— Obrigada — agradeceu Aelin a todos, poupando a velha amiga.

Eles a encararam de novo.

Aelin engoliu em seco e colocou a mão no coração.

— Obrigada por virem quando pedi. Obrigada em nome de Terrasen. Tenho uma dívida com vocês.

— Nós tínhamos uma com você — replicou Ansel.

— Eu não — murmurou Rolfe.

Aelin lançou um sorriso para ele.

— Nós vamos nos divertir, você e eu. — Ela observou os aliados, desgastados e exaustos da batalha, mas ainda de pé. Todos eles ainda de pé. — Acho que vamos nos divertir bastante.

Ao meio-dia, Aelin encontrou Manon em um dos ninhais das bruxas enquanto Abraxos olhava para o campo de batalha.

Ataduras salpicavam as laterais e as asas da besta, além de cobrirem a antiga Líder Alada.

— Rainha das Crochan e das Dentes de Ferro — disse Aelin, à guisa de cumprimento, soltando um assobio baixo que fez Manon se virar lentamente. A rainha limpava as unhas. — Impressionante.

Mas o rosto que se virou para ela...

Exaustão. Luto.

— Eu soube — comentou Aelin, a voz baixa, descendo as mãos, mas sem se aproximar.

Manon não disse nada, e seu silêncio comunicou tudo que Aelin precisava saber.

Não, ela não estava bem. Sim, aquilo a havia destruído. Não, ela não queria falar a respeito.

— Obrigada — disse Aelin, apenas.

Manon assentiu vagamente. Então Aelin caminhou até a bruxa e além. Até o lugar em que Abraxos estava sentado, olhando para Theralis. O trecho de terra queimado.

O coração se apertou quando ela viu aquilo. A serpente alada e a terra e a bruxa atrás dela. Mas Aelin se sentou ao lado do animal e passou a mão na cabeça encouraçada. Abraxos se inclinou contra o toque.

— Haverá um monumento — contou ela para a montaria, para Manon. — Caso você queira, construirei um monumento bem ali. Para que ninguém jamais se esqueça do que foi dado. A quem temos de agradecer.

Vento cantou pela torre, vazio e frio. Então passos esmagaram o feno e Manon se sentou ao lado da rainha.

Mesmo assim, Aelin não falou de novo e não fez mais perguntas. E, percebendo isso, a bruxa deixou que os ombros se curvassem para dentro, deixou que a cabeça baixasse. Como talvez jamais fizesse com mais ninguém. Pois mais ninguém poderia entender — o peso que ambas carregavam.

Em silêncio, as duas rainhas olharam para o campo dizimado. Para o futuro além.

119

Foram precisos dez dias para tudo ser providenciado.

Dez dias para limpar o salão do trono, para esfregar os corredores inferiores, para encontrar a comida e os cozinheiros de que precisavam. Dez dias para limpar a suíte real, para encontrar roupas adequadas e decorar o salão com esplendor régio.

Guirlandas de sempre-verdes pendiam dos bancos e das vigas, e Rowan, de pé no altar do salão do trono, monitorando a multidão reunida, precisava admitir que Lysandra fizera um trabalho impressionante. Velas tremeluziam por toda parte, e neve fresca tinha caído na noite anterior, cobrindo as cicatrizes que ainda restavam da batalha.

A seu lado, Aedion alternava o peso do corpo entre os pés enquanto Lorcan e Fenrys olhavam direto para a frente.

Todos estavam limpos, penteados e usavam roupas que os faziam parecer... principescos.

Rowan não se importava. Seu casaco verde, bordado com prata, era a coisa menos prática que já vestira. Em um dos lados do quadril, pelo menos, ele carregava sua espada, e Goldryn pendia do outro.

Ainda bem que Lorcan parecia tão desconfortável quanto ele, vestido em preto. *Se você usasse qualquer outra coisa*, dissera Aelin em aviso a Lorcan, *o mundo viraria de ponta-cabeça. Então preto-funeral será.*

O macho revirara os olhos. Mas Rowan vira o rosto de Elide quando encontrara Lysandra e ela no cômodo do lado de fora do salão do trono momentos antes. Vira o amor e o desejo quando ela notou Lorcan com as novas roupas. O que levou o príncipe feérico a se perguntar em quanto tempo aquele salão abrigaria um casamento.

Um olhar para Aedion, vestindo o verde de Terrasen, e Rowan sorriu levemente. Dois casamentos, provavelmente antes do verão. Embora nem Lysandra nem Aedion tivessem mencionado nada.

Os últimos dos convidados terminaram de entrar no espaço lotado, e Rowan observou os governantes e aliados sentados nas primeiras fileiras. Ansel de Penhasco dos Arbustos mexia sem parar na calça e no casaco igualmente novos, enquanto Rolfe ria daquele desconforto com o braço apoiado no banco atrás da jovem. Ilias, usando as roupas brancas em camadas de seu povo, tinha se sentado do outro lado da rainha de cabelos vermelhos, o retrato da calma inabalável. Uma fileira adiante, estava Galan, de queixo erguido e com sua insígnia real. Ele piscou um olho quando seus olhos Ashryver encontraram os de Rowan.

O macho feérico apenas inclinou o queixo de volta para o rapaz. E, então, na direção dos primos, Enda e Sellene, em assentos perto do corredor. Sua prima precisara de umas boas horas sentada e calada quando Rowan lhe contara que ela era agora rainha de Doranelle. A Rainha Feérica do Oriente.

A fêmea de cabelos prateados não se vestira para o novo título naquele dia, no entanto — como Enda, ela escolhera a roupa menos desgastada pela batalha.

Tantas mudanças chegariam a Doranelle; mudanças que Rowan sabia não poder prever. A família Whitethorn governaria, e a linhagem de Mora seria restaurada ao poder enfim. Mas caberia a eles, a Sellene, decidir a forma como aquele reino se moldaria. Como os feéricos escolheriam se comportar sem uma rainha sombria no poder.

Quantos daqueles feéricos escolheriam ficar ali, em Terrasen, ainda não se sabia. Quantos desejariam construir uma vida naquele reino devastado pela guerra, optando por anos de reconstrução difícil em vez de voltar para a facilidade e a fartura? Os guerreiros feéricos que ele conhecera nas últimas duas semanas não deram qualquer indício a Rowan, mas ele vira alguns olhando para as montanhas Galhada do Cervo, para Carvalhal, com desejo. Como se também tivessem ouvido o selvagem chamado do vento.

E, então, havia o outro fator: os feéricos que haviam morado ali antes da queda de Terrasen. Que tinham respondido à súplica desesperada de Aelin e voltado para o lar escondido entre a Tribo de Lobos a fim de se preparar para a jornada até ali. Para finalmente voltar a Terrasen. E talvez trazer alguns daqueles lobos com eles.

Rowan trabalharia para tornar aquele reino digno deste retorno. Digno de todos que viviam ali, humanos ou feéricos ou bruxas. Um reino tão grandioso quanto fora um dia — ainda mais. Tão grandioso quanto o que havia no extremo sul, do outro lado do mar Estreito, prova de que uma terra de paz e fartura poderia existir.

A realeza do khaganato contara muito a ele sobre o próprio reino naqueles dias — as políticas, os povos. O grupo estava agora reunido do outro lado do salão do trono, Chaol e Dorian com eles. Yrene e Nesryn também estavam ali, ambas lindas em vestidos que Rowan só podia presumir terem sido emprestados. Não havia lojas abertas — e nenhuma com estoques. De fato, era um milagre que qualquer um sequer tivesse roupas limpas.

Manon, pelo menos, recusara os luxos e usava seu couro de bruxa — embora a coroa de estrelas brilhasse em sua cabeça, projetando a luz em Petrah Sangue Azul e Bronwen Crochan, sentadas de cada lado de sua rainha.

Aedion engoliu em seco audivelmente, e Rowan olhou para as portas abertas. Então para Lorde Darrow, que estava ao lado do trono vazio.

Não era um trono oficial — apenas uma cadeira maior, mais luxuosa, que fora escolhida entre o triste grupo de candidatas.

Darrow também olhava para as portas abertas, com o rosto impassível. Ainda assim, os olhos brilhavam.

As trombetas soaram.

Uma convocação de quatro notas. Repetida três vezes.

Bancos rangeram quando todos se viraram para as portas.

Atrás do altar, escondido além de uma tela de madeira pintada, um pequeno grupo de músicos começou a tocar uma canção processional. Não era a orquestra grandiosa e ampla que deveria acompanhar um evento daquela magnitude, mas era melhor que nada.

Não importava mesmo.

Não quando Elide surgiu, usando um vestido lilás e uma guirlanda de fitas no alto dos cabelos pretos trançados. Cada passo era um claudicar, e Rowan sabia que a jovem pedira que Lorcan não lhe escorasse o pé. Elide queria caminhar pelo longo corredor com os próprios pés.

Altiva e graciosa, a Lady de Perranth mantinha os ombros esticados conforme segurava o buquê de azevinho diante do corpo e caminhava até o altar. Lady de Perranth... e uma das damas de companhia de Aelin. Por aquele dia.

Para a coroação de Aelin.

Elide estava no meio do corredor quando Lysandra apareceu, vestindo veludo verde. As pessoas murmuraram. Não apenas pela beleza notável, mas pelo que ela era.

A metamorfa que defendera seu reino. Que ajudara a derrubar Erawan.

O queixo de Lysandra permaneceu erguido enquanto ela deslizava pelo corredor, e a cabeça do próprio Aedion se ergueu quando ele a viu. A Lady de Caraverre.

Então veio Evangeline, com laços verdes nos cabelos ruivo-dourados, sorrindo, com aquelas cicatrizes esticadas de pura alegria. A jovem Lady de Arran. Protegida de Darrow. Que de alguma forma derretera o coração do lorde o suficiente para que ele convencesse os demais senhores a concordar com aquilo.

Ao direito de Aelin ao trono.

Tinham entregado os documentos dois dias antes. Assinados por todos.

Elide ocupou um lugar do lado direito do trono. Então Lysandra. Então Evangeline.

O coração de Rowan começou a acelerar quando todos olharam para o corredor que ficara vazio. Quando a música se elevou mais e mais, a canção de Terrasen ecoando.

E, no instante que a música chegou ao ápice, no instante que o mundo explodiu com som, majestoso e irrefreável, ela surgiu.

Seus joelhos cederam conforme todos se levantavam.

Com um vestido verde e prateado translúcido e esvoaçante, os cabelos dourados soltos, Aelin parou na entrada do salão do trono.

Rowan jamais vira alguém tão bela.

Aelin olhou para o longo corredor. Como se sopesando cada passo que daria até o altar.

Até seu trono.

O mundo inteiro pareceu parar com ela, demorando-se naquela ombreira.

Brilhando mais forte que a neve do lado de fora, Aelin ergueu o queixo e começou a caminhada final para seu lar.

Cada passo, cada caminho que tomara, levara a rainha até ali.

Os rostos dos amigos, dos aliados, ficavam embaçados conforme ela passava.

Até o trono que esperava. Até a coroa que Darrow colocaria em sua cabeça.

Cada um dos passos parecia ecoar pela terra. Aelin deixou parte de suas brasas escaparem, oscilando ao encalço da cauda do vestido que fluía atrás da jovem.

Suas mãos tremeram, mas Aelin agarrou o buquê de sempre-verde com mais força. Sempre-verde, para a soberania eterna de Terrasen.

Cada passo na direção daquele trono assomava, mas também a chamava.

Rowan estava à direita do trono, com os dentes expostos em um sorriso destemido que nem mesmo o treinamento conseguia segurar.

E ali estava Aedion, à esquerda do trono. Com a cabeça alta e lágrimas escorrendo pelo rosto, a Espada de Orynth ao lado do corpo.

Foi para ele que Aelin sorriu então. Para as crianças que os dois tinham sido, para o que haviam perdido.

Para o que agora ganhavam.

Ela passou por Dorian e Chaol, assentindo em sua direção, e piscou um olho para Ansel de Penhasco dos Arbustos, que secava os olhos na manga do casaco.

E então Aelin estava nos três degraus do altar, e Darrow caminhou até a beirada.

Como ele a instruíra na noite anterior, como ela treinara várias vezes em uma escada empoeirada durante horas, Aelin subiu os três degraus e se ajoelhou no último.

A única vez em seu reinado em que se curvaria.

A única coisa diante da qual se ajoelharia.

Sua coroa. Seu trono. Seu reino.

O salão permaneceu de pé, mesmo quando Darrow gesticulou para que se sentassem.

Em seguida, vieram as palavras, proferidas no velho idioma. Sagradas e antigas, impecavelmente pronunciadas por Darrow, que era também quem tinha coroado Orlon, tantas décadas antes.

Você oferece sua vida, seu corpo, sua alma a serviço de Terrasen?

Ela respondeu no velho idioma, como também praticara com Rowan na noite anterior até sua língua parecer de chumbo. *Ofereço tudo o que sou e tudo o que tenho a Terrasen.*

Então faça seus votos.

O coração de Aelin acelerou, e ela sabia que Rowan conseguia ouvi-lo, mas ela curvou a cabeça e disse: *Eu, Aelin Ashryver Whitethorn Galathynius, juro por minha alma imortal que vou guardar, cuidar e honrar Terrasen deste dia até meu último.*

Então assim será, respondeu Darrow, estendendo a mão.

Não para ela, mas para Evangeline, que deu um passo adiante com uma almofada de veludo verde.

A coroa estava sobre ela.

Adarlan destruíra o trono de galhada. Derretera a coroa.

Então fizeram uma nova. Durante os dez dias desde que fora decidido que ela deveria ser coroada ali, diante do mundo, tinham encontrado um mestre ourives para forjar uma coroa do ouro restante que haviam roubado dos túmulos em Wendlyn.

Arcos entrelaçados, como galhadas entremeando-se, subiam para segurar a gema no centro.

Não era uma gema de verdade, mas uma infinitamente mais preciosa. Darrow lhe dera pessoalmente.

O pedaço de cristal cortado que continha a única flor de chama do rei do reinado de Orlon.

Mesmo entre os metais reluzentes da coroa, a flor vermelha e laranja brilhava como um rubi, deslumbrante à luz do sol matinal conforme Darrow erguia a coroa da almofada.

Ele a levantou até o feixe de luz que entrava pelo conjunto de janelas atrás do altar. A cerimônia escolhida para aquela hora, aquele raio de sol. Aquela bênção da própria Mala.

E, embora a Senhora da Luz tivesse partido para sempre, Aelin podia jurar que tinha sentido sua mão morna no ombro quando Darrow ergueu a coroa para o sol.

Podia jurar que tinha sentido todos eles de pé ali com ela, aqueles que a jovem amara com seu coração de fogo selvagem. Cujas histórias estavam mais uma vez tatuadas em sua pele.

E, quando a coroa desceu, quando ela preparou a cabeça, o pescoço, o coração, Aelin deixou seu poder brilhar. Por aqueles que não tinham sobrevivido, por aqueles que tinham lutado, para o mundo que observava.

Darrow colocou a coroa em sua cabeça, o peso maior do que Aelin previra.

Ela fechou os olhos, deixando que se assentasse aquele peso, aquele fardo e aquele dom.

— Levante-se — disse Darrow — Aelin Ashryver Whitethorn Galathynius, rainha de Terrasen.

Ela engoliu um soluço. E lentamente, com a respiração tranquila apesar das batidas do coração que ameaçava saltar para fora do peito, Aelin ficou de pé.

Os olhos cinzentos de Darrow brilharam.

— Que seu reinado seja longo.

E, quando Aelin se virou, um grito percorreu o corredor, ecoando das pedras antigas até a cidade reunida além do castelo.

— *Salve Aelin! Rainha de Terrasen!*

Aquele som saindo dos lábios de Rowan, dos de Aedion, ameaçou fazê-la cair de joelhos, mas Aelin sorriu. Manteve o queixo erguido e sorriu.

Darrow indicou o trono que aguardava, aqueles dois últimos degraus.

Ela se sentaria e a cerimônia teria fim.

Mas ainda não.

Aelin se virou para a esquerda. Para Aedion. E disse, em voz baixa, mas não com fraqueza:

— Isto é seu desde o dia em que nasceu, príncipe Aedion.

Ele ficou imóvel quando Aelin puxou a manga transparente do vestido, expondo o antebraço.

Os ombros do general estremeceram com a força das lágrimas.

Aelin não segurou as próprias ao perguntar, com os lábios trêmulos:

— Gostaria de fazer o juramento de sangue para mim?

Aedion apenas caiu de joelhos diante da rainha.

Rowan silenciosamente entregou uma adaga a Aelin, mas ela parou ao segurá-la sobre o braço.

— Você lutou por Terrasen quando ninguém mais o faria. Contra todas as probabilidades, além de qualquer esperança, você lutou por este reino. Por mim. Por este povo. Jura continuar a fazê-lo por tanto tempo quanto respirar?

A cabeça do guerreiro se curvou quando ele sussurrou:

— Sim. Nesta vida e em todas as outras, servirei a você. E a Terrasen.

Aelin sorriu para Aedion, para o outro lado de sua moeda, e cortou o antebraço antes de estendê-lo a ele.

— Então beba, príncipe. E seja bem-vindo.

Cuidadosamente, Aedion pegou o braço de Aelin e levou a boca ao ferimento. Quando ele se afastou, com sangue nos lábios, Aelin sorriu para o primo.

— Você disse que queria fazer o juramento diante do mundo todo — disse ela, de forma que apenas ele ouvisse. — Bem, aí está.

Aedion conteve uma risada e se levantou, abraçando-a com força antes de recuar até seu lugar, do outro lado do trono.

Aelin olhou para Darrow, que ainda esperava.

— Onde estávamos?

O velho lorde sorriu levemente e indicou o trono.

— A última parte desta cerimônia.

— *Então almoço* — murmurou Fenrys, suspirando.

Aelin conteve o sorriso e deu os dois passos até o trono.

Ela parou de novo ao se virar para se sentar.

Parou diante das pequenas figuras cujas cabeças despontavam em torno das portas do salão. Um pequeno arquejo lhe escapuliu, o suficiente para que todos se virassem para olhar.

— *O Povo Pequenino* — murmuraram as pessoas, algumas recuando conforme pequenas figuras disparavam pelas sombras ao longo do corredor, com asas farfalhando e escamas reluzindo.

Um deles se aproximou do altar e, com mãos esverdeadas e retorcidas, colocou a oferenda daquele povo aos pés de Aelin.

Uma segunda coroa. A de Mab.

Tirada de seus alforjes; onde quer que tivessem acabado depois da batalha. Com eles, ao que parecia. Como se não fossem permitir que o objeto se perdesse mais uma vez. Não fossem deixá-la esquecer.

Aelin pegou a coroa que haviam disposto a seus pés, olhando boquiaberta para a pequena reunião que enchia as sombras além dos bancos, com os olhos pretos e arregalados piscando.

— A Rainha Feérica do Ocidente — disse Elide, baixinho, embora todos tivessem ouvido.

Os dedos de Aelin tremeram, e o coração se encheu a ponto de doer conforme ela observava a reluzente coroa antiga. Então olhou para o Povo Pequenino.

— Sim — disse a jovem para eles. — Servirei a vocês também. Até o fim de meus dias.

E Aelin fez uma reverência. O povo quase invisível que a salvara tantas vezes e que não pedira nada por aquilo. O Senhor do Norte, que sobrevivera, como ela, contra todas as adversidades. Que jamais se esquecera de Aelin. Ela lhes serviria, como serviria a qualquer cidadão de Terrasen.

Todos no altar também se curvaram. Depois todos no salão do trono.

Mas o Povo Pequenino já partira.

Então, Aelin colocou a coroa de Mab sobre aquela de ouro e cristal e prata, e a antiga coroa se acomodou perfeitamente a ela.

Em seguida, finalmente, Aelin se sentou no trono.

Aquilo pesou sobre ela, aninhando-se em seus ossos, o novo fardo. Não mais uma assassina. Não mais uma princesa desgarrada.

Quando Aelin levantou a cabeça para observar a multidão que comemorava, quando sorriu, rainha de Terrasen e Rainha Feérica do Ocidente, ela queimou forte como uma estrela.

O ritual não havia acabado. Ainda não.

Conforme os sinos soavam por Orynth, anunciando sua coroação, a cidade reunida adiante comemorava.

E Aelin foi cumprimentá-los.

Dirigiu-se até os portões do castelo, com a corte, seus amigos, seguindo-a, os espectadores do salão do trono logo atrás. E, ao parar diante dos portões selados, com o metal antigo e entalhado imponente, a cidade e o mundo aguardando adiante, Aelin se virou para eles.

Para todos aqueles que a tinham acompanhado, que lhe ajudaram a chegar àquele dia, àquele som alegre dos sinos.

Ela chamou a corte para a frente.

Então sorriu para Dorian e Chaol, Yrene e Nesryn e Sartaq, e seus companheiros. E os chamou para a frente também.

Com as sobrancelhas erguidas, eles se aproximaram.

Mas Aelin, coroada e reluzente, apenas disse:

— Caminhem comigo. — Ela indicou os portões. — Todos vocês.

Aquele dia não pertencia apenas a ela. Não mesmo.

E, quando todos pararam, Aelin avançou. Ela pegou a mão de Yrene Westfall para guiá-la até a frente. Então Manon Bico Negro. Elide Lochan. Lysandra. Evangeline. Nesryn Faliq. Borte e Hasar e Ansel de Penhasco dos Arbustos.

Todas as mulheres que lutaram a seu lado, ou de longe. Que haviam sangrado e sacrificado sem jamais perder esperanças de que aquele dia chegaria.

— Caminhem comigo — disse Aelin para elas, enquanto homens e machos seguiam atrás. — Minhas amigas.

Com os sinos ainda soando, a rainha assentiu para os guardas nos portões do castelo.

Eles se abriram por fim, e o rugido das multidões reunidas foi tão alto que chacoalhou as estrelas.

Como um, eles saíram. Para a cidade que celebrava.

Para as ruas, onde as pessoas dançavam e cantavam, onde choravam e levavam as mãos ao coração ao ver o desfile de governantes e guerreiros e heróis, ziguezagueando e sorrindo, aqueles que salvaram seu reino e suas terras. Ao ver a rainha recém-coroada, com alegria iluminando seus olhos.

Um novo mundo.

Um mundo melhor.

120

Dois dias depois, Nesryn Faliq ainda estava se recuperando do baile que durara até o alvorecer.

Mas que comemoração fora aquela.

Nada tão majestoso quanto seria no continente sul, mas a alegria pura e as risadas no grande salão, o banquete e a dança... Ela jamais se esqueceria enquanto vivesse.

Mesmo que parecesse que levaria a vida inteira para se sentir descansada de novo.

Os pés ainda doíam de dançar e dançar e dançar, e ela vira Aelin e Lysandra reclamando da mesma coisa na mesa do café da manhã, apenas uma hora antes.

Mas como a rainha dançara — uma visão da qual Nesryn jamais se esqueceria também.

A primeira dança fora de Aelin, para que guiasse, e a rainha escolhera seu parceiro para se juntar a ela. Ambos tinham trocado de roupa para a festa, a jovem colocara um vestido preto com fios de ouro, e Rowan vestira preto com bordados em prata. E que dupla eles faziam, sozinhos na pista de dança.

A rainha parecera chocada — maravilhada — conforme o príncipe feérico a guiava em uma valsa sem hesitar um passo. Tão maravilhada que coroara os dois com chamas.

Aquele tinha sido o início.

A dança fora... Nesryn não tinha palavras para a agilidade e a graciosidade da dança. A primeira como rainha e consorte. Os movimentos tinham sido uma pergunta e uma resposta um para o outro, e, quando a música começara a acelerar, Rowan a tinha girado e mergulhado e rodopiado, com a saia do vestido preto de Aelin revelando seus pés em sapatos dourados.

Pés que se moviam tão rápido no piso que brasas faiscavam nos calcanhares. Deixadas ao encalço do vestido esvoaçante.

Mais e mais rápido, Aelin e Rowan haviam dançado, rodando, rodando e rodando, com a rainha brilhando, como se tivesse acabado de ser forjada conforme a música se elevava para uma conclusão explosiva.

Quando a valsa atingiu a nota final e triunfante, eles pararam — uma parada perfeita e repentina. Logo antes de a rainha abraçar e beijar Rowan.

Nesryn, de pé na câmara empoeirada que se tornara a ala da realeza do khaganato, ainda sorria com a lembrança, mesmo com os pés doloridos, enquanto os ouvia conversar.

— A alta-curandeira disse que levará mais cinco dias até que o último de nossos soldados esteja pronto — dizia o príncipe Kashin para os irmãos. Para Dorian, que fora chamado para aquela reunião.

— E vocês partirão depois? — perguntou o rei de Adarlan, com um sorriso triste.

— A maioria de nós — respondeu Sartaq, sorrindo com igual tristeza.

Pois fora amizade que crescera ali, mesmo na guerra. Verdadeira amizade, que venceria os oceanos que os separariam mais uma vez.

— Chamamos vocês aqui hoje porque temos um pedido bastante incomum — disse Sartaq a Dorian.

O jovem rei ergueu uma sobrancelha.

Sartaq se encolheu.

— Quando visitamos o desfiladeiro Ferian, alguns de nossos rukhin encontraram ovos de serpentes aladas. Descuidados e abandonados. Alguns deles gostariam de permanecer aqui. Para cuidar delas. Para treiná-las.

Nesryn piscou, assim como Dorian. Ninguém mencionara nada a ela.

— Eu... eu achei que os rukhin jamais deixassem os ninhais — disparou Nesryn.

— Esses são jovens montadores — explicou Sartaq, com um sorriso. — Apenas duas dúzias. — Ele se virou para Dorian. — Mas me suplicaram para perguntar a você se lhes seria permitido ficar quando partirmos.

Dorian refletiu.

— Não vejo por que não poderiam. — Algo brilhou nos olhos do rei, uma ideia formada e então guardada. — Seria uma honra, na verdade.

— Só não deixe que eles levem as serpentes aladas para casa — resmungou Hasar. — Nunca mais quero ver outra besta enquanto viver.

Kashin deu tapinhas em sua cabeça. Hasar mostrou os dentes para ele.

Nesryn riu, mas seu sorriso se dissipou quando viu que Dorian sorria com tristeza para ela também.

— Acho que vou perder mais uma capitã da Guarda — disse o rei de Adarlan.

Nesryn fez uma reverência com a cabeça.

— Eu... — Ela não antecipara aquela conversa. Não naquele momento, pelo menos.

— Mas ficarei feliz — prosseguiu Dorian — de ganhar outra rainha que eu possa chamar de amiga.

Nesryn corou. E a vermelhidão se acentuou quando Sartaq abriu um sorriso e o corrigiu:

— Não rainha. Imperatriz.

Ela se encolheu, e Sartaq riu, assim como Dorian.

Então o rei a abraçou com força.

— Obrigado, Nesryn Faliq. Por tudo o que fez.

A garganta da jovem estava apertada demais para falar, então ela abraçou Dorian em resposta.

E, quando o rei partiu, quando Kashin e Hasar foram ao encontro de um almoço adiantado, Nesryn se virou para Sartaq e se encolheu de novo.

— Imperatriz? Sério?

Os olhos do príncipe brilharam.

— Vencemos a guerra, Nesryn Faliq. — Ele a puxou para mais perto. — E agora vamos para casa.

Ela jamais ouvira palavras tão lindas.

∽

Chaol olhava para a carta em suas mãos.

Chegara uma hora antes, e ele ainda não a abrira. Não, apenas a tinha pegado do mensageiro — um da frota de crianças comandadas por Evangeline — e levado para o quarto.

Sentado na cama, com a luz de vela tremeluzindo no aposento desgastado, ele não conseguia tomar coragem para abrir o selo de cera vermelha.

A maçaneta girou, e Yrene entrou, cansada, mas com os olhos alegres.

— Você deveria estar dormindo.

— Você também — disse ele, com um olhar evidente para o abdômen da esposa.

Yrene o ignorou com um gesto, tão facilmente quanto ignorava os títulos de *Salvadora* e *Heroína de Erilea*. Tão facilmente quanto ignorava os olhares maravilhados e as lágrimas quando passava.

Então Chaol teria orgulho pelos dois. Contaria ao bebê sobre a coragem e a genialidade de sua mãe.

— O que é essa carta? — perguntou a curandeira, lavando as mãos, então o rosto, na pia diante da janela. Além do vidro, a cidade estava silenciosa, dormindo, depois de um longo dia de reconstrução. Os homens selvagens das montanhas Canino Branco haviam ficado para ajudar, um ato de bondade que Chaol se asseguraria de que seria recompensado. Ele já tinha até mesmo olhado para onde poderia expandir seu território, e a paz entre eles e Anielle.

Chaol engoliu em seco.

— É de minha mãe.

Yrene parou, o rosto ainda pingava.

— Sua... Por que não abriu?

Ele deu de ombros.

— Nem todos são corajosos o suficiente para enfrentar senhores sombrios, sabe?

Yrene revirou os olhos, secou o rosto e se sentou na cama ao lado do marido.

— Quer que eu leia primeiro?

Ele queria. Maldito fosse, mas queria. Calado, Chaol entregou a carta à esposa.

A curandeira não disse nada ao abrir o pergaminho selado e percorrer com seus olhos dourados as palavras em nanquim. Chaol tamborilava um dedo no joelho. Depois de um longo dia de cura, ele sabia que não deveria nem tentar caminhar de um lado para outro. Mal conseguira voltar até ali com a bengala antes de afundar na cama.

Yrene colocou a mão no pescoço ao virar a folha e ler o verso.

Quando ela levantou a cabeça de novo, lágrimas escorriam por seu rosto. Yrene entregou a carta a Chaol.

— Leia você mesmo.

— Apenas me conte. — Ele leria mais tarde. — Apenas... me diga o que está escrito.

Yrene limpou o rosto. A boca tremia, mas havia alegria em seus olhos. Alegria pura.

— Diz que ela ama você. Diz que ela sente sua falta. Diz que se você e eu gostarmos da ideia, ela gostaria de viver conosco. Seu irmão Terrin também.

Chaol pegou a carta, observando o texto. Ainda sem acreditar. Não até ler:

Amo você desde o momento que soube que crescia em meu ventre.

Ele não impediu as próprias lágrimas de caírem.

Seu pai me contou o que fez com minhas cartas para você. Eu informei a ele que não voltarei a Anielle.

Yrene apoiou a cabeça no ombro de Chaol conforme ele lia e lia.

Os anos foram longos, e o espaço entre nós, vasto, escrevera a mãe. *Mas, quando você estiver assentado com sua nova esposa, seu filho, eu gostaria de visitá-los. De ficar por mais tempo que isso, Terrin comigo. Se não tiver problema para vocês.*

Palavras hesitantes, nervosas. Como se a mãe também não acreditasse que Chaol concordaria.

Ele leu o resto, engolindo em seco ao chegar às últimas linhas.

Tenho tanto orgulho de você. Sempre tive e sempre terei. E espero vê-lo muito em breve.

Chaol soltou a carta, limpou o rosto e sorriu para a esposa.

— Vamos precisar construir uma casa maior — disse ele.

O sorriso de resposta era tudo que ele havia esperado.

No dia seguinte, Dorian encontrou Chaol e Yrene na enfermaria que fora transferida para os pisos inferiores. O amigo estava na cadeira de rodas, ajudando a esposa a cuidar de uma Crochan ferida, e o rei de Adarlan pediu que eles o acompanhassem.

Os dois o fizeram, sem perguntas, até que ele encontrou Manon no alto do ninhal, selando Abraxos para o passeio matinal. No mesmo lugar onde ela estivera todos os dias, caindo em uma rotina que Dorian sabia que era tanto para afastar o luto quanto para manter a ordem.

A bruxa ficou imóvel quando os viu, franzindo a testa. Ela conhecera Chaol e Yrene dias antes. A reunião fora silenciosa, mas não fria, apesar de como seu primeiro encontro com Chaol havia corrido mal. Yrene apenas a tinha abraçado, e Manon correspondera com rigidez. Contudo, quando se afastaram, Dorian podia ter jurado que parte da palidez e do abatimento sumira do rosto de Manon.

— Para onde você vai quando todos partirem? — perguntou ele à bruxa-rainha.

Os olhos dourados de Manon não deixaram seu rosto.

Dorian não ousara lhe perguntar. Não tinham ousado tocar no assunto. Assim como ele ainda não falara do pai, de seu nome. Ainda não.

— Para os desertos — respondeu ela, por fim. — Para ver o que pode ser feito.

O jovem rei engoliu em seco. Ele ouvira as bruxas, tanto Dentes de Ferro quanto Crochan, conversando a respeito. Sentira suas ansiedade e animação crescentes.

— E depois?

— Não haverá depois.

Ele abriu um leve sorriso para ela, um sorriso secreto, de compreensão.

— Não haverá?

— O que você quer? — perguntou Manon.

Você, foi o que ele quase respondeu. *Você por inteira.*

— Uma pequena parte dos rukhin vai ficar em Adarlan para treinar os filhotes de serpente alada — disse Dorian, apenas. — Queria que fossem minha nova legião aérea. E gostaria que você e as outras Dentes de Ferro ajudassem.

Chaol tossiu e lançou a Dorian um olhar que dizia: *E pretendia me contar isso quando?*

O rei piscou um olho para o amigo e se virou de volta para Manon.

— Vá para os desertos. Reconstrua. Mas pense nisso... em voltar. Se não para ser minha montadora líder, então para treiná-los. — Ele acrescentou, um pouco baixo: — E para dizer oi de vez em quando.

Ela o encarou.

Dorian tentou não transparecer que prendia o fôlego, como se aquela ideia que tivesse tido minutos antes no aposento da realeza do khaganato não estivesse pulsando por seu corpo, brilhante com novidade.

Então Manon disse:

— São apenas alguns dias de voo em serpente alada dos desertos para Forte da Fenda. — Os olhos brilhavam cautelosos, mas... mas havia um leve sorriso. — Acho que Bronwen e Petrah poderão liderar se eu escapulir, ocasionalmente. Para ajudar os rukhin.

Ele viu a promessa em seus olhos, naquele indício de sorriso. Ambos ainda estavam de luto, ainda quebrados em alguns lugares, mas naquele novo mundo... talvez se curassem. Juntos.

— Vocês poderiam simplesmente se casar — intrometeu-se Yrene, e Dorian virou a cabeça para ela, incrédulo. — Seria mais fácil para os dois, assim não precisariam fingir.

Chaol olhou boquiaberto para a esposa.

Yrene deu de ombros.

— E seria uma aliança forte para nossos dois reinos.

Dorian sabia que seu rosto estava vermelho quando ele se virou para Manon, cheio de desculpas e negações nos lábios.

Mas a bruxa sorriu para Yrene, os cabelos branco-prateados voando à brisa, como se estendendo-se para o povo unido que em breve voaria para o oeste. Aquele riso debochado se suavizou quando ela montou Abraxos e pegou as rédeas.

— Veremos. — Foi tudo o que disse Manon Bico Negro, alta-rainha das Crochan e Dentes de Ferro, antes de subir com sua serpente alada aos céus.

Chaol e Yrene começaram a implicar um com o outro, rindo ao fazerem aquilo, mas Dorian caminhou até o limite do ninhal, observando aquela montadora de cabelos brancos e a serpente alada com asas de prata se distanciarem conforme voavam para o horizonte.

Dorian sorriu. E se viu, pela primeira vez em muito tempo, ansioso pelo amanhã.

≈ 121 ≈

Rowan sabia que aquele dia seria difícil para ela.

Para todos eles, que tinham se tornado tão próximos naquelas semanas e meses.

Pois uma semana depois da coroação de Aelin, eles se reuniram de novo. Dessa vez não para comemorar, mas para se despedir.

O dia nascera, limpo e ensolarado, mas ainda cruelmente frio. Como ficaria por um tempo.

Aelin pedira a todos na noite anterior que ficassem. Que esperassem até o fim dos meses de inverno e partissem na primavera. Rowan sabia que ela estava ciente de que o pedido provavelmente não seria atendido.

Alguns pareceram dispostos a pensar a respeito, mas no fim, todos, menos Rolfe, decidiram ir.

Naquele dia... como uma unidade. Espalhando-se aos quatro ventos. As Dentes de Ferro e as Crochan tinham partido antes da primeira luz, sumindo rápida e silenciosamente. Dirigindo-se para o oeste, na direção do antigo lar.

Rowan, ao lado de Aelin no pátio do castelo, conseguia sentir a tristeza e o amor e a gratidão que fluíam pelo corpo da parceira conforme ela os observava. A realeza do khaganato e os rukhin já haviam se despedido. Borte fora a mais relutante em dizer adeus, e o abraço de Aelin e Nesryn Faliq fora longo. Sussurraram juntas, e ele sabia o que Aelin havia oferecido: companheirismo, mesmo a milhares de quilômetros de distância. Duas jovens rainhas com poderosos reinos para governar.

As curandeiras haviam partido com eles, algumas a cavalo com os darghan, outras em carruagens, algumas com os rukhin. Yrene Westfall chorara ao abraçar as curandeiras e a alta-curandeira uma última vez. E, então, chorara nos braços do marido por um bom tempo depois.

Então Ansel de Penhasco dos Arbustos, com o que restava de seus homens. Ela e Aelin tinham trocado provocações, então rido, e então chorado, abraçando-se. Outro laço que não seria facilmente partido apesar da distância.

Os Assassinos Silenciosos partiram a seguir, com Ilias sorrindo para Aelin ao cavalgar para longe.

Depois o príncipe Galan, cujos navios permaneciam sob a guarda de Ravi e Sol, em Suria. Ele cavalgaria até lá antes de partir para Wendlyn. O rapaz abraçara Aedion, então apertara a mão de Rowan antes de se virar para Aelin.

A esposa, a parceira, a rainha de Rowan dissera ao primo:

— Você veio quando eu pedi. Você veio sem conhecer nenhum de nós. Sei que já disse isso, mas serei para sempre grata.

Galan sorrira.

— Foi uma dívida há muito devida, prima. E uma que paguei com satisfação.

Então ele também cavalgou para longe, levando seu povo. De todos os aliados que tinham reunido, apenas Rolfe permaneceria para o inverno, pois era agora Lorde de Ilium; e Falkan Ennar, o tio de Lysandra, que queria aprender o que a sobrinha sabia sobre metamorfose. Talvez montar o próprio império de comércio ali — e ajudar com aqueles acordos de comércio exterior que precisavam fechar rapidamente.

Mais e mais partiram sob o sol de inverno até que restassem apenas Dorian, Chaol e Yrene.

A curandeira abraçou Elide, as duas mulheres jurando escrever com frequência. Yrene, sabiamente, apenas assentiu para Lorcan, então sorriu para Lysandra, Aedion, Ren e Fenrys antes de se aproximar de Rowan e Aelin.

Ela continuava sorrindo ao olhar de um para o outro.

— Quando seu primeiro filho estiver próximo, mandem me chamar e eu virei. Para ajudar com o parto.

Rowan não tinha palavras para a gratidão que ameaçava curvar seus ombros. Partos feéricos... Ele não se permitiu pensar a respeito. Não ao abraçar a curandeira.

Por um momento, Aelin e Yrene apenas se entreolharam.

— Estamos bem longe de Innish — sussurrou Yrene.

— Mas não mais perdidas — sussurrou Aelin de volta, a voz falhando quando se abraçaram. As duas mulheres que tinham carregado o destino de seu mundo entre si. Que o haviam salvado.

Atrás delas, Chaol limpou o rosto. Rowan, abaixando a cabeça, fez o mesmo.

A despedida do príncipe-guerreiro e Chaol foi breve, o abraço deles firme. Dorian se demorou mais, gracioso e seguro, mesmo quando Rowan se viu com dificuldade em falar devido ao nó na garganta.

E, então, Aelin estava diante de Dorian e Chaol, e Rowan recuou um passo, alinhando-se com Aedion, Fenrys, Lorcan, Elide, Ren e Lysandra. A corte recém-criada, a corte que mudaria aquele mundo. Que o reconstruiria.

Dando à rainha espaço para aquele último e mais difícil adeus.

Ela sentiu como se estivesse chorando sem parar há minutos.

Mas aquela despedida, aquele último adeus...

Aelin olhou para Chaol e Dorian e chorou. Abriu os braços para eles e chorou quando os três se abraçaram.

— Amo vocês dois — sussurrou ela. — E não importa o que possa acontecer, não importa o quanto estejamos distantes, isso jamais mudará.

— Nós a veremos de novo — assegurou Chaol, mas mesmo a voz parecia embargada com lágrimas.

— Juntos — sussurrou Dorian, trêmulo. — Vamos reconstruir este mundo juntos.

Ela não suportava aquilo, aquela dor no peito. Mas se obrigou a se afastar e sorrir para os rostos cheios de lágrimas dos amigos, a mão no coração.

— Obrigada por tudo o que fizeram por mim.

Dorian fez uma reverência com a cabeça.

— Essas são palavras que nunca achei que ouviria de você.

Aelin soltou uma gargalhada rouca e o empurrou.

— É um rei agora. Tais insultos estão aquém de você.

Ele sorriu, limpando o rosto.

Aelin sorriu para Chaol, para a mulher que o esperava adiante.

— Desejo a você toda a felicidade — disse ela a ele. Para os dois.

Tanta luz brilhava nos olhos cor de bronze de Chaol, como ela jamais vira antes.

— Nós nos veremos de novo — repetiu ele.

Então Chaol e Dorian se viraram para os cavalos, para o dia claro além dos portões do castelo. Para seu reino ao sul. Destruído agora, mas não para sempre.

Não para sempre.

~

Aelin permaneceu calada por muito tempo depois daquilo, e Rowan ficou com ela, seguindo-a enquanto ela caminhava para as ameias do castelo para ver Chaol, Dorian e Yrene cavalgarem pela estrada que cortava a selvagem planície de Theralis. Até que mesmo eles tivessem sumido no horizonte.

Rowan manteve o braço em torno da parceira, inspirando o cheiro de Aelin enquanto ela apoiava a cabeça contra seu ombro.

O guerreiro ignorou a leve dor que havia ali por conta das tatuagens que Aelin o ajudara a fazer na noite anterior. O nome de Gavriel, escrito no velho idioma. Exatamente como o Leão um dia tatuara os nomes de seus guerreiros caídos em si mesmo.

Fenrys e Lorcan, com uma paz hesitante entre os dois, também estampavam a tatuagem — pediram uma assim que perceberam o que Rowan planejava fazer.

Aedion, no entanto, requisitara a Rowan um desenho diferente. Para acrescentar o nome de Gavriel ao nó de Terrasen que já estava tatuado sobre seu coração.

Ele ficara calado enquanto Rowan trabalhava — tão calado que Rowan começara a contar histórias ao príncipe-general. História após história sobre o Leão. As aventuras que tinham compartilhado, as terras que haviam visto, as guerras que travaram. Aedion não dissera nada enquanto o macho falava e trabalhava, mas o cheiro de seu luto falava o bastante.

Era um cheiro que provavelmente permaneceria por muitos meses ainda.

Aelin soltou um longo suspiro.

— Você me deixa chorar na cama pelo restante do dia, como um verme patético — perguntou ela, por fim — se eu prometer começar a trabalhar na reconstrução amanhã?

Rowan arqueou a sobrancelha, alegria lhe percorria o corpo, livre e brilhante como um córrego por uma montanha.

— Gostaria que eu trouxesse bolo e chocolate para que seu luto seja completo?

— Se conseguir encontrar.

— Você destruiu as chaves de Wyrd e matou Maeve. Acho que consigo encontrar uns doces.

— Como você me disse certa vez, foi um esforço em grupo. Talvez o mesmo seja preciso para obter bolos e chocolate.

Rowan gargalhou e beijou o alto de sua cabeça. E por um longo momento, ele apenas se maravilhou por poder fazer aquilo. Por poder estar de pé ali com ela, naquele reino, naquela cidade, naquele castelo, onde fariam um lar.

Ele já conseguia ver: os salões restaurados a seu esplendor, a planície e o rio brilhando adiante, as montanhas Galhada do Cervo chamando. Ele conseguia ouvir a música que Aelin traria para aquela cidade, assim como as risadas das crianças nas ruas. Naqueles salões. Na suíte real.

— Em que está pensando? — perguntou Aelin, olhando para o rosto de Rowan.

Ele lhe deu um leve beijo na boca.

— Que posso estar aqui. Com você.

— Há muito trabalho a fazer. Alguns poderiam alegar que será tão difícil quanto lidar com Erawan.

— Nada jamais será tão ruim quanto aquilo.

Ela riu.

— Verdade.

Rowan a abraçou mais forte.

— Estou pensando em como sou muito grato. Por termos conseguido. Por eu tê-la encontrado. E como, mesmo com todo o trabalho a fazer, não me incomodarei em nenhum minuto porque você está comigo.

Ela franziu a testa, seus olhos se encheram de lágrimas.

— Vou ficar com uma dor de cabeça terrível de tanto chorar, e você não está ajudando.

Rowan gargalhou e a beijou de novo.

— Muito régia sua atitude.

Ela murmurou.

— Eu sou, acima de tudo, o retrato perfeito da graça real.

O macho riu contra a boca de Aelin.

— E da humildade. Não nos esqueçamos disso.

— Ah, sim — concordou ela, passando os braços em volta do pescoço do parceiro. O sangue de Rowan se aqueceu, faiscando com um poder maior que qualquer força que um deus ou uma chave de Wyrd pudesse conjurar.

Mas ele se afastou, apenas o suficiente para apoiar a testa na dela.

— Vamos levá-la até seus aposentos, Majestade, para darmos início a sua choradeira real.

Aelin tremeu de tanto rir.

— Acho que tenho outra coisa em mente agora.

Rowan soltou um grunhido e mordiscou sua orelha, então o pescoço.

— Que bom. Eu também.

— E amanhã? — perguntou ela, sem fôlego, e os dois pararam para se olhar. Para sorrir. — Vai trabalhar para reconstruir este reino, este mundo, comigo amanhã?

— Amanhã e todos os dias depois disso. — Durante todo dia dos mil dias abençoados que lhes fossem garantidos juntos. E além.

Aelin o beijou novamente e pegou sua mão, guiando-o para o castelo. Para o lar de ambos.

— Para qualquer que seja o fim? — sussurrou ela.

Rowan a seguiu, como fizera a vida toda, muito antes de terem se conhecido, antes de suas almas terem passado a existir.

— Para qualquer que seja o fim, Coração de Fogo. — Ele olhou de esguelha para ela. — Posso dar uma sugestão para o que deveríamos reconstruir primeiro?

Aelin sorriu, e a eternidade se abriu diante deles, brilhando gloriosa e linda.

— Conte amanhã.

UM MUNDO MELHOR

O inverno cruel deu lugar à primavera suave.

Ao longo dos intermináveis meses de neve, eles tinham trabalhado. Na reconstrução de Orynth, em todos aqueles acordos de comércio, nas alianças com reinos jamais contatados em cem anos. Os feéricos perdidos de Terrasen voltaram, muitos dos montadores de lobos com eles, e imediatamente se puseram a reconstruir. Bem ao lado de várias dezenas de feéricos de Doranelle que haviam escolhido ficar, mesmo depois que Endymion e Sellene retornaram a suas terras.

Por todo o continente, Aelin podia jurar que o tinir de martelos ressoava, tantos povos e tantas terras surgindo novamente.

E no sul, nenhuma terra trabalhou tanto para se reconstruir quanto Eyllwe. Suas perdas tinham sido profundas, mas eles haviam aguentado — permanecido inquebráveis. A carta que Aelin escrevera para os pais de Nehemia fora a mais feliz de sua vida. *Espero conhecê-los em breve*, dissera ela. *Para consertarmos esse mundo juntos.*

Sim, fora a resposta. *É o que Nehemia desejaria.*

A jovem rainha guardara a carta na escrivaninha durante meses. Não uma cicatriz na palma da mão, mas uma promessa de amanhã. Uma promessa para tornar o futuro tão brilhante quanto Nehemia sonhara que poderia ser.

E, quando a primavera por fim chegou às montanhas Galhada do Cervo, o mundo se tornou verde e dourado e azul, com as pedras do castelo antes manchadas já limpas e reluzindo acima de tudo.

Aelin não sabia por que acordava com o alvorecer. O que a levava a escapulir do braço que Rowan apoiava sobre ela enquanto dormiam. Seu parceiro continuava dormindo, exausto como ela; exausto como todos estavam todas as noites.

Exaustos, os dois, e a corte, mas felizes. Elide e Lorcan — agora Lorde Lorcan Lochan, para a diversão eterna de Aelin — tinham voltado para Perranth apenas uma semana antes, para começar a reconstruir a cidade, após as curandeiras terem terminado de trabalhar nos últimos possuídos pelos valg. Eles voltariam em três semanas, no entanto. Assim como todos os outros lordes que tinham viajado para suas propriedades depois que o inverno se tornara mais ameno. Todos se encontrariam em Orynth então. Para o casamento de Aedion e Lysandra.

Não mais um príncipe de Wendlyn, mas um verdadeiro Lorde de Terrasen.

Aelin sorriu ao pensar naquilo conforme vestia o roupão e enfiava os pés nas pantufas com forro de lã. Mesmo com a primavera plena sobre eles, as manhãs eram frias. De fato, Ligeirinha estava ao lado da fogueira na cama acolchoada, enroscada. E tão exausta quanto Rowan, aparentemente. O cão não se incomodou em abrir um olho.

A rainha jogou os cobertores de volta no corpo nu de Rowan, sorrindo quando o parceiro nem mesmo se agitou. Ele preferia a reconstrução física — trabalhar durante horas consertando prédios e as muralhas da cidade — à *baboseira da corte*, como chamava. O que significava qualquer coisa que exigisse o uso de trajes formais.

Mas o macho prometera dançar com ela no casamento de Lysandra e Aedion. Que habilidades de dança tão inesperadamente belas tinha seu parceiro. *Apenas para ocasiões especiais*, avisara ele depois da coroação de Aelin.

Depois de mostrar a língua para ele, a jovem se afastou da cama e foi até as janelas que se abriam para a ampla sacada com vista para a cidade e a planície adiante. Seu ritual matinal; sair da cama, passar sorrateira pelas cortinas e aparecer na sacada para inspirar o ar da manhã.

Olhar seu reino, o reino deles, e ver que tinha resistido. Ver o verde da primavera e sentir o cheiro de pinho e neve e do vento das montanhas Galhada do Cervo. Às vezes, Rowan se juntava a ela, abraçando-a, calado, quando tudo o que acontecera pesava tanto sobre ela. Quando a perda da forma humana de Aelin permanecia como um membro fantasma. Outras vezes, nos dias em que ela acordava com olhos límpidos e sorrindo, Rowan se metamorfoseava e galgava aqueles ventos montanhosos, planando sobre a cidade, ou sobre Carvalhal, ou Galhada do Cervo. Como ele amava fazer, como fazia quando seu coração estava inquieto ou cheio de alegria.

Ela sabia que era a segunda opção que o fazia voar ultimamente.

Jamais deixaria de se sentir grata por isso. Pela luz, pela *vida* nos olhos de Rowan.

A mesma luz que Aelin sabia que brilhava nos seus.

A rainha levou a mão às pesadas cortinas, sentindo a maçaneta da porta da sacada. Com um último sorriso para Rowan, ela deslizou para o sol da manhã e a brisa fria.

Aelin ficou imóvel, com as mãos caindo, inertes, ao lado do corpo, ao ver o que o alvorecer havia revelado.

— Rowan — sussurrou ela.

Pelo farfalhar dos lençóis, Aelin sabia que ele tinha acordado imediatamente. Caminhado rápido até ela, mesmo enquanto colocava a calça.

Mas Aelin não se virou quando Rowan correu até a sacada. E parou também.

Calados, eles olharam. Sinos começaram a soar; pessoas gritavam.

Não de medo. Mas maravilhadas.

Levando a mão à boca, Aelin observou a vastidão do mundo.

O vento da montanha soprou para longe suas lágrimas, carregando-as como uma canção, antiga e adorável. Do próprio coração da floresta de Carvalhal. Do próprio coração da terra.

Rowan entrelaçou os dedos de ambos e sussurrou, com espanto em cada palavra:

— Para você, Coração de Fogo. Tudo isso é para você.

Aelin chorou então. Chorou com uma alegria que iluminou seu coração, mais forte que qualquer magia.

Pois sobre cada montanha, espalhadas sob o dossel verde de Carvalhal, cobrindo toda a planície de Theralis, chamas do rei floresciam.

⊰ AGRADECIMENTOS ⊱

Concluir uma série na qual tenho trabalhado durante (literalmente) metade da vida não é uma tarefa fácil. Mas encontrar uma forma de agradecer adequadamente a todos que tiveram um papel em fazer meu sonho se tornar realidade é igualmente desafiador.

Suponho que eu deva começar por meus pais, a quem este livro é dedicado e cujo amor pela leitura inspirou o meu. Obrigada por lerem para mim todas as noites quando eu era pequena, por jamais me dizerem que eu era velha demais para contos de fadas e por me empoderarem para que seguisse meus sonhos.

Nada disso teria sido possível sem minha agente corajosa e maravilhosa, Tamar Rydzinski. Tamar: você assinou contrato comigo quando eu era uma escritora não publicada de 22 anos e acreditou nesta série quando ninguém mais acreditou. Trabalhar com você nesses últimos dez anos tem sido um privilégio e uma alegria — obrigada por ser minha campeã, minha fada madrinha e, mais importante, minha amiga.

Ao longo desta série, tive a honra de trabalhar com vários editores fantásticos. Para Margaret Miller: obrigada por assumir um risco com este livro e por sua orientação editorial perspicaz e genial ao longo dos anos. Sou uma escritora melhor por ter trabalhado com você. Para Michelle Nagler e Cat Onder: obrigada por seu apoio, sua visão e seu carinho. Para Laura Bernier: obrigada por toda a sua ajuda com *Torre do alvorecer* — trabalhar com você naquele livro foi um prazer. Para Bethany Strout: obrigadíssima por todo o seu parecer maravilhoso e crucial para *Reino de cinzas*. Você me ajudou a modelar este livro em algo do qual sinto orgulho de verdade. E para Kamilla Benko: não temos tanto tempo juntas, mas já é um prazer incrível!

Para Lynette Noni: obrigada, obrigada, obrigada por suas observações absurdamente brilhantes neste livro, por lê-lo várias vezes e por todas aquelas correções de última hora. Fico tão feliz por nossos caminhos terem se cruzado na Austrália há tantos anos.

Para toda a equipe da Bloomsbury, presente e passada, que trabalhou tão incansavelmente nestes livros: Cindy Loh, Cristina Gilbert, Kathleen Farrar, Nigel Newton, Rebecca McNally, Emma Hopkin, Lizzy Mason, Erica Barmash, Emily Ritter, Alona Fryman, Alexis Castellanos, Courtney Griffin, Beth Eller, Jenny Collins, Phoebe Dyer, Nick Parker, Lily Yengle, Frank Bumbalo, Donna Mark, John Candell, Yelena Safronova, Melissa Kavonic, Oona Patrick, Liz Byer, Diane Aronson, Kerry Johnson, Christine Ma, Linda Minton, Chandra Wohleber, Jill Amack, Emma Saska, Donna Gauthier, Doug White, Nicholas Church, Claire Henry, Lucy MacKay-Sim, Elise Burns, Andrea Kearney, Maia Fjord, Laura Main Ellen, Sian Robertson, Emily Moran, Ian Lamb, Emma Bradshaw, Fabia Ma, Grace Whooley, Alice Grigg, Joanna Everard, Jacqueline Sells, Tram-Anh Doan, Beatrice Cross, Jade Westwood, Cesca Hopwood, Jet Purdie, Saskia Dunn, Sonia Palmisano, Catriona Feeney, Hermione Davis, Hannah Temby, Grainne Reidy, Kate Sederstrom, Hali Baumstein, Charlotte Davis, Jennifer Gonzalez, Veronica Gonzalez, Elizabeth Tzetzo. Obrigada, do fundo do coração, por tornarem esta série uma realidade. Adoro todos vocês.

Para a equipe da Laura Dail Literary Agency: vocês são guerreiros e amo vocês. Para Giovanna Petta e Grace Beck: *muito* obrigada pela ajuda. Para Jon Cassir e a equipe da CAA: obrigada por serem colegas de trabalho tão fantásticos e por encontrarem lares tão bons para meus livros. Para Maura Wogan e Victoria Cook: obrigada por serem uma equipe legal e tão estelar. Para David Arntzen: obrigada por toda sua orientação e carinho durante esses anos. Para Cassie Homer: obrigada por ser a melhor assistente que existe! Para Talexi: obrigada pelas capas maravilhosas!

Um obrigada imenso e de coração para todos os meus editores maravilhosos pelo mundo: Alemanha: DTV Junior, Bósnia: Sahinpasic, Brasil: Galera Record, Bulgária: Egmont, China: Honghua Culture, Coréia: Athena, Croácia: Fokus, Dinamarca: Tellerup, Eslováquia: Slovart, Eslovênia: Ucila International, Espanha: Santillana & Planeta, Estônia: Pikoprit, Finlândia:

Gummerus, França: Editions du Seuil, Geórgia: Palitra, Grécia: Psivhogios, Holanda: Meulenhof/Van Goor, Hungria: Konyvmolykepzo, Israel: Kor'im, Itália: Mondadori, Japão: Villagebooks, Lituânia: Alma Littera, Noruega: Gyldendal, Polônia: Wilga, Portugal: Marcador, República Tcheca: Albatros, Romênia: RAO, Rússia: Azbooka Atticus, Sérvia: Laguna, Suécia: Modernista, Tailândia: Nanmee Books, Taiwan: Sharp Point Press, Turquia: Dogan Kitap, Ucrânia: Vivat. Estou de dedos cruzados para conseguir conhecer todos vocês pessoalmente um dia!

Eu não teria chegado até aqui se não fosse por alguns de meus primeiros leitores: a comunidade Fictionpress. Como posso mostrar minha gratidão por tudo o que vocês fizeram? Seu amor por esses personagens e por esse mundo me deu a coragem de tentar ser publicada. Obrigada por me acompanharem até o fim.

Uma das melhores partes desta jornada foram os amigos que fiz pelo caminho. Obrigada com amor eterno para Louisse Ang, Steph Brown, Jennifer Kelly, Alice Fanchiang, Diyana Wan, Laura Ashforth, Alexa Santiago, Rachel Domingo, Jessica Reigle, Jennifer Armentrout, Christina Hobbs, Lauren Billings e Kelly Grabowski. Para Charlie Bowater: conhecer você foi um ponto alto em minha carreira, e sua arte incrível me inspirou de tantas formas. Obrigada por todo o trabalho árduo (e por ser um gênio e tanto).

Para minha família: obrigada por seu amor incondicional. Isso me carregou mais longe do que vocês imaginam. Para meus sogros, Linda e Dennis: obrigada por cuidarem tão bem de Josh e de mim nesses últimos meses (tudo bem, sejamos honestos: pelos últimos 14 anos!) e por serem avós tão maravilhosos e altruístas.

Para *você*, caro leitor: obrigada do fundo do coração por *tudo*. Nada disso teria sido possível sem você. Eu poderia escrever mais mil páginas sobre o quanto sou grata e sempre serei. Mas, no fim, só consigo pensar em dizer que espero que seus sonhos, quaisquer que sejam, se realizem. Espero que você siga seus sonhos de coração, espero que trabalhe para realizá-los, não importa quanto tempo leve, não importa o quanto pareça improvável. Acredite em si mesmo, ainda que pareça que o mundo não acredita. Acredite em si mesmo, e isso levará você mais longe do que poderia imaginar. Você consegue. Você *vai* conseguir. Estou torcendo.

Para Annie, minha companheira canina e (outra) melhor amiga: você se sentou a meu lado (ou em meu colo, no sofá, a meus pés) enquanto eu escrevia esses livros. Se eu pudesse, lhe daria um estoque infinito de bifinhos por todo o seu amor incondicional — e por toda a alegria que me trouxe. Amo você para sempre e além, cachorrinha.

Para Josh, meu marido, meu *carranam*, meu parceiro: o que posso dizer? Conheço você há quase tanto tempo quanto venho trabalhando nesses livros — e que jornada foi essa. Todo dia, acordo com alegria e gratidão no coração porque posso trilhar esse caminho a seu lado. Obrigada por cuidar tão bem de mim, por ser meu melhor amigo, por me fazer rir e por me carregar quando eu achava que não podia continuar. Não teria conseguido sem você, e me sinto tão animada e abençoada por seguir por esse próximo trecho da jornada com você.

E, por fim, para Taran: você era o destino final o tempo todo, filhote. Você foi a coisa para a qual caminhei a vida inteira sem saber. Você é perfeito, é maravilhoso, é meu orgulho. Não vai se lembrar desses primeiros meses, mas acho estranhamente adequado que esses livros estejam acabando no mesmo momento que você chegou. É realmente um capítulo de minha vida que acaba e outro que começa.

Então, agora que estou nessa encruzilhada, quero que saiba que não importa onde seu caminho leve você, Taran, espero que encontre alegria, e surpresas, e sorte pelo caminho. Espero que seja guiado por coragem e compaixão e curiosidade. Espero que mantenha os olhos, assim como o coração, abertos, e que sempre tome o caminho menos desbravado. No entanto, mais do que tudo, espero que saiba que não importa o caminho, não importa até onde o leve, amo você. Para qualquer que seja o fim.

Este livro foi composto na tipografia Adobe
Caslon Pro, em corpo 11/14,5, e impresso em
papel off-white no Sistema Cameron da
Divisão Gráfica da Distribuidora Record.